GW00671113

Anglais

MINI DICTIONNAIRE

français - anglais • anglais - français

LAROUSSE

DICTIONNAIRES

© Larousse, 2012
21, rue du Montparnasse
75283 Paris Cedex 06, France

www.larousse.fr

ISBN 978-2-03- 586250-1 / ISBN 978-2-03- 588071-0

Édition / Editors

Marc Chabrier   Valérie Katzaros

avec / with
Garret White

Lecture / Proofreading

Anne Marsaleix   Mathilde Pyskir

Informatique éditoriale et composition / Data management and Typesetting

Dalila Abdelkader   Monika Al Mourabit

Maquette et mise en page / Design and Layout

Uli Meindl   Sophie Rivoire

Fabrication / Production

Marlène Delbeken

English

MINI DICTIONARY

French - English • English - French

L'AROUSSE
DICTIONNAIRES

Sommaire

Au lecteur

Abréviations... 6

Prononciation du français.................................... 10

Prononciation de l'anglais.................................... 12

Dictionnaire français-anglais............................... 15

Grammaire du français...................................... 385

Conjugaison des verbes français............................ 405

Grammaire de l'anglais...................................... 417

Verbes irréguliers anglais................................... 435

Guide de conversation....................................... 441

Les chiffres et l'heure....................................... 469

Dictionnaire anglais-français.............................. 481

Contents

To Our Readers

Abbreviations.. 6

French Pronunciation... 10

English pronunciation.. 12

French-English Dictionary................................. 15

French Grammar.. 385

French Verbs... 405

English Grammar... 417

English Irregular Verbs...................................... 435

Conversation Guide.. 441

Numbers and Time... 469

English-French Dictionary................................ 481

Au lecteur

Ce dictionnaire a été conçu pour répondre aux besoins du voyageur et du débutant.

Avec plus de 100 000 mots, traductions et expressions, ce dictionnaire présente non seulement le vocabulaire général mais aussi les mots de la vie quotidienne.

De nombreux exemples et des indicateurs de sens précis éclairent le vocabulaire essentiel. Les termes dont l'emploi nécessite une plus grande précision sont mis en relief par une présentation étudiée.

Des informations culturelles et des renseignements pratiques ouvrant des aperçus sur un autre pays sont à découvrir au fil du dictionnaire.

Nous espérons que vous apprécierez cet ouvrage et nous vous invitons à nous envoyer vos suggestions.

L'éditeur

To our readers

This dictionary was developed to meet the needs of both the traveller and the beginner.

With over 100,000 words, phrases and translations, this dictionary provides not only general vocabulary but also the language used in everyday life.

Clear sense markers are provided to guide the reader to the correct translation, while special emphasis has been placed on many basic words, with helpful examples of usage and a particularly user-friendly layout.

Cultural notes and practical information can be found throughout to allow for interesting insights into life in French-speaking countries.

We hope you enjoy using this dictionary, and don't hesitate to send us your comments.

The publisher

abréviation	abbr/abr	abbreviation
adjectif	adj	adjective
adverbe	adv	adverb
anatomie	ANAT	anatomy
article	art	article
anglais d'Australie	Austr	Australian English
automobile	AUT/AUTO	automobile, cars
auxiliaire	aux	auxiliary verb
belgicisme	Belg	Belgian French
commerce	COMM	commerce, business
comparatif	compar	comparative
informatique	COMPUT	computers
conjonction	conj	conjunction
progressif	cont	continuous
cuisine, art culinaire	CULIN	culinary, cooking
droit	DR	law
interjection	excl	exclamation
féminin	f	feminine
familier	fam	informal
figuré	fig	figurative
finance	FIN	finance, financial
soutenu	fml	formal
féminin pluriel	fpl	feminine plural
grammaire	GRAM/GRAMM	grammar
verbe impersonnel	impers vb	impersonal verb
familier	inf	informal
informatique	INFORM	computers
inséparable	insep	inseparable
interjection	interj	exclamation
invariable	inv	invariable
droit	LAW	law
locution adjectivale	loc adj	adjectival phrase
locution adverbiale	loc adv	adverbial phrase

locution prépositionnelle	loc prép	prepositional phrase
masculin	m	masculine
masculin ou féminin	m ou f	masculine or feminine
mathématiques	MATH	mathematics
médecine	MÉD	medicine
même forme pour le masculin et le féminin	mf	masculine and feminine
militaire	MIL	military
masculin pluriel	mpl	masculine plural
musique	MUS	music
nom	n	noun
nautique	NAUT	nautical
nom féminin	nf	feminine
nom féminin pluriel	nfpl	plural feminine
nom masculin	nm	masculine noun
nom dont le genre est flottant : ex. un arobase ou une arobase	nm ou nf	either feminine or masculine
nom masculin et nom féminin : ex. menteur, euse	nm, f	masculine with feminine ending
même forme pour le masculin et le féminin : ex. démocrate	nmf	masculine and feminine
nom masculin pluriel	nmpl	masculine plural
nom pluriel	npl	plural noun
numéral	num	numeral
anglais de Nouvelle-Zélande	NZ	New Zealand English
	o.s.	oneself
participe présent	p prés	present participle
péjoratif	pej/péj	pejorative
pluriel	pl	plural
politique	POL	politics
participe passé	pp	past participle
préfixe	préf	prefix
préposition	prep	preposition
participe présent	p prés	present participle

pronom	pronoun/pron	pronoun
pronom interrogatif	pron interr	interrogative pronoun
pronom relatif	pron rel	relative pronoun
passé	pt	past tense
québecisme	Québec	Canadian French
quelque chose	qqch	something
quelqu'un	qqn	somebody
radio	RADIO	radio
religion	RELIG	religion
scolaire	SCH/SCOL	school
anglais d'Écosse	Scot	Scottish English
séparable	sep	separable
singulier	sg/sing	singular
SMS	SMS	messaging texting
quelque chose	sthg	something
soutenu	sout	formal
sport	SPORT	sport
suffixe	suffix	suffix
superlatif	superl	superlative
technologie	TECH	technology, technical
SMS	texting	messaging texting
transports	TRANS	transport
télévision	TV	television
indénombrable	U	uncountable
anglais britannique	UK	British English
anglais américain	US	American English
verbe préposition	v + prép	verb + preposition
verbe auxiliaire	v aux	auxiliary verb
verbe impersonnel	v impers	impersonal verb
verbe intransitif	vi	intransitive verb
verbe pronominal	vp	reflexive verb
verbe pronominal + préposition	vp + prép	pronominal verb + preposition
verbe transitif	vt	transitive verb
vulgaire	vulg	vulgar

Mots composés anglais

On désigne par composés des entités lexicales ayant un sens autonome mais qui sont composées de plus d'un mot, par exemple *point of view*, *kiss of life*, *virtual reality* et *West Indies*. Nous avons pris le parti de faire figurer les composés anglais dans l'ordre alphabétique général. Le composé *blood test* est ainsi présenté après *bloodshot* qui suit *blood pressure*.

English compounds

A compound is a word or expression which has a single meaning but is made up of more than one word, e.g. *point of view*, *kiss of life*, *virtual reality* and *West Indies*. It is a feature of this dictionary that English compounds appear in the A–Z list in strict alphabetical order. The compound *blood test* will therefore come after *bloodshot* which itself follows *blood pressure*.

Noms de marque

Les noms de marque sont désignés dans ce dictionnaire par le symbole ®. Néanmoins, ni ce symbole, ni son absence, ne sont représentatifs du statut légal de la marque.

Trademarks

Words considered to be trademarks have been designated in this dictionary by the symbol ®. However, neither the presence nor the absence of such designation should be regarded as affecting the legal status of any trademark.

	French	English	comments
[a]	lac, papillon		like a in cat
[ɑ]	tas, âme		like a in barn, dancer
[ɑ̃]	champ		the a sound of cat nasalized
[b]	bateau, rosbif	bottle, bib	
[d]	dalle, ronde	dog, did	
[e]	pays, année	pay	
[ɛ]	bec, aime	pet	
[ɛ̃]	main, timbre		the ay sound of pay nasalized
[ə]	le, je	mother, suppose	
[f]	fort	fib	
[g]	garder, épilogue	gag, great	
[ɥ]	lui, nuit		like wee in weed
[i]	fille, île		like ee in weed but shorter
[j]	yeux, yoga	spaniel	
[k]	karaté	kitchen	
[l]	halle, lit	little, help	
[m]	mât, drame	metal, comb	
[n]	nager, trône	night, dinner	
[ŋ]	parking, camping	song, finger	

	French	English	comments
[ɲ]	agneau, peigner		like new
[o]	drôle		like o in bow
[ɔ]	botte, automne	open	
[õ]	ongle		the o sound nasalized
[ø]	aveu, jeu		like e in mother
[œ]	peuple, bœuf		like u in burn
[p]	papa, prendre	pop, people	
[ʀ]	raisin, régime	right, carry	
[s]	savant	seal, peace	
[ʃ]	charrue, schéma	sheep, machine	
[t]	théâtre, temps	train, tip	
[tʃ]	tchèque, tchador	chain, wretched	
[u]	outil, goût		like oo in loop
[ũ]	brun, parfum		like the u of fun
[v]	voir, rive	vine, livid	
[w]	ouest, oui	wet, why, twin	
[y]	usage, lune		between o and i
[z]	zébu, zéro	zip, his	
[ʒ]	bijou, rouge	usual, measure	

	anglais	français	commentaires
[æ]	pat/bag/mad		son entre le a et le e
[ɑ:]	barn/car/laugh	lac/papillon	
[aɪ]	buy/light/aisle	paille/aïe	
[aʊ]	now/shout/town		se prononce comme ao
[b]	bottle/bib	bateau/rosbif	
[d]	dog/did	dalle/ronde	
[dʒ]	jig/fridge	gin/jeans	
[e]	pet, bet	pays, année	
[ə]	mother/suppose	cheval/je	
[ɜ:]	burn/learn/bird	ailleurs	
[eə]	pair/bear/share	fer/mer	
[eɪ]	bay/late/great	paye	
[f]	fib/physical	fort/physique	
[g]	gag/great	garder/épilogue	
[h]	how/perhaps		son h aspiré
[ɪ]	pit/big/rid		son i bref
[i:]	bean/weed	riz/fille/île	
[ɪə]	peer/fierce/idea	mieux	son i long
[j]	you/spaniel	yeux/yaourt	
[k]	come/kitchen	coq/quatre	
[kv]	quarter		se prononce comme kw
[l]	little/help	halle/lit	
[m]	metal/comb	mât/drame	
[n]	night/dinner	nager/trône	

	anglais	français	commentaires
[ŋ]	song/finger	parking/camping	
[ɒ]	dog/sorry	poche/roc/sol	
[ɔː]	lawn	drôle/aube	
[aʊ]	no/road/blow	sot/pot	
[ɔɪ]	boy/foil	coyote	
[ʊ]	put/full	outil/goût	
[uː]	loop/moon		son ou long
[ʊə]	poor/sure/tour	touriste/pour	
[p]	pop/people	papa/prendre	
[r]	right/carry	arracher/sabre	
[s]	seal/peace	cela/savant	
[ʃ]	sheep/machine	charrue/schéma	
[t]	train/tip	théâtre/temps	
[tʃ]	chain/wretched	tchèque/tchador	
[θ]	think/fifth		se prononce comme un s, mais en pointant la langue contre les incisives.
[ð]	this/with		se prononce comme un z, mais en pointant la langue contre les incisives.
[ʌ]	cut/sun		son o tirant sur le a
[v]	vine/livid	voir/rive	
[w]	wet/why/twin	ouest/oui	
[z]	zip/his	zébu/zéro	
[ʒ]	usual/measure	bijou/rouge	

Point d'information complémentaire sur la phonétique

Le symbole ['] représente le « h » aspiré français, par exemple *hacher* [ˈaʃe].

Le symbole [ˈ] indique la syllabe accentuée. Lorsqu'il y a deux accents, le symbole [ˌ] indique le plus faible des deux.

Le symbole [ʳ] indique que le « r » final d'un mot anglais ne se prononce que lorsqu'il forme une liaison avec la voyelle du mot suivant ; le « r » final est presque toujours prononcé en anglais américain.

Additional information on phonetic transcription

The symbol [ˈ] has been used to represent the French 'h aspiré', e.g. *hacher* [ˈaʃe].

The symbol [ˈ] indicates that the following syllable carries primary stress and the symbol [ˌ] that the following syllable carries secondary stress.

The symbol [ʳ] in English phonetics indicates that the final 'r' is pronounced only when followed by a word beginning with a vowel. Note that it is nearly always pronounced in American English.

Français-Anglais

French-English

Aa

a [a] 3ᵉ pers. du sg de l'ind. prés. → **avoir**.

A *abr de* **autoroute**.

à [a] ◆ **prép 1.** [introduit un complément d'objet indirect] to ▸ **penser à** to think about ▸ **donner qqch à qqn** to give sb sthg **2.** [indique le lieu où l'on est] at ▸ **à la campagne** in the country ▸ **j'habite à Paris** I live in Paris ▸ **rester à la maison** to stay at home ▸ **il y a une piscine à deux kilomètres du village** there is a swimming pool two kilometres from the village **3.** [indique le lieu où l'on va] to ▸ **allons au théâtre** let's go to the theatre ▸ **il est parti à la pêche** he went fishing **4.** [introduit un complément de temps] at ▸ **embarquement à 21 h 30** boarding is at nine thirty p.m ▸ **au mois d'août** in August ▸ **le musée est à cinq minutes d'ici** the museum is five minutes from here ▸ **à jeudi !** I see you Thursday! **5.** [indique la manière, le moyen] : **à deux** together ▸ **à pied** on foot ▸ **écrire au crayon** to write in pencil ▸ **à la française** in the French style ▸ **fait à la main** handmade, made by hand **6.** [indique l'appartenance] : **cet argent est à moi / à lui / à Isabelle** this money is mine / his / Isabelle's ▸ **à qui sont ces lunettes ?** whose are these glasses? ▸ **une amie à moi** a friend of mine **7.** [indique un prix] : **une place à 15 euros** a 15-euro seat **8.** [indique une caractéristique] with ▸ **le garçon aux yeux bleus** the boy with the blue eyes ▸ **du tissu à rayures** striped fabric ▸ **un bateau à vapeur** a steamboat **9.** [indique un rapport] by ▸ **100 km à l'heure** 100 km an hour **10.** [indique le but] : **maison à vendre** house for sale ▸ **le courrier à poster** the letters to be posted.

AB *(abr écrite de* **assez bien)** fair *(assessment of schoolwork).*

abaisser [4] [abese] **vt** [manette] to lower.

abandon [abɑ̃dɔ̃] **nm : à l'abandon** neglected ▸ **laisser qqch à l'abandon** to neglect sthg.

abandonné, e [abɑ̃dɔne] **adj 1.** abandoned **2.** [village] deserted.

abandonner [3] [abɑ̃dɔne] ◆ **vt** to abandon. ◆ **vi** to give up.

abat-jour [abaʒur] **nm inv** lampshade.

abats [aba] **nmpl 1.** [de bœuf, de porc] offal *sg* **2.** [de volaille] giblets.

abattoir [abatwar] **nm** abattoir.

abattre [83] [abatr] **vt 1.** [arbre] to chop down **2.** [mur] to knock down **3.** [tuer] to kill **4.** [décourager] to demoralize ▸ **ne te laisse pas abattre !** don't let things get you down!

abattu, e [abaty] **adj** [découragé] dejected.

abbaye [abei] **nf** abbey.

abcès [apsɛ] **nm** abscess.

abdiquer [3] [abdike] **vi** [roi] to abdicate.

abdominal, e, aux [abdɔminal, o] adj abdominal. ◆ **abdominaux** nmpl **1.** [muscles] abdominal ou stomach muscles **2.** [exercices] **: faire des abdominaux** to do stomach exercises.

abeille [abɛj] nf bee.

aberrant, e [abɛrɑ̃, ɑ̃t] adj absurd.

abîmé, e [abime] adj [vêtement] ruined ; [livre, meuble] damaged.

abîmer [3] [abime] vt to damage. ◆ **s'abîmer** vp **1.** [fruit] to spoil **2.** [livre] to get damaged **▶ s'abîmer les yeux** to ruin one's eyesight.

aboiements [abwamɑ̃] nmpl barking sg.

abolir [32] [abɔlir] vt to abolish.

abominable [abɔminabl] adj awful.

abondance [abɔ̃dɑ̃s] nf **1.** [profusion] abundance **2.** [opulence] affluence.

abondant, e [abɔ̃dɑ̃, ɑ̃t] adj **1.** plentiful **2.** [pluie] heavy.

abonné, e [abɔne] ◆ nm, f **1.** [à un magazine] subscriber **2.** [au théâtre] season ticket holder. ◆ adj **: être abonné à un journal** to subscribe to a newspaper.

abonnement [abɔnmɑ̃] nm **1.** [à un magazine] subscription **2.** [de théâtre, de métro] season ticket.

abonner [3] [abɔne] ◆ **s'abonner à** vp + prép **: s'abonner à un journal** to suscribe to a newspaper.

abord [abɔr] ◆ **d'abord** adv first. ◆ **abords** nmpl **1.** surrounding area ou **2.** [d'une ville] outskirts.

abordable [abɔrdabl] adj affordable.

aborder [3] [abɔrde] ◆ vt **1.** [personne] to approach **2.** [sujet] to touch on. ◆ vi NAUT to reach land.

aboutir [32] [abutir] vi [réussir] to be successful **▶ aboutir à** a) [rue] to lead to b) [avoir pour résultat] to result in.

aboyer [13] [abwaje] vi to bark.

abrégé [abreʒe] nm **: en abrégé** in short.

abréger [22] [abreʒe] vt to cut short **▶ abrège !** fam get to the point!

abreuvoir [abrœvwar] nm trough.

abréviation [abrevjasjɔ̃] nf abbreviation.

abri [abri] nm shelter **▶ être à l'abri (de)** to be sheltered (from) **▶ se mettre à l'abri (de)** to take shelter (from).

abricot [abriko] nm apricot.

abrité, e [abrite] adj sheltered.

abriter [3] [abrite] ◆ **s'abriter (de)** vp + prép to shelter (from).

abrupt, e [abrypt] adj [escarpé] steep.

abruti, e [abryti] ◆ adj **1.** fam [bête] thick **2.** [assommé] dazed. ◆ nm, f [fam] idiot.

abrutissant, e [abrytisɑ̃, ɑ̃t] adj mind-numbing.

ABS (abr de Antiblockiersystem) nm ABS (Anti-lock braking system).

absence [apsɑ̃s] nf **1.** absence **2.** [manque] lack.

absent, e [apsɑ̃, ɑ̃t] ◆ adj [personne] absent. ◆ nm, f absentee.

absenter [3] [apsɑ̃te] ◆ **s'absenter** vp to leave.

absolu, e [apsɔly] adj absolute.

absolument [apsɔlymɑ̃] adv absolutely.

absorbant, e [apsɔrbɑ̃, ɑ̃t] adj [papier, tissu] absorbent.

absorber [3] [apsɔrbe] vt **1.** to absorb **2.** [nourriture] to take.

abstenir [40] [apstənir] ◆ **s'abstenir** vp [de voter] to abstain ▸ **s'abstenir de faire qqch** to refrain from doing sthg.

abstention [apstɑ̃sjɔ̃] nf abstention.

abstenu, e [apstəny] pp → abstenir.

abstrait, e [apstrɛ, ɛt] adj abstract.

absurde [apsyrd] adj absurd.

abus [aby] nm : **évitez les abus** don't drink or eat too much.

abuser [3] [abyze] vi [exagérer] to go too far ▸ **abuser de** [force, autorité] to abuse.

abusif, ive [abyzif, iv] adj [excessif] excessive.

académie [akademi] nf [zone administrative] local education authority ▸ **l'Académie française** the French Academy (learned society of leading men and women of letters).

acajou [akaʒu] nm mahogany.

accabler [3] [akable] vt **1.** [surcharger] : **accabler qqn de** [travail] to overwhelm sb with **2.** [couvrir] : **accabler qqn d'injures** to shower sb with abuse **3.** [abattre] ▸ **accablé de chagrin** grief-stricken ▸ **accablé de soucis** careworn.

accalmie [akalmi] nf lull.

accaparer [3] [akapare] vt [personne, conversation] to monopolize.

accéder [18] [aksede] ◆ **accéder à** v + prép [lieu] to reach.

accélérateur [akseleratœr] nm accelerator.

accélération [akselerasjɔ̃] nf acceleration.

accélérer [18] [akselere] vi **1.** AUTO to accelerate **2.** [se dépêcher] to hurry.

accent [aksɑ̃] nm accent ▸ **mettre l'accent sur** to stress ▸ **accent aigu** acute (accent) ▸ **accent circonflexe** circumflex (accent) ▸ **accent grave** grave (accent).

accentué, e [aksɑ̃tɥe] adj **1.** [son, syllabe] stressed **2.** [traits, défaut] marked, pronounced ▸ **voyelle non accentuée** unstressed vowel.

accentuer [7] [aksɑ̃tɥe] vt [mot] to stress. ◆ **s'accentuer** vp [augmenter] to become more pronounced.

acceptable [akseptabl] adj acceptable.

accepter [4] [aksepte] vt **1.** to accept **2.** [supporter] to put up with ▸ **accepter de faire qqch** to agree to do sthg.

accès [aksɛ] nm **1.** [entrée] access **2.** [crise] attack ▸ **donner accès à** [ticket] to admit to ▸ **'accès interdit'** 'no entry' ▸ **'accès aux trains / aux quais'** 'to the trains'.

accessible [aksesibl] adj accessible.

accessoire [akseswar] nm accessory ▸ **accessoires beauté / cheveux** beauty / hair accessories.

accident [aksidɑ̃] nm accident ▸ **accident de la route** road accident ▸ **accident du travail** industrial accident ▸ **accident de voiture** car crash.

accidenté, e [aksidɑ̃te] adj **1.** [voiture] damaged **2.** [terrain] bumpy.

accidentel, elle [aksidɑ̃tɛl] adj **1.** [mort] accidental **2.** [rencontre, découverte] chance.

acclamer [3] [aklame] vt to cheer.

accolade [akɔlad] nf [signe graphique] curly bracket.

accompagnateur, trice [akɔ̃paɲatœr, tris] nm, f **1.** [de voyages] guide **2.** MUS accompanist.

accompagnement [akɔ̃paɲmɑ̃] nm MUS accompaniment.

accompagner [3] [akɔ̃paɲe] vt to accompany.

accomplir [32] [akɔ̃plir] vt to carry out.

accord [akɔr] nm 1. agreement 2. MUS chord ▸ **d'accord !** OK!, all right! ▸ **se mettre d'accord** to reach an agreement ▸ **être d'accord avec** to agree with ▸ **être d'accord pour faire qqch** to agree to do sthg.

accordéon [akɔrdeɔ̃] nm accordion.

accorder [3] [akɔrde] vt MUS to tune ▸ **accorder qqch à qqn** to grant sb sthg. ◆ **s'accorder** vp to agree ▸ **s'accorder bien** (couleurs, vêtements) to go together well.

accoster [3] [akɔste] ◆ vt [personne] to go up to. ◆ vi NAUT to moor.

accotement [akɔtmɑ̃] nm shoulder ▸ **'accotements non stabilisés'** 'soft verges'.

accouchement [akuʃmɑ̃] nm childbirth.

accoucher [3] [akuʃe] vi : **accoucher (de)** to give birth (to).

accouder [3] [akude] ◆ **s'accouder** vp to lean ▸ **s'accouder à la fenêtre** to lean out the window.

accoudoir [akudwar] nm armrest.

accourir [45] [akurir] vi to rush.

accouru, e [akury] pp → **accourir**.

accoutumance [akutymɑ̃s] nf MÉD addiction.

accoutumer [3] [akutyme] ◆ **s'accoutumer à** vp + prép to get used to.

Accra [akra] n Accra, Akkra.

accro [akro] fam ◆ adj hooked. ◆ nmf fanatic ▸ **c'est un accro du football** he's really mad on football ▸ **être accro à qqch** a) [drogue] to be hooked on sthg b) fig to be hooked on ou really into sthg.

Accrobranche® [akrobrɑ̃ʃ] nm treetop walking.

accroc [akro] nm rip, tear.

accrochage [akrɔʃaʒ] nm 1. [accident] collision 2. fam [dispute] quarrel.

accrocher [3] [akrɔʃe] vt 1. [tableau] to hang (up) 2. [caravane] to hook up 3. [déchirer] to snag 4. [heurter] to hit. ◆ **s'accrocher** vp fam [persévérer] to stick to it ▸ **s'accrocher à** [se tenir à] to cling to.

accroissement [akrwasmɑ̃] nm increase, growth.

accroître [94] [akrwatr] vt to increase. ◆ **s'accroître** vp to increase, to grow.

accroupir [32] [akrupir] ◆ **s'accroupir** vp to squat (down).

accru, e [akry] pp → **accroître**.

accueil [akœj] nm 1. [bienvenue] welcome 2. [bureau] reception ▸ **'accueil des groupes'** 'group visit'.

accueillant, e [akœjɑ̃, ɑ̃t] adj welcoming.

accueillir [41] [akœjir] vt 1. [personne] to welcome 2. [nouvelle] to receive.

accumuler [3] [akymyle] vt to accumulate. ◆ **s'accumuler** vp to build up.

accusation [akyzasjɔ̃] nf 1. [reproche] accusation 2. [juridique] charge.

accusé, e [akyze] ◆ nm, f accused. ◆ nm : **accusé de réception** acknowledgment slip.

accuser [3] [akyze] vt to accuse ▸ **ac-cuser qqn de qqch** to accuse sb of sthg ▸ **accuser qqn de faire qqch** to accuse sb of doing sthg.

acéré, e [asere] adj sharp.

acharnement [aʃarnəmã] nm relent-lessness ▸ **avec acharnement** relent-lessly.

acharner [3] [aʃarne] ◆ **s'acharner** vp : **s'acharner à faire qqch** to strive to do sthg ▸ **s'acharner sur qqn** to per-secute sb.

achat [aʃa] nm 1. [acquisition] buying 2. [objet] purchase ▸ **faire des achats** to go shopping.

acheter [28] [aʃte] vt to buy ▸ **ache-ter qqch à qqn** a) [pour soi] to buy sthg from sb b) [en cadeau] to buy sthg for sb.

acheteur, euse [aʃtœr, øz] nm, f buyer.

achever [19] [aʃve] vt 1. [terminer] to finish 2. [tuer] to finish off. ◆ **s'ache-ver** vp to end.

acide [asid] ◆ adj 1. [aigre] sour 2. [cor-rosif] acid. ◆ nm acid.

acier [asje] nm steel ▸ **acier inoxy-dable** stainless steel.

acné [akne] nf acne.

acompte [akõt] nm deposit.

à-coup [aku] (pl **à-coups**) nm jerk ▸ **par à-coups** in fits and starts.

acoustique [akustik] nf [d'une salle] acoustics sg.

acquérir [39] [akerir] vt 1. [acheter] to buy 2. [réputation, expérience] to ac-quire.

acquis, e [aki, iz] pp → **acquérir**.

acquisition [akizisjõ] nf 1. [action] acquisition 2. [objet] purchase ▸ **faire l'acquisition de** to buy.

acquitter [3] [akite] vt [juridique] to acquit. ◆ **s'acquitter de** vp + prép 1. [dette] to pay off 2. [travail] to car-ry out.

acra [akra] nm Creole fried fish or veg-etable ball.

âcre [akr] adj [odeur] acrid.

acrobate [akrɔbat] nmf acrobat.

acrobatie [akrɔbasi] nf acrobatics sg.

acrylique [akrilik] nm acrylic.

acte [akt] nm 1. [action] act, action 2. [document] certificate 3. [d'une pièce de théâtre] act ▸ **acte de naissance** birth certificate.

acteur, trice [aktœr, tris] nm, f [co-médien] actor (actress).

actif, ive [aktif, iv] adj active.

action [aksjõ] nf 1. [acte] action 2. [ef-fet] effect 3. FIN share.

actionnaire [aksjɔner] nmf share-holder.

actionner [3] [aksjɔne] vt to activate.

active adj f → **actif**.

activé [aktive] pp activated.

activer [3] [aktive] vt 1. [feu] to stoke 2. INFORM to activate. ◆ **s'activer** vp [se dépêcher] to get a move on.

activité [aktivite] nf activity ▸ **acti-vité professionnelle** occupation ▸ **en activité** a) [travailleur] working b) [vol-can] active.

actrice nf → **acteur**.

actu [akty] (abr de **actualité**) nf : **l'actu** the (latest) news.

actualité [aktyalite] nf **: l'actualité** current events ▸ **d'actualité** topical.
◆ **actualités** nfpl news *sg*.

actuel, elle [aktyɛl] adj current, present.

actuellement [aktyɛlmɑ̃] adv currently, at present.

⚠ Actually est un faux ami, il signifie *vraiment* ou *en fait* et non « actuellement ».

acupuncture, acuponcture [akypɔ̃ktyʀ] nf acupuncture.

adaptateur [adaptatœʀ] nm [pour prise de courant] adaptor.

adaptation [adaptasjɔ̃] nf adaptation.

adapter [3] [adapte] vt [pour le cinéma, la télévision] to adapt ▸ **adapter qqch à** [ajuster] to fit sthg to. ◆ **s'adapter** vp to adapt ▸ **s'adapter à** to adapt to.

addiction [adiksjɔ̃] nf (drug) addiction.

Addis-Abeba [adisabeba] n Addis Ababa.

additif [aditif] nm additive ▸ **'sans additif'** 'additive-free'.

addition [adisjɔ̃] nf **1.** [calcul] addition **2.** [note] bill 🇬🇧, check 🇺🇸 ▸ **faire une addition** to do a sum ▸ **payer l'addition** to pay (the bill) ▸ **l'addition, s'il vous plaît !** can I have the bill please!

additionner [3] [adisjɔne] vt to add (up).

adepte [adɛpt] nmf **1.** [d'une théorie] supporter **2.** [du ski, du jazz] fan.

adéquat, e [adekwa, at] adj suitable.

adhérent, e [aderɑ̃, ɑ̃t] nm, f member.

adhérer [18] [adere] vi **: adhérer à** a) [coller] to stick to b) [participer] to join.

adhésif, ive [adezif, iv] adj [pansement, ruban] adhesive.

adieu [adjø] (*mpl* **-x**) nm goodbye ▸ **adieu !** goodbye! ▸ **faire ses adieux à qqn** to say goodbye to sb.

adjectif [adʒɛktif] nm adjective.

adjoint, e [adʒwɛ̃, ɛ̃t] nm, f assistant.

admettre [84] [admɛtʀ] vt **1.** [reconnaître] to admit **2.** [tolérer] to allow **3.** [laisser entrer] to allow in ▸ **être admis (à un examen)** to pass (an exam).

administratif, ive [administʀatif, iv] adj administrative.

administration [administʀasjɔ̃] nf [gestion] administration ▸ **l'Administration** ≃ the Civil Service 🇬🇧.

administrer [3] [administʀe] vt **1.** [gérer] to manage, to administer **2.** [médicament, sacrement] to administer.

admirable [admiʀabl] adj admirable.

admirateur, trice [admiʀatœʀ, tʀis] nm, f admirer.

admiration [admiʀasjɔ̃] nf admiration.

admirer [3] [admiʀe] vt to admire.

admis, e [admi, iz] pp → **admettre**.

admissible [admisibl] adj SCOL *eligible* to take the second part of an exam.

ADN (*abr de* acide désoxyribonucléique) nm DNA (*deoxyribonucleic acid*).

adolescence [adɔlesɑ̃s] nf adolescence.

adolescent, e [adɔlesɑ̃, ɑ̃t] nm, f teenager.

adopter [3] [adɔpte] vt to adopt.

adoptif, ive [adɔptif, iv] adj **1.** [enfant, pays] adopted **2.** [famille] adoptive.

adoption [adɔpsjɔ̃] nf [d'un enfant] adoption.

adorable [adɔrabl] adj delightful.

adorer [3] [adɔre] vt to adore ▸ **j'adore le chocolat / nager** I love chocolate / swimming.

adosser [3] [adɔse] ◆ **s'adosser** vp : **s'adosser à** ou **contre** to lean against.

adoucir [32] [adusir] vt to soften.

adresse [adrɛs] nf **1.** [domicile] address **2.** [habileté] skill ▸ **adresse électronique** e-mail address.

adresser [4] [adrɛse] vt to address. ◆ **s'adresser** à vp + prép **1.** [parler à] to speak to **2.** [concerner] to be aimed at.

Adriatique [adrijatik] nf : **l'Adriatique** the Adriatic.

adroit, e [adrwa, at] adj skilful.

ADSL (abr de asymmetric digital subscriber line) nm ADSL.

adulte [adylt] nmf adult.

adverbe [advɛrb] nm adverb.

adversaire [advɛrsɛr] nmf opponent.

adverse [advɛrs] adj opposing ▸ **dans le camp adverse** the opposite camp.

aération [aerasjɔ̃] nf ventilation.

aérer [18] [aere] vt to air.

aérien, enne [aerjɛ̃, ɛn] adj [transport, base] air.

aérobic [aerɔbik] nm aerobics.

aéro-club [aerɔklœb] (pl aéro-clubs) nm flying club.

aérodrome [aerɔdrom] nm aerodrome.

aérodynamique [aerɔdinamik] adj aerodynamic.

aérogare [aerɔgar] nf (air) terminal.

aéroglisseur [aerɔglisœr] nm hovercraft.

aérophagie [aerɔfaʒi] nf wind.

aéroport [aerɔpɔr] nm airport.

aérosol [aerɔsɔl] nm aerosol.

affaiblir [32] [afeblir] vt to weaken. ◆ **s'affaiblir** vp **1.** [personne] to weaken **2.** [lumière, son] to fade.

affaire [afɛr] nf **1.** [entreprise] business **2.** [question] matter **3.** [marché] deal **4.** [scandale] affair ▸ **avoir affaire à qqn** to deal with sb ▸ **faire l'affaire** to do (the trick). ◆ **affaires** nfpl [objets] belongings ▸ **les affaires** FIN business sg ▸ **occupe-toi de tes affaires !** mind your own business!

affaisser [4] [afese] ◆ **s'affaisser** vp **1.** [personne] to collapse **2.** [sol] to sag.

affamé, e [afame] adj starving.

affecter [4] [afɛkte] vt **1.** [toucher] to affect **2.** [destiner] to allocate.

affectif, ive [afɛktif, iv] adj emotional.

affection [afɛksjɔ̃] nf affection ▸ **affection respiratoire** respiratory illnesses.

affectueusement [afɛktɥøzmɑ̃] adv **1.** affectionately **2.** [dans une lettre] best wishes.

affectueux, euse [afɛktɥø, øz] adj affectionate.

affichage [afiʃaʒ] nm INFORM display ▸ **affichage numérique** digital display ▸ **'affichage interdit'** 'stick no bills'.

affiche [afiʃ] nf poster.

afficher [3] [afiʃe] vt **1.** [placarder] to post **2.** INFORM to display.

affilée [afile] ◆ **d'affilée** adv : **il a mangé quatre hamburgers d'affilée** he ate four hamburgers one after the other ▶ **j'ai travaillé huit heures d'affilée** I worked eight hours without a break.

affilier [9] [afilje] ◆ **s'affilier** vp *(emploi réfléchi)* : **s'affilier à** to affiliate o.s. ou to become affiliated to.

affirmatif, ive [afiʀmatif, iv] adj *(réponse)* affirmative. ◆ **affirmative** nf : **répondre par l'affirmative** to reply in the affirmative.

affirmation [afiʀmasjɔ̃] nf assertion.

affirmer [3] [afiʀme] vt to assert. ◆ **s'affirmer** vp *(personnalité)* to express itself.

affluence [aflyɑ̃s] nf crowd ▶ **aux heures d'affluence** at peak times.

affluent [aflyɑ̃] nm tributary.

affolement [afɔlmɑ̃] nm panic.

affoler [3] [afɔle] vt : **affoler qqn** to throw sb into a panic. ◆ **s'affoler** vp to panic.

affranchir [32] [afʀɑ̃ʃiʀ] vt [timbrer] to put a stamp on.

affranchissement [afʀɑ̃ʃismɑ̃] nm [timbre] stamp.

affreusement [afʀøzmɑ̃] adv awfully.

affreux, euse [afʀø, øz] adj **1.** [laid] hideous **2.** [terrible] awful.

affrontement [afʀɔ̃tmɑ̃] nm confrontation.

affronter [3] [afʀɔ̃te] vt **1.** to confront **2.** SPORT to meet ▶ **affronter un ennemi / un danger** to face an enemy / a danger. ◆ **s'affronter** vp **1.** to clash **2.** SPORT to meet.

affût [afy] nm : **être à l'affût (de)** to be on the lookout (for).

affûter [3] [afyte] vt to sharpen.

Afghanistan [afganistɑ̃] nm : **l'Afghanistan** Afghanistan.

afin [afɛ̃] ◆ **afin de** prép in order to. ◆ **afin que** conj so that.

africain, e [afʀikɛ̃, ɛn] adj African. ◆ **Africain, e** nm, f African.

Afrique [afʀik] nf : **l'Afrique** Africa ▶ **l'Afrique du Sud** South Africa.

agaçant, e [agasɑ̃, ɑ̃t] adj annoying.

agacer [16] [agase] vt to annoy.

âge [aʒ] nm age ▶ **quel âge as-tu ?** how old are you? ▶ **une personne d'un certain âge** a middle-aged person.

âgé, e [aʒe] adj old ▶ **il est âgé de 12 ans** he's 12 years old.

agence [aʒɑ̃s] nf **1.** [de publicité] agency **2.** [de banque] branch ▶ **agence de voyages** travel agent's ▶ **agence commerciale** sales office.

agenda [aʒɛ̃da] nm diary ▶ **agenda électronique** electronic pocket diary.

agenouiller [3] [aʒ(ə)nuje] ◆ **s'agenouiller** vp to kneel (down).

agent [aʒɑ̃] nm : **agent (de police)** policeman (policewoman) ▶ **agent de change** stockbroker.

agglomération [aglɔmeʀasjɔ̃] nf town ▶ **l'agglomération parisienne** Paris and its suburbs.

aggraver [3] [agʀave] vt to aggravate. ◆ **s'aggraver** vp to get worse.

agile [aʒil] adj agile.

agilité [aʒilite] nf agility.

agir [32] [aʒiʀ] vi to act. ◆ **s'agir** v impers : **dans ce livre il s'agit de...** this book is about… ▸ **il s'agit de faire des efforts** you /we must make an effort.

agitation [aʒitasjɔ̃] nf restlessness.

agité, e [aʒite] adj **1.** restless **2.** [mer] rough.

agiter [3] [aʒite] vt **1.** [bouteille] to shake **2.** [main] to wave. ◆ **s'agiter** vp to fidget.

agneau [aɲo] (pl **-x**) nm lamb.

agonie [agɔni] nf death throes pl.

agrafe [agʁaf] nf **1.** [de bureau] staple **2.** [de vêtement] hook.

agrafer [3] [agʁafe] vt to staple (together).

agrafeuse [agʁaføz] nf stapler.

agrandir [32] [agʁɑ̃diʁ] vt **1.** [trou, maison] to enlarge **2.** [photo] to enlarge. ◆ **s'agrandir** vp to grow.

agrandissement [agʁɑ̃dismɑ̃] nm [photo] enlargement.

agréable [agʁeabl] adj pleasant.

agréé, e [agʁee] adj [concessionnaire, appareil] authorized.

agrégation [agʁegasjɔ̃] nf competitive examination for secondary school and university teachers.

agrès [agʁɛ] nmpl SPORT apparatus sg.

agresser [4] [agʁese] vt to attack.

agresseur [agʁesœʁ] nm attacker.

agressif, ive [agʁesif, iv] adj aggressive.

agression [agʁesjɔ̃] nf attack.

agricole [agʁikɔl] adj agricultural.

agriculteur, trice [agʁikyltœʁ, tʁis] nm, f farmer.

agriculture [agʁikyltyʁ] nf agriculture.

agripper [3] [agʁipe] vt to grab. ◆ **s'agripper à** vp + prép to cling to.

agroalimentaire [agʁoalimɑ̃tɛʁ] adj : **industrie agroalimentaire** food-processing industry.

agrotourisme [agʁotuʁism] nm agrotourism.

agrumes [agʁym] nmpl citrus fruit sg.

ahuri, e [ayʁi] adj stunned.

ahurissant, e [ayʁisɑ̃, ɑ̃t] adj stunning.

ai [ɛ] 1ʳᵉ pers. du sg de l'ind. prés. → avoir.

aide [ɛd] nf help ▸ **appeler à l'aide** to call for help ▸ **à l'aide ! help !** ▸ **à l'aide de** [avec] with the aid of.

aider [4] [ede] vt to help ▸ **aider qqn à faire qqch** to help sb (to) do sthg. ◆ **s'aider** vp [s'assister mutuellement] to help each other. ◆ **s'aider de** vp + prép to use, to make use of.

aie [ɛ] 1ʳᵉ pers. du sg du subj. prés. → avoir.

aïe [aj] interj ouch !

aigle [ɛgl] nm eagle.

aigre [ɛgʁ] adj **1.** [goût] sour **2.** [ton] cutting.

aigre-doux, douce [ɛgʁədu, dus] (mpl aigres-doux, fpl aigres-douces) adj [sauce, porc] sweet-and-sour.

aigri, e [egʁi] adj bitter.

aigu, uë [egy] adj **1.** [perçant] high-pitched **2.** [pointu] sharp **3.** [douleur, maladie] acute.

aiguille [egɥij] nf **1.** [de couture, de seringue] needle **2.** [de montre] hand ▸ **aiguille de pin** pine needle ▸ **aiguille à tricoter** knitting needle.

aiguillette [egɥijɛt] nf : **aiguillettes de canard** strips of duck breast.

aiguiser [3] [egize] vt to sharpen.

ail [aj] nm garlic.

aile [ɛl] nf wing.

ailier [elje] nm 1. [au foot] winger 2. [au rugby] wing.

aille [aj] 1re et 3e pers. du sg du subj. prés. → **aller**.

ailleurs [ajœr] adv somewhere else ▸ **d'ailleurs** a) [du reste] moreover b) [à propos] by the way.

aimable [ɛmabl] adj kind.

aimant [ɛmɑ̃] nm magnet.

aimer [4] [eme] vt 1. [d'amour] to love 2. [apprécier] to like ▸ **aimer faire qqch** to like doing sthg ▸ **aimer bien qqch /faire qqch** to like sthg /doing sthg ▸ **j'aimerais** I would like ▸ **aimer mieux** to prefer.

aine [ɛn] nf groin.

aîné, e [ene] ◆ adj 1. [frère, sœur] older, elder 2. [fils, fille] oldest, eldest. ◆ nm, f 1. [frère] older brother 2. [sœur] older sister 3. [fils, fille] oldest (child), eldest (child) ▸ **elle est mon aînée de deux ans** she is two years older than me.

ainsi [ɛ̃si] adv 1. [de cette manière] in this way 2. [par conséquent] so ▸ **ainsi que** et ▸ **et ainsi de suite** and so on.

aïoli [ajɔli] nm garlic mayonnaise.

air [ɛr] nm 1. air 2. [apparence] look 3. [mélodie] tune ▸ **avoir l'air (d'être) malade** to look ill ▸ **avoir l'air d'un clown** to look like a clown ▸ **il a l'air de faire beau** it looks like being a nice day ▸ **en l'air** [en haut] in the air ▸ **ficher qqch en l'air** fam [gâcher] to mess sthg up ▸ **prendre l'air** to get a breath of fresh air ▸ **air conditionné** air conditioning.

Airbag® [ɛrbag] nm airbag®.

aire [ɛr] nf area ▸ **aire de jeu** playground ▸ **aire de repos** rest area, layby **UK** ▸ **aire de stationnement** parking area.

airelle [ɛrɛl] nf cranberry.

aisance [ɛzɑ̃s] nf 1. [assurance] ease 2. [richesse] wealth.

aise [ɛz] nf : **à l'aise** comfortable ▸ **mal à l'aise** uncomfortable.

aisé, e [eze] adj [riche] well-off.

aisselle [ɛsɛl] nf armpit.

ajouter [3] [aʒute] vt : **ajouter qqch (à)** to add sthg (to) ▸ **ajouter que** to add that.

ajustable [aʒystabl] adj adjustable.

ajuster [3] [aʒyste] vt 1. to fit 2. [vêtement] to alter.

alarmant, e [alarmɑ̃, ɑ̃t] adj alarming.

alarme [alarm] nf alarm ▸ **donner l'alarme** to raise the alarm.

alarmer [3] [alarme] vt to alarm. ◆ **s'alarmer** vp to get ou become alarmed.

albanais, e [albanɛ, ɛz] adj Albanian. ◆ **albanais** nm [langue] Albanian. ◆ **Albanais, e** nm, f Albanian.

Albanie [albani] nf : **l'Albanie** Albania.

album [albɔm] nm album ▸ **album (de) photos** photograph album.

alcool [alkɔl] nm alcohol ▸ **sans alcool** alcohol-free ▸ **alcool à 90°** surgical spirit ▸ **alcool à brûler** methylated spirits pl.

alcoolémie [alkɔlemi] nf : **taux d'alcoolémie** blood alcohol level.

alcoolique [alkɔlik] nmf alcoholic.

alcoolisé, e [alkɔlize] adj alcoholic.
▸ **non alcoolisé** nonalcoholic.

alcoolisme [alkɔlism] nm alcoholism.

alco(o)lo [alkɔlo] nmf *fam* alkie.

Alcootest® [alkotɛst] nm ≃ Breath-alyser®.

aléatoire [aleatwar] adj risky.

alentours [alãtur] nmpl surroundings
▸ **aux alentours** nearby ▸ **aux alentours de** [environ] around.

alerte [alɛrt] adj & nf alert ▸ **donner l'alerte** to raise the alarm.

alerter [3] [alɛrte] vt **1.** [d'un danger] to alert **2.** [informer] to notify.

algèbre [alʒɛbr] nf algebra.

Alger [alʒe] n Algiers.

Algérie [alʒeri] nf : **l'Algérie** Algeria.

algérien, enne [alʒerjɛ̃, ɛn] adj Algerian.

algue [alg] nf seaweed *sg.*

alibi [alibi] nm alibi.

alignement [aliɲmã] nm line.

aligner [3] [aliɲe] vt to line up.
◆ **s'aligner** vp to line up.

aliment [alimã] nm food.

alimentation [alimãtasjɔ̃] nf **1.** [nourriture] diet **2.** [produits] grocer's **3.** [électronique] supply ▸ **cordon d'alimentation secteur** mains power cable.

alimenter [3] [alimãte] vt **1.** to feed **2.** [approvisionner] to supply.

Allah [ala] nm Allah.

allaiter [4] [alete] vt to breast-feed.

alléchant, e [aleʃã, ãt] adj mouthwatering.

allée [ale] nf path ▸ **allées et venues** comings and goings.

allégé, e [aleʒe] adj [aliment] low-fat.

Allemagne [almaɲ] nf : **l'Allemagne** Germany.

allemand, e [almã, ãd] ◆ adj German.
◆ **allemand** nm [langue] German.
◆ **Allemand, e** nm, f German.

aller [31] [ale] ◆ nm **1.** [parcours] outward journey ▸ **à l'aller** on the way **2.** [billet] : **aller (simple)** single 🇬🇧, one-way ticket 🇺🇸 ▸ **aller et retour** return 🇬🇧 ou round-trip 🇺🇸 (ticket)

◆ vi **1.** [se déplacer] to go ▸ **aller au Portugal** to go to Portugal ▸ **pour aller à la cathédrale, s'il vous plaît ?** could you tell me the way to the cathedral please? ▸ **aller en vacances** to go on holiday 🇬🇧, to go on vacation 🇺🇸 **2.** [route] to go **3.** [exprime un état] : **comment allez-vous ?** how are you? ▸ **(comment) ça va ? — ça va** how are things? — fine ▸ **aller bien / mal** a) [personne] to be well / unwell b) [situation] to go well / badly **4.** [convenir] : **ça ne va pas** [outil] it's not any good ▸ **aller à qqn** a) [couleur] to suit sb b) [en taille] to fit sb ▸ **aller avec qqch** to go with sthg **5.** [suivi d'un infinitif, exprime le but] : **j'irai le chercher à la gare** I'll go and fetch him from the station ▸ **aller voir** to go and see **6.** [suivi d'un infinitif, exprime le futur proche] : **aller faire qqch** to be going to do sthg **7.** [dans des expressions] : **allez !** come on! ▸ **allons !** come on! ▸ **y aller** [partir] to be off ▸ **vas-y !** go on!

◆ **s'en aller** vp [partir] to go away ; [tache, couleur] to disappear ▸ **allez-vous-en !** go away!

allergénique [alɛrʒenik] adj allergenic.

allergie [alɛrʒi] nf allergy.

allergique [alɛrʒik] adj : **être allergique à** to be allergic to.

aller-retour [aler(ə)tur] (pl **allers-retours**) nm [billet] return (ticket).

alliage [aljaʒ] nm alloy.

alliance [aljɑ̃s] nf 1. [bague] wedding ring 2. [union] alliance.

(i) **L'Alliance française**

The Alliance Française is a privately run organization established in 1883 with the purpose of promoting the French language and French culture abroad. Today it operates 1072 centres in 138 different countries. One of its main activities is to provide French language and civilisation courses for all levels.

allié, e [alje] nm, f ally.

allô [alo] interj hello!

allocation [alɔkasjɔ̃] nf allocation ▸ **allocations familiales** family allowance sg.

allongé, e [alɔ̃ʒe] adj 1. [position] : **être allongé** to be lying down ou stretched out 2. [forme] elongated.

allonger [17] [alɔ̃ʒe] vt 1. [vêtement] to lengthen 2. [bras, jambe] to stretch out. ◆ **s'allonger** vp 1. [augmenter] to get longer 2. [s'étendre] to lie down.

allopathie [alɔpati] nf allopathy.

allumage [alymaʒ] nm AUTO ignition.

allumer [3] [alyme] vt 1. [feu] to light 2. [lumière, radio] to turn on. ◆ **s'allumer** vp [s'éclairer] to light up.

allumette [alymɛt] nf match.

allure [alyr] nf 1. [apparence] appearance 2. [vitesse] speed ▸ **à toute allure** at full speed.

allusion [alyzjɔ̃] nf allusion ▸ **faire allusion à** to refer ou allude to.

aloe vera [alɔevera] nm inv [plante, produit] aloe vera.

alors [alɔr] adv [par conséquent] so, then ▸ **alors, tu viens ?** are you coming, then? ▸ **ça alors !** my goodness!▸ **et alors ?** a) [et ensuite] and then what? b) [pour défier] so what? ▸ **alors que** a) [bien que] even though b) [tandis que] whereas, while.

alourdir [32] [alurdir] vt to weigh down.

aloyau [alwajo] (pl -x) nm sirloin.

Alpes [alp] nfpl : **les Alpes** the Alps.

alphabet [alfabɛ] nm alphabet.

alphabétique [alfabetik] adj alphabetical ▸ **par ordre alphabétique** in alphabetical order.

alpin [alpɛ̃] adj m → **ski**.

alpinisme [alpinism] nm mountaineering.

alpiniste [alpinist] nmf mountaineer.

Alsace [alzas] nf : **l'Alsace** Alsace.

alsacien, enne [alzasjɛ̃, ɛn] adj Alsatian. ◆ **alsacien** nm [dialecte] Alsatian. ◆ **Alsacien, enne** nm, f Alsatian.

altermondialisation [altɛrmɔ̃djalizasjɔ̃] nf alterglobalisation.

altermondialisme [altɛrmɔ̃djalism] nm alterglobalism.

altermondialiste [altɛrmɔ̃djalist] adj & nmf alterglobalist.

alternatif, ive [altɛrnatif, iv] adj alternating ; → **courant**. ◆ **alternative** nf alternative.

alternativement [altɛʀnativmɑ̃] adv alternately.

alterner [3] [altɛʀne] vi to alternate.

altitude [altityd] nf altitude ▸ **à 2 000 m d'altitude** at an altitude of 2,000 m.

alu [aly] adj fam : **papier alu** aluminium UK ou aluminum US foil.

aluminium [alyminjɔm] nm aluminium.

Alzheimer [alzajmɛʀ] n : **la maladie d'Alzheimer** Alzheimer's disease.

amabilité [amabilite] nf kindness.

amadouer [6] [amadwe] vt 1. [attirer] to coax 2. [calmer] to mollify.

amaigri, e [amegʀi] adj [visage] gaunt ; [trait] (more) pinched ▸ **je le trouve très amaigri** he looks a lot thinner ou as if he's lost a lot of weight.

amaigrissant, e [amegʀisɑ̃, ɑ̃t] adj slimming UK, reducing US.

amande [amɑ̃d] nf almond ▸ **pâte d'amandes** marzipan.

amant [amɑ̃] nm lover.

amarrer [3] [amaʀe] vt [bateau] to moor.

amasser [3] [amase] vt 1. to pile up 2. [argent] to amass.

amateur [amatœʀ] adj & nm amateur ▸ **être amateur de** to be keen on.

Amazone [amazon] nf : **l'Amazone** the Amazon (River).

Amazonie [amazoni] nf : **l'Amazonie** the Amazon (Basin).

ambassade [ɑ̃basad] nf embassy.

ambassadeur, drice [ɑ̃basadœʀ, dʀis] nm, f ambassador.

ambiance [ɑ̃bjɑ̃s] nf atmosphere ▸ **il y a de l'ambiance !** it's pretty lively in here! ▸ **d'ambiance** [musique, éclairage] atmospheric.

ambigu, uë [ɑ̃bigy] adj 1. [mot] ambiguous 2. [personnage] dubious.

ambitieux, euse [ɑ̃bisjø, øz] adj ambitious.

ambition [ɑ̃bisjɔ̃] nf ambition.

ambulance [ɑ̃bylɑ̃s] nf ambulance.

ambulant, e [ɑ̃bylɑ̃] adj m → **marchand**.

âme [am] nf soul.

amélioration [ameljɔʀasjɔ̃] nf improvement.

améliorer [3] [ameljɔʀe] vt to improve. ◆ **s'améliorer** vp to improve.

aménagé, e [amenaʒe] adj [cuisine, camping] fully-equipped.

aménager [17] [amenaʒe] vt [pièce, appartement] to fit out.

amende [amɑ̃d] nf fine.

amener [19] [amne] vt 1. to bring 2. [causer] to cause ▸ **amener qqn à faire qqch** to lead sb to do sthg.

amer, ère [amɛʀ] adj bitter.

américain, e [ameʀikɛ̃, ɛn] adj American. ◆ **Américain, e** nm, f American.

américanisme [ameʀikanism] nm Americanism.

Amérique [ameʀik] nf : **l'Amérique** America ▸ **l'Amérique centrale** Central America ▸ **l'Amérique latine** Latin America ▸ **l'Amérique du Sud** South America.

amertume [amɛʀtym] nf bitterness.

ameublement [amœbləmɑ̃] nm furniture.

ami, e [ami] nm, f 1. friend 2. [amant] boyfriend (girlfriend) ▸ **être (très) amis** to be (close) friends.

amiable [amjabl] adj amicable ▸ à l'amiable out of court.

amiante [amjɑ̃t] nm asbestos.

amical, e, aux [amikal, o] adj friendly.

amicalement [amikalmɑ̃] adv 1. in a friendly way 2. [dans une lettre] kind regards.

amincir [32] [amɛ̃siʁ] vt [régime] to make thinner ▸ cette veste t'amincit that jacket makes you look slimmer.

amincissement [amɛ̃sismɑ̃] nm slimming.

amitié [amitje] nf friendship ▸ amitiés [dans une lettre] best wishes.

amnésique [amnezik] adj amnesic.

amont [amɔ̃] nm : aller vers l'amont to go upstream ▸ en amont (de) upstream (from).

amorcer [16] [amɔʁse] vt [commencer] to begin.

amortir [32] [amɔʁtiʁ] vt 1. [choc] to absorb 2. [son] to muffle ▸ mon abonnement est maintenant amorti my season ticket is now paying for itself.

amortisseur [amɔʁtisœʁ] nm shock absorber.

amour [amuʁ] nm love ▸ faire l'amour to make love.

amoureux, euse [amuʁø, øz] ◆ adj in love. ◆ nmpl lovers ▸ être amoureux de qqn to be in love with sb.

amour-propre [amuʁpʁɔpʁ] nm pride.

amovible [amɔvibl] adj removable.

amphithéâtre [ɑ̃fiteatʁ] nm 1. amphitheatre 2. [salle de cours] lecture hall.

ample [ɑ̃pl] adj 1. [jupe] full 2. [geste] sweeping.

ampli [ɑ̃pli] nm fam amp.

amplificateur [ɑ̃plifikatœʁ] nm [de chaîne hi-fi] amplifier.

amplifier [9] [ɑ̃plifje] vt 1. [son] to amplify 2. [phénomène] to increase.

ampoule [ɑ̃pul] nf 1. [de lampe] bulb 2. [de médicament] phial 3. [cloque] blister ▸ ampoule basse consommation low-energy light bulb ▸ ampoule à économie d'énergie energy saving bulb.

amputer [3] [ɑ̃pyte] vt 1. to amputate 2. [texte] to cut.

amusant, e [amyzɑ̃, ɑ̃t] adj 1. [distrayant] amusing 2. [comique] funny.

amuse-gueule [amyzɡœl] nm inv appetizer.

amuser [3] [amyze] vt [faire rire] to amuser qqn to make sb laugh. ◆ s'amuser vp 1. [se distraire] to enjoy o.s. 2. [jouer] to play ▸ s'amuser à faire qqch to amuse o.s. doing sthg.

amygdales [amidal] nfpl tonsils.

an [ɑ̃] nm year ▸ il a neuf ans he's nine (years old) ▸ en l'an 2000 in the year 2000.

anachronique [anakʁɔnik] adj anachronistic.

analogique [analɔʒik] adj analog, analogue UK.

analogue [analɔg] adj similar.

analphabète [analfabɛt] adj illiterate.

analyse [analiz] nf analysis ▸ analyse de sang blood test.

analyser [3] [analize] vt [texte, données] to analyse.

ananas [anana(s)] nm pineapple.

anarchie [anaʁʃi] nf anarchy.

anatomie [anatɔmi] nf anatomy.

ancêtre [ɑ̃sɛtr] nmf 1. ancestor 2. [version précédente] forerunner.

anchois [ɑ̃ʃwa] nm anchovy.

ancien, enne [ɑ̃sjɛ̃, ɛn] adj 1. [du passé] ancient 2. [vieux] old 3. [ex-] former.

ancienneté [ɑ̃sjɛnte] nf [dans une entreprise] seniority.

ancre [ɑ̃kr] nf anchor ▶ jeter l'ancre to drop anchor ▶ lever l'ancre to weigh anchor.

Andes [ɑ̃d] nfpl : les Andes the Andes.

Andorre [ɑ̃dɔr] nf : l'Andorre Andorra.

Andorre-la-Vieille [ɑ̃dɔrlavjɛj] n Andorra la Vella.

andouille [ɑ̃duj] nf 1. CULIN type of sausage made of pig's intestines, eaten cold 2. fam [imbécile] twit.

andouillette [ɑ̃dujɛt] nf type of sausage made of pig's intestines, eaten grilled.

âne [an] nm 1. donkey 2. [imbécile] fool.

anéantir [32] [aneɑ̃tir] vt to crush.

anecdote [anɛkdɔt] nf anecdote.

anémie [anemi] nf anaemia.

ânerie [anri] nf [parole] stupid remark ▶ faire des âneries to do stupid things.

anesthésie [anɛstezi] nf anaesthetic ▶ être sous anesthésie to be under anaesthetic ▶ anesthésie générale general anaesthetic ▶ anesthésie locale local anaesthetic.

anesthésier [9] [anɛstezje] vt to anaesthetize, to anesthetize US.

aneth [anɛt] nm dill.

ange [ɑ̃ʒ] nm angel.

angine [ɑ̃ʒin] nf 1. [des amygdales] tonsillitis 2. [du pharynx] pharyngitis ▶ angine de poitrine angina.

anglais, e [ɑ̃glɛ, ɛz] ◆ adj English. ◆ nm [langue] English ▶ je ne parle pas anglais I don't speak English. ◆ Anglais, e nm, f Englishman (Englishwoman).

angle [ɑ̃gl] nm 1. [coin] corner 2. [géométrique] angle ▶ angle droit right angle.

Angleterre [ɑ̃glətɛr] nf : l'Angleterre England.

anglicisme [ɑ̃glisism] nm anglicism.

Anglo-Normandes adj f pl → île.

anglophone [ɑ̃glɔfɔn] ◆ adj English-speaking, anglophone. ◆ nmf English-speaker.

angoisse [ɑ̃gwas] nf anguish.

angoissé, e [ɑ̃gwase] adj anxious.

Angola [ɑ̃gɔla] nm : (l')Angola Angola.

angora [ɑ̃gɔra] nm angora.

anguille [ɑ̃gij] nf eel ▶ anguilles au vert eels cooked with white wine, cream, cress and herbs, a Belgian speciality.

angulaire [ɑ̃gylɛr] adj angular.

animal [animal] (pl -aux) nm animal ▶ animal domestique pet.

animalerie [animalri] nf pet shop.

animalier, ère [animalje, ɛr] adj : parc animalier wildlife park.

animateur, trice [animatœr, tris] nm, f 1. [de club, de groupe] coordinator 2. [à la radio, la télévision] presenter.

animation [animasjɔ̃] nf 1. [vivacité] liveliness 2. [dans la rue] activity. ◆ animations nfpl [culturelles] activities.

animé, e [anime] adj lively.

animer [3] [anime] vt 1. [jeu, émission] to present 2. [conversation] to liven up. ◆ s'animer vp 1. [visage] to light up

2. [rue] to come to life **3.** [conversation] to become animated.

anis [ani(s)] nm aniseed.

ankyloser [3] [ɑ̃kiloze] ◆ **s'ankyloser** vp [s'engourdir] to go numb.

anneau [ano] (pl -x) nm ring.

année [ane] nf year ▸ **année bissextile** leap year ▸ **année scolaire** school year.

annexe [anɛks] nf **1.** [document] appendix **2.** [bâtiment] annex.

anniversaire [aniversɛr] nm birthday ▸ **anniversaire de mariage** wedding anniversary.

annonce [anɔ̃s] nf **1.** announcement **2.** [dans un journal] advertisement ▸ **(petites) annonces** classified advertisements.

annoncer [16] [anɔ̃se] vt **1.** to announce **2.** [être signe de] to be a sign of. ◆ **s'annoncer** vp : **s'annoncer bien** to look promising.

annotation [anɔtasjɔ̃] nf annotation.

annuaire [anɥɛr] nm [recueil] yearbook ▸ **annuaire (téléphonique)** telephone directory ▸ **annuaire électronique** electronic directory.

annuel, elle [anɥɛl] adj annual.

annulaire [anɥlɛr] nm ring finger.

annulation [anylasjɔ̃] nf cancellation.

annuler [3] [anyle] vt **1.** to cancel **2.** INFORM to undo.

anomalie [anɔmali] nf anomaly.

anonymat [anɔnima] nm anonymity ▸ **garder l'anonymat** to remain anonymous.

anonyme [anɔnim] adj anonymous.

anorak [anɔrak] nm anorak.

anorexie [anɔrɛksi] nf anorexia.

anorexique [anɔrɛksik] adj & nmf anorexic.

anormal, e, aux [anɔrmal, o] adj **1.** abnormal **2.** péj [handicapé] mentally retarded.

anse [ɑ̃s] nf **1.** [poignée] handle **2.** [crique] cove.

antalgique [ɑ̃talʒik] adj & nm analgesic.

Antarctique [ɑ̃tarktik] nm : **l'(océan) Antarctique** the Antarctic (Ocean).

antenne [ɑ̃tɛn] nf **1.** [de radio, de télévision] aerial **2.** [d'animal] antenna ▸ **antenne parabolique** dish aerial ▸ **antenne satellite** satellite dish ▸ **antenne relais** mobile phone mast UK.

antérieur, e [ɑ̃terjœr] adj **1.** [précédent] previous **2.** [de devant] front.

anthrax® [ɑ̃traks] nm fam MÉD anthrax.

antiaméricanisme [ɑ̃tiamerikanism] nm anti-Americanism.

antiatomique [ɑ̃tiatɔmik] adj antiatomic, antiradiation.

antibiotique [ɑ̃tibjɔtik] nm antibiotic.

antibrouillard [ɑ̃tibrujar] nm fog lamp UK, foglight US.

anticancéreux, euse [ɑ̃tikɑ̃serø, øz] adj **1.** [centre, laboratoire] cancer (avant n) **2.** [médicament] anticancer (avant n).

anticiper [3] [ɑ̃tisipe] vt to anticipate.

antidopage [ɑ̃tidɔpaʒ], **antidoping** [ɑ̃tidɔpiŋ] adj inv : **contrôle antidopage** drugs test.

antidote [ɑ̃tidɔt] nm antidote.

antidouleur [ɑ̃tidulœr] ◆ adj inv [médicament] painkilling. ◆ nm painkiller.

antiémeutes [ãtiemøt] adj riot *(modificateur)* ▸ **brigade antiémeutes** riot squad.

antigel [ãtiʒɛl] nm antifreeze.

anti-inflammatoire [ãtiɛ̃flamatwaʀ] *(pl* **anti-inflammatoires** *)* ◆ adj anti-inflammatory. ◆ nm anti-inflammatory agent.

antillais, e [ãtije, ɛz] adj West Indian. ◆ **Antillais, e** nm, f West Indian.

Antilles [ãtij] nfpl **: les Antilles** the West Indies.

antimite [ãtimit] nm mothballs *pl.*

antimondialisation [ãtimɔ̃djalizasjɔ̃] nf & adj inv POL antiglobalization.

antipathique [ãtipatik] adj unpleasant.

antipelliculaire [ãtipelikylɛʀ] adj **: shampooing antipelliculaire** antidandruff shampoo.

antiperspirant, e [ãtipɛʀspiʀã, ãt] adj antiperspirant. ◆ **antiperspirant** nm antiperspirant.

antiquaire [ãtikɛʀ] nmf antiques dealer.

antique [ãtik] adj ancient.

antiquité [ãtikite] nf [objet] antique ▸ **l'Antiquité** Antiquity.

antirabique [ãtiʀabik] adj **: vaccin antirabique** rabies vaccine.

antiradar [ãtiʀadaʀ] adj inv antiradar.

antiradiation [ãtiʀadjasjɔ̃] adj **: bouclier antiradiation** radiation shield ▸ **étui antiradiation** [pour téléphone portable] anti-radiation case.

antisèche [ãtisɛʃ] nf [argot scolaire] crib (sheet), cheat sheet US, pony US.

antisémite [ãtisemit] ◆ nmf anti-Semite. ◆ adj anti-Semitic.

antiseptique [ãtisɛptik] adj antiseptic.

antislash [ãtislaʃ] nm backslash.

antiterroriste [ãtiteʀɔʀist] adj antiterrorist.

antivirus [ãtiviʀys] nm antivirus software.

antivol [ãtivɔl] nm anti-theft device.

anus [anys] nm anus.

anxiété [ãksjete] nf anxiety.

anxieux, euse [ãksjø, øz] adj anxious.

anxiolytique [ãksjɔlitik] nm tranquillizer UK, tranquilizer US.

AOC *(abr de* **appellation d'origine contrôlée)** label guaranteeing the quality of a French wine.

août [u(t)] nm August ▸ **en août, au mois d'août** in August ▸ **début août** at the beginning of August ▸ **fin août** at the end of August ▸ **le deux août** the second of August.

apaiser [4] [apeze] vt **1.** [personne, colère] to calm **2.** [douleur] to soothe.

apercevoir [52] [apɛʀsəvwaʀ] vt to see. ◆ **s'apercevoir** vp **: s'apercevoir de a)** [remarquer] to notice **b)** [comprendre] to realize ▸ **s'apercevoir que a)** [remarquer] to notice that **b)** [comprendre] to realize that.

aperçu, e [apɛʀsy] ◆ pp → **apercevoir.** ◆ nm general idea ▸ **aperçu avant impression** print preview.

apéritif [apeʀitif] nm aperitif.

apéro [apeʀo] nm *fam* aperitif, drink *(before a meal).*

aphone [afɔn] adj **: il était aphone** he'd lost his voice.

aphte [aft] nm mouth ulcer.

apitoyer [13] [apitwaje]

◆ **s'apitoyer sur** vp + prép [personne] to feel sorry for.

ap. J-C (abr écrite de après Jésus-Christ) AD (Anno Domini).

aplanir [32] [aplanir] vt **1.** to level (off) **2.** [difficultés] to smooth over.

aplatir [32] [aplatir] vt to flatten.

aplomb [aplɔ̃] nm [culot] nerve ▸ **être d'aplomb** [vertical] to be straight.

apostrophe [apɔstrɔf] nf apostrophe ▸ **s apostrophe "s"** apostrophe.

apôtre [apotr] nm apostle.

apparaître [91] [aparɛtr] vi to appear.

appareil [aparej] nm **1.** device **2.** [poste téléphonique] telephone ▸ **qui est à l'appareil ?** who's speaking? ▸ **appareil jetable** disposable camera ▸ **appareil ménager** household appliance ▸ **appareil photo** camera ▸ **appareil photo numérique** digital camera.

apparemment [aparamɑ̃] adv apparently.

apparence [aparɑ̃s] nf appearance.

apparent, e [aparɑ̃, ɑ̃t] adj **1.** [visible] visible **2.** [superficiel] apparent.

apparition [aparisjɔ̃] nf **1.** [arrivée] appearance **2.** [fantôme] apparition ▸ **faire son apparition** to come out.

appartement [apartəmɑ̃] nm flat UK, apartment US.

appartenir [40] [apartənir] vi : **appartenir à** to belong to.

appartenu [apartəny] pp → **appartenir**.

appart hôtel [apartotel] nm apartment hotel.

apparu, e [apary] pp → **apparaître**.

appât [apa] nm bait.

appel [apɛl] nm call ▸ **faire l'appel** SCOL to call the register UK, to call (the) roll US ▸ **faire appel à** to appeal to ▸ **faire un appel de phares** to flash one's headlights.

appeler [24] [aple] vt **1.** to call **2.** [interpeller] to call out to ▸ **appeler à l'aide** to call for help. ◆ **s'appeler** vp **1.** [se nommer] to be called **2.** [se téléphoner] to talk on the phone ▸ **comment t'appelles-tu ?** what's your name? ▸ **je m'appelle...** my name is...

appendicite [apɛ̃disit] nf appendicitis.

appesantir [32] [apəzɑ̃tir] ◆ **s'appesantir sur** vp + prép to dwell on.

appétissant, e [apetisɑ̃, ɑ̃t] adj appetizing.

appétit [apeti] nm appetite ▸ **avoir de l'appétit** to have a good appetite ▸ **bon appétit !** enjoy your meal!

applaudir [32] [aplodir] vt & vi to applaud.

applaudissements [aplodismɑ̃] nmpl applause sg.

appli [apli] (abr de application) nf INFORM app.

application [aplikasjɔ̃] nf **1.** [soin] application **2.** [d'une loi, d'un tarif] enforcement ▸ **lancer une application** INFORM to start an application.

applique [aplik] nf wall lamp.

appliqué, e [aplike] adj **1.** [élève] hardworking **2.** [écriture] careful.

appliquer [3] [aplike] vt **1.** [loi, tarif] to enforce **2.** [peinture] to apply. ◆ **s'appliquer** vp [élève] to apply o.s.

appoint [apwɛ̃] nm : **faire l'appoint** to give the exact money ▸ **d'appoint** [chauffage, lit] extra.

après-soleil **Apr**

apporter [3] [apɔʀte] vt **1.** to bring **2.** *fig* [soin] to exercise.

appréciable [apʀesjabl] adj **1.** [notable] appreciable **2.** [précieux] **: un grand jardin, c'est appréciable !** I/we really appreciate having a big garden.

appréciation [apʀesjasjɔ̃] nf **1.** [jugement] judgment **2.** [évaluation] estimate **3.** SCOL assessment.

apprécier [9] [apʀesje] vt **1.** [aimer] to appreciate, to like **2.** [évaluer] to estimate.

appréhension [apʀeɑ̃sjɔ̃] nf apprehension.

apprenant, e [apʀənɑ̃, ɑ̃t] nm, f learner.

apprendre [79] [apʀɑ̃dʀ] vt **1.** [étudier] to learn **2.** [nouvelle] to learn of ▸ **apprendre qqch à qqn** a) [discipline] to teach sb sthg b) [nouvelle] to tell sb sthg ▸ **apprendre à faire qqch** to learn (how) to do sthg.

apprenti, e [apʀɑ̃ti] nm, f apprentice.

apprentissage [apʀɑ̃tisaʒ] nm **1.** [d'un métier manuel] apprenticeship **2.** [d'une langue, d'un art] learning.

apprêter [4] [apʀete] ◆ **s'apprêter à** vp + prép **: s'apprêter à faire qqch** to be about to do sthg.

appris, e [apʀi, iz] pp → **apprendre**.

apprivoiser [3] [apʀivwaze] vt to tame.

approbation [apʀɔbasjɔ̃] nf approval.

approcher [3] [apʀɔʃe] ◆ vt to move nearer. ◆ vi **1.** [dans l'espace] to get nearer **2.** [dans le temps] to approach ▸ **approcher qqch de** to move sthg nearer (to) ▸ **approcher de** to approach. ◆ **s'approcher** vp to approach ▸ **s'approcher de** to approach.

approfondir [32] [apʀɔfɔ̃diʀ] vt **1.** [à l'écrit] to write in more detail about **2.** [à l'oral] to talk in more detail about.

approprié, e [apʀɔpʀije] adj appropriate.

approuver [3] [apʀuve] vt to approve of.

approvisionner [3] [apʀɔvizjɔne] ◆ **s'approvisionner** vp [faire ses courses] to shop ▸ **s'approvisionner en** to stock up on.

approximatif, ive [apʀɔksimatif, iv] adj approximate.

appt *abr écrite de* **appartement**.

appui-tête [apɥitɛt] (pl **appuis-tête**) nm headrest.

appuyer [14] [apɥije] ◆ vt to lean. ◆ vi **:** appuyer sur to press. ◆ **s'appuyer** vp **: s'appuyer à** to lean against.

après [apʀɛ] ◆ prép after. ◆ adv afterwards ▸ **après avoir fait qqch** after having done sthg ▸ **après tout** after all ▸ **l'année d'après** the following year ▸ **d'après moi** in my opinion.

après-demain [apʀɛdəmɛ̃] adv the day after tomorrow.

après-midi [apʀɛmidi] nm inv afternoon ▸ **l'après-midi** [tous les jours] in the afternoon.

après-rasage [apʀɛʀazaʒ] (pl **après-rasages**) nm aftershave.

après-shampo(o)ing [apʀɛʃɑ̃pwɛ̃] (pl **après-shampo(o)ings**) nm (hair) conditioner.

après-ski [apʀɛski] nm [chaussure] snow-boot.

après-soleil [apʀɛsɔlɛj] ◆ adj inv after-sun (avant n). ◆ nm (pl **après-soleils**) aftersun cream.

a priori [apʁijɔʁi] adv in principle.

apte [apt] adj **: apte à qqch** fit for sthg **▸ apte à faire qqch** fit to do sthg.

aptitudes [aptityd] nfpl ability sg.

aquarelle [akwaʁɛl] nf watercolour.

aquarium [akwaʁjɔm] nm aquarium.

aquatique [akwatik] adj aquatic.

aqueduc [akdyk] nm aqueduct.

Aquitaine [akiten] nf **: l'Aquitaine** Aquitaine (region in southwest of France).

AR abr écrite de **accusé de réception, aller-retour.**

arabe [aʁab] ◆ adj Arab. ◆ nm [langue] Arabic. ◆ **Arabe** nmf Arab.

arachide [aʁaʃid] nf groundnut.

araignée [aʁene] nf spider.

arbitraire [aʁbitʁɛʁ] adj arbitrary.

arbitre [aʁbitʁ] nm 1. referee 2. [au tennis, cricket] umpire.

arbitrer [3] [aʁbitʁe] vt 1. to referee 2. [au tennis, cricket] to umpire.

arborescence [aʁbɔʁesɑ̃s] nf tree structure.

arbre [aʁbʁ] nm tree **▸ arbre fruitier** fruit tree **▸ arbre généalogique** family tree.

arbuste [aʁbyst] nm shrub.

arc [aʁk] nm 1. [arme] bow 2. [géométrique] arc 3. [voûte] arch.

arcade [aʁkad] nf arch **▸ arcade sourcilière** arch of the eyebrow.

arc-bouter [3] [aʁkbute]
◆ **s'arc-bouter** vp to brace o.s.

arc-en-ciel [aʁkɑ̃sjɛl] (pl **arcs-en-ciel**) nm rainbow.

archaïque [aʁkaik] adj archaic.

arche [aʁʃ] nf arch **▸ l'Arche de Noé** Noah's Ark.

archéologie [aʁkeɔlɔʒi] nf archaeology.

archéologue [aʁkeɔlɔg] nmf archaeologist.

archet [aʁʃe] nm bow.

archipel [aʁʃipel] nm archipelago.

architecte [aʁʃitekt] nmf architect.

architecture [aʁʃitektyʁ] nf architecture.

archives [aʁʃiv] nfpl records.

Arctique [aʁktik] nm **: l'(océan) Arctique** the Arctic (Ocean).

ardent, e [aʁdɑ̃, ɑ̃t] adj 1. [soleil] blazing 2. fig [défenseur, désir] fervent.

ardoise [aʁdwaz] nf slate.

ardu, e [aʁdy] adj difficult.

arène [aʁen] nf 1. [de poisson] bone 2. [angle] corner.

arènes [aʁen] nfpl 1. [romaines] amphitheatre sg 2. [pour corridas] bullring sg.

arête [aʁet] nf 1. [de poisson] bone 2. [angle] corner.

argent [aʁʒɑ̃] nm 1. [métal] silver 2. [monnaie] money **▸ argent liquide** cash **▸ argent de poche** pocket money.

argenté, e [aʁʒɑ̃te] adj silver.

argenterie [aʁʒɑ̃tʁi] nf silverware.

Argentine [aʁʒɑ̃tin] nf **: l'Argentine** Argentina.

argile [aʁʒil] nf clay.

argot [aʁgo] nm slang.

argument [aʁgymɑ̃] nm argument.

argumenter [3] [aʁgymɑ̃te] vi to argue **▸ argumenter en faveur de / contre qqch** to argue for / against sthg.

aride [aʁid] adj arid.

aristocratie [aristɔkrasi] nf aristocracy.

arithmétique [aritmetik] nf arithmetic.

armature [armatyr] nf 1. framework 2. [d'un soutien-gorge] underwiring.

arme [arm] nf weapon ▸ **arme à feu** firearm.

armé, e [arme] adj armed ▸ **être armé de** to be armed with.

armée [arme] nf army.

armement [arməmã] nm arms pl.

Arménie [armeni] nf : (l')**Arménie** Armenia.

armer [3] [arme] vt 1. to arm 2. [appareil photo] to wind on.

armistice [armistis] nm armistice.

armoire [armwar] nf cupboard UK, closet US ▸ **armoire à pharmacie** medicine cabinet.

armoiries [armwari] nfpl coat of arms sg.

armure [armyr] nf armour.

arnaquer [3] [arnake] vt fam to rip off ▸ **se faire arnaquer** to be had.

arobase [arɔbaz] nm at' sign.

aromate [arɔmat] nm 1. [épice] spice 2. [fine herbe] herb.

aromathérapie [arɔmaterapi] nf aromatherapy.

aromatique [arɔmatik] adj aromatic.

aromatisant, e [arɔmatizã, ãt] adj : **substance aromatisante** flavouring.

aromatisé, e [arɔmatize] adj flavoured ▸ **aromatisé à la vanille** vanilla-flavoured.

arôme [arom] nm 1. [odeur] aroma 2. [goût] flavour ▸ **arôme naturel** natural flavour UK or flavor US.

arqué, e [arke] adj arched ▸ **avoir les jambes arquées** to have bow legs.

arracher [3] [araʃe] vt 1. [feuille] to tear out 2. [mauvaises herbes, dent] to pull out ▸ **arracher qqch à qqn** to snatch sthg from sb.

arrangement [arãʒmã] nm 1. [disposition] arrangement 2. [accord] agreement.

arranger [17] [arãʒe] vt 1. [organiser] to arrange 2. [résoudre] to settle 3. [réparer] to fix ▸ **cela m'arrange** that suits me. ◆ **s'arranger** vp 1. [se mettre d'accord] to come to an agreement 2. [s'améliorer] to get better ▸ **s'arranger pour faire qqch** to arrange to do sthg.

arrestation [arɛstasjɔ̃] nf arrest.

arrêt [arɛ] nm 1. [interruption] interruption 2. [station] stop ▸ **arrêt d'autobus** bus stop ▸ **arrêt de travail** stoppage ▸ **sans arrêt** [parler, travailler] nonstop ▸ **'ne pas descendre avant l'arrêt complet du train'** 'do not alight until the train has come to a complete stop' ▸ **'arrêt interdit'** 'no stopping' ▸ **'arrêt d'urgence'** 'emergency stop'.

arrêter [4] [arete] ◆ vt 1. to stop 2. [suspect] to arrest. ◆ vi to stop ▸ **arrêter de faire qqch** to stop doing sthg. ◆ **s'arrêter** vp to stop ▸ **s'arrêter de faire qqch** to stop doing sthg.

arrhes [ar] nfpl deposit sg ▸ **verser des arrhes** to pay a deposit.

arrière [arjɛr] adj inv & nm back ▸ **à l'arrière de** at the back of ▸ **en arrière** a) [rester, regarder] behind b) [tomber] backwards ▸ **'arrière des trains courts'** 'short trains end here'.

arriéré, e [arjere] adj backward.

arrière-boutique [arjerbutik] (pl arrière-boutiques) nf back of the shop.

arrière-goût [arjergu] (pl arrière-goûts) nm aftertaste.

arrière-grand-mère [arjergrãmɛr] (pl arrière-grands-mères) nf great-grandmother.

arrière-grand-père [arjergrãpɛr] (pl arrière-grands-pères) nm great-grandfather.

arrière-grands-parents [arjergrãparã] nmpl great-grandparents.

arrière-pays [arjerpei] nm inv hinterland ▸ dans l'arrière-pays toulousain in the countryside just inland from Toulouse.

arrière-pensée [arjerpãse] (pl arrière-pensées) nf ulterior motive.

arrière-petits-enfants [arjerpətizãfã] nmpl great-grandchildren.

arrière-plan [arjerplã] (pl arrière-plans) nm : à l'arrière-plan in the background.

arrière-saison [arjersezɔ̃] (pl arrière-saisons) nf late autumn.

arrivée [arive] nf 1. arrival 2. [d'une course] finish ▸ 'arrivées' 'arrivals'.

arriver [3] [arive] ◆ vi 1. to arrive 2. [se produire] to happen. ◆ v impers : il arrive qu'il soit en retard he is sometimes late ▸ il m'arrive d'oublier son anniversaire sometimes I forget his birthday ▸ que t'est-il arrivé ? what happened to you? ▸ arriver à qqch to reach sthg ▸ arriver à faire qqch to succeed in doing sthg, to manage to do sthg.

arriviste [arivist] nmf social climber.

arrobas, arobas [arobas] nf [dans une adresse électronique] at.

arrogant, e [arogã, ãt] adj arrogant.

arrondir [32] [arɔ̃dir] vt 1. [au chiffre supérieur] to round up 2. [au chiffre inférieur] to round down ▸ arrondir ses fins de mois to supplement one's income.

arrondissement [arɔ̃dismã] nm district.

> ⓘ **Les Arrondissements**
>
> This word is most often used in reference to the purely geographical divisions of France's three largest cities: Paris, Marseille, and Lyon. Paris' 20 arrondissements are arranged in a spiral around the Île de la Cité but do not always correspond to neighbourhood boundaries; le Marais, for example, straddles the third and fourth arrondissements. The divisions are expressed in ordinal numbers: Paris 15e, le sixième, etc.

arrosage [arozaʒ] nm watering.

arroser [3] [aroze] vt to water.

arrosoir [arozwar] nm watering can.

Arrt abr écrite de **arrondissement**.

art [ar] nm : l'art art ▸ arts plastiques SCOL arts ▸ arts graphiques graphic arts.

artère [arter] nf artery.

artichaut [artiʃo] nm artichoke.

article [artikl] nm article.

articulation [artikylasjɔ̃] nf ANAT joint.

articulé, e [artikyle] adj 1. [pantin] jointed 2. [lampe] hinged.

articuler [3] [artikyle] ◆ vt [prononcer] to articulate. ◆ vi to speak clearly.

artifice [artifis] nm → **feu**.

artificiel, elle [artifisjɛl] adj artificial.

artisan [artizɑ̃] nm craftsman *m*, craftswoman *f*.

artisanal, e, aux [artizanal, o] adj traditional.

artisanat [artizana] nm [produits] arts and crafts.

artiste [artist] nmf artist.

artistique [artistik] adj artistic.

as¹ [as] nm **1.** [carte] ace **2.** *fam* [champion] ace ▸ **l'as de pique** the aces of spades.

as² [a] 2ᵉ pers. du sg de l'ind. prés. → **avoir**.

asc. *abr écrite de* **ascenseur**.

ascendant [asɑ̃dɑ̃] nm [astrologique] ascendant.

ascenseur [asɑ̃sœr] nm lift [UK], elevator [US].

ascension [asɑ̃sjɔ̃] nf **1.** ascent **2.** *fig* [progression] progress ▸ **l'Ascension** Ascension.

ashkénaze [aʃkenaz] adj & nmf Ashkenazi.

asiatique [azjatik] adj Asian. ◆ **Asiatique** nmf Asian.

Asie [azi] nf : **l'Asie** Asia.

asile [azil] nm **1.** [psychiatrique] asylum **2.** [refuge] refuge.

aspartam(e) [aspartam] nm aspartame.

aspect [aspɛ] nm **1.** appearance **2.** [point de vue] aspect.

asperge [aspɛrʒ] nf asparagus ▸ **asperges à la flamande** asparagus served with chopped hard-boiled egg and butter, a Belgian speciality.

asperger [17] [aspɛrʒe] vt to spray.

aspérités [asperite] nfpl bumps.

asphyxie [asfiksi] nf **1.** MÉD asphyxia, suffocation **2.** *fig* [de l'économie] paralysis.

asphyxier [9] [asfiksje] vt to suffocate. ◆ **s'asphyxier** vp to suffocate.

aspirante [aspirɑ̃t] adj f → **hotte**.

aspirateur [aspiratœr] nm vacuum cleaner.

aspirer [3] [aspire] vt **1.** [air] to draw in **2.** [poussière] to suck up.

aspirine [aspirin] nf aspirin.

assaillant, e [asajɑ̃, ɑ̃t] nm, f attacker.

assaillir [47] [asajir] vt to attack ▸ **assaillir qqn de questions** to bombard sb with questions.

assaisonnement [asɛzɔnmɑ̃] nm **1.** [sel et poivre] seasoning **2.** [sauce] dressing.

assaisonner [3] [asɛzɔne] vt [salade] to dress ; [viande, plat] to season.

assassin [asasɛ̃] nm murderer.

assassiner [3] [asasine] vt to murder.

assaut [aso] nm assault ▸ **donner l'assaut** to attack.

assèchement [asɛʃmɑ̃] nm draining, drying-up.

assemblage [asɑ̃blaʒ] nm assembly.

assemblée [asɑ̃ble] nf meeting ▸ **l'Assemblée (nationale)** the (French) National Assembly.

assembler [3] [asɑ̃ble] vt to assemble.

asseoir [65] [aswar] ◆ **s'asseoir** vp to sit down.

assez [ase] adv **1.** [suffisamment] enough **2.** [plutôt] quite ▸ **assez de** enough ▸ **en avoir assez (de)** to be fed up (with).

assidu, e [asidy] adj diligent.

assiéger [22] [asjeʒe] vt to besiege.

assiette [asjɛt] nf plate ▸ **assiette de crudités** raw vegetables served as a starter ▸ **assiette creuse** soup dish ▸ **assiette à dessert** dessert plate ▸ **assiette plate** dinner plate ▸ **assiette valaisanne** cold meat, cheese and gherkins, a speciality of the Valais region of Switzerland.

assimiler [3] [asimile] vt [comprendre] to assimilate ▸ **assimiler qqch à qqch** to consider sthg as equivalent to sthg.

assis, e [asi, iz] ◆ pp → **asseoir**.
◆ adj : **être assis** to be seated ou sitting.

assises [asiz] nfpl : **(cour d')assises** ≃ crown court [UK] ; ≃ circuit court [US].

assistance [asistɑ̃s] nf **1.** [public] audience **2.** [aide] assistance.

assistant, e [asistɑ̃, ɑ̃t] nm, f **1.** assistant **2.** [en langues étrangères] (foreign language) assistant ▸ **assistante sociale** social worker.

assister [3] [asiste] vt [aider] to assist ▸ **assister à** a) [concert] to attend b) [meurtre] to witness.

association [asɔsjasjɔ̃] nf association ▸ **association sportive** sports club.

associé, e [asɔsje] nm, f **1.** [collaborateur] associate **2.** [actionnaire] partner.

associer [9] [asɔsje] vt to associate.
◆ **s'associer** vp : **s'associer (à** ou **avec)** to join forces (with).

assoiffé, e [aswafe] adj thirsty.

assombrir [32] [asɔ̃brir] vt to darken.
◆ **s'assombrir** vp to darken.

assommer [3] [asɔme] vt to knock out.

Assomption [asɔ̃psjɔ̃] nf : **l'Assomption** the Assumption.

assorti, e [asɔrti] adj **1.** [en harmonie] matching **2.** [varié] assorted ▸ **être assorti à** to match.

assortiment [asɔrtimɑ̃] nm assortment.

assoupir [32] [asupir] ◆ **s'assoupir** vp to doze off.

assouplir [32] [asuplir] vt [muscles] to loosen up.

assouplissant [asuplisɑ̃] nm fabric softener.

assouplissement [asuplismɑ̃] nm : **exercices d'assouplissement** limbering up exercises.

assouplisseur [asuplisœr] nm = **assouplissant**.

assourdissant, e [asurdisɑ̃, ɑ̃t] adj deafening.

assumer [3] [asyme] vt **1.** [conséquences, responsabilité] to accept **2.** [fonction, rôle] to carry out.

assurance [asyrɑ̃s] nf **1.** [aisance] self-confidence **2.** [contrat] insurance. ▸ **assurance automobile** car insurance ▸ **assurance tous risques** comprehensive insurance.

assuré, e [asyre] adj **1.** [certain] certain **2.** [résolu] assured.

assurer [3] [asyre] vt **1.** [maison, voiture] to insure **2.** [fonction, tâche] to carry out ▸ **je t'assure que** I assure you (that). ◆ **s'assurer** vp [par un contrat] to take out insurance ▸ **s'assurer contre le vol** to insure o.s. against theft ▸ **s'assurer de** to make sure of ▸ **s'assurer que** to make sure (that).

assureur [asyrœr] nm insurer, underwriter.

astérisque [asterisk] nm asterisk.

astéroïde [asterɔid] nm asteroid.

asthmatique [asmatik] adj asthmatic.

asthme [asm] nm asthma ▸ **avoir de l'asthme** to have asthma.

asticot [astiko] nm maggot.

astiquer [3] [astike] vt to polish.

astre [astr] nm star.

astrologie [astrɔlɔʒi] nf astrology.

astronaute [astronot] nmf astronaut.

astronomie [astrɔnɔmi] nf astronomy.

astuce [astys] nf **1.** [ingéniosité] shrewdness **2.** [truc] trick.

astucieux, euse [astysjø, øz] adj clever.

atelier [atəlje] nm **1.** workshop **2.** [de peintre] studio ▸ **un atelier d'écriture** [groupe de travail] a writing workshop.

athée [ate] adj atheist.

athénée [atene] nm Belg secondary school UK, high school US.

Athènes [atɛn] n Athens.

athlète [atlɛt] nmf athlete.

athlétisme [atletism] nm athletics sg.

Atlantique [atlɑ̃tik] nm : **l'(océan) Atlantique** the Atlantic (Ocean).

atlas [atlas] nm atlas.

atmosphère [atmɔsfɛr] nf **1.** atmosphere **2.** [air] air.

atome [atom] nm atom.

atomique [atɔmik] adj atomic.

atomiseur [atɔmizœr] nm spray.

atout [atu] nm **1.** trump **2.** [avantage] asset ▸ **atout pique** clubs are trumps.

atroce [atrɔs] adj terrible.

atrocité [atrɔsite] nf atrocity.

attachant, e [ataʃɑ̃, ɑ̃t] adj [personne] lovable.

attaché-case [ataʃekɛz] (pl **attachés-cases**) nm attaché case.

attachement [ataʃmɑ̃] nm attachment.

attacher [3] [ataʃe] ◆ vt to tie (up). ◆ vi to stick ▸ **attachez vos ceintures** fasten your seat belts ▸ **attacher un fichier** INFORM to attach a file. ◆ **s'attacher** vp [se nouer] to fasten ▸ **s'attacher à qqn** to become attached to sb.

attaquant [atakɑ̃] nm **1.** attacker **2.** SPORT striker.

attaque [atak] nf attack.

attaquer [3] [atake] vt to attack. ◆ **s'attaquer à** vp + prép **1.** [personne] to attack **2.** [problème, tâche] to tackle.

attarder [3] [atarde] ◆ **s'attarder** vp to stay (late).

atteindre [81] [atɛ̃dr] vt **1.** to reach **2.** [émouvoir] to affect **3.** [balle] to hit ▸ **être atteint de** to suffer from.

atteint, e [atɛ̃, ɛ̃t] pp → **atteindre**.

atteinte [atɛ̃t] nf → **hors**.

atteler [24] [atle] vt **1.** [chevaux] to harness **2.** [remorque] to hitch (up).

attelle [atɛl] nf splint.

attendre [73] [atɑ̃dr] ◆ vt **1.** to wait for **2.** [espérer] to expect. ◆ vi to wait ▸ **attendre un enfant** to be expecting a baby ▸ **attendre que** to wait for ▸ **attendre qqch de** to expect sthg from. ◆ **s'attendre à** vp + prép to expect.

attendrir [32] [atɑ̃drir] vt to move.

attentat [atɑ̃ta] nm attack ▸ **attentat à la bombe** bombing ▸ **attentat suicide** suicide attack.

attente [atɑ̃t] nf wait ▸ **en attente** pending.

attentif, ive [atɑ̃tif, iv] adj attentive.

attention [atɑ̃sjɔ̃] nf attention ▸ **attention !** watch out! ▸ **faire attention (à)** a) [se concentrer] to pay attention (to) b) [être prudent] to be careful (of).

atténuer [7] [atenɥe] vt **1.** [son] to cut down **2.** [douleur] to ease.

atterrir [32] [aterir] vi to land.

atterrissage [aterisaʒ] nm landing ▸ **à l'atterrissage** on landing.

attestation [atɛstasjɔ̃] nf certificate.

attirant, e [atirɑ̃, ɑ̃t] adj attractive.

attirer [3] [atire] vt to attract ▸ **attirer l'attention de qqn** to attract sb's attention. ◆ **s'attirer** vp : **s'attirer des ennuis** to get (o.s.) into trouble.

attiser [3] [atize] vt to poke.

attitude [atityd] nf [comportement] attitude.

attouchement [atuʃmɑ̃] nm caress.

attraction [atraksjɔ̃] nf attraction ▸ **attraction touristique** tourist attraction.

attrait [atrɛ] nm [charme] charm.

attraper [3] [atrape] vt **1.** to catch **2.** [gronder] to tell off ▸ **attraper un coup de soleil** to get sunburned.

attrayant, e [atrɛjɑ̃, ɑ̃t] adj attractive.

attribuer [7] [atribɥe] vt : **attribuer qqch à qqn** to award sthg to sb.

attroupement [atrupmɑ̃] nm crowd.

atypique [atipik] adj atypical.

au [o] prép *(contraction de à avec le)* → **à**.

aube [ob] nf dawn ▸ **à l'aube** at dawn.

auberge [obɛrʒ] nf inn ▸ **auberge de jeunesse** youth hostel.

aubergine [obɛrʒin] nf aubergine 🇬🇧, eggplant 🇺🇸.

aucun, e [okœ̃, yn] ◆ adj no. ◆ pron none ▸ **aucun train ne va à Bordeaux** none of the trains go to Bordeaux ▸ **nous n'avons aucun dépliant** we haven't any leaflets ▸ **sans aucun doute** without doubt ▸ **aucune idée !** I've no idea! ▸ **aucun des deux** neither (of them) ▸ **aucun d'entre nous** none of us.

audace [odas] nf boldness.

audacieux, euse [odasjø, øz] adj bold.

au-delà [odəla] adv beyond ▸ **au-delà de** beyond.

au-dessous [odəsu] adv **1.** below **2.** [à l'étage inférieur] downstairs ▸ **les enfants de 12 ans et au-dessous** children aged 12 and under ▸ **au-dessous de** a) below b) [à l'étage inférieur] downstairs from ▸ **les enfants au-dessous de 16 ans** children under (the age of) 16.

au-dessus [odəsy] adv **1.** above **2.** [à l'étage supérieur] upstairs ▸ **les gens de 50 ans et au-dessus** people aged 50 and over ▸ **au-dessus de** a) over b) [à l'étage supérieur] upstairs from ▸ **au-dessus de 1 000 euros** over 1,000 euros.

audience [odjɑ̃s] nf audience.

audio [odjo] adj inv [matériel, fichier, livre] audio.

audioblog [odjoblɔg] nm audioblog.

audioguide [odjogid] nm audio guide.

audiophone [odjofɔn] nm hearing aid.

audiovisuel, elle [odjovizɥɛl] adj audio-visual.

auditeur, trice [oditœr, tris] nm, f listener.

audition [odisjɔ̃] nf 1. [examen] audition 2. [sens] hearing.

auditoire [oditwar] nm audience.

auditorium [oditɔrjɔm] nm auditorium.

augmentation [ogmɑ̃tasjɔ̃] nf increase ▸ **augmentation (de salaire)** (pay) rise 🇬🇧, raise 🇺🇸 ▸ **en augmentation** on the increase.

augmenter [3] [ogmɑ̃te] ◆ vt to raise, to increase. ◆ vi 1. to increase 2. [devenir plus cher] to go up.

aujourd'hui [oʒurdɥi] adv 1. today 2. [à notre époque] nowadays ▸ **d'aujourd'hui** [de notre époque] of today.

auparavant [oparavɑ̃] adv 1. [d'abord] first 2. [avant] before.

auprès [oprɛ] ◆ **auprès de** prép 1. near 2. [déposer une plainte, une demande] to.

auquel [okɛl] pron rel *(contraction de à avec lequel)* → **lequel**.

aura¹ etc 3ᵉ pers. sg de l'ind. fut. → **avoir**.

aura² [ora] nf aura.

auréole [oreɔl] nf [tache] ring.

aurore [orɔr] nf dawn.

ausculter [3] [oskylte] vt : **ausculter qqn** to listen to sb's chest.

aussi [osi] ◆ adv 1. [également] also, too ▸ **j'ai faim — moi aussi !** I'm hungry — so am I ! ou me too ! 2. [introduit une comparaison] : **aussi... que** as... as ▸ **il n'est pas aussi intelligent que son frère** he's not as clever as his brother 3. [à ce point] so ▸ **je n'ai jamais**

rien vu d'aussi beau I've never seen anything so beautiful.
◆ conj [par conséquent] so.

aussitôt [osito] adv immediately ▸ **aussitôt que** as soon as.

austère [ostɛr] adj austere.

Australie [ostrali] nf : **l'Australie** Australia.

australien, enne [ostraljɛ̃, ɛn] adj Australian. ◆ **Australien, enne** nm, f Australian.

autant [otɑ̃] ◆ adv 1. [exprime la comparaison] : **autant** as much as ▸ **l'aller simple coûte presque autant que l'aller et retour** a single costs almost as much as a return ▸ **autant de... que** a) [argent, patience] as much... as b) [amis, valises] as many... as 2. [exprime l'intensité] so much ▸ **je ne savais pas qu'il pleuvait autant ici** I didn't know it rained so much here ▸ **autant de** a) [argent, patience] so much b) [amis, valises] so many 3. [il vaut mieux] : **autant partir demain** I/we may as well leave tomorrow 4. [dans des expressions] : **j'aime autant...** I'd rather... ▸ **d'autant que** especially since ▸ **d'autant plus que** all the more so because ▸ **pour autant que je sache** as far as I know.

autel [otɛl] nm altar.

auteur [otœr] nm 1. [d'une chanson] composer 2. [d'un livre] author 3. [d'un crime] person responsible.

authentique [otɑ̃tik] adj genuine.

auto [oto] nf car ▸ **autos tamponneuses** dodgems.

autobiographie [otɔbjɔɡrafi] nf autobiography.

autobronzant, e [otobrɔ̃zɑ̃, ɑ̃t] ◆ **adj** self-tanning. ◆ **nm** [crème] tanning cream.

autobus [otobys] **nm** bus ▸ **autobus à impériale** double-decker (bus).

autocar [otokar] **nm** coach.

autocollant [otokɔlɑ̃] **nm** sticker.

autocouchette(s) [otokuʃɛt] **adj inv : train autocouchette(s)** ≃ Motorail® train.

autocuiseur [otokɥizœr] **nm** pressure cooker.

autodérision [otoderizjɔ̃] **nf** self-mockery.

autodestruction [otodɛstryksjɔ̃] **nf** self-destruction.

autodidacte [otodidakt] **nmf** self-taught person.

auto-école [otoekɔl] (*pl* **auto-écoles**) **nf** driving school.

autofinancer [16] [otofinɑ̃se] ◆ **s'autofinancer vp** (*emploi réfléchi*) to be self-financing ou self-funded.

autographe [otograf] **nm** autograph.

automate [otomat] **nm** [jouet] mechanical toy.

automatique [otomatik] **adj 1.** [système] automatic **2.** [geste, réaction] instinctive.

automne [otɔn] **nm** autumn US, fall US ▸ **en automne** in autumn US, in the fall US.

automobile [otomɔbil] **adj** car.

automobiliste [otomɔbilist] **nmf** motorist.

autonome [otonɔm] **adj** autonomous.

autonomie [otonɔmi] **nf 1.** autonomy **2.** INFORM battery life.

autopartage [otopartaʒ] **nm** *an urban rent-a-car service which allows short-term car hire.*

autopsie [otopsi] **nf** postmortem (examination).

autoradio [otoradjo] **nm** car radio.

autorisation [otorizasjɔ̃] **nf 1.** permission **2.** [document] permit.

autoriser [3] [otorize] **vt** to authorize ▸ **autoriser qqn à faire qqch** to allow sb to do sthg.

autoritaire [otoriter] **adj** authoritarian.

autorité [otorite] **nf** [fermeté] authority ▸ **les autorités** the authorities.

autoroute [otorut] **nf** motorway UK, freeway US, highway US ▸ **autoroute à péage** toll motorway UK, turnpike US.

autosatisfaction [otosatisfaksjɔ̃] **nf** self-satisfaction.

auto-stop [otostɔp] **nm** hitchhiking ▸ **faire de l'auto-stop** to hitch(hike).

autour [otur] **adv** around ▸ **tout autour** all around ▸ **autour de** around.

autre [otr] ◆ **adj 1.** [différent] other ▸ **j'aimerais essayer une autre couleur** I'd like to try a different colour **2.** [supplémentaire] : **une autre bouteille d'eau minérale, s'il vous plaît** another bottle of mineral water, please ▸ **il n'y a rien d'autre à voir ici** there's nothing else to see here ▸ **veux-tu quelque chose d'autre ?** do you want anything else? **3.** [restant] other ▸ **tous les autres passagers sont maintenant priés d'embarquer** could all remaining passengers now come forward for boarding? **4.** [dans des expressions]

autre part somewhere else ▸ **d'autre part** besides
◆ *pron* other ▸ **l'autre** the other (one) ▸ **un autre** another ▸ **il ne se soucie pas des autres** he doesn't think of others ▸ **d'une minute à l'autre** any minute now ▸ **entre autres** among others.

autrefois [otrəfwa] *adv* formerly.

autrement [otrəmã] *adv* **1.** [différemment] differently **2.** [sinon] otherwise ▸ **autrement dit** in other words.

Autriche [otriʃ] *nf* : **l'Autriche** Austria.

autrichien, enne [otriʃjɛ̃, ɛn] *adj* Austrian. ◆ **Autrichien, enne** *nm, f* Austrian.

autruche [otryʃ] *nf* ostrich.

auvent [ovã] *nm* awning.

Auvergne [ovɛrɲ] *nf* → **bleu**.

aux [o] *prép (contraction de à avec les)* → **à**.

auxiliaire [oksiljɛr] ◆ *nmf* [assistant] assistant. ◆ *nm* GRAMM auxiliary.

auxquelles [okɛl] *pron rel (contraction de à avec lesquelles)* → **lequel**.

auxquels [okɛl] *pron rel (contraction de à avec lesquels)* → **lequel**.

av. *(abr écrite de avenue)* Ave.

avachi, e [avaʃi] *adj* **1.** [canapé, chaussures] misshapen **2.** [personne] lethargic.

avachir [32] [avaʃir] ◆ **s'avachir** *vp* **1.** [vêtements] to become shapeless **2.** *fam* [s'affaler] : **s'avachir dans un fauteuil/sur une table** to slump into an armchair/over a table.

aval [aval] *nm* : **aller vers l'aval** to go downstream ▸ **en aval (de)** downstream (from).

avalanche [avalãʃ] *nf* avalanche.

avaler [3] [avale] *vt* to swallow.

avance [avãs] *nf* advance ▸ **à l'avance, d'avance** in advance ▸ **en avance** early.

avancé, e [avãse] *adj* **1.** [dans le temps] late **2.** [développé : intelligence, économie] advanced ▸ **à une heure avancée** late at night ▸ **te voilà bien avancé !** [par dérision] a (fat) lot of good that's done you! ◆ **avancée** *nf* progress.

avancer [16] [avãse] ◆ *vt* **1.** to move forward **2.** [main, assiette] to hold out **3.** [anticiper] to bring forward **4.** [prêter] to advance. ◆ *vi* **1.** to move forward **2.** [progresser] to make progress **3.** [montre, pendule] to be fast ▸ **avancer de cinq minutes** to be five minutes fast. ◆ **s'avancer** *vp* **1.** to move forward **2.** [partir devant] to go ahead.

avant [avã] ◆ *prép* before. ◆ *adv* **1.** earlier **2.** [autrefois] formerly **3.** [d'abord] first **4.** [dans un classement] ahead. ◆ *nm* **1.** front **2.** SPORT forward. ◆ *adj inv* front ▸ **avant de faire qqch** before doing sthg ▸ **avant que** before ▸ **avant tout** a) [surtout] above all b) [d'abord] first of all ▸ **l'année d'avant** the year before ▸ **en avant** [tomber] forward, forwards ▸ **partir en avant** to go on ahead.

avantage [avãtaʒ] *nm* advantage ▸ **présenter un avantage** to offer an advantage ▸ **avantages sociaux** welfare benefits.

avantager [17] [avãtaʒe] *vt* to favour.

avantageux, euse [avãtaʒø, øz] *adj* [prix, offre] good.

avant-bras [avãbra] *nm inv* forearm.

avant-dernier, ière [avãdɛrnje, ɛr] *(pl -s)* ◆ *adj* penultimate. ◆ *nm, f* last but one. ◆

avant-hier [avɑ̃tjɛr] adv the day before yesterday.

avant-première [avɑ̃prəmjɛr] (pl avant-premières) nf preview.

avant-propos [avɑ̃prɔpo] nm inv foreword.

avare [avar] ◆ adj mean. ◆ nmf miser.

avarice [avaris] nf avarice.

avarié, e [avarje] adj bad.

avec [avɛk] prép with ▶ **avec élégance** elegantly ▶ **et avec ça ?** anything else?

avenir [avnir] nm future ▶ **à l'avenir** in future ▶ **d'avenir** a) [technique] promising b) [métier] with a future.

aventure [avɑ̃tyr] nf 1. [événement imprévu] incident 2. [entreprise risquée] adventure 3. [amoureuse] affair.

aventurer [3] [avɑ̃tyre] ◆ **s'aventurer** vp to venture.

aventureux, euse [avɑ̃tyrø, øz] adj [personne, vie] adventurous.

aventurier, ière [avɑ̃tyrje, ɛr] nm, f adventurer.

avenue [avny] nf avenue.

avérer [18] [avere] ◆ **s'avérer** vp [se révéler] to turn out to be.

averse [avɛrs] nf downpour.

avertir [32] [avɛrtir] vt to inform ▶ **avertir qqn de qqch** to warn sb of sthg.

avertissement [avɛrtismɑ̃] nm warning.

⚠ Advertisement est un faux ami, il signifie *publicité* ou *annonce* et non « avertissement ».

aveu [avø] (pl -x) nm confession.

aveugle [avœgl] ◆ adj blind. ◆ nmf blind person.

aveugler [5] [avœgle] vt to blind.

aveuglette [avœglɛt] ◆ **à l'aveuglette** adv : **avancer à l'aveuglette** to grope one's way.

aviateur [avjatœr] nm pilot.

aviation [avjasjɔ̃] nf MIL airforce.

avide [avid] adj greedy ▶ **avide de** greedy for.

avion [avjɔ̃] nm (aero)plane ▶ **'par avion'** 'airmail'.

aviron [avirɔ̃] nm 1. [rame] oar 2. [sport] rowing.

avis [avi] nm 1. [opinion] opinion 2. [information] notice ▶ **changer d'avis** to change one's mind ▶ **à mon avis** in my opinion ▶ **avis de réception** acknowledgment of receipt.

av. J-C (abr écrite de avant Jésus-Christ) BC (before Christ).

avocat¹, e [avɔka, te] nm, f DR lawyer.

avocat² [avɔka] nm [fruit] avocado (pear).

avoine [avwan] nf oats pl.

avoir [1] [avwar] ◆ vt 1. [posséder] to have (got) ▶ **j'ai deux frères et une sœur** I've got two brothers and a sister 2. [comme caractéristique] to have (got) ▶ **avoir les cheveux bruns** to have brown hair ▶ **avoir de l'ambition** to be ambitious 3. [être âgé de] : **quel âge as-tu ?** how old are you? ▶ **j'ai 13 ans** I'm 13 (years old) 4. [obtenir] to get 5. [au téléphone] to get hold of 6. [éprouver] to feel ▶ **avoir du chagrin** to be sad 7. fam [duper] : **se faire avoir** a) [se faire escroquer] to be conned b) [tomber dans le piège] to be caught out 8. [exprime l'obligation] : **avoir à faire qqch** to have

to do sthg ▸ **vous n'avez qu'à remplir ce formulaire** you just need to fill in this form **9.** [dans des expressions] : **vous en avez encore pour longtemps ?** will it take much longer ? ▸ **nous en avons eu pour 30 euros** it cost us 30 euros
◆ **v** aux to have ▸ **j'ai terminé** I have finished ▸ **hier nous avons fait 500 km** we did 500 km yesterday

◆ **il y a** impers **1.** [il existe] there is /are ▸ **il y a un problème** there's a problem ▸ **y a-t-il des toilettes dans les environs ?** are there any toilets nearby ? ▸ **qu'est-ce qu'il y a ?** what is it ? ▸ **il n'y a qu'à revenir demain** we'll just have to come back tomorrow **2.** [temporel] : **il y a trois ans** three years ago ▸ **il y a plusieurs années que nous venons ici** we've been coming here for several years now.

avoisiner [3] [avwazine] **vt** [en valeur] to be close on, to come close to ▸ **les dégâts avoisinent le million** damages come close to one million.

avortement [avɔrtəmɑ̃] **nm** abortion.

avorter [3] [avɔrte] **vi** MÉD to have an abortion.

avouer [6] [avwe] **vt** to admit.

avril [avril] **nm** April ▸ **le premier avril** April Fools' Day ▸ **en avril, au mois d'avril** in April ▸ **début avril** at the beginning of April ▸ **fin avril** at the end of April ▸ **le deux avril** the second of April.

axe [aks] **nm 1.** axis **2.** [routier] major road **3.** [ferroviaire] main line ▸ **axe rouge** section of Paris road system where parking is prohibited to avoid congestion.

ayant [ejɑ̃] p prés → **avoir**.

ayons [ejɔ̃] **1ʳᵉ** pers. du pl du subj. prés. → **avoir**.

Azerbaïdjan [azɛrbajdʒɑ̃] **nm : (l')Azerbaïdjan** Azerbaijan.

azote [azɔt] **nm** nitrogen.

Azur [azyr] **n** → **côte**.

Bb

B (abr de **bien**) G (good).

b.a.-ba [beaba] **nm** ABCs, rudiments ▸ **apprendre le b.a.-ba du métier** to learn the ABCs ou basics of the trade.

baba [baba] **nm : baba au rhum** rum baba.

babines [babin] **nfpl** chops.

babiole [babjɔl] **nf** trinket.

bâbord [babɔr] **nm** port ▸ **à bâbord** to port.

baby boom [bebibum] **nm** baby boom.

baby-foot [babifut] **nm** inv table football.

baby-sitter [bebisitœr] (pl **baby-sitters**) **nmf** baby-sitter.

baby-sitting [bebisitiŋ] **nm** baby-sitting ▸ **faire du baby-sitting** to baby-sit.

bac [bak] **nm 1.** [récipient] container **2.** [bateau] ferry **3.** fam = **baccalauréat** ▸ **avoir son bac** ≃ to get your A levels 🇬🇧 ; ≃ to graduate from high school 🇺🇸.

baccalauréat [bakalɔrea] **nm** ≃ A levels 🇬🇧 ; ≃ SATs 🇺🇸.
→

bâche [baʃ] nf tarpaulin.

bachoter [3] [baʃɔte] vi fam to cram, to swot up UK, to bone up US ▸ **il a été obligé de bachoter dans toutes les matières** he had to cram all the subjects.

bâcler [3] [bakle] vt to botch.

bacon [bekɔn] nm bacon.

bactérie [bakteri] nf bacterium.

badge [badʒ] nm badge.

badigeonner [3] [badiʒɔne] vt [mur] to whitewash.

badminton [badmintɔn] nm badminton.

baffe [baf] nf fam clip on the ear.

baffle [bafl] nm speaker.

bafouiller [3] [bafuje] vi to mumble.

bagage [bagaʒ] nm piece of luggage ou baggage ▸ **bagages** luggage sg, baggage sg ▸ **bagages enregistrés** checked luggage ▸ **bagages à main** hand luggage.

bagarre [bagar] nf fight.

bagarrer [3] [bagare]
◆ **se bagarrer** vp to fight.

Bagdad [bagdad] n Baghdad.

baggy [bagi] nm baggy pants pl.

bagnes [baɲ] nm hard strong Swiss cheese made from cow's milk.

bagnole [baɲɔl] nf fam car.

bague [bag] nf ring.

baguette [baget] nf 1. [tige] stick 2. [de chef d'orchestre] baton 3. [chinoise] chopstick 4. [pain] French stick ▸ **baguette magique** magic wand.

Bahamas [baamas] nfpl : **les Bahamas** the Bahamas.

Bahreïn [baʁɛjn] n Bahrain, Bahrein.

baie [bɛ] nf 1. [fruit] berry 2. [golfe] bay 3. [fenêtre] bay window ▸ **baie vitrée** picture window.

baignade [bɛɲad] nf swim ▸ **'baignade interdite'** 'no swimming'.

baigner [4] [beɲe] vt to bath. ◆ vi : **baigner dans** to be swimming in. ◆ **se baigner** vp 1. [dans la mer] to go for a swim 2. [dans une baignoire] to have a bath.

baignoire [bɛɲwar] nf bath.

bail [baj] (pl baux [bo]) nm lease.

bâiller [3] [baje] vi 1. to yawn 2. [être ouvert] to gape.

bâillonner [3] [bajɔne] vt to gag.

bain [bɛ̃] nm bath ▸ **prendre un bain** to have a bath ▸ **prendre un bain de soleil** to sunbathe ▸ **grand bain** main pool ▸ **petit bain** children's pool.

bain-marie [bɛ̃mari] nm cooking method in which a pan is placed inside a larger pan containing boiling water.

baïonnette [bajɔnet] nf 1. [arme] bayonet 2. [d'ampoule] bayonet fitting.

baiser [beze] nm kiss.

baisse [bɛs] nf drop ▸ **en baisse** falling.

baisser [4] [bese] ◆ vt 1. to lower 2. [son] to turn down. ◆ vi 1. [descendre] to go down 2. [diminuer] to drop. ◆ **se baisser** vp to bend down.

Bakou [baku] n Baku.

bal [bal] nm ball.

balade [balad] nf 1. [à pied] walk 2. [en voiture] drive 3. [en vélo] ride.

balader [3] [balade] ◆ **se balader** vp 1. [à pied] to go for a walk 2. [en voiture] to go for a drive 3. [en vélo] to go for a ride.

balafre [balafr] nf gash.

balai [balɛ] nm 1. broom, brush 2. [d'essuie-glace] blade.

balance [balɑ̃s] nf scales pl.
◆ **Balance** nf Libra.

balancer [16] [balɑ̃se] vt 1. to swing 2. fam [jeter] to throw away.
◆ **se balancer** vp 1. [sur une chaise] to rock 2. [sur une balançoire] to swing.

balancier [balɑ̃sje] nm [de pendule] pendulum.

balançoire [balɑ̃swar] nf 1. [bascule] seesaw 2. [suspendue] swing.

balayage [balɛjaʒ] nm [des cheveux] highlighting.

balayer [11] [baleje] vt to sweep.

balayeur [balɛjœr] nm roadsweeper.

balbutier [9] [balbysje] vi to stammer.

balcon [balkɔ̃] nm 1. balcony 2. [au théâtre] circle.

balconnet [balkɔnɛ] nm : **soutien-gorge à balconnet** half-cup bra.

Bâle [bal] n Basel.

Baléares [balear] nfpl : **les Baléares** the Balearic Islands.

baleine [balɛn] nf 1. [animal] whale 2. [de parapluie] rib.

balèze [balɛz] adj fam 1. [grand] hefty, huge 2. [doué] great, brilliant ▶ **balèze en physique** dead good UK

ou ace at physics ▶ **un type balèze** a great hulk (of a man).

balise [baliz] nf 1. NAUT marker (buoy) 2. [de randonnée] marker 3. INFORM tag.

balle [bal] nf 1. SPORT ball 2. [d'arme à feu] bullet 3. fam franc ▶ **balle à blanc** blank.

ballerine [balrin] nf 1. [chaussure] ballet shoe 2. [danseuse] ballerina.

ballet [balɛ] nm ballet.

ballon [balɔ̃] nm 1. SPORT ball 2. [pour fête, montgolfière] balloon 3. [verre] round wineglass.

ballonné, e [balɔne] adj swollen.

ballotter [3] [balɔte] vt : **être ballotté** a) [dans une voiture, un bateau] to be thrown about b) fig to be torn.

balnéaire [balneɛr] adj → **station**.

balnéothérapie [balneoterapi] nf balneotherapy.

balsamique [balzamik] adj : **vinaigre balsamique** balsamic vinegar.

Baltique [baltik] nf : **la Baltique** the Baltic (Sea).

balustrade [balystrad] nf balustrade.

Bamako [bamako] n Bamako.

bambin [bɑ̃bɛ̃] nm toddler.

bambou [bɑ̃bu] nm bamboo.

banal, e [banal] adj banal.

banalisé, e [banalize] adj [véhicule] unmarked.

banana [banana] nm : **banana split** banana split.

banane [banan] nf 1. banana 2. [porte-monnaie] bumbag UK, fanny pack US.

bananier [bananje] nm banana tree.

banc [bɑ̃] nm **1.** bench **2.** [de poissons] shoal ▸ **banc public** park bench ▸ **banc de sable** sandbank.

bancaire [bɑ̃kɛʁ] adj bank, banking.

bancal, e [bɑ̃kal] adj wobbly.

bandage [bɑ̃daʒ] nm bandage.

bandana [bɑ̃dana] nm bandana, bandanna.

bande [bɑ̃d] nf **1.** [de tissu, de papier] strip **2.** [pansement] bandage **3.** [groupe] band ▸ **bande d'arrêt d'urgence** hard shoulder ▸ **bande blanche** [sur route] white line ▸ **bande dessinée** comic strip ▸ **bande magnétique** tape ▸ **bande originale** original soundtrack.

bande-annonce [bɑ̃dɑ̃nɔ̃s] nf trailer.

bandeau [bɑ̃do] (pl -x) nm **1.** [dans les cheveux] headband **2.** [sur les yeux] blindfold.

bander [3] [bɑ̃de] vt **1.** [yeux] to blindfold **2.** [blessure] to bandage.

banderole [bɑ̃dʁɔl] nf streamer.

bandit [bɑ̃di] nm bandit.

bandoulière [bɑ̃duljɛʁ] nf shoulder strap ▸ **en bandoulière** across the shoulder.

Bangkok [bɑ̃gkɔk] n Bangkok.

Bangladesh [bɑ̃gladɛʃ] nm : **le Bangladesh** Bangladesh.

Bangui [bɑ̃gi] n Bangui.

banjo [bɑ̃dʒo] nm banjo.

Banjul [bɑ̃ʒul] n Banjul.

banlieue [bɑ̃ljø] nf suburbs pl ▸ **les banlieues** the suburbs (usually associated with social problems).

banlieusard, e [bɑ̃ljøzaʁ, aʁd] nm, f person living in the suburbs.

banque [bɑ̃k] nf bank ▸ **Banque centrale européenne** European Central Bank.

banquet [bɑ̃kɛ] nm banquet.

banquette [bɑ̃kɛt] nf seat.

banquier [bɑ̃kje] nm banker.

banquise [bɑ̃kiz] nf ice field.

baptême [batɛm] nm baptism ▸ **baptême de l'air** maiden flight.

baptiser [3] [batize] vt to baptize, to christen.

bar [baʁ] nm bar ▸ **bar à café** Suisse café.

baraque [baʁak] nf **1.** [de jardin] shed **2.** [de fête foraine] stall **3.** fam [maison] house.

baraqué, e [baʁake] adj fam well-built.

baratin [baʁatɛ̃] nm fam smooth talk.

barbant, e [baʁbɑ̃, ɑ̃t] adj fam deadly dull ou boring.

barbare [baʁbaʁ] adj barbaric.

Barbarie [baʁbaʁi] n → **orgue**.

barbe [baʁb] nf beard ▸ **barbe à papa** candyfloss UK, cotton candy US.

barbecue [baʁbəkju] nm barbecue ▸ **au barbecue** barbecued.

barbelé, e [baʁbəle] adj nm : **(fil de fer) barbelé** barbed wire.

barboter [3] [baʁbɔte] vi to splash about.

barbouillé, e [baʁbuje] adj [malade] : **être barbouillé** to feel sick.

barbouiller [3] [baʁbuje] vt **1.** [écrire, peindre sur] to daub **2.** [salir] to smear.

barbu [baʁby] adj nm bearded.

Barcelone [baʁsəlɔn] n Barcelona.

barème [baʁɛm] nm **1.** [de prix] list **2.** [de notes] scale.

baril [baril] nm barrel.

bariolé, e [barjɔle] adj multicoloured.

barman [barman] nm barman.

baromètre [barɔmɛtr] nm barometer.

baron, onne [barɔ̃, ɔn] nm, f baron (baroness).

baroque [barɔk] adj [style] baroque.

barque [bark] nf small boat.

barquette [barkɛt] nf 1. [tartelette] pastry boat 2. [récipient] container ; [de fruits] basket, punnet UK.

barrage [baraʒ] nm [sur une rivière] dam ▸ **barrage de police** police road-block.

barre [bar] nf 1. [de fer, de chocolat] bar 2. [trait] stroke 3. NAUT tiller ▸ **barre d'espace** INFORM space bar ▸ **barre de défilement** INFORM scroll bar ▸ **barre d'outils** INFORM tool bar ▸ **barre des tâches** INFORM taskbar.

barreau [baro] (pl -x) nm bar.

barrer [3] [bare] vt 1. [rue, route] to block 2. [mot, phrase] to cross out 3. NAUT to steer.

barrette [barɛt] nf [à cheveux] hair slide ▸ **barrette mémoire** INFORM memory module.

barricade [barikad] nf barricade.

barricader [3] [barikade] vt to barricade. ◆ **se barricader** vp to barricade o.s.

barrière [barjɛr] nf barrier.

bar-tabac [bartaba] (pl bars-tabacs) nm bar also selling cigarettes and tobacco.

bas, basse [ba, bas] ◆ adj low. ◆ nm 1. bottom 2. [vêtement] stocking. ◆ adv 1. [dans l'espace] low 2. [parler] softly

▸ **en bas a)** at the bottom of **b)** [à l'étage inférieur] downstairs ▸ **en bas de a)** at the bottom of **b)** [à l'étage inférieur] downstairs from.

bas-côté [bakote] (pl bas-côtés) nm [de la route] verge.

bascule [baskyl] nf 1. [pour peser] weighing machine 2. [jeu] seesaw.

basculer [3] [baskyle] ◆ vt to tip up. ◆ vi to overbalance.

base [baz] nf 1. [partie inférieure] base 2. [origine, principe] basis ▸ **à base de whisky** whisky-based ▸ **de base** basic ▸ **base de données** database.

baser [3] [baze] vt : **baser qqch sur** to base sthg on. ◆ **se baser sur** vp + prép to base one's argument on.

basilic [bazilik] nm basil.

basilique [bazilik] nf basilica.

basket [baskɛt] nf [chaussure] trainer.

basket(-ball) [basket(bol)] nm basketball.

basquaise [baskɛz] adj → **poulet**.

basque [bask] ◆ adj Basque. ◆ nm [langue] Basque ▸ **le Pays basque** the Basque Country. ◆ **Basque** nmf Basque.

basse [ba, bas] adj f → **bas**.

basse-cour [baskur] (pl basses-cours) nf farmyard.

bassin [basɛ̃] nm 1. [plan d'eau] pond 2. ANAT pelvis ▸ **le Bassin parisien** the Paris Basin ▸ **grand bassin** [de piscine] main pool ▸ **petit bassin** [de piscine] children's pool.

bassine [basin] nf bowl.

basta [basta] interj fam (that's) enough ▸ **je termine la page 14 et basta !** I'll finish page 14 and then that's it!

Bastille [bastij] nf **: la Bastille** [forteresse] the Bastille ▸ **l'opéra Bastille** *Paris opera house on the site of the former Bastille prison.*

① **La Bastille**

The Bastille, a state prison and a symbol of **Ancien Régime** tyranny, fell to the people of Paris on 14th July 1789, marking the beginning of the Revolution. The square where the Bastille once stood is now the home of one of the Paris opera houses, known as l'Opéra-Bastille.

bataille [bataj] nf battle.

bâtard, e [batar, ard] nm, f [chien] mongrel.

bateau [bato] (*pl* **-x**) nm **1.** boat **2.** [grand] ship **3.** [sur le trottoir] driveway entrance ▸ **bateau de pêche** fishing boat ▸ **bateau à voiles** sailing boat.

bateau-mouche [batomuʃ] (*pl* **bateaux-mouches**) nm *pleasure boat on the Seine.*

bâtiment [batimɑ̃] nm building ▸ **le bâtiment** [activité] the building trade.

bâtir [32] [batir] vt to build.

bâton [batɔ̃] nm stick ▸ **bâton de rouge à lèvres** lipstick.

bâtonnet [batɔnɛ] nm **1.** stick **2.** [coton-tige] cotton bud 🇬🇧, Q-tip® 🇺🇸 ▸ **bâtonnet de glace** ice-pop 🇬🇧, popsicle 🇺🇸.

battant [batɑ̃] nm [d'une porte] door (of double doors).

battement [batmɑ̃] nm **1.** [coup] beat, beating **2.** [intervalle] break.

batterie [batri] nf **1.** AUTO battery **2.** MUS drums *pl* ▸ **batterie de cuisine**

kitchen utensils *pl* ▸ **batterie Lithium Ion** lithium-ion battery.

batteur, euse [batœr, øz] ◆ nm, f MUS drummer. ◆ nm [mélangeur] whisk.

battre [83] [batr] ◆ vt to beat. ◆ vi **1.** [cœur] to beat **2.** [porte, volet] to bang ▸ **battre des œufs en neige** to beat egg whites until stiff ▸ **battre la mesure** to beat time ▸ **battre des mains** to clap (one's hands). ◆ **se battre** vp **: se battre (avec qqn)** to fight (with sb).

baume [bom] nm balm.

baux [bo] nmpl → **bail.**

bavard, e [bavar, ard] ◆ adj talkative. ◆ nm, f chatterbox.

bavardage [bavardaʒ] nm chattering.

bavarder [3] [bavarde] vi to chat.

bavarois [bavarwa] nm CULIN *cold dessert consisting of a sponge base and layers of fruit mousse, cream and custard.*

bave [bav] nf **1.** dribble **2.** [d'un animal] slaver.

baver [3] [bave] vi **1.** to dribble **2.** [animal] to slaver ▸ **en baver** *fam* to have a rough time (of it).

bavette [bavɛt] nf CULIN *lower part of sirloin.*

baveux, euse [bavø, øz] adj [omelette] runny.

bavoir [bavwar] nm bib.

bavure [bavyr] nf **1.** [tache] smudge **2.** [erreur] mistake.

bazar [bazar] nm **1.** [magasin] general store **2.** *fam* [désordre] shambles *sg.*

BCBG adj (*abr de* **bon chic bon genre**) *term used to describe an upper-class lifestyle reflected especially in expensive and conservative clothes.*

BCE (abr de Banque centrale européenne) nf ECB (European Central Bank).

BD nf abr de **bande dessinée**.

Bd abr écrite de **boulevard**.

beau, belle [bo, bɛl] (mpl beaux [bo]) (bel [bɛl] devant voyelle ou h muet) ◆ adj 1. beautiful 2. [personne] good-looking 3. [agréable] lovely. ◆ adv : **il fait beau** the weather is good ▸ **j'ai beau essayer…** try as I may… ▸ **beau travail !** [sens ironique] well done! ▸ **j'ai un beau rhume** I've got a nasty cold ▸ **un beau jour** one fine day.

Beaubourg [bobur] n name commonly used to refer to the Pompidou centre.

ⓘ Beaubourg

This is the name given to the Pompidou Centre and the area around it in Paris. With its striking architectural design, the Centre is a popular tourist attraction. It contains the National Museum of Modern Art and a large public library, as well as cinemas, a café and a restaurant.

beaucoup [boku] adv a lot ▸ **beaucoup de** a lot of ▸ **beaucoup plus cher** much more expensive ▸ **il a beaucoup plus d'argent que moi** he's got much more money than me ▸ **il y a beaucoup plus de choses à voir ici** there are many more things to see here.

beau-fils [bofis] (pl beaux-fils) nm 1. [fils du conjoint] stepson 2. [gendre] son-in-law.

beau-frère [bofrɛr] (pl beaux-frères) nm brother-in-law.

beau-père [bopɛr] (pl beaux-pères) nm 1. [père du conjoint] father-in-law 2. [conjoint de la mère] stepfather.

beauté [bote] nf beauty.

beaux-arts [bozar] nmpl fine art.

beaux-parents [boparɑ̃] nmpl in-laws.

bébé [bebe] nm baby.

bec [bɛk] nm beak ▸ **bec verseur** spout.

béchamel [beʃamɛl] nf : **(sauce) béchamel** béchamel sauce.

bêche [bɛʃ] nf spade.

bêcher [4] [beʃe] vt to dig.

bée [be] adj f : **bouche bée** open-mouthed.

bégayer [11] [begeje] vi to stammer.

bégonia [begɔnja] nm begonia.

beige [bɛʒ] adj & nm beige.

beigne [bɛɲ] nf **Québec** ring doughnut ▸ **donner une beigne à qqn** fam to give sb a slap.

beignet [bɛɲe] nm fritter ▸ **beignet aux crevettes** prawn cracker.

bel adj m → **beau**.

bêler [4] [bele] vi to bleat.

belge [bɛlʒ] adj Belgian. ◆ **Belge** nmf Belgian.

Belgique [bɛlʒik] nf : **la Belgique** Belgium.

bélier [belje] nm ram. ◆ **Bélier** nm Aries.

Belize [beliz] nm : **le Belize** Belize.

belle-fille [bɛlfij] (pl belles-filles) nf 1. [fille du conjoint] stepdaughter 2. [conjointe du fils] daughter-in-law.

Belle-Hélène [bɛlelɛn] adj → **poire**.

belle-mère [bɛlmɛr] (pl belles-mères) nf 1. [mère du conjoint] mother-in-law 2. [conjointe du père] stepmother.

belle-sœur [bɛlsœr] (pl belles-sœurs) nf sister-in-law.

belote [bəlɔt] *nf French card game.*

belvédère [belvedɛʀ] *nm* **1.** [construction] belvedere **2.** [terrasse] viewpoint.

bémol [bemɔl] *adj & nm* MUS flat.

bénéfice [benefis] *nm* **1.** FIN profit **2.** [avantage] benefit.

bénéficier [9] [benefisje] ◆ **bénéficier de** *v* + *prép* to benefit from.

bénéfique [benefik] *adj* beneficial.

Benelux [benelyks] *nm* : **le Benelux** Benelux.

bénévole [benevɔl] *adj* voluntary.

bénin, igne [benɛ̃, iɲ] *adj* benign.

Bénin [benɛ̃] *nm* : **le Bénin** Benin.

bénir [32] [beniʀ] *vt* to bless.

bénite [benit] *adj f* → **eau.**

bénitier [benitje] *nm* font.

benjamin, e [bɛ̃ʒamɛ̃, in] *nm, f* [de famille] youngest child ; [de groupe] youngest member.

benne [bɛn] *nf* skip.

BEP *nm vocational school-leaver's diploma* (taken at age 16).

béquille [bekij] *nf* **1.** crutch **2.** [de vélo, de moto] stand.

berceau [bɛʀso] (*pl* -x) *nm* cradle.

bercer [16] [bɛʀse] *vt* to rock.

berceuse [bɛʀsøz] *nf* lullaby.

Bercy [bɛʀsi] *n* : **(le palais omnisports de Paris-)Bercy** *large sports and concert hall in Paris.*

béret [beʀɛ] *nm* beret.

berge [bɛʀʒ] *nf* [d'un cours d'eau] bank.

berger, ère [bɛʀʒe, ɛʀ] *nm, f* shepherd (shepherdess) ▸ **berger allemand** Alsatian.

bergerie [bɛʀʒəʀi] *nf* sheepfold.

berk [bɛʀk] *interj fam* ugh, yuk.

Berlin [bɛʀlɛ̃] *n* Berlin.

berlingot [bɛʀlɛ̃go] *nm* **1.** [bonbon] boiled sweet **2.** [de lait, de Javel] *plastic bag.*

bermuda [bɛʀmyda] *nm* Bermuda shorts *pl.*

Berne [bɛʀn] *n* Bern.

besoin [bəzwɛ̃] *nm* need ▸ **avoir besoin de qqch** to need sthg ▸ **avoir besoin de faire qqch** to need to do sthg ▸ **faire ses besoins** to relieve o.s.

bestiole [bɛstjɔl] *nf* creepy-crawly.

best of [bɛstɔf] *nm inv* : **un best of de Serge Gainsbourg** a selection of Serge Gainsbourg's most popular songs ▸ **le best of du championnat** selected highlights from the championship.

best-seller [bɛstselœʀ] (*pl* **best-sellers**) *nm* best-seller.

bétail [betaj] *nm* cattle *pl.*

bête [bɛt] ◆ *adj* stupid. ◆ *nf* animal.

bêtement [bɛtmɑ̃] *adv* stupidly.

bêtise [bɛtiz] *nf* **1.** [acte, parole] stupid thing **2.** [stupidité] stupidity.

béton [betɔ̃] *nm* concrete.

bette [bɛt] *nf* (Swiss) chard.

betterave [bɛtʀav] *nf* beetroot.

beur [bœʀ] *fam* ◆ *adj* born in France of North African parents. ◆ *nmf* person born in France of North African immigrant parents.

beurre [bœʀ] *nm* butter.

beurrer [5] [bœʀe] *vt* to butter.

beurrier [bœʀje] *nm* butter dish.

Beyrouth [beʀut] *n* Beirut, Beyrouth.

Bhoutan [butɑ̃] *nm* Bhutan ▸ **le Bhoutan** Bhutan.

biais [bjɛ] nm [moyen] way ▸ **en biais** [couper] diagonally.

bibande [bibɑ̃d] adj dual-band.

bibelot [biblo] nm knick-knack.

biberon [bibʁɔ̃] nm baby's bottle▸ **donner le biberon à** to bottle-feed.

Bible [bibl] nf : **la Bible** the Bible.

bibliothécaire [biblijotekɛʁ] nmf librarian.

bibliothèque [biblijotɛk] nf **1.** [library] **2.** [meuble] bookcase.

biceps [bisɛps] nm biceps.

biche [biʃ] nf doe.

bicolore [bikɔlɔʁ] adj two-coloured UK, two-colored US.

bicyclette [bisiklɛt] nf bicycle.

bidet [bidɛ] nm bidet.

bidon [bidɔ̃] ◆ nm can. ◆ adj inv fam fake ▸ **une excuse bidon** a phoney excuse.

bidonville [bidɔ̃vil] nm shantytown.

bidouiller [3] [biduje] vt [logiciel] to fiddle around with, to tamper with ; [appareil] to fix.

bidule [bidyl] nm fam thing, thingy.

Biélorussie [bjelɔʁysi] nf : **la Biélorussie** Belarussia, Byelorussia.

bien [bjɛ̃] (mieux [mjø] *est le comparatif et le superlatif de* **bien**) ◆ adv **1.** [de façon satisfaisante] well ▸ **avez-vous bien dormi ?** did you sleep well? ▸ **tu as bien fait** you did the right thing **2.** [très] very ▸ **une personne bien sympathique** a very nice person ▸ **bien mieux** much better ▸ **j'espère bien que...** I do hope that... **3.** [au moins] at least ▸ **cela fait bien deux mois qu'il n'a pas plu** it hasn't rained for at least two months **4.** [effectivement] : **c'est bien ce**

qu'il me semblait that's (exactly) what I thought ▸ **c'est bien lui** it really is him **5.** [dans des expressions] : **bien des gens** a lot of people ▸ **il a bien de la chance** he's really lucky ▸ **c'est bien fait pour toi !** (it) serves you right! ▸ **nous ferions bien de réserver à l'avance** we would be wise to book in advance
◆ adj inv **1.** [de bonne qualité] good **2.** [moralement] decent, respectable ▸ **c'est une fille bien** she's a decent person **3.** [en bonne santé] well ▸ **être/se sentir bien** to be /feel well **4.** [à l'aise] comfortable ▸ **on est bien dans ce fauteuil** this armchair is comfortable **5.** [joli] nice ; [physiquement] good-looking
◆ interj right!
◆ nm **1.** [intérêt] interest ▸ **c'est pour ton bien** it's for your own good **2.** [sens moral] good **3.** [dans des expressions] : **dire du bien de** to praise ▸ **faire du bien à qqn** to do sb good
◆ **biens** nmpl [richesse] property *sg.*

bien-être [bjɛ̃nɛtʁ] nm wellbeing.

bienfaisant, e [bjɛ̃fəzɑ̃, ɑ̃t] adj beneficial.

bientôt [bjɛ̃to] adv soon ▸ **à bientôt !** see you soon!

bienveillant, e [bjɛ̃vɛjɑ̃, ɑ̃t] adj kind.

bienvenu, e [bjɛ̃v(ə)ny] adj welcome.

bienvenue [bjɛ̃v(ə)ny] nf : **bienvenue !** welcome! ▸ **souhaiter la bienvenue à qqn** to welcome sb ▸ **bienvenue à Paris /en France** welcome to Paris /to France ▸ **bienvenue en gare de...** welcome to... station.

bière [bjɛʁ] nf beer ▸ **bière blonde** lager ▸ **bière brune** brown ale UK, dark beer US ▸ **bière pression** draught UK ou draught US beer.

bifteck [biftɛk] nm steak.

bifurquer [3] [bifyrke] vi **1.** [route] to fork **2.** [voiture] to turn off.

bigorneau [bigɔrno] (pl -x) nm winkle.

bigoudi [bigudi] nm roller.

bijou [biʒu] (pl -x) nm jewel.

bijouterie [biʒutri] nf jeweller's (shop).

bijoutier, ère [biʒutje, ɛR] nm, f jeweller UK, jeweler US.

Bikini® [bikini] nm bikini.

bilan [bilɑ̃] nm **1.** [en comptabilité] balance sheet **2.** [résultat] result ▸ **faire le bilan (de)** to take stock (of).

bilingue [bilɛ̃g] adj bilingual.

billard [bijar] nm **1.** [jeu] billiards sg **2.** [table] billiard table ▸ **billard américain** pool.

bille [bij] nf **1.** ball **2.** [pour jouer] marble.

billet [bijɛ] nm [de transport, de spectacle] ticket ▸ **billet (de banque)** (bank) note ▸ **billet aller et retour** return (ticket) ▸ **billet simple** single (ticket) ▸ **'visiteurs munis de billets'** 'ticket holders'.

billetterie [bijɛtri] nf ticket office ▸ **billetterie automatique** a) [de billets de train] ticket machine b) [de banque] cash dispenser.

bimbo [bimbo] nf fam & péj bimbo.

bimensuel, elle [bimɑ̃sɥɛl] adj fortnightly.

binaire [binɛr] adj binary.

binocles [binɔkl] nmpl fam [lunettes] specs UK, glasses.

bio [bjo] adj inv organic ▸ **aliments bio** organic food ▸ **produits bio** organic products.

biocombustible [bjɔkɔ̃bystibl] nm biofuel.

biodiversité [bjɔdivɛrsite] nf biodiversity.

biographie [bjɔgrafi] nf biography.

biologie [bjɔlɔʒi] nf biology.

biologique [bjɔlɔʒik] adj **1.** biological **2.** [culture, produit] organic.

biologiste [bjɔlɔʒist] nmf biologist.

biométrique [bjɔmetrik] adj biometric.

biopic [bjɔpik] nm biopic.

biotechnologie [bjɔtɛknɔlɔʒi], **biotechnique** [bjɔtɛknik] nf biotechnology.

biotechnologique [bjɔtɛknɔlɔʒik], **biotechnique** [bjɔtɛknik] adj biotechnological.

bioterrorisme [bjɔtɛrɔrism] nm bioterrorism.

bioterroriste [bjɔtɛrɔrist] adj & nmf bioterrorist.

bipolaire [bipɔlɛr] adj bipolar.

Birmanie [birmani] nf : **la Birmanie** Burma.

bis [bis] ◆ interj encore! ◆ adv : **6 bis** 6a.

biscornu, e [biskɔrny] adj [objet] misshapen.

biscotte [biskɔt] nf toasted bread sold in packets.

biscuit [biskɥi] nm biscuit UK, cookie US ▸ **biscuit salé /apéritif** cracker.

bise [biz] nf **1.** [baiser] kiss **2.** [vent] north wind ▸ **faire une bise à qqn** to kiss sb on the cheek ▸ **grosses bises** [dans une lettre] lots of love.

bisexuel, elle [bisɛksɥɛl] adj bisexual.

bison [bizɔ̃] nm bison ▸ **Bison Futé** *French road traffic information organization.*

bisou [bizu] nm *fam* kiss.

bisque [bisk] nf *thick soup made with shellfish and cream* ▸ **bisque de homard** lobster bisque.

bissextile [bisɛkstil] adj → **année**.

bistro(t) [bistro] nm small café.

bit [bit] nm bit.

bitmap [bitmap] adj inv bitmap.

bitoniau [bitɔnjo] nm *fam* thingy.

bitume [bitym] nm asphalt.

biz (abr écrite de bises) SMS KOTC (Kiss On The Cheek), HAK (Hugs And Kisses).

bizarre [bizar] adj strange.

bizarroïde [bizaʀɔid] adj *fam* odd, weird.

bizuter [3] [bizyte] vt [argot scolaire] ≃ to rag **UK**, ≃ to haze **US** ▸ **se faire bizuter** to be ragged.

bjr SMS abr écrite de **bonjour**.

black [blak] adj *fam* black. ◆ **Black** nmf *fam* Black.

blafard, e [blafar, ard] adj pale.

blague [blag] nf **1.** [histoire drôle] joke **2.** [mensonge] wind-up **3.** [farce] trick ▸ **sans blague !** no kidding!

blaguer [3] [blage] vi to joke.

blanc, blanche [blɑ̃, blɑ̃ʃ] ◆ adj **1.** white **2.** [vierge] blank. ◆ **blanc** nm **1.** [couleur] white **2.** [vin] white wine **3.** [espace] blank ▸ **à blanc** [chauffer] until white-hot ▸ **tirer à blanc** to fire blanks ▸ **blanc cassé** off-white ▸ **blanc d'œuf** egg white ▸ **blanc de poulet** chicken breast **UK**, white meat **US**. ◆ **Blanc, Blanche** nm, f white (man) (white woman).

blancheur [blɑ̃ʃœr] nf whiteness.

blanchir [32] [blɑ̃ʃir] ◆ vt **1.** [à l'eau de Javel] to bleach **2.** [linge] to launder. ◆ vi to go white.

blanchisserie [blɑ̃ʃisri] nf laundry.

blanquette [blɑ̃kɛt] nf **1.** [plat] *stew made with white wine* **2.** [vin] *sparkling white wine from the south of France* ▸ **blanquette de veau** veal stew made with white wine.

blasé, e [blaze] adj blasé.

blason [blazɔ̃] nm coat of arms.

blazer [blazɛr] nm blazer.

blé [ble] nm wheat ▸ **blé d'Inde** **Québec** corn.

blême [blɛm] adj pale.

blessant, e [blɛsɑ̃, ɑ̃t] adj hurtful.

blessé [blese] nm injured person.

blesser [4] [blese] vt **1.** to injure **2.** [vexer] to hurt. ◆ **se blesser** vp **1.** to injure o.s. ▸ **se blesser à la main** to injure one's hand.

blessure [blesyr] nf injury.

blette [blɛt] nf = **bette**.

bleu, e [blø] ◆ adj **1.** blue **2.** [steak] rare. ◆ nm **1.** [couleur] blue **2.** [hématome] bruise ▸ **bleu (d'Auvergne)** *blue cheese from the Auvergne* ▸ **bleu ciel** sky blue ▸ **bleu marine** navy blue ▸ **bleu de travail** overalls pl **UK**, overall **US**.

bleuet [bløɛ] nm **1.** [fleur] cornflower **2.** **Québec** [fruit] blueberry.

blindé, e [blɛ̃de] adj [porte] reinforced.

bling-bling [blingbling] ◆ adj *fam* bling-bling, bling. ◆ nm : **le bling-bling** bling-bling, bling ▸ **la génération bling-bling** the bling-bling generation.

blizzard [blizar] nm blizzard.

bloc [blɔk] nm **1.** block **2.** [de papier] pad ▸ **à bloc** [visser, serrer] tight ▸ **en bloc** as a whole.

blocage [blɔkaʒ] nm [des prix, des salaires] freeze.

bloc-notes [blɔknɔt] (pl **blocs-notes**) nm notepad.

blocus [blɔkys] nm blockade.

blog [blɔg] nm blog.

bloguer [3] [blɔge] vt to blog.

blond, e [blɔ̃, blɔ̃d] adj blond ▸ **blond platine** platinum blond.

blonde [blɔ̃d] nf [cigarette] Virginia cigarette ▸ **(bière) blonde** lager.

bloquer [3] [blɔke] vt **1.** [route, passage] to block **2.** [mécanisme] to jam **3.** [prix, salaires] to freeze.

blottir [32] [blɔtiʀ] ◆ **se blottir** vp to snuggle up.

blouse [bluz] nf **1.** [d'élève] coat worn by schoolchildren **2.** [de médecin] white coat **3.** [chemisier] blouse.

blouson [bluzɔ̃] nm bomber jacket.

blues [bluz] nm blues.

bluff [blœf] nm bluff.

boa [bɔa] nm boa.

bob [bɔb] nm sun hat.

bobine [bɔbin] nf reel.

bobo [bɔbo] (abr de bourgeois bohème) nmf fam left-leaning yuppie.

bobsleigh [bɔbslɛg] nm bobsleigh.

bocal [bɔkal] (pl **-aux**) nm **1.** jar **2.** [à poissons] bowl.

body [bɔdi] nm body.

body art [bɔdiaʀt] nm body art.

bodyboard [bɔdibɔʀd] nm SPORT bodyboarding.

body-building [bɔdibildiŋ] nm bodybuilding.

bœuf [bœf] (pl **bœufs** [bø]) nm **1.** ox **2.** CULIN beef ▸ **bœuf bourguignon** beef cooked in red wine sauce with bacon and onions.

bof [bɔf] interj term expressing lack of interest or enthusiasm ▸ **comment tu as trouvé le film ? — bof !** how did you like the film? — it was all right I suppose.

Bogotá [bɔgɔta] n Bogota.

bogue [bɔg] Québec, **bug** [bœg] nm INFORM bug.

bohémien, enne [bɔemjɛ̃, ɛn] nm, f gipsy.

boire [108] [bwaʀ] ◆ vt **1.** to drink **2.** [absorber] to soak up. ◆ vi to drink ▸ **boire un coup** to have a drink.

bois [bwa] ◆ nm wood. ◆ nmpl [d'un cerf] antlers.

boisé, e [bwaze] adj wooded.

boiseries [bwazʀi] nfpl panelling sg.

boisson [bwasɔ̃] nf drink.

boîte [bwat] nf **1.** box **2.** [de téléphone] : **boîte vocale** voice mail ▸ **boîte d'allumettes** box of matches ▸ **boîte de conserve** tin UK, can ▸ **boîte e-mail** mailbox ▸ **boîte aux lettres** a) [pour l'envoi] postbox UK, mailbox US b) [pour la réception] letterbox UK, mailbox US ▸ **boîte aux lettres électronique** INFORM electronic mailbox ▸ **boîte (de nuit)** (night)club ▸ **boîte à outils** toolbox ▸ **boîte postale** post office box ▸ **boîte de vitesses** gearbox.

boiter [3] [bwate] vi to limp.

boiteux, euse [bwatø, øz] adj lame.

boîtier [bwatje] **nm 1.** [de montre, de cassette] case **2.** [d'appareil photo] camera body.

bol [bɔl] **nm** bowl.

bolée [bɔle] **nf : bolée de cidre** bowl ou bowlful of cider (*in N.W. France, cider is often served in bowls*).

boléro [bɔlero] **nm** bolero.

bolide [bɔlid] **nm** racing car.

Bolivie [bɔlivi] **nf : la Bolivie** Bolivia.

bolivien, enne [bɔlivjɛ̃, ɛn] **adj** Bolivian. ◆ **Bolivien, enne nm, f** Bolivian.

bombardement [bɔ̃bardəmɑ̃] **nm** bombing.

bombarder [3] [bɔ̃barde] **vt** to bomb ▸ **bombarder qqn de questions** to bombard sb with questions.

bombe [bɔ̃b] **nf 1.** [arme] bomb **2.** [vaporisateur] spraycan ▸ **bombe atomique** nuclear bomb.

bon, bonne [bɔ̃, bɔn] *(meilleur [mɛjœr] est le comparatif et le superlatif de bon)* ◆ **adj 1.** [gén] good ▸ **nous avons passé de très bonnes vacances** we had a very good holiday ▸ **être bon en qqch** to be good at sthg **2.** [correct] right ▸ **est-ce le bon numéro ?** is this the right number? **3.** [utile] **: c'est bon pour la santé** it's good for you ▸ **il n'est bon à rien** he's useless ▸ **c'est bon à savoir** that's worth knowing **4.** [titre de transport, carte] valid **5.** [en intensif] **: ça fait une bonne heure que j'attends** I've been waiting for a good hour **6.** [dans l'expression des souhaits] **: bonne année !** Happy New Year! ▸ **bonnes vacances !** have a nice holiday! **7.** [dans des expressions] **: bon !**

right! ▸ **ah bon ?** really? ▸ **c'est bon !** [soit] all right! ▸ **pour de bon** for good ◆ **adv : il fait bon** it's lovely ▸ **sentir bon** to smell nice ▸ **tenir bon** to hold out ◆ **nm** [formulaire] form ; [en cadeau] voucher.

bonbon [bɔ̃bɔ̃] **nm** sweet 🇬🇧, candy 🇺🇸.

bond [bɔ̃] **nm** leap.

bondé, e [bɔ̃de] **adj** packed.

bondir [32] [bɔ̃dir] **vi** to leap.

bonheur [bɔnœr] **nm 1.** happiness **2.** [chance, plaisir] (good) luck ▸ **porter bonheur** to bring good luck.

bonhomme [bɔnɔm] (*pl* bonshommes [bɔ̃zɔm]) **nm 1.** *fam* [homme] fellow **2.** [silhouette] man ▸ **bonhomme de neige** snowman.

bonjour [bɔ̃ʒur] **interj** hello! ▸ **dire bonjour à qqn** to say hello to sb.

bonne [bɔn] **nf** maid.

bonnet [bɔnɛ] **nm** hat ▸ **bonnet de bain** swimming cap.

bonsaï [bɔ̃zaj] **nm** bonsai.

bonsoir [bɔ̃swar] **interj 1.** [en arrivant] good evening! **2.** [en partant] good night! ▸ **dire bonsoir à qqn a)** [en arrivant] to say good evening to sb **b)** [en partant] to say good night to sb.

bonté [bɔ̃te] **nf** kindness.

bonze [bɔ̃z] **nm** RELIG buddhist priest ou monk, bonze.

booster [3] [buste] **vt** to boost.

boots [buts] **nmpl** boots.

bord [bɔr] **nm** edge ▸ **à bord (de)** on board ▸ **monter à bord (de)** to board ▸ **au bord (de)** at the edge (of) ▸ **au bord**

de la mer at the seaside ▸ **au bord de la route** at the roadside.

Bordeaux [bɔʀdo] n Bordeaux.

bordelais, e [bɔʀdəlɛ, ɛz] adj [de Bordeaux] from Bordeaux. ◆ **Bordelais, e** nm, f inhabitant of or person from Bordeaux. ◆ **bordelaise** nf 1. [bouteille] Bordeaux bottle 2. CULIN : **à la bordelaise** in shallots and red wine.

bordelaise [bɔʀdəlɛz] adj f → **entrecôte**.

border [3] [bɔʀde] vt 1. [entourer] to line 2. [enfant] to tuck in ▸ **bordé de** lined with.

bordure [bɔʀdyʀ] nf 1. edge 2. [liseré] border ▸ **bordure et trame** INFORM borders and shading ▸ **en bordure de** on the edge of ▸ **en bordure de mer** by the sea.

borgne [bɔʀɲ] adj one-eyed.

borne [bɔʀn] nf [sur la route] ≃ milestone ▸ **dépasser les bornes** fig to go too far.

borné, e [bɔʀne] adj narrow-minded.

Bosnie-Herzégovine [bɔsniɛʀzegɔvin] n : **(la) Bosnie-Herzégovine** Bosnia-Herzegovina.

bosquet [bɔskɛ] nm copse.

bosse [bɔs] nf bump.

bosser [3] [bɔse] vi fam [travailler] to work ; [travailler dur] to work hard.

bossu, e [bɔsy] adj hunchbacked.

botanique [bɔtanik] ◆ adj botanical. ◆ nf botany.

Botswana [bɔtswana] nm : **le Botswana** Botswana.

botte [bɔt] nf 1. boot 2. [de légumes] bunch 3. [de foin] bundle ▸ **botte en**

caoutchouc wellington boot UK, rubber boot US.

Bottin® [bɔtɛ̃] nm phone book.

bottine [bɔtin] nf ankle boot.

bouc [buk] nm 1. [animal] (billy) goat 2. [barbe] goatee (beard) ▸ **bouc émissaire** scapegoat.

boucan [bukɑ̃] nm fam row, racket ▸ **faire du boucan** to kick up a racket.

bouche [buʃ] nf mouth ▸ **bouche d'égout** manhole ▸ **bouche de métro** metro entrance.

bouché, e [buʃe] adj 1. [obstrué] blocked 2. fam [personne] dumb, thick ▸ **j'ai le nez bouché** my nose is blocked.

bouche-à-bouche [buʃabuʃ] nm inv : **faire du bouche-à-bouche à qqn** to give sb mouth-to-mouth resuscitation.

bouchée [buʃe] nf 1. mouthful 2. [au chocolat] filled chocolate ▸ **bouchée à la reine** chicken vol-au-vent.

boucher¹ [3] [buʃe] vt 1. [remplir] to fill up 2. [bouteille] to cork 3. [oreilles, passage] to block.

boucher², ère [buʃe, ɛʀ] nm, f butcher.

boucherie [buʃʀi] nf butcher's (shop).

bouchon [buʃɔ̃] nm 1. [à vis] top 2. [en liège] cork 3. [embouteillage] traffic jam 4. [de pêche] float ▸ **bouchon d'oreilles** earwax plug.

boucle [bukl] nf 1. loop 2. [de cheveux] curl 3. [de ceinture] buckle ▸ **boucle d'oreille** earring.

bouclé, e [bukle] adj curly.

boucler [3] [bukle] ◆ vt 1. [ceinture] to buckle 2. fam [enfermer] to lock up. ◆ vi [cheveux] to curl ▸ **boucle-la !** fam shut it!

bouclier [buklije] nm shield.

bouddhisme [budism] nm Buddhism.

bouddhiste [budist] adj & nmf Buddhist.

bouder [3] [bude] vi to sulk.

boudin [budɛ̃] nm [cylindre] roll ▸ **boudin blanc** white pudding UK, white sausage US ▸ **boudin noir** black pudding UK, blood sausage US.

boue [bu] nf mud.

bouée [bwe] nf 1. [pour nager] rubber ring 2. [balise] buoy ▸ **bouée de sauvetage** life belt.

boueux, euse [buø, øz] adj muddy.

bouffant, e [bufɑ̃, ɑ̃t] adj [pantalon] baggy ▸ **manches bouffantes** puff sleeves.

bouffe [buf] nf fam food, grub.

bouffée [bufe] nf 1. puff 2. [de colère, d'angoisse] fit ▸ **une bouffée d'air frais** a breath of fresh air.

bouffer [3] [bufe] vt fam to eat.

bouffi, e [bufi] adj puffy.

bougeotte [buʒɔt] nf : **avoir la bougeotte** fam to have itchy feet.

bouger [17] [buʒe] ◆ vt to move. ◆ vi 1. to move 2. [changer] to change ▸ **j'ai une dent qui bouge** I've got a loose tooth.

bougie [buʒi] nf 1. candle 2. TECH spark plug.

bouillabaisse [bujabɛs] nf fish soup, a speciality of Provence.

bouillant, e [bujɑ̃, ɑ̃t] adj boiling (hot).

bouilli, e [buji] adj [eau, lait, viande] boiled.

bouillie [buji] nf 1. puree 2. [pour bébé] baby food.

bouillir [48] [bujir] vi to boil.

bouilloire [bujwar] nf kettle.

bouillon [bujɔ̃] nm stock.

bouillonnant, e [bujɔnɑ̃, ɑ̃t] adj bubbling, foaming.

bouillonner [3] [bujɔne] vi to bubble.

bouillotte [bujɔt] nf hot-water bottle.

boulanger, ère [bulɑ̃ʒe, ɛr] nm, f baker.

boulangerie [bulɑ̃ʒri] nf baker's (shop), bakery.

boule [bul] nf 1. ball 2. [de pétanque] bowl ▸ **jouer aux boules** to play boules ▸ **boule de Bâle** Suisse large sausage served with a vinaigrette.

bouledogue [buldɔg] nm bulldog.

boulet [bulɛ] nm cannonball.

boulette [bulɛt] nf pellet ▸ **boulette de viande / de poulet** meatball / chicken meatball.

boulevard [bulvar] nm boulevard ▸ **les grands boulevards** [à Paris] the main boulevards between la Madeleine and République.

bouleversement [bulvɛrsəmɑ̃] nm upheaval.

bouleverser [3] [bulvɛrse] vt 1. [émouvoir] to move deeply 2. [modifier] to disrupt.

boulimie [bulimi] nf bulimia.

boulimique [bulimik] adj bulimic.

boulon [bulɔ̃] nm bolt.

boulot [bulo] nm 1. fam [travail, lieu] work 2. [emploi] job.

boum [bum] nf fam party.

bouquet [bukɛ] nm **1.** [de fleurs] bunch **2.** [crevette] prawn **3.** [d'un vin] bouquet.

bouquin [bukɛ̃] nm *fam* book.

bouquiner [3] [bukine] vi & vt *fam* to read.

bourdon [burdɔ̃] nm bumblebee.

bourdonner [3] [burdɔne] vi to buzz.

bourgeois, e [burʒwa, az] adj **1.** [quartier, intérieur] middle-class **2.** *péj* bourgeois.

bourgeoisie [burʒwazi] nf bourgeoisie.

bourgeon [burʒɔ̃] nm bud.

bourgeonner [3] [burʒɔne] vi to bud.

Bourgogne [burgɔɲ] nf : **la Bourgogne** Burgundy.

bourguignon, onne [burgiɲɔ̃, ɔn] adj → **bœuf, fondue**.

bourrasque [burask] nf gust of wind.

bourratif, ive [buratif, iv] adj stodgy.

bourré, e [bure] adj **1.** [plein] packed **2.** *vulg* [ivre] pissed 🇬🇧, bombed 🇺🇸 ▶ **bourré de** packed with.

bourreau [buro] (*pl* **-x**) nm executioner.

bourrelet [burlɛ] nm **1.** [isolant] draught excluder **2.** [de graisse] roll of fat.

bourrer [3] [bure] vt **1.** [remplir un sac, une armoire] : **bourrer qqch (de)** to cram sthg full (of) **2.** *fam* [gaver] : **bourrer qqn (de)** to stuff sb (with).

bourse [burs] nf **1.** [d'études] grant **2.** [porte-monnaie] purse ▶ **la Bourse** the Stock Exchange.

boursier, ière [bursje, ɛr] adj **1.** [étudiant] on a grant **2.** [transaction] stockmarket.

boursouflé, e [bursufle] adj swollen.

bousculade [buskylad] nf scuffle.

bousculer [3] [buskyle] vt **1.** to jostle **2.** *fig* [presser] to rush.

boussole [busɔl] nf compass.

bout [bu] nm **1.** [extrémité] end **2.** [morceau] piece ▶ **au bout de** [après] after ▶ **arriver au bout de** to reach the end of ▶ **être à bout** to be at the end of ▶ **être à bout** to be at the end of one's tether.

boute-en-train [butɑ̃trɛ̃] nm inv : **le boute-en-train de la soirée** the life and soul of the party.

bouteille [butɛj] nf bottle ▶ **bouteille de gaz** gas cylinder ▶ **bouteille d'oxygène** oxygen cylinder.

boutique [butik] nf shop ▶ **boutique franche** ou **hors taxes** duty-free shop.

bouton [butɔ̃] nm **1.** [de vêtement] button **2.** [sur la peau] spot **3.** [de réglage] knob **4.** [de fleur] bud.

bouton-d'or [butɔ̃dɔr] (*pl* **boutons-d'or**) nm buttercup.

boutonner [3] [butɔne] vt to button (up).

boutonnière [butɔnjɛr] nf buttonhole.

bouton-pression [butɔ̃presjɔ̃] (*pl* **boutons-pression**) nm pressstud 🇬🇧, snap fastener 🇺🇸.

bovin, e [bɔvɛ̃, in] adj bovine.
◆ **bovins** nmpl cattle.

bowling [buliŋ] nm **1.** [jeu] ten-pin bowling **2.** [salle] bowling alley.

box [bɔks] nm inv **1.** [garage] lock-up garage **2.** [d'écurie] stall.

boxe [bɔks] nf boxing.

boxer [bɔksɛr] nm [chien] boxer.

boxeur [bɔksœr] nm boxer.

box-office [bɔksɔfis] (*pl* **box-offices**) nm box office.

boyau [bwajo] (*pl* **-x**) nm [de roue] inner tube. ◆ **boyaux** nmpl ANAT guts.

boycotter [3] [bɔjkɔte] vt to boycott.

BP (*abr écrite de* **boîte postale**) P.O. Box (Post Office Box).

bracelet [braslɛ] nm 1. bracelet 2. [de montre] strap.

bracelet-montre [braslɛmɔ̃tr] (*pl* **bracelets-montres**) nm wristwatch.

braconnier [brakɔnje] nm poacher.

brader [3] [brade] vt to sell off ▶ **'on brade'** 'clearance sale.'

braderie [bradri] nf clearance sale.

braguette [bragɛt] nf flies *pl*.

braille [braj] nm braille.

brailler [3] [braje] vi *fam* to bawl.

braise [brɛz] nf embers *pl* ▶ **à la braise** braised.

brancard [brɑ̃kar] nm stretcher.

branchages [brɑ̃ʃaʒ] nmpl branches.

branche [brɑ̃ʃ] nf 1. branch 2. [de lunettes] arm.

branché, e [brɑ̃ʃe] adj 1. [électricité] plugged in, connected 2. *fam* [à la mode] trendy.

branchement [brɑ̃ʃmɑ̃] nm connection ▶ **faire les branchements** to connect.

brancher [3] [brɑ̃ʃe] vt 1. [appareil] to plug in 2. [prise] to put in.

brandade [brɑ̃dad] nf **: brandade (de morue)** salt cod puree.

brandir [32] [brɑ̃dir] vt to brandish.

branlant, e [brɑ̃lɑ̃, ɑ̃t] adj wobbly.

braquer [3] [brake] ◆ vi [volant] to turn the wheel. ◆ vt **: braquer une**

arme sur qqn to aim a weapon at sb. ◆ **se braquer** vp [s'entêter] to dig one's heels in.

bras [bra] nm arm ▶ **bras droit** *fig* right hand man (woman) ▶ **bras de mer** sound.

brassard [brasar] nm armband.

brasse [bras] nf [nage] breaststroke.

brasser [3] [brase] vt 1. [remuer] to stir 2. [bière] to brew.

brasserie [brasri] nf 1. [café] large café serving light meals 2. [usine] brewery.

brassière [brasjɛr] nf 1. [pour bébé] baby's vest 🇬🇧, baby's undershirt 🇺🇸 2. Québec [soutien-gorge] bra.

brave [brav] adj 1. [courageux] brave 2. [gentil] decent ▶ **un brave homme** [honnête] a nice man.

bravo [bravo] interj bravo!

bravoure [bravur] nf bravery.

break [brɛk] nm [voiture] estate (car) 🇬🇧, station wagon 🇺🇸.

breakdance [brɛkdɑ̃s] nf breakdancing.

brebis [brəbi] nf ewe.

brèche [brɛʃ] nf gap.

bredouiller [3] [brəduje] vi to mumble.

bref, brève [brɛf, brɛv] ◆ adj brief. ◆ adv in short ▶ **bref, il vaut mieux rester ici** anyway, we're better off staying put.

Brésil [brezil] nm **: le Brésil** Brazil.

Bretagne [brətaɲ] nf **: la Bretagne** Brittany.

bretelle [brətɛl] nf 1. [de vêtement] shoulder strap 2. [d'autoroute] slip road 🇬🇧, access road. ◆ **bretelles** nfpl braces 🇬🇧, suspenders 🇺🇸.

breton, onne [brətɔ̃, ɔn] ◆ adj Breton. ◆ nm [langue] Breton. ◆ **Breton, onne** nm, f Breton.

brève adj f sing → **bref.**

brevet [brəve] nm **1.** diploma **2.** [d'invention] patent ▸ **brevet (des collèges)** SCOL exam taken at the age of 15.

bribes [brib] nfpl snatches ▸ **bribes de conversation** snatches of conversation.

bricolage [brikɔlaʒ] nm do-it-yourself, DIY UK ▸ **aimer faire du bricolage** to enjoy DIY.

bricole [brikɔl] nf trinket.

bricoler [3] [brikɔle] ◆ vt to fix up. ◆ vi to do odd jobs.

bricoleur, euse [brikɔlœr, øz] nm, f DIY enthusiast.

bride [brid] nf bridle.

bridé, e [bride] adj : **avoir les yeux bridés** to have slanting eyes.

bridge [bridʒ] nm bridge.

brie [bri] nm Brie.

brièvement [brijɛvmɑ̃] adv briefly.

brigade [brigad] nf brigade.

brigand [brigɑ̃] nm bandit.

brillamment [brijamɑ̃] adv brilliantly.

brillant, e [brijɑ̃, ɑ̃t] ◆ adj **1.** shiny **2.** [remarquable] brilliant. ◆ nm brilliant.

briller [3] [brije] vi to shine ▸ **faire briller** [meuble] to shine.

brin [brɛ̃] nm [de laine] strand ▸ **brin d'herbe** blade of grass ▸ **brin de muguet** sprig of lily of the valley.

brindille [brɛ̃dij] nf twig.

brioche [brijɔʃ] nf round, sweet bread roll eaten for breakfast.

brique [brik] nf **1.** brick **2.** [de lait, de jus de fruit] carton.

briquet [brike] nm (cigarette) lighter.

brise [briz] nf breeze.

briser [3] [brize] vt to break ▸ **briser la carrière de qqn** to destroy sb's career. ◆ **se briser** vp to break.

britannique [britanik] adj British. ◆ **Britannique** nmf British person ▸ **les Britanniques** the British.

brocante [brɔkɑ̃t] nf [magasin] second-hand shop.

brocanteur, euse [brɔkɑ̃tœr] nm, f dealer in second-hand goods.

broche [brɔʃ] nf **1.** [bijou] brooch **2.** CULIN spit.

brochet [brɔʃɛ] nm pike.

brochette [brɔʃɛt] nf [plat] kebab ▸ **brochette grillée** grilled meat kebab UK, broiled meat kabob US ▸ **brochette de poisson** fish kebab UK ou kabob US.

brochure [brɔʃyr] nf brochure.

brocoli [brɔkɔli] nm broccoli.

broder [3] [brɔde] vt to embroider.

broderie [brɔdri] nf embroidery.

bronches [brɔ̃ʃ] nfpl bronchial tubes.

bronchite [brɔ̃ʃit] nf bronchitis.

bronzage [brɔ̃zaʒ] nm suntan.

bronze [brɔ̃z] nm bronze.

bronzé, e [brɔ̃ze] adj tanned UK, tan US, suntanned.

bronzer [3] [brɔ̃ze] vi to tan ▸ **se faire bronzer** to get a tan.

brosse [brɔs] nf brush ▸ **avoir les cheveux en brosse** to have a crewcut ▸ **brosse à cheveux** hairbrush ▸ **brosse à dents** toothbrush.

brosser [3] [bʀɔse] vt to brush. ◆ **se brosser** vp to brush o.s. (down) ▸ **se brosser les dents** to brush one's teeth.

brouette [bʀuɛt] nf wheelbarrow.

brouhaha [bʀuaa] nm hubbub.

brouillard [bʀujaʀ] nm fog.

brouillé [bʀuje] adj m → **œuf**.

brouiller [3] [bʀuje] vt **1.** [idées] to muddle (up) **2.** [liquide, vue] to cloud. ◆ **se brouiller** vp **1.** [se fâcher] to quarrel **2.** [idées] to get confused **3.** [vue] to become blurred.

brouillon [bʀujɔ̃] nm (rough) draft.

broussailles [bʀusaj] nfpl undergrowth sg.

brousse [bʀus] nf [zone] **: la brousse** the bush.

brouter [3] [bʀute] vt to graze on.

browser [bʀawzœʀ] nm browser.

broyer [13] [bʀwaje] vt to grind, to crush.

brucelles [bʀysɛl] nfpl Suisse (pair of) tweezers.

brugnon [bʀynɔ̃] nm nectarine.

bruine [bʀɥin] nf drizzle.

bruiner [3] [bʀɥine] v impers **: il bruine** it's drizzling.

bruit [bʀɥi] nm **1.** [son] noise, sound **2.** [vacarme] noise ▸ **faire du bruit** to make a noise.

brûlant, e [bʀylɑ̃, ɑ̃t] adj boiling (hot).

brûlé [bʀyle] nm **: ça sent le brûlé** there's a smell of burning.

brûler [3] [bʀyle] ◆ vt to burn. ◆ vi **1.** [flamber] to burn **2.** [chauffer] to be burning (hot) ▸ **la fumée me brûle les yeux** the smoke is making my eyes sting ▸ **brûler un feu rouge** to jump a red light. ◆ **se brûler** vp to burn o.s. ▸ **se brûler la main** to burn one's hand.

brûlure [bʀylyʀ] nf **1.** burn **2.** [sensation] burning sensation ▸ **brûlures d'estomac** heartburn.

brume [bʀym] nf mist.

brumeux, euse [bʀymø, øz] adj misty.

brun, e [bʀœ̃, bʀyn] adj dark.

brunch [bʀœ̃ntʃ] nm brunch.

bruncher [3] [bʀœ̃nʃe] vi to have brunch.

brune [bʀyn] nf [cigarette] cigarette made with dark tobacco ▸ **(bière) brune** brown ale.

Brunei [bʀynei] nm **: le Brunei** Brunei.

Brushing® [bʀœʃiŋ] nm blow-dry ▸ **faire un Brushing** to have one's hair blow-dried.

brusque [bʀysk] adj **1.** [personne, geste] brusque **2.** [changement, arrêt] sudden.

brut, e [bʀyt] adj **1.** [matière] raw **2.** [pétrole] crude **3.** [poids, salaire] gross **4.** [cidre, champagne] dry.

brutal, e, aux [bʀytal, o] adj **1.** [personne, geste] violent **2.** [changement, arrêt] sudden.

brutaliser [3] [bʀytalize] vt to mistreat.

brute [bʀyt] nf bully.

Bruxelles [bʀy(k)sɛl] n Brussels.

bruyamment [bʀɥijamɑ̃] adv noisily.

bruyant, e [bʀɥijɑ̃, ɑ̃t] adj noisy.

bruyère [bʀɥijɛʀ] nf heather.

bsr SMS abr écrite de **bonsoir**.

BTS nm (abr de brevet de technicien supérieur) advanced vocational training certificate.

bu, e [by] pp → **boire**.

buanderie [byɑ̃dʀi] nf <u>Québec</u> [blanchisserie] laundry.

Bucarest [bykaʀɛst] n Bucharest.

bûche [byʃ] nf log ▸ **bûche de Noël** Yule log.

bûcheron [byʃʀɔ̃] nm lumberjack.

Budapest [bydapɛst] n Budapest.

budget [bydʒɛ] nm budget.

budgéter [3] [bydʒete] vt to budget for.

buée [bɥe] nf condensation.

buffet [byfɛ] nm **1.** [meuble] sideboard **2.** [repas, restaurant] buffet ▸ **buffet froid** cold buffet.

bug [bœg] nm = **bogue**.

building [bildiŋ] nm skyscraper.

buisson [bɥisɔ̃] nm bush.

buissonnière [bɥisɔnjɛʀ] adj f → **école**.

Bulgarie [bylgaʀi] nf **: la Bulgarie** Bulgaria.

bulldozer [byldozɛʀ] nm bulldozer.

bulle [byl] nf bubble ▸ **faire des bulles a)** [avec un chewing-gum] to blow bubbles **b)** [savon] to lather.

buller [3] [byle] vi vulg to bum about ou around.

bulletin [byltɛ̃] nm **1.** [papier] form **2.** [d'informations] news bulletin **3.** SCOL report ▸ **bulletin météorologique** weather forecast ▸ **bulletin de salaire** pay slip ▸ **bulletin de vote** ballot paper.

bungalow [bœ̃galo] nm chalet.

bureau [byʀo] nm **1.** office **2.** [meuble] desk **3.** INFORM desktop ▸ **bureau de change** bureau de change ▸ **bureau de poste** post office ▸ **bureau de tabac** tobacconist's <u>UK</u>, tobacco shop <u>US</u>.

bureautique [byʀotik] adj office-automation ▸ **équipement bureautique** office equipment.

Burkina (Faso) [byʀkina(faso)] nm **: le Burkina** Burkina-Faso.

burlesque [byʀlɛsk] adj funny.

burqa, burka [buʀka] nm ou nf burqa.

Burundi [buʀundi] nm **: le Burundi** Burundi.

bus [bys] nm bus.

business [biznɛs] nm fam business.

buste [byst] nm **1.** chest **2.** [statue] bust.

but [byt] nm **1.** [intention] aim **2.** [destination] destination **3.** SPORT [point] goal ▸ **les buts** SPORT [zone] the goal ▸ **dans le but de** with the intention of.

butane [bytan] nm Calor® gas.

buté, e [byte] adj stubborn.

buter [3] [byte] vi **: buter sur** ou **contre a)** [objet] to trip over **b)** [difficulté] to come up against.

butin [bytɛ̃] nm booty.

butte [byt] nf hillock.

buvard [byvaʀ] nm blotting paper.

buvette [byvɛt] nf refreshment stall.

buzz [bœz] nm buzz ▸ **le film a fait un énorme buzz** the film created a huge buzz.

c' pron → **ce**.

ça [sa] pron that ▸ **ça n'est pas facile** it's not easy ▸ **ça va ?** — **ça va !** how are you? — I'm fine! ▸ **comment ça ?** what? ▸ **c'est ça** [cest exact] that's right.

cabane [kaban] nf hut.

cabaret [kabarɛ] nm nightclub.

cabillaud [kabijo] nm cod.

cabine [kabin] nf **1.** [de bateau] cabin **2.** [de téléphérique] cable car **3.** [sur la plage] hut ▸ **cabine de douche** shower cubicle ▸ **cabine d'essayage** fitting room ▸ **cabine (de pilotage)** cockpit ▸ **cabine (téléphonique)** phone box.

cabinet [kabinɛ] nm **1.** [de médecin] surgery UK, office US **2.** [d'avocat] office ▸ **cabinet de toilette** bathroom ▸ **cabinet du maire** mayor's office. ◆ **cabinets** nmpl toilet sg.

câble [kabl] nm cable ▸ **câble Ethernet** Ethernet cable ▸ **câble USB** USB cable ▸ **(télévision par) câble** cable (television).

caboche [kabɔʃ] nf fam [tête] nut, noddle UK ▸ **mets-toi (bien) ça dans la caboche !** get that into your thick head!

cabosser [3] [kabɔse] vt to dent.

caca [kaka] nm : **faire caca** fam to do a poo.

cacah(o)uète [kakawɛt] nf peanut.

cacao [kakao] nm cocoa.

cache [kaʃ] nm cache.

cache-cache [kaʃkaʃ] nm inv : **jouer à cache-cache** to play hide-and-seek.

cache-cœur [kaʃkœr] (pl **cache-cœurs**) nm wrapover top.

cachemire [kaʃmir] nm cashmere.

cache-nez [kaʃne] nm inv scarf.

cacher [3] [kaʃe] vt **1.** to hide **2.** [vue, soleil] to block. ◆ **se cacher** vp to hide.

cachère [kaʃɛr] adj inv = **kasher**.

cachet [kaʃe] nm **1.** [comprimé] tablet **2.** [tampon] stamp.

cachette [kaʃet] nf hiding place ▸ **en cachette** secretly.

cachot [kaʃo] nm dungeon.

cacophonie [kakɔfɔni] nf cacophony.

cactus [kaktys] nm cactus.

cadavre [kadavr] nm corpse.

Caddie® [kadi] nm [supermarket] trolley UK, (grocery) cart US.

cadeau [kado] (pl **-x**) nm present ▸ **faire un cadeau à qqn** to give sb a present ▸ **faire cadeau de qqch à qqn** to give sb sthg.

cadenas [kadna] nm padlock.

cadence [kadɑ̃s] nf rhythm ▸ **en cadence** in time.

cadet, ette [kade, ɛt] adj & nm, f **1.** [de deux] younger **2.** [de plusieurs] youngest.

cadran [kadrɑ̃] nm dial ▸ **cadran solaire** sundial.

cadre [kadr] ◆ nm **1.** frame **2.** [tableau] painting **3.** [décor] surroundings pl **4.** : **dans le cadre de** as part of. ◆ nmf [d'une entreprise] executive.

cafard [kafar] nm [insecte] cockroach ▸ **avoir le cafard** fam to feel down.

café [kafe] nm 1. [établissement] café 2. [boisson, grains] coffee ▸ **café crème** ou **au lait** white coffee ▸ **café épicé** Suisse black coffee flavoured with cinnamon and cloves ▸ **café internet** Internet café ▸ **café liégeois** coffee ice cream topped with whipped cream ▸ **café noir** black coffee.

① **Le café**

In French cafés, a small cup of strong black coffee is called un **expresso**. This may be served **serré** (extra-strong), **léger** (weak) or **allongé** (diluted with hot water). An expresso with a tiny amount of milk added is called une **noisette**. A large cup of black coffee is un **grand café** or un **double expresso**. Coffee with frothy, steam-heated milk is called un **(grand/petit) crème**. The term **café au lait** is almost never used in cafés. Parisian cafés have traditionally played an important part in the intellectual and artistic life of the city. For example, the café de Flore was a favourite meeting place for the existentialists.

cafétéria [kafeterja] nf cafeteria.

café-théâtre [kafeteatr] (pl cafés-théâtres) nm café where theatre performances take place.

cafetier [kaftje] nm café owner.

cafetière [kaftjɛr] nf 1. [récipient] coffeepot 2. [électrique] coffee-maker 3. [à piston] cafetière.

cafter [3] [kafte] vi fam to sneak.

cage [kaʒ] nf 1. cage 2. SPORT goal ▸ **cage d'escalier** stairwell.

cagoule [kagul] nf balaclava.

cahier [kaje] nm exercise book ▸ **cahier de brouillon** rough book ▸ **cahier de textes** homework book.

caille [kaj] nf quail.

cailler [3] [kaje] vi 1. [lait] to curdle 2. [sang] to coagulate.

caillot [kajo] nm clot.

caillou [kaju] (pl -x) nm stone.

caisse [kɛs] nf 1. box 2. [de magasin, de cinéma] cash desk 3. [de supermarché] checkout 4. [de banque] cashier's desk ▸ **caisse d'épargne** savings bank ▸ **'caisse rapide'** 'express checkout' ▸ **'caisse dix articles'** checkout for ten items or fewer.

caissier, ière [kesje, ɛr] nm, f cashier.

cajou [kaʒu] nm → **noix**.

cake [kɛk] nm fruit cake.

calcaire [kalkɛr] ◆ nm limestone. ◆ adj 1. [eau] hard 2. [terrain] chalky.

calciné, e [kalsine] adj charred.

calcium [kalsjɔm] nm calcium.

calcul [kalkyl] nm 1. calculation 2. [arithmétique] arithmetic 3. MÉD stone ▸ **calcul mental** mental arithmetic.

calculatrice [kalkylatris] nf calculator.

calculer [3] [kalkyle] vt 1. to calculate 2. [prévoir] to plan.

calculette [kalkylɛt] nf calculator.

cale [kal] nf [pour stabiliser] wedge.

calé, e [kale] adj fam [doué] clever.

caleçon [kalsɔ̃] nm 1. [sous-vêtement] boxer shorts pl 2. [pantalon] leggings pl.

calembour [kalɑ̃bur] nm pun.

calendrier [kalɑ̃drije] nm calendar.

(i) **Le calendrier scolaire**

The school year starts in September, with a break in November, two weeks at Christmas, a winter break in February, a spring break at Easter and summer holidays in July and August. Where possible, holidays are staggered nationally, to avoid massive traffic jams on the roads with everyone heading off on holiday at once.

cale-pied [kalpje] (*pl* **clae-pieds**) nm toe clip.

calepin [kalpɛ̃] nm notebook.

caler [3] [kale] ◆ vt to wedge. ◆ vi **1.** [voiture, moteur] to stall **2.** *fam* [à table] to be full up ▸ **je cale** I'm stuffed.

califourchon [kalifurʃɔ̃] ◆ **à califourchon sur** prép astride.

câlin [kalɛ̃] nm cuddle ▸ **faire un câlin à qqn** to give sb a cuddle.

calmant [kalmɑ̃] nm painkiller.

calmars [kalmar] nmpl = **calamars**.

calme [kalm] adj & nm calm ▸ **du calme !** calm down!

calmement [kalməmɑ̃] adv calmly, quietly.

calmer [3] [kalme] vt **1.** [douleur] to soothe **2.** [personne] to calm down. ◆ **se calmer** vp **1.** [personne] to calm down **2.** [tempête, douleur] to die down.

calorie [kalɔri] nf calorie.

calque [kalk] nm : **(papier-)calque** tracing paper.

calvados [kalvados] nm calvados, apple brandy.

camarade [kamarad] nmf friend ▸ **camarade de classe** classmate.

Cambodge [kɑ̃bɔdʒ] nm : **le Cambodge** Cambodia.

cambouis [kɑ̃bwi] nm dirty grease.

cambré, e [kɑ̃bre] adj **1.** [dos] arched **2.** [personne] with an arched back.

cambriolage [kɑ̃brijɔlaʒ] nm burglary.

cambrioler [3] [kɑ̃brijɔle] vt to burgle UK, to burglarize US.

cambrioleur [kɑ̃brijɔlœr] nm burglar.

camembert [kamɑ̃bɛr] nm Camembert (cheese).

camer [3] [kame] ◆ **se camer** vp *vulg* to be a junkie ▸ **se camer à la cocaïne** to be on coke.

caméra [kamera] nf camera.

Cameroun [kamrun] nm : **le Cameroun** Cameroon.

Caméscope® [kameskɔp] nm camcorder.

camion [kamjɔ̃] nm lorry UK, truck US.

camion-citerne [kamjɔ̃sitɛrn] (*pl* **camions-citernes**) nm tanker UK, tank truck US.

camionnette [kamjɔnɛt] nf van.

camionneur [kamjɔnœr] nm [chauffeur] lorry driver UK, truck driver US.

camp [kɑ̃] nm **1.** camp **2.** [de joueurs, de sportifs] side, team ▸ **faire un camp** to go camping ▸ **camp de vacances** holiday camp.

campagne [kɑ̃paɲ] nf **1.** country(side) **2.** [électorale, publicitaire] campaign.

camper [3] [kɑ̃pe] vi to camp.

campeur, euse [kɑ̃pœr, øz] nm, f camper.

camping [kɑ̃piŋ] nm **1.** [terrain] campsite **2.** [activité] camping ▸ **faire du camping** to go camping ▸ **camping sauvage** *camping not on a campsite*.

camping-car [kɑ̃piŋkar] (pl **camping-cars**) nm camper-van [UK], RV [US].

Camping-Gaz® [kɑ̃piŋgaz] nm inv camping stove.

Canada [kanada] nm : **le Canada** Canada.

canadien, enne [kanadjɛ̃, ɛn] adj Canadian. ◆ **Canadien, enne** nm, f Canadian.

canadienne [kanadjɛn] nf **1.** [veste] fur-lined jacket **2.** [tente] (ridge) tent.

canal [kanal] (pl **-aux**) nm canal ▸ **Canal** + popular French TV pay channel.

canalisation [kanalizasjɔ̃] nf pipe.

canapé [kanape] nm **1.** [siège] sofa **2.** [toast] canapé ▸ **canapé convertible** sofa bed.

canapé-lit [kanapeli] (pl **canapés-lits**) nm sofa bed.

canard [kanar] nm **1.** duck **2.** [sucre] sugar lump (dipped in coffee or spirits) ▸ **canard laqué** Peking duck ▸ **canard à l'orange** duck in orange sauce.

canari [kanari] nm canary.

Canaries [kanari] nfpl : **les Canaries** the Canaries.

Canberra [kɑ̃bera] n Canberra.

cancer [kɑ̃ser] nm cancer.

Cancer [kɑ̃ser] nm Cancer.

cancéreux, euse [kɑ̃serø, øz] adj [tumeur] malignant.

cancérigène [kɑ̃seriʒɛn] adj carcinogenic.

candidat, e [kɑ̃dida, at] nm, f candidate.

candidature [kɑ̃didatyr] nf application ▸ **poser sa candidature (à)** to apply (for).

caneton [kantɔ̃] nm duckling.

canette [kanɛt] nf [bouteille] bottle.

caniche [kaniʃ] nm poodle.

canicule [kanikyl] nf heatwave.

canif [kanif] nm penknife.

canine [kanin] nf canine (tooth).

caniveau [kanivo] nm gutter.

canne [kan] nf walking stick ▸ **canne à pêche** fishing rod.

canneberge [kanbɛrʒ] nf cranberry.

cannelle [kanɛl] nf cinnamon.

cannelloni(s) [kaneloni] nmpl cannelloni sg.

cannette [kanɛt] nf = **canette**.

canoë [kanoe] nm canoe ▸ **faire du canoë** to go canoeing.

canoë-kayak [kanoekajak] (pl **canoës-kayaks**) nm kayak ▸ **faire du canoë-kayak** to go canoeing.

canon [kanɔ̃] nm **1.** [ancien] cannon **2.** [d'une arme à feu] barrel ▸ **chanter en canon** to sing in canon.

canot [kano] nm dinghy ▸ **canot pneumatique** inflatable dinghy ▸ **canot de sauvetage** lifeboat.

cantal [kɑ̃tal] nm mild cheese from the Auvergne, similar to cheddar.

cantatrice [kɑ̃tatris] nf (opera) singer.

cantine [kɑ̃tin] nf [restaurant] canteen.

cantique [kɑ̃tik] nm hymn.

canton [kɑ̃tɔ̃] nm **1.** [en France] division of an "arrondissement" **2.** [en Suisse] canton.

ⓘ **Le canton**

Switzerland is a confederation of twenty-six cantons. Each canton has its own constitution, parliament, government, and law courts. The cantons themselves are divided into smaller districts called communes. These are responsible for education, social services, town and country planning, taxation, etc.

cantonais [kɑ̃tɔnɛ] adj m → **riz**.

canyon, cañon [kanjɔn, kanjɔ̃] nm canyon.

canyoning [kanjɔniŋ], **canyonisme** [kanjɔnism] nm canyoning.

caoutchouc [kautʃu] nm rubber.

caoutchouteux, euse [kautʃutø, øz] adj [viande] rubbery.

cap [kap] nm **1.** [pointe de terre] cape **2.** NAUT course ▸ **mettre le cap sur** to head for.

CAP nm *vocational school-leaver's diploma (taken at age 16).*

capable [kapabl] adj capable ▸ **être capable de faire qqch** to be capable of doing sthg.

capacités [kapasite] nfpl ability sg.

cape [kap] nf cloak.

capitaine [kapitɛn] nm captain.

capital, e, aux [kapital, o] ◆ adj essential. ◆ nm capital.

capitale [kapital] nf capital.

capitalisme [kapitalism] nm capitalism.

capitaliste [kapitalist] nmf & adj capitalist.

capot [kapo] nm AUTO bonnet 🇬🇧, hood 🇺🇸.

capote [kapɔt] nf AUTO hood 🇬🇧, top 🇺🇸.

capoter [3] [kapɔte] vi **1.** [projet, entreprise] to fail **2.** 🇶🇺🇪🇧 fam [perdre la tête] to lose one's head.

cappuccino [kaputʃino] nm cappuccino.

câpre [kapr] nf caper.

caprice [kapris] nm **1.** [colère] tantrum **2.** [envie] whim ▸ **faire un caprice** to throw a tantrum.

capricieux, euse [kaprisjø, øz] adj [personne] temperamental.

Capricorne [kaprikɔrn] nm Capricorn.

capsule [kapsyl] nf [de bouteille] top, cap ▸ **capsule spatiale** space capsule.

capter [3] [kapte] vt [station de radio] to pick up ▸ **mon portable ne capte pas ici** I can't get a signal here.

captivant, e [kaptivɑ̃, ɑ̃t] adj [livre, film] enthralling ; [personne] captivating.

captivité [kaptivite] nf captivity ▸ **en captivité** [animal] in captivity.

capture [kaptyr] nf capture ▸ **capture d'écran** screenshot ▸ **faire une capture d'écran** to make a screenshot.

capturer [3] [kaptyre] vt to catch.

capuche [kapyʃ] nf hood.

capuchon [kapyʃɔ̃] nm **1.** [d'une veste] hood **2.** [d'un stylo] top.

Cap-Vert [kapvɛʀ] nm : **le Cap-Vert** Cape Verde.

caquelon [kaklɔ̃] nm 🇨🇭 fondue pot.

car¹ [kar] conj because.

car² [kar] nm coach 🇬🇧, bus 🇺🇸.

carabine [karabin] nf rifle.

caractère [karaktɛr] nm **1.** caracter **2.** [spécificité] characteristic ▸ **avoir du caractère a)** [personne] to have personality **b)** [maison] to have character ▸ **avoir bon caractère** to be good-natured ▸ **avoir mauvais caractère** to be bad-tempered ▸ **caractères d'imprimerie** block letters.

caractériser [3] [karakterize] vt to be characteristic of.

◆ **se caractériser** vp : **se caractériser par qqch** to be characterized by sthg.

caractéristique [karakteristik] ◆ nf characteristic. ◆ adj : **caractéristique de** characteristic of.

carafe [karaf] nf carafe.

Caraïbes [karaib] nfpl : **les Caraïbes** the Caribbean, the West Indies.

carambolage [karɑ̃bɔlaʒ] nm fam pile-up.

caramel [karamɛl] nm **1.** [sucre brûlé] caramel **2.** [bonbon dur] toffee **3.** [bonbon mou] fudge.

carapace [karapas] nf shell.

caravane [karavan] nf caravan.

carbonade [karbonad] nf : **carbonades flamandes** beef and onion stew, cooked with beer.

carbone [karbon] nm carbon ▸ **(papier) carbone** carbon paper.

carbonisé, e [karbonize] adj **1.** [véhicule] burned-out **2.** [corps, arbre] charred **3.** [plat] burned to a crisp.

carburant [karbyrɑ̃] nm fuel.

carburateur [karbyratœr] nm carburettor.

carcasse [karkas] nf **1.** [d'animal] carcass **2.** [de voiture] body.

cardiaque [kardjak] adj [maladie] heart ▸ **être cardiaque** to have a heart condition.

cardigan [kardigɑ̃] nm cardigan.

cardinaux [kardino] adj m pl → **point.**

cardiologue [kardjolog] nmf cardiologist.

caresse [karɛs] nf caress.

caresser [4] [karese] vt to stroke.

cargaison [kargɛzɔ̃] nf cargo.

cargo [kargo] nm freighter.

caricature [karikatyr] nf caricature.

caricaturer [3] [karikatyre] vt to caricature.

carie [kari] nf caries.

carillon [karijɔ̃] nm chime.

carnage [karnaʒ] nm slaughter ▸ **faire un carnage** fig to wreak havoc.

carnaval [karnaval] nm carnival.

carnet [karnɛ] nm **1.** notebook **2.** [de tickets, de timbres] book ▸ **carnet d'adresses** address book ▸ **carnet de chèques** chequebook ▸ **carnet de notes** report card.

carotte [karɔt] nf carrot.

carotter [3] [karɔte] vt vulg [argent, objet] to nick UK, to pinch ▸ **carotter qqch à qqn** to swindle ou to diddle sb out of sthg.

carpe [karp] nf carp.

carpette [karpɛt] nf rug.

carré, e [kare] ◆ adj square. ◆ nm **1.** square **2.** [d'agneau] rack ▸ **deux mètres carrés** two metres squared ▸ **deux au carré** four squared.

carreau [karo] (pl -x) nm **1.** [vitre] window pane **2.** [sur le sol, les murs] tile **3.** [carré] square **4.** [aux cartes] diamonds *pl* ▸ **à carreaux** checked.

carrefour [karfur] *nm* crossroads *sg*.

carrelage [karlaʒ] *nm* tiles *pl*.

carrément [karemɑ̃] *adv* **1.** [franchement] bluntly **2.** [très] completely ▸ **je suis carrément déçu** I'm very disappointed.

carrière [karjɛr] *nf* **1.** [de pierre] quarry **2.** [profession] career ▸ **faire carrière dans qqch** to make a career (for o.s.) in sthg.

carrossable [karɔsabl] *adj* suitable for motor vehicles.

carrosse [karɔs] *nm* coach.

carrosserie [karɔsri] *nf* body.

carrure [karyr] *nf* build.

cartable [kartabl] *nm* schoolbag.

carte [kart] *nf* **1.** card **2.** [plan] map **3.** [de restaurant] menu ▸ **à la carte** à la carte ▸ **carte bancaire** bank card for withdrawing cash and making purchases ▸ **Carte Bleue®** ≃ Visa® Card ▸ **carte de crédit** credit card ▸ **carte d'embarquement** boarding card ▸ **carte de fidélité** loyalty card ▸ **carte grise** vehicle registration document ▸ **carte (nationale) d'identité** identity card ▸ **Carte Orange** season ticket for use on public transport in Paris ▸ **carte postale** postcard ▸ **carte son** soundcard ▸ **carte téléphonique** *ou* **de téléphone** phonecard ▸ **carte des vins** wine list ▸ **carte de visite** visiting card [UK], calling card [US] ▸ **carte musées-monuments** *pass bought for visiting museums and historic monuments.*

ⓘ **La carte nationale d'identité**

All French citizens carry a national identity card which they must show, when asked, to a police officer or an official. It is also used when paying by cheque, taking exams, opening a bank account, etc., and can be used like a passport for travel within the EU.

cartilage [kartilaʒ] *nm* cartilage.

carton [kartɔ̃] *nm* **1.** [matière] cardboard **2.** [boîte] cardboard box **3.** [feuille] card ▸ **carton d'invitation** invitation card.

cartonner [3] [kartɔne] *vi fam* [film, musique] to be a hit ; [livre] to be a bestseller ▸ **j'ai cartonné en maths** I did brilliantly in maths.

cartouche [kartuʃ] *nf* **1.** cartridge **2.** [de cigarettes] carton **3.** [d'encre] cartridge.

cas [ka] *nm* case ▸ **au cas où** in case ▸ **dans ce cas** in that case ▸ **en cas de besoin** in case of need ▸ **en cas d'accident** in the event of an accident ▸ **en tout cas** in any case.

casbah [kazba] *nf* casbah, kasbah.

cascade [kaskad] *nf* **1.** [chute d'eau] waterfall **2.** [au cinéma] stunt.

cascadeur, euse [kaskadœr, øz] *nm, f* stuntman (stuntwoman).

case [kaz] *nf* **1.** [de damier, de mots croisés] square **2.** [compartiment] compartment **3.** [hutte] hut ▸ **cochez la case choisie** 'tick the appropriate box'.

caserne [kazɛrn] *nf* barracks *sg & pl* ▸ **caserne des pompiers** fire station.

casher [kaʃɛr] *adj inv* = **kasher**.

casier [kazje] *nm* [compartiment] pigeonhole ▸ **casier à bouteilles** bottle rack ▸ **casier judiciaire** criminal record.

casino [kazino] *nm* casino.

casque [kask] nm **1.** helmet **2.** [d'ouvrier] hard hat **3.** [écouteurs] headphones pl.

casquette [kaskɛt] nf cap.

cassé, e [kase] adj **1.** [voûté, courbé] stooped **2.** [voix] trembling, breaking.

casse-cou [kasku] nmf daredevil.

casse-croûte [kaskrut] nm inv snack.

casse-gueule [kasgœl] (pl inv ou **casse-gueules**) adj fam [chemin] treacherous ; [projet] risky ▸ **c'est casse-gueule, ton projet !** this plan of yours is going to be a complete disaster! ▸ **dis donc, il est casse-gueule ton escalier !** hey, this staircase of yours is dangerous!

casse-noix [kasnwa] nm inv nutcrackers pl.

casser [3] [kase] vt to break ▸ **casser les oreilles à qqn** to deafen sb ▸ **casser les pieds à qqn** fam to get on sb's nerves. ◆ **se casser** vp to break ▸ **se casser le bras** to break one's arm ▸ **se casser la figure** fam [tomber] to take a tumble.

casserole [kasrɔl] nf saucepan.

casse-tête [kastɛt] nm inv **1.** puzzle **2.** fig [problème] headache.

cassette [kasɛt] nf [de musique] cassette, tape ▸ **cassette vidéo** video cassette.

cassis [kasis] nm blackcurrant.

cassoulet [kasulɛ] nm haricot bean stew with pork, lamb or duck.

cata [kata] nf fam : **c'est la cata !** it's a disaster.

catalogue [katalɔg] nm catalogue.

catastrophe [katastrɔf] nf disaster.

catastrophique [katastrɔfik] adj disastrous.

catch [katʃ] nm wrestling.

catéchisme [kateʃism] nm ≃ Sunday school.

catégorie [kategɔri] nf category.

catégorique [kategɔrik] adj categorical.

cathédrale [katedral] nf cathedral.

catho [kato] adj & nmf fam Catholic.

catholicisme [katɔlisism] nm Catholicism.

catholique [katɔlik] adj & nmf Catholic.

cauchemar [koʃmar] nm nightmare.

cause [koz] nf cause, reason ▸ **à cause de** because of ▸ **'fermé pour cause de...'** 'closed due to...'.

causer [3] [koze] ◆ vt to cause. ◆ vi to chat.

caution [kosjɔ̃] nf **1.** [pour une location] deposit **2.** [personne] guarantor ▸ **se porter caution (pour qqn)** to stand guarantee (for sb).

cavalier, ère [kavalje, ɛr] ◆ nm, f **1.** [à cheval] rider **2.** [partenaire] partner. ◆ nm [aux échecs] knight.

cave [kav] nf cellar ▸ **cave à cigares** [boîte] humidor ▸ **cave à vins** wine cellar.

caverne [kavɛrn] nf cave.

caviar [kavjar] nm caviar.

caviste [kavist] nm cellarman.

CB abr écrite de **Carte Bleue®**

CD nm (abr de **Compact Disc®**) CD.

CDI nm (abr de **centre de documentation et d'information**) school library.

CD-ROM [sederɔm] nm CD-ROM.

ce, cette [sə, sɛt] (mpl **ces** [se]) (**cet** [sɛt] devant voyelle ou h muet) ◆ adj

1. [proche dans l'espace ou dans le temps] this, these *pl* ▸ **cette plage** this beach ▸ **cet enfant** this child ▸ **cette nuit a)** [passée] last night **b)** [prochaine] tonight **2.** [éloigné dans l'espace ou dans le temps] that, those *pl* ▸ **je n'aime pas cette chambre, je préfère celle-ci** I don't like that room, I prefer this one ◆ **pron 1.** [pour mettre en valeur] **: c'est it is, this is** ▸ **ce sont** they are, these are ▸ **c'est votre collègue qui m'a renseigné** it was your colleague who told me **2.** [dans des interrogations] **: est-ce bien là ?** is it the right place? ▸ **qui est-ce ?** who is it? **3.** [avec un relatif] **: ce que tu voudras** whatever you want ▸ **ce qui nous intéresse, ce sont les musées** the museums are what we're interested in ▸ **ce dont vous aurez besoin en camping** what you'll need when you're camping **4.** [en intensif] **: ce qu'il fait chaud !** it's so hot!

CE nm **1.** (*abr de cours élémentaire*) ▸ **CE 1** second year of primary school ▸ **CE 2** third year of primary school **2.** (*abr de comité d'entreprise*) works council.

ceci [səsi] pron this.

céder [18] [sede] ◆ **vt** [laisser] to give up. ◆ **vi 1.** [ne pas résister] to give in **2.** [casser] to give way ▸ **céder à** to give in to ▸ **'cédez le passage'** 'give way' [UK], 'yield' [US].

CEDEX [sedɛks] nm *code written after large companies' addresses, ensuring rapid delivery.*

cédille [sedij] nf cedilla.

CEI nf (*abr de Communauté d'États indépendants*) CIS (Commonwealth of Independent States).

ceinture [sɛ̃tyr] nf **1.** belt **2.** [d'un vêtement] waist ▸ **ceinture de sécurité** seat belt.

cela [səla] pron that ▸ **cela ne fait rien** it doesn't matter ▸ **comment cela ?** what? ▸ **c'est cela** [c'est exact] that's right.

célèbre [selɛbr] adj famous.

célébrer [18] [selebre] vt to celebrate.

célébrité [selebrite] nf **1.** [gloire] fame **2.** [star] celebrity.

céleri [sɛlri] nm celery ▸ **céleri rémoulade** grated celeriac, mixed with mustard mayonnaise, served cold.

célibataire [selibater] ◆ adj single. ◆ nmf single man (woman) ▸ **mère célibataire** single mother.

celle pron f → **celui**.

celle-ci pron f → **celui-ci**.

celle-là pron f → **celui-là**.

cellule [selyl] nf cell.

cellulite [selylit] nf cellulite.

celui, celle [səlɥi, sɛl] (*mpl* ceux [sø]) pron the one ▸ **celui de devant** the one in front ▸ **celui de Pierre** Pierre's (one) ▸ **celui qui part à 13 h 30** the one which leaves at 1.30 pm ▸ **ceux dont je t'ai parlé** the ones I told you about.

celui-ci, celle-ci [səlɥisi, sɛlsi] (*mpl* ceux-ci [søsi]) pron **1.** this one **2.** [dont on vient de parler] the latter.

celui-là, celle-là [səlɥila, sɛlla] (*mpl* ceux-là [søla]) pron **1.** that one **2.** [dont on a parlé] the former.

cendre [sɑ̃dr] nf ash.

cendrier [sɑ̃drije] nm ashtray.

censé, e [sɑ̃se] adj **: être censé faire qqch** to be supposed to do sthg.

censure [sɑ̃syr] nf **1.** [de la presse] censorship **2.** POL censure.

censurer [3] [sɑ̃syre] vt to censor.

cent [sɑ̃] num a hundred ▸ **pour cent** per cent.

centaine [sɑ̃tɛn] nf : **une centaine (de)** about a hundred.

centenaire [sɑ̃tnɛʀ] ◆ adj hundred-year-old. ◆ nmf centenarian. ◆ nm [anniversaire US] centenary UK, centennial US ▸ **être centenaire** to be a hundred years old.

centième [sɑ̃tjɛm] num hundredth.

centilitre [sɑ̃tilitʀ] nm centilitre UK, centiliter US.

centime [sɑ̃tim] nm centime ▸ **centime d'euro** cent.

centimètre [sɑ̃timɛtʀ] nm centimetre.

central, e, aux [sɑ̃tʀal, o] adj central.

centrale [sɑ̃tʀal] nf [électrique] power station ▸ **centrale nucléaire** nuclear power station.

centre [sɑ̃tʀ] nm 1. centre 2. [point essentiel] heart ▸ **centre aéré** holiday activity centre for children ▸ **centre commercial** shopping centre ▸ **centre sportif** sports centre ▸ **centre d'affaires** business centre UK ou center US.

centre-ville [sɑ̃tʀəvil] (pl centres-villes) nm town centre.

cent un [sɑ̃œ̃] num one hundred and one.

cèpe [sɛp] nm cep.

cependant [səpɑ̃dɑ̃] conj however.

céramique [seʀamik] nf 1. [matière] ceramic 2. [objet] piece of pottery.

cercle [sɛʀkl] nm circle.

cercueil [sɛʀkœj] nm coffin UK, casket US.

céréale [seʀeal] nf cereal ▸ **des céréales** [de petit déjeuner] (breakfast) cereal.

cérémonie [seʀemɔni] nf ceremony.

cerf [sɛʀ] nm stag.

cerfeuil [sɛʀfœj] nm chervil.

cerf-volant [sɛʀvɔlɑ̃] (pl cerfs-vol-ants) nm kite.

cerise [səʀiz] nf cherry.

cerisier [səʀizje] nm cherry tree.

cerner [3] [sɛʀne] vt to surround.

cernes [sɛʀn] nmpl shadows.

certain, e [sɛʀtɛ̃, ɛn] adj certain ▸ **être certain de qqch** to be certain of sthg ▸ **être certain de faire qqch** to be certain to do sthg ▸ **être certain que** to be certain that ▸ **un certain temps** a while ▸ **un certain Jean** someone called Jean. ◆ **certains, certaines** ◆ adj some. ◆ pron some (people).

certainement [sɛʀtɛnmɑ̃] adv 1. [probablement] probably 2. [bien sûr] certainly.

certes [sɛʀt] adv of course.

certificat [sɛʀtifika] nm certificate ▸ **certificat médical** doctor's certificate ▸ **certificat de scolarité** school attendance certificate.

certifier [9] [sɛʀtifje] vt to certify ▸ **certifié conforme** certified.

certitude [sɛʀtityd] nf certainty.

cerveau [sɛʀvo] (pl -x) nm brain.

cervelas [sɛʀvəla] nm ≃ saveloy (sausage).

cervelle [sɛʀvɛl] nf brains sg.

ces pron pl → **ce**.

César [cezaʀ] nm French cinema award.

Césars are the French equivalent of Hollywood Oscars. The awards ceremony takes place in late February or early March and is intended to promote French cinema and recognize the achievements of French actors and film-makers. Awards tend to go to box office successes rather than critics' choices.

cesse [sɛs] ◆ **sans cesse** adv continually.

cesser [4] [sese] vi to stop ▶ **cesser de faire qqch** to stop doing sthg.

c'est-à-dire [setadir] adv in other words.

cet [sɛt] pron m sing → **ce**.

cette pron f sing → **ce**.

ceux pron pl → **celui**.

ceux-ci pron pl → **celui-ci**.

ceux-là pron pl → **celui-là**.

cf. (abr de confer) cf.

chacun, e [ʃakœ̃, yn] pron 1. [chaque personne] each (one) 2. [tout le monde] everyone ▶ **chacun à son tour** each person in turn.

chagrin [ʃagrɛ̃] nm grief ▶ **avoir du chagrin** to be very upset.

chahut [ʃay] nm rumpus ▶ **faire du chahut** to make a racket.

chahuter [3] [ʃayte] vt to bait.

chaîne [ʃɛn] nf 1. chain 2. [suite] series 3. [de télévision] channel ▶ **à la chaîne** [travailler] on a production line ▶ **chaîne** (hi-fi) hi-fi (system) ▶ **chaîne laser** CD system ▶ **chaîne de montagnes** mountain range ▶ **chaîne à péage** pay TV channel. ◆ **chaînes** nfpl [de voiture] (snow) chains.

chair [ʃɛr] nf & adj inv flesh ▶ **chair à saucisse** sausage meat ▶ **en chair et en os** in the flesh ▶ **avoir la chair de poule** to have goose pimples.

chaise [ʃɛz] nf chair ▶ **chaise longue** deckchair.

châle [ʃal] nm shawl.

chalet [ʃalɛ] nm 1. chalet 2. Québec [maison de campagne] (holiday) cottage.

chaleur [ʃalœr] nf 1. heat 2. fig [enthousiasme] warmth ▶ **quelle chaleur !** it's roasting!

chaleureux, euse [ʃalœrø, øz] adj warm.

chaloupe [ʃalup] nf Québec [barque] rowing boat [UK], rowboat [US].

chalumeau [ʃalymo] (pl -x) nm blowlamp [UK], blowtorch [US].

chalutier [ʃalytje] nm trawler.

chamailler [3] [ʃamaje] ◆ **se chamailler** vp to squabble.

chamboulement [ʃãbulmã] nm fam [changement] total change, upheaval ▶ **il y a eu un chamboulement complet dans nos projets** our plans were turned upside down.

chambre [ʃãbr] nf : **chambre (à coucher)** bedroom ▶ **chambre à air** inner tube ▶ **chambre d'amis** spare room ▶ **Chambre des députés** ≃ House of Commons [UK]; ≃ House of Representatives [US] ▶ **chambre double** double room ▶ **chambre pour une personne** single room.

chameau [ʃamo] (pl -x) nm camel.

chamois [ʃamwa] nm → **peau**.

champ [ʃã] nm field ▶ **champ de bataille** battlefield ▶ **champ de courses** racecourse.

champagne [ʃɑ̃paɲ] nm champagne.

ⓘ Le champagne

Real champagne, the sparkling wine without which no celebration is complete, is produced only in the Champagne region of France. It is made by the 'champagne method' developed there over the centuries. A special mixture of sugar and yeasts added to the wine produces its famous bubbles.

champignon [ʃɑ̃piɲɔ̃] nm mushroom ▸ **champignons à la grecque** *mushrooms served cold in a sauce of olive oil, lemon and herbs* ▸ **champignon de Paris** button mushroom.

champion, ionne [ʃɑ̃pjɔ̃, jɔn] nm, f champion.

championnat [ʃɑ̃pjɔna] nm championship.

chance [ʃɑ̃s] nf 1. [sort favorable] luck 2. [probabilité] chance ▸ **avoir de la chance** to be lucky ▸ **avoir des chances de faire qqch** to have a chance of doing sthg ▸ **bonne chance !** good luck!

chanceler [24] [ʃɑ̃sle] vi to wobble.

chancelier, ière [ʃɑ̃səlje, jɛr] nm, f chancellor.

chanceux, euse [ʃɑ̃sø, øz] adj lucky.

chandail [ʃɑ̃daj] nm sweater.

Chandeleur [ʃɑ̃dlœr] nf : **la Chandeleur** Candlemas.

chandelier [ʃɑ̃dəlje] nm 1. [candlestick] candlestick 2. [à plusieurs branches] candelabra.

chandelle [ʃɑ̃dɛl] nf candle ▸ **un dîner aux chandelles** a candlelit dinner.

change [ʃɑ̃ʒ] nm [taux] exchange rate.

changement [ʃɑ̃ʒmɑ̃] nm change ▸ **changement de vitesse** gear lever UK, gear shift US.

changer [17] [ʃɑ̃ʒe] vt & vi to change ▸ **changer des euros en dollars** to change euros into dollars ▸ **changer de train/vitesse** to change trains / gear. ◆ **se changer** vp [s'habiller] to get changed ▸ **se changer en** to change into.

chanson [ʃɑ̃sɔ̃] nf song.

chant [ʃɑ̃] nm 1. song 2. [art] singing.

chantage [ʃɑ̃taʒ] nm blackmail.

chanter [3] [ʃɑ̃te] vt & vi to sing.

chanteur, euse [ʃɑ̃tœr, øz] nm, f singer.

chantier [ʃɑ̃tje] nm (building) site.

chantilly [ʃɑ̃tiji] nf : **(crème) chantilly** whipped cream.

chantonner [3] [ʃɑ̃tɔne] vi to hum.

chapeau [ʃapo] (pl -x) nm hat ▸ **chapeau de paille** straw hat.

chapelet [ʃaplɛ] nm rosary beads.

chapelle [ʃapɛl] nf chapel.

chapelure [ʃaplyr] nf (dried) breadcrumbs pl.

chapiteau [ʃapito] (pl -x) nm [de cirque] big top.

chapitre [ʃapitr] nm chapter.

chapon [ʃapɔ̃] nm capon.

chaque [ʃak] adj 1. [un] each 2. [tout] every ▸ **ils coûtent 5 € chaque** they cost €5 each.

char [ʃar] nm 1. [d'assaut] tank 2. Québec [voiture] car 3. [de carnaval] float ▸ **char à voile** sand yacht.

charabia [ʃarabja] nm fam gibberish.

charade [ʃarad] nf charade.

charbon [ʃaʁbɔ̃] nm coal.

charcuterie [ʃaʁkytʁi] nf 1. [aliments] cooked meats pl 2. [magasin] delicatessen.

chardon [ʃaʁdɔ̃] nm thistle.

charge [ʃaʁʒ] nf 1. [cargaison] load 2. fig [gêne] burden 3. [responsabilité] responsibility ▸ **prendre qqch en charge** to take responsibility for sthg. ◆ **charges** nfpl [d'un appartement] service charge sg.

chargement [ʃaʁʒəmɑ̃] nm load.

charger [17] [ʃaʁʒe] vt to load ▸ **charger qqn de faire qqch** to put sb in charge of doing sthg. ◆ **se charger de** vp + prép to take care of.

charia [ʃaʁja] nf RELIG sharia, sheria.

chariot [ʃaʁjo] nm 1. [charrette] wagon 2. [au supermarché] trolley UK, cart US.

charité [ʃaʁite] nf charity ▸ **demander la charité** to beg.

charlotte [ʃaʁlɔt] nf 1. [cuite] charlotte 2. [froide] cold dessert of chocolate or fruit mousse encased in sponge fingers.

charmant, e [ʃaʁmɑ̃, ɑ̃t] adj charming.

charme [ʃaʁm] nm charm.

charmer [3] [ʃaʁme] vt to charm.

charnière [ʃaʁnjɛʁ] nf hinge.

charpente [ʃaʁpɑ̃t] nf framework.

charpentier [ʃaʁpɑ̃tje] nm carpenter.

charrette [ʃaʁɛt] nf cart.

charrue [ʃaʁy] nf plough.

charter [ʃaʁtɛʁ] nm : **(vol) charter** charter flight.

chas [ʃa] nm eye (of a needle).

chasse [ʃas] nf hunting ▸ **aller à la chasse** to go hunting ▸ **tirer la chasse (d'eau)** to flush the toilet.

chasselas [ʃasla] nm [vin] variety of Swiss white wine.

chasse-neige [ʃasnɛʒ] nm inv snowplough.

chasser [3] [ʃase] ◆ vt 1. [animal] to hunt 2. [personne] to drive away. ◆ vi to hunt ▸ **chasser qqn de** to throw sb out of.

chasseur [ʃasœʁ] nm hunter.

châssis [ʃasi] nm 1. [de voiture] chassis 2. [de fenêtre] frame.

chat, chatte [ʃa, ʃat] nm, f cat ▸ **avoir un chat dans la gorge** to have a frog in one's throat.

châtaigne [ʃatɛɲ] nf chestnut.

châtaignier [ʃatɛɲe] nm chestnut (tree).

châtain [ʃatɛ̃] adj brown ▸ **être châtain** to have brown hair.

château [ʃato] nm (pl -x) nm castle ▸ **château d'eau** water tower ▸ **château fort** (fortified) castle.

chaton [ʃatɔ̃] nm [chat] kitten.

chatouiller [3] [ʃatuje] vt to tickle.

chatouilleux, euse [ʃatujø, øz] adj ticklish.

chatte nf → **chat**.

chatter [3] [ʃate] vi INFORM to chat.

chaud, e [ʃo, ʃod] ◆ adj 1. hot 2. [vêtement] warm. ◆ nm : **rester au chaud** to stay in the warm ▸ **il fait chaud** it's hot ▸ **avoir chaud** to be hot ▸ **cette veste me tient chaud** this is a warm jacket.

chaudière [ʃodjɛʁ] nf boiler.

chaudronnée [ʃodʀɔne] nf Québec *various types of seafish cooked with onion in stock.*

chauffage [ʃofaʒ] nm **1.** heating ▸ **chauffage central** central heating.

chauffante [ʃofɑ̃t] adj f → **plaque**.

chauffard [ʃofaʀ] nm **1.** reckless driver **2.** [qui s'enfuit] hit-and-run driver ▸ **après l'accident, le chauffard a pris la fuite** the driver did a hit and run.

chauffe-eau [ʃofo] nm inv water heater.

chauffer [3] [ʃofe] ◆ vt to heat (up). ◆ vi **1.** [eau, aliment] to heat up **2.** [radiateur] to give out heat **3.** [soleil] to be hot **4.** [surchauffer] to overheat.

chauffeur [ʃofœʀ] nm driver ▸ **chauffeur de taxi** taxi driver.

chaumière [ʃomjɛʀ] nf thatched cottage.

chaussée [ʃose] nf road ▸ **'chaussée déformée'** 'uneven road surface'.

chausse-pied [ʃospje] (pl **chausse-pieds**) nm shoehorn.

chausser [3] [ʃose] vi : **chausser du 38** to take a size 38 (shoe).

chaussette [ʃosɛt] nf sock.

chausson [ʃosɔ̃] nm slipper ▸ **chausson aux pommes** apple turnover ▸ **chaussons de danse** ballet shoes.

chaussure [ʃosyʀ] nf shoe ▸ **chaussures de marche** walking boots.

chauve [ʃov] adj bald.

chauve-souris [ʃovsuʀi] (pl **chauves-souris**) nf bat.

chauvin, e [ʃovɛ̃, in] adj chauvinistic.

chaux [ʃo] nf lime ▸ **blanchi à la chaux** whitewashed.

chavirer [3] [ʃaviʀe] vi to capsize.

cheesecake [tʃizkɛk] nm cheesecake.

chef [ʃɛf] nm **1.** head **2.** [cuisinier] chef ▸ **chef d'entreprise** company manager ▸ **chef d'État** head of state ▸ **chef de gare** station master ▸ **chef d'orchestre** conductor.

chef-d'œuvre [ʃedœvʀ] (pl **chefs-d'œuvre**) nm masterpiece.

chef-lieu [ʃefljø] (pl **chefs-lieux**) nm administrative centre of a region or district.

chemin [ʃəmɛ̃] nm **1.** path **2.** [parcours] way ▸ **en chemin** on the way.

chemin de fer [ʃəmɛ̃dəfɛʀ] (pl **chemins de fer**) nm railway UK, railroad US.

cheminée [ʃəmine] nf **1.** chimney **2.** [dans un salon] mantelpiece.

cheminot [ʃəmino] nm railwayman UK, railroad man US.

chemise [ʃəmiz] nf **1.** shirt **2.** [en carton] folder ▸ **chemise de nuit** nightdress.

chemisier [ʃəmizje] nm blouse.

chêne [ʃɛn] nm **1.** [arbre] oak (tree) **2.** [bois] oak.

chenil [ʃənil] nm **1.** kennels sg **2.** Suisse [objets sans valeur] junk.

chenille [ʃənij] nf caterpillar.

chèque [ʃɛk] nm cheque UK, check US ▸ **chèque barré** crossed cheque ▸ **chèque en blanc** blank cheque ▸ **il a fait un chèque sans provision** his cheque bounced ▸ **chèque de voyage** traveller's cheque.

Chèque-Restaurant® [ʃɛkʀɛstɔʀɑ̃] (pl **Chèques-Restaurant**) nm ≃ luncheon voucher.

chéquier [ʃekje] nm cheque-book🇬🇧, checkbook🇺🇸.

cher, chère [ʃɛr] ◆ adj expensive. ◆ adv : **coûter cher** to be expensive ▶ **cher Monsieur /Laurent** Dear Sir / Laurent.

chercher [3] [ʃɛrʃe] vt to look for ▶ **aller chercher** to fetch. ◆ **chercher à** v + prép : **chercher à faire qqch** to try to do sthg.

chercheur, euse [ʃɛrʃœr, øz] nm, f researcher.

chéri, e [ʃeri] ◆ adj darling. ◆ nm, f : **mon chéri** my darling.

cheval [ʃəval] (pl -aux) nm horse ▶ **monter à cheval** to ride (a horse) ▶ **faire du cheval** to go riding ▶ **être à cheval sur** a) [chaise, branche] to be sitting astride.

chevalier [ʃəvalje] nm knight.

chevelure [ʃəvlyr] nf hair.

chevet [ʃəvɛ] nm → **lampe, table**.

cheveu [ʃəvø] (pl -x) nm hair. ◆ **cheveux** nmpl hair sg ▶ **avoir les cheveux blonds /bruns** to be fair /dark-haired.

cheville [ʃəvij] nf 1. ANAT ankle 2. [en plastique] Rawlplug®.

chèvre [ʃɛvr] nf goat.

chevreuil [ʃəvrœj] nm 1. [animal] roe deer 2. CULIN venison.

chewing-gum [ʃwiŋgɔm] (pl chewing-gums) nm chewing gum.

chez [ʃe] prép [sur une adresse] c /o ▶ **allons chez les Marceau** let's go to the Marceau's (place) ▶ **je reste chez moi** I'm staying at (home) ▶ **je rentre chez moi** I'm going home ▶ **chez le dentiste** at /to the dentist's ▶ **ce que j'aime chez lui, c'est…** what I like about him is…

chiadé, e [ʃjade] adj fam [élaboré] top-notch.

chiasse [ʃjas] nf vulg [diarrhée] : **avoir la chiasse** to have the trots ou runs.

chic [ʃik] adj smart.

chiche [ʃiʃ] adj m → **pois**.

chicon [ʃikɔ̃] nm 🇧🇪 chicory.

chicorée [ʃikɔre] nf chicory.

chicos [ʃikos] adj fam classy, smart.

chien, chienne [ʃjɛ̃, ʃjɛn] nm, f dog (bitch).

chieur, euse [ʃjœr, øz] nm, f vulg : **c'est un chieur /une vraie chieuse** he's /she's a real pain in the arse 🇬🇧 ou ass 🇺🇸.

chiffon [ʃifɔ̃] nm cloth ▶ **chiffon (à poussière)** duster.

chiffonner [ʃifɔne] vt to crumple.

chiffre [ʃifr] nm 1. MATH figure 2. [montant] sum.

chignon [ʃiɲɔ̃] nm bun (in hair).

chiite [ʃiit] adj Shiah, Shiite. ◆ **Chiite** nmf Shiite.

Chili [ʃili] nm : **le Chili** Chile.

chilien, enne [ʃiljɛ̃, ɛn] adj Chilean. ◆ **Chilien, enne** nm, f Chilean.

chimie [ʃimi] nf chemistry.

chimiothérapie [ʃimjɔterapi] nf chemotherapy.

chimique [ʃimik] adj chemical.

Chine [ʃin] nf : **la Chine** China.

chinois, e [ʃinwa, az] ◆ adj Chinese. ◆ nm [langue] Chinese. ◆ **Chinois, e** nm, f Chinese person.

chiot [ʃjo] nm puppy.

chipolata [ʃipolata] nf chipolata.

chips [ʃips] nfpl crisps 🇬🇧, chips 🇺🇸.

chirurgie [ʃiryrʒi] nf surgery ▸ **chirurgie esthétique** cosmetic surgery.

chirurgien, enne [ʃiryrʒjɛ̃, ɛn] nm, f surgeon.

chlore [klɔr] nm chlorine.

choc [ʃɔk] nm **1.** [physique] impact **2.** [émotion] shock.

chocolat [ʃɔkɔla] nm chocolate ▸ **chocolat blanc** white chocolate ▸ **chocolat au lait** milk chocolate ▸ **chocolat liégeois** chocolate ice cream topped with whipped cream ▸ **chocolat noir** plain chocolate ▸ **chocolat viennois** hot chocolate topped with whipped cream.

chocolatier [ʃɔkɔlatje] nm confectioner's (selling chocolates).

choesels [tʃuzɛl] nmpl Belg meat, liver and heart stew, cooked with beer.

chœur [kœr] nm **1.** [chorale] choir **2.** fig [d'opéra] chorus **3.** [d'église] choir, chancel ▸ **en chœur** all together.

choisir [32] [ʃwazir] vt to choose ▸ **choisir de faire qqch** to choose to do sthg.

choix [ʃwa] nm choice ▸ **avoir le choix** to be able to choose ▸ **de premier choix** top-quality ▸ **'fromage ou dessert au choix'** 'a choice of cheese or dessert'.

cholestérol [kɔlɛsterɔl] nm cholesterol.

chômage [ʃomaʒ] nm unemployment ▸ **être au chômage** to be unemployed.

chômedu [ʃomdy] nm fam unemployment ▸ **être au chômedu** to be out of work.

chômeur, euse [ʃomœr, øz] nm, f unemployed person.

chope [ʃɔp] nf tankard ▸ **chope de bière** mug of beer.

choquant, e [ʃɔkɑ̃, ɑ̃t] adj shocking.

choquer [3] [ʃɔke] vt to shock.

chorale [kɔral] nf choir.

chose [ʃoz] nf thing ▸ **autre chose** something else ▸ **quelque chose** something.

chou [ʃu] nm (pl -x) nm cabbage ▸ **chou de Bruxelles** Brussels sprout ▸ **chou à la crème** cream puff ▸ **chou rouge** red cabbage.

chouchou, oute [ʃuʃu, ut] ◆ nm, f fam favourite. ◆ adj scrunchy.

choucroute [ʃukrut] nf : **choucroute (garnie)** sauerkraut (with pork and sausage).

chouette [ʃwɛt] ◆ nf owl. ◆ adj fam great.

chou-fleur [ʃuflœr] (pl choux-fleurs) nm cauliflower.

chouraver [3] [ʃurave] vt vulg to swipe, to pinch ▸ **chouraver qqch à qqn** to pinch sthg from sb.

chrétien, enne [kretjɛ̃, ɛn] adj & nm, f Christian.

Christ [krist] nm Christ.

christianisme [kristjanism] nm Christianity.

chromé, e [krome] adj chromeplated.

chromes [krom] nmpl [d'une voiture] chrome sg.

chronique [krɔnik] ◆ adj chronic. ◆ nf **1.** [maladie] chronic illness **2.** [de journal] column.

chronologie [krɔnɔlɔʒi] nf chronology.

chronologique [krɔnɔlɔʒik] adj chronological.

chronomètre [krɔnɔmɛtr] nm stopwatch.

chronométrer [18] [krɔnɔmetre] vt to time.

chrysanthème [krizɑ̃tɛm] nm chrysanthemum.

CHU nm teaching hospital.

chuchotement [ʃyʃɔtmɑ̃] nm whisper.

chuchoter [3] [ʃyʃɔte] vt & vi to whisper.

chut [ʃyt] interj sh!

chute [ʃyt] nf [fait de tomber] fall ▸ **chute d'eau** waterfall ▸ **chute de neige** snowfall.

chuter [3] [ʃyte] vi 1. [baisser] to fall, to drop 2. [tomber] to fall.

Chypre [ʃipr] nf Cyprus.

chypriote [ʃipriɔt], **cypriote** [sipriɔt] adj Cypriot. ◆ **Chypriote, Cypriote** nmf Cypriot.

ci [si] adv : **ce livre-ci** this book ▸ **ces jours-ci** these days.

cible [sibl] nf target.

ciboulette [sibulɛt] nf chives pl.

cicatrice [sikatris] nf scar.

cicatriser [3] [sikatrize] vi to heal.

ci-dessous [sidəsu] adv below.

ci-dessus [sidəsy] adv above.

cidre [sidr] nm cider UK, hard cider US ▸ **cidre bouché** bottled cider UK ou hard cider US ▸ **cidre fermier** farm-produced cider UK ou hard cider US.

Cie (abr écrite de **compagnie**) Co. (company).

ciel [sjɛl] nm 1. sky 2. [paradis : pl cieux] heaven ▸ **le ciel est nuageux / dégagé** the sky is cloudy / clear.

cierge [sjɛrʒ] nm candle (in church).

cieux [sjø] nmpl → **ciel**.

cigale [sigal] nf cicada.

cigare [sigar] nm cigar.

cigarette [sigarɛt] nf cigarette ▸ **cigarette filtre** filter-tipped cigarette ▸ **cigarette russe** cylindrical wafer.

cigogne [sigɔɲ] nf stork.

ci-joint, e [siʒwɛ̃, ɛt] adj & adv enclosed ▸ **vous trouverez ci-joint...** a) [letter] please find enclosed b) [email] please find attached.

cil [sil] nm eyelash.

cime [sim] nf top.

ciment [simɑ̃] nm cement.

cimetière [simtjɛr] nm cemetery.

cinéaste [sineast] nmf film-maker.

ciné-club [sineklœb] (pl **ciné-clubs**) nm film club.

cinéma [sinema] nm cinema.

cinémathèque [sinematɛk] nf art-house cinema (showing old films).

cinéphile [sinefil] nmf film lover.

cinq [sɛ̃k] num five ▸ **il a cinq ans** he's five (years old) ▸ **il est cinq heures** it's five o'clock ▸ **le cinq janvier** the fifth of January ▸ **page cinq** page five ▸ **ils étaient cinq** there were five of them ▸ **le cinq de pique** the five of spades ▸ **(au) cinq rue Lepic** at / to five, rue Lepic.

cinquantaine [sɛ̃kɑ̃tɛn] nf : **une cinquantaine (de)** about fifty ▸ **avoir la cinquantaine** to be middle-aged.

cinquante [sɛ̃kɑ̃t] num fifty ▸ **(au) cinquante rue Lepic** (at) 50 Rue Lepic ▸ **ils étaient cinquante** there were fifty of them ▸ **il y a cinquante ans** fifty years ago.

cinquantenaire [sẽkɑ̃tnɛr] ♦ adj fifty-year-old. ♦ nmf person in his/her fifties. ♦ nm [d'événement] fiftieth anniversary ; [d'institution] golden jubilee.

cinquantième [sẽkɑ̃tjɛm] num fiftieth.

cinquième [sẽkjɛm] ♦ num fifth. ♦ nf **1.** SCOL second year 🇬🇧, seventh grade 🇺🇸 **2.** [vitesse] fifth (gear) ▸ **le cinquième étage** fifth floor 🇬🇧, sixth floor 🇺🇸 ▸ **le cinquième (arrondissement)** fifth arrondissement ▸ **il est arrivé cinquième** he came fifth.

cintre [sẽtr] nm coat hanger.

cintré, e [sẽtre] adj [veste] waisted.

cipâte [sipat] nm 🇶🇧 savoury tart consisting of many alternating layers of diced potato and meat (usually beef and pork).

cirage [siraʒ] nm shoe polish.

circonflexe [sirkɔ̃flɛks] adj → **accent**.

circonstances [sirkɔ̃stɑ̃s] nfpl circumstances ▸ **concours de circonstances** combination of circumstances.

circuit [sirkɥi] nm **1.** circuit **2.** [trajet] tour ▸ **circuit touristique** organized tour.

circulaire [sirkylɛr] adj & nf circular.

circulation [sirkylasjɔ̃] nf **1.** [routière] traffic **2.** [du sang] circulation.

circuler [3] [sirkyle] vi **1.** [piéton] to move **2.** [voiture] to drive **3.** [sang, électricité] to circulate.

cire [sir] nf [pour meubles] (wax) polish.

ciré [sire] nm oilskin.

cirer [3] [sire] vt [chaussure, parquet] to polish.

cirque [sirk] nm circus.

ciseaux [sizo] nmpl **:** **(une paire de) ciseaux** (a pair of) scissors.

citadin, e [sitadɛ̃, in] nm, f city-dweller.

citation [sitasjɔ̃] nf quotation.

cité [site] nf **1.** [ville] city **2.** [groupe d'immeubles] housing estate ▸ **cité universitaire** hall of residence.

citer [3] [site] vt **1.** [phrase, auteur] to quote **2.** [nommer] to mention.

citerne [sitɛrn] nf tank.

citoyen, enne [sitwajɛ̃, ɛn] nm, f citizen.

citron [sitrɔ̃] nm lemon ▸ **citron vert** lime.

citronnade [sitrɔnad] nf lemon squash.

citrouille [sitruj] nf pumpkin.

civet [sivɛ] nm rabbit or hare stew made with red wine, shallots and onion.

civière [sivjɛr] nf stretcher.

civil, e [sivil] ♦ adj **1.** [non militaire] civilian **2.** [non religieux] civil. ♦ nm [personne] civilian ▸ **en civil** in plain clothes.

civilisation [sivilizasjɔ̃] nf civilization.

cl (abr écrite de **centilitre**) cl (centilitre, centiliter).

clafoutis [klafuti] nm flan made with cherries or other fruit.

clair, e [klɛr] ♦ adj **1.** [lumineux] bright **2.** [couleur] light **3.** [teint] fair **4.** [pur] clear **5.** [compréhensible] clear. ♦ adv clearly. ♦ nm **: clair de lune** moonlight ▸ **il fait encore clair** it's still light.

clairement [klɛrmɑ̃] adv clearly.

clairière [klɛrjɛr] nf clearing.

clairon [klɛrɔ̃] nm bugle.

clairsemé, e [klɛrsəme] adj sparse.

clandestin, e [klɑ̃dɛstɛ̃, in] adj clandestine.

claquage [klakaʒ] nm MÉD strain ▸ **se faire un claquage** to pull ou to strain a muscle.

claque [klak] nf slap.

claquement [klakmɑ̃] nm banging.

claquer [3] [klake] ◆ vt [porte] to slam. ◆ vi [volet, porte] to bang ▸ **je claque des dents** my teeth are chattering ▸ **claquer des doigts** to click one's fingers. ◆ **se claquer** vp : **se claquer un muscle** to pull a muscle.

claquettes [klakɛt] nfpl **1.** [chaussures] flip-flops **2.** [danse] tap dancing sg.

clarinette [klarinɛt] nf clarinet.

clarté [klarte] nf **1.** light **2.** [d'un raisonnement] clarity.

classe [klas] ◆ nf **1.** [transports] : **classe affaires** business class ▸ **classe économique** economy class ▸ **première classe** first class ▸ **deuxième classe** second class **2.** [d'école] classroom ▸ **aller en classe** to go to school ▸ **classe de mer** seaside trip (with school) ▸ **classe de neige** skiing trip (with school) ▸ **classes préparatoires** school preparing students for Grandes Écoles entrance exams ▸ **classe verte** field trip (with school)

> ⓘ **Les classes préparatoires**
> Students who pass their baccalauréat with flying colours spend another two years at school in a **prépa** taking enormously demanding courses to prepare them for the entrance exams for the prestigious higher-education establishments called

grandes écoles. The three main types of course are mathematics, literature, and economics.

classement [klasmɑ̃] nm [rangement] classification.

classer [3] [klase] vt **1.** [dossiers] to file **2.** [grouper] to classify. ◆ **se classer** vp to be classed, to rank ▸ **se classer troisième** to come third.

classeur [klasœr] nm folder.

classique [klasik] adj **1.** [traditionnel] classic **2.** [musique, auteur] classical.

claustrophobe [klostrɔfɔb] adj claustrophobic.

clavecin [klavsɛ̃] nm harpsichord.

clavicule [klavikyl] nf collarbone.

clavier [klavje] nm keyboard.

clé [kle] nf **1.** key **2.** [outil] spanner ▯, wrench ▯ ▸ **fermer qqch à clé** to lock sthg ▸ **clé anglaise** monkey wrench ▸ **clé à molette** adjustable spanner.

clef [kle] nf = **clé**.

clémentine [klemɑ̃tin] nf clementine.

cliché [kliʃe] nm [photo] photo.

client, e [klijɑ̃, ɑ̃t] nm, f [d'une boutique, d'un restaurant] customer.

clientèle [klijɑ̃tɛl] nf **1.** [d'une boutique] customers pl **2.** [de médecin] patients pl.

cligner [3] [kliɲe] vi : **cligner des yeux** to blink.

clignotant [kliɲɔtɑ̃] nm indicator ▯, turn signal ▯.

clignoter [3] [kliɲɔte] vi to blink.

clim [klim] nf fam air-conditioning.

climat [klima] nm climate.

climatisation [klimatizasjɔ̃] nf air-conditioning.

climatisé, e [klimatize] adj air-conditioned.

clin d'œil [klɛ̃dœj] nm : **faire un clin d'œil à qqn** to wink at sb ▸ **en un clin d'œil** in a flash.

clinique [klinik] nf (private) clinic.

clip [klip] nm 1. [boucle d'oreille] clip-on earring 2. [film] video.

clochard, e [klɔʃar, ard] nm, f tramp UK , bum US .

cloche [klɔʃ] nf bell ▸ **cloche à fromage** cheese dish (with cover).

cloche-pied [klɔʃpje] ◆ **à cloche-pied** adv : **sauter à cloche-pied** to hop.

clocher [klɔʃe] nm church tower.

clochette [klɔʃɛt] nf small bell.

clodo [klɔdo] nmf fam tramp, bum US .

cloison [klwazɔ̃] nf wall (inside building).

cloître [klwatr] nm cloister.

clonage [klɔnaʒ] nm cloning ▸ **clonage thérapeutique** therapeutic cloning.

cloner [3] [klɔne] vt to clone.

cloque [klɔk] nf blister.

clore [113] [klɔʀ] vt to close ; [négociations] to conclude.

clôture [klotyr] nf [barrière] fence.

clôturer [3] [klotyre] vt [champ, jardin] to enclose.

clou [klu] nm nail ▸ **clou de girofle** clove. ◆ **clous** nmpl [passage piétons] pedestrian crossing UK , crosswalk US .

clouer [3] [klue] vt to nail ▸ **être cloué au lit** [malade] to be confined to bed.

clown [klun] nm clown.

club [klœb] nm club.

cm (abr écrite de **centimètre**) cm (centimetre).

CM nm (abr de **cours moyen**) ▸ **CM 1** fourth year of primary school ▸ **CM 2** fifth year of primary school.

coach [kotʃ] (pl **coachs** ou **coaches**) ◆ nm SPORT coach, trainer. ◆ nmf [conseiller professionnel] coach.

coacher [3] [kotʃe] vt 1. [entraîner] to coach 2. [conseiller] to advise.

coaching [kotʃiŋ] nm coaching.

coaguler [3] [kɔagyle] vi to clot.

cobaye [kɔbaj] nm guinea pig.

Coca(-Cola)® [kɔka(kɔla)] nm inv Coke®, Coca-Cola®.

coccinelle [kɔksinɛl] nf ladybird UK , ladybug US .

cocher [3] [kɔʃe] vt to tick (off) UK , to check (off) US .

cochon, onne [kɔʃɔ̃, ɔn] ◆ nm, f fam [personne sale] pig. ◆ nm pig ▸ **cochon d'Inde** guinea pig.

cochonnerie [kɔʃɔnʀi] nf fam 1. [nourriture] muck 2. [chose] rubbish UK , trash US .

cocktail [kɔktɛl] nm 1. [boisson] cocktail 2. [réception] cocktail party.

coco [kɔko] nm → **noix**.

cocotier [kɔkɔtje] nm coconut tree.

cocotte [kɔkɔt] nf [casserole] casserole dish ▸ **cocotte en papier** paper bird.

Cocotte-Minute® [kɔkɔtminyt] (pl **Cocottes-Minute**) nf pressure cooker.

code [kɔd] nm code ▸ **code d'accès** access code ▸ **code confidentiel** PIN number ▸ **code PIN** PIN (number) ▸ **code postal** postcode UK , zip code US ▸ **code de**

la route highway code. ◆ **codes** nmpl AUTO dipped headlights.

codé, e [kɔde] adj coded.

code-barres [kɔdbaʁ] (pl **codes-barres**) nm bar code.

cœur [kœʁ] nm heart ▶ **avoir bon cœur** to be kind-hearted ▶ **de bon cœur** willingly ▶ **par cœur** by heart ▶ **cœur d'artichaut** artichoke heart ▶ **cœur de palmier** palm heart.

coffre [kɔfʁ] nm **1.** [de voiture] boot **2.** [malle] chest.

coffre-fort [kɔfʁəfɔʁ] (pl **coffres-forts**) nm safe.

coffret [kɔfʁɛ] nm **1.** casket **2.** COMM [de parfums, de savons] boxed set.

cognac [kɔɲak] nm cognac.

cogner [3] [kɔɲe] vi **1.** [frapper] to hit **2.** [faire du bruit] to bang. ▶ **se cogner** vp to knock o.s. ▶ **se cogner la tête** to bang one's head.

cohabitation [kɔabitasjɔ̃] nf **1.** [vie commune] cohabitation **2.** POL coexistence of an elected head of state and an opposition parliamentary majority.

cohabiter [3] [kɔabite] vi **1.** to live together **2.** [idées] to coexist.

cohérent, e [kɔeʁɑ̃, ɑ̃t] adj coherent.

cohue [kɔy] nf crowd.

coiffé, e [kwafe] adj : **être bien / mal coiffé** to have tidy / untidy hair.

coiffer [3] [kwafe] vt : **coiffer qqn** to do sb's hair ▶ **coiffé d'un chapeau** wearing a hat. ◆ **se coiffer** vp to do one's hair.

coiffeur, euse [kwafœʁ, øz] nm, f hairdresser.

coiffure [kwafyʁ] nf hairstyle.

coin [kwɛ̃] nm **1.** corner **2.** fig [endroit] spot ▶ **au coin de** on the corner of ▶ **dans le coin** [dans les environs] in the area.

coincé, e [kwɛ̃se] adj fam [personne] hung up.

coincer [16] [kwɛ̃se] vt [mécanisme, porte] to jam. ◆ **se coincer** vp to jam ▶ **se coincer le doigt** to catch one's finger.

coïncidence [kɔɛ̃sidɑ̃s] nf coincidence.

coïncider [3] [kɔɛ̃side] vi to coincide.

col [kɔl] nm **1.** [de vêtement] collar **2.** [en montagne] pass ▶ **col roulé** polo neck ▶ **col en pointe** ou **en V** V-neck.

colère [kɔlɛʁ] nf anger ▶ **être en colère (contre qqn)** to be angry (with sb) ▶ **se mettre en colère** to get angry.

colin [kɔlɛ̃] nm hake.

colique [kɔlik] nf diarrhoea.

colis [kɔli] nm : **colis (postal)** parcel.

collaborateur, trice [kɔlabɔʁatœʁ, tʁis] nm, f **1.** [employé] colleague **2.** [sous l'Occupation] collaborator.

collaborer [3] [kɔlabɔʁe] vi to collaborate ▶ **collaborer à qqch** to take part in sthg.

collant, e [kɔlɑ̃, ɑ̃t] ◆ adj **1.** [adhésif] sticky **2.** [étroit] skin-tight. ◆ nm tights pl 🇬🇧, panty hose 🇺🇸.

colle [kɔl] nf **1.** glue **2.** [devinette] tricky question **3.** SCOL [retenue] detention.

collecte [kɔlɛkt] nf collection.

collectif, ive [kɔlɛktif, iv] adj collective.

collection [kɔlɛksjɔ̃] nf collection ▶ **faire la collection de** to collect.

collectionner [3] [kɔlɛksjɔne] vt to collect.

collectionneur, euse [kɔlɛksjɔnœr, øz] nm, f collector.

collège [kɔlɛʒ] nm school.

ⓘ Le collège

From age eleven, French children attend a **collège** for four years. This school prepares them for their choice of specialization in their final three years of secondary education in the **lycée**. Successful completion of this phase is rewarded with a certificate, the Brevet des Collèges.

⚠ **College** est un faux ami, il signifie **établissement d'enseignement supérieur** ou **université** et non « collège ».

collégien, enne [kɔleʒjɛ̃, ɛn] nm, f schoolboy (schoolgirl).

collègue [kɔlɛg] nmf colleague.

coller [3] [kɔle] vt 1. to stick 2. *fam* [donner] to give 3. SCOL [punir] to keep in 4. INFORM to paste.

collier [kɔlje] nm 1. necklace 2. [de chien] collar.

colline [kɔlin] nf hill.

collision [kɔlizjɔ̃] nf crash.

collyre [kɔlir] nm eye lotion.

coloc [kɔlɔk] nmf *fam* [dans une maison] housemate ⓊⓀ, roommate ⓊⓈ ; [dans un appartement] flat-mate ⓊⓀ, roommate ⓊⓈ.

Cologne [kɔlɔɲ] n → **eau**.

colombe [kɔlɔ̃b] nf dove.

Colombie [kɔlɔ̃bi] nf : **la Colombie** Colombia.

colombien, enne [kɔlɔ̃bjɛ̃, ɛn] adj Colombian. ◆ **Colombien, enne** nm, f Colombian.

colonie [kɔlɔni] nf [territoire] colony ▶ **colonie de vacances** holiday camp.

colonne [kɔlɔn] nf column ▶ **colonne vertébrale** spine.

colorant [kɔlɔrɑ̃] nm [alimentaire] (food) colouring ▶ **'sans colorants'** 'no artificial colourings'.

colorer [3] [kɔlɔre] vt [teindre] to colour ⓊⓀ, to color ⓊⓈ.

colorier [9] [kɔlɔrje] vt to colour in.

coloris [kɔlɔri] nm shade.

COM [kɔm] (*abr de* collectivités d'outremer) nm *overseas territories of France that have the status of "collectivities" but not of full departments.*

coma [kɔma] nm coma ▶ **être dans le coma** to be in a coma.

combat [kɔ̃ba] nm fight.

combattant [kɔ̃batɑ̃] nm fighter ▶ **ancien combattant** veteran.

combattre [83] [kɔ̃batr] ◆ vt to fight (against). ◆ vi to fight.

combien [kɔ̃bjɛ̃] adv 1. [quantité] how much 2. [nombre] how many ▶ **combien d'argent te reste-t-il ?** how much money have you got left? ▶ **combien de bagages désirez-vous enregistrer ?** how many bags would you like to check in? ▶ **combien de temps ?** how long? ▶ **combien ça coûte ?** how much is it?

combinaison [kɔ̃binɛzɔ̃] nf 1. [code] combination 2. [sous-vêtement] slip 3. [de skieur] suit 4. [de motard] leathers *pl* ▶ **combinaison de plongée** wet suit.

combiné [kɔ̃bine] nm [téléphonique] receiver.

combiner [3] [kɔ̃bine] **vt 1.** to combine **2.** *fam* [préparer] to plan.

comble [kɔ̃bl] nm **: c'est un comble !** that's the limit! ▸ **le comble de** the height of.

combler [3] [kɔ̃ble] **vt 1.** [boucher] to fill in **2.** [satisfaire] to fulfil.

combustible [kɔ̃bystibl] nm fuel.

comédie [kɔmedi] nf comedy ▸ **la Comédie-Française** French national theatre company ▸ **comédie musicale** musical ▸ **jouer la comédie** [faire semblant] to put on an act.

ⓘ La Comédie-Française

This state-subsidized company dates back to the seventeenth century; the theatre itself, officially called le Théâtre-Français or le Français, is situated near the Palais-Royal in Paris. Its repertoire consists mainly of classical works, although modern plays are sometimes staged.

comédien, enne [kɔmedjɛ̃, ɛn] nm, f [acteur] actor (actress).

comestible [kɔmɛstibl] adj edible.

comète [kɔmɛt] nf comet.

coming out [kɔmiŋawt] nm inv **: faire son coming out** to come out.

comique [kɔmik] adj **1.** [genre, acteur] comic **2.** [drôle] comical ▸ **acteur comique** comedian.

comité [kɔmite] nm committee ▸ **comité d'entreprise** works council.

commandant [kɔmɑ̃dɑ̃] nm **1.** MIL [gradé] ≃ major **2.** [d'un bateau, d'un avion] captain.

commande [kɔmɑ̃d] nf **1.** COMM order **2.** TECH control mechanism **3.** INFORM command ▸ **les commandes** [d'un avion] the controls.

commander [3] [kɔmɑ̃de] vt **1.** [diriger] to command **2.** [dans un bar, par correspondance] to order ▸ **commander un taxi** to order a taxi ▸ **on peut commander ?** [au restaurant] can we order?

comme [kɔm] ◆ conj **1.** [introduit une comparaison] like ▸ **elle est blonde, comme sa mère** she's blonde, like her mother ▸ **comme si rien ne s'était passé** as if nothing had happened ▸ [de la manière que] as ▸ **comme vous voudrez** as you like ▸ **comme il faut** a) [correctement] properly b) [convenable] respectable **3.** [par exemple] like, such as ▸ **les villes fortifiées comme Carcassonne** fortified towns like Carcassonne **4.** [en tant que] as ▸ **qu'est-ce que vous avez comme desserts ?** what do you have in the way of dessert? **5.** [étant donné que] as, since ▸ **comme vous n'arriviez pas, nous sommes passés à table** as you still weren't here, we sat down to eat **6.** [dans des expressions] **: comme ça** a) [de cette façon] like that b) [par conséquent] that way ▸ **fais comme ça** do it this way ▸ **comme ci comme ça** *fam* so-so ▸ **comme tout** *fam* [très] really ◆ adv [marque l'intensité] **: comme c'est grand !** it's so big! ▸ **vous savez comme il est difficile de se loger ici** you know how hard it is to find accommodation here.

commémoratif, ive [kɔmemɔratif, iv] adj memorial *(modificateur)*, commemorative *sout* ▸ **une plaque commémorative** a commemorative plaque.

commencement [kɔmɑ̃smɑ̃] nm beginning.

commencer [16] [kɔmɑ̃se] ◆ vt to start. ◆ vi to start, to begin **commen-**

cer à faire qqch to start ou begin to do sthg ▶ **commencer par qqch** to start with sthg ▶ **commencer par faire qqch** to start to do sthg ▶ **commencer par faire qqch** to start by doing sthg.

comment [kɔmɑ̃] adv how ▶ **comment tu t'appelles ?** what's your name? ▶ **comment allez-vous ?** how are you? ▶ **comment ?** [pour faire répéter] sorry?

commentaire [kɔmɑ̃tɛr] nm 1. [d'un documentaire, d'un match] commentary 2. [remarque] comment.

commerçant, e [kɔmɛrsɑ̃, ɑ̃t] ◆ adj [quartier, rue] shopping. ◆ nm, f shopkeeper.

commerce [kɔmɛrs] nm 1. [activité] trade 2. [boutique] shop [UK], store [US] ▶ **dans le commerce** in the shops.

commercial, e, aux [kɔmɛrsjal, o] adj commercial ▶ **le directeur de l'hôtel a fait un geste commercial** the hotel manager made a goodwill gesture.

commettre [84] [kɔmɛtr] vt to commit ▶ **commettre un crime** to commit a crime.

commis, e [kɔmi, iz] pp → **commettre.**

commissaire [kɔmisɛr] nmf : **commissaire (de police)** (police) superintendent [UK], (police) captain [US].

commissariat [kɔmisarja] nm : **commissariat (de police)** police station.

commission [kɔmisjɔ̃] nf 1. commission 2. [message] message. ◆ **commissions** nfpl [courses] shopping sg ▶ **faire les commissions** to do the shopping.

commode [kɔmɔd] ◆ adj 1. [facile] convenient 2. [pratique] handy. ◆ nf chest of drawers.

commotion [kɔmosjɔ̃] nf MÉD shock ▶ **commotion cérébrale** concussion.

commun, e [kɔmœ̃, yn] adj 1. commun 2. [salle de bains, cuisine] shared ▶ **mettre qqch en commun** to share sthg.

communauté [kɔmynote] nf community.

commune [kɔmyn] nf town.

communication [kɔmynikasjɔ̃] nf 1. [message] message 2. [contact] communication ▶ **communication (téléphonique)** (phone) call.

communier [9] [kɔmynje] vi RELIG to take communion.

communion [kɔmynjɔ̃] nf communion ▶ **faire sa première communion** to make one's first communion.

communiqué [kɔmynike] nm communiqué.

communiquer [3] [kɔmynike] ◆ vt to communicate. ◆ vi 1. [dialoguer] to communicate 2. [pièces] to interconnect ▶ **communiquer avec** to communicate with.

communisme [kɔmynism] nm communism.

communiste [kɔmynist] adj & nmf communist.

Comores [kɔmɔr] nfpl : **les Comores** the Comoro Islands, the Comoros.

compact, e [kɔ̃pakt] adj 1. [dense] dense 2. [petit] compact.

Compact Disc® [kɔ̃paktdisk] (pl Compact Discs) nm compact disc, CD.

compacte [kɔ̃pakt] nf compact car.

compacter [3] [kɔ̃pakte] vt [gén] to compact ; INFORM [données] to compress.

compagne [kɔ̃paɲ] nf 1. [camarade] companion 2. [dans un couple] partner.

compagnie [kɔ̃paɲi] nf company ▸ **en compagnie de** in the company of ▸ **tenir compagnie à qqn** to keep sb company ▸ **compagnie aérienne** airline.

compagnon [kɔ̃paɲɔ̃] nm **1.** [camarade] companion **2.** [dans un couple] partner.

comparable [kɔ̃paʀabl] adj comparable ▸ **comparable à** comparable with.

comparaison [kɔ̃paʀɛzɔ̃] nf comparison.

comparer [3] [kɔ̃paʀe] vt to compare ▸ **comparer qqch à** ou **avec** to compare sthg to ou with.

compartiment [kɔ̃paʀtimɑ̃] nm compartment ▸ **compartiment fumeurs** smoking compartment ▸ **compartiment non-fumeurs** no smoking compartment.

compas [kɔ̃pa] nm **1.** MATH pair of compasses **2.** [boussole] compass.

compassion [kɔ̃pasjɔ̃] nf compassion.

compatibilité [kɔ̃patibilite] nf compatibility.

compatible [kɔ̃patibl] adj compatible.

compatriote [kɔ̃patʀijɔt] nmf compatriot.

compensation [kɔ̃pɑ̃sasjɔ̃] nf compensation.

compenser [3] [kɔ̃pɑ̃se] vt to compensate for.

compète [kɔ̃pɛt] nf fam competition.

compétence [kɔ̃petɑ̃s] nf skill.

compétent, e [kɔ̃petɑ̃, ɑ̃t] adj competent.

compétitif, ive [kɔ̃petitif, iv] adj competitive.

compétition [kɔ̃petisjɔ̃] nf competition ▸ **faire de la compétition** to take part in competitions.

compil [kɔ̃pil] nf fam compilation album.

complément [kɔ̃plemɑ̃] nm **1.** [supplément] supplement **2.** [différence] rest **3.** GRAMM complement ▸ **complément d'objet** object.

complémentaire [kɔ̃plemɑ̃tɛʀ] adj [supplémentaire] additional.

complet, ète [kɔ̃plɛ, ɛt] adj **1.** [entier] complete **2.** [plein] full **3.** [pain, farine] wholemeal ▸ **riz complet** brown rice ▸ **'complet'** a) [hôtel] 'no vacancies' b) [parking] 'full'.

complètement [kɔ̃plɛtmɑ̃] adv completely.

compléter [18] [kɔ̃plete] vt to complete. ◆ **se compléter** vp to complement one another.

complexe [kɔ̃plɛks] adj & nm complex ▸ **complexe hôtelier** hotel complex.

complexé, e [kɔ̃plɛkse] adj hung up, mixed up.

complexer [4] [kɔ̃plɛkse] vt [personne] **: arrête, tu vas le complexer** stop, you'll give him a complex.

complication [kɔ̃plikasjɔ̃] nf [ennui] complication ; [complexité] complexity. ◆ **complications** nfpl complications.

complice [kɔ̃plis] ◆ adj knowing. ◆ nmf accomplice.

compliment [kɔ̃plimɑ̃] nm compliment ▸ **faire un compliment à qqn** to pay sb a compliment.

compliqué, e [kɔ̃plike] adj complicated.

compliquer [3] [kɔ̃plike] vt to complicate. ◆ **se compliquer** vp to get complicated.

complot [kɔ̃plo] nm plot.

comportement [kɔ̃pɔrtəmɑ̃] nm behaviour.

comporter [3] [kɔ̃pɔrte] vt to consist of. ◆ **se comporter** vp to behave.

composant [kɔ̃pozɑ̃] nm component.

composer [3] [kɔ̃poze] vt 1. [faire partie de] to make up 2. [assembler] to put together 3. MUS to compose 4. [code, numéro] to dial ▸ **composé de** composed of.

compositeur, trice [kɔ̃pozitœr, tris] nm, f composer.

composition [kɔ̃pozisjɔ̃] nf 1. composition 2. SCOL essay.

composter [3] [kɔ̃pɔste] vt to date-stamp ▸ **'compostez votre billet'** 'stamp your ticket here' ▸ **'pour valider votre billet, compostez-le'** to validate you ticket, date-stamp it.

compote [kɔ̃pɔt] nf compote ▸ **compote de pommes** stewed apple.

compréhensible [kɔ̃preɑ̃sibl] adj comprehensible.

compréhensif, ive [kɔ̃preɑ̃sif, iv] adj understanding.

comprendre [79] [kɔ̃prɑ̃dr] vt 1. to understand 2. [comporter] to consist of. ◆ **se comprendre** vp to understand each other ▸ **ça se comprend** it's understandable.

compresse [kɔ̃pres] nf compress.

compresser [4] [kɔ̃prese] vt to compress.

compression [kɔ̃presjɔ̃] nf compression.

comprimé [kɔ̃prime] nm tablet.

compris, e [kɔ̃pri, iz] ◆ pp → **comprendre**. ◆ adj [inclus] included ▸ **service non compris** service not included ▸ **tout compris** all inclusive ▸ **y compris** including.

compromettre [84] [kɔ̃prɔmetr] vt to compromise.

compromis, e [kɔ̃prɔmi, iz] ◆ pp → **compromettre**. ◆ nm compromise.

comptabilité [kɔ̃tabilite] nf 1. [science] accountancy 2. [département, calculs] accounts pl.

comptable [kɔ̃tabl] nmf accountant.

comptant [kɔ̃tɑ̃] adv : **payer comptant** to pay cash.

compte [kɔ̃t] nm 1. [bancaire] account 2. [calcul] calculation ▸ **faire le compte de** to count ▸ **se rendre compte de** to realize ▸ **se rendre compte que** to realize that ▸ **compte postal** post office account ▸ **en fin de compte, tout compte fait** all things considered. ◆ **comptes** nmpl accounts ▸ **faire ses comptes** to do one's accounts.

compte-gouttes [kɔ̃tgut] nm inv dropper.

compter [3] [kɔ̃te] vt & vi to count ▸ **compter faire qqch** a) [avoir l'intention de] to intend to do sthg. ◆ **compter sur** v + prép to count on.

compte-rendu [kɔ̃trɑ̃dy] (pl comptes-rendus) nm report.

compteur [kɔ̃tœr] nm meter ▸ **compteur (kilométrique)** ≃ mileometer ▸ **compteur (de vitesse)** speedometer.

comptoir [kɔ̃twar] nm 1. [de bar] bar 2. [de magasin] counter.

comte, esse [kɔ̃t, kɔ̃tɛs] nm, f count (countess).

con, conne [kɔ̃, kɔn] adj *vulg* bloody stupid.

Conakry [kɔnakri] n Conakry, Konakri.

concentration [kɔ̃sɑ̃trasjɔ̃] nf concentration.

concentré, e [kɔ̃sɑ̃tre] ◆ adj [jus d'orange] concentrated. ◆ **nm : concentré de tomate** tomato puree ◆ **être concentré** to concentrate (hard).

concentrer [3] [kɔ̃sɑ̃tre] vt [efforts, attention] to concentrate. ◆ **se concentrer (sur)** vp + prép to concentrate (on).

conception [kɔ̃sɛpsjɔ̃] nf **1.** design **2.** [notion] idea.

concerner [3] [kɔ̃sɛrne] vt to concern ◆ **en ce qui concerne...** concerning...

concert [kɔ̃sɛr] nm concert.

concessionnaire [kɔ̃sesjɔner] nm [automobile] dealer.

concevoir [52] [kɔ̃səvwar] vt **1.** [objet] to design **2.** [projet, idée] to conceive.

concierge [kɔ̃sjɛrʒ] nmf caretaker, janitor US.

concis, e [kɔ̃si, iz] adj concise.

conclure [96] [kɔ̃klyr] vt to conclude.

conclusion [kɔ̃klyzjɔ̃] nf conclusion ◆ **en conclusion** in conclusion.

concombre [kɔ̃kɔ̃br] nm cucumber.

concours [kɔ̃kur] nm **1.** [examen] competitive examination **2.** [jeu] competition ◆ **concours de circonstances** combination of circumstances.

concret, ète [kɔ̃krɛ, ɛt] adj concrete.

concrétiser [3] [kɔ̃kretize] ◆ **se concrétiser** vp to materialize.

concubinage [kɔ̃kybinaʒ] nm living together, cohabitation.

concurrence [kɔ̃kyrɑ̃s] nf competition.

concurrencer [3] [kɔ̃kyrɑ̃se] vt to compete ou to be in competition with.

concurrent, e [kɔ̃kyrɑ̃, ɑ̃t] nm, f competitor.

condamnation [kɔ̃danasjɔ̃] nf sentence.

condamner [3] [kɔ̃dane] vt **1.** [accusé] to convict **2.** [porte, fenêtre] to board up ◆ **condamner qqn à** to sentence sb to.

condensation [kɔ̃dɑ̃sasjɔ̃] nf condensation.

condensé, e [kɔ̃dɑ̃se] adj [lait] condensed.

condiment [kɔ̃dimɑ̃] nm condiment.

condition [kɔ̃disjɔ̃] nf condition ◆ **à condition de faire qqch** providing (that) I/we do sthg, provided (that) I/we do sthg ◆ **à condition qu'il fasse beau** providing (that) it's fine, provided (that) it's fine.

conditionné [kɔ̃disjɔne] adj m → **air**.

conditionnel [kɔ̃disjɔnel] nm conditional.

conditionnement [kɔ̃disjɔnmɑ̃] nm [emballage] package.

condoléances [kɔ̃dɔleɑ̃s] nfpl **: présenter ses condoléances à qqn** to offer one's condolences to sb.

conducteur, trice [kɔ̃dyktœr, tris] nm, f driver.

conduire [80] [kɔ̃dyir] ◆ vt **1.** [véhicule] to drive **2.** [accompagner] to take **3.** [guider] to lead. ◆ vi to drive ◆ **conduire à** [chemin, couloir] to lead to. ◆ **se conduire** vp to behave.

conduit, e [kɔ̃dyi, it] pp → **conduire**.

conduite [kɔ̃dɥit] nf **1.** [attitude] behaviour **2.** [tuyau] pipe ▸ **conduite à gauche** left-hand drive.

cône [kon] nm cone.

confection [kɔ̃fɛksjɔ̃] nf [couture] clothing industry.

confectionner [3] [kɔ̃fɛksjɔne] vt to make.

conférence [kɔ̃feʀɑ̃s] nf **1.** [réunion] conference **2.** [discours] lecture.

confesser [4] [kɔ̃fese] ◆ **se confesser** vp to go to confession.

confession [kɔ̃fesjɔ̃] nf confession.

confettis [kɔ̃feti] nmpl confetti sg.

confiance [kɔ̃fjɑ̃s] nf confidence ▸ **avoir confiance en** to trust ▸ **faire confiance à** to trust.

confiant, e [kɔ̃fjɑ̃, ɑ̃t] adj trusting.

confidence [kɔ̃fidɑ̃s] nf confidence ▸ **faire des confidences à qqn** to confide in sb.

confidentialité [kɔ̃fidɑ̃sjalite] nf confidentiality ▸ **accord de confidentialité** non-disclosure agreement.

confidentiel, elle [kɔ̃fidɑ̃sjɛl] adj confidential.

confier [9] [kɔ̃fje] vt : **confier un secret à qqn** to entrust a secret to sb. ◆ **se confier (à)** vp + prép to confide (in).

configuration [kɔ̃figyʀasjɔ̃] nf configuration ▸ **panneau de configuration** INFORM control panel.

configurer [3] [kɔ̃figyʀe] vt to configure.

confirmation [kɔ̃firmasjɔ̃] nf confirmation ▸ **confirmation de réservation** booking confirmation.

confirmer [3] [kɔ̃firme] vt to confirm.

confiserie [kɔ̃fizri] nf **1.** [sucreries] sweets pl 🇬🇧, candy 🇺🇸 **2.** [magasin] sweetshop 🇬🇧, candy store 🇺🇸.

confisquer [3] [kɔ̃fiske] vt to confiscate.

confit [kɔ̃fi] ◆ adj m → **fruit**. ◆ nm : **confit de canard / d'oie** potted duck or goose.

confiture [kɔ̃fityr] nf jam.

conflit [kɔ̃fli] nm conflict.

confondre [75] [kɔ̃fɔ̃dr] vt [mélanger] to confuse.

conforme [kɔ̃fɔrm] adj : **conforme à** in accordance with.

conformément [kɔ̃fɔrmemɑ̃] adv : **conformément à ses souhaits** in accordance with his wishes.

conformisme [kɔ̃fɔrmism] nm conformism, conventionality.

confort [kɔ̃fɔr] nm comfort ▸ **'tout confort'** 'all mod cons'.

confortable [kɔ̃fɔrtabl] adj comfortable.

confrère [kɔ̃frɛr] nm colleague.

confronter [3] [kɔ̃frɔ̃te] vt to compare.

confus, e [kɔ̃fy, yz] adj **1.** [compliqué] confused **2.** [embarrassé] embarrassed.

confusion [kɔ̃fyzjɔ̃] nf **1.** confusion **2.** [honte] embarrassment.

congé [kɔ̃ʒe] nm holiday 🇬🇧, vacation 🇺🇸 ▸ **être en congé** to be on holiday 🇬🇧, to be on vacation 🇺🇸 ▸ **congé (de) maladie** sick leave ▸ **congés payés** paid holidays 🇬🇧, paid vacation 🇺🇸.

congélateur [kɔ̃ʒelatœr] nm freezer.

congeler [25] [kɔ̃ʒle] vt to freeze.

congélo [kɔ̃ʒelo] nm fam freezer.

congestion [kɔ̃ʒɛstjɔ̃] nf MÉD congestion ▸ **congestion cérébrale** stroke.

Congo [kɔ̃go] nm : **le Congo** a) [pays] the Congo b) [fleuve] the Congo River, the River Congo.

congolais [kɔ̃gɔlɛ] nm coconut cake.

congrès [kɔ̃grɛ] nm congress.

conifère [kɔnifɛr] nm conifer.

conjoint [kɔ̃ʒwɛ̃] nm spouse.

conjonction [kɔ̃ʒɔ̃ksjɔ̃] nf conjunction ▸ **conjonction de coordination** coordinating conjunction.

conjonctivite [kɔ̃ʒɔ̃ktivit] nf conjunctivitis.

conjoncture [kɔ̃ʒɔ̃ktyr] nf situation.

conjugaison [kɔ̃ʒygɛzɔ̃] nf conjugation.

conjuguer [3] [kɔ̃ʒyge] vt [verbe] to conjugate.

connaissance [kɔnɛsɑ̃s] nf **1.** knowledge **2.** [relation] acquaintance ▸ **avoir des connaissances en** to know sthg about ▸ **faire la connaissance de qqn** to meet sb ▸ **perdre connaissance** to lose consciousness.

connaisseur, euse [kɔnɛsœr, øz] nm, f connoisseur.

connaître [91] [kɔnɛtr] vt **1.** to know **2.** [rencontrer] to meet. ◆ **s'y connaître en** vp + prép to know about.

connard [kɔnar] nm vulg wanker [UK], arsehole [UK], asshole [US].

conne nf → **con**.

connecter [4] [kɔnɛkte] vt to connect. ◆ **se connecter** vp to log on, to log in. ◆ **se connecter à** vp + prép INFORM to connect o.s. to ▸ **se connecter à Internet** to connect to the Internet.

connerie [kɔnri] nf vulg stupidity ▸ **faire /dire des conneries** to do / to say something damned ou bloody [UK] stupid.

connexion [kɔnɛksjɔ̃] nf connection.

connu, e [kɔny] ◆ pp → **connaître.** ◆ adj well-known.

conquérir [39] [kɔ̃kerir] vt to conquer.

conquête [kɔ̃kɛt] nf conquest.

conquis, e [kɔ̃ki, iz] pp → **conquérir.**

consacrer [3] [kɔ̃sakre] vt **1. : consacrer qqch à** to devote sthg to **2.** RELIG to consecrate. ◆ **se consacrer à** vp + prép to devote o.s. to.

consciemment [kɔ̃sjamɑ̃] adv knowingly.

conscience [kɔ̃sjɑ̃s] nf **1.** [connaissance] consciousness **2.** [moralité] conscience ▸ **avoir conscience de qqch** to be aware of sthg ▸ **prendre conscience de qqch** to become aware of sthg ▸ **avoir mauvaise conscience** to have a guilty conscience.

consciencieux, euse [kɔ̃sjɑ̃sjø, øz] adj conscientious.

conscient, e [kɔ̃sjɑ̃, ɑ̃t] adj [éveillé] conscious ▸ **être conscient de** to be aware of.

consécutif, ive [kɔ̃sekytif, iv] adj consecutive.

conseil [kɔ̃sɛj] nm **1.** [avis] piece of advice **2.** [assemblée] council ▸ **demander conseil à qqn** to ask sb's advice ▸ **des conseils** advice sg.

conseiller¹ [4] [kɔ̃seje] vt [personne] to advise ▸ **conseiller qqch à qqn** to recommend sthg to sb ▸ **conseiller à qqn de faire qqch** to advise sb to do sthg.

conseiller², **ère** [kɔseje, ɛr] nm, f adviser ▸ **conseiller d'orientation** careers adviser.

consentant, e [kɔsɑ̃tɑ̃, ɑ̃t] adj [victime] willing ▸ **adultes consentants** consenting adults.

conséquence [kɔsekɑ̃s] nf consequence.

conséquent [kɔsekɑ̃] ◆ **par conséquent** adv consequently.

conservateur [kɔsɛrvatœr] nm [alimentaire] preservative.

conservatoire [kɔsɛrvatwar] nm [de musique] academy.

conserve [kɔsɛrv] nf (boîte) tin (of food) ▸ **des conserves** tinned food.

conserver [3] [kɔsɛrve] vt 1. to keep 2. [aliments] to preserve.

considérable [kɔsiderabl] adj considerable.

considérablement [kɔsiderablamɑ̃] adv considerably.

considération [kɔsiderasjɔ̃] nf : **prendre qqn/qqch en considération** to take sb/sthg into consideration.

considérer [18] [kɔsidere] vt : **considérer que** to consider that ▸ **considérer qqn/qqch comme** to look on sb/sthg as.

consigne [kɔsiɲ] nf 1. [de gare] left-luggage office 2. [instructions] instructions pl ▸ **consigne automatique** left-luggage lockers pl.

consistance [kɔsistɑ̃s] nf consistency.

consistant, e [kɔsistɑ̃, ɑ̃t] adj 1. [épais] thick 2. [nourrissant] substantial.

consister [3] [kɔsiste] vi : **consister à faire qqch** to consist in doing sthg ▸ **consister en** to consist of.

consœur [kɔsœr] nf (female) colleague.

consolation [kɔsɔlasjɔ̃] nf consolation.

console [kɔsɔl] nf INFORM console ▸ **console de jeux** video game console.

consoler [3] [kɔsɔle] vt to comfort.

consommable [kɔsɔmabl] nm : **matériel consommable** consumable hardware.

consommateur, trice [kɔsɔmatœr, tris] nm, f 1. consumer 2. [dans un bar] customer.

consommation [kɔsɔmasjɔ̃] nf 1. consumption 2. [boisson] drink.

consommé [kɔsɔme] nm clear soup.

consommer [3] [kɔsɔme] vt to consume ▸ **'à consommer avant le...'** 'use before...'.

consonne [kɔsɔn] nf consonant.

constamment [kɔstamɑ̃] adv constantly.

constant, e [kɔstɑ̃, ɑ̃t] adj constant.

constat [kɔsta] nm [d'accident] report ▸ **faire un) constat à l'amiable** (to complete ou to fill out a) mutually-agreed accident report.

constater [3] [kɔstate] vt to notice.

consterné, e [kɔstɛrne] adj dismayed.

constipation [kɔstipasjɔ̃] nf constipation.

constipé, e [kɔstipe] adj constipated.

constituer [7] [kɔstitɥe] vt [former] to make up ▸ **être constitué de** to consist of.

construction [kɔstryksjɔ̃] nf building.

construire [98] [kɔstrɥir] vt to build.

construit, e [kɔ̃strɥi, it] pp → **construire.**

consul, e [kɔ̃syl] nm, f consul ▸ **consul honoraire** honorary consul.

consulat [kɔ̃syla] nm consulate.

consultant, e [kɔ̃syltɑ̃, ɑ̃t] nm, f consultant ▸ **consultant en gestion** management consultant.

consultation [kɔ̃syltasjɔ̃] nf consultation.

consulter [3] [kɔ̃sylte] vt to consult.

contact [kɔ̃takt] nm **1.** [toucher] feel **2.** [d'un moteur] ignition **3.** [relation] contact ▸ **couper le contact** to switch off the ignition ▸ **mettre le contact** to switch on the ignition ▸ **entrer en contact avec a)** [entrer en relation] to contact **b)** [heurter] to come into contact with.

contacter [3] [kɔ̃takte] vt to contact.

contagieux, euse [kɔ̃taʒjø, øz] adj infectious.

contagion [kɔ̃taʒjɔ̃] nf MÉD contagion.

contaminer [3] [kɔ̃tamine] vt **1.** [rivière, air] to contaminate **2.** [personne] to infect.

conte [kɔ̃t] nm story ▸ **conte de fées** fairy tale.

contempler [3] [kɔ̃tɑ̃ple] vt to contemplate.

contemporain, e [kɔ̃tɑ̃pɔrɛ̃, ɛn] adj contemporary.

contenir [40] [kɔ̃tnir] vt **1.** to contain **2.** [un litre, deux cassettes, etc.] to hold.

content, e [kɔ̃tɑ̃, ɑ̃t] adj happy ▸ **être content de faire qqch** to be happy to do sthg ▸ **être content de qqch** to be happy with sthg.

contenter [3] [kɔ̃tɑ̃te] vt to satisfy. ◆ **se contenter de** vp + prép to be happy with ▸ **elle s'est contentée de sourire** she merely smiled.

contenu, e [kɔ̃tny] ◆ pp → **contenir.** ◆ nm contents pl.

contester [3] [kɔ̃tɛste] vt to dispute.

contexte [kɔ̃tɛkst] nm context.

continent [kɔ̃tinɑ̃] nm continent.

continu, e [kɔ̃tiny] adj continuous.

continuel, elle [kɔ̃tinɥɛl] adj constant.

continuellement [kɔ̃tinɥɛlmɑ̃] adv constantly.

continuer [7] [kɔ̃tinɥe] vt & vi to continue ▸ **continuer à** ou **de faire qqch** to continue doing ou to do sthg.

contour [kɔ̃tur] nm outline.

contourner [3] [kɔ̃turne] vt **1.** to go round **2.** [ville, montagne] to bypass.

contraceptif, ive [kɔ̃trasɛptif, iv] adj & nm contraceptive.

contraception [kɔ̃trasɛpsjɔ̃] nf contraception ▸ **moyen de contraception** means of contraception.

contracté, e [kɔ̃trakte] adj tense.

contracter [3] [kɔ̃trakte] vt **1.** to contract **2.** [assurance] to take out.

contradiction [kɔ̃tradiksjɔ̃] nf contradiction.

contradictoire [kɔ̃tradiktwar] adj contradictory.

contraindre [80] [kɔ̃trɛ̃dr] vt to force ▸ **contraindre qqn à faire qqch** to force sb to do sthg.

contraire [kɔ̃trɛr] adj & nm opposite ▸ **contraire à** contrary to ▸ **au contraire** on the contrary.

contrairement [kɔ̃trɛrmɑ̃] ◆ **contrairement à** prép contrary to.

contrarier [9] [kɔ̃trarje] vt [ennuyer] to annoy.

contraste [kɔ̃trast] nm contrast.

contrat [kɔ̃tra] nm contract ▸ **rupture de contrat** breach of contract.

contravention [kɔ̃travɑ̃sjɔ̃] nf 1. fine 2. [pour stationnement interdit] parking ticket.

contre [kɔ̃tr] prép 1. against 2. [en échange de] (in exchange) for ▸ **un sirop contre la toux** some cough syrup ▸ **par contre** on the other hand.

contre-allée [kɔ̃trale] (pl contre-allées) nf service ou frontage US road.

contre-attaque [kɔ̃tratak] (pl contre-attaques) nf counterattack.

contrebande [kɔ̃trəbɑ̃d] nf smuggling ▸ **passer qqch en contrebande** to smuggle sthg.

contrebasse [kɔ̃trəbas] nf (double) bass.

contrecœur [kɔ̃trəkœr] ◆ **à contrecœur** adv reluctantly.

contrecoup [kɔ̃trəku] nm consequence.

contredire [103] [kɔ̃trədir] vt to contradict.

contrefaçon [kɔ̃trəfasɔ̃] nf [produit] forgery.

contre-indication [kɔ̃trɛ̃dikasjɔ̃] (pl contre-indications) nf contraindication.

contre-indiqué, e [kɔ̃trɛ̃dike] (mpl contre-indiqués, fpl contre-indiquées) adj MÉD contraindicated.

contre-jour [kɔ̃trəʒur] ◆ **à contre-jour** adv against the light.

contrepartie [kɔ̃trəparti] nf compensation ▸ **en contrepartie** in return.

contreplaqué [kɔ̃trəplake] nm plywood.

contrepoison [kɔ̃trəpwazɔ̃] nm antidote.

contresens [kɔ̃trəsɑ̃s] nm [dans une traduction] mistranslation ▸ **à contresens** the wrong way.

contretemps [kɔ̃trətɑ̃] nm delay.

contribuer [7] [kɔ̃tribɥe] ◆ **contribuer à** v + prép to contribute to.

contributif, ive [kɔ̃tribytif, iv] adj INFORM : **logiciel contributif** shareware ▸ **encyclopédie contributive** collaborative encyclopedia.

contribution [kɔ̃tribysjɔ̃] nf [apport] : contribution (à) contribution (to). ◆ **contributions** nfpl taxes ▸ **contributions directes /indirectes** direct /indirect taxation.

contrôle [kɔ̃trol] nm 1. [technique] check 2. [des billets, des papiers] inspection 3. SCOL test ▸ **contrôle aérien** air traffic control ▸ **contrôle des bagages** baggage control ▸ **contrôle d'identité** identity card check ▸ **contrôle de sécurité** security checkpoint.

contrôler [3] [kɔ̃trole] vt 1. [vérifier] to check 2. [billets, papiers] to inspect.

contrôleur [kɔ̃trolœr] nm 1. [dans les trains] ticket inspector 2. [dans les bus] conductor (conductress) ▸ **contrôleur aérien** air-traffic controller.

contrordre [kɔ̃trɔrdr] nm countermand.

controversé, e [kɔ̃trɔvɛrse] adj [personne, décision] controversial.

contusion [kɔ̃tyzjɔ̃] nf bruise, contusion.

convaincre [114] [kɔ̃vɛ̃kʀ] vt to convince ▸ **convaincre qqn de faire qqch** to persuade sb to do sthg ▸ **convaincre qqn de qqch** to convince sb of sthg.

convalescence [kɔ̃valesɑ̃s] nf convalescence.

convalescent, e [kɔ̃valesɑ̃, ɑ̃t] adj & nm, f convalescent.

convenable [kɔ̃vnabl] adj **1.** [adapté] suitable **2.** [décent] proper.

convenir [40] [kɔ̃vniʀ] ◆ **convenir à v + prép 1.** [satisfaire] to suit **2.** [être adapté à] to be suitable for ▸ **ça me convient** that suits me.

convention [kɔ̃vɑ̃sjɔ̃] nf **1.** [règle, assemblée] convention **2.** [accord] agreement ▸ **convention collective** collective agreement.

convenu, e [kɔ̃vny] pp → **convenir**.

conversation [kɔ̃vɛʀsasjɔ̃] nf conversation.

convertible [kɔ̃vɛʀtibl] adj → **canapé**.

convertir [32] [kɔ̃vɛʀtiʀ] vt : **convertir qqn (à)** to convert sb (to) ▸ **convertir qqch (en)** to convert sthg (into). ◆ **se convertir** vp : **se convertir (à)** to be converted (to).

conviction [kɔ̃viksjɔ̃] nf conviction.

convivial, e, aux [kɔ̃vivjal, o] adj INFORM user-friendly.

convocation [kɔ̃vɔkasjɔ̃] nf notification to attend.

convoi [kɔ̃vwa] nm convoy ▸ **convoi exceptionnel** wide ou dangerous load.

convoquer [3] [kɔ̃vɔke] vt [salarié, suspect] to summon.

cookie [kuki] nm cookie.

coopération [kɔɔpeʀasjɔ̃] nf cooperation.

coopérer [18] [kɔɔpeʀe] vi to cooperate ▸ **coopérer à qqch** to cooperate in sthg.

coordonné, e [kɔɔʀdɔne] adj [assorti] matching.

coordonnées [kɔɔʀdɔne] nfpl [adresse] address and telephone number ▸ **laissez-moi vos coordonnées** let me get your contact details ▸ **coordonnées bancaires** bank details.

coordonner [3] [kɔɔʀdɔne] vt to coordinate.

copain, copine [kɔpɛ̃, kɔpin] nm, f **1.** fam [ami] friend **2.** [petit ami] boyfriend (girlfriend).

Copenhague [kɔpənag] n Copenhagen.

copie [kɔpi] nf **1.** copy **2.** [devoir] paper **3.** [feuille] sheet (of paper) ▸ **copie de sauvegarde** INFORM backup copy.

copier [9] [kɔpje] vt to copy ▸ **copier (qqch) sur qqn** to copy (sthg) from sb.

copier-coller [kɔpjekɔle] nm inv INFORM to copy and paste.

copieux, euse [kɔpjø, øz] adj large.

copilote [kɔpilɔt] nm copilot.

copine nf → **copain**.

coq [kɔk] nm cock, rooster ▸ **coq au vin** chicken cooked with red wine, bacon, mushrooms and shallots.

coque [kɔk] nf **1.** [de bateau] hull **2.** [coquillage] cockle.

coquelet [kɔklɛ] nm cockerel.

coquelicot [kɔkliko] nm poppy.

coqueluche [kɔklyʃ] nf MÉD whooping cough.

coquet, ette [kɔkɛ, ɛt] adj [qui aime s'habiller] smart.

coquetier [kɔktje] nm eggcup.

coquillage [kɔkijaʒ] nm 1. [mollusque] shellfish 2. [coquille] shell.

coquille [kɔkij] nf shell ▸ **coquille Saint-Jacques** scallop.

coquillettes [kɔkijɛt] nfpl short macaroni.

coquin, e [kɔkɛ̃, in] adj [enfant] mischievous.

cor [kɔr] nm 1. [instrument] horn 2. MÉD corn.

corail [kɔraj] (pl -aux) nm coral ▸ **(train) Corail** ≃ express train.

Coran [kɔrɑ̃] nm Koran.

corbeau [kɔrbo] (pl -x) nm crow.

corbeille [kɔrbɛj] nf basket ▸ **corbeille à papiers** wastepaper basket.

corbillard [kɔrbijar] nm hearse.

corde [kɔrd] nf 1. rope 2. [d'instrument de musique] string ▸ **corde à linge** clothesline ▸ **corde à sauter** skipping rope ▸ **cordes vocales** vocal cords.

cordialement [kɔrdjalmɑ̃] adv [saluer] warmly, cordially ; [en fin de lettre] kind regards.

cordon [kɔrdɔ̃] nm 1. string 2. [électrique] lead ▸ **cordon d'alimentation secteur** mains power cable.

cordonnerie [kɔrdɔnri] nf shoe repair shop.

cordonnier [kɔrdɔnje] nm shoe repairer.

Cordoue [kɔrdu] n Cordoba.

Corée [kɔre] nf : **la Corée du Nord** North Korea ▸ **la Corée du Sud** South Korea.

coréen, enne [kɔreɛ̃, ɛn] adj Korean. ◆ **Coréen, enne** nm, f Korean.

coriandre [kɔrjɑ̃dr] nf coriander.

corne [kɔrn] nf horn.

cornemuse [kɔrnəmyz] nf bagpipes pl.

cornet [kɔrnɛ] nm 1. [de glace] cornet 2. [de frites] bag ▸ **un cornet de glace à deux boules** an ice-cream cone with two scoops.

cornettes [kɔrnɛt] nfpl Suisse short macaroni.

corniche [kɔrniʃ] nf [route] cliff road.

cornichon [kɔrniʃɔ̃] nm gherkin.

Cornouailles [kɔrnwaj] nf : **la Cornouailles** Cornwall.

corossol [kɔrɔsɔl] nm soursop.

corporel, elle [kɔrpɔrɛl] adj [châtiment] corporal.

corps [kɔr] nm body ▸ **le corps enseignant** the teachers ▸ **corps gras** fat.

correct, e [kɔrɛkt] adj 1. [juste] correct 2. [poli] proper.

correction [kɔrɛksjɔ̃] nf 1. SCOL marking 2. [rectification] correction 3. [punition] beating ▸ **correction automatique** autocorrect.

correspondance [kɔrɛspɔ̃dɑ̃s] nf 1. [courrier] correspondence 2. TRANSP connection ▸ **cours par correspondance** correspondence course.

correspondant, e [kɔrɛspɔ̃dɑ̃, ɑ̃t] ◆ adj corresponding. ◆ nm, f 1. [à qui on écrit] correspondent 2. [au téléphone] person making or receiving a call.

correspondre [75] [kɔrɛspɔ̃dr] vi to correspond ▸ **correspondre à** to correspond to.

corrida [kɔrida] nf bullfight.

corridor [kɔʀidɔʀ] nm corridor.

corrigé [kɔʀiʒe] nm correct version.

corriger [17] [kɔʀiʒe] vt 1. to correct 2. [examen] to mark. ◆ **se corriger** vp to improve.

corrosif, ive [kɔʀozif, iv] adj corrosive.

corruption [kɔʀypsjɔ̃] nf [subornation] bribery.

corse [kɔʀs] adj Corsican. ◆ **Corse** ◆ nmf Corsican. ◆ nf : **la Corse** Corsica.

corsé, e [kɔʀse] adj [café] strong ; [vin] full-bodied ; [plat] spicy.

cortège [kɔʀtɛʒ] nm procession.

corvée [kɔʀve] nf chore.

cosmétique [kɔsmetik] nm & adj cosmetic.

cosmonaute [kɔsmɔnot] nmf cosmonaut.

cosmopolite [kɔsmɔpɔlit] adj cosmopolitan.

costar(d) [kɔstaʀ] nm fam suit.

Costa Rica [kɔstaʀika] nm : **le Costa Rica** Costa Rica.

costaricain, e [kɔstaʀikɛ̃, ɛn], **costaricien, enne** [kɔstaʀisjɛ̃, ɛn] adj Costa Rican. ◆ **Costaricain, e, Costaricien, enne** nm, f Costa Rican.

costaud [kɔsto] adj 1. fam [musclé] beefy 2. [solide] sturdy.

costume [kɔstym] nm 1. [d'homme] suit 2. [de théâtre, de déguisement] costume.

costumé, e [kɔstyme] adj fancy-dress ▸ **bal costumé** fancy-dress ball.

côte [kot] nf 1. [pente] hill, slope 2. ANAT rib 3. [d'agneau, de porc, etc.] chop 4. [bord de mer] coast ▸ **côte à** côte side by side ▸ **la Côte d'Azur** the French Riviera.

côté [kote] nm side ▸ **de quel côté dois-je aller ?** which way should I go? ▸ **à côté** a) nearby b) [dans la maison voisine] next door ▸ **à côté de** a) next to b) [comparé à] compared with ▸ **de l'autre côté (de)** on the other side (of) ▸ **mettre qqch de côté** to put sthg aside.

Côte d'Ivoire [kotdivwaʀ] nf : **la Côte d'Ivoire** the Ivory Coast.

côtelé, e [kotle] adj m → **velours**.

côtelette [kotlɛt] nf 1. [de veau] cutlet 2. [d'agneau, de porc] chop.

côtier, ère [kotje, ɛʀ] adj coastal.

cotisation [kɔtizasjɔ̃] nf [à un club] subscription. ◆ **cotisations** nfpl [sociales] contributions.

cotiser [3] [kɔtize] vi [à un club, un parti] to subscribe. ◆ **se cotiser** vp to club together.

coton [kɔtɔ̃] nm cotton ▸ **coton (hydrophile)** cotton wool.

Coton-Tige® [kɔtɔ̃tiʒ] (pl Cotons-Tiges) nm cotton bud.

cou [ku] nm neck.

couchage [kuʃaʒ] nm → **sac**.

couchant [kuʃɑ̃] adj m → **soleil**.

couche [kuʃ] nf 1. [épaisseur] layer 2. [de peinture] coat 3. [de bébé] nappy UK, diaper US.

couche-culotte [kuʃkylɔt] (pl couches-culottes) nf disposable nappy UK, disposable diaper US.

coucher [3] [kuʃe] ◆ vt 1. [mettre au lit] to put to bed 2. [étendre] to lay down. ◆ vi [dormir] to sleep ▸ **être couché** a) [être étendu] to be lying down b) [être au lit] to be in bed ▸ **coucher**

avec qqn *fam* to sleep with sb. ◆ **se coucher** vp 1. [personne] to go to bed 2. [soleil] to set.

couchette [kuʃɛt] nf 1. [de train] couchette 2. [de bateau] berth.

coucou [kuku] ◆ nm 1. [oiseau] cuckoo 2. [horloge] cuckoo clock. ◆ interj peekaboo!

coude [kud] nm 1. ANAT elbow 2. [courbe] bend.

coudre [86] [kudr] ◆ vt 1. [bouton] to sew on 2. [réparer] to sew up. ◆ vi to sew.

couette [kwɛt] nf [édredon] duvet. ◆ **couettes** nfpl bunches.

cougnou [kuɲu] nm Belg *large flat "brioche" eaten on St Nicholas' Day, 6 December, and shaped like the infant Jesus.*

couler [3] [kule] ◆ vi 1. to flow 2. [bateau] to sink. ◆ vt [bateau] to sink.

couleur [kulœr] nf 1. colour 2. [de cartes] suit ▶ **de quelle couleur est… ?** what colour is…?

couleuvre [kulœvr] nf grass snake.

coulis [kuli] nm *liquid puree of fruit, vegetables or shellfish.*

coulissant, e [kulisɑ̃, ɑ̃t] adj : **porte coulissante** sliding door.

coulisses [kulis] nfpl wings.

couloir [kulwar] nm 1. corridor 2. [de bus] lane.

coup [ku] ◆ nm 1. [choc physique] blow ▶ **donner un coup à qqn** to hit sb ▶ **donner un coup de coude à qqn** to nudge sb ▶ **donner un coup de pied à qqn / dans qqch** to kick sb / sthg ▶ **donner un coup de poing à qqn** to punch sb 2. [avec un instrument] : **passer un coup de balai** to give the floor a sweep

▶ **passe un coup de fer sur ta chemise** give your shirt a quick iron 3. [choc moral] blow ▶ **il m'est arrivé un coup dur** *fam* something bad happened to me 4. [bruit] : **coup de sifflet** whistle ▶ **coup de feu** (gun)shot 5. [à la porte] knock 6. [aux échecs] move ▶ [au tennis] stroke ; [au foot] kick ▶ **coup franc** free kick 7. [action malhonnête] trick ▶ **faire un coup à qqn** to play a trick on sb 8. *fam* [fois] time ▶ **du premier coup** first time ▶ **d'un (seul) coup** a) [en une fois] in one go b) [soudainement] all of a sudden 9. [dans des expressions] : **coup de chance** stroke of luck ▶ **coup de fil** ou **de téléphone** telephone call ▶ **donner un coup de main à qqn** to give sb a hand ▶ **jeter un coup d'œil (à)** to have a look (at) ▶ **prendre un coup de soleil** to get sunburnt ▶ **prendre un coup** *fam* to have a drink ▶ **du coup…** so… ▶ **tenir le coup** to hold out.

coupable [kupabl] ◆ adj guilty. ◆ nmf culprit ▶ **coupable de** guilty of.

coupe [kup] nf 1. [récipient] bowl 2. SPORT cup 3. [de vêtements] cut ▶ **à la coupe** [fromage, etc.] *cut from a larger piece and sold by weight at a delicatessen counter* ▶ **coupe à champagne** champagne glass ▶ **coupe (de cheveux)** haircut ▶ **coupe de champagne** glass of champagne ▶ **coupe glacée** ice cream *(served in a dish).*

coupe-ongles [kupɔ̃gl] nm inv nail clippers *pl.*

coupe-papier [kuppapje] nm inv paper knife.

couper [3] [kupe] ◆ vt 1. to cut 2. [gâteau, viande] to cut (up) 3. [gaz, électricité] to cut off. ◆ vi 1. [être tranchant] to cut 2. [prendre un raccourci] to take a short cut ▶ **couper la route à qqn** to

cut across in front of sb. ◆ **se couper**
vp to cut o.s. ▸ **se couper le doigt** to
cut one's finger.

couper-coller [kupekɔle] nm inv
INFORM : **faire un couper-coller** to cut
and paste.

couple [kupl] nm **1.** couple **2.** [d'ani-
maux] pair.

couplet [kuplɛ] nm verse.

coupole [kupɔl] nf dome, cupola.

coupon [kupɔ̃] nm [billet] ticket.

coupure [kupyr] nf **1.** cut **2.** [arrêt]
break ▸ **coupure de courant** pow-
er cut ▸ **coupure de journal** (newspaper) cutting.

couque [kuk] nf **1.** 🇧🇪 (biscuit) bis-
cuit🇬🇧, cookie🇺🇸 **2.** [pain d'épices] gingerbread **3.** [brioche] *sweet bread roll*.

cour [kur] nf **1.** [d'immeuble] courtyard **2.** [de ferme] farmyard **3.** [tribunal,
d'un roi] court ▸ **cour (de récréation)**
playground.

courage [kuraʒ] nm courage ▸ **bon
courage !** good luck!

courageux, euse [kuraʒø, øz] adj
brave.

couramment [kuramɑ̃] adv **1.** [fré-
quemment] commonly **2.** [parler] flu-
ently.

courant, e [kurɑ̃, ɑ̃t] ◆ adj [fréquent]
common. ◆ nm current ▸ **être au courant (de)** to know (about) ▸ **tenir qqn au
courant (de)** to keep sb informed (of)
▸ **courant d'air** draught ▸ **courant alternatif continu** alternating direct current.

courbatures [kurbatyr] nfpl aches
and pains ▸ **avoir des courbatures** to
be stiff.

courbe [kurb] ◆ adj curved. ◆ nf
curve.

courber [3] [kurbe] vt to bend.

coureur, euse [kurœr, øz] nm, f : **coureur automobile** racing driver ▸ **coureur cycliste** racing cyclist ▸ **coureur
à pied** runner.

courge [kurʒ] nf marrow 🇬🇧,
squash 🇺🇸.

courgette [kurʒɛt] nf courgette 🇬🇧,
zucchini 🇺🇸.

courir [45] [kurir] ◆ vi **1.** to run **2.** [cy-
cliste, coureur automobile] to race. ◆ vt
1. [épreuve sportive] to run (in) **2.** [risque,
danger] to run.

couronne [kurɔn] nf **1.** crown **2.** [de
fleurs] wreath.

courriel [kurjɛl] nm e-mail.

courrier [kurje] nm letters pl,
post 🇬🇧, mail 🇺🇸 ▸ **courrier électronique** e-mail.

courroie [kurwa] nf strap.

cours [kur] nm **1.** [leçon] lesson
2. [d'une marchandise] price **3.** [d'une
monnaie] rate ▸ **au cours de** during
▸ **en cours** in progress ▸ **cours d'eau**
waterway.

course [kurs] nf **1.** [épreuve sportive]
race **2.** [démarche] errand **3.** [en taxi]
journey. ◆ **courses** nfpl shopping sg
▸ **faire les courses** to go shopping.

court, e [kur, kurt] ◆ adj short. ◆ nm
[de tennis] court. ◆ adv short ▸ **être à
court de** to be short of.

court-bouillon [kurbujɔ̃] (pl courts-
bouillons) nm highly flavoured stock
used especially for cooking fish.

court-circuit [kursirkɥi] (pl courts-
circuits) nm short circuit.

court-métrage [kurmetraʒ] (pl
courts-métrages) nm short (film).

courtois, e [kurtwa, az] adj courteous.

courtoisie [kurtwazi] nf courtesy.

couru, e [kury] pp → **courir**.

couscous [kuskus] nm couscous ; *traditional North African dish of semolina served with a spicy stew of meat and vegetables.*

cousin, e [kuzɛ̃, in] nm, f cousin ▸ **cousin germain** first cousin.

coussin [kusɛ̃] nm cushion.

cousu, e [kuzy] pp → **coudre**.

coût [ku] nm cost.

couteau [kuto] (*pl* **-x**) nm knife.

coûter [3] [kute] vi & vt to cost ▸ **combien ça coûte ?** how much is it?

coûteux, euse [kutø, øz] adj costly, expensive.

coutume [kutym] nf custom.

couture [kutyr] nf 1. [sur un vêtement] seam 2. [activité] sewing.

couturier, ière [kutyrje, ɛr] nm, f tailor ▸ **grand couturier** fashion designer.

couvent [kuvɑ̃] nm convent.

couver [3] [kuve] ◆ vt 1. [œufs] to sit on 2. [maladie] to be coming down with. ◆ vi [poule] to brood.

couvercle [kuvɛrkl] nm 1. [de casserole, de poubelle] lid 2. [d'un bocal] top.

couvert, e [kuvɛr, ɛrt] ◆ pp → **couvrir**. ◆ nm [couteau, fourchette] place (setting). ◆ adj 1. [ciel] overcast 2. [marché, parking] covered 3. [vêtu] ▸ **bien couvert** well wrapped up ▸ **couvert de** covered in ou with ▸ **mettre le couvert** to set ou lay the table.

couverture [kuvɛrtyr] nf 1. blanket 2. [de livre] cover.

couvre-lit [kuvrəli] (*pl* **couvre-lits**) nm bedspread.

couvrir [34] [kuvrir] vt to cover ▸ **couvrir qqch de** to cover sthg with. ◆ **se couvrir** vp 1. [ciel] to cloud over 2. [s'habiller] to wrap up ▸ **se couvrir de** to become covered in ou with.

cow-boy [kobɔj] (*pl* **cow-boys**) nm cowboy.

CP nm (*abr de cours préparatoire*) *first year of primary school.*

crabe [krab] nm crab.

cracher [3] [krafe] ◆ vi to spit. ◆ vt to spit out.

crachin [krafɛ̃] nm drizzle.

crade [krad] adj inv fam filthy.

craie [krɛ] nf chalk.

craignos [krɛɲos] adj inv vulg [louche] ▸ **c'est craignos !** it's dodgy! US

craindre [80] [krɛ̃dr] vt 1. to fear, to be afraid of 2. [être sensible à] to be sensitive to.

craint, e [krɛ̃, ɛ̃t] pp → **craindre**.

crainte [krɛ̃t] nf fear ▸ **de crainte que** for fear that.

craintif, ive [krɛ̃tif, iv] adj timid.

cramé, e [krame] adj fam [brûlé] burnt, charred ; [tissu] burnt, scorched ▸ **la tarte est complètement cramée** the tart is burnt to a cinder. ◆ **cramé** nm fam ▸ **ça sent le cramé** there's a smell of burning.

cramique [kramik] nm Belg *"brioche" with raisins.*

crampe [krɑ̃p] nf cramp.

cramponner [3] [krɑ̃pone] ◆ **se cramponner (à)** vp + prép to hang on (to).

crampons [krɑ̃pɔ̃] nmpl [de foot, de rugby] studs.

cran [krɑ̃] nm **1.** [de ceinture] hole **2.** [entaille] notch **3.** [courage] guts pl ▶ **(couteau à) cran d'arrêt** flick knife.

crâne [krɑn] nm skull.

crapahuter [3] [krapayte] vi [argot militaire] to plough along.

crapaud [krapo] nm toad.

craquement [krakmɑ̃] nm crack.

craquer [3] [krake] ▶ vi **1.** [faire un bruit] to crack **2.** [casser] to split **3.** [nerveusement] to crack up. ◆ vt [allumette] to strike.

crasse [kras] nf filth.

cravate [kravat] nf tie.

crawl [krol] nm crawl ▶ **nager le crawl** to do the crawl.

crayon [krejɔ̃] nm pencil ▶ **crayon de couleur** crayon.

création [kreasjɔ̃] nf creation.

crèche [krɛʃ] nf **1.** [garderie] playgroup **2.** RELIG crib.

crédit [kredi] nm [argent emprunté] loan ▶ **acheter qqch à crédit** to buy sthg on credit ▶ **crédit temps** INFORM credit.

créditer [3] [kredite] vt [compte] to credit.

créer [15] [kree] vt **1.** to create **2.** [fonder] to found.

crémaillère [kremajer] nf : **pendre la crémaillère** to have a housewarming party.

crème [krɛm] nf **1.** [dessert] cream dessert **2.** [pour la peau] cream ▶ **crème anglaise** custard ▶ **crème caramel** crème caramel ▶ **crème fraîche** fresh cream ▶ **crème glacée** ice cream ▶ **crème pâtissière** confectioner's custard ▶ **crème brûlée** crème brûlée ▶ **crème de marrons** chestnut purée.

crémerie [kremri] nf dairy.

crémeux, euse [kremø, øz] adj creamy.

créneau [kreno] (pl -x) nm : **faire un créneau** to reverse into a parking space. ◆ **créneaux** nmpl [de château] battlements.

crêpe [krɛp] nf pancake ▶ **crêpe bretonne** sweet or savoury pancake, often made with buckwheat, a speciality of Brittany.

crêperie [krɛpri] nf pancake restaurant.

crépi [krepi] nm roughcast.

crépu, e [krepy] adj frizzy.

cresson [kresɔ̃] nm watercress.

crête [krɛt] nf **1.** [de montagne] ridge **2.** [de coq] crest.

cretons [krətɔ̃] nmpl `Québec` potted pork.

creuser [3] [krøze] vt to dig ▶ **ça creuse !** it gives you an appetite! ◆ **se creuser** ▶ **se creuser la tête** ou **la cervelle** to rack one's brains.

creux, creuse [krø, krøz] ◆ adj hollow. ◆ nm **1.** [de la main] hollow **2.** [sur la route] dip.

crevaison [krəvɛzɔ̃] nf puncture ▶ **avoir une crevaison** to get a puncture.

crevant, e [krəvɑ̃, ɑ̃t] adj fam [fatigant] knackering.

crevasse [krəvas] nf [en montagne] crevasse.

crevé, e [krəve] adj fam [fatigué] knackered.

crever [19] [krəve] ◆ vt **1.** [percer] to burst **2.** fam [fatiguer] to wear out. ◆ vi **1.** [exploser] to burst **2.** [avoir une crevai-

son] to have a puncture UK or a flat US
3. *fam* [mourir] to kick the bucket.

crevette [krəvɛt] nf prawn ▸ **crevette grise** shrimp ▸ **crevette rose** prawn.

cri [kri] nm **1.** shout **2.** [de joie, de douleur] cry **3.** [d'animal] call ▸ **pousser un cri** to cry (out).

cribler [3] [krible] vt **1.** [trouer de] : **cribler de** to riddle sthg with holes ▸ **la façade est criblée d'impacts de balles** the facade is riddled with bullet holes **2.** *fig* : **être criblé de dettes** to be crippled with debt, to be up to one's eyes in debt.

cric [krik] nm jack.

cricket [krikɛt] nm cricket.

crier [10] [krije] ◆ vi **1.** to shout **2.** [de douleur] to cry (out). ◆ vt to shout (out).

crime [krim] nm **1.** [meurtre] murder **2.** [faute grave] crime ▸ **crimes contre l'humanité** crimes against humanity.

criminel, elle [kriminɛl] nm, f criminal.

crinière [krinjɛr] nf mane.

crique [krik] nf creek.

criquet [krikɛ] nm locust ; [sauterelle] grasshopper.

crise [kriz] nf **1.** [économique] crisis **2.** [de rire, de larmes] fit ▸ **crise cardiaque** heart attack ▸ **crise de bile** bilious attack ▸ **crise de nerfs** attack of nerves.

crispé, e [krispe] adj **1.** [personne, sourire] tense **2.** [poing] clenched.

cristal [kristal] (pl -aux) nm crystal.

critère [kritɛr] nm criterion.

critique [kritik] ◆ adj critical. ◆ nmf critic. ◆ nf **1.** [reproche] criticism **2.** [article de presse] review.

critiquer [3] [kritike] vt to criticize.

Croatie [krɔasi] nf : **(la) Croatie** Croatia.

croc [kro] nm [canine] fang.

croche-pied [krɔʃpje] (pl croche-pieds) nm : **faire un croche-pied à qqn** to trip sb (up).

crochet [krɔʃɛ] nm **1.** hook **2.** [tricot] crochet.

crocodile [krɔkɔdil] nm crocodile.

croire [107] [krwar] ◆ vt **1.** to believe **2.** [penser] to think. ◆ vi : **croire à/en** to believe in. ◆ **se croire** vp : **il se croit intelligent** he thinks he's clever ▸ **on se croirait au Moyen Âge** you'd think you were (back) in the Middle Ages.

croisement [krwazmɑ̃] nm **1.** [carrefour] junction **2.** [de races] crossbreeding.

croiser [3] [krwaze] vt **1.** to cross **2.** [personne] to pass **3.** [regard] to meet. ◆ **se croiser** vp [voitures, personnes] to pass each other **2.** [lettres] to cross (in the post).

croisière [krwazjɛr] nf cruise.

croissance [krwasɑ̃s] nf growth.

croissant [krwasɑ̃] nm **1.** [pâtisserie] croissant **2.** [de lune] crescent ▸ **croissant au beurre** butter croissant.

croix [krwa] nf cross ▸ **en croix** in the shape of a cross ▸ **les bras en croix** arms out.

Croix-Rouge [krwaruʒ] nf : **la Croix-Rouge** the Red Cross.

croque-madame [krɔkmadam] nm inv *croque-monsieur with a fried egg*.

croque-monsieur [krɔkməsjø] nm inv *toasted cheese and ham sandwich*.

croquer [3] [krɔke] ◆ vt to crunch. ◆ vi to be crunchy.

croquette [krɔkɛt] nf croquette ▸ **croquettes pour chiens** dog meal *sg*.

cross [krɔs] nm inv 1. [course] cross-country race 2. [sport] cross-country racing.

crotte [krɔt] nf dropping.

crottin [krɔtɛ̃] nm 1. dung 2. [fromage] *small round goat's cheese*.

croustade [krustad] nf vol au vent.

croustillant, e [krustijã, ãt] adj crunchy.

croûte [krut] nf 1. [de pain] crust 2. [de fromage] rind 3. MÉD scab ▸ **croûte au fromage** Suisse *melted cheese with wine, served on toast*.

croûton [krutɔ̃] nm 1. [pain frit] crouton 2. [extrémité du pain] crust.

croyance [krwajãs] nf belief.

croyant, e [krwajã, ãt] adj : **être croyant** to be a believer.

CRS nmpl *French riot police*.

cru, e [kry] ◆ pp → **croire**. ◆ adj 1. raw 2. [choquant] crude. ◆ nm [vin] vintage ▸ **un grand cru** a grand cru vintage.

cruche [kryʃ] nf 1. [objet] jug UK, pitcher US 2. *fam & péj* [personne niaise] idiot.

crudités [krydite] nfpl *raw vegetables*.

crue [kry] nf flood ▸ **être en crue** to be in spate.

cruel, elle [kryɛl] adj cruel.

crumble [krœmbœl] nm crumble ▸ **crumble (aux pommes)** (apple) crumble.

crustacés [krystase] nmpl shellfish.

crypter [3] [kripte] vt to encrypt ▸ **chaîne cryptée** channel available to subscribers only.

Cuba [kyba] n Cuba.

cubain, e [kybɛ̃, ɛn] adj Cuban. ◆ **Cubain, e** nm, f Cuban.

cube [kyb] nm cube ▸ **mètre cube** cubic metre.

cueillir [41] [kœjir] vt to pick.

cuiller [kɥijɛr] nf = **cuillère**.

cuillère [kɥijɛr] nf spoon ▸ **cuillère à café, petite cuillère** teaspoon ▸ **cuillère à soupe** soup spoon.

cuillerée [kɥijere] nf spoonful.

cuir [kɥir] nm [matériau] leather.

cuire [98] [kɥir] vt & vi 1. to cook 2. [pain, gâteau] to bake ▸ **faire cuire** to cook.

cuisine [kɥizin] nf 1. kitchen 2. [art] cooking ▸ **faire la cuisine** to cook.

cuisiné, e [kɥizine] adj : **plat cuisiné** ready-cooked ou ready-made meal.

cuisiner [3] [kɥizine] vt & vi to cook.

cuisinier, ère [kɥizinje, ɛr] nm, f cook.

cuisinière [kɥizinjɛr] nf [fourneau] cooker ; → **cuisinier**.

cuisse [kɥis] nf 1. thigh 2. [de volaille] leg ▸ **cuisses de grenouille** frog's legs.

cuisson [kɥisɔ̃] nf cooking.

cuit, e [kɥi, kɥit] adj cooked ▸ **bien cuit** well-done.

cuivre [kɥivr] nm copper.

cul [ky] nm *vulg* [fesses] arse UK, ass US.

culasse [kylas] nf → **joint**.

culminant, e [kylminã, ãt] adj : **point culminant** highest point.

culot [kylo] nm *fam* [toupet] nerve, cheek UK ▸ **avoir du culot** to have a lot of nerve.

culotte [kylɔt] nf **1.** [slip] knickers pl ▸ **culotte de cheval** [vêtement] jodhpurs pl.

culte [kylt] nm **1.** [adoration] worship **2.** [religion] religion.

cultivateur, trice [kyltivatœr, tris] nm, f farmer.

cultivé, e [kyltive] adj [personne] educated, cultured.

cultiver [3] [kyltive] vt **1.** [terre, champ] to cultivate **2.** [blé, maïs, etc.] to grow. ◆ **se cultiver** vp to improve one's mind.

culture [kyltyr] nf **1.** [plante] crop **2.** [connaissances] knowledge **3.** [civilisation] culture. ◆ **cultures** nfpl cultivated land.

culturel, elle [kyltyrɛl] adj cultural.

cumin [kymɛ̃] nm cumin.

cure [kyr] nf (course of) treatment ▸ **cure de désintoxication a)** [d'alcool] drying-out treatment **b)** [de drogue] detoxification treatment ▸ **faire une cure thermale** to undergo treatment at a spa.

curé [kyre] nm parish priest.

cure-dents [kyrdã] nm inv toothpick.

curieux, euse [kyrjø, øz] ◆ adj **1.** [indiscret] inquisitive **2.** [étrange] curious. ◆ nmpl onlookers.

curiosité [kyrjozite] nf curiosity. ◆ **curiosités** nfpl [touristiques] unusual things to see.

curriculum vitae [kyrikylɔmvite] nm inv curriculum vitae [UK], résumé [US].

curry [kyri] nm **1.** [épice] curry powder **2.** [plat] curry.

curseur [kyrsœr] nm cursor ▸ **positionner le curseur sur...** place the cursor over...

cutané, e [kytane] adj cutaneous, skin (avant n).

cutanée [kytane] adj f → **éruption**.

cuvée [kyve] nf [récolte] vintage.

cuvette [kyvɛt] nf **1.** basin **2.** [des WC] bowl.

CV nm **1.** (abr de curriculum vitae) CV, résumé [US] **2.** AUTO (abr écrite de cheval) hp ▸ **envoyez un CV et une lettre de motivation** send a CV [UK] ou résumé [US] and cover letter.

cybercafé [siberkafe] nm cybercafé, Internet café.

cybercrime [siberkrim] nm cybercrime.

cybersexe [siberseks] nm cybersex.

cyclable [siklabl] adj → **piste**.

cycle [sikl] nm **1.** cycle **2.** [de films] season.

cyclisme [siklism] nm cycling.

cycliste [siklist] ◆ nmf cyclist. ◆ nm [short] cycling shorts pl. ◆ adj : **course cycliste a)** [épreuve] cycle race **b)** [activité] cycling.

cyclone [siklon] nm cyclone.

cygne [siɲ] nm swan.

cylindre [silɛ̃dr] nm cylinder.

cymbale [sɛ̃bal] nf cymbal.

cynique [sinik] adj cynical.

cyprès [siprɛ] nm cypress.

cypriote, Cypriote → **chypriote**.

DAB [dab] nm *(abr écrite de distributeur automatique de billets)* ATM *(automatic ou automated teller machine)*.

dactylo [daktilo] nf [secrétaire] typist.

daim [dɛ̃] nm **1.** [animal] (fallow) deer **2.** [peau] suede.

dalle [dal] nf slab ▸ **avoir la dalle** *fam* [avoir faim] to be starving.

daltonien, enne [daltɔnjɛ̃, ɛn] adj colour-blind [UK], color-blind [US].

Damas [damas] n Damascus.

dame [dam] nf **1.** lady **2.** [aux cartes] queen ▸ **dame blanche** vanilla, chocolate ice cream with chantilly. ◆ **dames** nfpl [jeu] draughts [UK], checkers [US].

damier [damje] nm [de dames] draughtboard [UK], checkerboard [US].

Danemark [danmark] nm : **le Danemark** Denmark.

danger [dɑ̃ʒe] nm danger ▸ **être en danger** to be in danger.

dangereux, euse [dɑ̃ʒrø, øz] adj dangerous.

danois, e [danwa, az] ◆ adj Danish. ◆ nm [langue] Danish. ◆ **Danois, e** nm, f Dane.

dans [dɑ̃] ◆ prép **1.** [indique la situation] in ▸ **je vis dans le sud de la France** I live in the south of France **2.** [indique la direction] into ▸ **vous allez dans la**

mauvaise direction you're going in the wrong direction **3.** [indique la provenance] from ▸ **choisissez un dessert dans le menu** choose a dessert from the menu **4.** [indique le moment] in ▸ **dans combien de temps arrivons-nous ?** how long before we get there? ▸ **le spectacle commence dans cinq minutes** the show begins in five minutes **5.** [indique une approximation] : **ça doit coûter dans les 30 euros** that must cost around 30 euros.

danse [dɑ̃s] nf : **la danse** dancing ▸ **une danse** a dance ▸ **danse classique** ballet dancing ▸ **danse moderne** modern dancing.

danser [3] [dɑ̃se] vt & vi to dance.

danseur, euse [dɑ̃sœr, øz] nm, f **1.** [de salon] dancer **2.** [classique] ballet dancer.

Danube [danyb] n : **le Danube** the (River) Danube.

darne [darn] nf steak *(of fish)*.

date [dat] nf date ▸ **date limite** deadline ▸ **date de naissance** date of birth ▸ '**date limite de consommation**' 'use-by date' ▸ '**date limite de vente**' 'sell-by date'.

dater [3] [date] ◆ vt to date. ◆ vi [être vieux] to be dated ▸ **dater de** [remonter à] to date from.

datte [dat] nf date.

daube [dob] nf : **(bœuf en) daube** beef stew cooked with wine.

dauphin [dofɛ̃] nm [animal] dolphin.

dauphine [dofin] nf → **pomme**.

dauphinois [dofinwa] adj m → **gratin**.

daurade [dɔrad] nf sea bream.

davantage [davɑ̃taʒ] adv more ▸ **davantage de temps** more time.

de [də] ◆ prép **1.** [indique l'appartenance] of ▶ **la porte du** the living room door ▶ **le frère de Pierre** Pierre's brother **2.** [indique la provenance] from ▶ **d'où êtes-vous ? — de Bordeaux** where are you from? — Bordeaux **3.** [avec « à »] **: de Paris à Tokyo** from Paris to Tokyo ▶ **de la mi-août à début septembre** from mid-August to the beginning of September **4.** [indique une caractéristique] **: une statue de pierre** a stone statue ▶ **des billets de 100 euros** 100-euro notes ▶ **l'avion de 7 h 20** the 7:20 plane ▶ **un jeune homme de 25 ans** a young man of 25 **5.** [introduit un complément] **: parler de qqch** to talk about sthg ▶ **arrêter de faire qqch** to stop doing sthg **6.** [désigne le contenu] of ▶ **une bouteille d'eau minérale** a bottle of mineral water **7.** [parmi] ▶ **certaines de ces plages sont polluées** some of these beaches are polluted ▶ **la moitié du temps / de nos clients** half (of) the time /(of) our customers **8.** [indique le moyen] with ▶ **saluer qqn d'un mouvement de tête** to greet sb with a nod **9.** [indique la manière] **: d'un air distrait** absent-mindedly **10.** [indique la cause] **: hurler de douleur** to scream with pain ▶ **je meurs de faim !** I'm starving!
◆ art www ▶ **je voudrais du vin / du lait** I'd like some wine /some milk ▶ **ils n'ont pas d'enfants** they don't have any children ▶ **avez-vous du pain ?** do you have any bread?

dé [de] nm [à jouer] dice ▶ **dé (à coudre)** thimble.

déballer [3] [debale] vt **1.** [affaires] to unpack **2.** [cadeau] to unwrap.

débarbouiller [3] [debarbuje] ◆ se **débarbouiller** vp to wash one's face.

débarcadère [debarkadɛr] nm **1.** NAUT landing stage **2.** Québec [zone réservée] unloading dock.

débardeur [debardœr] nm [T-shirt] sleeveless T-shirt UK, tank top US.

débarquer [3] [debarke] ◆ vt to unload. ◆ vi to disembark.

débarras [debara] nm junk room ▶ **bon débarras !** good riddance!

débarrasser [3] [debarase] vt **1.** to clear up **2.** [table] to clear ▶ **débarrasser qqn de** [vêtement, paquets] to relieve sb of. ◆ se **débarrasser de** vp + prép **1.** [vêtement] to take off **2.** [paquets] to put down **3.** [personne] to get rid of.

débat [deba] nm debate.

débattre [83] [debatr] ◆ vt to discuss. ◆ vi to debate ▶ **débattre (de) qqch** to debate sthg. ◆ se **débattre** vp to struggle.

débile [debil] adj fam stupid.

débit [debi] nm **1.** [d'eau] flow **2.** [bancaire] debit **3.** INFORM rate ▶ **le bas /haut débit** low-speed /high-speed Internet access.

débiter [3] [debite] vt [compte] to debit.

déblayer [11] [debleje] vt to clear.

débloquer [3] [debloke] ◆ vt **1.** to un-jam **2.** [crédits] to unfreeze. ◆ vi fam to talk nonsense ▶ **il a réussi à débloquer la situation** he managed to get things moving again.

déboguer [3] [deboge] vt to debug.

déboîter [3] [debwate] ◆ vt **1.** [objet] to dislodge **2.** [os] to dislocate. ◆ vi [voiture] to pull out. ◆ se **déboîter** vp **: se déboîter l'épaule** to dislocate one's shoulder.

débordé, e [deborde] adj : **être débordé (de travail)** to be snowed under (with work).

déborder [3] [deborde] vi to overflow.

débouché [debuʃe] nm **1.** [de vente] outlet **2.** [de travail] opening.

déboucher [3] [debuʃe] vt **1.** [bouteille] to open **2.** [nez, tuyau] to unblock. ◆ **déboucher sur** v + prép to lead to.

débourser [3] [deburse] vt to pay out.

debout [dəbu] adv **1.** [sur ses pieds] standing (up) **2.** [verticalement] upright ▸ **être debout** [réveillé] to be up ▸ **se mettre debout** to stand up ▸ **tenir debout** to stand up.

déboutonner [3] [debutɔne] vt to unbutton.

débraillé, e [debraje] adj dishevelled.

débrancher [3] [debrɑ̃ʃe] vt **1.** [appareil] to unplug **2.** [prise] to remove.

débrayer [11] [debreje] vi to declutch.

débriefer [3] [debrife] vt to debrief.

débris [debri] nmpl pieces.

débrouiller [3] [debruje] ◆ **se débrouiller** vp to get by ▸ **se débrouiller pour faire qqch** to manage to do sthg.

débuguer [3] [debœge] vt = **déboguer.**

début [deby] nm start ▸ **au début (de)** at the start (of).

débutant, e [debytɑ̃, ɑ̃t] nm, f beginner.

débuter [3] [debyte] vi **1.** to start **2.** [dans une carrière] to start out.

déca [deka] abr de **décaféiné.**

décaféiné, e [dekafeine] adj decaffeinated.

décalage [dekalaʒ] nm gap ▸ **décalage horaire** time difference.

décalcomanie [dekalkɔmani] nf transfer.

décalé, e [dekale] adj [style, humour] off-beat, quirky.

décaler [3] [dekale] vt **1.** [déplacer] to move **2.** [avancer dans le temps] to bring forward **3.** [retarder] to put back.

décalquer [3] [dekalke] vt to trace.

décapant [dekapɑ̃] nm stripper. ◆ **décapant, e** [dekapɑ̃, ɑ̃t] adj fig caustic ▸ **un produit décapant** a stripper.

décaper [3] [dekape] vt to strip.

décapiter [3] [dekapite] vt to behead.

décapotable [dekapɔtabl] nf : **(voiture) décapotable** convertible.

décapsuler [3] [dekapsyle] vt to open.

décapsuleur [dekapsylœr] nm bottle opener.

décédé, e [desede] adj deceased.

décéder [18] [desede] vi sout to pass away.

décembre [desɑ̃br] nm December ▸ **en décembre, au mois de décembre** in December ▸ **début décembre** at the beginning of December ▸ **fin décembre** at the end of December ▸ **le deux décembre** the second of December.

décennie [deseni] nf decade.

décent, e [desɑ̃, ɑ̃t] adj decent.

déception [desɛpsjɔ̃] nf disappointment.

décerner [3] [deserne] vt [prix] to award.

décès [desɛ] nm death.

décevant, e [desvɑ̃, ɑ̃t] **adj** disappointing.

décevoir [52] [desəvwar] **vt** to disappoint.

déchaîner [4] [deʃene] **vt** [colère, rires] to spark off. ◆ **se déchaîner vp 1.** [personne] to fly into a rage **2.** [tempête] to break.

décharge [deʃarʒ] **nf 1.** [d'ordures] rubbish dump 𝖴𝖪, garbage dump 𝖴𝖲 **2.** [électrique] electric shock.

décharger [17] [deʃarʒe] **vt 1.** to unload **2.** [tirer avec] to fire.

déchausser [3] [deʃose] ◆ **se déchausser vp** to take one's shoes off.

déchets [deʃɛ] **nmpl** waste *sg.*

déchiffrer [3] [deʃifre] **vt 1.** [lire] to decipher **2.** [décoder] to decode.

déchiqueter [27] [deʃikte] **vt** to shred.

déchiré, e [deʃire] **adj 1.** torn, ripped **2.** MÉD torn.

déchirer [3] [deʃire] **vt 1.** [lettre, page] to tear up **2.** [vêtement, nappe] to tear. ◆ **se déchirer vp** to tear.

déchirure [deʃiryr] **nf** tear ▸ **déchirure musculaire** torn muscle.

déci [desi] **nm** 𝖲𝗎𝗂𝗌𝗌𝖾 *small glass of wine.*

décidé, e [deside] **adj** determined ▸ **c'est décidé** it's settled.

décidément [desidemɑ̃] **adv** really ▸ **décidément, je n'ai pas de chance !** I sure am unlucky!

décider [3] [deside] **vt** to decide ▸ **décider qqn** to persuade sb (to do sthg) ▸ **décider de faire qqch** to decide to do sthg. ◆ **se décider vp : se décider (à faire qqch)** to make up one's mind (to do sthg).

décilitre [desilitr] **nm** decilitre 𝖴𝖪, deciliter 𝖴𝖲.

décimal, e, aux [desimal, o] **adj** decimal.

décimètre [desimetr] **nm 1.** [dixième de mètre] decimetre 𝖴𝖪, decimeter 𝖴𝖲 **2.** [règle] ruler ▸ **double décimètre** ≃ foot rule.

décisif, ive [desizif, iv] **adj** decisive.

décision [desizjɔ̃] **nf** decision.

déclaration [deklarasjɔ̃] **nf** announcement ▸ **déclaration d'impôts** tax return ▸ **faire une déclaration de vol** to report a theft.

déclarer [3] [deklare] **vt 1.** to declare **2.** [vol] to report ▸ **rien à déclarer** nothing to declare. ◆ **se déclarer vp** [épidémie, incendie] to break out.

déclencher [3] [deklɑ̃ʃe] **vt 1.** [mécanisme] to set off **2.** [guerre] to trigger off.

déclic [deklik] **nm** click ▸ **j'ai eu un déclic** *fig* it suddenly clicked.

décliner [3] [dekline] ◆ **vi** [population, popularité] to decline. ◆ **vt 1.** [offre, honneur] to decline **2.** GRAMM to decline.

décoiffer [3] [dekwafe] **vt : décoiffer qqn** to mess up sb's hair.

décollage [dekɔlaʒ] **nm** take-off.

décoller [3] [dekɔle] ◆ **vt 1.** to unstick **2.** [papier peint] to strip. ◆ **vi** [avion] to take off. ◆ **se décoller vp** to come unstuck.

décolleté, e [dekɔlte] ◆ **adj** low-cut. ◆ **nm** neckline.

décoloré, e [dekɔlɔre] **adj 1.** [fané] faded **2.** [blondi] bleached ▸ **une femme décolorée** a peroxide ou bleached blonde.

décolorer [3] [dekɔlɔre] **vt** to bleach.

décombres [dekɔ̃br] **nmpl** debris *sg.*

décommander [3] [dekɔmɑ̃de] **vt** to cancel. ◆ **se décommander** **vp** to cancel.

décomposer [3] [dekɔ̃poze] **vt : décomposer qqch en** to break sthg down into. ◆ **se décomposer** **vp** [pourrir] to decompose.

décompresser [4] [dekɔ̃prese] **vt** to decompress.

déconcentrer [3] [dekɔ̃sɑ̃tre] ◆ **se déconcentrer** **vp** to lose one's concentration.

déconcerter [3] [dekɔ̃sɛrte] **vt** to disconcert.

décongeler [25] [dekɔ̃ʒle] **vt** to defrost.

décongestionnant, e [dekɔ̃ʒɛstjɔnɑ̃, ɑ̃t] **adj** MÉD decongestant. ◆ **décongestionnant** **nm** [médicament] decongestant.

déconnecter [4] [dekɔnɛkte] **vt** to disconnect ▸ **être déconnecté** *fam* to be out of touch. ◆ **se déconnecter** **vp** INFORM to disconnect, to log off.

déconner [3] [dekɔne] **vi** *vulg* [dire] to talk crap ou rubbish 🇬🇧 ; [faire] to mess ou muck 🇬🇧 around.

déconnexion [dekɔnɛksjɔ̃] **nf** INFORM logging off.

déconseiller [4] [dekɔ̃seje] **vt : déconseiller qqch à qqn** to advise sb against sthg ▸ **déconseiller à qqn de faire qqch** to advise sb against doing sthg.

décontracté, e [dekɔ̃trakte] **adj** relaxed.

décontracter [3] [dekɔ̃trakte] **vt** to relax. ◆ **se décontracter** **vp** to relax.

décor [dekɔr] **nm 1.** scenery **2.** [d'une pièce] décor.

décorateur, trice [dekɔratœr, tris] **nm, f 1.** [d'intérieurs] (interior) decorator **2.** [de théâtre] designer.

décoration [dekɔrasjɔ̃] **nf** decoration.

décorer [3] [dekɔre] **vt** to decorate.

décortiquer [3] [dekɔrtike] **vt** to shell.

découdre [86] [dekudr] **vt** to unpick. ◆ **se découdre** **vp** to come unstitched ▸ **je voudrais faire réparer mon ourlet qui s'est décousu** I'd like to have my hem mended, the stitches have come out of it.

découler [3] [dekule] ◆ **découler de** **v + prép** to follow from.

découper [3] [dekupe] **vt 1.** [gâteau] to cut (up) **2.** [viande] to carve **3.** [images, photos] to cut out.

découragé, e [dekuraʒe] **adj** dismayed.

décourager [17] [dekuraʒe] **vt** to discourage. ◆ **se décourager** **vp** to lose heart.

décousu, e [dekuzy] **adj 1.** undone **2.** [raisonnement, conversation] disjointed.

découvert, e [dekuvɛr, ɛrt] ◆ **pp** → **découvrir.** ◆ **nm** [bancaire] overdraft ▸ **être à découvert** to be overdrawn.

découverte [dekuvɛrt] **nf** discovery.

découvrir [34] [dekuvrir] **vt 1.** to discover **2.** [ôter ce qui couvre] to uncover.

décrire [99] [dekrir] **vt** to describe.

décrocher [3] [dekrɔʃe] **vt** [tableau] to take down ▸ **décrocher (le téléphone)** [pour répondre] to pick up the phone. ◆ **se décrocher** **vp** to fall down.

déçu, e [desy] ◆ **pp** → **décevoir.** ◆ **adj** disappointed.

dédaigner [4] [dedeɲe] vt to despise.

dédain [dedɛ̃] nm disdain.

dedans [dədɑ̃] adv & nm inside ▸ **en dedans** inside.

dédicacer [16] [dedikase] vt : **dédicacer un livre à qqn** to autograph a book for sb.

dédier [9] [dedje] vt : **dédier une chanson à qqn** to dedicate a song to sb.

dédommagement [dedɔmaʒmɑ̃] nm compensation.

dédommager [17] [dedɔmaʒe] vt to compensate.

dédouaner [3] [dedwane] vt [marchandises] to clear through customs.

déduction [dedyksjɔ̃] nf deduction.

déduire [98] [dedɥir] vt : **déduire qqch (de)** a) [soustraire] to deduct sthg (from) b) [conclure] to deduce sthg (from).

déduit, e [dedɥi, it] pp → **déduire**.

déesse [deɛs] nf goddess.

défaillance [defajɑ̃s] nf [d'une machine] failure ; [d'une personne, organisation] weakness.

défaillant, e [defajɑ̃, ɑ̃t] adj [vue] failing.

défaire [109] [defɛr] vt 1. [nœud] to undo 2. [valise] to unpack 3. [lit] to strip. ◆ **se défaire** vp [nœud, coiffure] to come undone.

défait, e [defɛ, ɛt] pp & 3ᵉ pers. du sg de l'ind. prés. → **défaire**.

défaite [defɛt] nf defeat.

défaut [defo] nm 1. [de caractère] fault 2. [imperfection] flaw ▸ **à défaut de** for lack of.

défavorable [defavɔrabl] adj unfavourable.

défavorisé, e [defavɔrize] adj [milieu] underprivileged ; [région] depressed.

défavoriser [3] [defavɔrize] vt to penalize.

défectueux, euse [defɛktɥø, øz] adj defective.

défendre [73] [defɑ̃dr] vt to defend ▸ **défendre qqch à qqn** to forbid sb sthg ▸ **défendre à qqn de faire qqch** to forbid sb to do sthg. ◆ **se défendre** vp to defend o.s.

défense [defɑ̃s] nf 1. defence 2. [d'éléphant] tusk ▸ **prendre la défense de qqn** to stand up for sb ▸ **'défense de déposer des ordures'** 'no dumping' ▸ **'défense d'entrer'** 'no entry'.

défi [defi] nm challenge ▸ **lancer un défi à qqn** to challenge sb.

déficit [defisit] nm deficit.

déficitaire [defisitɛr] adj in deficit.

défier [9] [defje] vt to challenge ▸ **défier qqn de faire qqch** to challenge sb to do sthg.

défigurer [3] [defigyre] vt to disfigure.

défilé [defile] nm 1. [militaire] parade 2. [gorges] defile ▸ **défilé de mode** fashion show.

défilement [defilmɑ̃] nm scrolling ▸ **défilement vers le haut / bas** scrolling up / down.

défiler [3] [defile] vi [manifestants, soldats] to march past ▸ **faire défiler** INFORM to scroll.

définir [32] [definir] vt to define.

définitif, ive [definitif, iv] adj definitive ▸ **en définitive** when all is said and done.

définition [definisjɔ̃] nf definition.

définitivement [definitivmã] adv permanently.

défoncer [16] [defɔse] vt 1. [porte, voiture] to smash in 2. [terrain, route] to break up.

déforestation [defɔʀɛstasjɔ̃] nf deforestation.

déformé, e [defɔrme] adj 1. [vêtement] shapeless 2. [route] uneven.

déformer [3] [defɔrme] vt 1. to deform 2. fig [réalité] to distort.

défouler [3] [defule] ◆ **se défouler** vp to unwind.

défragmentation [defʀagmɑ̃tasjɔ̃] nf defragmenting.

défragmenter [3] [defʀagmɑ̃te] vt to defragment.

défricher [3] [defʀiʃe] vt to clear.

défunt, e [defœ̃, œ̃t] ◆ adj [décédé] late. ◆ nm, f deceased.

dégager [17] [degaʒe] vt 1. [déblayer] to clear 2. [fumée, odeur] to give off ▶ **dégager qqn/qqch de** to free sb /sthg from. ◆ **se dégager** vp 1. to free o.s. 2. [ciel] to clear ▶ **se dégager de a)** [se libérer de] to free o.s. from b) [fumée, odeur] to be given off from.

dégaîner [4] [degene] vt & vi to draw.

dégarni, e [degarni] adj [crâne, personne] balding.

dégâts [dega] nmpl damage ▶ **faire des dégâts** to cause damage.

dégel [deʒɛl] nm thaw.

dégeler [25] [deʒle] ◆ vt 1. to deice 2. [atmosphère] to warm up. ◆ vi to thaw.

dégénérer [18] [deʒenere] vi to degenerate.

dégivrage [deʒivʀaʒ] nm AUTO deicing.

dégivrer [3] [deʒivʀe] vt 1. [pare-brise] to de-ice 2. [réfrigérateur] to defrost.

dégonflé, e [degɔ̃fle] ◆ adj [pneu, roue] flat. ◆ nm, f fam [personne] chicken, yellow-belly.

dégonfler [3] [degɔ̃fle] vt to let down. ◆ **se dégonfler** vp 1. to go down 2. fam [renoncer] to chicken out.

dégouliner [3] [deguline] vi to trickle.

dégourdi, e [degurdi] adj smart.

dégourdir [32] [degurdir] ◆ **se dégourdir** vp : **se dégourdir les jambes** to stretch one's legs.

dégoût [degu] nm disgust.

dégoûtant, e [degutɑ̃, ɑ̃t] adj disgusting.

dégoûté, e [degute] adj [écœuré] disgusted ▶ **dégoûté de** sick of sthg ▶ **elle m'a regardé d'un air dégoûté** she gave me a look of disgust.

dégoûter [3] [degute] vt to disgust ▶ **dégoûter qqn de qqch** to put sb off sthg.

dégrader [3] [degrade] vt [bâtiment] to damage. ◆ **se dégrader** vp [bâtiment, santé] to deteriorate.

dégrafer [3] [degrafe] vt 1. [papiers] to unstaple 2. [vêtement] to undo.

degré [dəgʀe] nm degree ▶ **du vin à 12 degrés** 12 % proof wine.

dégressif, ive [degresif, iv] adj decreasing.

dégringoler [3] [degʀɛ̃gɔle] vi to tumble.

dégueulasse [degœlas] adj fam 1. [sale] filthy 2. [mauvais] lousy.

déguisement [degizmɑ̃] nm [pour bal masqué] fancy dress.

déguiser [3] [degize] vt to disguise. ◆ **se déguiser** vp : **se déguiser (en)** [à un bal masqué] to dress up (as).

dégustation [degystasjɔ̃] nf tasting.

déguster [3] [degyste] vt [goûter] to taste.

dehors [dəɔr] adv & nm outside ▸ **jeter** ou **mettre qqn dehors** to throw sb out ▸ **se pencher en dehors** to lean out ▸ **en dehors de** a) outside b) [sauf] apart from.

déjà [deʒa] adv already ▸ **es-tu déjà allé à Bordeaux ?** have you ever been to Bordeaux?

déjeuner [5] [deʒœne] ◆ nm **1.** lunch **2.** [petit déjeuner] breakfast. ◆ vi **1.** [à midi] to have lunch **2.** [le matin] to have breakfast ▸ **inviter qqn à déjeuner** to invite sb to lunch ▸ **déjeuner d'affaires** business lunch.

délabré, e [delabre] adj ruined.

délacer [16] [delase] vt to undo.

délai [delɛ] nm **1.** [durée] deadline **2.** [temps supplémentaire] extension ▸ **dans un délai de trois jours** within three days.

délasser [3] [delase] vt to refresh. ◆ **se délasser** vp to relax.

délavé, e [delave] adj faded.

délayer [11] [deleje] vt to mix.

Delco® [dɛlko] nm distributor.

délégué, e [delege] nm, f delegate.

déléguer [18] [delege] vt : **déléguer qqn (à qqch)** to delegate sb (to sthg).

délibéré, e [delibere] adj [intentionnel] deliberate.

délibérément [deliberemɑ̃] adv deliberately.

délicat, e [delika, at] adj **1.** delicate **2.** [plein de tact] sensitive **3.** [exigeant] fussy.

délicatement [delikatmɑ̃] adv delicately.

délice [delis] nm delight.

délicieux, euse [delisjø, øz] adj delicious.

délimiter [3] [delimite] vt [terrain] to demarcate.

délinquance [delɛ̃kɑ̃s] nf criminality ▸ **acte de délinquance** criminal act ▸ **délinquance informatique** cybercrime.

délinquant, e [delɛ̃kɑ̃, ɑ̃t] nm, f delinquent.

délirer [3] [delire] vi to be delirious.

délit [deli] nm offence **[US]**, misdemeanor **[US]** ▸ **prendre qqn en flagrant délit** to catch sb red-handed.

délivrer [3] [delivre] vt **1.** [prisonnier] to release **2.** [autorisation, reçu] to issue.

délocaliser [3] [delɔkalize] vt to relocate.

déloyal, e, aux [delwajal, o] adj unfair.

delta [dɛlta] nm delta.

deltaplane [dɛltaplan] nm hangglider.

déluge [delyʒ] nm [pluie] downpour.

démago [demago] fam ◆ adj : **il est démago** he's a demagogue. ◆ nmf demagogue.

demain [dəmɛ̃] adv tomorrow ▸ **à demain !** see you tomorrow! ▸ **demain matin / soir** tomorrow morning / evening.

demande [dəmɑ̃d] nf **1.** [réclamation] application **2.** [formulaire] application form ▸ **'demandes d'emploi'** 'situations wanted'.

demander [3] [dəmɑ̃de] vt **1.** to ask for **2.** [heure] to ask **3.** [nécessiter] to require ▸ **demander qqch à qqn** a) [interroger] to ask sb sthg b) [exiger] to ask for sthg ▸ **demander à qqn de faire qqch** to ask sb to do sthg. ◆ **se demander** vp to wonder.

⚠ To demand est un faux ami, il signifie *exiger* et non « demander ».

demandeur, euse [dəmɑ̃dœr, øz] nm, f : **demandeur d'emploi** job-seeker.

démangeaison [demɑ̃ʒɛzɔ̃] nf itch ▸ **avoir des démangeaisons** to itch.

démanger [17] [demɑ̃ʒe] vt : **mon bras me démange** my arm is itchy.

démaquillant [demakijɑ̃] nm cleanser. ◆ **démaquillant, e** [demakijɑ̃, ɑ̃t] adj cleansing (avant n) ▸ **lotion démaquillante** cleansing lotion.

démaquiller [3] [demakije] ◆ **se démaquiller** vp to remove one's make-up.

démarche [demarʃ] nf **1.** [allure] bearing **2.** [administrative] step ▸ **faire des démarches pour obtenir qqch** to go through administrative procedures to get sthg.

démarque [demark] nf reduction ▸ **'dernière démarque'** 'final reduction'.

démarrage [demaraʒ] nm start.

démarrer [3] [demare] vi to start.

démarreur [demarœr] nm starter.

démasquer [3] [demaske] vt [identifier] to expose.

---

démêlant, e [demɛlɑ̃, ɑ̃t] adj conditioning. ◆ **démêlant** nm conditioner.

démêler [4] [demele] vt to untangle.

déménagement [demenaʒmɑ̃] nm removal.

déménager [17] [demenaʒe] ◆ vi to move (house). ◆ vt to move.

déménageur [demenaʒœr] nm removal man , mover .

démener [19] [demne] ◆ **se démener** vp **1.** [bouger] to struggle **2.** [faire des efforts] to exert o.s.

dément, e [demɑ̃, ɑ̃t] adj **1.** demented **2.** fam [incroyable] crazy.

démentir [37] [demɑ̃tir] vt to deny.

démerder [3] [demɛrde] ◆ **se démerder** vp vulg [se débrouiller] to (know how to) look after o.s.

démesuré, e [demezyre] adj enormous.

démettre [84] [demɛtr] ◆ **se démettre** vp : **se démettre l'épaule** to dislocate one's shoulder.

demeure [dəmœr] nf [manoir] mansion.

demeurer [5] [dəmœre] vi **1.** sout [habiter] to live **2.** [rester] to remain.

demi, e [dəmi] ◆ adj half. ◆ nm [bière] ≃ half-pint ▸ **cinq heures et demie** half past five ▸ **un demi-kilo de** half a kilo of ▸ **à demi fermé** half-closed.

demi-bouteille [dəmibutɛj] (pl **demi-bouteilles**) nf half-bottle.

demi-douzaine [dəmiduzɛn] (pl **demi-douzaines**) nf half-dozen ▸ **une demi-douzaine (de)** half a dozen.

demi-finale [dəmifinal] (pl **demi-finales**) nf semifinal.

demi-finaliste [dəmifinalist] (*pl* demi-finalistes) nmf semifinalist.

demi-frère [dəmifʀɛʀ] (*pl* demi-frères) nm half-brother.

demi-heure [dəmijœʀ] (*pl* demi-heures) nf : **une demi-heure** half an hour ▸ **toutes les demi-heures** every half hour.

demi-journée [dəmiʒuʀne] (*pl* demi-journées) nf half a day, half-day.

demi-litre [dəmilitʀ] (*pl* demi-litres) nm half a litre ou liter US, half-litre UK, half-liter US.

demi-pension [dəmipɑ̃sjɔ̃] (*pl* demi-pensions) nf 1. [à l'hôtel] half board 2. [à l'école] : **être en demi-pension** to have school dinners.

demi-pensionnaire [dəmipɑ̃sjɔnɛʀ] (*pl* demi-pensionnaires) nmf *child who has school dinners.*

démis, e [demi, iz] pp → **démettre.**

demi-saison [dəmisɛzɔ̃] (*pl* demi-saisons) nf : **de demi-saison** [vêtement] mid-season.

demi-sœur [dəmisœʀ] (*pl* demi-sœurs) nf half-sister.

démission [demisjɔ̃] nf resignation ▸ **donner sa démission** to hand in one's notice.

démissionner [3] [demisjɔne] vi to resign.

demi-tarif [dəmitaʀif] (*pl* demi-tarifs) nm half price.

demi-tour [dəmituʀ] (*pl* demi-tours) nm 1. [à pied] about-turn 2. [en voiture] U-turn ▸ **faire demi-tour** to turn back.

démocratie [demɔkʀasi] nf democracy.

démocratique [demɔkʀatik] adj democratic.

démocratiser [3] [demɔkʀatize] vt to democratize.

démodé, e [demɔde] adj old-fashioned.

demoiselle [dəmwazɛl] nf young lady ▸ **demoiselle d'honneur** [à un mariage] bridesmaid.

démolir [32] [demɔliʀ] vt to demolish.

démon [demɔ̃] nm devil.

démonstratif, ive [demɔ̃stʀatif, iv] adj demonstrative.

démonstration [demɔ̃stʀasjɔ̃] nf demonstration.

démonter [3] [demɔ̃te] vt to take apart.

démontrer [3] [demɔ̃tʀe] vt to demonstrate.

démoraliser [3] [demɔʀalize] vt to demoralize.

démotivé, e [demɔtive] adj demotivated.

démouler [3] [demule] vt [gâteau] to turn out of a mould.

démuni, e [demyni] adj 1. [pauvre] destitute 2. [sans défense] powerless, resourceless.

déneiger [23] [deneʒe] vt to clear snow from.

dénicher [3] [denife] vt [trouver] to unearth.

dénivelé [denivle] nm difference in level ou height.

dénivellation [denivɛlasjɔ̃] nf dip.

dénoncer [16] [denɔ̃se] vt to denounce.

dénouement [denumɑ̃] nm 1. [d'intrigue] outcome 2. [d'une pièce de théâtre] denouement.

dénouer [6] [denwe] vt to untie.

dénoyauter [3] [denwajote] vt [olives] to pit.

denrée [dɑ̃re] nf commodity ▸ **denrée alimentaire** foodstuff.

dense [dɑ̃s] adj dense.

dent [dɑ̃] nf 1. tooth 2. [d'une fourchette] prong ▸ **dent de lait** milk tooth ▸ **dent de sagesse** wisdom tooth.

dentelle [dɑ̃tɛl] nf lace.

dentier [dɑ̃tje] nm dentures pl.

dentifrice [dɑ̃tifris] nm toothpaste.

dentiste [dɑ̃tist] nmf dentist.

Denver [dɑ̃vɛr] n → **sabot**.

déodorant [deɔdɔrɑ̃] nm deodorant.

déontologique [deɔ̃tɔlɔʒik] adj ethical, deontological.

dépannage [depanaʒ] nm repair ▸ **service de dépannage** AUTO breakdown service.

dépanner [3] [depane] vt 1. to repair 2. fig [aider] to bail out.

dépanneur [depanœr] nm 1. repairman 2. Québec [épicerie] corner shop UK, convenience store US.

dépanneuse [depanøz] nf (breakdown) recovery vehicle.

dépareillé, e [depareje] adj 1. [service] incomplete 2. [gant, chaussette] odd.

départ [depar] nm 1. departure 2. [d'une course] start ▸ **au départ** [au début] at first ▸ **'départs'** 'departures'.

départager [17] [departaʒe] vt to decide between.

département [departəmɑ̃] nm 1. [division administrative] territorial and administrative division of France 2. [service] department.

départementale [departəmɑ̃tal] nf : (route) départementale ≃ B road UK ; ≃ secondary road.

dépassement [depasmɑ̃] nm [sur la route] overtaking UK, passing.

dépasser [3] [depase] ◆ vt 1. [passer devant] to pass 2. [doubler] to overtake UK, to pass 3. [en taille] to be taller than 4. [somme, limite] to exceed. ◆ vi [déborder] to stick out ▸ **il dépasse son père d'une tête** he's a head taller than his father.

dépatouiller [3] [depatuje] ◆ **se dépatouiller** vp fam to manage to get by ▸ **se dépatouiller d'une situation** to get out of ou to wriggle one's way out of a situation.

dépaysant, e [depeizɑ̃, ɑ̃t] adj : **un voyage dépaysant** a trip that gives you a complete change of scene.

dépaysement [depeizmɑ̃] nm change of scenery.

dépêcher [4] [depe∫e] ◆ **se dépêcher** vp to hurry (up) ▸ **se dépêcher de faire qqch** to hurry to do sthg.

dépendre [73] [depɑ̃dr] vi : **dépendre de** to depend on ▸ **ça dépend** it depends.

dépens [depɑ̃] ◆ **aux dépens de** prép at the expense of ▸ **vivre aux dépens de qqn** to live off sb.

dépense [depɑ̃s] nf expense.

dépenser [3] [depɑ̃se] vt to spend. ◆ **se dépenser** vp [physiquement] to exert o.s.

dépensier, ère [depɑ̃sje, ɛr] adj extravagant.

dépistage [depistaʒ] nm [de maladie] screening ▶ **dépistage du SIDA** AIDS testing.

dépister [3] [depiste] vt [maladie] to screen for.

dépit [depi] nm spite ▶ **en dépit de** in spite of.

déplacement [deplasmɑ̃] nm [voyage] trip ▶ **en déplacement** away on business.

déplacer [16] [deplase] vt to move ▶ **déplacer une réunion / un rendez-vous** to reschedule a meeting / an appointment. ◆ **se déplacer** vp 1. to move 2. [voyager] to travel.

déplaire [110] [deplɛr] ◆ **déplaire à** v + prép : **ça me déplaît** I don't like it.

déplaisant, e [deplɛzɑ̃, ɑ̃t] adj unpleasant.

dépliant [deplijɑ̃] nm leaflet.

déplier [10] [deplije] vt to unfold. ◆ **se déplier** vp 1. [chaise] to unfold 2. [canapé] to fold down.

déplorable [deplɔrabl] adj deplorable.

déployer [13] [deplwaje] vt 1. [ailes] to spread 2. [carte] to open out.

déporter [3] [depɔrte] vt 1. [prisonnier] to deport 2. [voiture] to cause to swerve.

déposer [3] [depoze] vt 1. [poser] to put down 2. [laisser] to leave 3. [argent] to deposit 4. [en voiture] to drop (off). ◆ **se déposer** vp to settle.

dépôt [depo] nm 1. deposit 2. [de marchandises] warehouse 3. [de bus] depot.

dépotoir [depɔtwar] nm rubbish dump [UK], garbage dump [US].

dépouiller [3] [depuje] vt [voler] to rob.

dépourvu, e [depurvy] adj : **dépourvu de** without ▶ **prendre qqn au dépourvu** to catch sb unawares.

dépression [depresjɔ̃] nf [atmosphérique] low ▶ **dépression (nerveuse)** (nervous) breakdown.

déprimant, e [deprimɑ̃, ɑ̃t] adj depressing.

déprimer [3] [deprime] ◆ vt to depress. ◆ vi to be depressed.

depuis [dəpɥi] prép & adv since ▶ **je travaille ici depuis trois ans** I've been working here for three years ▶ **depuis quand est-il marié ?** how long has he been married? ▶ **depuis que nous sommes ici** since we've been here.

député [depyte] nm Member of Parliament [UK], Representative [US].

déraciné, e [derasine] adj fig uprooted ▶ **ils se sentent déracinés** they feel cut off from their roots.

déraciner [3] [derasine] vt to uproot.

dérailler [3] [deraje] vi [train] to be derailed.

dérailleur [derajœr] nm derailleur.

dérangement [derɑ̃ʒmɑ̃] nm [gêne] trouble ▶ **en dérangement** out of order.

déranger [17] [derɑ̃ʒe] vt 1. [gêner] to bother 2. [objets, affaires] to disturb ▶ **ça vous dérange si... ?** do you mind if... ? ◆ **se déranger** vp [se déplacer] to move.

dérapage [derapaʒ] nm skid.

déraper [3] [derape] vi 1. [voiture, personne] to skid 2. [lame] to slip.

dérégler [18] [deregle] vt to put out of order. ◆ **se dérégler** vp to go wrong.

dérisoire [derizwar] adj derisory.

dérive [deriv] nf NAUT centreboard ▶ **aller à la dérive** to drift.

dérivé [derive] nm : **produit dérivé** by-product.

dériver [3] [derive] vi [bateau] to drift.

dermato [dermato] nmf fam dermatologist.

dermatologique [dermatɔlɔʒik] adj skin (modificateur), dermatological.

dermatologue [dermatɔlɔg] nmf dermatologist.

dernier, ère [dernje, er] ◆ adj **1.** last **2.** [récent] latest. ◆ nm, f **1.** last ▶ **le dernier étage** the top floor ▶ **la semaine dernière** last week ▶ **en dernier** a) [enfin] lastly b) [arriver] last.

dernièrement [dernjermã] adv lately.

dérogation [derɔgasjɔ̃] nf dispensation.

déroulement [derulmã] nm [d'événements] development.

dérouler [3] [derule] vt **1.** [fil] to unwind **2.** [papier] to unroll. ◆ **se dérouler** vp [avoir lieu] to take place.

dérouter [3] [derute] vt **1.** [surprendre] to disconcert **2.** [dévier] to divert.

derrière [derjer] ◆ prép behind. ◆ adv **1.** behind **2.** [dans une voiture] in the back. ◆ nm **1.** [partie arrière] back **2.** [fesses] bottom.

des [de] ◆ prép → **un**. ◆ art (contraction de de avec les) → **de**.

dès [de] prép : **dès demain** from tomorrow ▶ **dès notre arrivée** as soon as we arrive /arrived ▶ **dès que** as soon

as ▶ **dès que tu seras prêt** as soon as you're ready.

désaccord [dezakɔr] nm disagreement ▶ **être en désaccord avec** to disagree with.

désactiver [3] [dezaktive] vt [une machine, un logiciel] to deactivate.

désaffecté, e [dezafekte] adj disused.

désagréable [dezagreabl] adj unpleasant.

désagrément [dezagremã] nm annoyance.

désaltérer [18] [dezaltere] ◆ **se désaltérer** vp to quench one's thirst.

désamianter [3] [dezamjãte] vt to remove the asbestos from.

désapprobation [dezaprɔbasjɔ̃] nf disapproval.

désapprouver [3] [desapruve] vt to disapprove of.

désarçonner [3] [dezarsɔne] vt to throw.

désarmer [3] [dezarme] vt to disarm.

désastre [dezastr] nm disaster.

désastreux, euse [dezastrø, øz] adj disastrous.

désavantage [dezavãtaʒ] nm disadvantage.

désavantager [17] [dezavãtaʒe] vt to put at a disadvantage.

descendant, e [desãdã, ãt] nm, f descendant.

descendre [73] [desãdr] ◆ vt **1.** [aux avoir] [rue, escalier] to go /come down **2.** [transporter] to bring /take down. ◆ vi **1.** [aux être] to go /come down **2.** [être en pente] to slope down **3.** [baisser] to fall ▶ **descendre les escaliers en**

courant to run down the stairs ▸ **descendre de a)** [voiture, train] to get out of **b)** [vélo] to get off **c)** [ancêtres] to be descended from.

descente [desɑ̃t] nf **1.** [en avion] descent **2.** [pente] slope ▸ **descente de lit** bedside rug.

description [dɛskʀipsjɔ̃] nf description.

désemparé, e [dezɑ̃paʀe] adj helpless.

désengorger [17] [dezɑ̃gɔʀʒe] vt to unblock, to clear.

déséquilibre [dezekilibʀ] nm [différence] imbalance ▸ **en déséquilibre** [instable] unsteady.

déséquilibré, e [dezekilibʀe] nm, f unbalanced person.

déséquilibrer [3] [dezekilibʀe] vt to throw off balance.

désert, e [dezɛʀ, ɛʀt] ◆ adj deserted. ◆ nm desert.

déserter [3] [dezɛʀte] vi to desert.

désertique [dezɛʀtik] adj desert.

désespéré, e [dezespeʀe] adj desperate.

désespérer [18] [dezespeʀe] ◆ vt [décourager] : **désespérer qqn** to drive sb to despair ◆ vi : **désespérer (de)** to despair (of). ◆ **se désespérer** vp to despair.

désespoir [dezespwaʀ] nm despair.

déshabiller [3] [dezabije] vt [personne] to undress. ◆ **se déshabiller** vp to get undressed.

désherbant [dezɛʀbɑ̃] nm weedkiller.

désherber [3] [dezɛʀbe] vt to weed.

déshonorer [3] [dezɔnɔʀe] vt to disgrace.

déshydraté, e [dezidʀate] adj **1.** [aliment] dried **2.** fig [assoiffé] dehydrated.

déshydrater [3] [dezidʀate] vt to dehydrate. ◆ **se déshydrater** vp to become dehydrated.

désigner [3] [deziɲe] vt **1.** [montrer] to point out **2.** [choisir] to appoint.

désillusion [dezilyzjɔ̃] nf disillusion.

désinfectant [dezɛ̃fɛktɑ̃] nm disinfectant.

désinfecter [4] [dezɛ̃fɛkte] vt to disinfect.

désinfection [dezɛ̃fɛksjɔ̃] nf disinfection, disinfecting.

désinstaller [3] [dezɛ̃stale] vt to uninstall.

désintéressé, e [dezɛ̃teʀese] adj uninterested.

désintéresser [4] [dezɛ̃teʀese] ◆ **se désintéresser de** vp + prép to lose interest in.

désintoxication [dezɛ̃tɔksikasjɔ̃] nf detoxification.

désinvolte [dezɛ̃vɔlt] adj carefree.

désir [deziʀ] nm desire.

désirer [3] [deziʀe] vt to want ▸ **vous désirez ?** can I help you? ▸ **laisser à désirer** to leave something to be desired.

désobéir [32] [dezɔbeiʀ] vi to disobey ▸ **désobéir à** to disobey.

désobéissant, e [dezɔbeisɑ̃, ɑ̃t] adj disobedient.

désodorisant [dezɔdɔʀizɑ̃] nm air freshener.

désolant, e [dezɔlɑ̃, ɑ̃t] adj shocking.

désolé, e [dezɔle] adj **1.** [personne] distressed **2.** [paysage] desolate ▸ **je suis désolé (de)** I'm sorry (to).

désordonné, e [dezɔrdɔne] adj 1. untidy 2. [gestes] wild.

désordre [dezɔrdr] nm 1. mess 2. [agitation] disorder ▸ **être en désordre** to be untidy.

désorganisé, e [dezɔrganize] adj disorganized.

désorienté, e [dezɔrjɑ̃te] adj disorientated.

désormais [dezɔrmɛ] adv from now on.

desquelles [dekɛl] pron rel pl (contraction de de avec lesquelles) → **lequel**.

desquels [dekɛl] pron rel pl (contraction de de avec lesquels) → **lequel**.

dessécher [18] [desefe] vt to dry out.
◆ **se dessécher** vp 1. [peau] to dry out 2. [plante] to wither.

desserrer [4] [desere] vt 1. [vis, ceinture] to loosen 2. [dents, poing] to unclench 3. [frein] to release.

dessert [desɛr] nm dessert.

desservir [38] [desɛrvir] vt 1. [ville, gare] to serve 2. [table] to clear 3. [nuire à] to be harmful to ▸ **tous les trains desservent Paris** all trains go to Paris.

dessin [desɛ̃] nm drawing ▸ **dessin animé** cartoon.

dessinateur, trice [desinatœr, tris] nm, f 1. [artiste] artist 2. [technicien] draughtsman (draughtswoman).

dessiner [3] [desine] vt 1. [portrait, paysage] to draw 2. [vêtement, voiture] to design.

dessous [dəsu] ◆ adv underneath.
◆ nm 1. [d'une table] bottom 2. [d'une carte, d'une feuille] other side ▸ **les voisins du dessous** the downstairs neighbours ▸ **en dessous** underneath ▸ **en dessous de** [valeur, prévisions] below.

dessous-de-plat [dəsudpla] nm inv table mat.

dessus [dəsy] ◆ adv on top. ◆ nm top ▸ **il a écrit dessus** he wrote on it ▸ **les voisins du dessus** the upstairs neighbours ▸ **avoir le dessus** to have the upper hand.

dessus-de-lit [dəsydli] nm inv bedspread.

destin [destɛ̃] nm destiny ▸ **le destin** fate.

destinataire [destinatɛr] nmf addressee.

destination [destinasjɔ̃] nf destination ▸ **arriver à destination** to reach one's destination ▸ **vol 392 à destination de Londres** flight 392 to London.

destiné, e [destine] adj : **être destiné à qqn** [adressé à] to be addressed to sb ▸ **être destiné à qqn/qqch** [conçu pour] to be meant for sb/sthg ▸ **être destiné à faire qqch** to be meant to do sthg.

déstresser [4] [destrese] vi & vt to relax.

destruction [destryksjɔ̃] nf destruction.

détachant [detafɑ̃] nm stain remover.

détacher [3] [detafe] vt 1. [untie] 2. [ceinture] to undo 3. [découper] to detach 4. [nettoyer] to remove stains from.
◆ **se détacher** vp 1. [se défaire] to come undone 2. [se séparer] to come off ▸ **se détacher de qqn** to grow away from sb.

détail [detaj] nm 1. [d'une histoire, d'un tableau] detail ▸ **au détail** retail ▸ **en détail** in detail.

détaillant [detajɑ̃] nm retailer.

détaillé, e [detaje] adj 1. detailed 2. [facture] itemized.

détartrage [detartraʒ] nm [des dents] : **se faire faire un détartrage** to have one's teeth cleaned.

détartrant [detartrã] nm descaler.

détaxé, e [detakse] adj duty-free.

détecter [4] [detɛkte] vt to detect.

détective [detɛktiv] nm detective.

déteindre [81] [detɛ̃dr] vi to fade ▸ **déteindre sur** [vêtement] to discolour.

déteint, e [detɛ̃, ɛ̃t] pp → **déteindre.**

détendre [73] [detãdr] vt 1. [corde, élastique] to slacken 2. [personne, atmosphère] to relax. ◆ **se détendre** vp 1. [corde, élastique] to slacken 2. [se décontracter] to relax.

détendu, e [detãdy] adj [décontracté] relaxed.

détenir [40] [detnir] vt 1. [fortune, secret] to have 2. [record] to hold.

détente [detãt] nf [repos] relaxation.

détenu, e [detny] ◆ pp → **détenir.** ◆ nm, f prisoner.

détergent [deterʒã] nm detergent.

détériorer [3] [deterjɔre] vt to damage. ◆ **se détériorer** vp to deteriorate.

déterminé, e [detɛrmine] adj 1. [précis] specific 2. [décidé] determined.

déterminer [3] [detɛrmine] vt [préciser] to specify.

déterrer [4] [detɛre] vt to dig up.

détester [3] [detɛste] vt to detest.

détonation [detɔnasjɔ̃] nf detonation.

détour [detur] nm : **faire un détour** [voyageur] to make a detour.

détourner [3] [deturne] vt 1. [circulation, attention] to divert 2. [argent] to embezzle ▸ **détourner qqn de** to dis-

tract sb from. ◆ **se détourner** vp to turn away ▸ **se détourner de** to move away from.

détraqué, e [detrake] adj 1. broken 2. fam [fou] cracked.

détriment [detrimã] ◆ **au détriment de** loc prép to the detriment of.

détritus [detrity(s)] nmpl rubbish 🇬🇧 sg, garbage 🇺🇸 sg.

détroit [detrwa] nm strait.

détruire [98] [detrɥir] vt to destroy.

détruit, e [detrɥi, it] pp & 3ᵉ pers. de l'ind. prés. → **détruire.**

dette [dɛt] nf debt.

DEUG [dœg] nm university diploma taken after two years.

deuil [dœj] nm [décès] death ▸ **être en deuil** to be in mourning.

deux [dø] num two ▸ **à deux** together ▸ **deux points** [signe de ponctuation] colon ▸ **il a deux ans** he's two (years old) ▸ **il est deux heures** it's two o'clock ▸ **le deux janvier** the second of January ▸ **page deux** page two ▸ **ils étaient deux** there were two of them ▸ **le deux de pique** the two of spades ▸ **(au) deux rue Lepic** at /to two, rue Lepic.

deuxième [døzjɛm] num second ▸ **le deuxième étage** second floor 🇬🇧, third floor 🇺🇸 ▸ **le deuxième (arrondissement)** second arrondissement ▸ **il est arrivé deuxième** he came second.

deuxièmement [døzjɛmmã] adv secondly.

deux-pièces [døpjɛs] nm 1. [maillot de bain] two-piece (costume) 2. [appartement] two-room flat 🇬🇧, two-room apartment 🇺🇸.

deux-roues [døru] nm two-wheeled vehicle.

dévaliser [3] [devalize] vt to rob.

dévaluation [devalɥasjɔ̃] nf devaluation.

devancer [16] [dəvɑ̃se] vt [arriver avant] to arrive before.

devant [dəvɑ̃] ◆ prép **1.** in front of **2.** [avant] before. ◆ adv **1.** in front **2.** [en avant] ahead. ◆ nm front ▸ **de devant** [pattes, roues] front ▸ **(sens) devant derrière** back to front.

devanture [dəvɑ̃tyr] nf shop window.

dévaster [3] [devaste] vt to devastate.

développement e[devlɔpmɑ̃] nm **1.** development **2.** [de photos] developing ▸ **développement durable** sustainable development.

développer [3] [devlɔpe] vt to develop ▸ **faire développer des photos** to have some photos developed. ◆ **se développer** vp [grandir] to grow.

développeur [devlɔpœr] nm software developer.

devenir [40] [dəvnir] vi to become ▸ **alors, qu'est-ce que tu deviens ?** what are you up to these days?

devenu, e [dəvny] pp → **devenir**.

déverrouillage [deverujaʒ] nm unlocking.

déverrouiller [3] [deveruje] vt to unlock.

déviation [devjasjɔ̃] nf diversion.

dévier [9] [devje] vt **1.** [trafic] to divert **2.** [balle] to deflect.

deviner [3] [dəvine] vt **1.** to guess **2.** [apercevoir] to make out.

devinette [dəvinɛt] nf riddle ▸ **jouer aux devinettes** to play guessing games.

devis [dəvi] nm estimate.

dévisager [17] [devizaʒe] vt to stare at.

devise [dəviz] nf **1.** [slogan] motto **2.** [argent] currency.

deviser [3] [dəvize] vt **Suisse** to estimate.

dévisser [3] [devise] vt to unscrew.

dévoiler [3] [devwale] vt [secret, intentions] to reveal.

devoir [53] [dəvwar] ◆ vt **1.** [argent, explications] : **devoir qqch à qqn** to owe sb sthg ▸ **devoir qqch à qqn** to owe sb sthg **2.** [exprime l'obligation] : **devoir faire qqch** to have to do sthg ▸ **je dois y aller, maintenant** I have to ou must go now **3.** [pour suggérer] : **vous devriez essayer le rafting** you should try whitewater rafting **4.** [exprime le regret] : **j'aurais dû / je n'aurais pas dû l'écouter** I should have / shouldn't have listened to him **5.** [exprime la probabilité] : **ça doit coûter cher** that must cost a lot ▸ **le temps devrait s'améliorer cette semaine** the weather should improve this week **6.** [exprime l'intention] : **nous devions partir hier, mais...** we were due to leave yesterday, but...
◆ nm **1.** [obligation] duty **2.** SCOL : **devoir (à la maison)** homework exercise ▸ **devoir (sur table)** classroom test
◆ **devoirs** nmpl SCOL homework sg ▸ **devoirs de vacances** holiday homework UK, vacation homework US.

dévorer [3] [devɔre] vt to devour.

dévoué, e [devwe] adj devoted.

dévouer [6] [devwe] ◆ **se dévouer** vp to make a sacrifice ▸ **se dévouer pour faire qqch** to sacrifice o.s. to do sthg.

devra etc 3ᵉ pers. du sg de l'ind. fut. → **devoir**.

dézipper [3] [dezipe] vt to unzip.

diabète [djabɛt] nm diabetes.

diabétique [djabetik] adj diabetic.

diable [djabl] nm devil.

diabolo [djabɔlo] nm [boisson] *fruit cordial and lemonade* ▸ **diabolo menthe** *mint (cordial) and lemonade.*

diagnostic [djagnɔstik] nm diagnosis.

diagonale [djagɔnal] nf diagonal ▸ **en diagonale** [traverser] diagonally ▸ **lire en diagonale** to skim.

diagramme [djagʀam] nm graph.

dialecte [djalɛkt] nm dialect.

dialogue [djalɔg] nm dialogue.

diamant [djamɑ̃] nm diamond.

diamètre [djamɛtʀ] nm diameter.

diaporama [djapɔʀama] nm slide show.

diapositive [djapozitiv] nf slide.

diarrhée [djaʀe] nf diarrhoea.

dictateur [diktatœʀ] nm dictator.

dictature [diktatyʀ] nf dictatorship.

dictée [dikte] nf dictation.

dicter [3] [dikte] vt to dictate.

dictionnaire [diksjɔnɛʀ] nm dictionary.

dicton [diktɔ̃] nm saying.

dièse [djɛz] ◆ adj sharp. ◆ nm sharp ; [symbole] hash 🇬🇧, pound sign 🇺🇸 ▸ **appuyez sur la touche dièse** 'press the hash key 🇬🇧, 'press the pound key 🇺🇸' ▸ **do /fa dièse** C / F sharp.

diesel [djezɛl] ◆ nm 1. [moteur] diesel engine 2. [voiture] diesel. ◆ adj diesel.

diététique [djetetik] adj : **produits diététiques** health foods.

dieu [djø] (pl **-x**) nm god. ◆ **Dieu** nm God ▸ **mon Dieu !** my God!

différence [difeʀɑ̃s] nf 1. difference 2. MATH result.

différent, e [difeʀɑ̃, ɑ̃t] adj different ▸ **différent de** different from. ◆ **différents, es** adj [divers] various.

différer [18] [difeʀe] vt to postpone ▸ **différer de** to differ from.

difficile [difisil] adj 1. difficult 2. [exigeant] fussy.

difficilement [difisilmɑ̃] adv with difficulty.

difficulté [difikylte] nf difficulty ▸ **avoir des difficultés à faire qqch** to have difficulty in doing sthg ▸ **en difficulté** in difficulties.

diffuser [3] [difyze] vt 1. RADIO to broadcast 2. [chaleur, lumière, parfum] to give off.

digérer [18] [diʒeʀe] vt to digest ▸ **ne pas digérer qqch** [ne pas supporter] to object to sthg.

digeste [diʒɛst] adj (easily) digestible.

digestif, ive [diʒɛstif, iv] ◆ adj digestive. ◆ nm liqueur.

digestion [diʒɛstjɔ̃] nf digestion.

Digicode® [diʒikɔd] nm entry system.

digital, e, aux [diʒital, o] adj digital.

digne [diɲ] adj dignified ▸ **digne de** a) [qui mérite] worthy of b) [qui correspond à] befitting.

dignité [diɲite] nf dignity.

digue [dig] nf dike.

dilater [3] [dilate] vt to expand. ◆ **se dilater** vp to dilate.

diluer [7] [dilɥe] vt to dilute.

dimanche [dimɑ̃ʃ] nm Sunday ▸ **nous sommes** ou **c'est dimanche** it's Sunday today ▸ **dimanche 13 septembre** Sunday 13 September ▸ **nous sommes**

partis dimanche we left on Sunday ▶ **dimanche dernier** last Sunday ▶ **dimanche prochain** next Sunday ▶ **dimanche matin** on Sunday morning ▶ **le dimanche** on Sundays ▶ **à dimanche !** see you Sunday!

dimension [dimɑ̃sjɔ̃] nf dimension.

diminuer [7] [diminɥe] ◆ vt **1.** to reduce **2.** [physiquement] to weaken. ◆ vi to fall.

diminutif [diminytif] nm diminutive.

dinde [dɛ̃d] nf turkey ▶ **dinde aux marrons** roast turkey with chestnuts, traditionally eaten at Christmas.

dindon [dɛ̃dɔ̃] nm turkey.

dîner [3] [dine] ◆ nm dinner. ◆ vi to have dinner.

dinosaure [dinozɔʀ] nm dinosaur.

diplomate [diplomat] ◆ adj diplomatic. ◆ nmf diplomat. ◆ nm CULIN ≃ trifle.

diplomatie [diplomasi] nf diplomacy.

diplôme [diplom] nm diploma.

diplômé, e [diplome] ◆ adj : **être diplômé de /en** to be a graduate of /in. ◆ nm, f graduate.

dire [102] [diʀ] ◆ vt **1.** [prononcer] to say **2.** [exprimer] to say ▶ **dire la vérité** to tell the truth ▶ **dire à qqn que / pourquoi** to tell sb that /why ▶ **comment dit-on « de rien » en anglais ?** how do you say "de rien" in English? **3.** [prétendre] to say ▶ **on dit que...** people say that... **4.** [ordonner] : **dire à qqn de faire qqch** to tell sb to do sthg **5.** [penser] to think ▶ **qu'est-ce que vous en dites ?** what do you think? ▶ **que dirais-tu de... ?** what would you say to...? ▶ **on dirait qu'il va pleuvoir** it looks like it's going to rain **6.** [dans

des expressions] **: ça ne me dit rien** it doesn't do much for me ▶ **cela dit,...** having said that... ▶ **disons...** let's say...

◆ **se dire** vp [penser] to say to o.s.

direct, e [diʀɛkt] ◆ adj direct. ◆ nm : **en direct (de)** live (from).

directement [diʀɛktəmɑ̃] adv directly.

directeur, trice [diʀɛktœʀ, tʀis] nm, f **1.** director **2.** [d'une école] headmaster (headmistress) ▶ **directeur adjoint** deputy director ▶ **directeur des ressources humaines /de l'informatique** head of human resources /IT ▶ **je voudrais voir le directeur de l'hôtel** I'd like to see the hotel manager please.

direction [diʀɛksjɔ̃] nf **1.** [gestion, dirigeants] management **2.** [sens] direction **3.** AUTO steering ▶ **un train en direction de Paris** a train for Paris ▶ **'toutes directions'** 'all routes'.

dirigeant, e [diʀiʒɑ̃, ɑ̃t] nm, f **1.** POL leader **2.** [d'une entreprise, d'un club] manager.

diriger [17] [diʀiʒe] vt **1.** to manage **2.** [véhicule] to steer **3.** [orchestre] to conduct ▶ **diriger qqch sur** to point sthg at. ◆ **se diriger vers** vp + prép to go towards.

dis [di] 1ʳᵉ et 2ᵉ pers. du sg de l'ind. prés. → **dire**.

discipline [disiplin] nf discipline.

discipliné, e [disipline] adj disciplined.

disc-jockey [diskʒɔke] (pl **disc-jockeys**) nm disc jockey.

disco [disko] nm disco (music).

discothèque [diskɔtɛk] nf **1.** [boîte de nuit] discotheque **2.** [de prêt] record library.

discours [diskur] nm speech.

discret, ète [diskre, ɛt] adj discreet.

discrétion [diskresjɔ̃] nf discretion.

discrimination [diskriminasjɔ̃] nf discrimination.

discussion [diskysjɔ̃] nf discussion.

discuter [3] [diskyte] vi **1.** to talk **2.** [protester] to argue ▸ **discuter de qqch (avec qqn)** to discuss sthg (with sb).

dise etc [diz] 1ʳᵉ et 3ᵉ pers. du sg du subj. prés. → **dire**.

disjoncteur [disjɔ̃ktœr] nm circuit breaker.

disons [dizɔ̃] 1ʳᵉ pers. du pl de l'ind. prés. → **dire**.

disparaître [91] [disparɛtr] vi **1.** to disappear **2.** [mourir] to die.

disparition [disparisjɔ̃] nf disappearance.

disparu, e [dispary] ◆ pp → **disparaître**. ◆ nm, f missing person.

dispensaire [dispɑ̃sɛr] nm clinic.

dispenser [3] [dispɑ̃se] vt : **dispenser qqn de qqch** to excuse sb from sthg.

disperser [3] [disperse] vt to scatter.

disponible [disponibl] adj available.

disposé, e [dispoze] adj : **être disposé à faire qqch** to be willing to do sthg.

disposer [3] [dispoze] vt to arrange. ◆ **disposer de** v + prép to have (at one's disposal).

dispositif [dispozitif] nm device.

disposition [dispozisjɔ̃] nf [ordre] arrangement ▸ **prendre ses dispositions**

to make arrangements ▸ **à la disposition de qqn** at sb's disposal.

disproportionné, e [disproporsjone] adj [énorme] unusually large.

dispute [dispyt] nf argument.

disputer [3] [dispyte] vt **1.** [match] to contest **2.** [épreuve] to compete in. ◆ **se disputer** vp to fight.

disquaire [diskɛr] nmf record dealer.

disqualifier [9] [diskalifje] vt to disqualify.

disque [disk] nm **1.** [enregistrement] record **2.** [objet rond] disc **3.** INFORM disk **4.** SPORT discus ▸ **disque laser** compact disc ▸ **disque dur** hard disk.

disquette [diskɛt] nf floppy disk, diskette.

dissert [disɛrt] (abr de dissertation) nf [argot scolaire] essay.

dissertation [disɛrtasjɔ̃] nf essay.

dissimuler [3] [disimyle] vt to conceal.

dissipé, e [disipe] adj badly behaved.

dissiper [3] [disipe] ◆ **se dissiper** vp [brouillard] to clear.

dissolvant [disɔlvɑ̃] nm **1.** solvent **2.** [à ongles] nail varnish remover.

dissoudre [87] [disudr] vt to dissolve.

dissous, oute [disu, ut] pp & 1ʳᵉ et 2ᵉ pers. du sg de l'ind. prés. → **dissoudre**.

dissuader [3] [disɥade] vt : **dissuader qqn de faire qqch** to persuade sb not to do sthg.

distance [distɑ̃s] nf distance ▸ **à une distance de 20 km, à 20 km de distance** 20 km away ▸ **à distance** [commander] by remote control.

distancer [16] [distɑ̃se] vt to outstrip.

distinct, e [distɛ̃, ɛ̃kt] adj distinct.

distinction [distɛ̃ksjɔ̃] nf : **faire une distinction entre** to make a distinction between.

distingué, e [distɛ̃ge] adj distinguished ▸ **salutations distinguées** [dans une lettre] yours sincerely.

distinguer [3] [distɛ̃ge] vt **1.** to distinguish **2.** [voir] to make out. ◆ **se distinguer de** vp + prép to stand out from.

distraction [distraksjɔ̃] nf **1.** [étourderie] absent-mindedness **2.** [loisir] source of entertainment.

distraire [112] [distrɛr] vt **1.** [amuser] to amuse **2.** [déconcentrer] to distract. ◆ **se distraire** vp to amuse o.s.

distrait, e [distrɛ, ɛt] ◆ pp → **distraire.** ◆ adj absent-minded.

distribuer [7] [distribɥe] vt **1.** to distribute **2.** [cartes] to deal **3.** [courrier] to deliver.

distributeur [distribɥtœr] nm **1.** [de billets de train] ticket machine **2.** [de boissons] drinks machine ▸ **distributeur (automatique) de billets** FIN cash dispenser.

distribution [distribysjɔ̃] nf **1.** distribution **2.** [du courrier] delivery **3.** [dans un film] cast ▸ **distribution des prix** prize-giving.

dit [di] pp & 3ᵉ pers. du sg de l'ind. prés. → **dire.**

dite [dit] pp → **dire.**

dites [dit] 2ᵉ pers. du pl de l'ind. prés. → **dire.**

divan [divɑ̃] nm couch.

divers, es [divɛr, ɛrs] adj various.

divertir [32] [divɛrtir] vt to entertain. ◆ **se divertir** vp to entertain o.s.

divertissement [divɛrtismɑ̃] nm [distraction] pastime.

divin, e [divɛ̃, in] adj divine.

divisé, e [divize] adj **1.** [fragmenté] divided **2.** [en désaccord] divided ▸ **être divisé sur** to be divided on (the question of).

diviser [3] [divize] vt to divide.

division [divizjɔ̃] nf division.

divorce [divɔrs] nm divorce ▸ **demander/obtenir le divorce** to file for/get a divorce.

divorcé, e [divɔrse] ◆ adj divorced. ◆ nm, f divorced person.

divorcer [16] [divɔrse] vi to divorce.

divulguer [3] [divylge] vt to divulge.

dix [dis] num ten ▸ **il a dix ans** he's ten (years old) ▸ **il est dix heures** it's ten o'clock ▸ **le dix janvier** the tenth of January ▸ **page dix** page ten ▸ **ils étaient dix** there were ten of them ▸ **le dix de pique** the ten of spades ▸ **(au) dix rue Lepic** at/to ten, rue Lepic.

dix-huit [dizɥit] num eighteen.

dix-huitième [dizɥitjɛm] num eighteenth.

dixième [dizjɛm] num **1.** tenth **2.** [fraction] tenth ▸ **le dixième étage** tenth floor 🇬🇧, eleventh floor 🇺🇸 ▸ **le dixième (arrondissement)** tenth arrondissement ▸ **il est arrivé dixième** he came tenth.

dix-neuf [diznœf] num nineteen.

dix-neuvième [diznœvjɛm] num nineteenth.

dix-sept [disɛt] num seventeen.

dix-septième [disɛtjɛm] num seventeenth.

dizaine [dizεn] nf **: une dizaine (de)** about ten.

DJ [didʒi] nm *(abr de* disc-jockey) DJ.

Djibouti [dʒibuti] n **1.** [État] Djibouti **2.** [ville] Djibouti City.

do [do] nm inv MUS C ; [chanté] doh UK, do US.

docile [dɔsil] adj docile.

docks [dɔk] nmpl docks.

docteur [dɔktœr] nm doctor.

document [dɔkymɑ̃] nm document.

documentaire [dɔkymɑ̃tεr] nm documentary.

documentaliste [dɔkymɑ̃talist] nmf SCOL librarian.

documentation [dɔkymɑ̃tasjɔ̃] nf [documents] literature ▸ **demander de la documentation sur** to ask for information about.

documenter [3] [dɔkymɑ̃te] ◆ **se documenter** vp to do some research.

doigt [dwa] nm **1.** finger **2.** [petite quantité] drop ▸ **doigt de pied** toe ▸ **à deux doigts de** within inches of.

dois [dwa] 1re et 2e pers. du sg de l'ind. prés. → **devoir**.

doive [dwav] 1re et 3e pers. du sg du subj. prés. → **devoir**.

dollar [dɔlar] nm dollar.

domaine [dɔmεn] nm **1.** [propriété] estate **2.** [secteur] field ▸ **nom de domaine national** INFORM national domain name.

dôme [dom] nm dome.

domestique [dɔmεstik] ◆ adj [tâche] domestic. ◆ nmf servant.

domicile [dɔmisil] nm residence ▸ **à domicile** at ou from home ▸ **livrer à domicile** to do deliveries.

dominant, e [dɔminɑ̃, ɑ̃t] adj dominant.

dominer [3] [dɔmine] ◆ vt **1.** [être plus fort que] to dominate **2.** [être plus haut que] to overlook **3.** [colère, émotion] to control. ◆ vi **1.** [face à un adversaire] to dominate **2.** [être important] to predominate.

Dominique [dɔminik] nf **: la Dominique** Dominica.

dominos [dɔmino] nmpl dominoes.

dommage [dɔmaʒ] nm **: (quel) dommage !** what a shame! ▸ **c'est dommage de...** it's a shame to... ▸ **c'est dommage que...** it's a shame that... ◆ **dommages** nmpl damage *sg*.

dompter [3] [dɔ̃te] vt to tame.

dompteur, euse [dɔ̃tœr, øz] nm, f tamer.

DOM-TOM [dɔmtɔm] nmpl *French overseas départements and territories.*

don [dɔ̃] nm [aptitude] gift ▸ **don de sang /d'organes** blood /organ donation.

donc [dɔ̃k] conj so ▸ **viens donc !** come on!

donf [dɔ̃f] ◆ **à donf** loc adv *(verlan de* à fond*)* **: il écoute ce morceau en boucle à donf** he listens to that song over and over again at full blast ▸ **en ce moment elle est à donf dans le rap** she's seriously into rap at the moment.

donjon [dɔ̃ʒɔ̃] nm keep.

données [dɔne] nfpl data.

donner [3] [dɔne] vt to give ▸ **donner qqch à qqn** to give sb sthg ▸ **donner un coup à qqn** to hit sb ▸ **donner à**

manger à qqn to feed sb ▶ **ce pull me donne chaud** this jumper is making me hot ▶ **ça donne soif** it makes you feel thirsty. ◆ **donner sur** v + prép **1.** [suj : fenêtre] to look out onto **2.** [suj : porte] to lead to.

dont [dɔ̃] ◆ pron rel **1.** [complément du verbe, de l'adjectif] : **la façon dont ça s'est passé** the way (in which) it happened ▶ **la région dont je viens** the region I come from ▶ **c'est le camping dont on nous a parlé** this is the campsite we were told about ▶ **l'établissement dont ils sont responsables** the establishment for which they are responsible **2.** [complément d'un nom d'objet] of which ; [complément d'un nom de personne] whose ▶ **le parti dont il est le chef** the party of which he is the leader ▶ **celui dont les parents sont divorcés** the one whose parents are divorced ▶ **une région dont le vin est très réputé** a region famous for its wine **3.** [parmi lesquels] : **certaines personnes, dont moi, pensent que…** some people, including me, think that… ▶ **deux piscines, dont l'une couverte** two swimming pools, one of which is indoors.

dopage [dɔpaʒ] nm doping.

doré, e [dɔre] ◆ adj **1.** [métal, bouton] gilt **2.** [lumière, peau] golden **3.** [aliment] golden brown. ◆ nm walleyed pike.

dorénavant [dɔrenavɑ̃] adv from now on.

dorin [dɔrɛ̃] nm Suisse collective name for white wines from the Vaud region of Switzerland.

dorloter [3] [dɔrlɔte] vt to pamper.

dormir [36] [dɔrmir] vi to sleep.

dortoir [dɔrtwar] nm dormitory.

dos [do] nm back ▶ **au dos de** on the back (of) ▶ **de dos** from behind.

dose [doz] nf dose.

dossier [dosje] nm **1.** [d'un siège] back **2.** [documents] file **3.** INFORM folder ▶ **dossier d'inscription** registration form.

douane [dwan] nf customs *pl*.

douanier [dwanje] nm customs officer.

doublage [dublaʒ] nm [d'un film] dubbing.

double [dubl] ◆ adj & adv double. ◆ nm **1.** [copie] copy **2.** [partie de tennis] doubles *pl* ▶ **le double du prix normal** twice the normal price ▶ **avoir qqch en double** to have two of sthg ▶ **mettre qqch en double** to fold sthg in half.

double-clic [dublklik] nm double click ▶ **faire un double-clic** to double-click.

double-cliquer [3] [dublklike] vi to double-click.

doubler [3] [duble] ◆ vt **1.** to double **2.** [vêtement] to line **3.** AUTO to overtake UK, to pass **4.** [film] to dub. ◆ vi **1.** to double **2.** AUTO to overtake UK, to pass.

doublure [dublyr] nf [d'un vêtement] lining.

douce adj f → **doux**.

douceâtre [dusatr] adj sickly (sweet).

doucement [dusmɑ̃] adv **1.** [bas] softly **2.** [lentement] slowly ▶ **tout doucement** nice and gently.

douceur [dusœr] nf **1.** [gentillesse] gentleness **2.** [au toucher] softness **3.** [du climat] mildness ▶ **en douceur** smoothly.

douche [duʃ] nf shower ▸ **prendre une douche a)** to take ou have a shower.

doucher [3] [duʃe] ◆ **se doucher** vp to take ou have a shower.

doué, e [dwe] adj gifted ▸ **être doué pour** ou **en qqch** to have a gift for sthg.

douillet, ette [duje, ɛt] adj 1. [délicat] soft 2. [confortable] cosy.

douleur [dulœr] nf 1. [physique] pain 2. [morale] sorrow ▸ **avoir une douleur au ventre/au bras** to have a sore stomach/arm.

douloureux, euse [dulurø, øz] adj painful.

doute [dut] nm doubt ▸ **avoir un doute sur** to have doubts about ▸ **sans doute** no doubt.

douter [3] [dute] vt : **douter que** to doubt that. ◆ **douter de** v + prép to doubt. ◆ **se douter** vp : **se douter de** to suspect ▸ **se douter que** to suspect that.

Douvres [duvr] n Dover.

doux, douce [du, dus] adj 1. [aliment, temps] mild 2. [au toucher] soft 3. [personne] gentle ▸ **il fait doux, aujourd'hui** it's mild today.

douzaine [duzɛn] nf : **une douzaine (de) a)** [douze] a dozen b) [environ douze] about twelve.

douze [duz] num twelve ▸ **il a douze ans** he's twelve (years old) ▸ **il est douze heures** it's twelve o'clock ▸ **le douze janvier** the twelfth of January ▸ **page douze** page twelve ▸ **ils étaient douze** there were twelve of them ▸ **(au) douze rue Lepic** at/to twelve, rue Lepic.

douzième [duzjɛm] num twelfth ▸ **le douzième étage** twelfth floor 🇬🇧, thirteenth floor 🇺🇸 ▸ **le douzième (arron-**

dissement) twelfth arrondissement ▸ **il est arrivé douzième** he came twelfth.

dragée [draʒe] nf sugared almond.

dragon [dragɔ̃] nm dragon.

draguer [3] [drage] vt fam [personne] to chat up 🇬🇧, to hit on 🇺🇸.

dramatique [dramatik] ◆ adj 1. [de théâtre] dramatic 2. [grave] tragic. ◆ nf TV drama.

drame [dram] nm 1. [pièce de théâtre] drama 2. [catastrophe] tragedy.

drap [dra] nm sheet.

drapeau [drapo] (pl -x) nm flag.

drap-housse [draus] (pl draps-housses) nm fitted sheet.

dreadlocks [drɛdlɔks] nfpl dreadlocks, dreads.

dresser [4] [drese] vt 1. [mettre debout] to put up 2. [animal] to train 3. [plan] to draw up 4. [procès-verbal] to make out. ◆ **se dresser** vp 1. [se mettre debout] to stand up 2. [arbre, obstacle] to stand.

drogue [drɔg] nf : **la drogue** drugs pl.

drogué, e [drɔge] nm, f drug addict.

droguer [3] [drɔge] ◆ **se droguer** vp to take drugs.

droguerie [drɔgri] nf hardware shop.

droit, e [drwa, drwat] ◆ adj & adv 1. [straight] straight 2. [côté, main] right. ◆ nm 1. [autorisation] right 2. [taxe] duty ▸ **tout droit** straight ahead ▸ **le droit** [juridique] law ▸ **avoir le droit de faire qqch** to have the right to do sthg ▸ **avoir droit à qqch** to be entitled to sthg ▸ **droit d'accès** right of access ▸ **droits d'inscription** registration fee.

droite [drwat] nf : **la droite a)** the right b) POL the right (wing) ▸ **à droite (de)** on the right (of) ▸ **de droite** [du côté droit] right-hand.

droitier, ère [drwatje, ɛr] adj right-handed.

drôle [drol] adj funny.

drôlement [drolmã] adv *fam* [très] tremendously ▸ **il est drôlement intelligent** he's awfully intelligent.

DROM [drɔm] (*abr de* Département et Région d'outre-mer) nmpl Overseas territories of France that have the status of departments.

dromadaire [drɔmadɛr] nm dromedary.

drone [drɔn] nm MIL drone.

drugstore [drœgstɔr] nm drugstore.

dsl (*abr écrite de* désolé) SMS Sry (Sorry).

du [dy] art → **de** *et* **lequel** ; **de**.

dû, due [dy] pp → **devoir**.

Dublin [dyblɛ̃] n Dublin.

duc, duchesse [dyk, dyʃɛs] nm, f duke (duchess).

duel [dɥɛl] nm duel.

duffle-coat [dœfəlkot] (*pl* **duffle-coats**) nm duffel coat.

dune [dyn] nf dune.

duo [dɥo] nm **1.** MUS duet **2.** [d'artistes] duo.

duplex [dypleks] nm [appartement] maisonette 🇬🇧, duplex 🇺🇸.

duplicata [dyplikata] nm duplicate.

duquel [dykɛl] pron rel *(contraction de* de *avec* lequel*)* → **lequel**.

dur, e [dyr] adj & adv **1.** hard **2.** [viande] tough ▸ **travailler dur** to work hard.

durant [dyrã] prép during.

durcir [32] [dyrsir] vi to harden. ◆ **se durcir** vp to harden.

durée [dyre] nf **1.** [longueur] length **2.** [période] period ▸ **pour une durée de** for a period of.

durement [dyrmã] adv **1.** [violemment] hard, vigorously **2.** [méchamment] harshly.

durer [3] [dyre] vi to last.

dureté [dyrte] nf **1.** [résistance] hardness **2.** [manque de pitié] harshness.

duvet [dyvɛ] nm **1.** [plumes] down **2.** [sac de couchage] sleeping bag.

DVD nm inv DVD.

dynamique [dinamik] adj dynamic.

dynamite [dinamit] nf dynamite.

dynamo [dinamo] nf dynamo.

dysfonctionnement [disfɔ̃ksjɔnmã] nm malfunction, malfunctioning.

dyslexique [disleksik] adj dyslexic.

Ee

E (*abr écrite de* est) E *(east)*.

eau [o] (*pl* -x) nf water ▸ **eau bénite** holy water ▸ **eau de Cologne** eau de Cologne ▸ **eau douce** fresh water ▸ **eau gazeuse** fizzy water ▸ **eau minérale** mineral water ▸ **eau oxygénée** hydrogen peroxide ▸ **eau potable** drinking water ▸ **eau non potable** water not fit for drinking ▸ **eau plate** still water ▸ **eau du robinet** tap water ▸ **eau salée** salt water ▸ **eau de toilette** toilet water.

eau-de-vie [odvi] (*pl* **eaux-de-vie**) nf brandy.

ébéniste [ebenist] nm cabinet-maker.

éblouir [32] [ebluir] vt to dazzle.

éblouissant, e [ebluisɑ̃, ɑ̃t] adj dazzling.

e-book [ibuk] (pl e-books) nm e-book.

éborgner [3] [ebɔrɲe] vt : **éborgner qqn** to put sb's eye out.

éboueur [ebwœr] nm dustman UK, garbage collector US.

ébouillanter [3] [ebujɑ̃te] vt to scald.
◆ **s'ébouillanter** vp to scald o.s.

éboulement [ebulmɑ̃] nm rock slide.

ébouriffé, e [eburife] adj dishevelled.

ébrécher [18] [ebreʃe] vt to chip.

ébrouer [ebrue] ◆ **s'ébrouer** vp to shake o.s.

ébruiter [3] [ebrɥite] vt to spread.

ébullition [ebylisjɔ̃] nf : **porter qqch à ébullition** to bring sthg to the boil.

écaille [ekaj] nf 1. [de poisson] scale 2. [d'huître] shell 3. [matière] tortoiseshell.

écailler [3] [ekaje] vt [poisson] to scale.
◆ **s'écailler** vp to peel off.

écarlate [ekarlat] adj scarlet.

écarquiller [3] [ekarkije] vt : **écarquiller les yeux** to stare (wide-eyed).

écart [ekar] nm 1. [distance] gap 2. [différence] difference ▶ **faire un écart** [véhicule] to swerve ▶ **à l'écart (de)** out of the way (of) ▶ **faire le grand écart** to do the splits.

écarter [3] [ekarte] vt 1. [ouvrir] to spread 2. [éloigner] to move away.

échafaudage [eʃafodaʒ] nm scaffolding.

échalote [eʃalɔt] nf shallot.

échancré, e [eʃɑ̃kre] adj 1. [robe] low-necked 2. [maillot de bain] high-cut.

échange [eʃɑ̃ʒ] nm 1. exchange 2. [au tennis] rally ▶ **en échange (de)** in exchange (for).

échanger [17] [eʃɑ̃ʒe] vt to exchange ▶ **échanger qqch contre** to exchange sthg for.

échangeur [eʃɑ̃ʒœr] nm [d'autoroute] interchange.

échantillon [eʃɑ̃tijɔ̃] nm sample.

échappement [eʃapmɑ̃] nm → pot, tuyau.

échapper [3] [eʃape] ◆ **échapper à** v + prép 1. [mort] to escape 2. [corvée] to avoid 3. [personne] to escape from ▶ **son nom m'échappe** his name escapes me ▶ **ça m'a échappé** [paroles] it just slipped out ▶ **ça m'a échappé des mains** it slipped out of my hands.
◆ **s'échapper** vp to escape ▶ **s'échapper de** a) to escape from.

écharde [eʃard] nf splinter.

écharpe [eʃarp] nf [cache-nez] scarf ▶ **en écharpe** in a sling.

échauffement [eʃofmɑ̃] nm [sportif] warm-up.

échauffer [3] [eʃofe] ◆ **s'échauffer** vp [sportif] to warm up.

échec [eʃɛk] nm failure ▶ **échec !** check! ▶ **échec et mat !** checkmate! ◆ **échecs** nmpl chess sg ▶ **jouer aux échecs** to play chess.

échelle [eʃɛl] nf 1. ladder 2. [sur une carte] scale ▶ **faire la courte échelle à qqn** to give sb a leg-up.

échelon [eʃlɔ̃] nm 1. [d'échelle] rung 2. [grade] grade.

échine [eʃin] nf CULIN cut of meat taken from pig's back.

échiquier [eʃikje] nm chessboard.

écho [eko] nm echo.

échographie [ekografi] nf (ultrasound) scan ▸ **faire** ou **passer une échographie** to do an ultrasound.

échouer [6] [eʃwe] vi [rater] to fail.
◆ **s'échouer** vp to run aground.

éclabousser [3] [eklabuse] vt to splash.

éclaboussure [eklabusyr] nf splash.

éclair [ekler] nm **1.** flash of lightning **2.** [gâteau] éclair ▸ **éclair au café** coffee eclair.

éclairage [eklɛraʒ] nm lighting.

éclaircie [eklersi] nf sunny spell.

éclaircir [32] [eklersir] vt to make lighter. ◆ **s'éclaircir** vp **1.** [ciel] to brighten (up) **2.** fig [mystère] to be solved.

éclaircissement [eklersismɑ̃] nm [explication] explanation.

éclairer [4] [eklere] vt [pièce] to light.
◆ **s'éclairer** vp [visage] to light up.

éclaireur, euse [eklɛrœr, øz] nm, f [scout] scout (Guide) ▸ **partir en éclaireur** to scout around.

éclat [ekla] nm **1.** [de verre] splinter **2.** [d'une lumière] brightness ▸ **éclats de rire** bursts of laughter ▸ **éclats de voix** loud voices.

éclatant, e [eklatɑ̃, ɑ̃t] adj brilliant.

éclater [3] [eklate] vi **1.** [bombe] to explode **2.** [pneu, ballon] to burst **3.** [guerre, scandale] to break out ▸ **éclater de rire** to burst out laughing ▸ **éclater en sanglots** to burst into tears.

éclipse [eklips] nf eclipse ▸ **éclipse de lune** lunar eclipse ▸ **éclipse de soleil** solar eclipse.

éclosion [eklozjɔ̃] nf [d'œufs] hatching.

écluse [eklyz] nf lock.

écobilan [ekobilɑ̃] nm life cycle analysis.

écœurant, e [ekœrɑ̃, ɑ̃t] adj **1.** [nourriture] disgusting **2.** fig sickening.

écœurer [5] [ekœre] vt **1.** [dégoûter] to disgust **2.** [décourager] to discourage.

école [ekɔl] nf school ▸ **aller à l'école** to go to school ▸ **faire l'école buissonnière** to play truant [UK], to play hooky [US].

ⓘ L'école

School is compulsory for all French children between the ages of six and sixteen, although most start their education at three in the **école maternelle**. Between the ages of six and eleven, children attend **l'école primaire**, before going to a **collège** and, for some, a **lycée**.

écolier, ère [ekɔlje, ɛr] nm, f schoolboy (schoolgirl).

écologie [ekɔlɔʒi] nf ecology.

écologique [ekɔlɔʒik] adj ecological.

écologiste [ekɔlɔʒist] nmf : **les écologistes** the Greens.

écomusée [ekomyze] nm museum of the environment.

économe [ekɔnɔm] adj careful, thrifty.

économie [ekɔnɔmi] nf **1.** [d'un pays] economy **2.** [science] economics sg.
◆ **économies** nfpl savings ▸ **faire des économies** to save money.

économique [ekɔnɔmik] adj **1.** [peu coûteux] economical **2.** [crise, développement] economic.

économiser [3] [ekɔnɔmize] vt to save.

écorce [ekɔʀs] nf **1.** [d'arbre] bark **2.** [d'orange] peel.

écorcher [3] [ekɔʀʃe] ◆ **s'écorcher** vp to scratch o.s. ▶ **s'écorcher le genou** to scrape one's knee.

écorchure [ekɔʀʃyʀ] nf graze.

écossais, e [ekɔsɛ, ɛz] adj **1.** Scottish **2.** [tissu] tartan. ◆ **Écossais, e** nm, f Scotsman (Scotswoman) ▶ **les Écossais** the Scots.

Écosse [ekɔs] nf : **l'Écosse** Scotland.

écotourisme [ekɔtuʀism] nm ecotourism.

écouler [3] [ekule] ◆ **s'écouler** vp **1.** [temps] to pass **2.** [liquide] to flow (out).

écouter [3] [ekute] vt to listen to.

écouteur [ekutœʀ] nm [de téléphone] earpiece ▶ **écouteurs** [casque] headphones.

écran [ekʀɑ̃] nm screen ▶ **(crème) écran total** sun block ▶ **le grand écran** [le cinéma] the big screen ▶ **le petit écran** [la télévision] television ▶ **un écran de 17 pouces** a 17-inch screen.

écrasant, e [ekʀazɑ̃, ɑ̃t] adj overwhelming.

écraser [3] [ekʀaze] vt **1.** to crush **2.** [cigarette] to stub out **3.** [en voiture] to run over ▶ **se faire écraser** [par une voiture] to be run over. ◆ **s'écraser** vp [avion] to crash.

écrémé, e [ekʀeme] adj skimmed ▶ **lait demi-écrémé** semi-skimmed milk.

écrevisse [ekʀəvis] nf crayfish.

écrier [10] [ekʀije] ◆ **s'écrier** vp to cry out.

écrin [ekʀɛ̃] nm box.

écrire [99] [ekʀiʀ] vt & vi to write ▶ **écrire à qqn** to write to sb [UK], to write sb [US]. ◆ **s'écrire** vp **1.** [correspondre] to write to (each other) **2.** [s'épeler] to be spelled.

écrit, e [ekʀi, it] ◆ pp & 3ᵉ pers. du sg de l'ind. prés. → **écrire**. ◆ nm : **par écrit** in writing.

écriteau [ekʀito] (pl -x) nm notice.

écriture [ekʀityʀ] nf writing.

écrivain [ekʀivɛ̃] nm writer.

écrou [ekʀu] nm nut.

écrouler [3] [ekʀule] ◆ **s'écrouler** vp to collapse.

écru, e [ekʀy] adj [couleur] ecru.

écume [ekym] nf foam.

écureuil [ekyʀœj] nm squirrel.

écurie [ekyʀi] nf stable.

écusson [ekysɔ̃] nm [sur un vêtement] badge.

eczéma [ɛgzema] nm eczema.

édenté, e [edɑ̃te] adj toothless.

édifice [edifis] nm building.

Édimbourg [edɛ̃buʀ] n Edinburgh.

éditer [3] [edite] vt to publish.

éditeur, trice [editœʀ, tʀis] nm, f publisher.

édition [edisjɔ̃] nf **1.** [exemplaires] edition **2.** [industrie] publishing.

édredon [edʀədɔ̃] nm eiderdown.

éducateur, trice [edykatœʀ, tʀis] nm, f teacher ▶ **éducateur spécialisé** special needs teacher.

éducatif, ive [edykatif, iv] adj educational.

éducation [edykasjɔ̃] nf **1.** education **2.** [politesse] good manners pl ▶ **éducation physique** PE.

édulcorant [edylkɔʀɑ̃] nm sweetener.

éduquer [3] [edyke] vt to bring up.

effacer [16] [efase] vt 1. [mot] to rub out 2. [tableau] to wipe 3. [bande magnétique, chanson] to erase 4. INFORM to delete. ◆ **s'effacer** vp [disparaître] to fade (away).

effaceur [efasœʀ] nm rubber UK, eraser US.

effectif, ive [efɛktif] nm 1. [d'une classe] size 2. [d'une armée] strength.

effectivement [efɛktivmɑ̃] adv 1. [réellement] really 2. [en effet] indeed.

effectuer [7] [efɛktɥe] vt 1. [travail] to carry out 2. [trajet] to make.

efféminé, e [efemine] adj effeminate.

effervescent, e [efɛʀvesɑ̃, ɑ̃t] adj effervescent ▸ **comprimé effervescent** effervescent tablet.

effet [efɛ] nm 1. [résultat] effect 2. [impression] impression ▸ **faire de l'effet** [être efficace] to be effective ▸ **en effet** indeed.

efficace [efikas] adj 1. [médicament, mesure] effective 2. [personne, travail] efficient.

efficacité [efikasite] nf effectiveness.

effilé, e [efile] adj 1. [frange] thinned 2. [lame] sharp.

effilocher [3] [efilɔʃe] ◆ **s'effilocher** vp to fray.

effleurer [5] [eflœʀe] vt to brush (against).

effondrer [3] [efɔ̃dʀe] ◆ **s'effondrer** vp to collapse.

efforcer [16] [efɔʀse] ◆ **s'efforcer de** vp + prép : **s'efforcer de faire qqch** to try to do sthg.

effort [efɔʀ] nm effort ▸ **faire des efforts (pour faire qqch)** to make an effort (to do sthg).

effrayant, e [efʀejɑ̃, ɑ̃t] adj frightening.

effrayer [11] [efʀeje] vt to frighten.

effriter [3] [efʀite] ◆ **s'effriter** vp to crumble.

effroyable [efʀwajabl] adj terrible.

égal, e, aux [egal, o] adj 1. [identique] equal 2. [régulier] even ▸ **ça m'est égal** I don't care ▸ **égal à** equal to.

également [egalmɑ̃] adv [aussi] also, as well.

égaler [3] [egale] vt to equal.

égaliser [3] [egalize] ◆ vt 1. [cheveux] to trim 2. [sol] to level (out). ◆ vi SPORT to equalize.

égalité [egalite] nf 1. equality 2. [au tennis] deuce ▸ **être à égalité** SPORT to be drawing.

égard [egaʀ] nm : **à l'égard de** towards.

égarer [3] [egaʀe] vt to lose. ◆ **s'égarer** vp to get lost.

égayer [11] [egeje] vt to brighten up.

églefin, aiglefin [eglœfɛ̃] nm haddock.

église [egliz] nf church ▸ **l'Église** the Church.

égoïste [egɔist] ◆ adj selfish. ◆ nmf selfish person.

égorger [17] [egɔʀʒe] vt : **égorger qqn** to cut sb's throat.

égouts [egu] nmpl sewers.

égoutter [3] [egute] vt to drain.

égouttoir [egutwaʀ] nm 1. [à légumes] colander 2. [pour la vaisselle] draining board.

égratigner [3] [egratiɲe] vt to graze.
♦ **s'égratigner** vp : **s'égratigner le genou** to graze one's knee.

égratignure [egratiɲyr] nf graze.

égrener [19] [egrəne] vt [maïs, pois] to shell.

Égypte [eʒipt] nf : **l'Égypte** Egypt.

égyptien, enne [eʒipsjɛ̃, ɛn] adj Egyptian.

eh [e] interj hey! ▸ **eh bien !** well!

Eiffel [efel] n → **tour**.

éjection [eʒɛksjɔ̃] nf : **bouton d'éjection du CD-ROM** CD-ROM ejection button.

élaborer [3] [elabɔre] vt [plan, système] to work out, to develop.

élan [elã] nm 1. [pour sauter] run-up 2. [de tendresse] rush ▸ **prendre de l'élan** to take a run-up.

élancer [16] [elãse] ♦ **s'élancer** vp [pour sauter] to take a run-up.

élargir [32] [elarʒir] vt 1. [route] to widen 2. [vêtement] to let out 3. [débat, connaissances] to broaden. ♦ **s'élargir** vp 1. [route] to widen 2. [vêtement] to stretch.

élastique [elastik] ♦ adj elastic. ♦ nm rubber band.

e-learning [ilœrniŋ] nm e-learning.

électeur, trice [elektœr, tris] nm, f voter ▸ **carte d'électeur** polling card UK, voter registration card US.

élections [eleksjɔ̃] nfpl elections ▸ **élections législatives** general election ▸ **se présenter aux élections** to stand for elections UK ou to run for office US.

électricien [elektrisjɛ̃] nm electrician.

électricité [elektrisite] nf electricity ▸ **électricité statique** static electricity.

électrique [elektrik] adj electric.

électro [elektro] nf inv electro.

électrocuter [3] [elektrokyte] ♦ **s'électrocuter** vp to electrocute o.s.

électroménager [elektromenaʒe] nm household electrical appliances.

électronique [elektrɔnik] ♦ adj electronic. ♦ nf electronics sg.

électuaire [elektɥer] nm Suisse jam.

élégance [elegãs] nf elegance.

élégant, e [elegã, ãt] adj smart.

élément [elemã] nm 1. element 2. [de meuble, de cuisine] unit.

élémentaire [elemãter] adj basic.

éléphant [elefã] nm elephant.

élevage [elvaʒ] nm 1. breeding 2. [troupeau de moutons] flock 3. [troupeau de vaches] herd.

élève [elev] nmf pupil.

élevé, e [elve] adj high ▸ **bien élevé** well brought-up ▸ **mal élevé** ill-mannered.

élever [19] [elve] vt 1. [enfant] to bring up 2. [animaux] to breed 3. [niveau, voix] to raise. ♦ **s'élever** vp to rise ▸ **s'élever à** to add up to.

éleveur, euse [elvœr, øz] nm, f stock breeder.

éliminatoire [eliminatwar] ♦ adj qualifying. ♦ nf qualifying round.

éliminer [3] [elimine] ♦ vt to eliminate. ♦ vi [en transpirant] to detoxify one's system.

élire [106] [elir] vt to elect.

elle [ɛl] pron 1. [personne, animal] she 2. [chose] it 3. [après prép ou comparai-

son] her ▶ **elle-même** herself. ◆ **elles
pron 1.** [sujet] they **2.** [après prép ou comparaison] them ▶ **elles-mêmes** themselves.

éloigné, e [elwaɲe] adj distant ▶ **éloigné de** far from.

éloigner [3] [elwaɲe] vt to move away.
◆ **s'éloigner (de)** vp + prép to move away (from).

élongation [elɔ̃gasjɔ̃] nf pulled muscle.

élu, e [ely] ◆ pp → **élire**. ◆ nm, f elected representative.

Élysée [elize] nm : **(le palais de) l'Élysée** the official residence of the French President.

ⓘ L'Élysée

This eighteenth-century palace near the Champs-Élysées in Paris is the official residence of the French President. The name is often used to refer to the presidency itself.

e-mail [imɛl] (pl **e-mails**) nm e-mail, E-mail ▶ **envoyer/recevoir un e-mail** to send/receive an e-mail.

émail [emaj] (pl **-aux**) nm enamel.
◆ **émaux** nmpl [objet] enamel ornaments.

emballage [ɑ̃balaʒ] nm packaging.

emballer [3] [ɑ̃bale] vt to wrap (up).

embarcadère [ɑ̃barkadɛr] nm landing stage.

embarcation [ɑ̃barkasjɔ̃] nf small boat.

embarquement [ɑ̃barkəmɑ̃] nm boarding ▶ **'embarquement immédiat'** 'now boarding'.

embarquer [3] [ɑ̃barke] ◆ vt **1.** [marchandises] to load **2.** [passagers] to board **3.** fam [prendre] to cart off. ◆ vi to board. ◆ **s'embarquer** vp to board ▶ **s'embarquer dans** [affaire, aventure] to embark on.

embarras [ɑ̃bara] nm embarrassment ▶ **mettre qqn dans l'embarras** to put sb in an awkward position.

embarrassant, e [ɑ̃barasɑ̃, ɑ̃t] adj embarrassing.

embarrassé, e [ɑ̃barase] adj [gêné] embarrassed.

embarrasser [3] [ɑ̃barase] vt **1.** [gêner] to embarrass **2.** [encombrer] : **embarrasser qqn** to be in sb's way.
◆ **s'embarrasser de** vp + prép to burden o.s. with ▶ **ne pas s'embarrasser de** not to bother about.

embaucher [3] [ɑ̃boʃe] vt to recruit.

embellir [32] [ɑ̃belir] ◆ vt **1.** to make prettier **2.** [histoire, vérité] to embellish. ◆ vi to grow more attractive.

embêtant, e [ɑ̃bɛtɑ̃, ɑ̃t] adj annoying.

embêter [4] [ɑ̃bɛte] vt to annoy.
◆ **s'embêter** vp [s'ennuyer] to be bored.

emblème [ɑ̃blɛm] nm emblem.

emboîter [3] [ɑ̃bwate] vt to fit together. ◆ **s'emboîter** vp to fit together.

embouchure [ɑ̃buʃyr] nf [d'un fleuve] mouth.

embourber [3] [ɑ̃burbe] ◆ **s'embourber** vp to get stuck in the mud.

embout [ɑ̃bu] nm tip.

embouteillage [ɑ̃butejaʒ] nm traffic jam ▶ **être coincé dans les embouteillages** to be stuck in traffic.

embranchement [ɑ̃brɑ̃ʃmɑ̃] nm [carrefour] junction.

embrasser [3] [ɑ̃bʀase] vt to kiss. ♦ s'embrasser vp to kiss (each other).

embrayage [ɑ̃bʀejaʒ] nm clutch.

embrayer [11] [ɑ̃bʀeje] vi to engage the clutch.

embrouiller [3] [ɑ̃bʀuje] vt 1. [fil, cheveux] to tangle (up) 2. [histoire, personne] to muddle (up). ♦ s'embrouiller vp to get muddled up.

embruns [ɑ̃bʀœ̃] nmpl (sea) spray sg.

embué, e [ɑ̃bɥe] adj steamy.

embuscade [ɑ̃byskad] nf ambush ▶ tomber dans une embuscade to get caught in an ambush.

éméché, e [emeʃe] adj tipsy.

émeraude [emʀod] ♦ nf emerald. ♦ adj inv emerald green.

émerger [17] [emɛʀʒe] vi 1. [gén] to emerge 2. NAUT to surface.

émerveillé, e [emɛʀveje] adj filled with wonder.

émetteur [emetœʀ] nm transmitter.

émettre [84] [emɛtʀ] ♦ vt 1. [sons, lumière] to emit 2. [billets, chèque] to issue. ♦ vi to broadcast.

émeute [emøt] nf riot.

émigré, e [emigʀe] ♦ adj migrant. ♦ nm, f emigrant.

émigrer [3] [emigʀe] vi to emigrate.

émincé [emɛ̃se] nm thin slices of meat in a sauce ▶ émincé de veau à la zurichoise veal and kidneys cooked in a cream, mushroom and white wine sauce.

émincer [16] [emɛ̃se] vt CULIN to slice thinly, to cut into thin strips.

émis, e [emi, iz] pp → émettre.

émission [emisjɔ̃] nf programme ▶ une émission de variétés a variety show.

emmagasiner [3] [ɑ̃magazine] vt to store up.

emmanchure [ɑ̃mɑ̃ʃyʀ] nf armhole.

emmêler [4] [ɑ̃mele] vt [fil, cheveux] to tangle (up). ♦ s'emmêler vp 1. [fil, cheveux] to get tangled (up) 2. [souvenirs, dates] to get mixed up.

emménager [17] [ɑ̃menaʒe] vi to move in.

emmener [19] [ɑ̃mne] vt to take along.

emmental [emɛ̃tal] nm Emmental (cheese).

emmerde [ɑ̃mɛʀd] nf vulg hassle ▶ avoir des emmerdes : en ce moment j'ai que des emmerdes it's just one frigging hassle after another at the moment.

emmerder [3] [ɑ̃mɛʀde] vt vulg to piss off. ♦ s'emmerder vp vulg (s'ennuyer) to be bored stiff.

emmitoufler [3] [ɑ̃mitufle] ♦ s'emmitoufler vp to wrap up (well).

emoticon [emotikɔn] nm emoticon.

émotif, ive [emotif, iv] adj emotional.

émotion [emosjɔ̃] nf emotion.

émouvant, e [emuvɑ̃, ɑ̃t] adj moving.

émouvoir [55] [emuvwaʀ] vt to move.

empaillé, e [ɑ̃paje] adj stuffed.

empaqueter [27] [ɑ̃pakte] vt to package.

emparer [3] [ɑ̃paʀe] ♦ s'emparer de vp + prép [prendre vivement] to grab (hold of).

empêchement [ɑ̃pɛʃmɑ̃] nm obstacle ▶ j'ai un empêchement something has come up.

empêcher [4] [ɑ̃peʃe] vt to prevent ▶ empêcher qqn/qqch de faire qqch to prevent sb /sthg from doing sthg ▸ **(il) n'empêche que** nevertheless. ◆ **s'empêcher de** vp + prép : **je n'ai pas pu m'empêcher de rire** I couldn't stop myself from laughing.

empereur [ɑ̃prœr] nm emperor.

empester [3] [ɑ̃pɛste] ◆ vt (sentir) to stink of. ◆ vi to stink.

empêtrer [4] [ɑ̃petre] ◆ **s'empêtrer dans** vp + prép **1.** (fils) to get tangled up in **2.** (mensonges) to get caught up in.

empiffrer [3] [ɑ̃pifre] ◆ **s'empiffrer (de)** vp + prép fam to stuff o.s. (with).

empiler [3] [ɑ̃pile] vt to pile up. ◆ **s'empiler** vp to pile up.

empire [ɑ̃pir] nm empire.

empirer [3] [ɑ̃pire] vi to get worse.

emplacement [ɑ̃plasmɑ̃] nm **1.** site **2.** (de parking) parking space ▸ '**emplacement réservé** 'reserved parking space'.

emploi [ɑ̃plwa] nm **1.** (poste) job **2.** (d'un objet, d'un mot) use ▸ **l'emploi** (en économie) employment ▸ **emploi du temps** timetable.

employé, e [ɑ̃plwaje] nm, f employee ▸ **employé de bureau** office worker.

employer [13] [ɑ̃plwaje] vt **1.** (salarié) to employ **2.** (objet, mot) to use.

employeur, euse [ɑ̃plwajœr, øz] nm, f employer.

empoigner [3] [ɑ̃pwaɲe] vt to grasp.

empoisonnement [ɑ̃pwazɔnmɑ̃] nm poisoning.

empoisonner [3] [ɑ̃pwazɔne] vt to poison.

emporter [3] [ɑ̃pɔrte] vt **1.** to take **2.** (suj : vent, rivière) to carry away ▸ **à**

emporter (plats) to take away UK, to go US ▸ **l'emporter sur** to get the better of. ◆ **s'emporter** vp to lose one's temper.

empreinte [ɑ̃prɛ̃t] nf (d'un corps) imprint ▸ **empreintes digitales** fingerprints ▸ **empreinte de pas** footprint.

empresser [4] [ɑ̃prese] ◆ **s'empresser** vp : **s'empresser de faire qqch** to hurry to do sthg.

emprisonner [3] [ɑ̃prizɔne] vt to imprison.

emprunt [ɑ̃prœ̃] nm loan ▸ **faire un emprunt** to take out a loan.

emprunter [3] [ɑ̃prœ̃te] vt **1.** to borrow **2.** (itinéraire) to take ▸ **emprunter qqch à qqn** to borrow sthg from sb.

ému, e [emy] ◆ pp → **émouvoir**. ◆ adj moved.

en [ɑ̃] ◆ prép **1.** (indique le moment) in ▸ **en été /1995** in summer /1995 **2.** (indique le lieu où l'on est) in ▸ **être en classe** to be in class ▸ **habiter en Angleterre** to live in England **3.** (indique le lieu où l'on va) to ▸ **aller en ville / en Dordogne** to go into town /to the Dordogne **4.** (désigne la matière) made of ▸ **un pull en laine** a woollen jumper **5.** (indique la durée) in ▸ **en dix minutes** in ten minutes **6.** (indique l'état) : **être en vacances** to be on holiday ▸ **s'habiller en noir** to dress in black ▸ **combien ça fait en euros ?** how much is that in euros ? ▸ **ça se dit « custard » en anglais** it's called "custard" in English **7.** (indique le moyen) by ▸ **voyager en avion /voiture** to travel by plane /car **8.** (pour désigner la taille) in ▸ **auriez-vous celles-ci en 38 /en plus petit ?** do you have these in a 38 /a smaller size? **9.** (devant un participe présent) : **en**

→

arrivant à Paris on arriving in Paris ▸ **en faisant un effort** by making an effort ▸ **partir en courant** to run off

◆ **pron 1.** [objet indirect] **: n'en parlons plus** let's not say any more about it ▸ **il s'en est souvenu** he remembered it **2.** [avec un indéfini] **: en reprendrez-vous ?** will you have some more? ▸ **je n'en ai plus** I haven't got any left ▸ **il y en a plusieurs** there are several (of them) **3.** [indique la provenance] from there ▸ **j'en viens** I've just been there **4.** [complément du nom] of it, of them *pl* ▸ **j'en garde un excellent souvenir** I have excellent memories of it **5.** [complément de l'adjectif] **: il en est fou** he's mad about it.

encadrer [3] [ɑ̃kadʁe] vt [tableau] to frame.

encaisser [4] [ɑ̃kese] vt [argent] to cash.

en-cas, encas [ɑ̃ka] nm inv snack.

encastré, e [ɑ̃kastʁe] adj built-in.

enceinte [ɑ̃sɛ̃t] ◆ adj f pregnant. ◆ nf **1.** [haut-parleur] speaker **2.** [d'une ville] walls *pl* ▸ **je suis enceinte de six mois** I'm six months pregnant ▸ **tomber enceinte** to get pregnant.

encens [ɑ̃sɑ̃] nm incense.

encercler [3] [ɑ̃sɛʁkle] vt **1.** [personne, ville] to surround **2.** [mot] to circle.

enchaîner [4] [ɑ̃ʃene] vt **1.** [attacher] to chain together **2.** [idées, phrases] to string together. ◆ **s'enchaîner** vp [se suivre] to follow one another.

enchanté, e [ɑ̃ʃɑ̃te] adj delighted ▸ **enchanté (de faire votre connaissance) !** pleased to meet you!

enchères [ɑ̃ʃɛʁ] nfpl auction *sg* ▸ **vendre qqch aux enchères** to sell sthg at auction.

enclencher [3] [ɑ̃klɑ̃ʃe] vt **1.** [mécanisme] to engage **2.** [guerre, processus] to begin.

enclos [ɑ̃klo] nm enclosure.

encoche [ɑ̃kɔʃ] nf notch.

encolure [ɑ̃kɔlyʁ] nf [de vêtement] neck.

encombrant, e [ɑ̃kɔ̃bʁɑ̃, ɑ̃t] adj [paquet] bulky.

encombrements [ɑ̃kɔ̃bʁəmɑ̃] nmpl [embouteillage] hold-up.

encombrer [3] [ɑ̃kɔ̃bʁe] vt **: encombrer qqn** to be in sb's way ▸ **encombré de** [pièce, table] cluttered with.

encore [ɑ̃kɔʁ] ◆ adv **1.** [toujours] still ▸ **il reste encore une centaine de kilomètres** there are still about a hundred kilometres to go ▸ **pas encore** not yet **2.** [de nouveau] again ▸ **j'ai encore oublié mes clefs !** I've forgotten my keys again! ▸ **encore une fois** once more **3.** [en plus] **: encore un peu de légumes ?** a few more vegetables ? ▸ **reste encore un peu** stay a bit longer ▸ **encore un jour** another day **4.** [en intensif] more ▸ **c'est encore plus cher ici** it's even more expensive here.

encouragement [ɑ̃kuʁaʒmɑ̃] nm [parole] (word of) encouragement.

encourager [17] [ɑ̃kuʁaʒe] vt to encourage ▸ **encourager qqn à faire qqch** to encourage sb to do sthg.

encourir [45] [ɑ̃kuʁiʁ] vt *sout* to incur.

encre [ɑ̃kʁ] nf ink ▸ **encre de Chine** Indian ink.

encyclopédie [ɑ̃siklɔpedi] nf encyclopedia.

endetté, e [ɑ̃dete] adj indebted.

endetter [4] [ãdete] ◆ **s'endetter** vp to get into debt.

endive [ãdiv] nf chicory.

endommager [17] [ãdɔmaʒe] vt to damage.

endormi, e [ãdɔrmi] adj sleeping.

endormir [36] [ãdɔrmir] vt **1.** [enfant] to send to sleep **2.** [anesthésier] to put to sleep. ◆ **s'endormir** vp to fall asleep.

endroit [ãdrwa] nm **1.** place **2.** [côté] right side ▶ **à l'endroit** the right way round.

endurance [ãdyrãs] nf endurance.

endurant, e [ãdyrã, ãt] adj resistant.

endurcir [32] [ãdyrsir] ◆ **s'endurcir** vp to become hardened.

énergétique [enɛrʒetik] adj **1.** [ressource] energy (avant n) **2.** [aliment] energy-giving.

énergie [enɛrʒi] nf energy ▶ **énergie renouvelable** renewable energy.

énergique [enɛrʒik] adj energetic.

énervant, e [enɛrvã, ãt] adj annoying, irritating.

énerver [3] [enɛrve] vt to annoy. ◆ **s'énerver** vp to get annoyed.

enfance [ãfãs] nf childhood.

enfant [ãfã] nmf child ▶ **enfant de chœur** altar boy.

enfantin, e [ãfãtɛ̃, in] adj **1.** [sourire] childlike **2.** péj [attitude] childish.

enfer [ãfɛr] nm hell.

enfermer [3] [ãferme] vt to lock away.

enfiler [3] [ãfile] vt **1.** [aiguille, perles] to thread **2.** [vêtement] to slip on.

enfin [ãfɛ̃] adv **1.** [finalement] finally, at last **2.** [en dernier] finally, lastly.

enflammer [3] [ãflame] ◆ **s'enflammer** vp **1.** [prendre feu] to catch fire **2.** MÉD to get inflamed.

enflé, e [ãfle] adj [gonflé] swollen.

enfler [3] [ãfle] vi to swell.

enfoiré, e [ãfware] nm, f vulg bastard.

enfoncer [16] [ãfɔ̃se] vt **1.** [clou] to drive in **2.** [porte] to break down **3.** [aile de voiture] to dent ▶ **enfoncer qqch dans** to drive sthg into. ◆ **s'enfoncer** vp **1.** [s'enliser] to sink (in) **2.** [s'effondrer] to give way.

enfouir [32] [ãfwir] vt to hide.

enfreindre [81] [ãfrɛ̃dr] vt to infringe ▶ **enfreindre la loi** to break the law.

enfreint, e [ãfrɛ̃, ɛ̃t] pp & 3e pers. du sg de l'ind. prés. → **enfreindre**.

enfuir [35] [ãfɥir] ◆ **s'enfuir** vp to run away.

enfumé, e [ãfyme] adj smoky.

engagement [ãgaʒmã] nm **1.** [promesse] commitment **2.** SPORT kick-off.

engager [17] [ãgaʒe] vt **1.** [salarié] to take on **2.** [conversation, négociations] to start. ◆ **s'engager** vp [dans l'armée] to enlist ▶ **s'engager à faire qqch** to undertake to do sthg ▶ **s'engager dans** [lieu] to enter.

engelure [ãʒlyr] nf chilblain.

engin [ãʒɛ̃] nm machine.

engloutir [32] [ãglutir] vt **1.** [nourriture] to gobble up **2.** [submerger] to swallow up.

engouffrer [3] [ãgufre] ◆ **s'engouffrer dans** vp + prép to rush into.

engourdi, e [ãgurdi] adj numb.

engrais [ãgrɛ] nm fertilizer.

engraisser [4] [ãgrɛse] ◆ vt to fatten. ◆ vi to put on weight.

engrenage [āgrənaʒ] nm [mécanique] gears pl.

engueuler [5] [āgœle] vt fam : **engueuler qqn** to bawl sb out.

◆ **s'engueuler** vp fam to have a row, to have a slanging match [UK].

énigmatique [enigmatik] adj enigmatic.

énigme [enigm] nf 1. [devinette] riddle 2. [mystère] enigma.

enivrer [3] [ānivre] vt ◆ **s'enivrer** vp [devenir ivre] to get drunk.

enjamber [3] [āʒābe] vt 1. [flaque, fossé] to step over 2. [suj : pont] to cross.

enjoliveur [āʒɔlivœr] nm hubcap.

enlaidir [32] [āledir] vt to make ugly.

enlèvement [ālεvmā] nm [kidnapping] abduction ▶ **enlèvement demandé** sticker placed by police on badly parked vehicle warning that it will be removed.

enlever [19] [ālve] vt 1. to remove, to take off 2. [kidnapper] to abduct. ◆ **s'enlever** vp [tache] to come off.

enliser [3] [ālize] vt ◆ **s'enliser** vp to get stuck.

enneigé, e [āneʒe] adj snow-covered.

ennemi, e [εnmi] nm, f enemy.

ennui [āŋɥi] nm 1. [lassitude] boredom 2. [problème] problem ▶ **avoir des ennuis** to have problems.

ennuyé, e [āŋɥije] adj [contrarié] annoyed.

ennuyer [14] [āŋɥije] vt 1. [lasser] to bore 2. [contrarier] to annoy. ◆ **s'ennuyer** vp to be bored.

ennuyeux, euse [āŋɥijø, øz] adj 1. [lassant] boring 2. [contrariant] annoying.

énorme [enɔrm] adj enormous.

énormément [enɔrmemā] adv enormously ▶ **énormément de** an awful lot of.

enquête [āket] nf 1. [policière] investigation 2. [sondage] survey.

enquêter [4] [ākete] vi : **enquêter (sur)** to inquire (into).

enragé, e [āraʒe] adj 1. [chien] rabid 2. [fanatique] fanatical.

enrayer [11] [āreje] vt [maladie, crise] to check.

enregistrement [ārəʒistrəmā] nm [musical] recording ▶ **enregistrement des bagages** baggage check-in.

enregistrer [3] [ārəʒistre] vt 1. to record 2. INFORM : **enregistrer (sous)** to save as 3. [bagages] to check in.

enrhumé, e [āryme] adj : **être enrhumé** to have a cold.

enrhumer [3] [āryme] ◆ **s'enrhumer** vp to catch a cold.

enrichir [32] [āriʃir] vt 1. to make rich 2. [collection] to enrich. ◆ **s'enrichir** vp to become rich.

enrobé, e [ārɔbe] adj : **enrobé de** coated with.

enroué, e [ārwe] adj hoarse.

enrouler [3] [ārule] vt to roll up. ◆ **s'enrouler** vp : **s'enrouler autour de qqch** to wind around sthg.

enseignant, e [āseɲā, āt] nm, f teacher.

enseigne [āseɲ] nf sign ▶ **enseigne lumineuse** neon sign.

enseignement [āseɲmā] nm 1. [éducation] education 2. [métier] teaching ▶ **enseignement primaire/secondaire/**

supérieur primary /secondary /higher education.

enseigner [4] [ɑ̃seɲe] vt & vi to teach ▸ **enseigner qqch à qqn** to teach sb sthg.

ensemble [ɑ̃sɑ̃bl] ◆ adv together. ◆ nm 1. set 2. [vêtement] suit ▸ **l'ensemble du groupe** the whole group ▸ **l'ensemble des touristes** all the tourists ▸ **dans l'ensemble** on the whole.

ensevelir [32] [ɑ̃səvlir] vt to bury.

ensoleillé, e [ɑ̃sɔleje] adj sunny.

ensuite [ɑ̃sɥit] adv then.

entaille [ɑ̃taj] nf 1. notch 2. [blessure] cut.

entamer [3] [ɑ̃tame] vt 1. to start 2. [bouteille] to open.

entasser [3] [ɑ̃tase] vt 1. [mettre en tas] to pile up 2. [serrer] to squeeze in. ◆ **s'entasser** vp [voyageurs] to pile in.

entendre [73] [ɑ̃tɑ̃dr] vt to hear ▸ **entendre dire que** to hear that ▸ **entendre parler de** to hear about. ◆ **s'entendre** vp [sympathiser] to get on ▸ **s'entendre bien avec qqn** to get on well with sb.

entendu, e [ɑ̃tɑ̃dy] adj [convenu] agreed ▸ **(c'est) entendu !** OK then! ▸ **bien entendu** of course.

entente [ɑ̃tɑ̃t] nf 1. [harmonie] understanding 2. [accord] agreement.

enterrement [ɑ̃tɛrmɑ̃] nm funeral ▸ **enterrement de vie de garçon /jeune fille** bachelor /hen party.

enterrer [4] [ɑ̃tere] vt to bury.

en-tête [ɑ̃tɛt] (pl **en-têtes**) nm heading ▸ **en-tête et pied de page** header and footer ▸ **papier à en-tête** headed paper.

en-tête et pied de page nm INFORM header and footer.

entêter [4] [ɑ̃tete] ◆ **s'entêter** vp to persist ▸ **s'entêter à faire qqch** to persist in doing sthg.

enthousiasme [ɑ̃tuzjasm] nm enthusiasm.

enthousiasmer [3] [ɑ̃tuzjasme] vt to fill with enthusiasm. ◆ **s'enthousiasmer pour** vp + prép to be enthusiastic about.

enthousiaste [ɑ̃tuzjast] adj enthusiastic.

entier, ère [ɑ̃tje, ɛr] adj 1. [intact] whole, entire 2. [total] complete 3. [lait] full-fat ▸ **dans le monde entier** in the whole world ▸ **pendant des journées entières** for days on end ▸ **en entier** in its entirety.

entièrement [ɑ̃tjɛrmɑ̃] adv completely.

entonnoir [ɑ̃tɔnwar] nm funnel.

entorse [ɑ̃tɔrs] nf MÉD sprain ▸ **se faire une entorse à la cheville** to sprain one's ankle.

entortiller [3] [ɑ̃tɔrtije] vt to twist.

entourage [ɑ̃turaʒ] nm 1. [famille] family 2. [amis] circle of friends.

entourer [3] [ɑ̃ture] vt 1. [cerner] to surround 2. [mot, phrase] to circle ▸ **entouré de** surrounded by.

entracte [ɑ̃trakt] nm interval.

entraider [4] [ɑ̃trede] ◆ **s'entraider** vp to help one another.

entrain [ɑ̃trɛ̃] nm : **avec entrain** with gusto ▸ **plein d'entrain** full of energy.

entraînant, e [ɑ̃trɛnɑ̃, ɑ̃t] adj catchy.

entraînement [ɑ̃trɛnmɑ̃] nm 1. [sportif] training 2. [pratique] practice ▸ **il manque d'entraînement** he lacks practice.

entraîner [4] [ãtrene] vt **1.** [emporter] to carry away **2.** [emmener] to drag along **3.** [provoquer] to lead to, to cause **4.** SPORT to coach. ◆ **s'entraîner** vp [sportif] to train ▸ **s'entraîner à faire qqch** to practise doing sthg.

entraîneur, euse [ãtrenœr, øz] nm, f SPORT coach.

entraver [3] [ãtrave] vt **1.** [mouvements] to hinder **2.** [circulation] to hold up.

entre [ãtr] prép between ▸ **entre amis** between friends ▸ **l'un d'entre nous** one of us.

entrebâiller [3] [ãtrəbaje] vt to open slightly.

entrechoquer [3] [ãtrəʃɔke] ◆ **s'entrechoquer** vp [verres] to chink.

entrecôte [ãtrəkot] nf entrecote (steak) ▸ **entrecôte à la bordelaise** grilled entrecote steak served with a red wine and shallot sauce.

entrée [ãtre] nf **1.** [accès] entry, entrance **2.** [pièce] (entrance) hall **3.** CULIN starter ▸ **'entrée gratuite'** 'admission free' ▸ **'entrée interdite'** 'no entry' ▸ **'entrée libre' a)** [dans un musée] 'admission free' **b)** [dans une boutique] 'browsers welcome'.

entremets [ãtrəme] nm dessert.

entreposer [3] [ãtrəpoze] vt to store.

entrepôt [ãtrəpo] nm warehouse.

entreprendre [79] [ãtrəprãdr] vt to undertake.

entrepreneur [ãtrəprənœr] nm [en bâtiment] contractor.

entrepris, e [ãtrəpri, iz] pp → **entreprendre.**

entreprise [ãtrəpriz] nf [société] company.

entrer [3] [ãtre] ◆ vi [aux être] to enter, to go /come in. ◆ vt [aux avoir & INFORM] to enter ▸ **entrez !** come in! ▸ **entrer dans a)** to enter, to go /come into **b)** [foncer dans] to bang into.

entre-temps [ãtrətã] adv meanwhile.

entretenir [40] [ãtrətnir] vt [maison, plante] to look after. ◆ **s'entretenir** vp : **s'entretenir (de qqch) avec qqn** to talk (about sthg) with sb.

entretenu, e [ãtrətəny] pp → **entretenir.**

entretien [ãtrətjẽ] nm **1.** [d'un jardin, d'une machine] upkeep **2.** [d'un vêtement] care **3.** [conversation] discussion **4.** [interview] interview ▸ **avoir /solliciter un entretien** to have /request an interview ▸ **entretien d'embauche** job interview ▸ **entretien téléphonique** telephone interview.

entrevue [ãtrəvy] nf meeting.

entrouvert, e [ãtruver, ert] adj half-open.

énumération [enymerasjɔ̃] nf list.

énumérer [18] [enymere] vt to list.

envahir [32] [ãvair] vt **1.** to invade **2.** [herbes] to overrun.

envahissant, e [ãvaisã, ãt] adj [personne] intrusive.

enveloppe [ãvlɔp] nf envelope.

enveloppé, e [ãvlɔpe] adj fam : **(un peu) enveloppé** [personne] (a bit) chubby.

envelopper [3] [ãvlɔpe] vt to wrap (up).

envers [ãver] ◆ prép towards. ◆ nm : **l'envers** the back ▸ **à l'envers a)** [devant derrière] back to front **b)** [en sens inverse] backwards.

envie [ãvi] nf **1.** [désir] desire **2.** [jalousie] envy ▸ **avoir envie de qqch** to feel like sthg ▸ **avoir envie de faire qqch** to feel like doing sthg.

envier [9] [ãvje] vt to envy.

environ [ãvirõ] adv about. ◆ **environs** nmpl surrounding area sg ▸ **aux environs de** a) [heure, nombre] round about b) [lieu] near ▸ **dans les environs** in the surrounding area.

environnant, e [ãvirɔnã, ãt] adj surrounding.

environnement [ãvirɔnmã] nm **1.** [milieu] background **2.** [nature] environment ▸ **protection de l'environnement** environmental protection.

envisager [17] [ãvizaʒe] vt to consider ▸ **envisager de faire qqch** to consider doing sthg.

envoi [ãvwa] nm [colis] parcel.

envoler [3] [ãvɔle] ◆ **s'envoler** vp **1.** [avion] to take off **2.** [oiseau] to fly away **3.** [feuilles] to blow away.

envoûtant, e [ãvutã, ãt] adj entrancing, bewitching.

envoyé, e [ãvwaje] nm, f envoy ▸ **envoyé spécial** special correspondent.

envoyer [30] [ãvwaje] vt **1.** to send **2.** [balle, objet] to throw ▸ **envoyer qqch à qqn** to send sb sthg.

épagneul [epaɲœl] nm spaniel.

épais, aisse [epɛ, ɛs] adj thick.

épaisseur [epɛsœr] nf thickness.

épaissir [32] [epesir] vi CULIN to thicken. ◆ **s'épaissir** vp to thicken.

épanouir [32] [epanwir] ◆ **s'épanouir** vp **1.** [fleur] to bloom **2.** [visage] to light up ▸ **s'épanouir dans son travail** to find one's job fulfilling.

épanouissant, e [epanwisã, ãt] adj fulfilling.

épargne [eparɲ] nf **1.** [fait d'économiser] saving **2.** [économies] savings pl ▸ **épargne salariale** employee savings.

épargner [3] [eparɲe] vt **1.** [argent] to save **2.** [ennemi, amour-propre] to spare ▸ **épargner qqch à qqn** to spare sb sthg.

éparpiller [3] [eparpije] vt to scatter. ◆ **s'éparpiller** vp to scatter.

épatant, e [epatã, ãt] adj splendid.

épater [3] [epate] vt to amaze.

épaule [epol] nf shoulder ▸ **épaule d'agneau** shoulder of lamb.

épaulette [epolɛt] nf **1.** [décoration] epaulet **2.** [rembourrage] shoulder pad.

épave [epav] nf wreck.

épée [epe] nf sword.

épeler [24] [eple] vt to spell.

éperon [eprõ] nm spur.

épi [epi] nm **1.** [de blé] ear **2.** [de maïs] cob **3.** [de cheveux] tuft ▸ **épi de maïs** corn on the cob ▸ **stationnement en épi** angle parking.

épice [epis] nf spice.

épicé, e [epise] adj spicy.

épicerie [episri] nf **1.** [denrées] groceries pl **2.** [magasin] grocer's (shop) ▸ **épicerie fine** delicatessen.

épicier, ière [episje, ɛr] nm, f grocer.

épidémie [epidemi] nf epidemic.

épier [9] [epje] vt to spy on.

épilatoire [epilatwar] adj hair-removing (avant n), depilatory.

épilepsie [epilɛpsi] nf epilepsy ▸ **crise d'épilepsie** epileptic fit.

épiler [3] [epile] vt **1.** [jambes] to remove unwanted hair from **2.** [sourcils] to pluck. ◆ **s'épiler** vp : **s'épiler les jambes** a) [gén] to remove the hair from one's legs b) [à la cire] to wax one's legs ▸ **s'épiler les sourcils** to pluck one's eyebrows.

épinards [epinar] nmpl spinach *sg.*

épine [epin] nf thorn ▸ **épine dorsale** spine.

épingle [epɛ̃gl] nf pin ▸ **épingle à cheveux** hairpin ▸ **épingle de nourrice** safety pin.

épinière [epinjɛr] adj f → **moelle**.

épisode [epizɔd] nm episode.

éplucher [3] [eplyʃe] vt to peel.

épluchures [eplyʃyr] nfpl peelings.

éponge [epɔ̃ʒ] nf **1.** sponge **2.** [tissu] towelling.

éponger [17] [epɔ̃ʒe] vt **1.** [liquide] to mop (up) **2.** [visage] to wipe.

époque [epɔk] nf period ▸ **à l'époque (de)** at the time (of).

épouse nf → **époux**.

épouser [3] [epuze] vt to marry.

épousseter [27] [epuste] vt to dust.

épouvantable [epuvɑ̃tabl] adj awful.

épouvantail [epuvɑ̃taj] nm scarecrow.

épouvante [epuvɑ̃t] nf → **film**.

épouvanter [3] [epuvɑ̃te] vt to terrify.

époux, épouse [epu, epuz] nm, f spouse.

épreuve [eprœv] nf **1.** [difficulté, malheur] ordeal **2.** [sportive] event **3.** [examen] paper.

éprouvant, e [epruvɑ̃, ɑ̃t] adj trying.

éprouver [3] [epruve] vt **1.** [ressentir] to feel **2.** [faire souffrir] to distress.

éprouvette [epruvɛt] nf test tube.

EPS nf (*abr de* éducation physique et sportive) PE (*physical education*).

épuisant, e [epɥizɑ̃, ɑ̃t] adj exhausting.

épuisé, e [epɥize] adj **1.** exhausted **2.** [article] sold out **3.** [livre] out of print.

épuiser [3] [epɥize] vt to exhaust.

épuisette [epɥizɛt] nf landing net.

équateur [ekwatœr] nm equator.

Équateur [ekwatœr] nm : **(la république de) l'Équateur** (the Republic of) Ecuador.

équation [ekwasjɔ̃] nf equation.

équerre [ekɛr] nf **1.** set square **2.** [en T] T-square.

équilibre [ekilibr] nm balance ▸ **en équilibre stable** ▸ **perdre l'équilibre** to lose one's balance.

équilibré, e [ekilibre] adj **1.** [mentalement] well-balanced **2.** [nourriture, repas] balanced.

équilibrer [3] [ekilibre] vt to balance. ◆ **s'équilibrer** vp to balance each other out.

équilibriste [ekilibrist] nmf tightrope walker.

équinoxe [ekinɔks] nm equinox ▸ **équinoxe de printemps /d'automne** spring /autumn [UK] ou fall [US] equinox.

équipage [ekipaʒ] nm crew ▸ **membre d'équipage** crew member.

équipe [ekip] nf team ▸ **équipe de nuit** night shift ▸ **équipe médicale** medical team.

équipé, e [ekipe] adj : **cuisine équipée** fitted kitchen.

équipement [ekipmɑ̃] nm equipment.

équiper [3] [ekipe] vt to equip.
◆ **s'équiper (de)** vp + prép to equip o.s. (with).

équipier, ère [ekipje, ɛr] nm, f **1.** SPORT team member **2.** NAUT crew member.

équitable [ekitabl] adj fair ▶ **commerce équitable** fair trade.

équitation [ekitasjɔ̃] nf (horse-)riding ▶ **faire de l'équitation** to go (horse-)riding.

équivalent, e [ekivalɑ̃, ɑ̃t] adj & nm equivalent.

équivaloir [60] [ekivalwar] vi : **ça équivaut à (faire)...** that is equivalent to (doing)...

érable [erabl] nm maple ▶ **sirop d'érable** maple syrup.

érafler [3] [erafle] vt to scratch.

éraflure [eraflyr] nf scratch.

érotique [erɔtik] adj erotic.

erreur [ɛrœr] nf mistake ▶ **faire une erreur** to make a mistake.

éruption [erypsjɔ̃] nf [de volcan] eruption ▶ **éruption cutanée** rash.

Érythrée [eritre] nf : **(l')Érythrée** Eritrea.

es [ɛ] 2ᵉ pers. du sg de l'ind. prés. → **être**.

escabeau [ɛskabo] (pl -x) nm stepladder.

escalade [ɛskalad] nf climbing.

escalader [3] [ɛskalade] vt to climb.

Escalator® [ɛskalatɔr] nm escalator.

escale [ɛskal] nf stop ▶ **faire escale (à)** a) [bateau] to put in (at) b) [avion] to make a stopover (at) ▶ **vol sans escale** direct flight.

escalier [ɛskalje] nm (flight of) stairs ▶ **les escaliers** the stairs ▶ **escalier roulant** escalator ▶ **escalier d'honneur** main staircase.

escalope [ɛskalɔp] nf escalope.

escapade [ɛskapad] nf [voyage] outing.

escargot [ɛskargo] nm snail.

escarpé, e [ɛskarpe] adj steep.

escarpin [ɛskarpɛ̃] nm court shoe.

esclaffer [3] [ɛsklafe] ◆ **s'esclaffer** vp to burst out laughing.

esclavage [ɛsklavaʒ] nm slavery.

esclave [ɛsklav] nmf slave.

escorte [ɛskɔrt] nf escort.

escrime [ɛskrim] nf fencing.

escroc [ɛskro] nm swindler.

escroquerie [ɛskrɔkri] nf swindle.

espace [ɛspas] nm space ▶ **en l'espace de** in the space of ▶ **espace fumeurs** smoking area ▶ **espace non-fumeurs** non-smoking area ▶ **espaces verts** open spaces.

espacement [ɛspasmɑ̃] nm : **barre d'espacement** INFORM space bar.

espacer [16] [ɛspase] vt to space out.

espadon [ɛspadɔ̃] nm swordfish.

espadrille [ɛspadrij] nf espadrille.

Espagne [ɛspaɲ] nf : **l'Espagne** Spain.

espagnol, e [ɛspaɲɔl] ◆ adj Spanish. ◆ nm [langue] Spanish. ◆ **Espagnol, e** nm, f Spaniard ▶ **les Espagnols** the Spanish.

espèce [ɛspɛs] nf [race] species ▶ **une espèce de** a kind of ▶ **espèce d'imbécile !** you stupid idiot! ◆ **espèces** nfpl cash sg ▶ **en espèces** in cash.

espérer [18] (espere) vt to hope for ▸ **espérer faire qqch** to hope to do sthg ▸ **espérer que** to hope (that) ▸ **j'espère (bien)** ! I hope so!

espion, onne [espjɔ̃, ɔn] nm, f spy.

espionnage [espjɔnaʒ] nm spying ▸ **film / roman d'espionnage** spy film / novel.

espionner [3] (espjɔne) vt to spy on.

esplanade [esplanad] nf esplanade.

espoir [espwar] nm hope.

esprit [espri] nm **1.** [pensée] mind **2.** [humour] wit **3.** [caractère, fantôme] spirit.

Esquimau, aude, x [eskimo, od] nm, f Eskimo ▸ **Esquimau®** [glace] choc-ice on a stick UK, Eskimo US.

esquisser [3] (eskise) vt [dessin] to sketch ▸ **esquisser un sourire** to half-smile.

esquiver [3] (eskive) vt to dodge.

essai [ese] nm **1.** [test] test **2.** [tentative] attempt **3.** [littéraire] essay **4.** SPORT try ▸ **à l'essai** [objet] on trial ▸ **être à l'essai** [employé] to be on trial.

essaim [esɛ̃] nm swarm.

essayage [esejaʒ] nm → **cabine.**

essayer [11] (eseje) vt **1.** [vêtement, chaussures] to try on **2.** [tester] to try out **3.** [tenter] to try ▸ **essayer de faire qqch** to try to do sthg.

essence [esɑ̃s] nf petrol UK, gas US ▸ **essence sans plomb** unleaded (petrol).

essentiel, elle [esɑ̃sjɛl] ◆ adj essential. ◆ nm : **l'essentiel a)** [le plus important] the main thing **b)** [le minimum] the essentials pl.

essieu [esjø] (pl -x) nm axle.

essorage [esɔraʒ] nm [sur un lave-linge] spin cycle.

essorer [3] (esɔre) vt to spin-dry.

essoufflé, e (esufle) adj out of breath.

essouffler [3] (esufle) ◆ **s'essouffler** vp to be breathless ou out of breath ; *fig* to run out of steam.

essuie-glace [esɥiglas] (pl essuie-glaces) nm windscreen wiper UK, windshield wiper US.

essuie-mains [esɥimɛ̃] nm inv hand towel.

essuie-tout [esɥitu] nm paper towels, kitchen roll UK.

essuyer [14] (esɥije) vt **1.** [sécher] to dry **2.** [enlever] to wipe up. ◆ **s'essuyer** vp to wipe o.s. ▸ **s'essuyer les mains** to dry one's hands.

est¹ [ɛ] 3ᵉ pers. du sg de l'ind. prés. → **être.**

est² [ɛst] ◆ adj inv east, eastern. ◆ nm east ▸ **à l'est** in the east ▸ **à l'est de** east of ▸ **l'Est a)** [l'est de la France] the East (of France) **b)** [l'Alsace et la Lorraine] *north-eastern part of France.*

est-ce que [ɛskə] adv : **est-ce qu'il est là** ? is he there? ▸ **est-ce que tu as mangé** ? have you eaten? ▸ **comment est-ce que ça s'est passé** ? how did it go?

esthéticienne [ɛstetisjɛn] nf beautician.

esthétique [ɛstetik] adj [beau] attractive.

estimation [ɛstimasjɔ̃] nf **1.** [de dégâts] estimate **2.** [d'un objet d'art] valuation.

estimer [3] (ɛstime) vt **1.** [dégâts] to estimate **2.** [objet d'art] to value **3.** [respecter] to respect ▸ **estimer que** to think that.

estival, e, aux [εstival, o] adj summer *(avant n)*.

estivant, e [εstivã, ãt] nm, f holidaymaker 🇬🇧, vacationer 🇺🇸.

estomac [εstɔma] nm stomach ▸ **avoir des brûlures d'estomac** to have heartburn.

Estonie [εstɔni] nf : **l'Estonie** Estonia.

estrade [εstrad] nf platform.

estragon [εstragõ] nm tarragon.

estuaire [εstyεr] nm estuary.

et [e] conj and ▸ **et après?** [pour défier] so what? ▸ **je l'aime bien, et toi?** I like him, what about you? ▸ **vingt et un** twenty-one.

étable [etabl] nf cowshed.

établi [etabli] nm workbench.

établir [32] [etablir] vt 1. [commerce, entreprise] to set up 2. [liste, devis] to draw up 3. [contacts] to establish. ◆ **s'établir** vp 1. [emménager] to settle 2. [professionnellement] to set o.s. up (in business) 3. [se créer] to build up.

établissement [etablismã] nm establishment ▸ **établissement scolaire** school.

étage [etaʒ] nm 1. floor 2. [couche] tier ▸ **au premier étage** on the first floor 🇬🇧, on the second floor 🇺🇸 ▸ **à l'étage** upstairs.

étagère [etaʒεr] nf 1. shelf 2. [meuble] (set of) shelves.

étain [etɛ̃] nm tin.

étais [etε] 1ʳᵉ et 2ᵉ pers. du sg de l'ind. imparfait → **être**.

étal [etal] nm [sur les marchés] stall.

étalage [etalaʒ] nm [vitrine] display.

étaler [3] [etale] vt 1. to spread (out) 2. [beurre, confiture] to spread.

◆ **s'étaler** vp [se répartir] to be spread ▸ **mon stage s'étale sur six mois** my internship runs for six months.

étanche [etãʃ] adj 1. [montre] waterproof 2. [joint] watertight.

étang [etã] nm pond.

étant [etã] p prés → **être**.

étape [etap] nf 1. [période] stage 2. [lieu] stop ▸ **faire étape à** to stop off at.

état [eta] nm state, condition ▸ **en état (de marche)** in working order ▸ **en bon état** in good condition ▸ **en mauvais état** in poor condition ▸ **état civil** [d'une personne] personal details ▸ **état d'esprit** state of mind. ◆ **État** nm POL state.

États-Unis [etazyni] nmpl : **les États-Unis** the United States.

etc. *(abr écrite de* **et cetera)** etc.

et cetera [εtsetera] adv et cetera.

été¹ [ete] pp → **être**.

été² [ete] nm summer ▸ **en été** in (the) summer.

éteindre [81] [etɛ̃dr] vt 1. [lumière, appareil] to turn off 2. [cigarette, incendie] to put out. ◆ **s'éteindre** vp to go out.

éteint, e [etɛ̃, ɛ̃t] pp & 3ᵉ pers. du sg de l'ind. prés. → **éteindre**.

étendre [73] [etãdr] vt 1. [nappe, carte] to spread (out) 2. [linge] to hang out 3. [jambe, personne] to stretch (out). ◆ **s'étendre** vp 1. [se coucher] to lie down 2. [être situé] to stretch 3. [se propager] to spread.

étendu, e [etãdy] adj [grand] extensive.

étendue [etãdy] nf area ▸ **l'étendue des dégâts** the scope of the damage.

éternel, elle [etεrnεl] adj eternal.

éternité [eternite] nf eternity ▸ **cela fait une éternité que...** it's been ages since...

éternuement [eternymã] nm sneeze.

éternuer [7] [eternye] vi to sneeze.

êtes [et] 2ᵉ pers. du pl de l'ind. prés. → **être**.

ethernet [etɛrnɛt] nm : **port ethernet** Ethernet port.

Éthiopie [etjɔpi] nf : **(l')Éthiopie** Ethiopia.

étinceler [24] [etɛ̃sle] vi to sparkle.

étincelle [etɛ̃sɛl] nf spark.

étiquette [etiket] nf label.

étirer [3] [etire] vt to stretch (out). ◆ **s'étirer** vp to stretch.

étoffe [etɔf] nf material.

étoile [etwal] nf star ▸ **hôtel deux / trois étoiles** two- / three-star hotel ▸ **dormir à la belle étoile** to sleep out in the open ▸ **étoile de mer** starfish.

étoilé, e [etwale] adj **1.** [ciel, nuit] starry **2.** [vitre, pare-brise] shattered ▸ **la bannière étoilée** the Star-Spangled Banner.

étonnant, e [etɔnɑ̃, ɑ̃t] adj amazing.

étonné, e [etɔne] adj surprised.

étonnement [etɔnmɑ̃] nm astonishment, surprise.

étonner [3] [etɔne] vt to surprise ▸ **ça m'étonnerait (que)** I would be surprised (if) ▸ **tu m'étonnes !** fam I'm not surprised! ◆ **s'étonner** vp : **s'étonner que** to be surprised that.

étouffant, e [etufɑ̃, ɑ̃t] adj stifling.

étouffer [3] [etufe] vt **1.** to suffocate **2.** [bruit] to muffle. ◆ vi **1.** [manquer d'air] to choke **2.** [avoir chaud] to suffocate. ◆ **s'étouffer** vp **1.** to choke **2.** [mourir] to choke to death.

étourderie [eturdəri] nf [caractère] thoughtlessness ▸ **faire une étourderie** to make a careless mistake.

étourdi, e [eturdi] adj [distrait] scatterbrained.

étourdir [32] [eturdir] vt **1.** [assommer] to daze **2.** [donner le vertige à] to make dizzy.

étourdissement [eturdismɑ̃] nm dizzy spell.

étrange [etrɑ̃ʒ] adj strange.

étranger, ère [etrɑ̃ʒe, ɛr] ◆ adj **1.** [ville, coutume] foreign **2.** [inconnu] unfamiliar. ◆ nm, f **1.** [d'un autre pays] foreigner **2.** [inconnu] stranger. ◆ nm : **à l'étranger** abroad.

étrangler [3] [etrɑ̃gle] vt to strangle. ◆ **s'étrangler** vp to choke.

être [2] [etr] ◆ vi **1.** [pour décrire] to be ▸ **être content** to be happy ▸ **je suis architecte** I'm an architect **2.** [pour désigner le lieu, l'origine] to be ▸ **nous serons à Naples / à la maison à partir de demain** we will be in Naples / at home from tomorrow onwards ▸ **d'où êtes-vous ?** where are you from? **3.** [pour donner la date] : **quel jour sommes-nous ?** what day is it? ▸ **c'est jeudi** it's Thursday **4.** [aller] : **j'ai été trois fois en Écosse** I've been to Scotland three times **5.** [pour exprimer l'appartenance] : **être à qqn** to belong to sb ▸ **cette voiture est à vous ?** is this your car? ▸ **c'est à Daniel** it's Daniel's ◆ v impers **1.** [pour désigner le moment] : **il est huit heures / tard** it's eight o'clock / late **2.** [avec un adjectif ou un participe passé] : **il est difficile de savoir si...** it is difficult to know whether... ▸ **il est recommandé de**

réserver à l'avance advance booking is recommended
◆ v aux **1.** [pour former le passé composé] to have /to be ▶ **nous sommes partis hier** we left yesterday ▶ **je suis née en 1976** I was born in 1976 ▶ **tu t'es coiffé ?** have you brushed your hair? **2.** [pour former le passif] to be ▶ **le train a été retardé** the train was delayed
◆ nm [créature] being ▶ **être humain** human being.

étrenner [4] [etrene] vt to use for the first time.

étrennes [etren] nfpl ≃ Christmas bonus.

étrier [etrije] nm stirrup.

étroit, e [etrwa, at] adj **1.** [rue, siège] narrow **2.** [vêtement] tight ▶ **on est à l'étroit ici** it's cramped in here.

étude [etyd] nf **1.** study **2.** [salle d'école] study room **3.** [de notaire] office. ◆ **études** nfpl studies ▶ **faire des études (de)** to study.

étudiant, e [etydjã, ãt] adj & nm, f student.

étudier [9] [etydje] vt & vi to study.

étui [etɥi] nm case.

eu, e [y] pp → **avoir**.

euh [ø] interj er.

euro [øʀo] nm euro ▶ **zone euro** euro zone, euro area.

eurochèque [øʀoʃɛk] nm Eurocheque.

Europe [øʀɔp] nf : **l'Europe** Europe ▶ **l'Europe de l'Est** Eastern Europe.

européen, enne [øʀopeẽ, ɛn] adj European. ◆ **Européen, enne** nm, f European.

Eurostar® [øʀostaʀ] nm Eurostar®.

eux [ø] pron **1.** [après préposition ou comparaison] them **2.** [pour insister] they ▶ **eux-êmes** themselves.

évacuer [7] [evakɥe] vt **1.** to evacuate **2.** [liquide] to drain.

évader [3] [evade] ◆ **s'évader** vp to escape.

évaluer [7] [evalɥe] vt **1.** [dégâts] to estimate **2.** [tableau] to value.

Évangile [evãʒil] nm [livre] Gospel ▶ **l'Évangile selon Saint Jean** the Gospel according to John.

évanouir [32] [evanwiʀ] ◆ **s'évanouir** vp to faint.

évanouissement [evanwismã] nm fainting fit.

évaporer [3] [evapoʀe] ◆ **s'évaporer** vp to evaporate.

évasé, e [evaze] adj flared.

évasion [evazjɔ̃] nf escape.

éveillé, e [eveje] adj [vif] alert.

éveiller [4] [eveje] vt **1.** [soupçons, attention] to arouse **2.** [intelligence, imagination] to awaken. ◆ **s'éveiller** vp [sensibilité, curiosité] to be aroused.

événement [evenmã] nm event.

éventail [evãtaj] nm **1.** fan **2.** [variété] range.

éventrer [3] [evãtʀe] vt **1.** to disembowel **2.** [ouvrir] to rip open.

éventuel, elle [evãtɥɛl] adj possible.

éventuellement [evãtɥɛlmã] adv possibly.

⚠ Eventually est un faux ami, il signifie **finalement** et non « éventuellement ».

évêque [evɛk] nm bishop.

évidemment [evidamɑ̃] adv obviously.

évident, e [evidɑ̃, ɑ̃t] adj obvious ▸ c'est pas évident ! [pas facile] it's not (that) easy!

évier [evje] nm sink.

évitement [evitmɑ̃] nm **Rail** [déviation] diversion.

éviter [3] [evite] vt to avoid ▸ éviter qqch à qqn to spare sb sthg ▸ éviter de faire qqch to avoid doing sthg.

évolué, e [evolɥe] adj **1.** [pays] advanced **2.** [personne] broad-minded.

évoluer [7] [evolɥe] vi **1.** to change **2.** [maladie] to develop.

évolution [evolysjɔ̃] nf development.

évoquer [3] [evoke] vt **1.** [faire penser à] to evoke **2.** [mentionner] to mention.

ex [ɛks] nmf ex.

ex- [ɛks] préf [ancien] ex-.

exact, e [ɛgzakt] adj **1.** [correct] correct **2.** [précis] exact **3.** [ponctuel] punctual ▸ c'est exact [c'est vrai] that's right.

exactement [ɛgzaktəmɑ̃] adv exactly.

exactitude [ɛgzaktityd] nf **1.** [accuracy] accuracy **2.** [ponctualité] punctuality.

ex aequo [ɛgzeko] adj inv equal ▸ ils ont terminé ex aequo they finished with the same score.

exagérer [18] [ɛgzaʒere] vt & vi to exaggerate.

exam [ɛgzam] nm fam SCOL [à l'université] exam.

examen [ɛgzamɛ̃] nm **1.** [médical] examination **2.** SCOL exam ▸ examen blanc mock exam **UK**, practise test **US**.

examinateur, trice [ɛgzaminatœr, tris] nm, f examiner.

examiner [3] [ɛgzamine] vt to examine.

exaspérer [18] [ɛgzaspere] vt to exasperate.

excédent [ɛksedɑ̃] nm surplus ▸ excédent de bagages excess baggage.

excéder [18] [ɛksede] vt **1.** [dépasser] to exceed **2.** [énerver] to exasperate.

excellent, e [ɛkselɑ̃, ɑ̃t] adj excellent.

excentrique [ɛksɑ̃trik] adj [extravagant] eccentric.

excepté [ɛksɛpte] prép except.

exception [ɛksɛpsjɔ̃] nf exception ▸ faire une exception to make an exception ▸ à l'exception de with the exception of ▸ sans exception without exception.

exceptionnel, elle [ɛksɛpsjɔnɛl] adj exceptional.

excès [ɛksɛ] ◆ nm excess. ◆ nmpl : faire des excès to eat and drink too much ▸ excès de vitesse speeding sg.

excessif, ive [ɛksesif, iv] adj **1.** excessive **2.** [personne, caractère] extreme.

excitant, e [ɛksitɑ̃, ɑ̃t] ◆ adj exciting. ◆ nm stimulant.

excitation [ɛksitasjɔ̃] nf excitement.

exciter [3] [ɛksite] vt to excite.

exclamation [ɛksklamasjɔ̃] nf exclamation.

exclamer [3] [ɛksklame] ◆ s'exclamer vp to exclaim.

exclure [96] [ɛksklyr] vt **1.** [ne pas compter] to exclude **2.** [renvoyer] to expel.

exclusif, ive [ɛksklyzif, iv] adj **1.** [droit, interview] exclusive **2.** [personne] possessive.

exclusion [ɛksklyzjɔ̃] nf [renvoi] expulsion ▸ **à l'exclusion de** to the exclusion of.

exclusivité [ɛksklyzivite] nf [d'un film, d'une interview] exclusive rights pl ▸ **en exclusivité** [film] on general release.

excursion [ɛkskyrsjɔ̃] nf excursion.

excuse [ɛkskyz] nf excuse. ◆ **excuses** nfpl : **faire des excuses à qqn** to apologize to sb.

excuser [3] [ɛkskyze] vt to excuse ▸ **excusez-moi a)** [pour exprimer ses regrets] I'm sorry **b)** [pour interrompre] excuse me. ◆ **s'excuser** vp to apologize ▸ **s'excuser de faire qqch** to apologize for doing sthg.

exécutable [ɛgzekytabl] nm INFORM executable.

exécuter [3] [ɛgzekyte] vt **1.** [travail, ordre] to carry out **2.** [œuvre musicale] to perform **3.** [personne] to execute.

exécution [ɛgzekysjɔ̃] nf execution.

exemplaire [ɛgzɑ̃plɛr] nm copy.

exemple [ɛgzɑ̃pl] nm example ▸ **par exemple** for example.

exercer [16] [ɛgzɛrse] vt **1.** to exercise **2.** [voix, mémoire] to train ▸ **exercer le métier d'infirmière** to work as a nurse. ◆ **s'exercer** vp [s'entraîner] to practise ▸ **s'exercer à faire qqch** to practise doing sthg.

exercice [ɛgzɛrsis] nm exercise ▸ **faire de l'exercice** to exercise.

exfoliant, e [ɛksfɔljɑ̃, ɑ̃t] adj exfoliating (avant n). ◆ **exfoliant** nm exfoliant.

exigeant, e [ɛgziʒɑ̃, ɑ̃t] adj demanding.

exigence [ɛgziʒɑ̃s] nf [demande] demand.

exiger [17] [ɛgziʒe] vt **1.** to demand **2.** [avoir besoin de] to require.

exil [ɛgzil] nm exile ▸ **en exil** exiled.

exiler [3] [ɛgzile] ◆ **s'exiler** vp to go into exile.

existant, e [ɛgzistɑ̃, ɑ̃t] adj existing, current.

existence [ɛgzistɑ̃s] nf existence.

exister [3] [ɛgziste] vi to exist ▸ **il existe** [il y a] there is /are.

exorbitant, e [ɛgzɔrbitɑ̃, ɑ̃t] adj exorbitant.

exorciste [ɛgzɔrsist] nmf exorcist.

exotique [ɛgzɔtik] adj exotic.

expatrier [10] [ɛkspatrije] ◆ **s'expatrier** vp to leave one's country.

expédier [9] [ɛkspedje] vt to send.

expéditeur, trice [ɛkspeditœr, tris] nm, f sender.

expédition [ɛkspedisjɔ̃] nf **1.** [voyage] expedition **2.** [envoi] dispatch.

expérience [ɛksperjɑ̃s] nf **1.** experience **2.** [scientifique] experiment ▸ **expérience (professionnelle)** experience.

expérimenté, e [ɛksperimɑ̃te] adj experienced.

expert [ɛkspɛr] nm expert.

expertiser [3] [ɛkspɛrtize] vt to value.

expiration [ɛkspirasjɔ̃] nf **1.** [d'air] exhalation **2.** [de contrat] expiry UK, expiration US ▸ **arriver à expiration** to expire ▸ **date d'expiration** expiry UK ou expiration US date.

expirer [3] [ɛkspire] vi **1.** [souffler] to breathe out **2.** [finir] to expire.

explication [ɛksplikasjɔ̃] nf **1.** explanation **2.** [discussion] discussion ▸ **explication de texte** commentary on a text.

explicite [ɛksplisit] adj explicit.

expliquer [3] [ɛksplike] vt to explain ▸ **expliquer qqch à qqn** to explain sthg to sb. ◆ **s'expliquer** vp to explain o.s.

exploit [ɛksplwa] nm exploit.

exploitation [ɛksplwatasjɔ̃] nf 1. [d'une terre, d'une mine] working 2. [de personnes] exploitation ▸ **exploitation (agricole)** farm.

exploiter [3] [ɛksplwate] vt 1. [terre, mine] to work 2. [personnes, naïveté] to exploit.

exploration [ɛksplɔrasjɔ̃] nf exploration.

explorer [3] [ɛksplɔre] vt to explore.

exploser [3] [ɛksploze] vi to explode.

explosif, ive [ɛksplozif, iv] adj & nm explosive.

explosion [ɛksplozjɔ̃] nf 1. explosion 2. *fig* [de colère, de joie] outburst.

expo [ɛkspo] nf *fam* exhibition.

export [ɛkspɔʀ] nm INFORM exporting.

exportation [ɛkspɔrtasjɔ̃] nf export.

exporter [3] [ɛkspɔrte] vt to export.

exposé, e [ɛkspoze] ◆ adj [en danger] exposed. ◆ nm 1. account 2. SCOL presentation ▸ **exposé au sud** southfacing ▸ **une maison bien exposée** a house which gets a lot of sun.

exposer [3] [ɛkspoze] vt 1. [tableaux] to exhibit 2. [théorie, motifs] to explain. ◆ **s'exposer à** vp + prép 1. [risquer de] to leave oneself exposed ou open to 2. [au soleil] to expose oneself to ▸ **ne vous exposez pas entre**

midi et deux stay out of the sun between 12 and 2.

exposition [ɛkspozisjɔ̃] nf 1. exhibition 2. [d'une maison] orientation.

exprès¹ [ɛksprɛ] ◆ adj inv [lettre] special delivery. ◆ nm : **par exprès** (by) special delivery.

exprès² [ɛksprɛ] adv 1. [volontairement] on purpose, deliberately 2. [spécialement] specially ▸ **faire exprès de faire qqch** to do sthg deliberately ou on purpose.

express [ɛksprɛs] nm 1. [café] = **expresso** 2. : **(train) express** express (train).

expressif, ive [ɛkspresif, iv] adj expressive.

expression [ɛkspresjɔ̃] nf expression ▸ **expression écrite** written language ▸ **expression orale** oral language.

expresso [ɛkspreso] nm expresso.

exprimer [3] [ɛksprime] vt [idée, sentiment] to express. ◆ **s'exprimer** vp [parler] to express o.s.

expulser [3] [ɛkspylse] vt to expel.

expulsion [ɛkspylsjɔ̃] nf expulsion ; [de locataire] eviction.

exquis, e [ɛkski, iz] adj [délicieux] exquisite.

extensible [ɛkstɑ̃sibl] adj [vêtement] stretchy ▸ **mémoire extensible à 4 Go** memory extending to 4 GB.

exténué, e [ɛkstenye] adj exhausted.

extérieur, e [ɛksterjœr] ◆ adj 1. [escalier, poche] outside 2. [surface] outer 3. [commerce, politique] foreign 4. [gentillesse, calme] outward. ◆ nm 1. outside 2. [apparence] exterior ▸ **à l'extérieur** outside ▸ **jouer à l'extérieur** SPORT to play away ▸ **à l'extérieur de** outside.

exterminer [3] [εkstεrmine] vt to exterminate.

externat [εkstεrna] nm day school.

externe [εkstεrn] ◆ adj external. ◆ nmf [élève] day pupil.

extincteur [εkstɛ̃ktœr] nm (fire) extinguisher.

extinction [εkstɛ̃ksjɔ̃] nf 1. [voix] : **extinction de voix** loss of voice 2. [animal] : **en voie d'extinction** endangered.

extra [εkstra] ◆ adj inv 1. [qualité] first-class 2. fam [formidable] great. ◆ préf [très] extra.

extraconjugal, e, aux [εkstrakɔ̃-ʒygal, o] adj extramarital.

extrafin, e [εkstrafɛ̃, in] adj extra(-) fine.

extraire [112] [εkstrεr] vt to extract ▸ **extraire qqn /qqch de** to extract sb / sthg from.

extrait [εkstrε] nm extract ▸ **extrait de casier judiciaire** copy of criminal record.

extraordinaire [εkstraɔrdinεr] adj 1. [incroyable] incredible 2. [excellent] wonderful.

extrascolaire [εkstraskɔlεr] adj out-of-school (modificateur).

extravagant, e [εkstravagɑ̃, ɑ̃t] adj extravagant.

extraverti, e [εkstravεrti] nm, f & adj extrovert.

extrême [εkstrεm] adj & nm extreme ▸ **l'Extrême-Orient** the Far East.

extrêmement [εkstrεmmɑ̃] adv extremely.

extrémité [εkstremite] nf end.

F (abr écrite de franc, Fahrenheit) F.

fa [fa] nm inv MUS F ; [chanté] fa, fah UK.

fable [fabl] nf fable.

fabricant [fabrikɑ̃] nm manufacturer.

fabrication [fabrikasjɔ̃] nf manufacture ▸ **fabrication artisanale** hand made.

fabrique [fabrik] nf factory.

fabriquer [3] [fabrike] vt 1. to make 2. [produit] to manufacture ▸ **mais qu'est-ce que tu fabriques ?** fam what are you up to?

fabuleux, euse [fabylø, øz] adj 1. [énorme] enormous 2. [excellent] tremendous.

fac [fak] nf fam college ▸ **je suis en deuxième année de fac** I'm in my final year at college.

façade [fasad] nf facade.

face [fas] nf 1. [côté] side 2. [d'une pièce] heads sg 3. [visage] face ▸ **faire face à** a) [être devant] to face b) [affronter] to face up to ▸ **de face** from the front ▸ **en face (de)** opposite ▸ **face à face** face to face.

fâché, e [faʃe] adj 1. angry 2. [brouillé] on bad terms ▸ **ils sont fâchés** they had a falling out.

fâcher [3] [faʃe] ◆ **se fâcher** vp 1. to get angry 2. [se brouiller] to quarrel.

facile [fasil] adj 1. easy 2. [aimable] easygoing.

facilement [fasilmɑ̃] adv easily.

facilité [fasilite] nf [aisance] ease. ◆ **facilités** nfpl 1. [capacités] ability, aptitude 2. FIN facilities ▸ **avoir des facilités** to have ability ou aptitude ▸ **facilités de paiement** payment facilities.

faciliter [3] [fasilite] vt to make easier.

façon [fasɔ̃] nf way ▸ **de façon (à ce) que** so that ▸ **de toute façon** anyway ▸ **non merci, sans façon** no thank you. ◆ **façons** nfpl [comportement] manners ▸ **faire des façons** [être maniéré] to put on airs.

facteur, trice [faktœr, tris] ◆ nm, f postman (postwoman) UK, mailman (mailwoman) US. ◆ nm factor.

facture [faktyr] nf bill, invoice.

facturer [3] [faktyre] vt to invoice.

facturette [faktyrɛt] nf (credit card sales) receipt.

facultatif, ive [fakyltatif, iv] adj optional.

faculté [fakylte] nf 1. [université] faculty 2. [possibilité] right.

fade [fad] adj 1. [aliment] bland 2. [couleur] dull.

fagot [fago] nm bundle of sticks.

FAI (abr de Fournisseur d'accès Internet) nm IAP (Internet Adress Provider).

faible [fɛbl] ◆ adj 1. weak 2. [son, lumière] faint 3. [revenus, teneur] low 4. [quantité, volume] small. ◆ nm : avoir

un faible pour qqch to have a weakness for sthg ▸ **avoir un faible pour qqn** to have a soft spot for sb.

faiblement [fɛbləmɑ̃] adv 1. weakly 2. [augmenter] slightly.

faiblesse [fɛblɛs] nf weakness.

faiblir [32] [feblir] vi 1. [physiquement] to get weaker 2. [son] to get fainter 3. [lumière] to fade.

faïence [fajɑ̃s] nf earthenware.

faille [faj] nf 1. [du terrain] fault 2. [défaut] flaw.

faillir [46] [fajir] vi : **il a failli tomber** he nearly fell over.

faillite [fajit] nf bankruptcy ▸ **faire faillite** to go bankrupt.

faim [fɛ̃] nf hunger ▸ **avoir faim** to be hungry.

fainéant, e [feneɑ̃, ɑ̃t] ◆ adj lazy. ◆ nm, f layabout.

faire [109] [fɛr] ◆ vt 1. [fabriquer, préparer] to make ▸ **elle a fait un gâteau** she made a cake 2. [effectuer] to do ▸ **faire une promenade** to go for a walk 3. [arranger, nettoyer] : **faire son lit** to make one's bed ▸ **faire la vaisselle** to wash up ▸ **faire ses valises** to pack (one's bags) 4. [s'occuper à] to do ▸ **que faites-vous comme métier ?** what do you do for a living? 5. [sport, musique, discipline] to do ▸ **faire des études** to study ▸ **faire du piano** to play the piano 6. [provoquer] : **faire du bruit** to make noise ▸ **faire mal à qqn** to hurt sb ▸ **faire de la peine à qqn** to upset sb 7. [imiter] : **faire l'imbécile** to act the fool 8. [parcourir] to do ▸ **nous avons fait 150 km en deux heures** we did 100 miles in two hours ▸ **faire du 80 (à l'heure)** to do 50 (miles an hour)

falaise **Fal**

9. [avec un prix] **: ça fait combien ?** how much is it? ▸ **ça fait 20 euros** that will be 20 euros **10.** [avec des mesures] to be ▸ **je fais 1,68 m** I'm 1.68 m tall ▸ **je fais du 40** I take a size 40 **11.** MATH **: 10 et 3 font 13** 10 and 3 are ou make 13 **12.** [dire] to say ▸ **il m'a fait : « Ah bon ? »** he said to me: "Really?" **13.** [dans des expressions] **: ça ne fait rien** never mind ▸ **il ne fait que pleuvoir** it's always raining ▸ **qu'est-ce que ça peut te faire ?** what's it to do with you? ▸ **qu'est-ce que j'ai fait de mes clefs ?** what have I done with my keys?

◆ vi **1.** [agir] **: vas-y, mais fais vite** go on, but be quick ▸ **vous feriez mieux de...** you'd better ▸ **faites comme chez vous** make yourself at home **2.** [avoir l'air] **: faire jeune/vieux** to look young/old

◆ v impers **1.** [climat, température] **: il fait chaud/-2 °C** it's hot/-2 °C **2.** [exprime la durée] **: ça fait trois jours que nous avons quitté Rouen** it's three days since we left Rouen ▸ **ça fait dix ans que j'habite ici** I've lived here for ten years

◆ v aux **1.** [indique que l'on provoque une action] to make ▸ **faire cuire qqch** to cook sthg ▸ **faire tomber qqch** to make sthg fall **2.** [indique qu'on commande une action] **: faire faire qqch (par qqn)** to get sthg done (by sb) ▸ **faire nettoyer un vêtement** to have a garment cleaned

◆ v substitut to do ▸ **on lui a conseillé de réserver mais il ne l'a pas fait** he was advised to book, but he didn't

◆ **faire suivre** vt to forward.

◆ **se faire** vp **1.** [être convenable, à la mode] **: ça se fait** a) [c'est convenable] it's polite b) [c'est à la mode] it's fashionable ▸ **ça ne se fait pas** a) [ce n'est

pas convenable] it's not done b) [ce n'est pas à la mode] it's not fashionable **2.** [avoir, provoquer] **: se faire des amis** to make friends ▸ **se faire mal** to hurt o.s. **3.** [avec un infinitif] **: se faire couper les cheveux** to have one's hair cut ▸ **se faire opérer** to have an operation ▸ **je me suis fait arrêter par la police** I was stopped by the police **4.** [devenir] **: se faire vieux** to get old ▸ **il se fait tard** it's getting late **5.** [dans des expressions] **: comment se fait-il que... ?** how come...? ▸ **ne t'en fais pas** don't worry.

◆ **se faire à** vp + prép [s'habituer à] to get used to.

faire-part [fɛʀpaʀ] nm inv announcement ▸ **faire-part de mariage** wedding announcement ▸ **faire-part de décès** death notice.

fais [fɛ] 1re et 2e pers. de l'ind. prés. → **faire**.

faisable [fəzabl] adj feasible.

faisan [fəzɑ̃] nm pheasant.

faisant [fəzɑ̃] p prés → **faire**.

faisons [fəzɔ̃] 1re pers. du pl de l'ind. prés. → **faire**.

fait, e [fɛ, fɛt] ◆ pp & 3e pers. de l'ind. prés. → **faire**. ◆ adj **1.** [tâche] done **2.** [objet, lit] made **3.** [fromage] ripe. ◆ nm fact ▸ **(c'est) bien fait !** it serves you/him right ! ▸ **faits divers** minor news stories ▸ **au fait** [à propos] by the way ▸ **du fait de** because of ▸ **en fait** in fact ▸ **prendre qqn sur le fait** to catch sb in the act.

faites [fɛt] 2e pers. du pl de l'ind. prés. → **faire**.

fait-tout [fɛtu] nm inv cooking pot.

falaise [falɛz] nf cliff.

falloir [69] [falwar] v impers : **il faut du courage pour faire ça** you need courage to do that ▸ **il faut y aller** ou **que nous y allions** we must go ▸ **il me faut 2 kilos d'oranges** I want 2 kilos of oranges.

fallu [faly] pp → **falloir**.

falsifier [9] [falsifje] vt [document, écriture] to forge.

famé, e [fame] adj : **mal famé** ou **malfamé** with a (bad) reputation.

fameux, euse [famø, øz] adj 1. [célèbre] famous 2. [très bon] great.

familial, e, aux [familjal, o] adj [voiture, ennuis] family.

familiarité [familjarite] nf familiarity.

familier, ère [familje, ɛr] adj 1. familiar 2. [langage, mot] colloquial.

famille [famij] nf family ▸ **en famille** with one's family ▸ **j'ai de la famille à Paris** I have relatives in Paris.

famine [famin] nf famine.

fan [fan] nmf fam fan.

fana [fana] fam ◆ adj crazy. ◆ nmf fan ▸ **c'est une fana de cinéma** she loves the cinema ▸ **il est fana de sport** he is crazy about sport.

fanatique [fanatik] ◆ adj fanatical. ◆ nmf fanatic.

fané, e [fane] adj 1. [fleur] withered 2. [couleur, tissu] faded.

faner [3] [fane] ◆ **se faner** vp [fleur] to wither.

fanfare [fãfar] nf brass band.

fantaisie [fãtezi] nf 1. [imagination] imagination 2. [caprice] whim ▸ **bijoux fantaisie** costume jewellery.

fantasme [fãtasm] nm fantasy.

fantastique [fãtastik] adj 1. fantastic 2. [littérature, film] fantasy.

fantôme [fãtom] nm ghost.

fanzine [fãzin] nm fanzine.

FAQ [fak] (abr de foire aux questions) nf FAQ (frequently asked questions).

far [far] nm : **far breton** Breton custard tart with prunes.

farce [fars] nf 1. [plaisanterie] practical joke 2. CULIN stuffing ▸ **faire une farce à qqn** to play a trick on sb.

farceur, euse [farsœr, øz] nm, f practical joker.

farci, e [farsi] adj stuffed.

fard [far] nm : **fard à joues** blusher ▸ **fard à paupières** eyeshadow.

farfelu, e [farfəly] adj weird.

farine [farin] nf flour ▸ **farine animale** animal meal.

farouche [faruʃ] adj 1. [animal] wild 2. [enfant] shy 3. [haine, lutte] fierce.

fascinant, e [fasinã, ãt] adj fascinating.

fasciner [3] [fasine] vt to fascinate.

fascisme [faʃism] nm fascism.

fashionista [faʃjɔnista] nmf fashionista.

fasse etc 1ʳᵉ et 2ᵉ pers. du sg du subj. prés. → **faire**.

fastoche [fastɔʃ] adj fam dead easy.

fatal, e [fatal] adj 1. [mortel] fatal 2. [inévitable] inevitable.

fatalement [fatalmã] adv inevitably.

fataliste [fatalist] adj fatalistic.

fatigant, e [fatigã, ãt] adj 1. tiring 2. [agaçant] tiresome.

fatigue [fatig] nf tiredness ▸ **je suis mort de fatigue** I'm dead tired.

fatigué, e [fatige] adj tired ▸ **être fatigué de faire qqch** to be tired of doing sthg.

fatiguer [3] [fatige] vt **1.** to tire (out) **2.** [agacer] to annoy. ◆ **se fatiguer** vp to get tired ▸ **se fatiguer à faire qqch** to wear o.s. out doing sthg.

faubourg [fobur] nm suburb.

fauché, e [foʃe] adj fam broke, hardup.

faucher [3] [foʃe] vt **1.** [blé] to cut **2.** [piéton, cycliste] to run down **3.** fam [voler] to pinch.

faucon [fokɔ̃] nm hawk.

faudra [fodra] 3ᵉ pers. du sg de l'ind. fut. → **falloir**.

faufiler [3] [fofile] ◆ **se faufiler** vp to slip in ▸ **se faufiler entre** to slip in and out of.

faune [fon] nf fauna.

fausse adj f → **faux**.

fausser [3] [fose] vt **1.** [résultat] to distort **2.** [clef] to bend **3.** [mécanisme] to damage.

faut [fo] 3ᵉ pers. du sg de l'ind. prés. → **falloir**.

faute [fot] nf **1.** mistake **2.** [responsabilité] fault ▸ **c'est (de) ma faute** it's my fault ▸ **faute de** for lack of.

fauteuil [fotœj] nm **1.** armchair **2.** [de cinéma, de théâtre] seat ▸ **fauteuil à bascule** rocking chair ▸ **fauteuil roulant** wheelchair.

fautif, ive [fotif, iv] adj [coupable] guilty.

fauve [fov] nm big cat.

fauvisme [fovism] nm Fauvism.

faux, fausse [fo, fos] ◆ adj **1.** [incorrect] wrong **2.** [artificiel] false **3.** [billet] fake. ◆ adv [chanter, jouer] out of tune ▸ **fausse note** wrong note ▸ **faux numéro** wrong number.

faux-cul [foky] adj vulg : **il est fauxcul** he's a two-faced bastard.

faux-filet [fofilɛ] (pl faux-filets) nm sirloin.

faveur [favœr] nf [service] favour ▸ **en faveur de** in favour of.

favorable [favorabl] adj favourable ▸ **être favorable à** to be favourable to.

favori, ite [favori, it] adj favourite.

favoriser [3] [favorize] vt **1.** [personne] to favour **2.** [situation] to help.

fax [faks] nm fax.

faxer [3] [fakse] vt to fax.

fayot, otte [fajo, ɔt] nm, f fam & péj [élève] swot UK, apple-polisher US.

fayotage [fajɔtaʒ] nm fam bootlicking.

fayoter [3] [fajɔte] vi fam to lick sb's boots.

féculent [fekylɑ̃] nm starchy food.

fédéral, e, aux [federal, o] adj federal.

fédération [federasjɔ̃] nf federation.

fée [fe] nf fairy.

feeling [filiŋ] nm fam : **on va y aller au feeling** we'll play it by ear ▸ **j'ai un bon feeling** I have a good feeling about it.

feignant, e [fɛɲɑ̃, ɑ̃t] adj fam lazy.

feinte [fɛ̃t] nf **1.** [ruse] ruse **2.** SPORT dummy.

fêler [4] [fele] ◆ **se fêler** vp to crack.

félicitations [felisitasjɔ̃] nfpl congratulations ▸ **(avec) toutes nos félicitations !** warmest congratulations!

féliciter [3] [felisite] vt to congratulate.

félin [felɛ̃] nm cat.

femelle [fəmɛl] nf female.

féminin, e [feminɛ̃, in] adj 1. feminine 2. [mode, travail] women's.

féministe [feminist] nmf & adj feminist.

femme [fam] nf 1. woman 2. [épouse] wife ▶ **femme de chambre** chambermaid ▶ **femme de ménage** cleaning woman ▶ **bonne femme** fam woman.

fémur [femyʀ] nm femur.

fendant [fɑ̃dɑ̃] nm *white wine from the Valais region of Switzerland.*

fendre [73] [fɑ̃dʀ] vt 1. [vase, plat] to crack 2. [bois] to split.

fenêtre [fənɛtʀ] nf window.

fenouil [fənuj] nm fennel.

fente [fɑ̃t] nf 1. [fissure] crack 2. [de tirelire, de distributeur] slot.

fer [fɛʀ] nm iron ▶ **fer à cheval** horseshoe ▶ **fer forgé** wrought iron ▶ **fer à repasser** iron.

fera etc 3ᵉ pers. du sg de l'ind. fut. → **faire**.

féra [feʀa] nf *fish from Lake Geneva.*

fer-blanc [fɛʀblɑ̃] nm tin.

feria [feʀja] nf fair *(yearly, in Spain and Southern France).*

férié [feʀje] adj m → **jour**.

ferme [fɛʀm] ◆ adj firm. ◆ nf farm ▶ **ferme auberge** *farm providing holiday accommodation.*

fermé, e [fɛʀme] adj 1. closed 2. [caractère] introverted.

fermement [fɛʀməmɑ̃] adv firmly.

fermenter [3] [fɛʀmɑ̃te] vi to ferment.

fermer [3] [fɛʀme] ◆ vt 1. to shut, to close 2. [magasin, société] to close down 3. [électricité, radio] to turn off, to switch off. ◆ vi to close, to shut ▶ **fermer qqch à clef** to lock sthg ▶ **ça ne ferme pas** [porte, boîte] it won't shut. ◆ **se fermer** vp 1. to shut, to close 2. [vêtement] to do up.

fermeté [fɛʀməte] nf firmness.

fermeture [fɛʀmətyʀ] nf 1. closing 2. [mécanisme] fastener ▶ **fermeture Éclair®** zip [UK], zipper [US] ▶ '**fermeture annuelle**' 'annual closing'.

fermier, ère [fɛʀmje, ɛʀ] nm, f farmer.

fermoir [fɛʀmwaʀ] nm clasp.

féroce [feʀɔs] adj ferocious.

ferraille [feʀaj] nf scrap iron.

ferrée [fɛʀe] adj f → **voie**.

ferroviaire [feʀɔvjɛʀ] adj rail.

ferry-boat [feʀibot] (*pl* ferry-boats) nm ferry.

fertile [fɛʀtil] adj fertile.

fesse [fɛs] nf buttock. ◆ **fesses** nfpl bottom *sg.*

fessée [fese] nf spanking ▶ **donner une fessée à qqn** to give sb a spanking.

festin [fɛstɛ̃] nm feast.

festival [fɛstival] nm festival.

ⓘ Le festival d'Avignon

This month-long festival of theatre, dance, music and film, founded by Jean Vilar in 1947, is held every summer in Avignon. As well as the official festival, there is a thriving "fringe" festival: the **festival off.**

festivalier, ère [festivalje, ɛʀ] ◆ adj festival *(avant n)*. ◆ nm, f festival-goer.

festivités [festivite] nfpl festivities.

feta [feta] nf feta (cheese).

fête [fɛt] nf 1. [congé] holiday 2. [réception] party 3. [kermesse] fair 4. [jour du saint] saint's day ▸ **faire la fête** to party ▸ **bonne fête !** Happy Saint's Day! ▸ **fête foraine** funfair ▸ **fête des Mères** Mother's day ▸ **fête des Pères** Father's day ▸ **la fête de la Musique** *annual music festival which takes place in the streets* ▸ **fête nationale** national holiday. ◆ **fêtes** nfpl : **les fêtes (de fin d'année)** the Christmas holidays.

fêter [4] [fete] vt to celebrate.

feu [fø] (pl -x) nm 1. fire 2. [lumière] light ▸ **avez-vous du feu ?** have you got a light? ▸ **faire du feu** to make a fire ▸ **mettre le feu à** to set fire to ▸ **à feu doux** on a low flame ▸ **feu d'artifice** firework ▸ **feu de camp** campfire ▸ **feu rouge** red light ▸ **feux de signalisation** ou **tricolores** traffic lights ▸ **feux arrière** rear lights ▸ **feux de croisement** dipped headlights ▸ **feux de recul** reversing lights ▸ **au feu !** fire! ▸ **en feu** [forêt, maison] on fire.

feuillage [fœjaʒ] nm foliage.

feuille [fœj] nf 1. [d'arbre] leaf 2. [de papier] sheet ▸ **feuille morte** dead leaf ▸ **feuille de style** style sheet.

feuilleté, e [fœjte] ◆ adj → **pâte**. ◆ nm *dessert or savoury dish made from puff pastry*.

feuilleter [27] [fœjte] vt to flick through.

feuilleton [fœjtɔ̃] nm serial ▸ **feuilleton télévisé** soap (opera).

feutre [føtʀ] nm 1. [stylo] felt-tip pen 2. [chapeau] felt hat.

fève [fɛv] nf 1. broad bean 2. [de galette] *charm put in a "galette des Rois"*.

février [fevʀije] nm February ▸ **en février, au mois de février** in February ▸ **début février** at the beginning of February ▸ **fin février** at the end of February ▸ **le deux février** the second of February.

fiable [fjabl] adj reliable.

fiançailles [fjɑ̃saj] nfpl engagement *sg*.

fiancé, e [fjɑ̃se] nm, f fiancé (fiancée).

fiancer [16] [fjɑ̃se] ◆ **se fiancer** vp to get engaged.

fibre [fibʀ] nf fibre [UK], fiber [US] ▸ **fibre optique** optical fibre.

ficeler [24] [fisle] vt to tie up.

ficelle [fisɛl] nf 1. string 2. [pain] *thin French stick*.

fiche [fiʃ] nf 1. [de carton, de papier] card 2. TECH pin ▸ **fiche de paie** payslip ▸ **fiche technique** technical data sheet.

ficher [3] [fiʃe] vt 1. [planter] to drive in 2. *fam* [faire] to do 3. *fam* [mettre] to stick ▸ **mais qu'est-ce qu'il fiche ?** *fam* what on earth is he doing? ▸ **fiche-moi la paix !** *fam* leave me alone! ▸ **fiche le camp !** *fam* get lost! ◆ **se ficher de** vp + prép *fam* [ridiculiser] to make fun of ▸ **je m'en fiche** *fam* [ça m'est égal] I don't give a damn.

fichier [fiʃje] nm 1. [boîte] card-index box 2. INFORM file ▸ **fichiers temporaires** temporary files.

fichu, e [fiʃy] adj *fam* : **c'est fichu** a) [raté] that's blown it b) [cassé, abîmé] it's had it ▸ **être bien fichu** [beau] to have a good body ▸ **être mal fichu** [malade] to feel rotten.

fiction [fiksjɔ̃] nf [en littérature] fiction.

fidèle [fidɛl] adj loyal.

fidélité [fidelite] nf loyalty.

Fidji [fidʒi] nfpl : **les (îles) Fidji** Fiji, the Fiji Islands.

fier¹ [9] [fje] ◆ **se fier à** vp + prép [personne, instinct] to rely on ▸ **se fier à qqn/qqch** to trust sb/sthg ▸ **je ne me fie pas à ce qu'il dit** I wouldn't go by what he says.

fier², fière [fjɛʀ] adj proud ▸ **être fier de** to be proud of.

fierté [fjɛʀte] nf pride.

fièvre [fjɛvʀ] nf fever ▸ **avoir de la fièvre** to have a (high) temperature.

fiévreux, euse [fjevʀø, øz] adj feverish.

fig. (*abr écrite de* figure) fig.

figé, e [fiʒe] adj 1. [sauce] congealed 2. [personne] motionless.

figer [17] [fiʒe] ◆ **se figer** vp [sauce] to congeal.

figue [fig] nf fig ▸ **figue de Barbarie** prickly pear.

figure [figyʀ] nf 1. [visage] face 2. [schéma] figure.

figuré, e [figyʀe] adj [sens] figurative. ◆ **figuré** nm : **au figuré** in the figurative sense.

figurer [3] [figyʀe] vi to appear. ◆ **se figurer** vp [croire] to believe ▸ **il m'a menti, figure-toi** he lied to me if you can believe that! ▸ **figure-toi que je ne sais pas où je l'ai rangé** I actually can't remember where I left it.

fil [fil] nm 1. [à coudre] thread 2. [du téléphone] wire ▸ **fil de fer** wire.

file [fil] nf 1. line 2. [sur la route] lane ▸ **file (d'attente)** queue [UK], line [US] ▸ **à la file** in a row ▸ **en file (indienne)** in single file.

filer [3] [file] ◆ vt [collant] to ladder [UK], to put a run in [US]. ◆ vi 1. [aller vite] to fly 2. *fam* [partir] to dash off ▸ **filer qqch à qqn** *fam* to slip sb sthg.

filet [filɛ] nm 1. net 2. [de poisson, de bœuf] fillet 3. [d'eau] trickle ▸ **filet américain** [Belg] steak tartare ▸ **filet à bagages** luggage rack ▸ **filet mignon** filet mignon ; *small good-quality cut of beef* ▸ **filet de bar au pistou** bass fillet with pesto sauce.

filiale [filjal] nf subsidiary.

filière [filjɛʀ] nf SCOL : **filière scientifique** science subjects.

fille [fij] nf **1.** girl **2.** [descendante] daughter.

fillette [fijɛt] nf little girl.

filleul, e [fijœl] nm, f godchild.

film [film] nm film ▸ **film d'horreur** ou **d'épouvante** horror film ▸ **film vidéo** video.

filmer [3] [filme] vt to film.

fils [fis] nm son.

filtrage [filtraʒ] nm screening.

filtre [filtr] nm filter ▸ **filtre ADSL** ADSL filter.

filtrer [3] [filtre] vt to filter.

fin, e [fɛ̃, fin] ◆ adj **1.** [couche, tranche] thin **2.** [sable, cheveux] fine **3.** [délicat] delicate **4.** [subtil] shrewd. ◆ nf end ▸ **fin juillet** at the end of July ▸ **à la fin (de)** at the end (of).

final, e, als, aux [final, o] adj final.

finale [final] nf final.

finalement [finalmɑ̃] adv finally.

finaliste [finalist] nmf finalist.

finance [finɑ̃s] nf : **la finance** [profession] finance ▸ **les finances** a) [publiques] public funds b) fam [d'un particulier] finances.

financement [finɑ̃smɑ̃] nm funding.

financer [16] [finɑ̃se] vt to finance.

financier, ère [finɑ̃sje, ɛr] ◆ adj financial. ◆ nm [gâteau] small cake made with almonds and candied fruit ▸ **sauce financière** sauce flavoured with Madeira and truffles.

finesse [fines] nf subtlety.

finir [32] [finir] ◆ vt to finish. ◆ vi to end ▸ **finir bien** to have a happy ending ▸ **finir de faire qqch** to finish doing sthg ▸ **finir par faire qqch** to end up doing sthg.

finlandais, e [fɛ̃lɑ̃dɛ, ɛz] ◆ adj Finnish. ◆ nm = **finnois**. ◆ **Finlandais, e** nm, f Finn.

Finlande [fɛ̃lɑ̃d] nf : **la Finlande** Finland.

finnois [finwa] nm Finnish.

fioul [fjul] nm fuel.

firewall [fajərwɔl] nm firewall.

FireWire [fajərwajər] nm FireWire.

fisc [fisk] nm ≃ Inland Revenue 🇬🇧 ; ≃ Internal Revenue 🇺🇸.

fiscal, e, aux [fiskal, o] adj tax ▸ **contrôle fiscal** tax investigation.

fissure [fisyr] nf crack.

fissurer [3] [fisyre] ▸ **se fissurer** vp to crack.

fixation [fiksasjɔ̃] nf [de ski] binding.

fixe [fiks] adj fixed ▸ **téléphone fixe** land line.

fixer [3] [fikse] vt **1.** [attacher] to fix **2.** [regarder] to stare at.

flacon [flakɔ̃] nm small bottle ▸ **flacon de parfum** perfume bottle.

flageolet [flaʒɔlɛ] nm flageolet bean.

flagrant, e [flagrɑ̃, ɑ̃t] adj blatant ▸ **en flagrant délit** in the act.

flair [flɛr] nm sense of smell ▸ **avoir du flair** to have flair.

flairer [4] [flɛre] vt **1.** to smell **2.** fig [deviner] to scent.

flamand, e [flamɑ̃, ɑ̃d] ◆ adj Flemish. ◆ nm [langue] Flemish.

flamant [flamɑ̃] nm flamingo ▸ **flamant rose** pink flamingo.

flambé, e [flɑ̃be] adj flambéed.

flamber [3] [flɑ̃be] vi to burn.

flamboyant, e [flɑ̃bwajɑ̃, ɑ̃t] adj **1.** [ciel, regard] blazing ; [couleur] flaming **2.** [en architecture] flamboyant.

flamiche [flamiʃ] nf savoury tart.

flamme [flam] nf flame ▶ **en flammes** in flames.

flan [flɑ̃] nm flan.

flanc [flɑ̃] nm flank ▶ **couché sur le flanc** lying on his /her side.

flâner [3] [flane] vi to stroll.

flanquer [3] [flɑ̃ke] vt **1.** [entourer] to flank **2.** fam [mettre] to stick ▶ **flanquer qqn à la porte** fam to kick sb out ▶ **flanquer une gifle à qqn** fam to give sb a smack.

flaque [flak] nf puddle.

flash [flaʃ] (pl -s ou -es) nm **1.** [d'appareil photo] flash **2.** [d'information] newsflash.

flasher [3] [flaʃe] vi fam : **flasher sur qqch /qqn** to go crazy over sthg /sb.

flashy [flaʃi] adj inv flashy.

flatter [3] [flate] vt to flatter.

fléau [fleo] (pl -x) nm [catastrophe] natural disaster.

flèche [flɛʃ] nf arrow.

fléchette [fleʃɛt] nf dart.

fléchir [32] [fleʃir] vt & vi to bend.

flemme [flɛm] nf fam : **j'ai la flemme (de faire qqch)** I can't be bothered (to do sthg).

flétri, e [fletri] adj withered.

fleur [flœr] nf **1.** flower **2.** [d'arbre] blossom ▶ **fleur d'oranger** CULIN orange blossom essence ▶ **à fleurs** flowered ▶ **en fleur (s)** a) [plante] in flower b) [arbre] in blossom.

fleuri, e [flœri] adj **1.** [tissu, motif] flowered **2.** [jardin] in flower.

fleurir [32] [flœrir] vi to flower.

fleuriste [flœrist] nmf florist.

fleuve [flœv] nm river.

flexibilité [flɛksibilite] nf [d'un arrangement, d'un horaire] flexibility, adaptability.

flexible [flɛksibl] adj flexible.

flic [flik] nm fam cop.

flippant, e [flipɑ̃, ɑ̃t] adj vulg [déprimant] depressing ; [inquiétant] worrying.

flipper[1] [flipe] vi fam **1.** [être déprimé] to feel down **2.** [planer] to freak out.

flipper[2] [flipœr] nm pin-ball machine.

fliquer [3] [flike] vt fam to keep under surveillance ▶ **son chef n'arrête pas de le fliquer** his boss is always keeping tabs on him.

flirter [3] [flœrte] vi to flirt.

flocon [flɔkɔ̃] nm : **flocon de neige** snowflake ▶ **flocons d'avoine** oatmeal.

flore [flɔr] nf flora.

flot [flo] nm stream ▶ **les flots** the waves.

flottante [flɔtɑ̃t] adj f → **île.**

flotte [flɔt] nf **1.** [de navires] fleet **2.** fam [pluie] rain **3.** fam [eau] water.

flotter [3] [flɔte] vi to float.

flotteur [flɔtœr] nm float.

flou, e [flu] adj **1.** [photo] blurred **2.** [idée, souvenir] vague.

fluide [fluid] ◆ adj **1.** fluid **2.** [circulation] flowing freely. ◆ nm fluid.

fluo [flyo] adj inv fluorescent.

fluor [flyɔr] nm fluorine.

fluorescent, e [flyɔresɑ̃, ɑ̃t] adj fluorescent.

flûte [flyt] ◆ nf **1.** [pain] French stick **2.** [verre] flute. ◆ interj bother! ▶ **flûte (à bec)** recorder.

flux [fly] nm **1.** [écoulement] flow **2.** fig [mouvement] : **flux migratoire** massive population movement.

FM nf FM.

foi [fwa] nf faith ▶ **être de bonne foi** to be sincere ▶ **être de mauvaise foi** to be insincere.

foie [fwa] nm liver ▶ **foie gras** foie gras, duck ou goose liver ▶ **foie de veau** calf's liver.

foin [fwɛ̃] nm hay.

foire [fwar] nf **1.** [marché] fair **2.** [exposition] trade fair ▶ **foire aux questions** FAQ.

fois [fwa] nf time ▶ **une fois** once ▶ **deux fois** twice ▶ **trois fois** three times ▶ **3 fois 2** 3 times 2 ▶ **à la fois** at the same time ▶ **des fois** [parfois] sometimes ▶ **une fois que tu auras mangé** once you have eaten ▶ **une fois pour toutes** once and for all.

folie [fɔli] nf madness ▶ **faire une folie** [dépenser] to be extravagant.

folklo [fɔlklo] adj inv fam weird ▶ **c'est un type plutôt folklo** he's a bit of a weirdo.

folklore [fɔlklɔr] nm folklore.

folklorique [fɔlklɔrik] adj folk.

folle adj f → **fou**.

foncé, e [fɔ̃se] adj dark.

foncer [16] [fɔ̃se] vi **1.** [s'assombrir] to darken **2.** fam [aller vite] to get a move on ▶ **foncer dans** to crash into ▶ **foncer sur** to rush towards.

fonction [fɔ̃ksjɔ̃] nf **1.** function **2.** [métier] post ▶ **la fonction publique** the civil service ▶ **en fonction de** according to.

fonctionnaire [fɔ̃ksjɔnɛr] nmf civil servant.

fonctionnel, elle [fɔ̃ksjɔnɛl] adj functional.

fonctionnement [fɔ̃ksjɔnmɑ̃] nm working.

fonctionner [3] [fɔ̃ksjɔne] vi to work ▶ **faire fonctionner qqch** to make sthg work.

fond [fɔ̃] nm **1.** [d'un puits, d'une boîte] bottom **2.** [d'une salle] far end **3.** [d'une photo, d'un tableau] background ▶ **au fond, dans le fond** [en réalité] in fact ▶ **au fond de** a) [salle] at the back of b) [valise] at the bottom of ▶ **à fond** a) [rouler] at top speed b) [respirer] deeply c) [pousser] all the way ▶ **fond d'artichaut** artichoke heart ▶ **fond de teint** foundation.

fondamental, e, aux [fɔ̃damɑ̃tal, o] adj basic.

fondant, e [fɔ̃dɑ̃, ɑ̃t] ◆ adj which melts in the mouth. ◆ nm : **fondant au chocolat** chocolate cake that melts in the mouth.

fondation [fɔ̃dasjɔ̃] nf foundation. ◆ **fondations** nfpl [d'une maison] foundations.

fonder [3] [fɔ̃de] vt **1.** [société] to found **2.** [famille] to start. ◆ **se fonder sur** vp + prép **1.** [suj :personne] to base one's opinion on **2.** [suj : raisonnement] to be based on.

fondre [75] [fɔ̃dr] vi to melt ▶ **fondre en larmes** to burst into tears.

fonds [fɔ̃] ◆ nm [ressources] fund. ◆ nmpl [argent] funds ▶ **fonds de com-**

merce business ▸ **fonds de pension** pension fund.

fondue [fɔ̃dy] nf : **fondue bourguignonne** meat fondue ▸ **fondue parmesan** Québec soft cheese containing Parmesan, coated in breadcrumbs, eaten hot ▸ **fondue savoyarde** cheese fondue.

font [fɔ̃] **3ᵉˢ** pers. du sg de l'ind. prés. → **faire**.

fontaine [fɔ̃tɛn] nf fountain.

fonte [fɔ̃t] nf **1.** [métal] cast iron **2.** [des neiges] thaw.

foot(ball) [fut(bol)] nm football.

footballeur [futbolœr] nm footballer, soccer US.

footing [futiŋ] nm jogging ▸ **faire un footing** to go jogging.

forain, e [fɔrɛ̃, ɛn] ◆ adj → **fête.** ◆ nm fairground worker.

force [fɔrs] nf **1.** strength **2.** [violence] force ▸ **forces** [physiques] strength ▸ **de force** by force ▸ **à force de faire qqch** through doing sthg.

forcément [fɔrsemɑ̃] adv inevitably ▸ **pas forcément** not necessarily.

forcer [16] [fɔrse] ◆ vt [porte] to force. ◆ vi [faire un effort physique] to strain o.s. ▸ **forcer qqn à faire qqch** to force sb to do sthg. ◆ **se forcer** vp : **se forcer (à faire qqch)** to force o.s. (to do sthg).

forêt [fɔrɛ] nf forest.

forêt-noire [fɔrɛnwar] (pl **forêts-noires**) nm Black Forest gâteau.

Forêt Noire [fɔrɛnwar] nf : **la Forêt Noire** the Black Forest.

forfait [fɔrfɛ] nm **1.** [abonnement] season ticket **2.** [de ski] ski pass **3.** [de location de voiture] basic rate **4.** INFORM flat rate ▸ **déclarer forfait** to withdraw.

forfaitaire [fɔrfɛtɛr] adj inclusive.

forgé [fɔrʒe] adj m → **fer.**

forger [17] [fɔrʒe] vt [fer] to forge.

formalités [fɔrmalite] nfpl formalities.

format [fɔrma] nm **1.** size **2.** INFORM format ▸ **format de fichier** file format.

formater [3] [fɔrmate] vt to format.

formateur, trice [fɔrmatœr, tris] ◆ adj formative. ◆ nm, f trainer.

formation [fɔrmasjɔ̃] nf **1.** [apprentissage] training **2.** [de roches, de mots] formation ▸ **formation professionnelle** vocational training.

forme [fɔrm] nf shape, form ▸ **en forme de T** T-shaped ▸ **être en (pleine) forme** to be on (top) form.

former [3] [fɔrme] vt **1.** [créer] to form **2.** [éduquer] to train. ◆ **se former** vp **1.** [naître] to form **2.** [s'éduquer] to train o.s.

formidable [fɔrmidabl] adj great.

formulaire [fɔrmyler] nm form ▸ **remplir un formulaire** to fill in a form.

formule [fɔrmyl] nf **1.** formula **2.** [de restaurant] menu ▸ **'formule du jour'** 'menu of the day' ▸ **'formule midi'** 'lunch menu' ▸ **'formule rapide'** 'express menu'.

fort, e [fɔr, fɔrt] ◆ adj **1.** strong **2.** [gros] large **3.** [doué] bright. ◆ adv **1.** [parler] loudly **2.** [sentir] strongly **3.** [pousser] hard ▸ **fort en maths** good at maths.

forteresse [fɔrtərɛs] nf fortress.

fortiche [fɔrtiʃ] adj fam : **elle est fortiche en anglais !** she's dead UK ou real US good at English!

fortifications [fɔrtifikasjɔ̃] nfpl fortifications.

fortifier [9] [fɔrtifje] vt to fortify.

fortune [fɔrtyn] nf fortune ▸ **faire fortune** to make one's fortune.

forum [fɔrɔm] nm forum ▸ **forum (de discussion)** INFORM forum.

fosse [fos] nf pit.

fossé [fose] nm ditch.

fossette [fosɛt] nf dimple.

fossile [fosil] nm fossil.

fou, folle [fu, fɔl] ◆ adj 1. mad 2. [extraordinaire] amazing. ◆ nm, f madman (madwoman). ◆ nm [aux échecs] bishop ▸ **(avoir le) fou rire** (to be in fits of) uncontrollable laughter.

foudre [fudr] nf lightning.

foudroyant, e [fudrwajɑ̃, ɑ̃t] adj [poison, maladie] lethal.

foudroyer [13] [fudrwaje] vt to strike.

fouet [fwɛ] nm 1. whip 2. CULIN whisk ▸ **de plein fouet** head-on.

fouetter [4] [fwete] vt 1. to whip 2. CULIN to whisk.

fougère [fuʒɛr] nf fern.

fouiller [3] [fuje] vt to search.

fouillis [fuji] nm muddle.

foulard [fular] nm scarf.

foule [ful] nf crowd.

fouler [3] [fule] ◆ **se fouler** vp : **se fouler la cheville** to sprain one's ankle.

foulure [fulyr] nf sprain.

four [fur] nm [de cuisinière, de boulanger] oven.

fourche [furʃ] nf 1. pitchfork 2. [carrefour] fork 3. [heure libre] free period.

fourchette [furʃɛt] nf 1. fork 2. [de prix] range.

fourchu, e [furʃy] adj : **avoir les cheveux fourchus** to have split ends.

fourgon [furgɔ̃] nm van.

fourgonnette [furgɔnɛt] nf small van.

fourmi [furmi] nf ant ▸ **avoir des fourmis dans les jambes** to have pins and needles in one's legs.

fourmilière [furmiljɛr] nf anthill.

fourneau [furno] (pl -x) nm stove.

fournir [32] [furnir] vt [effort] to make ▸ **fournir qqch à qqn** a) [marchandises] to supply sb with sthg b) [preuve, argument] to provide sb with sthg ▸ **fournir qqn en qqch** to supply sb with sthg.

fournisseur, euse [furnisœr, øz] nm, f supplier ▸ **fournisseur d'accès** INFORM service provider.

fournitures [furnityr] nfpl supplies ▸ **fournitures de bureau** stationery.

fourré, e [fure] adj 1. [vêtement] lined 2. [crêpe] filled ▸ **bonbon fourré à la fraise** sweet with a strawberry-flavoured centre.

fourrer [3] [fure] vt 1. [crêpe] to fill 2. fam [mettre] to stick ▸ **il est toujours fourré chez lui** he's always cooped up at home. ◆ **se fourrer** vp fam [mettre] to put o.s. ▸ **se fourrer dans qqch** to get mixed up in sthg.

fourre-tout [furtu] nm inv [sac] holdall.

fourrière [furjɛr] nf pound ▸ **mettre une voiture à la fourrière** to impound a car.

fourrure [furyr] nf fur.

foutre [116] [futʀ] vt *vulg* **1.** [mettre] to shove, to stick **2.** [causer] ▸ **foutre la trouille à qqn** to scare the pants off sb, to put the wind up sb 🇬🇧 ▸ **il lui a foutu une baffe** he thumped him one **3.** [faire] to do ▸ **foutre qqn dehors** ou **à la porte** to chuck sb out ▸ **j'en ai rien à foutre** I don't give a damn ou toss 🇬🇧 ▸ **ne rien foutre (de la journée)** to not do a damn thing (all day). ◆ **se foutre** vp *vulg* **1.** [se mettre] : **se foutre dans** [situation] to get o.s. into **2.** [se moquer] : **se foutre de (la gueule de) qqn** to laugh at sb, to take the mickey out of sb 🇬🇧 **3.** [ne pas s'intéresser] : **je m'en fous** I don't give a damn ou toss 🇬🇧 about it.

foyer [fwaje] nm **1.** [d'une cheminée] hearth **2.** [domicile] home **3.** [pour délinquants] hostel ▸ **femme /mère au foyer** housewife.

fracasser [3] [fʀakase] ◆ **se fracasser** vp to smash.

fraction [fʀaksjɔ̃] nf fraction.

fracture [fʀaktyʀ] nf fracture.

fracturer [3] [fʀaktyʀe] vt [porte, coffre] to break open. ◆ **se fracturer** vp : **se fracturer le crâne** to fracture one's skull.

fragile [fʀaʒil] adj **1.** fragile **2.** [santé] delicate.

fragment [fʀagmɑ̃] nm fragment.

fraîche adj f → **frais**.

fraîcheur [fʀeʃœʀ] nf **1.** coolness **2.** [d'un aliment] freshness.

frais, fraîche [fʀe, fʀeʃ] ◆ adj **1.** [froid] cool **2.** [aliment] fresh. ◆ nmpl [dépenses] expenses, costs. ▸ **mettre qqch au frais** to put sthg in a cool place ▸ **prendre le frais** to take a breath of fresh air ▸ **il fait frais** it's cool ▸ **servir frais** serve chilled.

fraise [fʀez] nf strawberry.

fraisier [fʀezje] nm **1.** strawberry plant **2.** [gâteau] strawberry sponge.

framboise [fʀɑ̃bwaz] nf raspberry.

framboisier [fʀɑ̃bwazje] nm [gâteau] raspberry sponge.

franc, franche [fʀɑ̃, fʀɑ̃ʃ] ◆ adj frank. ◆ nm franc.

français, e [fʀɑ̃sɛ, ɛz] ◆ adj French. ◆ **français** nm [langue] French. ◆ **Français, e** nm, f Frenchman (Frenchwoman) ▸ **les Français** the French.

France [fʀɑ̃s] nf : **la France** France ▸ **France 2** *state-owned television channel* ▸ **France 3** *state-owned television channel* ▸ **France Télécom** *French state-owned telecommunications organization.*

franche adj f → **franc**.

franchement [fʀɑ̃ʃmɑ̃] adv **1.** frankly **2.** [très] completely ▸ **il a répondu franchement** he gave a straight answer ▸ **c'est franchement mauvais** it's downright bad.

franchir [32] [fʀɑ̃ʃiʀ] vt **1.** [frontière] to cross **2.** [limite] to exceed.

franchise [fʀɑ̃ʃiz] nf **1.** frankness **2.** [d'assurance] excess **3.** [de location automobile] collision damage waiver.

francilien, enne [fʀɑ̃siljɛ̃, ɛn] adj of /from the Île-de-France. ◆ **Francilien, enne** nm, f person from the Île-de-France.

francophone [fʀɑ̃kɔfɔn] adj French-speaking.

frange [fʀɑ̃ʒ] nf fringe ▸ **à franges** fringed.

frangipane [fʀɑ̃ʒipan] nf **1.** [crème] almond paste **2.** [gâteau] *cake consisting of layers of puff pastry and almond paste.*

frappant, e [fʀapɑ̃, ɑ̃t] adj striking.

frappé, e [frape] adj [frais] chilled ▸ **café frappé** iced coffee.

frapper [3] [frape] ◆ vt **1.** to hit **2.** [impressionner, affecter] to strike. ◆ vi to strike ▸ **frapper un coup** to knock ▸ **frapper (à la porte)** to knock (at the door) ▸ **frapper dans ses mains** to clap one's hands.

fraude [frod] nf fraud ▸ **passer qqch en fraude** to smuggle sthg through customs.

frayer [11] [freje] ◆ **se frayer** vp : **se frayer un chemin** to force one's way.

frayeur [frejœr] nf fright.

fredonner [3] [frədɔne] vt to hum.

freezer [frizœr] nm freezer compartment.

frein [frɛ̃] nm brake ▸ **frein à main** handbrake UK, parking brake US.

freiner [4] [frene] ◆ vt [élan, personne] to restrain. ◆ vi to brake.

frelon [frəlɔ̃] nm hornet.

frémir [32] [fremir] vi to tremble.

fréquemment [frekamɑ̃] adv frequently.

fréquence [frekɑ̃s] nf frequency.

fréquent, e [frekɑ̃, ɑ̃t] adj frequent.

fréquenté, e [frekɑ̃te] adj : **très fréquenté** busy ▸ **c'est très bien /mal fréquenté** the right /wrong sort of people go there.

fréquenter [3] [frekɑ̃te] vt **1.** [personnes] to mix with **2.** [endroit] to visit.

frère, e [frɛr] nm brother.

fresque [frɛsk] nf fresco.

friand [frijɑ̃] nm savoury tartlet.

friandise [frijɑ̃diz] nf delicacy.

fric [frik] nm fam cash.

fricassée [frikase] nf fricassee.

frictionner [3] [friksjɔne] vt to rub.

Frigidaire® [friʒidɛr] nm fridge.

frigo [frigo] nm fam fridge.

frileux, euse [frilø, øz] adj sensitive to the cold.

frimer [3] [frime] vi fam to show off.

fripé, e [fripe] adj wrinkled.

friperie [fripri] nf [boutique] second-hand clothes shop UK ou store US.

friqué, e [frike] adj fam [personne] loaded ; [quartier] rich ▸ **ils sont très friqués** they're rolling in it.

frire [115] [frir] vt & vi to fry ▸ **faire frire** to fry.

frisé, e [frize] adj **1.** [personne] curly-haired **2.** [cheveux] curly.

frisée [frize] nf curly endive.

friser [3] [frize] vt to curl.

frisquet, ette [friskɛ] adj fam : **il fait frisquet** it's chilly.

frisson [frisɔ̃] nm shiver ▸ **avoir des frissons** to have the shivers.

frissonner [3] [frisɔne] vi to shiver.

frit, e [fri, frit] ◆ pp → **frire.** ◆ adj fried.

frites [frit] nfpl : (pommes) frites chips UK, French fries US.

friteuse [fritøz] nf deep fat fryer.

friture [frityr] nf **1.** oil **2.** [poissons] fried fish **3.** fam [parasites] interference.

froid, e [frwa, frwad] ◆ adj & nm cold. ◆ adv : **avoir froid** to be cold ▸ **il fait froid** it's cold ▸ **prendre froid** to catch cold.

froidement [frwadmɑ̃] adv coldly.

froisser [3] [frwase] vt to crumple. ◆ **se froisser** vp to crease.

frôler [3] [frole] vt to brush against.

fromage [fʀɔmaʒ] nm cheese ▸ **fromage blanc** fromage frais ▸ **fromage de tête** brawn ⓊⓀ, headcheese Ⓤ⒮.

ⓘ Le fromage

Brie, Camembert, Roquefort — these are just three of the more than 400 different types of cheese that France produces. Cheeses are identified by their geographical origin, and an overall distinction applies between cheese made from cow's milk, cheese made from goat's milk and cheese made from sheep's milk. In France, the cheese course comes at the end of a meal, before dessert.

froment [fʀɔmã] nm wheat-flour ▸ **crêpe de froment** wheat-flour crêpe.

fronce [fʀɔs] nf gather.

froncer [16] [fʀɔse] vt [vêtement] to gather ▸ **froncer les sourcils** to frown.

fronde [fʀɔd] nf sling.

front [fʀɔ] nm 1. forehead 2. [des combats] front ▸ **de front** a) [de face] head-on b) [côte à côte] abreast c) [en même temps] at the same time.

frontalier, ère [fʀɔtalje, ɛʀ] adj frontier (avant n).

frontière [fʀɔtjɛʀ] nf border.

frottement [fʀɔtmã] nm friction.

frotter [3] [fʀɔte] ◆ vt 1. [tache] to rub 2. [meuble] to polish 3. [allumette] to strike. ◆ vi to rub. ◆ **se frotter** vp 1. [se blottir] : **se frotter contre** ou **à** to rub (up) against 2. [se laver] to rub o.s.

fruit [fʀɥi] nm fruit ▸ **fruit de la passion** passion fruit ▸ **fruits confits** candied fruit sg ▸ **fruits de mer** seafood sg ▸ **fruits secs** dried fruit sg ▸ **fruits de saison** seasonal fruits.

fruité, e [fʀɥite] adj fruity.

fruitier [fʀɥitje] adj m ▸ **arbre**.

FTP (abr de file transfer protocol) nm FTP ▸ **un serveur FTP** an FTP server.

fugue [fyg] nf : **faire une fugue** to run away.

fuir [35] [fɥiʀ] vi 1. to flee 2. [robinet, eau] to leak.

fuite [fɥit] nf 1. flight 2. [d'eau, de gaz] leak ▸ **être en fuite** to be on the run ▸ **prendre la fuite** to take flight.

fumé, e [fyme] adj smoked.

fumée [fyme] nf 1. smoke 2. [vapeur] steam.

fumer [3] [fyme] ◆ vt to smoke. ◆ vi 1. [personne] to smoke 2. [liquide] to steam ▸ **'défense de fumer'** 'no smoking'.

fumeur, euse [fymœʀ, øz] nm, f smoker ▸ **'vous entrez dans un espace non fumeur'** 'you are entering a no-smoking area'.

fumier [fymje] nm manure.

fun [fœn] ◆ adj fun. ◆ nm : **juste pour le fun** just for the fun of it ▸ **c'est fun !** it's fun!

funambule [fynãbyl] nmf tightrope walker.

funboard [fœnbɔʀd] nm funboard.

funèbre [fynɛbʀ] adj ▸ **pompe**.

funérailles [fyneʀaj] nfpl sout funeral sg.

funiculaire [fynikylɛʀ] nm funicular railway.

fur [fyʀ] ◆ **au fur et à mesure** adv as I/you etc. go along ▸ **au fur et à mesure que** as.

fureur [fyʀœʀ] nf fury ▸ **faire fureur** to be all the rage.

furieux, euse [fyrjø, øz] adj furious.

furoncle [fyrɔ̃kl] nm boil.

fuseau [fyzo] (pl -x) nm [pantalon] ski-pants pl ▸ **fuseau horaire** time zone.

fusée [fyze] nf rocket.

fusible [fyzibl] nm fuse.

fusil [fyzi] nm gun.

fusillade [fyzijad] nf gunfire.

fusiller [3] [fyzije] vt to shoot ▸ **fusiller qqn du regard** to look daggers at sb.

fusionnel, elle [fyzjɔnɛl] adj [couple] inseparable ; [relation] intense.

fusionner [3] [fyzjɔne] vt & vi to merge.

futé, e [fyte] adj smart.

fute-fute [fytfyt] adj fam bright, smart ▸ **il n'est pas très fute-fute** he's a bit thick, he's not very bright.

futile [fytil] adj frivolous.

futur, e [fytyr] ◆ adj future. ◆ nm 1. [avenir] future 2. GRAMM future (tense).

Gg

G20 COMM & POL : **le G20** G20.

gabarit [gabari] nm size ▸ **gabarit bagage cabine** hand baggage size.

Gabon [gabɔ̃] nm : **le Gabon** Gabon.

gâcher [3] [gɑʃe] vt 1. [détruire] to spoil 2. [gaspiller] to waste.

gâchette [gɑʃɛt] nf trigger.

gâchis [gɑʃi] nm waste.

gadget [gadʒɛt] nm gadget.

gaffe [gaf] nf : **faire une gaffe** to put one's foot in it ▸ **faire gaffe (à qqch)** fam to be careful (of sthg).

gag [gag] nm gag.

gage [gaʒ] nm 1. [dans un jeu] forfeit 2. [assurance, preuve] proof.

gagnant, e [gaɲɑ̃, ɑ̃t] ◆ adj winning. ◆ nm, f winner.

gagner [3] [gaɲe] ◆ vt 1. [concours, course, prix] to win 2. [argent] to earn 3. [temps, place] to save 4. [atteindre] to reach. ◆ vi to win ▸ **gagner sa place** to take one's seat ▸ **(bien) gagner sa vie** to earn a (good) living.

gai, e [gɛ] adj 1. cheerful 2. [couleur, pièce] bright.

gaiement [gemɑ̃] adv cheerfully.

gaieté [gete] nf cheerfulness.

gain [gɛ̃] nm [de temps, d'espace] saving. ▸ **gains** nmpl 1. [salaire] earnings 2. [au jeu] winnings.

gaine [gɛn] nf 1. [étui] sheath 2. [sous-vêtement] girdle.

gala [gala] nm gala.

galant [galɑ̃] adj m gallant.

galère [galɛʁ] nf : **quelle galère !** fam & fig what a hassle!, what a drag!

galérer [18] [galere] vi fam to have a hard time.

galerie [galri] nf 1. [passage couvert] gallery 2. [à bagages] roof rack ▸ **galerie (d'art)** art gallery ▸ **galerie marchande /commerciale** shopping centre /arcade UK, shopping mall US.

galet [galɛ] nm pebble.

galette [galɛt] nf 1. [gâteau] flat cake 2. [crêpe] pancake ▸ **galette bretonne**

[biscuit] all-butter shortcake biscuit, speciality of Brittany ▸ **galette des Rois** cake traditionally eaten on Twelfth Night.

ⓘ **La galette des rois**

This puff pastry and almond paste "Kings' Cake", named after the Three Kings in the Bible story, is traditionally eaten in France on the feast of the Epiphany. Each cake contains a **fève**, a porcelain lucky charm, and the person whose slice contains it is crowned king or queen.

Galles [gal] n → **pays**.

gallois, e [galwa, az] adj Welsh. ◆ **Gallois, e** nm, f Welshman (Welshwoman) ▸ **les Gallois** the Welsh.

galon [galɔ̃] nm 1. [ruban] braid 2. MIL stripe.

galop [galo] nm : **aller / partir au galop** [cheval] to gallop along / off.

galoper [3] [galɔpe] vi 1. [cheval] to gallop 2. [personne] to run about.

gambader [3] [gɑ̃bade] vi to leap about.

gambas [gɑ̃bas] nfpl large prawns.

Gambie [gɑ̃bi] nf 1. [pays] : **(la) Gambie** the Gambia 2. [fleuve] : **la Gambie, le fleuve Gambie** the Gambia (River).

gamelle [gamɛl] nf mess tin ⅏, kit ⅏.

gamin, e [gamɛ̃, in] nm, f fam kid.

gamme [gam] nf 1. MUS scale 2. [choix] range ▸ **haut de gamme** top-of-the-range ▸ **bas de gamme** bottom-end.

gang [gɑ̃g] nm gang.

ganglion [gɑ̃glijɔ̃] nm : **avoir des ganglions** to have swollen glands.

gangster [gɑ̃gstɛr] nm gangster.

gant [gɑ̃] nm [de laine, de boxe, de cuisine] glove ▸ **gant de toilette** ≃ flannel ⅏ ; ≃ facecloth ⅏.

garage [garaʒ] nm garage.

garagiste [garaʒist] nm 1. [propriétaire] garage owner 2. [mécanicien] mechanic.

garant, e [garɑ̃, ɑ̃t] nm, f [responsable] guarantor ▸ **se porter garant de qqch** to vouch for sthg, to guarantee sthg.

garantie [garɑ̃ti] nf guarantee ▸ **(bon de) garantie** guarantee ▸ **appareil sous garantie** appliance under guarantee.

garantir [32] [garɑ̃tir] vt to guarantee ▸ **garantir qqch à qqn** to guarantee sthg to sb ▸ **garantir à qqn que** to guarantee sthg that.

garçon [garsɔ̃] nm 1. boy 2. [homme] young man ▸ **garçon (de café)** waiter.

garde¹ [gard] nm guard ▸ **garde du corps** bodyguard.

garde² [gard] nf 1. [d'un endroit] guarding 2. [d'enfants] care 3. [soldats] guard ▸ **monter la garde** to stand guard ▸ **mettre qqn en garde (contre)** to put sb on their guard (against) ▸ **prendre garde (à qqch)** to be careful (of sthg) ▸ **prendre garde de ne pas faire qqch** to take care not to do sthg ▸ **médecin de garde** duty doctor, doctor on duty ▸ **pharmacie de garde** duty chemist's.

garde-barrière [gard(ə)barjɛr] (pl **gardes-barrière(s)**) nmf level crossing keeper ⅏, grade crossing keeper ⅏.

garde-boue [gardəbu] nm inv mudguard.

garde-chasse [gardəʃas] (pl **gardes-chasse(s)**) nm gamekeeper.

garde-fou [gardəfu] (pl **garde-fous**) nm railing.

garder [3] [garde] vt **1.** to keep **2.** [vêtement] to keep on **3.** [enfant, malade] to look after **4.** [lieu, prisonnier] to guard **5.** [souvenir, impression] to have. ◆ **se garder** vp [aliment] to keep.

garderie [gardəri] nf **1.** (day) nursery UK, day-care center US **2.** [d'entreprise] crèche.

garde-robe [gardərɔb] (pl **garde-robes**) nf wardrobe.

gardien, enne [gardjɛ̃, ɛn] nm, f **1.** [de musée] attendant **2.** [de prison] warder UK, guard US **3.** [d'immeuble] caretaker UK, janitor US ▶ **gardien de but** goalkeeper ▶ **gardien de nuit** nightwatchman.

gare [gar] ◆ nf station. ◆ interj : **gare à toi !** [menace] watch it! ▶ **entrer en gare** to pull into the station ▶ **gare maritime** harbour station ▶ **gare routière** bus station ▶ **gare TGV** high-speed train station.

garer [3] [gare] vt to park. ◆ **se garer** vp [dans un parking] to park.

gargouille [garguj] nf gargoyle.

gargouiller [3] [garguje] vi **1.** [tuyau] to gurgle **2.** [estomac] to rumble.

gariguette [garigɛt] nf variety of strawberry.

garnement [garnəmɑ̃] nm rascal.

garni, e [garni] adj [plat] served with vegetables.

garnir [32] [garnir] vt : **garnir qqch de qqch a)** [décorer] to decorate sthg with sthg **b)** [équiper] to fit sthg out with sthg.

garniture [garnityr] nf **1.** [légumes] vegetables (accompanying main dish) **2.** [décoration] trimming.

gars [gɑ] nm fam guy.

gas-oil [gazɔjl] nm = **gazole**.

gaspillage [gaspijaʒ] nm waste.

gaspiller [3] [gaspije] vt to waste.

gastro [gastro] nf fam gastroenteritis.

gastro-entérologue [gastroɑ̃terɔlɔg] (pl **gastro-entérologues**) nmf gastroenterologist.

gastronomique [gastronomik] adj **1.** [guide] gastronomic **2.** [restaurant] gourmet.

gâté, e [gate] adj [fruit, dent] rotten.

gâteau [gato] (pl **-x**) nm cake ▶ **gâteau marbré** marble cake ▶ **gâteau sec** biscuit UK, cookie US.

gâter [3] [gate] vt [enfant] to spoil. ◆ **se gâter** vp **1.** [fruit] to go bad **2.** [dent] to decay **3.** [temps, situation] to get worse.

gâteux, euse [gatø, øz] adj senile.

gauche [goʃ] ◆ adj **1.** left **2.** [maladroit] awkward. ◆ nf : **la gauche a)** the left **b)** POL the left (wing) ▶ **à gauche (de)** on the left (of) ▶ **de gauche** [du côté gauche] left-hand.

gaucher, ère [goʃe, ɛr] adj left-handed.

gauchiste [goʃist] nmf leftist.

gaufre [gofr] nf waffle.

gaufrette [gofrɛt] nf wafer.

gaullisme [golism] nm Gaullism.

gaulois, e [golwa, az] adj [de Gaule] Gallic. ◆ **Gaulois, e** nm, f Gaul.

gaver [3] [gave] vt : **gaver qqn de qqch** to fill sb full of sthg. ◆ **se gaver de** vp + prép [aliments] to fill o.s. up with.

gay [gɛ] adj inv & nm gay.

gaz [gaz] nm inv gas.

gaze [gaz] nf gauze.

gazeux, euse [gazø, øz] adj [boisson, eau] fizzy.

gazinière [gazinjɛr] nf gas stove.

gazole [gazɔl] nm diesel (oil).

gazon [gazɔ̃] nm 1. [herbe] grass 2. [terrain] lawn.

GB (abr écrite de Grande-Bretagne) GB (Great Britain).

géant, e [ʒeɑ̃, ɑ̃t] ◆ adj 1. [grand] gigantic 2. COMM [paquet] giant. ◆ nm, f giant.

geek [gik] nmf geek.

gel [ʒɛl] nm 1. [glace] frost 2. [à cheveux, dentifrice] gel ▸ **gel douche** shower gel.

gélatine [ʒelatin] nf CULIN gelatine.

gelée [ʒəle] nf 1. [glace] frost 2. [de fruits] jelly UK ▸ **en gelée** in jelly.

geler [25] [ʒəle] ◆ vt to freeze. ◆ vi 1. to freeze 2. [avoir froid] to be freezing ▸ **il gèle** it's freezing.

gélule [ʒelyl] nf capsule.

Gémeaux [ʒemo] nmpl Gemini sg.

gémir [32] [ʒemir] vi to moan.

gênant, e [ʒenɑ̃, ɑ̃t] adj 1. [encombrant] in the way 2. [embarrassant] embarrassing ▸ **c'est gênant** it's awkward.

gencive [ʒɑ̃siv] nf gum.

gendarme [ʒɑ̃darm] nm policeman.

gendarmerie [ʒɑ̃darməri] nf 1. [gendarmes] ≃ police force 2. [bureau] ≃ police station.

gendre [ʒɑ̃dr] nm son-in-law.

gène [ʒɛn] nf 1. [physique] discomfort 2. [embarras] embarrassment.

gêné, e [ʒene] adj 1. [physiquement] : **être gêné pour marcher** to have difficulty walking 2. [psychologiquement] embarrassed.

généalogique [ʒenealɔʒik] adj → **arbre**.

gêner [4] [ʒene] vt 1. [déranger] to bother 2. [embarrasser] to embarrass 3. [encombrer] : **gêner qqn** to be in sb's way ▸ **ça vous gêne si... ?** do you mind if...? ◆ **se gêner** vp : **ne te gêne pas (pour moi)** don't mind me.

général, e, aux [ʒeneral, o] adj & nm general ▸ **en général** a) [dans l'ensemble] in general b) [d'habitude] generally.

généralement [ʒeneralmɑ̃] adv generally.

généraliser [3] [ʒeneralize] vt & vi to generalize. ◆ **se généraliser** vp to become general ou widespread.

généraliste [ʒeneralist] nm : (médecin) généraliste GP.

génération [ʒenerasjɔ̃] nf generation.

généreux, euse [ʒenerø, øz] adj generous.

générique [ʒenerik] ◆ nm 1. [crédits pl] MÉD generic drug. ◆ adj : **médicament générique** generic drug.

générosité [ʒenerozite] nf generosity.

genêt [ʒənɛ] nm broom (plant).

génétique [ʒenetik] adj genetic.

génétiquement [ʒenetikmɑ̃] adv genetically.

Genève [ʒənɛv] n Geneva.

génial, e, aux [ʒenjal, o] adj brilliant.

génie [ʒeni] nm genius.

génital, e, aux [ʒenital, o] adj genital.

génoise [ʒenwaz] nf sponge.

génome [ʒenom] nm genome m.

genou [ʒənu] (*pl* -x) nm knee ▸ **être/se mettre à genoux** to be on/to get down on one's knees.

genre [ʒɑ̃r] nm 1. kind, type 2. GRAMM gender ▸ **un genre de** a kind of.

gens [ʒɑ̃] nmpl people.

gentil, ille [ʒɑ̃ti, ij] adj 1. [agréable] nice 2. [serviable] kind 3. [sage] good ▸ **sois gentil, va me chercher mes lunettes** do me a favour, get me my glasses.

gentillesse [ʒɑ̃tijɛs] nf kindness.

gentiment [ʒɑ̃timɑ̃] adv 1. kindly 2. [sagement] nicely 3. Suisse [tranquillement] quietly.

géo [ʒeo] nf [argot scolaire] geography.

géographie [ʒeɔgrafi] nf geography.

géolocalisation [ʒeɔlɔkalizasjɔ̃] nf geolocalization.

géométrie [ʒeɔmetri] nf geometry.

géométrique [ʒeɔmetrik] adj geometric.

Géorgie [ʒeɔrʒi] nf : **(la) Géorgie** Georgia.

géranium [ʒeranjɔm] nm geranium.

gérant, e [ʒerɑ̃, ɑ̃t] nm, f manager (manageress).

gerbe [ʒɛrb] nf 1. [de blé] sheaf 2. [de fleurs] wreath 3. [d'étincelles] shower.

gercé, e [ʒɛrse] adj chapped ▸ **lèvres gercées** chapped lips.

gérer [18] [ʒere] vt to manage.

germain, e [ʒɛrmɛ̃, ɛn] adj → **cousin**.

germe [ʒɛrm] nm 1. [de plante] sprout 2. [de maladie] germ ▸ **germe de soja** bean sprout.

germer [3] [ʒɛrme] vi to sprout.

gésier [ʒezje] nm gizzard.

geste [ʒɛst] nm 1. movement 2. [acte] gesture.

gesticuler [3] [ʒɛstikyle] vi to gesticulate.

gestion [ʒɛstjɔ̃] nf management.

gestionnaire [ʒɛstjɔnɛr] ◆ nmf [personne] manager. ◆ nm INFORM : **gestionnaire de données** data manager.

Ghana [gana] nm : **le Ghana** Ghana.

gibelotte [ʒiblɔt] nf rabbit stew with white wine, bacon, shallots and mushrooms.

gibier [ʒibje] nm game.

giboulée [ʒibule] nf sudden shower.

Gibraltar [ʒibraltar] nm Gibraltar ▸ **le rocher de Gibraltar** the Rock of Gibraltar.

gicler [3] [ʒikle] vi to spurt.

gifle [ʒifl] nf slap.

gifler [3] [ʒifle] vt to slap.

gigantesque [ʒigɑ̃tɛsk] adj 1. gigantic 2. [extraordinaire] enormous.

gigaoctet [ʒigaɔkte] nm INFORM gigabyte.

gigot [ʒigo] nm : **gigot d'agneau/de mouton** leg of lamb/of mutton.

gigoter [3] [ʒigɔte] vi to wriggle about ▸ **arrête de gigoter !** keep still!

gilet [ʒile] nm 1. [pull] cardigan 2. [sans manches] waistcoat UK, vest US ▸ **gilet de sauvetage** life jacket.

gin [dʒin] nm gin.

gingembre [ʒɛ̃ʒɑ̃br] nm ginger.

girafe [ʒiraf] nf giraffe.

giratoire [ʒiratwar] adj → **sens**.

girofle [ʒirɔfl] nm → **clou**.

girouette [ʒirwɛt] nf weathercock.

gisement [ʒizmɑ̃] nm deposit.

gitan, e [ʒitɑ̃, an] nm, f gipsy.

gite [ʒit] nm [de bœuf] shin UK, shank US ▶ **gîte d'étape** halt ▶ **gîte (rural)** gîte (self-catering accommodation in the country).

ⓘ le gîte rural

Country cottages providing self-catering accommodation are regulated and classified by an organization known as Gîtes de France, which is officially recognized by the French Ministry of Tourism. Their ever-increasing popularity, especially with families with children or people with pets, makes early booking advisable.

givre [ʒivr] nm frost.

givré, e [ʒivre] adj covered with frost ▶ **orange givrée** orange sorbet served in a scooped-out orange.

glace [glas] nf 1. [eau] ice 2. [crème glacée] ice cream 3. [miroir] mirror 4. [vitre] pane 5. [de voiture] window ▶ **glace à la vanille / à la fraise** vanilla / strawberry ice cream.

glacé, e [glase] adj 1. [couvert de glace] frozen 2. [froid] freezing cold ▶ **crème glacée** ice cream.

glacer [16] [glase] vt to chill.

glacial, e, s, aux [glasjal, o] adj icy.

glacier [glasje] nm 1. [de glace] glacier 2. [marchand] ice-cream seller.

glacière [glasjɛr] nf cool box.

glaçon [glasɔ̃] nm ice cube.

gland [glɑ̃] nm acorn.

glande [glɑ̃d] nf gland.

glander [3] [glɑ̃de] vi vulg to piss around.

glissade [glisad] nf slip.

glissant, e [glisɑ̃, ɑ̃t] adj slippery.

glissement [glismɑ̃] nm 1. [action de glisser] gliding, sliding 2. fig [électoral] swing, shift.

glisser [3] [glise] ◆ vt to slip. ◆ vi 1. [en patinant] to slide 2. [déraper] to slip 3. [être glissant] to be slippery. ◆ **se glisser** vp to slip.

global, e, aux [glɔbal, o] adj global.

globalement [glɔbalmɑ̃] adv on the whole.

globalisation [glɔbalizasjɔ̃] nf globalization.

globe [glɔb] nm globe ▶ **le globe (terrestre)** the Earth.

globule [glɔbyl] nm corpuscle, blood cell ▶ **globule blanc / rouge** white / red corpuscle.

gloire [glwar] nf fame.

glorieux, euse [glɔrjø, øz] adj glorious.

gloss [glɔs] nm lipgloss.

glossaire [glɔsɛr] nm glossary.

gloussement [glusmɑ̃] nm 1. [de poule] clucking 2. [rire] chuckle.

glouton, onne [glutɔ̃, ɔn] adj greedy.

gluant, e [glyɑ̃, ɑ̃t] adj sticky.

GO (abr écrite de grandes ondes) LW (long wave).

goal [gol] nm goalkeeper.

gobelet [gɔblɛ] nm 1. [à boire] tumbler 2. [à dés] shaker.

gober [3] [gɔbe] vt to swallow.

goéland [gɔelɑ̃] nm seagull.

goinfre [gwɛ̃fr] nmf pig.

golf [gɔlf] nm 1. golf 2. [terrain] golf course ▶ **golf miniature** crazy golf.

golfe [gɔlf] nm gulf.

gomme [gɔm] nf [à effacer] rubber UK, eraser US.

gommer [3] [gɔme] vt [effacer] to rub out UK, to erase US.

gond [gɔ̃] nm hinge.

gondoler [3] [gɔ̃dɔle] ◆ **se gondoler** vp 1. [bois] to warp 2. [papier] to wrinkle.

gonflé, e [gɔ̃fle] adj 1. swollen 2. fam [audacieux] cheeky ▸ **il est gonflé !** he has some cheek!

gonfler [3] [gɔ̃fle] ◆ vt to blow up. ◆ vi 1. [partie du corps] to swell (up) 2. [pâte] to rise.

gore [gɔʀ] (pl inv) adj gory.

gorge [gɔʀʒ] nf 1. throat 2. [gouffre] gorge.

gorgée [gɔʀʒe] nf mouthful.

gorille [gɔʀij] nm gorilla.

gosette [gɔzɛt] nf Belg apricot or apple turnover.

gosse [gɔs] nmf fam kid.

gothique [gɔtik] adj Gothic.

gouache [gwaʃ] nf gouache.

goudron [gudʀɔ̃] nm tar.

goudronner [3] [gudʀɔne] vt to tar.

gouffre [gufʀ] nm abyss.

goulot [gulo] nm neck ▸ **boire au goulot** to drink straight from the bottle.

gourde [guʀd] nf flask.

gourmand, e [guʀmɑ̃, ɑ̃d] adj greedy.

gourmandise [guʀmɑ̃diz] nf greed ▸ **des gourmandises** sweets.

gourmet [guʀmɛ] nm gourmet.

gourmette [guʀmɛt] nf chain bracelet.

gousse [gus] nf : **gousse d'ail** clove of garlic ▸ **gousse de vanille** vanilla pod.

goût [gu] nm taste ▸ **avoir bon goût a)** [aliment] to taste good **b)** [personne] to have good taste.

goûter [3] [gute] ◆ nm afternoon snack. ◆ vt to taste. ◆ vi to have an afternoon snack ▸ **goûter à qqch** to taste sthg.

goutte [gut] nf drop ▸ **tomber goutte à goutte** to drip. ◆ **gouttes** nfpl [médicament] drops.

gouttelette [gutlɛt] nf droplet.

goutter [3] [gute] vi to drip.

gouttière [gutjɛʀ] nf gutter.

gouvernail [guvɛʀnaj] nm rudder.

gouvernant, e [guvɛʀnɑ̃, ɑ̃t] adj ruling ▸ **les classes gouvernantes** the ruling classes.

gouvernement [guvɛʀnəmɑ̃] nm government.

gouverner [3] [guvɛʀne] vt to govern.

goyave [gɔjav] nf guava.

GPS (abr de global positioning system) nm GPS.

GR® (abr de (sentier de) grande randonnée) nm long-distance hiking path.

grâce [gʀas] nf grace. ◆ **grâce à** prép thanks to.

gracieux, euse [gʀasjø, øz] adj graceful.

grade [gʀad] nm rank.

gradins [gʀadɛ̃] nmpl terraces.

gradué, e [gʀadɥe] adj 1. [règle] graduated 2. Belg [diplômé] holding a technical diploma just below university level ▸ **verre gradué** measuring glass.

graduel, elle [gʀadɥɛl] adj gradual.

graffiti(s) [grafiti] nmpl graffiti sg.

grain [grɛ̃] nm 1. grain 2. [de poussière] speck 3. [de café] bean **▶ grain de beauté** beauty spot **▶ grain de raisin** grape.

graine [grɛn] nf seed.

graisse [grɛs] nf 1. fat 2. [lubrifiant] grease.

graisser [4] [grese] vt to grease.

graisseux, euse [grɛsø, øz] adj greasy.

grammaire [gramɛr] nf grammar.

grammatical, e, aux [gramatikal, o] adj grammatical.

gramme [gram] nm gram.

grand, e [grɑ̃, grɑ̃d] ◆ adj 1. [ville, différence] big 2. [personne, immeuble] tall 3. [en durée] long 4. [important, glorieux] great. ◆ adv **▶ grand ouvert** wide open **▶ il est grand temps de partir** it's high time we left **▶ grand frère** older brother **▶ grand magasin** department store **▶ grande surface** hypermarket **▶ les grandes vacances** the summer holidays UK, the summer vacation sg US.

grand-chose [grɑ̃ʃoz] pron **: pas grand-chose** not much.

Grande-Bretagne [grɑ̃dbrətaɲ] nf **: la Grande-Bretagne** Great Britain.

grandeur [grɑ̃dœr] nf 1. size 2. [importance] greatness **▶ grandeur nature** life-size.

grandir [32] [grɑ̃dir] vi to grow.

grand-mère [grɑ̃mɛr] (pl grands-mères) nf grandmother.

grand-père [grɑ̃pɛr] (pl grands-pères) nm grandfather.

grand-rue [grɑ̃ry] (pl grands-rues) nf high street UK, main street US.

grands-parents [grɑ̃parɑ̃] nmpl grandparents.

grange [grɑ̃ʒ] nf barn.

granulé [granyle] nm [médicament] tablet.

graphique [grafik] nm diagram.

grappe [grap] nf 1. [de raisin] bunch 2. [de lilas] flower.

gras, grasse [gra, gras] ◆ adj 1. greasy 2. [aliment] fatty 3. [gros] fat. ◆ nm 1. fat 2. [caractères d'imprimerie] bold (type) **▶ écrire en gras** to write in bold **▶ faire la grasse matinée** to have a lie-in.

gras-double [gradubl] (pl gras-doubles) nm (ox) tripe.

gratin [gratɛ̃] nm gratin (dish with a topping of toasted breadcrumbs or cheese) **▶ gratin dauphinois** sliced potatoes baked with cream and browned on top.

gratinée [gratine] nf French onion soup.

gratiner [3] [gratine] vi **: faire gratiner qqch** to brown sthg.

gratis [gratis] adv free (of charge).

gratitude [gratityd] nf gratitude.

gratos [gratɔs] adj & adv fam free.

gratte-ciel [gratsjɛl] nm inv skyscraper.

gratter [3] [grate] vt 1. [peau] to scratch 2. [peinture, tache] to scrape off. ◆ **se gratter** vp to scratch o.s.

grattouiller [3] [gratuje] vt fam **: ça me grattouille** it itches.

gratuit, e [gratɥi, it] adj free.

gratuitement [gratɥitmɑ̃] adv (for) free, for nothing.

gravats [grava] nmpl rubble sg.

grave [grav] adj **1.** [maladie, accident, visage] serious **2.** [voix, note] deep.

gravement [gravmɑ̃] adv seriously.

graver [3] [grave] vt **1.** to carve **2.** INFORM to burn.

graveur [gravœʀ] nm INFORM CD-RW drive, (CD-)burner ▸ **graveur de CD** CD writer ou burner.

gravier [gravje] nm gravel.

gravillon [gravijɔ̃] nm fine gravel.

gravir [32] [graviʀ] vt to climb.

gravité [gravite] nf **1.** [attraction terrestre] gravity **2.** [d'une maladie, d'une remarque] seriousness ▸ **sans gravité** minor.

gravure [gravyʀ] nf engraving.

gré [gre] nm : **de mon plein gré** of my own free will ▸ **de gré ou de force** whether you /they etc. like it or not ▸ **bon gré mal gré** willy-nilly.

grec, grecque [grɛk] ◆ adj Greek. ◆ nm [langue] Greek. ◆ **Grec, Grecque** nm, f Greek.

Grèce [grɛs] nf : **la Grèce** Greece.

greffe [gref] nf **1.** [d'organe] transplant **2.** [de peau] graft.

greffer [4] [grefe] vt **1.** [organe] to transplant **2.** [peau] to graft.

grêle [grɛl] nf hail.

grêler [4] [grele] v impers : **il grêle** it's hailing.

grêlon [grelɔ̃] nm hailstone.

grelot [gralo] nm bell.

grelotter [3] [gralote] vi to shiver.

grenade [granad] nf **1.** [fruit] pomegranate **2.** [arme] grenade.

Grenade [granad] nf [île] : **la Grenade** Grenada.

grenadine [granadin] nf grenadine.

grenat [grana] adj inv dark red.

grenier [granje] nm attic.

grenouille [granuj] nf frog ▸ **cuisses de grenouilles** frogs' legs.

grésiller [3] [grezije] vi **1.** [huile] to sizzle **2.** [radio] to crackle.

grève [grɛv] nf [arrêt de travail] strike ▸ **être /se mettre en grève** to be /to go on strike ▸ **grève de la faim** hunger strike.

gréviste [grevist] nmf striker.

gribouillage [gribujaʒ] nm doodle.

gribouiller [3] [gribuje] vt to scribble.

grièvement [grijɛvmɑ̃] adv seriously ▸ **grièvement blessé** seriously wounded.

griffe [grif] nf **1.** claw **2.** Belg [éraflure] scratch.

griffer [3] [grife] vt to scratch.

griffonner [3] [grifone] vt to scribble.

grignoter [3] [griɲote] vt to nibble (at ou on).

gril [gril] nm grill ▸ **au gril** grilled.

grillade [grijad] nf grilled meat.

grillage [grijaʒ] nm [clôture] wire fence.

grille [grij] nf **1.** [de four] shelf **2.** [de radiateur] grill **3.** [d'un jardin] gate **4.** [de mots croisés, de loto] grid **5.** [tableau] table.

grillé, e [grije] adj **1.** [ampoule] blown **2.** [viande] grilled ▸ **du pain grillé** toasted bread.

grille-pain [grijpɛ̃] nm inv toaster.

griller [3] [grije] vt **1.** [aliment] to grill UK, to broil US **2.** fam : **griller un feu rouge** to go through a red light.

grillon [gʀijɔ̃] nm cricket.

grimace [gʀimas] nf grimace ▸ **faire des grimaces** to pull faces.

grimpant, e [gʀɛ̃pɑ̃, ɑ̃t] adj climbing.

grimper [3] [gʀɛ̃pe] ◆ vt to climb. ◆ vi 1. [chemin, alpiniste] to climb 2. [prix] to soar ▸ **grimper aux arbres** to climb trees.

grincement [gʀɛ̃smɑ̃] nm creaking.

grincer [16] [gʀɛ̃se] vi to creak ▸ **grincer des dents** to grind one's teeth.

grincheux, euse [gʀɛ̃ʃø, øz] adj grumpy.

griotte [gʀijɔt] nf morello (cherry).

grippe [gʀip] nf flu ▸ **avoir la grippe** to have (the) flu.

grippé, e [gʀipe] adj [malade] : **être grippé** to have (the) flu.

gris, e [gʀi, gʀiz] adj & nm grey UK, gray US ▸ **gris anthracite** charcoal grey.

grisaille [gʀizaj] nf [de ciel] greyness UK, grayness US.

grivois, e [gʀivwa, az] adj saucy.

grognement [gʀɔɲmɑ̃] nm growl.

grogner [3] [gʀɔɲe] vi 1. to growl 2. [protester] to grumble.

grognon, onne [gʀɔɲɔ̃, ɔn] adj grumpy.

grondement [gʀɔ̃dmɑ̃] nm [de tonnerre] rumble.

gronder [3] [gʀɔ̃de] ◆ vt to scold. ◆ vi [tonnerre] to rumble ▸ **se faire gronder** to get a telling-off.

groom [gʀum] nm bellboy.

gros, grosse [gʀo, gʀos] ◆ adj big. ◆ adv 1. [écrire] in big letters 2. [gagner] a lot. ◆ nm : **en gros a)** [environ] roughly **b)** COMM wholesale ▸ **gros lot** big prize ▸ **gros mot** swearword ▸ **gros titres** headlines.

groseille [gʀozɛj] nf redcurrant ▸ **groseille à maquereau** gooseberry.

grosse adj f → **gros**.

grossesse [gʀosɛs] nf pregnancy.

grosseur [gʀosœʀ] nf 1. size 2. MÉD lump.

grossier, ère [gʀosje, ɛʀ] adj 1. rude 2. [approximatif] rough 3. [erreur] crass.

grossièreté [gʀosjɛʀte] nf 1. rudeness 2. [parole] rude remark.

grossir [32] [gʀosiʀ] ◆ vt 1. [suj : jumelles] to magnify 2. [exagérer] to exaggerate. ◆ vi [prendre du poids] to put on weight.

grossiste [gʀosist] nmf wholesaler.

grosso modo [gʀosomodo] adv roughly.

grotesque [gʀɔtɛsk] adj ridiculous.

grotte [gʀɔt] nf cave.

grouiller [3] [gʀuje] ◆ **grouiller de** v + prép to be swarming with.

groupe [gʀup] nm group ▸ **en groupe** in a group ▸ **groupe sanguin** blood group ▸ **groupe de news** newsgroup.

grouper [3] [gʀupe] vt to group together. ◆ **se grouper** vp to gather.

gruau [gʀyo] nm Québec porridge.

grue [gʀy] nf crane.

grumeau [gʀymo] (pl -x) nm lump.

grunge [gʀœnʒ] adj grunge.

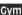

gruyère [gryjɛr] nm Gruyère (cheese) *(hard strong cheese made from cow's milk).*

GSM *(abr de* global system for mobile communication) GSM.

Guadeloupe [gwadlup] nf **: la Guadeloupe** Guadeloupe.

guadeloupéen, enne [gwadlupeɛ̃, ɛn] adj of Guadeloupe.

Guatemala [gwatemala] nm **: le Guatemala** Guatemala.

guédille [gedij] nf bread roll filled with egg or chicken.

guenon [gənɔ̃] nf female monkey.

guépard [gepar] nm cheetah.

guêpe [gɛp] nf wasp.

guère [gɛr] adv **: elle ne mange guère** she hardly eats anything.

guérilla [gerija] nf guerrilla warfare.

guérillero [gerijero] nm guerrilla.

guérir [32] [gerir] ◆ vt to cure. ◆ vi **1.** [personne] to recover **2.** [blessure] to heal.

guérison [gerizɔ̃] nf recovery.

guerre [gɛr] nf war ▶ **être en guerre** to be at war ▶ **guerre mondiale** world war.

guerrier, ère [gerje, ɛr] nmf warrior.

guet [gɛ] nm **: faire le guet** to be on the lookout.

guetter [4] [gete] vt **1.** [attendre] to be on the lookout for **2.** [menacer] to threaten.

gueule [gœl] nf **1.** [d'animal] mouth **2.** *vulg* [visage] mug ▶ **avoir la gueule de bois** *fam* to have a hangover.

gueuler [5] [gœle] vi *fam* [crier] to yell (one's head off).

gueuze [gøz] nf strong beer which has been fermented twice.

gui [gi] nm mistletoe.

guichet [giʃɛ] nm [de gare, de poste] window ▶ **guichet automatique (de banque)** cash dispenser.

guichetier, ère [giʃtje, ɛr] nm, f counter clerk.

guide [gid] ◆ nmf guide. ◆ nm [routier, gastronomique] guide book ▶ **guide touristique** tourist guide.

guider [3] [gide] vt to guide.

guidon [gidɔ̃] nm handlebars *pl.*

guignol [giɲɔl] nm [spectacle] ≃ Punch and Judy show.

guillemets [gijmɛ] nmpl inverted commas ▶ **entre guillemets a)** [mot] in inverted commas.

guimauve [gimov] nf marshmallow.

Guinée [gine] nf **: la Guinée** Guinea ▶ **(la) Guinée-Bissau** Guinea-Bissau ▶ **(la) Guinée-Équatoriale** Equatorial Guinea.

guirlande [girlɑ̃d] nf garland.

guise [giz] nf **: en guise de** by way of.

guitare [gitar] nf guitar ▶ **guitare électrique** electric guitar.

guitariste [gitarist] nmf guitarist.

Guyana [gyijana] nm *ou* nf **: (la** *ou* **le) Guyana** Guyana.

Guyane [gyijan] nf **: la Guyane (française)** French Guiana.

gym [ʒim] nf gym.

gymnase [ʒimnaz] nm gymnasium.

gymnastique [ʒimnastik] nf SPORT gymnastics sg ▸ **faire de la gymnastique** to do exercises.

gynécologue [ʒinekɔlɔg] nmf gynaecologist.

habile [abil] adj 1. [manuellement] skilful 2. [intellectuellement] clever.

habileté [abilte] nf 1. [manuelle] skill 2. [intellectuelle] cleverness.

habillé, e [abije] adj 1. dressed 2. [tenue] smart.

habillement [abijmɑ̃] nm clothing trade [UK], garment industry [US].

habiller [3] [abije] vt 1. to dress 2. [meuble] to cover. ◆ **s'habiller** vp 1. to get dressed 2. [élégamment] to dress up ▸ **s'habiller bien / mal** to dress well / badly.

habitant, e [abitɑ̃, ɑ̃t] nm, f 1. inhabitant 2. [Québec] [paysan] farmer ▸ **loger chez l'habitant** to stay with a family.

habitat [abita] nm [conditions de logement] housing conditions pl.

habitation [abitasjɔ̃] nf residence.

habiter [3] [abite] ◆ vt to live in. ◆ vi to live.

habits [abi] nmpl clothes.

habitude [abityd] nf habit ▸ **avoir l'habitude de faire qqch** to be in the hab-

it of doing sthg ▸ **d'habitude** usually ▸ **comme d'habitude** as usual.

habitué, e [abitye] nm, f regular.

habituel, elle [abityɛl] adj usual.

habituellement [abityɛlmɑ̃] adv usually.

habituer [7] [abitye] vt : **habituer qqn à faire qqch** to get sb used to doing sthg ▸ **être habitué à faire qqch** to be used to doing sthg. ◆ **s'habituer à** vp + prép : **s'habituer à faire qqch** to get used to doing sthg.

hache [ˈaʃ] nf axe.

hacher [3] [ˈaʃe] vt 1. [viande] to mince [UK], to grind [US] 2. [oignon] to chop finely.

hachis [ˈaʃi] nm mince [UK], ground meat [US] ▸ **hachis Parmentier** ≃ shepherd's pie.

hachoir [ˈaʃwar] nm [lame] chopping knife.

hachures [ˈaʃyr] nfpl hatching sg.

hackeur, euse [akœr, øz], **hacker** [akœr] n fam hacker.

haddock [ˈadɔk] nm smoked haddock.

haie [ˈɛ] nf 1. hedge 2. SPORT hurdle.

haine [ˈɛn] nf hatred.

haïr [33] [ˈair] vt to hate.

Haïti [aiti] n Haiti.

halal [alal] adj inv halal ▸ **viande halal** halal meat.

hâle [ˈal] nm (sun)tan.

hâlé, e [ˈale] adj tanned [UK], tan [US].

haleine [alɛn] nf breath ▸ **avoir mauvaise haleine** to have bad breath.

haleter [28] [ˈalte] vi to pant.

hall [ˈol] nm 1. [d'un hôtel] lobby 2. [d'une gare] concourse.

halle ['al] nf (covered) market.

Halloween [alɔwin] n Halloween.

hallucination [alysinasjɔ̃] nf hallucination.

halluciner [3] [alysine] vi *fam & fig* : **mais j'hallucine ou quoi ?** I don't believe it!

halogène [alɔʒɛn] nm : **(lampe) halogène** halogen lamp.

halte ['alt] nf **1.** [arrêt] stop **2.** [lieu] stopping place ▸ **faire halte** to stop.

haltère [altɛr] nm dumbbell.

haltérophile [altercfil] nmf weightlifter.

haltérophilie [alterɔfili] nf weightlifting.

hamac ['amak] nm hammock.

hamburger ['ãburgœr] nm burger.

hameau [amo] (*pl* -**x**) nm hamlet.

hameçon [amsɔ̃] nm fish-hook.

hamster ['amster] nm hamster.

hanche ['ɑ̃ʃ] nf hip.

handball ['ɑ̃dbal] nm handball.

handicap ['ɑ̃dikap] nm handicap.

handicapé, e ['ɑ̃dikape] ◆ adj handicapped. ◆ nm, f handicapped person.

handisport [ɑ̃dispɔr] adj : **activité handisport** sport for the disabled.

hangar ['ɑ̃gar] nm shed.

Hanoukka [anuka] nf Hanukkah, Hanukka.

hanté, e ['ɑ̃te] adj haunted.

happer ['ape] vt **1.** [saisir] to grab **2.** [suj : animal] to snap up **3.** [suj : voiture] to knock down.

harcèlement [arsɛlmɑ̃] nm harassment ▸ **harcèlement moral** bullying (in the workplace) ▸ **harcèlement sexuel** sexual harassment.

harceler [25] ['arsəle] vt to pester.

hardi, e ['ardi] adj bold.

hard-rock [ardrɔk] (*pl* hard-rocks), **hard** [ard] nm MUS hard rock, heavy metal.

hareng ['arɑ̃] nm herring ▸ **hareng saur** kipper.

hargneux, euse ['arɲø, øz] adj **1.** aggressive **2.** [chien] vicious.

haricot ['ariko] nm bean ▸ **haricot blanc** white (haricot) bean ▸ **haricot vert** green bean.

harmonica [armɔnika] nm harmonica.

harmonie [armɔni] nf harmony.

harmonieux, euse [armɔnjø, øz] adj harmonious.

harmoniser [3] [armɔnize] vt to harmonize.

harnais ['arnɛ] nm harness.

harpe ['arp] nf harp.

hasard ['azar] nm : **le hasard** chance, fate ▸ **un hasard** a coincidence ▸ **au hasard** at random ▸ **à tout hasard** just in case ▸ **par hasard** by chance.

hasardeux, euse ['azardø, øz] adj dangerous.

hâte ['at] nf haste ▸ **à la hâte, en hâte** hurriedly ▸ **sans hâte** at a leisurely pace ▸ **avoir hâte de faire qqch** to be looking forward to doing sthg.

hâter [3] ['ate] ▸ **se hâter** vp to hurry.

hausse ['os] nf rise ▸ **être en hausse** to be on the increase.

hausser [3] ['ose] vt [prix, ton] to raise ▸ **hausser les épaules** to shrug (one's shoulders).

haussmannien, enne [osmanjɛ̃, ɛn] adj relating to the period of urban transformation in Paris led by Baron Haussmann in the mid-nineteenth century.

haut, e [ˈo, ˈot] ◆ adj & adv high. ◆ nm top ▸ **tout haut** aloud ▸ **haut la main** hands down ▸ **de haut en bas** from top to bottom ▸ **en haut** a) at the top b) [à l'étage] upstairs ▸ **en haut de** at the top of ▸ **la pièce fait 3 m de haut** the room is 3 m high ▸ **avoir des hauts et des bas** to have one's ups and downs.

hautain, e [otɛ̃, ɛn] adj haughty.

haute-fidélité [otfidelite] nf hi-fi.

hauteur [otœr] nf 1. height 2. [colline] hill ▸ **être à la hauteur** to be up to it.

haut-le-cœur [olkœr] nm inv : **avoir un haut-le-cœur** to retch.

haut-parleur [oparlœr] (pl **haut-parleurs**) nm loudspeaker.

hebdomadaire [ɛbdomadɛr] adj & nm weekly.

hébergement [ebɛrʒəmɑ̃] nm lodging.

héberger [17] [ebɛrʒe] vt to put up.

hébreu [ebrø] (pl **-x**) adj Hebrew. ◆ **hébreu** nm [langue] Hebrew. ◆ **Hébreu** (pl **-x**) nm Hebrew.

Hébrides [ebrid] n : **les (îles) Hébrides** the Hebrides.

hectare [ɛktar] nm hectare.

hein [ˈɛ̃] interj fam : **tu ne lui diras pas, hein ?** you won't tell him / her, will you? ▸ **hein ?** what?

hélas [elas] interj unfortunately.

hélice [elis] nf propeller.

hélico [eliko] nm fam chopper.

hélicoptère [elikɔptɛr] nm helicopter.

Helsinki [ˈɛlsiŋki] n Helsinki.

helvétique [ɛlvetik] adj Swiss, Helvetian.

hématome [ematom] nm bruise.

hémiplégie [emipleʒi] nf hemiplegia.

hémisphère [emisfɛr] nm hemisphere.

hémorragie [emoraʒi] nf hemorrhage.

hémorroïdes [emorɔid] nfpl haemorrhoids UK, hemorrhoids US, piles.

hennir [32] [enir] vi to neigh, to whinny.

hennissement [ˈenismɑ̃] nm neigh.

hépatite [epatit] nf hepatitis.

herbe [ɛrb] nf grass ▸ **fines herbes** herbs ▸ **mauvaises herbes** weeds.

héréditaire [erediter] adj hereditary.

hérisser [3] [ˈerise] ◆ **se hérisser** vp to stand on end.

hérisson [ˈerisɔ̃] nm hedgehog.

héritage [eritaʒ] nm inheritance.

hériter [3] [erite] vt to inherit. ◆ **hériter de** v + prép to inherit.

héritier, ère [eritje, ɛr] nm, f heir (heiress).

hermétique [ɛrmetik] adj airtight.

hernie [ˈɛrni] nf hernia.

héroïne [erɔin] nf 1. [drogue] heroin 2. → **héros**.

héroïsme [erɔism] nm heroism.

héron [erɔ̃] nm heron.

héros, héroïne [ˈero, erɔin] nm, f hero (heroine).

herve [ɛrv] nm soft cheese from the Liège region of Belgium, made from cow's milk.

hésitation [ezitasjɔ̃] nf hesitation ▸ **sans hésitation** without hesitation.

hésiter [3] [ezite] vi to hesitate ▸ **hésiter à faire qqch** to hesitate to do sthg.

hétérosexualité [eterɔseksɥalite] nf heterosexuality.

hétérosexuel, elle [eterɔseksɥɛl] adj & nm, f heterosexual.

hêtre [ɛtr] nm beech.

heure [œr] nf **1.** hour **2.** [moment] time ▸ **quelle heure est-il ? — il est quatre heures** what time is it? — it's four o'clock ▸ **il est trois heures vingt** it's twenty past three *UK*, it's twenty-after three *US* ▸ **à quelle heure part le train ? — à deux heures** what time does the train leave? — at two o'clock ▸ **c'est l'heure de...** it's time to... ▸ **à l'heure** on time ▸ **de bonne heure** early ▸ **heures de bureau** office hours ▸ **heures d'ouverture** opening hours ▸ **heures de pointe** rush hour *sg* ▸ **heure d'été** ≃ British Summer Time *UK* ; ≃ daylight saving time *US*.

heureusement [œrøzmɑ̃] adv luckily, fortunately.

heureux, euse [œrø, øz] adj **1.** happy **2.** [favorable] fortunate.

heurter [3] [œrte] vt **1.** to bump into **2.** [en voiture] to hit **3.** [vexer] to offend. ◆ **se heurter** vp + prép [obstacle, refus] to come up against.

hexagone [ɛgzagɔn] nm hexagon ▸ **l'Hexagone** (mainland) France.

hibou [ibu] (pl -x) nm owl.

hier [ijɛr] adv yesterday ▸ **hier après-midi** yesterday afternoon.

hiérarchie [jerarʃi] nf hierarchy.

hiéroglyphes [jerɔglif] nmpl hieroglyphics.

hi-fi [ifi] nf inv hi-fi.

hilarant, e [ilarɑ̃, ɑ̃t] adj hilarious.

hindou [ɛ̃du] adj & nm, f Hindu.

hindouiste [ɛ̃duist] adj Hindu.

hip-hop [ipɔp] adj inv & nm inv hip-hop.

hippique [ipik] adj horse (avant n).

hippodrome [ipɔdrom] nm racecourse.

hippopotame [ipɔpɔtam] nm hippopotamus.

hirondelle [irɔ̃dɛl] nf swallow.

hisser [3] [ise] vt **1.** to lift **2.** [drapeau, voile] to hoist.

histogramme [istɔgram] nm histogram.

histoire [istwar] nf **1.** story **2.** [passé] history ▸ **faire des histoires** to make a fuss ▸ **histoire drôle** joke.

historique [istɔrik] adj **1.** historical **2.** [important] historic.

hit-parade [itparad] (pl hit-parades) nm charts pl.

hiver [ivɛr] nm winter ▸ **en hiver** in winter.

HLM nm inv ≃ council house/flat *UK* ; ≃ public housing unit *US*.

hobby [ɔbi] (pl -s ou hobbies) nm hobby.

hochepot [ɔʃpo] nm Flemish stew of beef, mutton and vegetables.

hocher [3] [ɔʃe] vt : **hocher la tête** a) [pour accepter] to nod b) [pour refuser] to shake one's head.

hochet [ɔʃɛ] nm rattle.

hockey [ɔkɛ] nm hockey ▸ **hockey sur glace** ice hockey.

hold-up [ɔldœp] nm inv hold-up.

hollandais, e [ɔlɑ̃dɛ, ɛz] ◆ adj Dutch. ◆ **hollandais** nm [langue] Dutch. ◆ **Hollandais, e** nm, f Dutchman (Dutchwoman).

hollande [ɔlɑ̃d] nm [fromage] Dutch cheese.

Hollande [ɔlɑ̃d] nf : **la Hollande** Holland.

homard [ɔmar] nm lobster ▸ **homard à l'américaine** lobster cooked in a sauce of white wine, brandy, herbs and tomatoes ▸ **homard Thermidor** lobster Thermidor (grilled and served in its shell with a mustard sauce and grated cheese).

homéopathe [ɔmeɔpat] ◆ nmf homeopath. ◆ adj homeopathic.

homéopathie [ɔmeɔpati] nf homeopathy.

homéopathique [ɔmeɔpatik] adj homeopathic.

homicide [ɔmisid] nm murder.

hommage [ɔmaʒ] nm : **en hommage à** in tribute to ▸ **rendre hommage à** to pay tribute to.

homme [ɔm] nm 1. man 2. [mâle] man ▸ **homme d'affaires** businessman ▸ **homme politique** politician.

homogène [ɔmɔʒɛn] adj 1. homogeneous 2. [classe] of the same level.

homologue [ɔmɔlɔg] adj 1. DR approved, authorized 2. SPORT ratified 3. [industrie] approved.

homophobe [ɔmɔfɔb] adj homophobic.

homophobie [ɔmɔfɔbi] nf homophobia.

homosexuel, elle [ɔmɔsɛksɥɛl] adj & nm, f homosexual.

Honduras [ɔ̃dyras] nm : **le Honduras** Honduras.

Hongkong, Hong Kong [ɔ̃gkɔ̃g] n Hong Kong.

Hongrie [ɔ̃gri] nf : **la Hongrie** Hungary.

hongrois, e [ɔ̃grwa, az] adj Hungarian. ◆ **hongrois** nm [langue] Hungarian. ◆ **Hongrois, e** nm, f Hungarian.

honnête [ɔnɛt] adj 1. honest 2. [salaire, résultats] decent.

honnêteté [ɔnɛtte] nf honesty.

honneur [ɔnœr] nm honour ▸ **en l'honneur de** in honour of ▸ **faire honneur à** a) [famille] to do credit to b) [repas] to do justice to.

honorable [ɔnɔrabl] adj 1. honourable 2. [résultat] respectable.

honoraires [ɔnɔrɛr] nmpl fee(s).

honte [ɔ̃t] nf shame ▸ **avoir honte (de)** to be ashamed (of) ▸ **faire honte à qqn** a) [embarrasser] to put sb to shame b) [gronder] to make sb feel ashamed.

honteux, euse [ɔ̃tø, øz] adj 1. [personne] ashamed 2. [scandaleux] shameful.

hooligan, houligan [uligan] nm hooligan.

hôpital [ɔpital] (pl -aux) nm hospital ▸ **à l'hôpital** at hospital ▸ **où se trouve l'hôpital le plus proche ?** where is the closest hospital?

hoquet [ɔkɛ] nm : **avoir le hoquet** to have hiccups.

horaire [ɔrɛr] nm timetable ▸ **'horaires d'ouverture'** 'opening hours'.

horizon [ɔrizɔ̃] nm horizon ▸ **à l'horizon** on the horizon.

horizontal, e, aux [ɔrizɔ̃tal, o] adj horizontal.

horloge [ɔʀlɔʒ] nf clock ▸ **l'horloge parlante** the speaking clock.

horloger, ère [ɔʀlɔʒe, ɛʀ] nm, f watchmaker.

horlogerie [ɔʀlɔʒʀi] nf watchmaker's (shop).

hormone [ɔʀmɔn] nf hormone.

horoscope [ɔʀɔskɔp] nm horoscope.

horreur [ɔʀœʀ] nf horror ▸ **quelle horreur !** how awful ! ▸ **avoir horreur de qqch** to hate sthg.

horrible [ɔʀibl] adj 1. [effrayant] horrible 2. [laid] hideous.

horriblement [ɔʀibləmɑ̃] adv terribly.

horrifié, e [ɔʀifje] adj horrified.

hors [ɔʀ] prép ▸ hors de outside, out of ▸ **hors jeu** offside ▸ **hors saison** out of season ▸ **'hors service'** 'out of order' ▸ **hors sujet** irrelevant ▸ **hors taxes** a) [prix] excluding tax b) [boutique] duty-free ▸ **hors d'atteinte, hors de portée** out of reach ▸ **hors d'haleine** out of breath ▸ **hors de prix** ridiculously expensive ▸ **hors de question** out of the question ▸ **être hors de soi** to be beside o.s.

hors-bord [ɔʀbɔʀ] nm inv speedboat.

hors-d'œuvre [ɔʀdœvʀ] nm inv starter.

hors-série [ɔʀseʀi] ◆ adj inv special. ◆ nm (pl hors-séries) special issue ou edition.

hortensia [ɔʀtɑ̃sja] nm hydrangea.

horticulture [ɔʀtikyltyʀ] nf horticulture.

hospice [ɔspis] nm [de vieillards] home.

hospitaliser [3] [ɔspitalize] vt to hospitalize.

hospitalité [ɔspitalite] nf hospitality.

hostie [ɔsti] nf host.

hostile [ɔstil] adj hostile.

hostilité [ɔstilite] nf hostility.

hosto [ɔsto] nm fam hospital.

hot dog [ɔtdɔg] (pl hot dogs) nm hot dog.

hôte, hôtesse [ot, otɛs] ◆ nm, f [qui reçoit] host (hostess). ◆ nm [invité] guest.

hôtel [otɛl] nm 1. hotel 2. [château] mansion ▸ **hôtel de ville** town hall ▸ **hôtel particulier** town house.

hôtelier, ère [otəlje, ɛʀ] ◆ adj hotel (avant n). ◆ nm, f hotelier ▸ **personnel hôtelier** hotel staff.

hôtellerie [otɛlʀi] nf 1. [hôtel] hotel 2. [activité] hotel trade ▸ **travailler dans l'hôtellerie** to work in the hotel trade.

hôtesse [otɛs] nf 1. [d'accueil] receptionist 2. [qui reçoit] hostess 3. : **hôtesse de l'air** air hostess.

hot line [ɔtlajn] (pl hot lines) nf hotline.

hotte [ɔt] nf [panier] basket ▸ **hotte (aspirante)** extractor hood.

houle [ul] nf swell ▸ **il y a de la houle** the sea is rough.

houmous [umus] nm houmous, hummus.

hourra ['uʀa] interj hurrah.

house [aws], **house music** [awsmjuzik] nf house (music).

housse ['us] nf cover ▸ **housse de couette** duvet cover.

houx ['u] nm holly.

hovercraft [ɔvœʀkʀaft] nm hovercraft.

HT abr écrite de **hors taxes**.

HTML (abr de hypertext markup language) nm INFORM HTML.

hublot ['yblo] nm porthole.

huer [7] ['ɥe] vt to boo.

huile [ɥil] nf oil ▸ huile d'arachide groundnut oil ▸ huile d'olive olive oil ▸ huile solaire suntan oil.

huiler [3] [ɥile] vt 1. [mécanisme] to oil 2. [moule] to grease.

huileux, euse [ɥilø, øz] adj oily.

huissier [ɥisje] nm [juridique] bailiff.

huit ['ɥit] num eight ▸ il a huit ans he's eight (years old) ▸ il est huit heures it's eight o'clock ▸ le huit janvier the eighth of January ▸ page huit page eight ▸ ils étaient huit there were eight of them ▸ le huit de pique the eight of spades ▸ au huit rue Lepic at/to eight, rue Lepic.

huitaine ['ɥiten] nf : une huitaine (de jours) about a week.

huitante ['ɥitãt] num Suisse eighty.

huitième ['ɥitjem] num eighth ▸ le huitième étage eighth floor UK, ninth floor US ▸ le huitième (arrondissement) eighth arrondissement ▸ il est arrivé huitième he came eighth.

huître [ɥitr] nf oyster.

humain, e [ymɛ̃, ɛn] ◆ adj 1. human 2. [compréhensif] humane. ◆ nm human (being).

humanitaire [ymaniter] ◆ nm : l'humanitaire humanitarian organizations. ◆ adj humanitarian.

humanité [ymanite] nf humanity.

humble [œbl] adj humble.

humecter [4] [ymɛkte] vt to moisten.

humeur [ymœr] nf 1. [momentanée] mood 2. [caractère] temper ▸ être de

bonne/mauvaise humeur to be in a good/bad mood.

humide [ymid] adj 1. damp 2. [pluvieux] humid.

humidité [ymidite] nf 1. [du climat] humidity 2. [d'une pièce] dampness.

humiliant, e [ymiljɑ̃, ɑ̃t] adj humiliating.

humilier [9] [ymilje] vt to humiliate.

humoristique [ymɔristik] adj humorous.

humour [ymur] nm humour ▸ avoir de l'humour to have a sense of humour.

hurlement ['yrləmɑ̃] nm howl.

hurler [3] ['yrle] vi to howl.

hutte ['yt] nf hut.

hydratant, e [idratɑ̃, ɑ̃t] adj moisturizing.

hydravion [idravjɔ̃] nm seaplane, hydroplane.

hydrophile [idrɔfil] adj → coton.

hygiène [iʒjɛn] nf hygiene.

hygiénique [iʒjenik] adj hygienic.

hymne [imn] nm [religieux] hymn ▸ hymne national national anthem.

hyperactif, ive [iperaktif, iv] adj hyperactive.

hyperlien [iperljɛ̃] nm hyperlink.

hypermarché [ipermarʃe] nm hypermarket.

hypertension [ipertɑ̃sjɔ̃] nf high blood pressure ▸ faire de l'hypertension to have high blood pressure.

hypertexte [ipertekst] ◆ adj : lien hypertexte hyperlink. ◆ nm hypertext.

hypnose [ipnoz] nf hypnosis.

hypnotiser [3] [ipnɔtize] vt 1. to hypnotize 2. [fasciner] to fascinate.

hypoallergénique [ipɔalɛʁʒenik] adj hypoallergenic.

hypocrisie [ipɔkrizi] nf hypocrisy.

hypocrite [ipɔkrit] ◆ adj hypocritical. ◆ nmf hypocrite.

hypoglycémie [ipɔglisemi] nf hypoglycaemia **UK**, hypoglycemia **US**.

hypotension [ipɔtɑ̃sjɔ̃] nf low blood pressure.

hypothermie [ipɔtɛʁmi] nf hypothermia.

hypothèse [ipɔtɛz] nf hypothesis ▶ **dans l'hypothèse où il viendrait** assuming he comes.

hystérique [isteʁik] adj hysterical.

iceberg [ajsbɛʁg] nm iceberg.

ici [isi] adv here ▶ **d'ici là** by then ▶ **d'ici peu** before long ▶ **par ici** a) [de ce côté] this way b) [dans les environs] around here.

icône [ikon] nf icon.

idéal, e, aux [ideal, o] adj & nm ideal ▶ **l'idéal, ce serait...** the ideal thing would be...

idéaliste [idealist] ◆ adj idealistic. ◆ nmf idealist.

idée [ide] nf idea ▶ **as-tu une idée du temps qu'il faut ?** do you have any idea how long it takes?

identifiant [idɑ̃tifjɑ̃] nm username.

identifier [9] [idɑ̃tifje] vt to identify. ◆ **s'identifier à** vp + prép to identify with.

identique [idɑ̃tik] adj : **identique (à)** identical (to).

identité [idɑ̃tite] nf identity.

idéogramme [ideogʁam] nm ideogram.

idiot, e [idjo, ɔt] ◆ adj stupid. ◆ nm, f idiot.

idiotie [idjɔsi] nf [acte, parole] stupid thing.

idole [idɔl] nf idol.

igloo [iglu] nm igloo.

ignoble [iɲɔbl] adj **1.** [choquant] disgraceful **2.** [laid, mauvais] vile.

ignorant, e [iɲɔʁɑ̃, ɑ̃t] ◆ adj ignorant. ◆ nm, f ignoramus.

ignorer [3] [iɲɔʁe] vt [personne, avertissement] to ignore ▶ **j'ignore son adresse/où il est** I don't know his address/where he is.

iguane [igwan] nm iguana.

il [il] pron **1.** [personne, animal] he **2.** [chose] it **3.** [sujet de v impers] it ▶ **il pleut** it's raining. ◆ **ils** pron pl they.

île [il] nf island ▶ **île flottante** cold dessert of beaten egg whites served on custard ▶ **l'île Maurice** Mauritius ▶ **les îles Anglo-Normandes** the Channel Islands.

Île-de-France [ildəfʁɑ̃s] nf administrative region centred on Paris.

illégal, e, aux [ilegal, o] adj illegal.

illégalement [ilegalmɑ̃] adv illegally.

illettré, e [iletʁe] adj & nm, f illiterate.

illettrisme [iletʁism] nm illiteracy.

illimité, e [ilimite] adj unlimited.

illisible [ilizibl] adj illegible.

illuminer [3] [ilymine] vt to light up. ◆ **s'illuminer** vp 1. [monument, ville] to be lit up 2. [visage] to light up.

illusion [ilyzjɔ̃] nf illusion ▸ **se faire des illusions** to delude o.s.

illusionniste [ilyzjɔnist] nmf conjurer.

illustration [ilystrasjɔ̃] nf illustration.

illustré, e [ilystre] ◆ adj illustrated. ◆ nm illustrated magazine.

illustrer [3] [ilystre] vt to illustrate.

îlot [ilo] nm small island.

ils pron pl → **il**.

image [imaʒ] nf 1. picture 2. [comparaison] image ▸ **à l'image de** (just) like.

imagerie [imaʒri] nf MÉD : **imagerie médicale** medical imaging.

imaginaire [imaʒiner] adj imaginary.

imagination [imaʒinasjɔ̃] nf imagination ▸ **avoir de l'imagination** to be imaginative.

imaginer [3] [imaʒine] vt 1. [penser] to imagine 2. [inventer] to think up. ◆ **s'imaginer** vp 1. [soi-même] to picture o.s. 2. [scène, personne] to picture ▸ **s'imaginer que** to imagine that.

imam [imam] nm imam.

imbattable [ɛ̃batabl] adj unbeatable.

imbécile [ɛ̃besil] nmf idiot.

imbiber [3] [ɛ̃bibe] vt : **imbiber qqch de** to soak sthg in.

imbuvable [ɛ̃byvabl] adj undrinkable.

imitateur, trice [imitatœr, tris] nm, f impersonator.

imitation [imitasjɔ̃] nf 1. imitation 2. [d'une personnalité] impersonation ▸ **imitation cuir** imitation leather.

imiter [3] [imite] vt 1. to imitate 2. [personnalité] to impersonate.

immangeable [ɛ̃mɑ̃ʒabl] adj inedible.

immatriculation [imatrikylasjɔ̃] nf 1. [inscription] registration 2. [numéro] registration (number).

immédiat, e [imedja, at] adj immediate.

immédiatement [imedjatmɑ̃] adv immediately.

immense [imɑ̃s] adj huge.

immergé, e [imerʒe] adj submerged.

immerger [17] [imerʒe] vt to submerge. ◆ **s'immerger** vp to submerge o.s.

immeuble [imœbl] nm block of flats.

immigration [imigrasjɔ̃] nf immigration ▸ **immigration clandestine** illegal immigration.

immigré, e [imigre] adj & nm, f immigrant.

imminent, e [iminɑ̃, ɑ̃t] adj imminent.

immobile [imɔbil] adj still.

immobilier, ère [imɔbilje, ɛr] ◆ adj property UK, real estate US. ◆ nm : **l'immobilier** the property business UK, the real-estate business US.

immobiliser [3] [imɔbilize] vt to immobilize.

immonde [imɔ̃d] adj vile.

immoral, e, aux [imɔral, o] adj immoral.

immortel, elle [imɔrtel] adj immortal.

immuniser [3] [imynize] vt to immunize.

immunodépresseur [imynode-presœr] nm immunosuppressive.

immunologie [imynɔlɔʒi] nf immunology.

impact [ɛ̃pakt] nm impact.

impair, e [ɛ̃pɛr] adj uneven.

impardonnable [ɛ̃pardɔnabl] adj unforgivable.

imparfait, e [ɛ̃parfɛ, ɛt] ◆ adj imperfect. ◆ nm GRAMM imperfect (tense) ▶ **l'imparfait du subjonctif** the imperfect subjunctive.

impartial, e, aux [ɛ̃parsjal, o] adj impartial.

impasse [ɛ̃pas] nf dead end ▶ **faire une impasse sur qqch** SCOL to skip (over) sthg in one's review.

impassible [ɛ̃pasibl] adj impassive.

impatience [ɛ̃pasjɑ̃s] nf impatience.

impatient, e [ɛ̃pasjɑ̃, ɑ̃t] adj impatient ▶ **être impatient de faire qqch** to be impatient to do sthg.

impatienter [3] [ɛ̃pasjɑ̃te] ◆ **s'impatienter** vp to get impatient.

impec [ɛ̃pɛk] adj *fam* perfect.

impeccable [ɛ̃pekabl] adj impeccable.

imper [ɛ̃pɛr] nm raincoat.

impératif, ive [ɛ̃peratif, iv] ◆ adj imperative. ◆ nm GRAMM imperative (mood).

impératrice [ɛ̃peratris] nf empress.

imperceptible [ɛ̃persɛptibl] adj imperceptible.

imperfection [ɛ̃pɛrfɛksjɔ̃] nf imperfection.

impérial, e, aux [ɛ̃perjal, o] adj imperial.

impériale [ɛ̃perjal] nf → **autobus**.

imperméabilisant, e [ɛ̃pɛrmeabilizɑ̃, ɑ̃t] adj waterproofing.
◆ **imperméabilisant** nm waterproofing (substance).

imperméable [ɛ̃pɛrmeabl] ◆ adj waterproof. ◆ nm raincoat.

impersonnel, elle [ɛ̃pɛrsɔnɛl] adj impersonal.

impertinent, e [ɛ̃pɛrtinɑ̃, ɑ̃t] adj impertinent.

impitoyable [ɛ̃pitwajabl] adj pitiless.

implanter [3] [ɛ̃plɑ̃te] vt 1. [mode] to introduce 2. [entreprise] to set up.
◆ **s'implanter** vp 1. [entreprise] to be set up 2. [peuple] to settle.

impliquer [3] [ɛ̃plike] vt [entraîner] to imply ▶ **impliquer qqn dans** to implicate sb in. ◆ **s'impliquer dans** vp + prép to get involved in.

impoli, e [ɛ̃pɔli] adj rude.

import [ɛ̃pɔr] nm 1. [commerce] import 2. 𝐒𝐮𝐢𝐬𝐬𝐞 [montant] amount.

importance [ɛ̃pɔrtɑ̃s] nf 1. importance 2. [taille] size ▶ **avoir de l'importance** to be important ▶ **cela n'a aucune** ou **pas d'importance** that's not important.

important, e [ɛ̃pɔrtɑ̃, ɑ̃t] adj 1. important 2. [gros] large.

importation [ɛ̃pɔrtasjɔ̃] nf import.

importer [3] [ɛ̃pɔrte] ◆ vt to import.
◆ vi [être important] to matter, to be important ▶ **peu importe** it doesn't matter ▶ **n'importe comment** [mal] any (old) how ▶ **n'importe quel** any ▶ **n'importe qui** anyone.

import-export [ɛ̃pɔrɛkspɔr] nm import-export.

importuner [3] [ɛ̃pɔrtyne] vt to bother.

imposable [ɛ̃pozabl] adj taxable.

imposant, e [ɛ̃pozɑ̃, ɑ̃t] adj imposing.

imposer [3] [ɛ̃poze] vt [taxer] to tax ▸ imposer qqch à qqn to impose sthg on sb. ◆ s'imposer vp [être nécessaire] to be essential.

impossibilité [ɛ̃pɔsibilite] nf impossibility ▸ être dans l'impossibilité de faire qqch to find it impossible to ou to be unable to do sthg.

impossible [ɛ̃pɔsibl] adj impossible ▸ il est impossible de /que it's impossible to /that.

impôt [ɛ̃po] nm tax ▸ impôt sur le revenu income tax ▸ impôts locaux local taxes.

impraticable [ɛ̃pratikabl] adj [chemin] impassable.

imprégner [18] [ɛ̃preɲe] vt to soak ▸ imprégner qqch de to soak sthg in. ◆ s'imprégner de vp to soak up.

impression [ɛ̃presjɔ̃] nf 1. [sentiment] impression 2. [d'un livre] printing ▸ avoir l'impression que to have the feeling that ▸ avoir l'impression de faire qqch to feel as if one is doing sthg.

impressionnant, e [ɛ̃presjɔnɑ̃, ɑ̃t] adj impressive.

impressionner [3] [ɛ̃presjɔne] vt to impress.

impressionnisme [ɛ̃presjɔnism] nm impressionism.

imprévisible [ɛ̃previzibl] adj unpredictable.

imprévu, e [ɛ̃prevy] ◆ adj unexpected. ◆ nm : aimer l'imprévu to like surprises.

imprimante [ɛ̃primɑ̃t] nf printer ▸ imprimante à jet d'encre inkjet printer ▸ imprimante laser laser printer.

imprimé, e [ɛ̃prime] ◆ adj [tissu] printed. ◆ nm [publicitaire] booklet.

imprimer [3] [ɛ̃prime] vt to print.

imprimerie [ɛ̃primri] nf 1. [métier] printing 2. [lieu] printing works.

imprimeur [ɛ̃primœr] nm printer.

impro [ɛ̃pro] (abr de improvisation) nf fam impro (improvisation).

imprononçable [ɛ̃prɔnɔ̃sabl] adj unpronounceable.

improviser [3] [ɛ̃prɔvize] vt & vi to improvise.

improviste [ɛ̃prɔvist] ◆ à l'improviste adv unexpectedly.

imprudence [ɛ̃prydɑ̃s] nf recklessness.

imprudent, e [ɛ̃prydɑ̃, ɑ̃t] adj reckless.

impuissant, e [ɛ̃pɥisɑ̃, ɑ̃t] adj [sans recours] powerless.

impulsif, ive [ɛ̃pylsif, iv] adj impulsive.

impureté [ɛ̃pyrte] nf [saleté] impurity.

inabordable [inabɔrdabl] adj [prix] prohibitive.

inacceptable [inakseptabl] adj unacceptable.

inaccessible [inaksesibl] adj inaccessible.

inachevé, e [inaʃve] adj unfinished.

inactif, ive [inaktif, iv] adj idle.

inadapté, e [inadapte] adj unsuitable.

inadéquat, e [inadekwa, at] adj inadequate.

inadmissible [inadmisibl] adj unacceptable.

inanimé, e [inanime] adj **1.** [sans connaissance] unconscious **2.** [mort] lifeless.

inaperçu, e [inapɛrsy] adj : **passer inaperçu** to go unnoticed.

inapte [inapt] adj : **être inapte à qqch** to be unfit for sthg.

inattendu, e [inatɑ̃dy] adj unexpected.

inattention [inatɑ̃sjɔ̃] nf lack of concentration ▸ **faute d'inattention** careless mistake.

inaudible [inodibl] adj inaudible.

inauguration [inogyrasjɔ̃] nf **1.** [d'un monument] inauguration **2.** [d'une exposition] opening.

inaugurer [3] [inogyre] vt **1.** [monument] to inaugurate **2.** [exposition] to open.

incalculable [ɛ̃kalkylabl] adj incalculable.

incandescent, e [ɛ̃kɑ̃desɑ̃, ɑ̃t] adj red-hot.

incapable [ɛ̃kapabl] ◆ nmf incompetent person. ◆ adj : **être incapable de faire qqch** to be unable to do sthg.

incapacité [ɛ̃kapasite] nf inability ▸ **être dans l'incapacité de faire qqch** to be unable to do sthg.

incarcérer [18] [ɛ̃karsere] vt to incarcerate.

incarner [3] [ɛ̃karne] vt [personnage] to play.

incassable [ɛ̃kasabl] adj unbreakable.

incendie [ɛ̃sɑ̃di] nm fire.

incendier [9] [ɛ̃sɑ̃dje] vt to set alight.

incertain, e [ɛ̃sɛrtɛ̃, ɛn] adj **1.** [couleur, nombre] indefinite **2.** [temps] unsettled **3.** [avenir] uncertain.

incertitude [ɛ̃sɛrtityd] nf uncertainty ▸ **être dans l'incertitude** to be uncertain.

incessamment [ɛ̃sesamɑ̃] adv at any moment, any moment now.

incessant, e [ɛ̃sesɑ̃, ɑ̃t] adj constant.

incident [ɛ̃sidɑ̃] nm incident ▸ **sans incident** safely.

incinérer [18] [ɛ̃sinere] vt **1.** [corps] to cremate **2.** [ordures] to incinerate.

incisive [ɛ̃siziv] nf incisor.

inciter [3] [ɛ̃site] vt : **inciter qqn à faire qqch** to incite sb to do sthg.

incliné, e [ɛ̃kline] adj [siège, surface] at an angle.

incliner [3] [ɛ̃kline] vt to lean. ◆ **s'incliner** vp to lean ▸ **s'incliner devant** [adversaire] to give in to.

inclure [96] [ɛ̃klyr] vt to include.

inclus, e [ɛ̃kly, yz] ◆ pp → **inclure**. ◆ adj included ▸ **jusqu'au 15 inclus** up to and including the 15th.

incognito [ɛ̃kɔɲito] adv incognito.

incohérent, e [ɛ̃kɔerɑ̃, ɑ̃t] adj incoherent.

incollable [ɛ̃kɔlabl] adj [riz] nonstick ▸ **il est incollable en géo** he's unbeatable in geography.

incolore [ɛ̃kɔlɔr] adj colourless.

incommoder [3] [ɛ̃kɔmɔde] vt to trouble.

incomparable [ɛ̃kɔ̃parabl] adj incomparable.

incompatible [ɛ̃kɔ̃patibl] adj incompatible.

incompétent, e [ɛ̃kɔ̃petɑ̃, ɑ̃t] adj incompetent.

incomplet, ète [ɛ̃kɔ̃plɛ, ɛt] adj incomplete.

incompréhensible [ɛ̃kɔ̃preɑ̃sibl] adj incomprehensible.

inconditionnel, elle [ɛ̃kɔ̃disjɔnɛl] nm, f : **un inconditionnel de** a great fan of.

inconnu, e [ɛ̃kɔny] ◆ adj unknown. ◆ nm, f 1. [étranger] stranger 2. [non célèbre] unknown (person). ◆ nm : **l'inconnu** the unknown. ◆ **inconnue** nf 1. MATH unknown 2. [variable] unknown (factor).

inconsciemment [ɛ̃kɔ̃sjamɑ̃] adv unconsciously.

inconscient, e [ɛ̃kɔ̃sjɑ̃, ɑ̃t] ◆ adj 1. [évanoui] unconscious 2. [imprudent] thoughtless. ◆ nm : **l'inconscient** the unconscious.

inconsolable [ɛ̃kɔ̃sɔlabl] adj inconsolable.

incontestable [ɛ̃kɔ̃tɛstabl] adj indisputable.

incontrôlé, e [ɛ̃kɔ̃tʀole] adj [bande, groupe] unrestrained, out of control.

inconvénient [ɛ̃kɔ̃venjɑ̃] nm disadvantage.

incorporer [3] [ɛ̃kɔʀpɔʀe] vt [ingrédients] to mix in ▸ **incorporer qqch à** [mélanger] to mix sthg into.

incorrect, e [ɛ̃kɔʀɛkt] adj 1. incorrect 2. [impoli] rude.

incorrigible [ɛ̃kɔʀiʒibl] adj incorrigible.

incrédule [ɛ̃kʀedyl] adj sceptical.

incroyable [ɛ̃kʀwajabl] adj incredible.

incrusté, e [ɛ̃kʀyste] adj : **incrusté de** [décoré de] inlaid with.

incruster [3] [ɛ̃kʀyste] ◆ **s'incruster** vp [tache, saleté] to become ground in.

inculpé, e [ɛ̃kylpe] nm, f : **l'inculpé** the accused.

inculper [3] [ɛ̃kylpe] vt to charge ▸ **inculper qqn de qqch** to charge sb with sthg.

inculte [ɛ̃kylt] adj 1. [terre] uncultivated 2. [personne] uneducated.

incurable [ɛ̃kyʀabl] adj incurable.

Inde [ɛ̃d] nf : **l'Inde** India.

indécent, e [ɛ̃desɑ̃, ɑ̃t] adj indecent.

indécis, e [ɛ̃desi, iz] adj 1. undecided 2. [vague] vague.

indéfini, e [ɛ̃defini] adj indeterminate.

indéfiniment [ɛ̃definimɑ̃] adv indefinitely.

indélébile [ɛ̃delebil] adj indelible.

indemne [ɛ̃dɛmn] adj unharmed ▸ **sortir indemne de** to emerge unscathed from.

indemnisation [ɛ̃dɛmnizasjɔ̃] nf compensation.

indemniser [3] [ɛ̃dɛmnize] vt to compensate.

indemnité [ɛ̃dɛmnite] nf compensation ▸ **indemnités de chômage** unemployment benefit ▸ **indemnités de licenciement** redundancy pay.

indépendamment [ɛ̃depɑ̃damɑ̃] ◆ **indépendamment de prép** [à part] apart from.

indépendance [ɛ̃depɑ̃dɑ̃s] nf independence.

indépendant, e [ɛ̃depɑ̃dɑ̃, ɑ̃t] adj 1. independent 2. [travailleur] self-employed **3.** [logement] self-contained ▸ **être indépendant de** [sans relation avec] to be independent of.

indescriptible [ɛ̃dɛskriptibl] **adj** indescribable.

index [ɛ̃dɛks] **nm 1.** [doigt] index finger **2.** [d'un livre] index.

indicateur [ɛ̃dikatœr] **adj m →** **poteau.**

indicatif [ɛ̃dikatif, iv] ◆ **nm 1.** [téléphonique] dialling code 🇬🇧, dial code 🇺🇸 **2.** [d'une émission] signature tune **3.** GRAMM indicative. ◆ **adj m : à titre indicatif** for information.

indication [ɛ̃dikasjɔ̃] **nf** [renseignement] (piece of) information ▸ **'indications : …'** [sur un médicament] 'suitable for…'.

indice [ɛ̃dis] **nm 1.** [signe] sign **2.** [dans une enquête] clue.

indien, enne [ɛ̃djɛ̃, ɛn] **adj** Indian. ◆ **Indien, enne nm, f** Indian.

indifféremment [ɛ̃diferamɑ̃] **adv** indifferently.

indifférence [ɛ̃diferɑ̃s] **nf** indifference.

indifférent, e [ɛ̃diferɑ̃, ɑ̃t] **adj** [froid] indifferent ▸ **ça m'est indifférent** it's all the same to me.

indigène [ɛ̃diʒɛn] **nmf** native.

indigeste [ɛ̃diʒɛst] **adj** indigestible.

indigestion [ɛ̃diʒɛstjɔ̃] **nf** stomach upset.

indignation [ɛ̃diɲasjɔ̃] **nf** indignation.

indigner [3] [ɛ̃diɲe] ◆ **s'indigner vp : s'indigner de qqch** to take exception to sthg.

indiquer [3] [ɛ̃dike] **vt** [révéler] to show ▸ **indiquer qqn / qqch à qqn a)** [montrer] to point sb / sthg out to sb **b)** [médecin, boulangerie] to recommend sb / sthg to sb ▸ **pouvez-vous m'indiquer le chemin d'Oxford ?** can you tell me the way to Oxford?

indirectement [ɛ̃direktəmɑ̃] **adv** indirectly.

indiscipliné, e [ɛ̃disipline] **adj** undisciplined.

indiscret, ète [ɛ̃diskrɛ, ɛt] **adj 1.** [personne] inquisitive **2.** [question] personal.

indiscrétion [ɛ̃diskresjɔ̃] **nf 1.** [caractère] inquisitiveness **2.** [gaffe] indiscretion.

indiscutable [ɛ̃diskytabl] **adj** indisputable, unquestionable.

indispensable [ɛ̃dispɑ̃sabl] **adj** essential.

individu [ɛ̃dividy] **nm** individual.

individualiste [ɛ̃dividɥalist] **adj** individualistic.

individuel, elle [ɛ̃dividɥɛl] **adj 1.** individual **2.** [maison] detached.

indolore [ɛ̃dɔlɔr] **adj** painless.

Indonésie [ɛ̃dɔnezi] **nf : l'Indonésie** Indonesia.

indulgent, e [ɛ̃dylʒɑ̃, ɑ̃t] **adj** indulgent.

industrialisé, e [ɛ̃dystrijalize] **adj** industrialized.

industrie [ɛ̃dystri] **nf** industry.

industriel, elle [ɛ̃dystrijɛl] **adj** industrial.

inédit, e [inedi, it] **adj 1.** [livre] unpublished **2.** [film] not released.

inefficace [inefikas] **adj** ineffective.

inégal, e, aux [inegal, o] adj **1.** [longueur, chances] unequal **2.** [terrain] uneven **3.** [travail, résultats] inconsistent.

inégalité [inegalite] nf [des salaires, sociale] inequality ▸ **inégalités sociales** social disparities.

inépuisable [inepɥizabl] adj inexhaustible.

inerte [inɛrt] adj [évanoui] lifeless.

inespéré, e [inɛspere] adj unexpected, unhoped-for.

inestimable [inɛstimabl] adj **1.** [très cher] priceless **2.** *fig* [précieux] invaluable.

inévitable [inevitabl] adj inevitable.

inexact, e [inegza(kt), akt] adj incorrect.

inexcusable [inɛkskyzabl] adj unforgivable.

inexistant, e [inɛgzistɑ̃, ɑ̃t] adj nonexistent.

inexplicable [inɛksplikabl] adj inexplicable.

inexpliqué, e [inɛksplike] adj unexplained.

in extremis [inɛkstremis] adv at the last minute.

infaillible [ɛ̃fajibl] adj infallible.

infarctus [ɛ̃farktys] nm coronary (thrombosis) ▸ **faire un infarctus** to have a heart attack.

infatigable [ɛ̃fatigabl] adj tireless.

infect, e [ɛ̃fɛkt] adj disgusting.

infecter [4] [ɛ̃fɛkte] ◆ **s'infecter** vp to become infected.

infection [ɛ̃fɛksjɔ̃] nf **1.** [blessure] infection **2.** [odeur] stench.

inférieur, e [ɛ̃ferjœr] adj **1.** [du dessous] lower **2.** [qualité] inferior ▸ **à l'étage inférieur** downstairs ▸ **inférieur à** a) [quantité] less than b) [qualité] inferior to.

infériorité [ɛ̃ferjɔrite] nf inferiority ▸ **complexe d'infériorité** inferiority complex.

infernal, e, aux [ɛ̃fɛrnal, o] adj [bruit, enfant] diabolical.

infesté, e [ɛ̃fɛste] adj : **infesté de** infested with.

infidèle [ɛ̃fidɛl] adj unfaithful.

infime [ɛ̃fim] adj minute.

infini, e [ɛ̃fini] ◆ adj infinite. ◆ nm infinity ▸ **à l'infini** [se prolonger, discuter] endlessly.

infiniment [ɛ̃finimɑ̃] adv extremely ▸ **je vous remercie infiniment** thank you so much.

infinitif [ɛ̃finitif] nm infinitive.

infirme [ɛ̃firm] ◆ adj disabled. ◆ nmf disabled person.

infirmerie [ɛ̃firməri] nf sick bay.

infirmier, ère [ɛ̃firmje, ɛr] nm, f nurse.

infirmité [ɛ̃firmite] nf [handicap] disability ; [de vieillesse] infirmity.

inflammable [ɛ̃flamabl] adj inflammable.

inflammation [ɛ̃flamasjɔ̃] nf inflammation.

inflation [ɛ̃flasjɔ̃] nf inflation.

inflexible [ɛ̃flɛksibl] adj inflexible.

infliger [17] [ɛ̃fliʒe] vt : **infliger qqch à qqn** a) [punition] to inflict sthg on sb b) [amende] to impose sthg on sb.

influence [ɛ̃flyɑ̃s] nf influence ▸ **avoir de l'influence sur qqn** to have an influence on sb.

influencer [16] [ɛ̃flyɑ̃se] vt to influence.

influent, e [ɛ̃flyɑ̃, ɑ̃t] adj influential.

info [ɛ̃fo] nf fam info ▸ **c'est lui qui m'a donné cette info** I got the info from him. ♦ **infos** nfpl fam ▸ **les infos the news** sg ▸ **regarder/écouter les infos** to watch/listen to the news.

informaticien, enne [ɛ̃fɔrmatisjɛ̃, ɛn] nm, f computer scientist ▸ **il est informaticien** he's in computers.

informatif, ive [ɛ̃fɔrmatif, iv] adj informative.

information [ɛ̃fɔrmasjɔ̃] nf : **une information** a) [renseignement] information b) [nouvelle] a piece of news. ♦ **informations** nfpl [à la radio, à la télé] news sg.

informatique [ɛ̃fɔrmatik] ♦ adj computer. ♦ nf **1.** [matériel] computers pl **2.** [discipline] computing ▸ **faire de l'informatique** to work ou in computing.

informatisé, e [ɛ̃fɔrmatize] adj computerized.

informe [ɛ̃fɔrm] adj shapeless.

informer [3] [ɛ̃fɔrme] vt : **informer qqn de/que** to inform sb of/that. ♦ **s'informer (de)** vp + prép to ask (about).

infoutu, e [ɛ̃futy] adj fam : **être infoutu de faire qqch** to be incapable of doing sthg ▸ **il est infoutu d'être à l'heure** he's incapable of being on time.

infraction [ɛ̃fraksjɔ̃] nf offence ▸ **être en infraction** to be in breach of the law.

infranchissable [ɛ̃frɑ̃ʃisabl] adj [rivière] uncrossable.

infrarouge [ɛ̃fraruʒ] nm infrared.

infrastructure [ɛ̃frastryktyr] nf infrastructure.

infuser [3] [ɛ̃fyze] vi [tisane] to infuse ; [thé] to brew.

infusion [ɛ̃fyzjɔ̃] nf herbal tea.

ingénieur [ɛ̃ʒenjœr] nm engineer.

ingénieux, euse [ɛ̃ʒenjø, øz] adj ingenious.

ingrat, e [ɛ̃gra, at] adj **1.** [ungrateful **2.** [visage, physique] unattractive.

ingratitude [ɛ̃gratityd] nf ingratitude.

ingrédient [ɛ̃gredjɑ̃] nm ingredient.

inhabité, e [inabite] adj uninhabited.

⚠ Inhabited est un faux ami, il signifie *habité* et non « inhabité ».

inhabituel, elle [inabituɛl] adj unusual.

inhumain, e [inymɛ̃, ɛn] adj inhuman.

inimaginable [inimaʒinabl] adj incredible.

ininflammable [inɛ̃flamabl] adj nonflammable.

ininterrompu, e [inɛ̃terɔ̃py] adj unbroken.

initial, e, aux [inisjal, o] adj initial.

initiale [inisjal] nf initial.

initialisation [inisjalizasjɔ̃] nf initialization.

initialiser [3] [inisjalize] vt to initialize.

initiation [inisjasjɔ̃] nf SCOL [apprentissage] introduction ▸ **un cours d'initiation à** an introduction course on.

initiative [inisjativ] nf initiative
▸ **prendre l'initiative de faire qqch** to take the initiative in doing sthg.

injecter [4] [ɛ̃ʒɛkte] vt to inject.

injection [ɛ̃ʒɛksjɔ̃] nf injection.

injure [ɛ̃ʒyʀ] nf insult.

injurier [9] [ɛ̃ʒyʀje] vt to insult.

⚠ Injure est un faux ami ; il signifie *blesser* et non « injurier ».

injurieux, euse [ɛ̃ʒyʀjø, øz] adj abusive, insulting.

injuste [ɛ̃ʒyst] adj unfair.

injustice [ɛ̃ʒystis] nf injustice.

injustifié, e [ɛ̃ʒystifje] adj unjustified.

inné, e [ine] adj innate.

innocence [inɔsɑ̃s] nf innocence.

innocent, e [inɔsɑ̃, ɑ̃t] ◆ adj innocent. ◆ nm, f innocent person.

innocenter [3] [inɔsɑ̃te] vt DR to clear.

innombrable [inɔ̃bʀabl] adj countless.

innovant, e [in(n)ɔvɑ̃, ɑ̃t] adj innovative.

innover [3] [inɔve] vi to innovate.

inoccupé, e [inɔkype] adj empty.

inodore [inɔdɔʀ] adj odourless.

inoffensif, ive [inɔfɑ̃sif, iv] adj harmless.

inondation [inɔ̃dasjɔ̃] nf flood.

inondé, e [inɔ̃de] adj **1.** [champ, maison, cave] flooded **2.** *fig* : **être inondé de réclamations / de mauvaises nouvelles** to be inundated with complaints / with bad news.

inonder [3] [inɔ̃de] vt to flood.

inoubliable [inubljabl] adj unforgettable.

inox® [inɔks] nm stainless steel.

inoxydable [inɔksidabl] adj → **acier**.

inquiet, ète [ɛ̃kjɛ, ɛt] adj worried ▸ **être inquiet (pour qqch / qqn)** to be worried (about sthg / sb).

inquiétant, e [ɛ̃kjetɑ̃, ɑ̃t] adj worrying.

inquiéter [18] [ɛ̃kjete] vt to worry. ◆ **s'inquiéter** vp to worry.

inquiétude [ɛ̃kjetyd] nf worry.

insalubre [ɛ̃salybʀ] adj unhealthy.

inscription [ɛ̃skʀipsjɔ̃] nf **1.** [sur une liste, à l'université] registration **2.** [gravée] inscription **3.** [graffiti] graffiti.

inscrire [99] [ɛ̃skʀiʀ] vt **1.** [sur une liste, dans un club] to register **2.** [écrire] to write. ◆ **s'inscrire** vp [sur une liste] to put one's name down ▸ **s'inscrire à un club** to join a club.

inscrit, e [ɛ̃skʀi, it] pp & 3ᵉ pers. du sg de l'ind. prés. → **inscrire**.

insecte [ɛ̃sɛkt] nm insect.

insecticide [ɛ̃sɛktisid] nm insecticide.

insensé, e [ɛ̃sɑ̃se] adj **1.** [aberrant] insane **2.** [extraordinaire] extraordinary.

insensible [ɛ̃sɑ̃sibl] adj **1.** insensitive **2.** [léger] imperceptible ▸ **être insensible à** a) [douleur, froid] to be insensitive to b) [art, charme] to be unreceptive to.

inséparable [ɛ̃sepaʀabl] adj inseparable.

insérer [18] [ɛ̃seʀe] vt to insert.

insertion [ɛ̃sɛʀsjɔ̃] nf insertion.

insigne [ɛ̃siɲ] nm badge.

insignifiant, e [ɛ̃siɲifjɑ̃, ɑ̃t] adj insignificant.

insinuer [7] [ɛ̃sinɥe] vt to insinuate.

insipide [ɛ̃sipid] adj [aliment] insipid, tasteless.

insistance [ɛ̃sistɑ̃s] nf insistence ▸ **avec insistance** insistently.

insister [3] [ɛ̃siste] vi to insist ▸ **insister sur** [détail] to emphasize.

insolation [ɛ̃sɔlasjɔ̃] nf : **attraper une insolation** to get sunstroke.

insolence [ɛ̃sɔlɑ̃s] nf insolence.

insolent, e [ɛ̃sɔlɑ̃, ɑ̃t] adj insolent.

insolite [ɛ̃sɔlit] adj unusual.

insoluble [ɛ̃sɔlybl] adj insoluble.

insomnie [ɛ̃sɔmni] nf insomnia ▸ **avoir des insomnies** to sleep badly.

insonorisé, e [ɛ̃sɔnɔrize] adj soundproofed.

insouciant, e [ɛ̃susjɑ̃, ɑ̃t] adj carefree.

inspecter [4] [ɛ̃spɛkte] vt to inspect.

inspecteur, trice [ɛ̃spɛktœr, tris] nm, f inspector ▸ **inspecteur de police** detective sergeant UK, lieutenant US.

inspection [ɛ̃spɛksjɔ̃] nf inspection.

inspiration [ɛ̃spirasjɔ̃] nf inspiration.

inspirer [3] [ɛ̃spire] ◆ vt to inspire. ◆ vi [respirer] to breathe in ▸ **inspirer qqch à qqn** to inspire sb with sthg. ◆ **s'inspirer de** vp + prép to be inspired by.

instable [ɛ̃stabl] adj unstable.

installation [ɛ̃stalasjɔ̃] nf 1. [emménagement] moving in 2. [structure] installation ▸ **installation électrique** wiring.

installer [3] [ɛ̃stale] vt 1. [poser] to put 2. [eau, électricité & INFORM] to install 3. [aménager] to fit out 4. [loger] to put up ▸ **je vous en prie, installez-vous** please, make yourself comfortable. ◆ **s'installer** vp 1. [dans un appartement] to settle in 2. [dans un fauteuil] to settle down 3. [commerçant, médecin] to set (o.s.) up.

instant [ɛ̃stɑ̃] nm instant ▸ **il sort à l'instant** he's just gone out ▸ **pour l'instant** for the moment.

instantané, e [ɛ̃stɑ̃tane] adj 1. instantaneous 2. [café, potage] instant.

instinct [ɛ̃stɛ̃] nm instinct ▸ **instinct de survie** survival instinct.

instinctif, ive [ɛ̃stɛ̃ktif, iv] adj instinctive.

instit [ɛ̃stit] nmf fam primary school teacher.

institut [ɛ̃stity] nm institute ▸ **institut de beauté** beauty salon.

instituteur, trice [ɛ̃stitytœr, tris] nm, f primary school teacher UK, grade school teacher US.

institution [ɛ̃stitysjɔ̃] nf institution.

instructif, ive [ɛ̃stryktif, iv] adj informative.

instruction [ɛ̃stryksjɔ̃] nf [enseignement, culture] education. ◆ **instructions** nfpl instructions.

instruire [98] [ɛ̃strɥir] ◆ **s'instruire** vp to educate o.s.

instruit, e [ɛ̃strɥi, it] ◆ pp & 3ᵉ pers. du sg de l'ind. prés. → **instruire**. ◆ adj [cultivé] educated.

instrument [ɛ̃strymɑ̃] nm instrument ▸ **instrument (de musique)** (musical) instrument.

insuffisant, e [ɛ̃syfizɑ̃, ɑ̃t] adj 1. insufficient 2. [travail] unsatisfactory.

insuline [ɛ̃sylin] nf insulin.

insulte [ɛ̃sylt] nf insult.

insulter [3] [ɛ̃sylte] **vt** to insult.

insupportable [ɛ̃syportabl] **adj** unbearable.

insurmontable [ɛ̃syrmɔ̃tabl] **adj** [difficulté] insurmountable.

intact, e [ɛ̃takt] **adj** intact.

intégral, e, aux [ɛ̃tegral, o] **adj** complete.

intégralement [ɛ̃tegralmɑ̃] **adv** fully, in full.

intégration [ɛ̃tegrasjɔ̃] **nf** integration.

intégrer [8] [ɛ̃tegre] **vt** to include. ◆ **s'intégrer vp** : **(bien) s'intégrer** [socialement] to fit in.

intégrisme [ɛ̃tegrism] **nm** fundamentalism.

intellectuel, elle [ɛ̃telektɥel] **adj & nm, f** intellectual.

intelligence [ɛ̃teliʒɑ̃s] **nf** intelligence ▶ **intelligence artificielle** artificial intelligence.

intelligent, e [ɛ̃teliʒɑ̃, ɑ̃t] **adj** intelligent.

intempéries [ɛ̃tɑ̃peri] **nfpl** bad weather *sg*.

intense [ɛ̃tɑ̃s] **adj** intense.

intensif, ive [ɛ̃tɑ̃sif, iv] **adj** intensive.

intensité [ɛ̃tɑ̃site] **nf** intensity.

intention [ɛ̃tɑ̃sjɔ̃] **nf** intention ▶ **avoir l'intention de faire qqch** to intend to do sthg.

intentionné, e [ɛ̃tɑ̃sjone] **adj** : **bien intentionné** well-meaning ▶ **mal intentionné** ill-intentioned.

interactif, ive [ɛ̃teraktif, iv] **adj** interactive.

intercalaire [ɛ̃terkaler] **nm** insert.

intercaler [3] [ɛ̃terkale] **vt** to insert.

intercepter [4] [ɛ̃tersepte] **vt** to intercept.

interchangeable [ɛ̃terʃɑ̃ʒabl] **adj** interchangeable.

interclasse [ɛ̃terklas] **nm** SCOL break **UK**, recess **US** ▶ **à l'interclasse** at ou during the break.

intercours [ɛ̃terkur] **nm** = **interclasse**.

interculturel, elle [ɛ̃terkyltyrel] **adj** cross-cultural.

interdiction [ɛ̃terdiksjɔ̃] **nf** ban ▶ **'interdiction de fumer'** '(strictly) no smoking'.

interdire [103] [ɛ̃terdir] **vt** to forbid ▶ **interdire à qqn de faire qqch** to forbid sb to do sthg.

interdit, e [ɛ̃terdi, it] ◆ **pp & 3ᵉ pers. du sg de l'ind. prés. → interdire. ◆ adj** forbidden ▶ **il est interdit de...** you are not allowed to...

intéressant, e [ɛ̃teresɑ̃, ɑ̃t] **adj** interesting.

intéresser [4] [ɛ̃terese] **vt 1.** to interest **2.** [concerner] to concern. ◆ **s'intéresser à vp + prép** to be interested in.

intérêt [ɛ̃tere] **nm 1.** interest **2.** [avantage] point ▶ **avoir intérêt à faire qqch** to be well-advised to do sthg ▶ **dans l'intérêt de** in the interest of. ◆ **intérêts nmpl** FIN interest *sg*.

interface [ɛ̃terfas] **nf** interface.

intérieur, e [ɛ̃terjœr] ◆ **adj 1.** inner **2.** [national] domestic. ◆ **nm 1.** inside **2.** [maison] home ▶ **à l'intérieur (de)** inside.

intérim [ɛ̃terim] **nm 1.** [période] intérim period **2.** [travail temporaire] temporary ou casual work ; [dans un bureau] temping ▸ **par intérim** acting *(avant n).*

intérimaire [éteʀimɛʀ] ◆ adj **1.** [ministre, directeur] acting *(avant n)* **2.** [employé, fonctions] temporary. ◆ nmf [employé] temp.

interligne [éteʀliɲ] nm (line) spacing.

interlocuteur, trice [éteʀlɔkytœʀ, tʀis] nm, f : **mon interlocuteur** the man to whom I was speaking.

intermédiaire [éteʀmedjɛʀ] ◆ adj intermediate. ◆ nmf intermediary. ◆ nm : **par l'intermédiaire de** through.

interminable [éteʀminabl] adj never-ending.

intermittent, e [éteʀmitã, ãt] adj intermittent ▸ **les intermittents du spectacle** people working in the performing arts.

internat [éteʀna] nm [école] boarding school.

international, e, aux [éteʀnasjonal, o] adj international.

internationalement [éteʀnasjonalmã] adv internationally ▸ **connu internationalement** world famous.

internationaliser [3] [éteʀnasjonalize] vt to internationalize.

internaute [éteʀnot] nmf (net) surfer, cybersurfer.

interne [éteʀn] ◆ adj internal. ◆ nmf **1.** [des hôpitaux] junior hospital doctor UK, intern US **2.** SCOL boarder.

interner [3] [éteʀne] vt [malade] to commit.

Internet [éteʀnɛt] nm internet, Internet ▸ **café Internet** Internet café.

interpellation [éteʀpelasjɔ̃] nf [par la police] (arrest for) questioning.

interpeller [26] [éteʀpəle] vt [appeler] to call out to.

Interphone® [éteʀfɔn] nm **1.** [d'un immeuble] entry phone **2.** [dans un bureau] intercom.

interposer [3] [éteʀpoze] ◆ **s'interposer** vp : **s'interposer entre** to stand between.

interprète [éteʀpʀɛt] nmf **1.** [traducteur] interpreter **2.** [acteur, musicien] performer.

interpréter [18] [éteʀpʀete] vt **1.** [résultat, paroles] to interpret **2.** [personnage, morceau] to play.

interro [éteʀo] nf *fam* SCOL test.

interrogation [éteʀɔgasjɔ̃] nf [question] question ▸ **interrogation (écrite)** (written) test.

interrogatoire [éteʀɔgatwaʀ] nm interrogation.

interroger [17] [éteʀɔʒe] vt **1.** to question **2.** SCOL to test ▸ **interroger qqn sur** to question sb about.

interrompre [78] [éteʀɔ̃pʀ] vt to interrupt.

interrupteur [éteʀyptœʀ] nm switch.

interruption [éteʀypsjɔ̃] nf **1.** [coupure, arrêt] break **2.** [dans un discours] interruption ▸ **sans interruption** continuously.

intersection [éteʀsɛksjɔ̃] nf intersection.

intervalle [éteʀval] nm **1.** [distance] space **2.** [dans le temps] interval ▸ **à deux jours d'intervalle** after two days.

intervenir [40] [éteʀvəniʀ] vi **1.** to intervene **2.** [avoir lieu] to take place.

intervention [éteʀvɑ̃sjɔ̃] nf **1.** intervention **2.** MÉD operation.

intervenu, e [ɛ̃tɛʀvəny] pp → **intervenir.**

interview [ɛ̃tɛʀvju] nf interview.

interviewer [3] [ɛ̃tɛʀvjuve] vt to interview.

intestin [ɛ̃tɛstɛ̃] nm intestine.

intestinal, e, aux [ɛ̃tɛstinal, o] adj intestinal.

intime [ɛ̃tim] adj 1. [personnel] private 2. [très proche] intimate.

intimider [3] [ɛ̃timide] vt to intimidate.

intimité [ɛ̃timite] nf intimacy.

intituler [3] [ɛ̃tityle] ◆ **s'intituler** vp to be called.

intolérable [ɛ̃tɔleʀabl] adj 1. [douleur] unbearable 2. [comportement] unacceptable.

intox [ɛ̃tɔks] nf fam propaganda, brainwashing ▸ **tout ça, c'est de l'intox** all that's just propaganda.

intoxication [ɛ̃tɔksikasjɔ̃] nf : **intoxication alimentaire** food poisoning.

intoxiquer [3] [ɛ̃tɔksike] vt : **intoxiquer qqn par** [empoisonner] to poison sb with.

intradermique [ɛ̃tʀadɛʀmik] adj intradermal, intracutaneous.

intraduisible [ɛ̃tʀadɥizibl] adj untranslatable.

intramusculaire [ɛ̃tʀamyskylɛʀ] adj intramuscular.

intranet [ɛ̃tʀanɛt] nm intranet.

intransigeant, e [ɛ̃tʀɑ̃ziʒɑ̃, ɑ̃t] adj intransigent.

intrépide [ɛ̃tʀepid] adj intrepid.

intrigue [ɛ̃tʀig] nf [d'une histoire] plot.

intriguer [3] [ɛ̃tʀige] vt to intrigue.

intro [ɛ̃tʀo] (abr de introduction) nf fam intro ▸ **'passer l'intro'** [sur site Web] 'skip intro'.

introduction [ɛ̃tʀɔdyksjɔ̃] nf introduction.

introduire [98] [ɛ̃tʀɔdɥiʀ] vt to introduce. ◆ **s'introduire** vp [pénétrer] to enter ▸ **s'introduire dans une maison** [cambrioleur] to get into ou to enter a house.

introduit, e [ɛ̃tʀɔdɥi, it] pp & 3ᵉ pers. du sg de l'ind. prés. → **introduire.**

introuvable [ɛ̃tʀuvabl] adj [objet perdu] nowhere to be found.

intrus, e [ɛ̃tʀy, yz] nm, f intruder.

intuition [ɛ̃tɥisjɔ̃] nf [pressentiment] feeling ▸ **avoir une intuition** to have an intuition.

inusable [inyzabl] adj hardwearing.

inutile [inytil] adj 1. [objet, recherches] useless 2. [efforts] pointless.

inutilisable [inytilizabl] adj unusable.

invalide [ɛ̃valid] nmf disabled person.

invariable [ɛ̃vaʀjabl] adj invariable.

invasion [ɛ̃vazjɔ̃] nf invasion.

inventaire [ɛ̃vɑ̃tɛʀ] nm inventory ▸ **faire l'inventaire de qqch** to make a list of sthg.

inventer [3] [ɛ̃vɑ̃te] vt 1. to invent 2. [moyen] to think up.

inventeur, trice [ɛ̃vɑ̃tœʀ, tʀis] nm, f inventor.

invention [ɛ̃vɑ̃sjɔ̃] nf invention.

inverse [ɛ̃vɛʀs] nm opposite ▸ **à l'inverse** conversely ▸ **à l'inverse de** contrary to.

inverser [3] [ɛ̃vɛʀse] vt to reverse.

investir [32] [ɛ̃vestir] vt [argent] to invest. ◆ **s'investir dans** vp + prép : **s'investir dans son métier** to be involved ou absorbed in one's job ▸ **je me suis énormément investie dans le projet** the project really meant a lot to me.

investissement [ɛ̃vestismɑ̃] nm investment.

invisible [ɛ̃vizibl] adj invisible.

invitation [ɛ̃vitasjɔ̃] nf invitation.

invité, e [ɛ̃vite] nm, f guest.

inviter [3] [ɛ̃vite] vt to invite ▸ **inviter qqn à faire qqch** to invite sb to do sthg.

involontaire [ɛ̃vɔlɔ̃tɛr] adj involuntary.

invraisemblable [ɛ̃vrɛsɑ̃blabl] adj unlikely.

iode [jɔd] nm → teinture.

ira etc → aller.

Irak, Iraq [irak] nm : **l'Irak** Iraq.

irakien, enne, iraquien, enne [irakjɛ̃, ɛn] adj Iraqi. ◆ **Irakien, enne, Iraquien, enne** nm, f Iraqi.

Iran [irɑ̃] nm : **l'Iran** Iran.

iranien, enne [iranjɛ̃, ɛn] adj Iranian. ◆ **iranien** nm [langue] Iranian. ◆ **Iranien, enne** nm, f Iranian.

Iraq = **Irak**.

iraquien = **irakien**.

irlandais, e [irlɑ̃dɛ, ɛz] adj Irish. ◆ **irlandais** nm [langue] Irish. ◆ **Irlandais, e** nm, f Irishman (Irishwoman) ▸ **les Irlandais** the Irish.

Irlande [irlɑ̃d] nf : **l'Irlande du Nord** Northern Ireland ▸ **la République d'Irlande** the Republic of Ireland, Eire.

IRM [iɛrɛm] (abr de Imagerie par résonance magnétique) nm MÉD MRI (magnetic resonance imaging) ▸ **passer une IRM** to do a MRI.

ironie [irɔni] nf irony.

ironique [irɔnik] adj ironic.

irrationnel, elle [irasjɔnɛl] adj irrational.

irrécupérable [irekyperabl] adj [objet, vêtement] beyond repair.

irréel, elle [ireɛl] adj unreal.

irrégulier, ère [iregylje, ɛr] adj 1. irregular 2. [résultats, terrain] uneven.

irremplaçable [irɑ̃plasabl] adj irreplaceable.

irréparable [ireparabl] adj 1. beyond repair 2. [erreur] irreparable.

irrésistible [irezistibl] adj irresistible.

irrespirable [irespirabl] adj unbreathable.

irrigation [irigasjɔ̃] nf irrigation.

irriguer [irige] vt to irrigate.

irritable [iritabl] adj irritable.

irritation [iritasjɔ̃] nf irritation.

irriter [3] [irite] vt to irritate.

irruption [irypsjɔ̃] nf [entrée brusque] irruption.

islam [islam] nm : **l'islam** Islam.

islamiste [islamist] nm, f Islamic fundamentalist.

islamophobie [islamɔfɔbi] nf islamophobia.

islandais, e [islɑ̃dɛ, ɛz] adj Icelandic. ◆ **islandais** nm [langue] Icelandic. ◆ **Islandais, e** nm, f Icelander.

Islande [islɑ̃d] nf : **l'Islande** Iceland.

isolant, e [izɔlɑ̃, ɑ̃t] ◆ adj 1. [acoustique] soundproofing 2. [thermique] insulating. ◆ **isolant** nm insulator.

isolation [izɔlasjɔ̃] nf 1. [acoustique] soundproofing 2. [thermique] insulation.

isolé, e [izɔle] adj **1.** [à l'écart] isolated **2.** [contre le bruit] soundproofed **3.** [thermiquement] insulated.

isoler [3] [izɔle] vt **1.** [séparer] to isolate **2.** [contre le bruit] to soundproof **3.** [thermiquement] to insulate. ◆ **s'isoler** vp to isolate o.s.

Israël [israɛl] n Israel.

israélien, enne [israeljɛ̃, ɛn] adj Israeli. ◆ **Israélien, enne** nm, f Israeli.

israélite [israelit] adj Jewish. ◆ **Israélite** nmf Jew.

issu, e [isy] adj : **être issu de a)** [famille] to be descended from **b)** [processus, théorie] to stem from.

issue [isy] nf [sortie] exit ▸ **issue de secours** emergency exit ▸ **'voie sans issue'** 'no through road'.

⚠ Issue est un faux ami, il signifie **problème** et non « issue ».

Italie [itali] nf : **l'Italie** Italy.

italien, enne [italjɛ̃, ɛn] ◆ adj Italian. ◆ **italien** nm [langue] Italian. ◆ **Italien, enne** nm, f Italian.

italique [italik] nm italics pl ▸ **écrire en italique** to write in italics.

itinéraire [itinerɛr] nm route ▸ **itinéraire bis** alternative route (to avoid heavy traffic).

IUT (abr de institut universitaire de technologie) nm ≃ technical college.

IVG (abr de interruption volontaire de grossesse) nf abortion.

ivoire [ivwar] nm ivory.

ivre [ivr] adj drunk.

ivrogne [ivrɔɲ] nmf drunkard.

---

j' pron → **je**.

jacinthe [ʒasɛ̃t] nf hyacinth.

Jacuzzi® [ʒakuzi] nm Jacuzzi®.

jadis [ʒadis] adv formerly, in former times.

jaillir [32] [ʒajir] vi [eau] to gush.

jalousie [ʒaluzi] nf jealousy.

jaloux, ouse [ʒalu, uz] adj jealous ▸ **être jaloux de** to be jealous of.

jamaïquain, e, jamaïcain, e [ʒamaikɛ̃, ɛn] adj Jamaican. ◆ **Jamaïquain, e, Jamaïcain, e** nm, f Jamaican.

Jamaïque [ʒamaik] nf : **la Jamaïque** Jamaica.

jamais [ʒamɛ] adv never ▸ **ne... jamais** never ▸ **je ne reviendrai jamais plus** I'm never coming back ▸ **c'est le plus long voyage que j'aie jamais fait** it's the longest journey I've ever made ▸ **plus que jamais** more than ever ▸ **si jamais tu le vois...** if you happen to see him...

jambe [ʒɑ̃b] nf leg.

jambon [ʒɑ̃bɔ̃] nm ham ▸ **jambon blanc** boiled ham ▸ **jambon cru** cured ham.

jambonneau [ʒɑ̃bɔno] (pl -x) nm knuckle of ham.

jante [ʒɑ̃t] nf (wheel) rim.

janvier [ʒɑ̃vje] nm January ▸ **en janvier, au mois de janvier** in January ▸ **début janvier** at the beginning of January ▸ **fin janvier** at the end of January ▸ **le deux janvier** the second of January.

Japon [ʒapɔ̃] nm : **le Japon** Japan.

japonais, e [ʒapɔnɛ, ɛz] ◆ adj Japanese. ◆ nm (langue) Japanese. ◆ **Japonais, e** nm, f (personne) (person).

jardin [ʒardɛ̃] nm garden ▸ **jardin d'enfants** kindergarten, playgroup ▸ **jardin public** park ▸ **ce jardin sera fermé en cas de tempête** the gardens will be closed in the event of severe weather.

jardinage [ʒardinaʒ] nm gardening.

jardiner [3] [ʒardine] vi to garden.

jardinier, ère [ʒardinje, ɛr] nm, f gardener.

jardinière [ʒardinjɛr] nf (bac) window box ▸ **jardinière de légumes** dish of diced mixed vegetables. → **jardinier**.

jargon [ʒargɔ̃] nm jargon.

jarret [ʒarɛ] nm : **jarret de veau** knuckle of veal.

jauge [ʒoʒ] nf gauge ▸ **jauge d'essence** petrol gauge ▸ **jauge d'huile** dipstick.

jaune [ʒon] adj & nm yellow ▸ **jaune d'œuf** egg yolk.

jaunir [32] [ʒonir] vi to turn yellow.

jaunisse [ʒonis] nf jaundice.

Javel [ʒavɛl] nf : (eau de) Javel bleach.

jazz [dʒaz] nm jazz.

je [ʒə] pron I.

jean [dʒin] nm jeans pl, pair of jeans.

Jeep® [dʒip] nf Jeep®.

je-m'en-foutiste [ʒmɑ̃futist] adj fam couldn't give a damn (avant n)

▸ **il est je-m'en-foutiste** he couldn't give a damn.

jerrican [ʒerikan] nm jerry can.

Jérusalem [ʒeryzalɛm] n Jerusalem.

Jésus-Christ [ʒezykri] nm Jesus Christ ▸ **après Jésus-Christ** AD ▸ **avant Jésus-Christ** BC.

jet¹ [ʒɛ] nm (de liquide) jet ▸ **jet d'eau** fountain.

jet² [dʒɛt] nm (avion) jet (plane) ▸ **jet d'eau** fountain.

jetable [ʒətabl] adj disposable.

jetée [ʒəte] nf jetty.

jeter [27] [ʒəte] vt 1. to throw 2. (mettre à la poubelle) to throw away. ◆ **se jeter** vp : **se jeter dans** (suj : rivière) to flow into ▸ **se jeter sur** to pounce on.

jeton [ʒətɔ̃] nm 1. (pour jeu de société) counter 2. (au casino) chip.

jet-set [dʒɛtsɛt], **jet-society** [dʒɛtsɔsajti] nf jet set ▸ **membre de la jet-set** jet-setter.

Jet-ski® [dʒɛtski] nm jet-ski.

jeu [ʒø] nm (pl -x) nm 1. game 2. (d'un mécanisme) play 3. (assortiment) set ▸ **le jeu** (au casino) gambling ▸ **jeu de cartes** a) (distraction) card game b) (paquet) pack of cards ▸ **jeu d'échecs** chess set ▸ **jeu de mots** pun ▸ **jeu de société** board game ▸ **jeu vidéo** video game ▸ **les jeux Olympiques** the Olympic Games.

jeudi [ʒødi] nm Thursday ▸ **nous sommes ou c'est jeudi** it's Saturday today ▸ **jeudi 13 septembre** Thursday 13 September ▸ **nous sommes partis jeudi** we left on Thursday ▸ **jeudi dernier** last Thursday ▸ **jeudi prochain** next Thursday ▸ **jeudi matin** on Thursday morning

▶ **le jeudi** on Thursdays ▶ **à samedi !** see you Thursday!

jeun [ʒœ̃] ▶ **à jeun** adv on an empty stomach.

jeune [ʒœn] ◆ adj young. ◆ nmf young person ▶ **jeune fille** girl ▶ **jeune homme** young man ▶ **les jeunes** young people.

jeûne [ʒøn] nm fast.

jeûner [3] [ʒøne] vi to fast.

jeunesse [ʒœnɛs] nf 1. [période] youth 2. [jeunes] young people pl.

job [dʒɔb] nm fam job.

jockey [ʒɔkɛ] nm jockey.

jogging [dʒɔgiŋ] nm 1. [vêtement] tracksuit 2. [activité] jogging ▶ **faire du jogging** to go jogging.

joie [ʒwa] nf joy.

joindre [82] [ʒwɛ̃dr] vt 1. [relier] to join 2. [contacter] to contact ▶ **joindre qqch à** to attach sthg to ▶ **je joins un chèque à ma lettre** I enclose a cheque with my letter. ◆ **se joindre** à vp + prép to join.

joint, e [ʒwɛ̃, ɛ̃t] ◆ pp & 3ᵉ pers. du sg de l'ind. prés. → **joindre**. ◆ nm 1. TECH seal 2. [de robinet] washer 3. fam [drogue] joint ▶ **joint de culasse** cylinder head gasket.

joker [ʒɔkɛr] nm joker.

joli, e [ʒɔli] adj [beau] pretty.

jongleur [ʒɔ̃glœr] nm juggler.

jonquille [ʒɔ̃kij] nf daffodil.

Jordanie [ʒɔrdani] nf : **la Jordanie** Jordan.

joual [ʒwal] nm Québec French-Canadian dialect.

joue [ʒu] nf cheek.

jouer [6] [ʒwe] ◆ vi 1. to play 2. [acteur] to act. ◆ vt 1. to play 2. [somme] to bet 3. [pièce de théâtre] to perform ▶ **jouer à** [tennis, foot, cartes] to play ▶ **jouer de** [instrument] to play ▶ **jouer un rôle dans qqch** fig to play a part in sthg.

jouet [ʒwɛ] nm toy.

joueur, euse [ʒwœr, øz] nm, f 1. [au casino] gambler 2. SPORT player ▶ **être mauvais joueur** to be a bad loser ▶ **joueur de cartes** card player ▶ **joueur de flûte** flautist ▶ **joueur de foot** footballer.

jour [ʒur] nm 1. day 2. [clarté] daylight ▶ **il fait jour** it's light ▶ **jour de l'an** New Year's Day ▶ **jour férié** public holiday ▶ **jour ouvrable** working day ▶ **huit jours** a week ▶ **quinze jours** two weeks, a fortnight UK ▶ **de jour** [voyager] by day ▶ **du jour au lendemain** overnight ▶ **de nos jours** nowadays ▶ **être à jour** to be up-to-date ▶ **mettre qqch à jour** to update sthg ▶ **tarte du jour** tart of the day.

journal [ʒurnal] (pl -aux) nm newspaper ▶ **journal (intime)** diary ▶ **journal télévisé** news (on the television).

journaliste [ʒurnalist] nmf journalist.

journée [ʒurne] nf day ▶ **dans la journée** a) [aujourd'hui] today b) [le jour] during the day ▶ **toute la journée** all day (long).

joyeux, euse [ʒwajø, øz] adj happy ▶ **joyeux anniversaire !** Happy Birthday! ▶ **joyeux Noël !** Merry Christmas!

judaïsme [ʒydaism] nm Judaism.

judo [ʒydo] nm judo ▶ **faire du judo** to do judo.

juge [ʒyʒ] nmf judge.

jugement [ʒyʒmɑ̃] nm judgment ▸ **prononcer un jugement** to pass sentence.

juger [17] [ʒyʒe] vt **1.** to judge **2.** [accusé] to try.

juif, ive [ʒɥif, ʒɥiv] adj Jewish. ◆ **Juif, ive** nm, f Jew.

juillet [ʒɥijɛ] nm July ▸ **le 14 juillet** French national holiday ▸ **en juillet, au mois de juillet** in July ▸ **début juillet** at the beginning of July ▸ **fin juillet** at the end of July ▸ **le deux juillet** the second of July.

① **Le 14 juillet**

This French national holiday commemorates the most famous act of the French Revolution, the storming of the Bastille, the royal prison, on July 14, 1789 by the people of Paris. It is celebrated with a military parade in Paris, and dances and firework displays throughout the country.

juin [ʒɥɛ̃] nm June ▸ **en juin, au mois de juin** in June ▸ **début juin** at the beginning of June ▸ **fin juin** at the end of June ▸ **le deux juin** the second of June.

juke-box [dʒukbɔks] nm inv jukebox.

jumeau, elle, eaux [ʒymo, ɛl, o] ◆ adj [maisons] semidetached. ◆ nm, f : **des jumeaux** twins ▸ **frère jumeau** twin brother.

jumelé, e [ʒymle] adj : **'ville jumelée avec...'** 'twinned with…'.

jumelles [ʒymɛl] nfpl binoculars.

jument [ʒymɑ̃] nf mare.

jungle [ʒœ̃gl] nf jungle.

jupe [ʒyp] nf skirt ▸ **jupe droite** straight skirt ▸ **jupe plissée** pleated skirt.

jupon [ʒypɔ̃] nm underskirt, slip.

Jura [ʒyra] nm : **le Jura** the Jura (Mountains).

jurer [3] [ʒyre] ◆ vi to swear. ◆ vt : **jurer (à qqn) que** to swear (to sb) that ▸ **jurer de faire qqch** to swear to do sthg.

juridique [ʒyridik] adj legal.

juriste [ʒyrist] nmf lawyer.

jury [ʒyri] nm jury.

jus [ʒy] nm **1.** juice **2.** [de viande] gravy ▸ **jus d'orange** orange juice.

jusque [ʒysk(ə)] ◆ **jusqu'à** prép : **allez jusqu'à l'église** go as far as the church ▸ **jusqu'à midi** until noon ▸ **jusqu'à ce que je parte** until I leave ▸ **jusqu'à présent** up until now, so far. ◆ **jusqu'ici** adv **1.** [dans l'espace] up to here **2.** [dans le temps] up until now, so far. ◆ **jusque-là** adv **1.** [dans l'espace] up to there **2.** [dans le temps] up to then, up until then.

justaucorps [ʒystokɔr] nm leotard.

juste [ʒyst] ◆ adj **1.** [équitable] fair **2.** [addition, raisonnement] right, correct **3.** [note] in tune **4.** [vêtement] tight. ◆ adv **1.** just **2.** [chanter, jouer] in tune ▸ **ce gâteau est un peu juste pour six** this cake isn't big enough for six people ▸ **il est huit heures juste** it's exactly eight o'clock ▸ **au juste** exactly.

justement [ʒystəmɑ̃] adv **1.** [précisément] just **2.** [à plus forte raison] exactly.

justesse [ʒystɛs] ◆ **de justesse** adv only just.

justice [ʒystis] nf justice.

justificatif, ive [ʒystifikatif, iv] adj supporting (avant n). ◆ **justificatif** nm written proof ▸ **justificatif de domicile** proof of address.

justifier [9] [ʒystifje] vt to justify.
◆ **se justifier** vp to justify o.s.

jute [ʒyt] nm : **(toile de) jute** jute.

juteux, euse [ʒytø, øz] adj juicy.

K7 [kaset] nf (abr de **cassette**) cassette.

Kaboul [kabul] n Kabul.

kaki [kaki] adj inv khaki.

kangourou [kɑ̃guru] nm kangaroo.

karaoké [karaɔke] nm karaoke.

karaté [karate] nm karate.

kart [kart] nm go-kart.

karting [kartiŋ] nm go-karting.

kasher [kaʃɛr] adj inv kosher ▶ **produits kasher** kosher foods.

Katmandou, Kàtmàndù [katmɑ̃du] n Katmandu, Kathmandu.

kayak [kajak] nm **1.** [bateau] kayak **2.** [sport] canoeing.

Kazakhstan [kazakstɑ̃] nm : **le Kazakhstan** Kazakhstan.

Kenya [kenja] nm : **le Kenya** Kenya.

képi [kepi] nm kepi.

kermesse [kɛrmɛs] nf fête.

kérosène [kerozɛn] nm kerosene.

ketchup [kɛtʃœp] nm ketchup.

keuf [kœf] nm fam cop.

keum [kœm] nm fam guy, bloke.

Kfé SMS abr écrite de **café**.

kg (abr écrite de **kilogramme**) kg (kilogram).

kidnapper [3] [kidnape] vt to kidnap.

kif(f)er [3] [kife] vt fam to love ▶ **je kiffe ton ordi !** cool computer!

kilo(gramme) [kilɔ(gram)] nm kilo(gram).

kilométrage [kilɔmetraʒ] nm [distance] ≃ mileage ▶ **kilométrage illimité** ≃ unlimited mileage.

kilomètre [kilɔmetr] nm kilometre ▶ **100 kilomètres (à l')heure** 100 kilometres per hour.

kilt [kilt] nm kilt.

kiné [kine] nmf fam (abr de **kinésithérapeute**) physio ⓤⓀ, physical therapist ⓤⓈ ▶ **faire des séances de kiné** to do physiotherapy sessions.

kinésithérapeute [kineziterapøt] nmf physiotherapist.

Kingstown [kiŋstaun] n Kingstown.

Kinshasa [kinʃasa] n Kinshasa.

kiosque [kjɔsk] nm pavilion ▶ **kiosque à journaux** newspaper kiosk ▶ **kiosque à musique** bandstand.

kir [kir] nm aperitif made with white wine and blackcurrant liqueur ▶ **kir royal** aperitif made with champagne and blackcurrant liqueur.

Kirghizistan [kirgizistɑ̃] nm : **le Kirghizistan** Kirgizia.

kirsch [kirʃ] nm kirsch.

kit [kit] nm kit ▶ **en kit** in kit form.

kitesurf [kajtsœrf], **kite** [kajt] nm kitesurfing.

kiwi [kiwi] nm kiwi (fruit).

Klaxon® [klaksɔn] nm horn.

klaxonner [3] [klaksɔne] **vi** to hoot or to beep (one's horn).

Kleenex® [klinɛks] **nm** Kleenex®.

km (abr écrite de **kilomètre**) km (kilometre).

km/h (abr écrite de **kilomètre par heure**) kph (kilometre per hour).

Ko (abr écrite de **kilo-octet**) K (Kilobyte).

K-O [kao] **adj inv 1.** KO'd **2.** fam [épuisé] dead beat.

Kosovo [kɔsɔvo] **nm : le Kosovo** Kosovo.

kouglof [kuglɔf] **nm** light dome-shaped cake with currants and almonds, a speciality of Alsace.

Koweït [kɔwɛjt] **nm : le Koweït** Kuwait, Koweit.

K-way® [kawe] **nm inv** cagoule.

kyste [kist] **nm** cyst.

l (abr écrite de **litre**) l.

l' art → **le.**

la [la] art → **le.**

là [la] **adv 1.** [lieu] there **2.** [temps] then ▶ **elle n'est pas là** she's not in ▶ **par là a)** [de ce côté] that way **b)** [dans les environs] over there ▶ **cette fille-là** that girl ▶ **ce jour-là** that day.

là-bas [laba] **adv** there.

labo [labo] (abr de **laboratoire**) **nm** fam lab (laboratory).

laboratoire [labɔratwar] **nm** laboratory.

labourer [3] [labure] **vt** to plough.

labyrinthe [labirɛ̃t] **nm** maze.

lac [lak] **nm** lake ▶ **le lac de Constance** Lake Constance.

lacer [16] [lase] **vt** to tie.

lacet [lase] **nm 1.** [de chaussures] lace **2.** [virage] bend.

lâche [laʃ] ◆ **adj 1.** [peureux] cowardly **2.** [nœud, corde] loose. ◆ **nmf** coward.

lâcher [3] [laʃe] ◆ **vt 1.** to let go of **2.** [desserrer] to loosen **3.** [parole] to let slip. ◆ **vi 1.** [corde] to give way **2.** [freins] to fail.

lâcheté [laʃte] **nf** cowardice.

là-dedans [laddɑ̃] **adv 1.** [lieu] in there **2.** [dans cela] in that ▶ **je ne sais pas ce que je viens faire là-dedans** I don't see what it has to do with me.

là-dessous [ladsu] **adv 1.** [lieu] under there **2.** [dans cette affaire] behind that ▶ **il y a quelque chose de louche là-dessous** there is something fishy about all this.

là-dessus [ladsy] **adv 1.** [lieu] on there **2.** [à ce sujet] about that ▶ **je n'ai rien à dire là-dessus** I've nothing to say about the subject.

là-haut [lao] **adv** up there.

La Havane [la'avan] **nf** Havana.

La Haye [la'ɛ] **nf : La Haye** The Hague.

laïc, laïque [laik] ◆ **adj** lay (avant n) ; [juridiction] civil (avant n) ; [école] state (avant n). ◆ **nm, f** layman (laywoman).

laïcité [laisite] **nf** secularism.

laid, e [lɛ, lɛd] **adj** ugly.

laideur [lɛdœr] nf ugliness.

lainage [lɛnaʒ] nm [vêtement] woollen garment.

laine [lɛn] nf wool ▸ **en laine** woollen.

laïque [laik] adj secular.

laisse [lɛs] nf lead ▸ **tenir un chien en laisse** to keep a dog on a lead.

laisser [4] [lese] ◆ vt to leave. ◆ v aux : **laisser qqn faire qqch** to let sb do sthg ▸ **laisser tomber** to drop ▸ **laisser qqch à qqn** a) [donner] to leave sb sthg. ◆ **se laisser vp : se laisser aller** to relax ▸ **se laisser faire** a) [par lâcheté] to let o.s. be taken advantage of b) [se laisser tenter] to let o.s. be persuaded ▸ **se laisser influencer** to allow o.s. to be influenced.

lait [lɛ] nm milk ▸ **lait démaquillant** cleanser ▸ **lait solaire** suntan lotion ▸ **lait de toilette** cleanser ▸ **lait ribot** fermented milk (typically drunk in Brittany) ▸ **lait frais** fresh milk.

laitage [lɛtaʒ] nm dairy product.

laitier [letje] adj m → **produit**.

laiton [lɛtɔ̃] nm brass.

laitue [lety] nf lettuce.

lambeau [lãbo] (pl -x) nm strip ▸ **en lambeaux** in tatters.

lambic [lãbik] nm Belq strong malt- and wheat-based beer.

lambris [lãbri] nm panelling.

lame [lam] nf 1. [lame 2. [de verre, de métal] strip 3. [vague] wave ▸ **lame de rasoir** razor blade.

lamelle [lamɛl] nf thin slice.

lamentable [lamãtabl] adj 1. [pitoyable] pitiful 2. [très mauvais] appalling.

lamenter [3] [lamãte] ◆ **se lamenter** vp to moan.

lampadaire [lãpadɛr] nm 1. [dans un appartement] standard lamp UK, floor lamp US 2. [dans la rue] street lamp.

lampe [lãp] nf lamp ▸ **lampe de chevet** bedside lamp ▸ **lampe de poche** torch UK, flashlight US.

lance [lãs] nf [arme] spear ▸ **lance d'incendie** fire hose.

lancée [lãse] nf : **sur sa/ma lancée** [en suivant] while he/I was at it.

lancement [lãsmã] nm [d'un produit] launch.

lance-pierres [lãspjɛr] nm inv catapult.

lancer [16] [lãse] vt 1. to throw 2. [produit, mode] to launch. ◆ **se lancer** vp 1. [se jeter] to throw o.s. 2. [oser] to take the plunge ▸ **se lancer dans qqch** to embark on sthg.

landau [lãdo] nm pram.

lande [lãd] nf moor.

langage [lãgaʒ] nm language.

langer [17] [lãʒe] vt to change.

langouste [lãgust] nf spiny lobster.

langoustine [lãgustin] nf langoustine.

langue [lãg] nf 1. ANAT & CULIN tongue 2. [langage] language ▸ **langue étrangère** foreign language ▸ **langue maternelle** mother tongue ▸ **langue vivante** modern language.

langue-de-chat [lãgdəʃa] (pl langues-de-chat) nf thin sweet finger-shaped biscuit.

languette [lãgɛt] nf 1. [de chaussures] tongue 2. [d'une canette] ring-pull.

lanière [lanjɛr] nf [de cuir] strap.

lanterne [lɑ̃tɛʀn] nf 1. lantern 2. AUTO [feu de position] sidelight UK, parking light US.

Laos [laos] nm : **le Laos** Laos.

lapin [lapɛ̃] nm rabbit ▸ **poser un lapin à qqn** fam to stand sb up.

laque [lak] nf 1. [pour coiffer] hair spray, lacquer 2. [peinture] lacquer.

laqué, e [lake] adj m → **canard**.

laquelle pron rel → **lequel**.

lard [laʀ] nm bacon.

lardon [laʀdɔ̃] nm strip or cube of bacon.

large [laʀʒ] ◆ adj 1. [rivière, route] wide 2. [vêtement] big 3. [généreux] generous 4. [tolérant] open. ◆ nm : **le large** the open sea ▸ **prévoir large** [temps] to allow plenty of time ▸ **2 mètres de large** 2 metres ou meters US wide ▸ **au large de** off (the coast of).

⚠ Large est un faux ami, il signifie grand et non « large ».

largement [laʀʒəmɑ̃] adv [au minimum] easily ▸ **avoir largement le temps** to have ample time ▸ **il y en a largement assez** there's more than enough.

largeur [laʀʒœʀ] nf width.

larme [laʀm] nf tear ▸ **être en larmes** to be in tears.

lasagne(s) [lazaɲ] nfpl lasagne.

laser [lazɛʀ] nm laser.

lasser [3] [lase] vt to bore. ◆ **se lasser de** vp + prép to grow tired of.

latéral, e, aux [lateʀal, o] adj [porte, rue] side.

latin [latɛ̃] nm Latin.

latino [latino] adj & nmf Latino.

latino-américain, e [latinoameʀikɛ̃, ɛn] (mpl latino-américains, fpl latino-américaines) adj Latin-American, Hispanic.

latitude [latityd] nf latitude.

latte [lat] nf slat.

lauréat, e [lɔʀea, at] nm, f prize-winner.

laurier [lɔʀje] nm [arbuste] laurel ▸ **feuille de laurier** bay leaf.

lavable [lavabl] adj washable ▸ **lavable en machine** machine washable.

lavabo [lavabo] nm washbasin. ◆ **lavabos** nmpl [toilettes] toilets.

lavage [lavaʒ] nm washing.

lavande [lavɑ̃d] nf lavender.

lave [lav] nf lava.

lave-linge [lavlɛ̃ʒ] nm inv washing machine.

laver [3] [lave] vt 1. to wash 2. [plaie] to bathe 3. [tache] to wash out ou off. ◆ **se laver** vp to wash o.s. ▸ **se laver les dents** to brush one's teeth ▸ **se laver les mains** to wash one's hands.

laverie [lavʀi] nf : **laverie (automatique)** launderette.

lavette [lavɛt] nf [tissu] dishcloth.

lave-vaisselle [lavvɛsɛl] nm inv dishwasher.

lavoir [lavwaʀ] nm communal sink for washing clothes.

laxatif [laksatif] nm laxative.

layette [lɛjɛt] nf layette.

LCD (abr de liquid cristal display) nm LCD.

le, la [lə, la] (pl **les** [le]) ◆ art 1. [gén] the ▸ **le lac** the lake ▸ **la fenêtre** the window ▸ **l'homme** the man ▸ **les →**

enfants the children ▸ **j'adore le thé** I love tea ▸ **l'amour** love **2.** [désigne le moment] : **nous sommes le 3 août** it's the 3rd of August ▸ **Bruxelles, le 9 juillet 1994** Brussels, 9 July 1994 ▸ **le samedi a)** [habituellement] on Saturdays **b)** [moment précis] on Saturday **3.** [marque l'appartenance] : **se laver les mains** to wash one's hands ▸ **elle a les yeux bleus** she's got blue eyes **4.** [chaque] : **c'est 40 euros la nuit** it's 40 euros a night ▸ **quatre euros l'un** four euros each

◆ **pron 1.** [personne] him (her), them *pl* ; [chose, animal] it, them *pl* ▸ **je le /la /les connais bien** I know him / her /them well ▸ **laissez-les nous** leave them to us **2.** [reprend un mot, une phrase] : **je l'ai entendu dire** I've heard about it.

Le Caire [lɔkɛʁ] nm Cairo.

Le Cap [ləkap] n [ville] Cape Town.

lèche-cul [lɛʃky] (*pl inv* ou **lèche-culs**) nmf *vulg* arse-licker UK, ass-kisser US.

lécher [18] [leʃe] vt to lick.

lèche-vitrines [lɛʃvitrin] nm inv : **faire du lèche-vitrines** to go window-shopping.

leçon [ləsɔ̃] nf **1.** lesson **2.** [devoirs] homework ▸ **faire la leçon à qqn** to lecture sb.

lecteur, trice [lɛktœr, tris] ◆ nm, f reader. ◆ nm INFORM reader ▸ **lecteur de cassettes** cassette player ▸ **lecteur de CD /DVD** CD /DVD player ▸ **lecteur de disquette** disk drive ▸ **lecteur MP3 / WMA** MP3 /WMA player ▸ **lecteur de CD** CD player.

lecture [lɛktyr] nf reading.

légal, e, aux [legal, o] adj legal.

légaliser [3] [legalize] vt to legalize.

légalité [legalite] nf law ▸ **rester dans la légalité** to remain within the law.

légende [leʒɑ̃d] nf **1.** [conte] legend **2.** [d'une photo] caption **3.** [d'un schéma] key.

léger, ère [leʒe, ɛr] adj **1.** light **2.** [café] weak **3.** [cigarette] mild **4.** [peu important] slight ▸ **à la légère** lightly ▸ **cuisine légère** low-fat foods.

légèrement [leʒɛrmɑ̃] adv [un peu] slightly ▸ **s'habiller légèrement** to wear light clothes.

légèreté [leʒɛrte] nf **1.** lightness **2.** [insouciance] casualness.

législatif, ive [leʒislatif, iv] adj legislative. ◆ **législatives** nfpl : **les législatives** the legislative elections ; ≃ the general election *sg* UK ; ≃ the Congressional election *sg* US.

législation [leʒislasjɔ̃] nf legislation.

légitime [leʒitim] adj legitimate ▸ **légitime défense** self-defence.

léguer [18] [lege] vt **1.** to bequeath **2.** *fig* [tradition, passion] to pass on.

légume [legym] nm vegetable ▸ **légumes secs** dried pulses.

Léman [lemɑ̃] nm : **le lac Léman** Lake Geneva.

lendemain [lɑ̃dmɛ̃] nm : **le lendemain** the next day ▸ **le lendemain matin** the next morning ▸ **le lendemain de notre départ** the day after we left.

lent, e [lɑ̃, lɑ̃t] adj slow.

lentement [lɑ̃tmɑ̃] adv slowly.

lenteur [lɑ̃tœr] nf slowness.

lentille [lɑ̃tij] nf **1.** [légume] lentil **2.** [verre de contact] (contact) lens ▸ **porter des lentilles** to wear contact lenses.

léopard [leɔpar] nm leopard.

lequel, laquelle [ləkɛl, lakɛl] (*mpl* **lesquels** [lekɛl], *fpl* **lesquelles** [lekɛl]) **pron 1.** [sujet de personne] who **2.** [sujet de chose] which **3.** [complément de personne] whom **4.** [complément de chose] which **5.** [interrogatif] which (one) ▶ **par / pour lequel** a) [personne] by / for whom b) [chose] by / for which.

les art → **le**.

léser [18] [leze] vt to wrong.

lésion [lezjɔ̃] nf injury.

Lesotho [lezɔto] nm : **le Lesotho** Lesotho.

lesquelles pron rel → **lequel**.

lesquels pron rel → **lequel**.

lessive [lesiv] nf **1.** [poudre, liquide] detergent **2.** [linge] washing ▶ **faire la lessive** to do the washing.

lessiver [3] [lesive] vt **1.** to wash **2.** *fam* [fatiguer] to wear out ▶ **être lessivé** *fam* I'm wrecked.

Lettonie [letɔni] nf : **la Lettonie** Latvia.

lettre [lɛtr] nf letter ▶ **en toutes lettres** in full.

leucémie [løsemi] nf leukemia.

leur [lœr] ◆ adj their. ◆ pron (to) them ▶ **tu devrais le leur renvoyer** you should send it back to them ▶ **je vais leur dire** I'll tell them. ◆ **le leur, la leur** (*pl* **les leurs**) pron theirs ▶ **je préfère la leur** I prefer their one.

levant [ləvɑ̃] adj m → **soleil**.

levé, e [ləve] adj [hors du lit] up.

levée [ləve] nf [du courrier] collection.

lever [19] [ləve] ◆ vt **1.** [bras, yeux, doigt] to raise **2.** [relever] to lift. ◆ nm : **au lever** when one gets up ▶ **le lever du jour** dawn ▶ **le lever du soleil** sunrise. ◆ **se le-**

ver vp **1.** [personne] to get up **2.** [jour] to break **3.** [soleil] to rise **4.** [temps] to clear.

levier [ləvje] nm lever ▶ **levier de vitesse** gear lever UK, gear shift US.

lèvre [lɛvr] nf lip.

levure [ləvyr] nf CULIN baking powder.

lexique [lɛksik] nm [dictionnaire] glossary.

lézard [lezar] nm lizard.

lézarder [3] [lezarde] ◆ **se lézarder** vp to crack.

liaison [ljezɔ̃] nf **1.** [aérienne, routière] link **2.** [amoureuse] affair **3.** [phonétique] liaison ▶ **être en liaison avec** to be in contact with.

liane [ljan] nf creeper.

liasse [ljas] nf wad.

Liban [libɑ̃] nm : **le Liban** Lebanon.

libanais, e [libanɛ, ɛz] adj Lebanese. ◆ **Libanais, e** nm, f Lebanese (person) ▶ **les Libanais** the Lebanese.

libellule [libelyl] nf dragonfly.

libéral, e, aux [liberal, o] adj liberal.

libération [liberasjɔ̃] nf **1.** [d'une ville] liberation **2.** [d'un prisonnier] release ▶ **la Libération** the Liberation.

libérer [18] [libere] vt [prisonnier] to release. ◆ **se libérer** vp **1.** to free o.s. **2.** [de ses occupations] to get away ▶ **je vais essayer de me libérer pour venir** I'll try to make myself free so I can come.

Liberia [liberja] nm : **le Liberia** Liberia.

liberté [liberte] nf **1.** freedom ▶ **en liberté** [animaux] in the wild.

libraire [librɛr] nmf bookseller.

librairie [libreri] nf bookshop.

⚠ **Library** est un faux ami, il signifie ***bibliothèque*** et non « librairie ».

libre [libr] adj **1.** free **2.** [ouvert, dégagé] clear ▸ **libre de faire qqch** free to do sthg.

librement [librəmɑ̃] adv freely.

libre-service [librəsɛrvis] (pl **libres-services**) nm **1.** [magasin] self-service store **2.** [restaurant] self-service restaurant.

Libye [libi] nf : **la Libye** Libya.

libyen, enne [libjɛ̃, ɛn] adj Libyan. ◆ **Libyen, enne** nm, f Libyan.

licence [lisɑ̃s] nf **1.** licence **2.** [diplôme] degree **3.** [sportive] membership card.

licence-master-doctorat [lisɑ̃s-mastɛrdɔktɔra] (pl **licences-masters-doctorats**), **LMD** [ɛlɛmde] nm ≃ Bachelor Master Doctorate ; ≃ BMD.

licenciement [lisɑ̃simɑ̃] nm **1.** [pour faute] dismissal **2.** [économique] redundancy.

licencier [9] [lisɑ̃sje] vt [pour faute] to dismiss ▸ **être licencié** [économique] to be made redundant.

Liechtenstein [liʃtɛnʃtajn] nm : **le Liechtenstein** Liechtenstein.

liège [ljɛʒ] nm cork.

liégeois [ljeʒwa] adj m → **café, chocolat**.

lien [ljɛ̃] nm **1.** [ruban, sangle] tie **2.** [relation] link ▸ **lien hypertexte** INFORM hypertext link.

lier [9] [lje] vt **1.** [attacher] to tie up **2.** [par contrat] to bind **3.** [phénomènes, idées] to connect ▸ **lier conversation avec qqn** to strike up a conversation with sb. ◆ **se lier** vp : **se lier (d'amitié) avec qqn** to make friends with sb.

lierre [ljɛr] nm ivy.

lieu [ljø] (pl **-x**) nm place ▸ **avoir lieu** to take place ▸ **au lieu de** instead of.

lièvre [ljɛvr] nm hare.

lifting [liftiŋ] nm face-lift.

ligament [ligamɑ̃] nm ligament.

ligne [liɲ] nf line ▸ **avoir la ligne** to be slim ▸ **aller à la ligne** to start a new paragraph ▸ **se mettre en ligne** to line up ▸ **ligne blanche** [sur la route] white line ▸ **(en) ligne droite** (in) a straight line ▸ **'grandes lignes'** sign directing rail passengers to platforms for inter-city trains.

ligoter [3] [ligɔte] vt to tie up.

lilas [lila] nm lilac.

limace [limas] nf slug.

limande [limɑ̃d] nf dab.

lime [lim] nf file ▸ **lime à ongles** nail file.

limer [3] [lime] vt to file.

limitation [limitasjɔ̃] nf restriction ▸ **limitation de vitesse** speed limit.

limite [limit] ◆ nf **1.** [bord] edge **2.** [frontière] border **3.** [maximum ou minimum] limit. ◆ adj [prix, vitesse] maximum ▸ **à la limite** if necessary.

limité, e [limite] adj limited ▸ **'prudence : vitesse limitée'** 'do not exceed speed limit'.

limiter [3] [limite] vt to limit. ◆ **se limiter à** vp + prép **1.** [se contenter de] to limit o.s. to **2.** [être restreint à] to be limited to.

limitrophe [limitrɔf] adj **1.** [frontalier] border (avant n) **2.** [voisin] adjacent ▸ **être limitrophe de** to border on.

limonade [limɔnad] nf lemonade.

limpide [lɛ̃pid] adj (crystal) clear.

lin [lɛ̃] nm linen.

linge [lɛ̃ʒ] nm **1.** [de maison] linen **2.** [lessive] washing ▸ **linge de maison** household linen.

lingerie [lɛ̃ʒri] nf [sous-vêtements] lingerie.

lingette [lɛ̃ʒɛt] nf wipe ▸ **lingette antibactérienne** anti-bacterial wipe ▸ **lingette démaquillante** eye makeup remover pad.

lingot [lɛ̃go] nm : **lingot (d'or)** (gold) ingot.

lino(léum) [lino(leɔm)] nm lino(leum).

lion [ljɔ̃] nm lion. ◆ **Lion** nm [signe astrologique] Leo.

liqueur [likœr] nf liqueur.

liquidation [likidasjɔ̃] nf : **'liquidation totale'** 'stock clearance'.

liquide [likid] adj & nm liquid ▸ **(argent) liquide** cash ▸ **payer en liquide** to pay cash ▸ **liquide de frein** brake fluid ▸ **liquide vaisselle** washing-up liquid [UK], dishwashing liquid [US].

liquider [3] [likide] vt [vendre] to sell off.

lire [106] [lir] vt & vi to read.

lis, lys [lis] nm lily.

Lisbonne [lizbɔn] n Lisbon.

liseuse [lizøz] nf **1.** INFORM e-reader, e-book reader **2.** [lampe] reading light.

lisible [lizibl] adj legible.

lisière [lizjɛr] nf edge ▸ **à la lisière de** on the edge of.

lisse [lis] adj smooth.

liste [list] nf list ▸ **liste d'attente** waiting list ▸ **être sur liste rouge** to be ex-directory [UK], to have an unlisted number [US].

lit [li] nm bed ▸ **aller au lit** to go to bed ▸ **lit de camp** camp bed ▸ **lit double, grand lit** double bed ▸ **lit simple, lit à une place, petit lit** single bed ▸ **lits jumeaux** twin beds ▸ **lits superposés** bunk beds.

litchi [litʃi] nm lychee.

literie [litri] nf mattress and base.

litière [litjɛr] nf litter.

litige [litiʒ] nm dispute.

litre [litr] nm litre.

littéraire [literɛr] adj literary.

littéral, e, aux [literal, o] adj **1.** [gén] literal **2.** [écrit] written.

littérature [literatyr] nf literature.

littoral [litɔral] (pl -aux) nm coast.

Lituanie [litɥani] nf : **la Lituanie** Lithuania.

live [lajv] adj inv live.

livide [livid] adj pallid.

living(-room), s [liviŋ(rum)] nm living room.

livraison [livrɛzɔ̃] nf delivery ▸ **'livraison à domicile'** 'we deliver' ▸ **'livraison des bagages'** 'baggage reclaim'.

livre¹ [livr] nm book ▸ **livre de français** French book ▸ **livre numérique** E-book.

livre² [livr] nf [demi-kilo, monnaie] pound ▸ **livre (sterling)** pound (sterling).

livrer [3] [livre] vt **1.** [marchandise] to deliver **2.** [trahir] to hand over ▸ **vous livrez à domicile ?** do you deliver?

livret [livrɛ] nm booklet ▸ **livret (de caisse) d'épargne** savings book ▸ **livret de famille** family record book ▸ **livret scolaire** school report (book).

livreur, euse [livrœr, øz] nm, f delivery man (delivery woman).

Ljubljana [ljubljana] n Ljubljana.

local, e, aux [lɔkal, o] ◆ adj local. ◆ nm 1. [d'un club, commercial] premises 2. [pour fête] place ▸ **dans les locaux** on the premises.

locataire [lɔkatɛr] nmf tenant.

location [lɔkasjɔ̃] nf 1. [d'une maison] renting 2. [d'un billet] booking 3. [logement] rented accommodation ▸ '**location de voitures**' a) UK 'car hire' b) US 'car rental'.

⚠ **Location** est un faux ami, il signifie **emplacement** et non « location ».

locomotive [lɔkɔmɔtiv] nf locomotive.

loge [lɔʒ] nf 1. [de concierge] lodge 2. [d'acteur] dressing room.

logement [lɔʒmɑ̃] nm 1. accommodation 2. [appartement] flat UK, apartment US ▸ **le logement** [secteur] housing.

loger [17] [lɔʒe] ◆ vt [héberger] to put up. ◆ vi to live.

logger [3] [lɔʒe] ▸ **se logger** vp to log on ou in.

logiciel [lɔʒisjɛl] nm software.

login [lɔgin] nm login.

logique [lɔʒik] ◆ adj logical. ◆ nf logic.

logiquement [lɔʒikmɑ̃] adv logically.

logo [lɔgo] nm logo.

loi [lwa] nf law ▸ **la loi** the law.

loin [lwɛ̃] adv 1. far away 2. [dans le temps] far off ▸ **au loin** in the distance ▸ **de loin** a) from a distance b) fig [net-

tement] by far ▸ **loin de** far (away) from ▸ **loin de là** fig [au contraire] far from it.

lointain, e [lwɛ̃tɛ̃, ɛn] ◆ adj distant. ◆ nm : **dans le lointain** in the distance.

Loire [lwar] nf : **la Loire** [fleuve] the (River) Loire.

loisirs [lwazir] nmpl 1. [temps libre] leisure sg 2. [activités] leisure activities.

LOL (abr écrite de laughing out loud) SMS LOL.

lombaire [lɔ̃bɛr] nf lumbar vertebra.

Londonien, enne [lɔ̃dɔnjɛ̃, ɛn] nm, f Londoner.

Londres [lɔ̃dr] n London.

long, longue [lɔ̃, lɔ̃g] adj long ▸ **ça fait 10 mètres de long** it's 10 metres long ▸ **le long de** along ▸ **de long en large** up and down ▸ **à la longue** in the long run.

longeole [lɔ̃ʒɔl] nf smoked sausage from the Geneva region of Switzerland.

longer [17] [lɔ̃ʒe] vt to follow ▸ **longez la rivière sur 500 mètres** keep to the river for 500 metres.

longitude [lɔ̃ʒityd] nf longitude.

longtemps [lɔ̃tɑ̃] adv (for) a long time ▸ **ça fait trop longtemps** it's been too long ▸ **il y a longtemps** a long time ago.

longue adj f → **long**.

longuement [lɔ̃gmɑ̃] adv for a long time.

longueur [lɔ̃gœr] nf length ▸ **à longueur de semaine/d'année** all week / year long ▸ **longueur d'onde** wavelength.

longue-vue [lɔ̃gvy] (pl longues-vues) nf telescope.

loquet [lɔkɛ] nm latch.

lorraine [lɔrɛn] adj f → **quiche**.

lors [lɔr] ◆ **lors de** prép [pendant] during.

lorsque [lɔrskə] conj when.

losange [lɔzɑ̃ʒ] nm lozenge.

loser [luzœr] nm *fam* loser.

lot [lo] nm **1.** [de loterie] prize **2.** COMM [en offre spéciale] (special offer) pack ▸ **gagner le gros lot** to hit the jackpot.

loterie [lɔtri] nf lottery.

lotion [losjɔ̃] nf lotion ▸ **lotion après-rasage** after-shave lotion.

lotissement [lɔtismɑ̃] nm housing development.

loto [loto] nm [national] the French national lottery ▸ **le loto sportif** ≃ the football pools UK ; ≃ the soccer sweepstakes US.

lotte [lɔt] nf monkfish ▸ **lotte à l'américaine** monkfish tails cooked in a sauce of white wine, brandy, herbs and tomatoes.

louche [luʃ] ◆ adj shady. ◆ nf ladle.

loucher [3] [luʃe] vi to squint.

louer [6] [lwe] vt to rent ▸ **'à louer'** 'to let'.

loukoum [lukum] nm Turkish delight.

loup [lu] nm wolf.

loupe [lup] nf magnifying glass.

louper [3] [lupe] vt **1.** *fam* [examen] to flunk **2.** [train] to miss.

lourd, e [lur, lurd] ◆ adj **1.** heavy **2.** [sans finesse] unsubtle **3.** [erreur] serious **4.** [orageux] sultry. ◆ adv : **peser lourd** to be heavy.

lourdement [lurdəmɑ̃] adv **1.** heavily **2.** [se tromper] greatly ▸ **il a insisté lourdement** he strongly insisted.

lourdeur [lurdœr] nf : **avoir des lourdeurs d'estomac** to feel bloated.

lourdingue [lurdɛ̃g] adj *vulg* [personne] dim-witted, thick UK ; [plaisanterie, réflexion] pathetic, stupid.

Louvre [luvr] nm : **le Louvre** the Louvre.

ⓘ **Le Louvre**

This former royal palace houses one of the greatest collections of paintings, sculptures, and antiquities in the world. A national museum since 1793, it was expanded to become the Grand Louvre in 1999. You enter it through the famous glass pyramid in the centre of its courtyard.

low cost [lokɔst] nm : **le low cost** low-cost services.

loyal, e, aux [lwajal, o] adj loyal.

loyauté [lwajote] nf loyalty.

loyer [lwaje] nm [d'un appartement] rent ▸ **payer son loyer** to pay the rent.

lu, e [ly] pp → **lire**.

lubrifiant [lybrifjɑ̃] nm lubricant.

lucarne [lykarn] nf skylight.

lucide [lysid] adj **1.** [conscient] conscious **2.** [sur soi-même] lucid.

lueur [lɥœr] nf **1.** [lumière] light **2.** [d'intelligence, de joie] glimmer ▸ **une lueur d'espoir** a glimmer of hope.

luge [lyʒ] nf toboggan ▸ **faire de la luge** to toboggan.

lugubre [lygybr] adj **1.** [ambiance] gloomy **2.** [bruit] mournful.

lui¹ [lɥi] ◆ pron **1.** [complément d'objet indirect] (to) him /her /it ▸ **je lui ai parlé** I spoke to him /her ▸ **dites-le-lui tout de suite** tell him /her straightaway ▸ **je lui ai serré la main** I shook his / her hand **2.** [après une préposition, un

→

comparatif] him /it ▸ **j'en ai eu moins que lui** I had less than him **3.** [pour renforcer le sujet] lui ▸ **et lui, qu'est-ce qu'il en pense ?** what does he think about it? ▸ **c'est lui qui nous a renseignés** he was the one who informed us **4.** [dans des expressions] **: c'est lui-même qui l'a dit** he said it himself ▸ **il se contredit lui-même** he contradicts himself.

lui² [lɥi] *pp* → **luire.**

luire [97] [lɥir] *vi* to shine.

luisant, e [lɥizɑ̃, ɑ̃t] *adj* shining. → ver.

lumbago, lombago [lɔ̃bago] *nm* lumbago.

lumière [lymjɛr] *nf* light ▸ **allumer la lumière** to switch ou turn on the light.

luminaires [lyminɛr] *nmpl* lighting *sg.*

lumineux, euse [lyminø, øz] *adj* **1.** bright **2.** [teint, sourire] radiant. →

luminosité [lyminozite] *nf* **: réglage de la luminosité** brightness adjustment.

lunatique [lynatik] *adj* temperamental.

lunch [lœnʃ] (*pl* -s ou -es) *nm* [buffet] buffet lunch.

lundi [lœdi] *nm* Monday ▸ **nous sommes ou c'est lundi** it's Saturday today ▸ **lundi 13 septembre** Monday 13 September ▸ **nous sommes partis lundi** we left on Monday ▸ **lundi dernier** last Monday ▸ **lundi prochain** next Monday ▸ **lundi matin** on Monday morning ▸ **le lundi** on Mondays ▸ **à lundi !** see you Monday!

lune [lyn] *nf* moon ▸ **lune de miel** honeymoon ▸ **pleine lune** full moon.

lunette [lynɛt] *nf* [astronomique] telescope ▸ **lunette arrière** rear window. ♦ **lunettes** *nfpl* glasses ▸ **lunettes de soleil** sunglasses.

lustre [lystr] *nm* chandelier.

lutte [lyt] *nf* **1.** struggle, fight **2.** SPORT wrestling.

lutter [3] [lyte] *vi* to fight ▸ **lutter contre** to fight (against).

luxation [lyksasjɔ̃] *nf* dislocation.

luxe [lyks] *nm* luxury ▸ **de (grand) luxe** luxury.

Luxembourg [lyksɑ̃bur] *nm* **: le Luxembourg** Luxembourg.

luxembourgeois, e [lyksɑ̃burʒwa, az] *adj* of /relating to Luxembourg.

luxueux, euse [lyksɥø, øz] *adj* luxurious.

lycée [lise] *nm* ≃ secondary school 🇬🇧 ; ≃ high school 🇺🇸 ▸ **lycée professionnel** ≃ technical college.

ⓘ **Le lycée**

Students attend a **lycée** for their final three years at school before taking their **baccalauréat**. Lycées provide three types of courses: **général**, i.e. literature, science, or economics and social studies; **technologique**, i.e. technology; and **professionnel**, i.e. vocational subjects. The first is considered the most prestigious.

---

lycéen, enne [liseɛ̃, ɛn] *nm, f* ≃ secondary school student 🇬🇧 ; ≃ high school student 🇺🇸.

Lycra® [likra] *nm* Lycra®.

Lyon [ljɔ̃] *n* Lyons.

lyophilisé, e [ljɔfilize] *adj* freeze-dried.

lys = **lis.**

m (abr écrite de **mètre**) m (metre).

m' pron → **me**.

M. (abr écrite de **Monsieur**) Mr (Mister).

ma adj → **mon**.

macadam [makadam] nm Tarmac®.

macaron [makaʀɔ̃] nm [gâteau] macaroon.

macaronis [makaʀɔni] nmpl macaroni sg.

macédoine [masedwan] nf : **macédoine (de légumes)** (diced) mixed vegetables pl ▸ **macédoine de fruits** fruit salad.

Macédoine [masedwan] nf : **(la) Macédoine** Macedonia.

macérer [18] [maseʀe] vi CULIN to steep.

mâcher [3] [maʃe] vt to chew.

machin [maʃɛ̃] nm fam thingamajig.

machinal, e, aux [maʃinal, o] adj mechanical.

machine [maʃin] nf machine ▸ **machine à coudre** sewing machine ▸ **machine à laver** washing machine ▸ **machine à sous** one-armed bandit.

mâchoire [maʃwaʀ] nf jaw.

maçon [masɔ̃] nm bricklayer.

macro [makʀo] nf macro.

macrovision [makʀovizjɔ̃] nf Macrovision.

Madagascar [madagaskaʀ] n Madagascar.

madame [madam] (pl **mesdames** [medam]) nf : **madame X** Mrs X ▸ **bonjour madame / mesdames !** good morning (Madam / ladies)! ▸ **Madame,** [dans une lettre] Dear Madam, ▸ **Madame !** [pour appeler le professeur] Miss!

madeleine [madlɛn] nf madeleine (small sponge cake).

mademoiselle [madmwazɛl] (pl **mesdemoiselles** [medmwazɛl]) nf : **mademoiselle X** Miss X ▸ **bonjour mademoiselle / mesdemoiselles !** good morning (Miss / ladies)! ▸ **Mademoiselle,** [dans une lettre] Dear Madam, ▸ **Mademoiselle !** [pour appeler le professeur] Miss!

madère [madɛʀ] nm → **sauce**.

Madrid [madʀid] n Madrid.

maf(f)ia [mafja] nf mafia ▸ **la Maf(f)ia** [sicilienne] the Mafia.

magasin [magazɛ̃] nm shop 🇬🇧, store 🇺🇸 ▸ **en magasin** in stock.

magazine [magazin] nm magazine.

Maghreb [magʀeb] nm : **le Maghreb** North Africa, the Maghreb.

Maghrébin, e [magʀebɛ̃, in] nm, f North African.

magicien, enne [maʒisjɛ̃, ɛn] nm, f magician.

magie [maʒi] nf magic.

magique [maʒik] adj magic.

magistrat [maʒistʀa] nm magistrate.

magnésium [maɲezjɔm] nm magnesium.

magnétique [maɲetik] adj magnetic.

magnétoscope [manetɔskɔp] nm videorecorder.

magnifique [maɲifik] adj magnificent.

magret [magrɛ] nm : **magret (de canard)** fillet of duck breast.

Mahomet [maɔmɛ] n Mahomet, Mohammed.

mai [mɛ] nm May ▸ **le premier mai** May Day ▸ **en mai, au mois de mai** in May ▸ **début mai** at the beginning of May ▸ **fin mai** at the end of May ▸ **le deux mai** the second of May.

maigre [mɛgr] adj 1. thin 2. [viande] lean 3. [yaourt] low-fat.

maigrir [32] [megrir] vi to lose weight.

mail [mɛl] nm mail ▸ **envoyer un mail à qqn** to send sb an e-mail ou a message.

mailing [meliŋ] nm mailing, mailshot UK.

mailing list [meliŋlist] nf mailing list.

maille [maj] nf 1. [d'un tricot] stitch 2. [d'un filet] mesh.

maillon [majɔ̃] nm link.

maillot [majo] nm 1. [de foot] jersey 2. [de danse] leotard ▸ **maillot de bain** bathing costume ▸ **maillot de corps** vest UK, undershirt US ▸ **maillot jaune** [du Tour de France] yellow jersey (worn by the leading cyclist in the Tour de France).

main [mɛ̃] nf hand ▸ **se donner la main** to hold hands ▸ **fait (à la) main** handmade ▸ **prendre qqch en main** to take sthg in hand.

main-d'œuvre [mɛ̃dœvr] (pl **mains-d'œuvre**) nf labour.

main libre [mɛ̃libr] nm : (kit) mains libres hands-free (kit).

maintenant [mɛ̃tnɑ̃] adv 1. now 2. [de nos jours] nowadays.

maintenir [40] [mɛ̃tnir] vt 1. to maintain 2. [soutenir] to support. ◆ **se maintenir** vp [temps, tendance] to remain.

maintenu, e [mɛ̃tny] pp → **maintenir**.

maire [mɛr] nmf mayor.

mairie [meri] nf [bâtiment] town hall UK, city hall US.

mais [mɛ] conj but ▸ **mais non !** of course not!

maïs [mais] nm maize UK, corn US.

maison [mezɔ̃] ◆ nf 1. [domicile] house, home 2. [bâtiment] house. ◆ adj inv homemade ▸ **rester à la maison** to stay at home ▸ **rentrer à la maison** to go home ▸ **maison de campagne** house in the country ▸ **maison de la culture** ≃ community arts centre.

maître, esse [mɛtr, mɛtrɛs] nm, f [d'un animal] master (mistress) ▸ **maître / maîtresse (d'école)** schoolteacher ▸ **maître d'hôtel** [au restaurant] head waiter ▸ **maître nageur** swimming instructor.

maître-nageur [mɛtrənaʒœr] (pl **maîtres-nageurs**) nm swimming teacher ou instructor.

maîtresse [mɛtrɛs] nf [amie] mistress ; → **maître**.

maîtrise [mɛtriz] nf [diplôme] ≃ master's degree.

maîtriser [3] [mɛtrize] vt 1. to master 2. [personne] to overpower 3. [incendie] to bring under control.

majestueux, euse [maʒɛstyø, øz] adj majestic.

majeur, e [maʒœr] ◆ adj [principal] major. ◆ nm [doigt] middle finger ▸ **être**

majeur [adulte] to be of age ▸ **la majeure partie (de)** the majority (of).

majoration [maʒɔʁasjɔ̃] nf increase.

majorette [maʒɔʁɛt] nf majorette.

majoritaire [maʒɔʁitɛʁ] adj majority (avant n) ▸ **être majoritaire** to be in the majority.

majorité [maʒɔʁite] nf majority ▸ **en majorité** in the majority ▸ **la majorité de** the majority of the.

Majorque [maʒɔʁk] n Majorca.

majuscule [maʒyskyl] nf capital letter ▸ **écrire en majuscules** write in capitals.

mal [mal] (pl **maux** [mo]) ◆ nm [contraire du bien] evil. ◆ adv badly ▸ **j'ai mal** it hurts ▸ **avoir mal au cœur** to feel sick ▸ **avoir mal aux dents** to have toothache ▸ **avoir mal au dos** to have backache ▸ **avoir mal à la gorge** to have a sore throat ▸ **avoir mal à la tête** to have a headache ▸ **avoir mal au ventre** to have (a) stomachache ▸ **ça fait mal** it hurts ▸ **faire mal à qqn** to hurt sb ▸ **se faire mal** to hurt o.s ▸ **se donner du mal (pour faire qqch)** to make an effort (to do sthg) ▸ **mal de gorge** sore throat ▸ **mal de mer** seasickness ▸ **avoir le mal du pays** to feel homesick ▸ **maux de tête** headaches ▸ **pas mal** fam [assez bon, assez beau] not bad ▸ **pas mal de** fam [beaucoup] quite a lot of.

malade [malad] ◆ adj **1.** ill, sick **2.** [sur un bateau, en avion] sick. ◆ nmf sick person ▸ **malade mental** mentally ill person.

maladie [maladi] nf illness ▸ **maladie de la vache folle** mad cow disease.

maladresse [maladʁɛs] nf **1.** clumsiness **2.** [acte] blunder.

maladroit, e [maladʁwa, at] adj clumsy.

malaise [malɛz] nm **1.** MÉD faintness **2.** [angoisse] unease ▸ **avoir un malaise** to faint.

Malaisie [malɛzi] nf : **la Malaisie** Malaya.

malaria [malaʁja] nf malaria.

Malawi [malawi] nm [État] : **le Malawi** Malawi.

malaxer [3] [malakse] vt to knead.

malbouffe [malbuf] nf fam junk food, bad food.

malchance [malʃɑ̃s] nf bad luck.

Maldives [maldiv] nfpl : **les (îles) Maldives** the Maldive Islands, the Maldives.

mâle [mal] adj & nm male.

malentendant, e [malɑ̃tɑ̃dɑ̃, ɑ̃t] nm,f person who is hard of hearing.

malentendu [malɑ̃tɑ̃dy] nm misunderstanding.

malfaiteur [malfɛtœʁ] nm criminal.

malfamé, e [malfame] adj disreputable.

malformation [malfɔʁmasjɔ̃] nf malformation.

malgache [malgaʃ] adj Madagascan, Malagasy. ◆ **malgache** nm [langue] Malagasy. ◆ **Malgache** nmf Madagascan, Malagasy.

malgré [malgʁe] prép in spite of ▸ **malgré tout** despite everything.

malheur [malœʁ] nm misfortune.

malheureusement [malœʁøzmɑ̃] adv unfortunately.

malheureux, euse [malœʁø, øz] adj unhappy.

malhonnête [malɔnɛt] adj dishonest.

malhonnêteté [malɔnɛtte] nf dishonesty.

Mali [mali] nm : **le Mali** Mali.

malicieux, euse [malisjø, øz] adj mischievous.

malin, igne [malɛ̃, iɲ] adj [habile, intelligent] crafty.

malle [mal] nf trunk.

mallette [malɛt] nf small suitcase.

malmener [19] [malməne] vt to manhandle.

malnutrition [malnytrisjɔ̃] nf malnutrition.

Malouines [malwin] nfpl : **les (îles) Malouines** the Falkland Islands, the Falklands.

malpoli, e [malpɔli] adj rude.

malsain, e [malsɛ̃, ɛn] adj unhealthy.

Malte [malt] n Malta.

maltraitance [maltrɛtɑ̃s] nf (physical) abuse.

maltraiter [4] [maltrete] vt to mistreat.

malveillant, e [malvejɑ̃, ɑ̃t] adj spiteful.

maman [mamɑ̃] nf mum UK, mom US.

mamie [mami] nf fam granny.

mammifère [mamifɛr] nm mammal.

manager [manadʒɛr] nm manager.

manche [mɑ̃ʃ] ◆ nf 1. [de vêtement] sleeve 2. [de jeu] round 3. [au tennis] set. ◆ nm handle ▶ **à manches courtes / longues** short- / long-sleeved.

Manche [mɑ̃ʃ] nf : **la Manche** the (English) Channel.

manchette [mɑ̃ʃɛt] nf [d'une manche] cuff ▶ **boutons de manchette** cuff links.

manchot, ote [mɑ̃ʃo, ɔt] ◆ adj one-armed. ◆ nm, f one-armed person. ◆ **manchot** nm penguin.

mandarine [mɑ̃darin] nf mandarin.

mandat [mɑ̃da] nm [postal] money order.

manège [manɛʒ] nm 1. [attraction] merry-go-round UK, carousel US 2. [d'équitation] riding school.

manette [manɛt] nf lever ▶ **manette de jeux** joystick.

manga [mɑ̃ga] nm manga (comic).

mangeable [mɑ̃ʒabl] adj edible.

mangeoire [mɑ̃ʒwar] nf trough.

manger [17] [mɑ̃ʒe] vt & vi to eat ▶ **donner à manger à qqn a)** to give sb sthg to eat **b)** [bébé] to feed sb.

mangue [mɑ̃g] nf mango.

maniable [manjabl] adj easy to use.

maniaque [manjak] adj fussy.

manie [mani] nf funny habit.

manier [9] [manje] vt to handle.

manière [manjɛr] nf way ▶ **de manière à faire qqch** in order to do sthg ▶ **de manière à ce que** so (that) ▶ **de toute manière** at any rate. ◆ **manières** nfpl [attitude] manners ▶ **faire des manières** to be difficult.

maniéré, e [manjere] adj affected.

manif [manif] nf fam demo.

manifestant, e [manifɛstɑ̃, ɑ̃t] nm, f demonstrator.

manifestation [manifɛstasjɔ̃] nf 1. [défilé] demonstration 2. [culturelle] event.

manifester [3] [manifɛste] ◆ vt [exprimer] to express. ◆ vi to demonstrate. ◆ **se manifester** vp [apparaître] to appear.

manigancer [16] [manigɑ̃se] vt to plot.

manipulation [manipylasjɔ̃] nf **1.** [utilisation] handling **2.** [tromperie] manipulation.

manipuler [3] [manipyle] vt **1.** to handle **2.** *fig* [personne] to manipulate.

manivelle [manivɛl] nf crank.

mannequin [mankɛ̃] nm **1.** [de défilé] model **2.** [dans une vitrine] dummy.

manœuvre [manœvr] nf manœuvre.

manœuvrer [5] [manœvre] vt & vi to manoeuvre.

manoir [manwar] nm manor house.

manquant, e [mɑ̃kɑ̃, ɑ̃t] adj missing
▶ **la pièce manquante** the missing piece (of the puzzle).

manque [mɑ̃k] nm : **le manque de** the lack of.

manquer [3] [mɑ̃ke] ◆ vt to miss. ◆ vi **1.** [échouer] to fail **2.** [élève, employé] to be absent ▶ **elle nous manque** we miss her ▶ **il manque deux pages** there are two pages missing ▶ **il me manque deux euros** I'm two euros short ▶ **manquer de** a) [argent, temps, café] to be short of b) [humour, confiance en soi] to lack ▶ **il a manqué (de) se faire écraser** he nearly got run over.

mansardé, e [mɑ̃sarde] adj in the attic.

manteau [mɑ̃to] (*pl* -x) nm coat.

manucure [manykyr] nmf manicurist.

manuel, elle [manɥɛl] adj & nm manual.

manufacturé, e [manyfaktyre] adj manufactured.

manufacturer [3] [manyfaktyre] vt to manufacture.

manuscrit [manyskri] nm manuscript.

mappemonde [mapmɔ̃d] nf **1.** [carte] map of the world **2.** [globe] globe.

maquereau [makro] (*pl* -x) nm mackerel.

maquette [makɛt] nf scale model.

maquillage [makijaʒ] nm [fard, etc.] make-up.

maquiller [3] [makije] ◆ **se maquiller** vp to make o.s. up.

maracas [marakas] nfpl maracas.

maracu(d)ja [marakudʒa] nm maracuja, passion fruit.

marais [marɛ] nm marsh ▶ **le Marais** the Marais *(historic district of Paris).*

ⓘ Le Marais

One of the oldest areas in Paris, the Marais is known for its 17th century aristocratic residences (*hôtels particuliers*), art galleries, boutiques and smart cafés. It is home to Paris's oldest Jewish community, centered around the rue des Rosiers, and is also well-known as the capital's gay quarter.

marathon [maratɔ̃] nm marathon.

marbre [marbr] nm marble.

marbré, e [marbre] adj marbled.

marchand, e [marʃɑ̃, ɑ̃d] nm, f shopkeeper UK, storekeeper US ▶ **marchand ambulant** street pedlar ▶ **marchand de fruits et légumes** ou de **primeurs** greengrocer ▶ **marchand de journaux** newsagent.

marchander [3] [marʃɑ̃de] vi to haggle.

marchandises [marʃɑ̃diz] nfpl merchandise sg.

marche [marʃ] nf **1.** [à pied] walk **2.** [d'escalier] step **3.** [fonctionnement] operation ▸ **bouton marche /arrêt** start /stop button ▸ **marche arrière** reverse ▸ **en marche** [en fonctionnement] running ▸ **mettre qqch en marche** to start sthg up ▸ **descendre d'un train en marche** to get off a train while it's still moving.

marché [marʃe] nm **1.** market **2.** [contrat] deal ▸ **faire son marché** to do one's shopping ▸ **marché couvert** covered market ▸ **marché aux puces** flea market ▸ **bon marché** cheap ▸ **par-dessus le marché** what's more.

marchepied [marʃəpje] nm step.

marcher [3] [marʃe] vi **1.** to walk **2.** [fonctionner] to work **3.** [bien fonctionner] to go well ▸ **faire marcher qqch** to operate sthg ▸ **faire marcher qqn** fam to pull sb's leg.

mardi [mardi] nm Tuesday ▸ **mardi gras** Shrove Tuesday ▸ **nous sommes ou c'est mardi** it's Tuesday today ▸ **mardi 13 septembre** Tuesday 13 September ▸ **nous sommes partis mardi** we left on Tuesday ▸ **mardi dernier** last Tuesday ▸ **mardi prochain** next Tuesday ▸ **mardi matin** on Tuesday morning ▸ **le mardi** on Tuesdays ▸ **à mardi !** see you Tuesday!

mare [mar] nf pool.

marécage [mareka3] nm marsh.

marécageux, euse [mareka3ø, øz] adj marshy, boggy.

marée [mare] nf tide ▸ **(à) marée basse /haute** (at) low /high tide.

margarine [margarin] nf margarine.

marge [mar3] nf margin ▸ **il n'est que 8 heures, nous avons de la marge** it's only 8 o'clock, we have a little time to spare ▸ **marge de manœuvre** leeway, room for manoeuvre UK ou maneuver US.

marginal, e, aux [mar3inal, o] nm, f

marguerite [margərit] nf daisy.

mari [mari] nm husband.

mariage [marja3] nm **1.** [noce] wedding **2.** [institution] marriage.

marié, e [marje] ◆ adj married. ◆ nm, f bridegroom (bride) ▸ **jeunes mariés** newlyweds.

marier [9] [marje] ◆ **se marier** vp to get married ▸ **se marier avec qqn** to marry sb.

marin, e [marɛ̃, in] ◆ adj [courant, carte] sea. ◆ nm sailor.

marina [marina] nf marina.

marine [marin] ◆ adj inv & nm navy (blue). ◆ nf navy ▸ **bleu marine** navy blue.

mariner [3] [marine] vi to marinate.

marinière [marinjɛr] nf → **moule²**

marionnette [marjɔnɛt] nf puppet.

maritime [maritim] adj [ville] seaside.

marketing [marketiŋ] nm marketing.

marmelade [marməlad] nf stewed fruit ▸ **marmelade d'oranges** (orange) marmalade.

marmite [marmit] nf (cooking) pot.

marmonner [3] [marmɔne] vt to mumble.

Maroc [marɔk] nm : **le Maroc** Morocco.

marocain, e [marɔkɛ̃, ɛn] adj Moroccan. ◆ **Marocain, e** nm, f Moroccan.

maroquinerie [marɔkinri] nf **1.** [objets] leather goods pl **2.** [boutique] leather shop 🇬🇧, leather store 🇺🇸.

marque [mark] nf **1.** [trace] mark **2.** [commerciale] make **3.** [nombre de points] score ▸ **un vêtement de marque** brand-name clothing.

marqué, e [marke] adj **1.** [différence, tendance] marked **2.** [ridé] lined.

marquer [3] [marke] ◆ vt **1.** [écrire] to note (down) **2.** [impressionner] to mark **3.** [point, but] to score. ◆ vi [stylo] to write.

marqueur [markœr] nm marker (pen).

marquis, e [marki, iz] nm, f marquis (marchioness).

marraine [marɛn] nf godmother.

marrant, e [marɑ̃, ɑ̃t] adj fam funny.

marre [mar] adv : **en avoir marre (de)** fam to be fed up (with).

marrer [3] [mare] ◆ **se marrer** vp **1.** fam [rire] to laugh **2.** [s'amuser] to have a (good) laugh.

marron [marɔ̃] ◆ adj inv brown. ◆ nm **1.** [fruit] chestnut **2.** [couleur] brown ▸ **marron glacé** marron glacé, crystallized chestnut.

marronnier [marɔnje] nm chestnut tree.

mars [mars] nm March ▸ **en mars, au mois de mars** in March ▸ **début mars** at the beginning of March ▸ **fin mars** at the end of March ▸ **le deux mars** the second of March.

Marseille [marsɛj] n Marseilles.

marteau [marto] (pl -x) nm hammer ▸ **marteau piqueur** pneumatic drill.

martiniquais, e [martinikɛ, ɛz] adj of Martinique.

Martinique [martinik] nf : **la Martinique** Martinique.

martyr, e [martir] ◆ adj [enfant] battered. ◆ nm, f martyr.

martyre [martir] nm [douleur, peine] agony ▸ **souffrir le martyre** to be in agony.

martyriser [3] [martirize] vt to illtreat.

marxiste [marksist] nmf & adj Marxist.

mascara [maskara] nm mascara.

mascotte [maskɔt] nf mascot.

masculin, e [maskylɛ̃, in] adj & nm masculine.

masochiste [mazɔʃist] adj masochistic.

masque [mask] nm mask.

masquer [3] [maske] vt [cacher à la vue] to conceal.

massacre [masakr] nm massacre.

massacrer [3] [masakre] vt to massacre.

massage [masaʒ] nm massage.

masse [mas] nf **1.** [bloc] mass **2.** [outil] sledgehammer ▸ **une masse ou des masses de** loads of ▸ **en masse** en masse.

masser [3] [mase] vt [dos, personne] to massage. ◆ **se masser** vp [se grouper] to assemble.

masseur, euse [masœr, øz] nm, f masseur (masseuse).

massif, ive [masif, iv] ◆ adj **1.** [bois, or] solid **2.** [lourd] massive. ◆ nm **1.** [d'arbustes, de fleurs] clump **2.** [montagneux] massif ▸ **le Massif central** the Massif Central (upland region in southern central France).

massivement [masivmɑ̃] adv en masse.

massue [masy] nf club.

master [mastɛr] nm (à l'université) master's degree.

mastic [mastik] nm putty.

mastiquer [3] [mastike] vt (mâcher) to chew.

mat, e [mat] ◆ adj **1.** [métal, photo] matt **2.** [peau] olive. ◆ adj inv [aux échecs] mate.

mât [ma] nm mast.

match [matʃ] (pl -s ou -es) nm match ▶ faire match nul to draw.

matelas [matla] nm mattress ▶ matelas pneumatique airbed.

matelassé, e [matlase] adj **1.** [vêtement] lined **2.** [tissu] quilted ▶ enveloppe matelassée padded envelope.

mater [3] [mate] vt **1.** to put down **2.** fam [regarder] to eye up.

matérialiser [3] [materjalize] ◆ se **matérialiser** vp to materialize.

matériaux [materjo] nmpl materials.

matériel, elle [materjɛl] ◆ adj material. ◆ nm **1.** equipment **2.** INFORM hardware ▶ matériel de camping camping equipment.

maternel, elle [matɛrnɛl] adj maternal ▶ (école) maternelle ≃ nursery school ▶ les grands-parents maternels the maternal grandparents.

maternelle [matɛrnɛl] nf : (école) maternelle nursery school.

maternité [matɛrnite] nf [hôpital] maternity hospital ▶ être en congé (de) maternité to be on maternal leave.

mathématiques [matematik] nfpl mathematics.

maths [mat] nfpl fam maths [UK], math [US].

matière [matjɛr] nf **1.** [matériau] material **2.** SCOL subject ▶ matière première raw material ▶ matières grasses fats.

Matignon [matiɲɔ̃] n : (l'hôtel) Matignon building in Paris where the offices of the Prime Minister are based.

(i) Matignon

This building in the rue de Varenne in Paris has been the official residence of the French prime minister since 1959. The word is also used in reference to the prime minister or the government, in the same way as we use Number Ten or the White House in English

matin [matɛ̃] nm morning ▶ le matin [tous les jours] in the morning ▶ deux heures du matin two in the morning.

matinal, e, aux [matinal, o] adj : être matinal to be an early riser.

matinée [matine] nf **1.** morning **2.** [spectacle] matinée.

matos [matos] nm fam gear ▶ ils ont un sacré matos they've got loads of gear.

matraque [matrak] nf truncheon [UK], nightstick [US].

maudire [104] [modir] vt to curse.

maudit, e [modi, it] ◆ pp & 3ᵉ pers. du sg de l'ind. prés. → **maudire.** ◆ adj damned.

Maurice [moris] n → **île.**

Mauritanie [moritani] nf : (la) Mauritanie Mauritania.

maussade [mosad] adj **1.** [humeur] glum **2.** [temps] dismal.

mauvais, e [movε, εz] adj **1.** bad **2.** [faux] wrong **3.** [méchant] nasty ▸ **il fait mauvais** the weather's bad ▸ **mauvais en** bad at.

mauve [mov] adj mauve.

maux nmpl → **mal**.

max. (abr de **maximum**) max.

maximum [maksimɔm] nm maximum ▸ **au maximum** [à la limite] at the most.

maya [maja] adj Mayan. ◆ **Maya** nmf : **les Mayas** the Maya.

mayonnaise [majɔnεz] nf mayonnaise.

mazout [mazut] nm fuel oil.

me [mə] pron **1.** [objet direct] me **2.** [objet indirect] (to) me **3.** [réfléchi] : **je me lève tôt** I get up early.

mec [mεk] nm fam guy, bloke UK.

mécanicien, enne [mekanisjɛ̃, εn] nm, f [de garage] mechanic.

mécanique [mekanik] ◆ adj mechanical. ◆ nf **1.** [mécanisme] mechanism **2.** [automobile] car mechanics sg.

mécanisme [mekanism] nm mechanism.

méchamment [meʃamɑ̃] adv nastily.

méchanceté [meʃɑ̃ste] nf nastiness.

méchant, e [meʃɑ̃, ɑ̃t] adj nasty.

mèche [mεʃ] nf **1.** [de cheveux] lock **2.** [de lampe] wick **3.** [de perceuse] bit **4.** [d'explosif] fuse.

méchoui [meʃwi] nm barbecue of a whole sheep roasted on a spit.

méconnaissable [mekɔnεsabl] adj unrecognizable.

mécontent, e [mekɔ̃tɑ̃, ɑ̃t] adj unhappy.

médaille [medaj] nf **1.** [récompense] medal **2.** [bijou] medallion.

médaillon [medajɔ̃] nm **1.** [bijou] locket **2.** CULIN medallion.

médecin [medsɛ̃] nm doctor ▸ **mon médecin traitant** my (usual) doctor.

médecine [medsin] nf medicine.

Medef [medεf] (abr de **Mouvement des entreprises de France**) nm national council of French employers ; ≃ CBI UK (Confederation of British Industry).

média [medja] nm : **les médias** the (mass) media.

médiatique [medjatik] adj : **être médiatique** to look good on TV.

médical, e, aux [medikal, o] adj medical.

médicament [medikamɑ̃] nm medicine.

médiéval, e, aux [medjeval, o] adj medieval.

médiocre [medjɔkr] adj mediocre.

médisant, e [medizɑ̃, ɑ̃t] adj spiteful.

méditation [meditasjɔ̃] nf meditation.

méditer [3] [medite] ◆ vt to think about. ◆ vi to meditate.

Méditerranée [mediterane] nf : **la (mer) Méditerranée** the Mediterranean (Sea).

méditerranéen, enne [mediteraneɛ̃, εn] adj Mediterranean.

méduse [medyz] nf jellyfish.

meeting [mitiŋ] nm **1.** POL (public) meeting **2.** SPORT meet ▸ **meeting d'athlétisme** an athletics meeting.

méfiance [mefjɑ̃s] nf suspicion.

méfiant, e [mefjɑ̃, ɑ̃t] adj mistrustful.

méfier [9] [mefje] ◆ **se méfier** vp to be careful ▸ **se méfier de** to distrust.

méga [mega] adj mega.

mégaoctet [megaɔktɛ] nm megabyte.

mégapixel [megapiksɛl] nm megapixel.

mégot [mego] nm cigarette butt.

meilleur, e [mejœr] ◆ adj **1.** [comparatif] better **2.** [superlatif] best. ◆ nm, f best.

mél [mɛl] nm mail.

mélancolie [melɑ̃kɔli] nf melancholy.

mélange [melɑ̃ʒ] nm mixture.

mélanger [17] [melɑ̃ʒe] vt **1.** to mix **2.** [salade] to toss **3.** [cartes] to shuffle **4.** [confondre] to mix up.

Melba [mɛlba] adj inv → **pêche**.

mêlée [mele] nf [au rugby] scrum.

mêler [4] [mele] vt [mélanger] to mix ▸ **mêler qqn à qqch** to involve sb in sthg. ◆ **se mêler** vp : **se mêler à** [foule, manifestation] to join ▸ **se mêler de qqch** to interfere in sthg.

mélodie [melɔdi] nf melody.

melon [məlɔ̃] nm melon.

membre [mɑ̃br] nm **1.** [bras, jambe] limb **2.** [d'un club] member.

même [mɛm] ◆ adj **1.** [identique] same ▸ **nous avons les mêmes places qu'à l'aller** we've got the same seats as on the way out **2.** [sert à renforcer] : **ce sont ses paroles mêmes** those are his very words
◆ pron : **le /la même (que)** the same one (as)
◆ adv **1.** [sert à renforcer] even ▸ **même les sandwichs sont chers ici** even the sandwiches are expensive here ▸ **il**

n'y a même pas de cinéma there isn't even a cinema **2.** [exactement] : **c'est aujourd'hui même** it's this very day ▸ **ici même** right here **3.** [dans des expressions] : **coucher à même le sol** to sleep on the floor ▸ **être à même de faire qqch** to be able to do sthg ▸ **bon appétit ! — vous de même** enjoy your meal! — you too ▸ **faire de même** to do the same ▸ **de même que** and [et] and.

mémé [meme] nf fam granny.

mémoire [memwar] nf memory ▸ **de mémoire** [réciter, jouer] from memory ▸ **mémoire cache** cache memory ▸ **mémoire morte** read-only memory ▸ **mémoire tampon** buffer memory ▸ **mémoire vive** random-access memory.

menace [mənas] nf threat.

menacer [16] [mənase] ◆ vt to threaten. ◆ vi : **menacer de faire qqch** to threaten to do sthg.

ménage [menaʒ] nm **1.** [rangement] housework **2.** [famille] couple ▸ **faire le ménage** to do the housework.

ménager¹ [17] [menaʒe] vt [forces] to conserve.

ménager², ère [menaʒe, ɛr] adj [produit, équipement] household ▸ **travaux ménagers** housework sg.

ménagère [menaʒɛr] nf [couverts] canteen.

ménagerie [menaʒri] nf menagerie.

mendiant, e [mɑ̃djɑ̃, ɑ̃t] ◆ nm, f beggar. ◆ nm [gâteau] biscuit containing dried fruit and nuts.

mendier [9] [mɑ̃dje] vi to beg.

mener [9] [məne] ◆ vt **1.** [diriger] to lead **2.** [accompagner] to take. ◆ vi SPORT to lead ▸ **qui mène ?** who's winning?

menottes [mənɔt] nfpl handcuffs.

mensonge [mɑ̃sɔ̃ʒ] nm lie.

mensualité [mɑ̃sɥalite] nf [versement] monthly instalment.

mensuel, elle [mɑ̃sɥɛl] adj & nm monthly.

mensurations [mɑ̃syrasjɔ̃] nfpl measurements.

mental, e, aux [mɑ̃tal, o] adj mental.

mentalité [mɑ̃talite] nf mentality.

menteur, euse [mɑ̃tœr, øz] nm, f liar.

menthe [mɑ̃t] nf mint ▶ **menthe à l'eau** mint cordial.

mention [mɑ̃sjɔ̃] nf [à un examen] distinction ▶ **'rayer les mentions inutiles'** 'delete as appropriate'.

mentionner [3] [mɑ̃sjɔne] vt to mention.

mentir [37] [mɑ̃tir] vi to lie.

menton [mɑ̃tɔ̃] nm chin.

menu, e [məny] ◆ adj [très mince] slender. ◆ adv [hacher] finely. ◆ nm **1.** menu **2.** [à prix fixe] set menu ▶ **menu Démarrer** INFORM start menu ▶ **menu déroulant** INFORM pull-down menu ▶ **menu gastronomique** gourmet menu ▶ **menu touristique** set menu ▶ **menu express** express menu.

menuisier, ère [mənɥizje, ɛr] nmf carpenter.

mépris [mepri] nm contempt.

méprisant, e [meprizɑ̃, ɑ̃t] adj contemptuous.

mépriser [3] [meprize] vt to despise.

mer [mɛr] nf sea ▶ **en mer** at sea ▶ **la mer du Nord** the North Sea.

mercerie [mɛrsəri] nf [boutique] haberdasher's shop 🇬🇧, notions store 🇺🇸.

merci [mɛrsi] interj thank you! ▶ **merci beaucoup !** thank you very much! ▶ **merci de...** thank you for...

mercredi [mɛrkrədi] nm Wednesday ▶ **nous sommes** ou **c'est mercredi** it's Wednesday today ▶ **mercredi 13 septembre** Wednesday 13 September ▶ **nous sommes partis mercredi** we left on Wednesday ▶ **mercredi dernier** last Wednesday ▶ **mercredi prochain** next Wednesday ▶ **mercredi matin** on Wednesday morning ▶ **le mercredi** on Wednesdays ▶ **à mercredi !** see you Wednesday!

merde [mɛrd] ◆ interj *vulg* shit! ◆ nf *vulg* shit.

merder [3] [mɛrde] vi *vulg* : **j'ai complètement merdé en littérature anglaise** I completely screwed up the English Lit paper.

merdique [mɛrdik] adj *vulg* shitty, crappy ▶ **sa voiture est complètement merdique** her car's complete rubbish.

mère [mɛr] nf mother.

merguez [mɛrgez] nf *spicy North African sausage*.

méridional, e, aux [meridjɔnal, o] adj [du Midi] Southern (French).

meringue [mərɛ̃g] nf meringue.

mérite [merit] nm [qualité] merit ▶ **avoir du mérite** to deserve praise.

mériter [3] [merite] vt to deserve.

merlan [mɛrlɑ̃] nm whiting.

merle [mɛrl] nm blackbird.

merlu [mɛrly] nm hake.

mérou [meru] nm grouper.

merveille [mɛrvɛj] nf marvel.

merveilleux, euse [mɛrvejø, øz] **adj** marvellous.

mes adj pl → mon.

mésaventure [mezavɑ̃tyr] **nf** misfortune.

mesdames nfpl **→ madame.**

mesdemoiselles nfpl **→ mademoiselle.**

mesquin, e [mɛskɛ̃, in] **adj** mean.

message [mesaʒ] **nm** message ▸ **laisser un message** to leave a message ▸ **prendre un message** to take a message.

messager, ère [mesaʒe, ɛr] **nm, f** messenger.

messagerie [mesaʒri] **nf : messagerie électronique** electronic mail.

messe [mɛs] **nf** mass.

messieurs nmpl **→ monsieur.**

mesure [məzyr] **nf 1.** measurement **2.** [rythme] time **3.** [décision] measure ▸ **sur mesure** [vêtement] made-to-measure ▸ **dans la mesure du possible** as far as possible ▸ **(ne pas) être en mesure de faire qqch** (not) to be in a position to do sthg.

mesuré, e [məzyre] **adj** [modéré] measured.

mesurer [3] [məzyre] **vt** to measure ▸ **il mesure 1,80 mètre** he's 6 foot tall.

met etc 3ᵉ pers. du sg de l'ind. prés. **→ mettre.**

métal [metal] (*pl* **-aux**) **nm** metal.

métallique [metalik] **adj 1.** [pièce] metal **2.** [son] metallic.

météo [meteo] **nf : (bulletin) météo** weather forecast ▸ **météo marine** shipping forecast.

météorologique [meteɔrɔlɔʒik] **adj** meteorological.

méthode [metɔd] **nf 1.** method **2.** [manuel] handbook.

méthodique [metɔdik] **adj** methodical.

méticuleux, euse [metikylø, øz] **adj** meticulous.

métier [metje] **nm** occupation, job.

métis, isse [metis] **nm, f** person of mixed race.

mètre [mɛtr] **nm 1.** metre **2.** [ruban] tape measure.

métro [metro] **nm 1.** [réseau] underground [UK], subway [US] **2.** [train] train ▸ **métro aérien** elevated railway.

métropole [metrɔpɔl] **nf 1.** [ville] metropolis **2.** [pays] home country.

metteur [metœr] **nm : metteur en scène** director.

---

mettre [84] [mɛtr] ◆ **vt 1.** [placer, poser] to put ▸ **mettre qqch debout** to stand sthg up **2.** [vêtement] to put on ▸ **je ne mets plus ma robe noire** I don't wear my black dress any more **3.** [temps] to take ▸ **nous avons mis deux heures par l'autoroute** it took us two hours on the motorway **4.** [argent] to spend ▸ **combien voulez-vous y mettre ?** how much do you want to spend? **5.** [déclencher] to switch on, to turn on ▸ **mettre le chauffage** to put the heating on ▸ **mettre le contact** to switch on the ignition **6.** [dans un état différent] : **mettre qqn en colère** to make sb angry ▸ **mettre en marche** to start sthg (up) **7.** [écrire] to write

◆ **se mettre vp 1.** [se placer] : **mets-toi sur cette chaise** sit on this chair ▸ **se**

mettre debout to stand up ▸ **se mettre au lit** to get into bed ▸ **où est-ce que ça se met ?** where does it go ? **2.** [dans un état différent] : **se mettre en colère** to get angry ▸ **se mettre d'accord** to agree **3.** [vêtement, maquillage] to put on ▸ **elle s'est mis du maquillage** she put on some make-up **4.** [commencer] : **se mettre à faire qqch** to start doing sthg ▸ **se mettre au travail** to set to work ▸ **s'y mettre** to get down to it.

meuble [mœbl] nm piece of furniture ▸ **meubles** furniture sg.

meublé [mœble] nm furnished accommodation.

meubler [5] [mœble] vt to furnish.

meuf [mœf] nf fam woman.

meugler [5] [møgle] vi to moo.

meule [møl] nf [de foin] haystack.

meunière [mønjɛr] nf → **sole**.

meurt [mœr] 3ᵉ pers. du sg de l'ind. prés. → **mourir**.

meurtre [mœrtr] nm murder.

meurtrier, ère [mœrtrije, ɛr] nm, f murderer.

meurtrir [32] [mœrtrir] vt to bruise.

meurtrissure [mœrtrisyr] nf bruise.

meute [møt] nf pack.

mexicain, e [mɛksikɛ̃, ɛn] adj Mexican. ◆ **Mexicain, e** nm, f Mexican.

Mexico [mɛksiko] n Mexico City.

Mexique [mɛksik] nm : **le Mexique** Mexico.

mezzanine [mɛdzanin] nf [dans une pièce] mezzanine.

mi [mi] nm inv E ; [chanté] mi.

mi- [mi] préf half ▸ **à la mi-mars** in mid-March ▸ **à mi-chemin** halfway.

miauler [3] [mjole] vi to miaow.

miche [miʃ] nf round loaf.

mi-chemin [miʃmɛ̃] ◆ **à mi-chemin** loc adv halfway (there).

micro [mikro] nm **1.** [amplificateur] mike **2.** [micro-ordinateur] micro.

microbe [mikrɔb] nm [maladie] bug.

microcrédit [mikrokredi] (pl **microcrédits**) nm microcredit.

Micronésie [mikronezi] nf : **(la) Micronésie** Micronesia.

micro-ondes [mikrɔ̃d] nm inv : **(four à) micro-ondes** microwave (oven).

micro-ordinateur [mikrɔɔrdinatœr] (pl **micro-ordinateurs**) nm microcomputer.

microprocesseur [mikroprɔsesœr] nm microprocessor.

microscope [mikroskɔp] nm microscope.

microscopique [mikroskɔpik] adj microscopic.

midi [midi] nm midday, noon ▸ **à midi** a) [à midi] at midday, at noon b) [à l'heure du déjeuner] at lunchtime ▸ **le Midi** the South of France.

mie [mi] nf soft part (of loaf).

miel [mjɛl] nm honey.

mien [mjɛ̃] ◆ **le mien, la mienne** [ləmjɛn, lamjɛn] (mpl **les miens** [lemjɛ̃], fpl **les miennes** [lemjɛn]) pron mine.

miette [mjɛt] nf crumb ▸ **en miettes** [en morceaux] in tiny pieces.

mieux [mjø] ◆ adv better. ◆ adj **1.** better **2.** [plus joli] nicer **3.** [plus séduisant] better-looking ▸ **c'est ce qu'il fait le mieux** it's what he does best ▸ **le mieux situé des deux hôtels** the better situated of the two hotels ▸ **aller mieux**

to be better ▶ **ça vaut mieux** it's better ▶ **de mieux en mieux** better and better ▶ **c'est le mieux de tous** [le plus beau] it's the nicest of all ▶ **c'est le mieux** [la meilleure chose à faire] it's the best idea.

mignon, onne [miɲɔ̃, ɔn] adj sweet.

migraine [migʀɛn] nf migraine.

migrer [3] [migʀe] vi to migrate.

mijoter [3] [miʒɔte] vi to simmer.

milieu [miljø] (pl -x) nm 1. middle 2. [naturel] environment 3. [familial, social] background ▶ **au milieu (de)** in the middle (of).

militaire [militɛʀ] ◆ adj military. ◆ nm soldier.

militant, e [militɑ̃, ɑ̃t] nm, f militant.

milk-shake [milkʃɛk] (pl **milk-shakes**) nm milkshake.

mille [mil] num a thousand ▶ **trois mille** three thousand ▶ **mille neuf cent quatre-vingt-seize** nineteen ninety-six.

mille-feuille [milfœj] (pl **mille-feuilles**) nm millefeuille🇬🇧, napoleon🇺🇸; dessert consisting of layers of thin sheets of puff pastry and confectioner's custard.

millénaire [milenɛʀ] ◆ adj thousand-year-old (avant n). ◆ nm millennium, thousand years pl.

mille-pattes [milpat] nm inv millipede.

milliard [miljaʀ] nm thousand million🇬🇧, billion🇺🇸 ▶ **un milliard de** a billion.

milliardaire [miljaʀdɛʀ] nmf multimillionaire.

millier [milje] nm thousand ▶ **des milliers de** thousands of.

milligramme [miligʀam] nm milligram, milligramme🇬🇧.

millilitre [mililitʀ] nm millilitre.

millimètre [milimɛtʀ] nm millimetre.

million [miljɔ̃] nm million.

millionnaire [miljɔnɛʀ] nmf millionaire.

mime [mim] nm [acteur] mime artist.

mimer [3] [mime] vt to mimic.

mimosa [mimoza] nm mimosa.

min (abr écrite de minute) min.

min. (abr de minimum) min.

minable [minabl] adj fam [logement, bar] shabby.

mince [mɛ̃s] ◆ adj 1. [personne] slim 2. [tissu, tranche] thin. ◆ interj sugar! 🇬🇧, shoot! 🇺🇸

mincir [32] [mɛ̃siʀ] vi to get thinner ou slimmer.

mine [min] nf 1. [de charbon] mine 2. [de crayon] lead 3. [visage] look ▶ **avoir bonne /mauvaise mine** to look well /ill ▶ **faire mine de faire qqch** to pretend to do sthg.

miner [3] [mine] vt 1. [terrain] to mine 2. fig [moral] to undermine.

mineral [minʀe] nm ore.

minéral, e, aux [mineral, o] adj & nm mineral.

minéralogique [mineralɔʒik] adj → **plaque**.

mineur, e [minœʀ] ◆ adj 1. [enfant] underage 2. [peu important] minor. ◆ nm [ouvrier] miner. ◆ nm, f [enfant] minor.

miniature [minjatyʀ] adj & nf miniature ▶ **en miniature** in miniature.

minibar [minibaʀ] nm minibar.

minibus [minibys] nm minibus.

minijupe [miniʒyp] nf miniskirt.

minimiser [3] [minimize] vt to minimize.

minimum [minimɔm] adj & nm minimum ▸ **au minimum** at the least.

ministère [ministɛʀ] nm department.

ministre [ministʀ] nmf POL minister UK, secretary US.

minoritaire [minɔʀitɛʀ] adj minority *(avant n)* ▸ **être minoritaire** to be in the minority.

minorité [minɔʀite] nf minority.

minuit [minɥi] nm midnight.

minuscule [minyskyl] adj tiny ▸ **écrire en lettres minuscules** to write in small letters.

minute [minyt] nf minute ▸ **j'arrive dans une minute** I'll be there in a minute.

minuter [3] [minyte] vt [chronométrer] to time (precisely).

minuterie [minytʀi] nf time switch.

minuteur [minytœʀ] nm timer.

minutieux, euse [minysjø, øz] adj meticulous.

mirabelle [miʀabɛl] nf mirabelle plum.

miracle [miʀakl] nm miracle.

mirage [miʀaʒ] nm mirage.

miroir [miʀwaʀ] nm mirror.

mis, e [mi, miz] pp → **mettre**.

mise [miz] nf [enjeu] stake ▸ **mise à jour** update ▸ **mise en scène** production.

miser [3] [mize] ◆ **miser sur** v + prép **1.** [au jeu] to bet on **2.** [compter sur] to count on.

misérable [mizeʀabl] adj **1.** [pauvre] poor **2.** [lamentable] miserable.

misère [mizɛʀ] nf [pauvreté] poverty.

missile [misil] nm missile.

mission [misjɔ̃] nf mission.

mistral [mistʀal] nm *cold wind in southeast of France, blowing towards the Mediterranean.*

mitaine [mitɛn] nf fingerless glove.

mite [mit] nf (clothes) moth.

mi-temps [mitɑ̃] nf inv **1.** [moitié d'un match] half **2.** [pause] half time ▸ **travailler à mi-temps** to work part-time.

mitigé, e [mitiʒe] adj mixed.

mitoyen, enne [mitwajɛ̃, ɛn] adj [maisons] adjoining ▸ **mur mitoyen** party wall.

mitrailler [3] [mitʀaje] vt **1.** to machinegun **2.** *fam* [photographier] to snap away at.

mitraillette [mitʀajɛt] nf submachinegun.

mitrailleuse [mitʀajøz] nf machinegun.

mixer [3] [mikse] vt to mix.

mixe(u)r [miksœʀ] nm (food) mixer.

mixte [mikst] adj mixed.

ml *(abr écrite de millilitre)* ml.

Mlle *(abr écrite de mademoiselle)* Miss.

mm *(abr écrite de millimètre)* mm *(millimetre).*

Mme *(abr écrite de madame)* Mrs.

Mo *(abr de mégaoctet)* MB *(megabyte).*

mobile [mɔbil] ◆ adj **1.** [pièce] moving **2.** [cloison] movable **3.** [visage, regard] animated. ◆ nm **1.** [d'un crime] motive **2.** [objet suspendu] mobile **3.** [téléphone portable] mobile UK, cell phone US.

mobilier [mɔbilje] nm furniture.

mobiliser [3] [mɔbilize] vt to mobilize.

mobilité [mɔbilite] nf mobility ▸ **mobilité sociale** upward mobility.

Mobylette® [mɔbilɛt] nf moped.

mocassin [mɔkasɛ̃] nm moccasin.

moche [mɔʃ] adj 1. fam [laid] ugly 2. [méchant] rotten.

mode [mɔd] ◆ nf fashion. ◆ nm 1. [manière] method 2. GRAMM mood 3. INFORM mode ▸ **à la mode** fashionable ▸ **mode d'emploi** instructions pl ▸ **mode de vie** lifestyle.

modèle [mɔdɛl] nm 1. model 2. [de pull, de chaussures] style ▸ **modèle réduit** scale model.

modeler [25] [mɔdle] vt to shape.

modélisme [mɔdelism] nm modelmaking.

modem [mɔdɛm] nm modem ▸ **port modem interne** internal modem port.

modération [mɔderasjɔ̃] nf moderation ▸ **'à consommer avec modération'** health warning on adverts for strong drink.

modéré, e [mɔdere] adj moderate.

moderne [mɔdɛrn] adj modern.

moderniser [3] [mɔdɛrnize] vt to modernize.

modeste [mɔdɛst] adj modest.

modestie [mɔdɛsti] nf modesty.

modification [mɔdifikasjɔ̃] nf modification.

modifier [9] [mɔdifje] vt to modify.

modulation [mɔdylasjɔ̃] nf : **modulation de fréquence** frequency modulation.

moelle [mwal] nf bone marrow ▸ **moelle épinière** spinal cord.

moelleux, euse [mwalø, øz] adj 1. soft 2. [gâteau] moist ▸ **moelleux au chocolat** chocolate cake.

mœurs [mœr(s)] nfpl [habitudes] customs.

Mogadiscio [mɔgadifjo] n Mogadiscio, Mogadishu.

mohair [mɔɛr] nm mohair.

moi [mwa] pron 1. [objet direct, après préposition ou comparaison] me 2. [objet indirect] (to) me 3. [pour insister] : **moi, je crois que...** I think that... ▸ **moi-même** myself.

moindre [mwɛ̃dr] adj smaller ▸ **le moindre...** a) [le moins important] the slightest... b) [le moins grand] the smallest...

moine [mwan] nm monk.

moineau [mwano] (pl -x) nm sparrow.

moins [mwɛ̃] ◆ adv 1. [pour comparer] less ▸ **moins vieux (que)** younger (than) ▸ **moins vite (que)** not as fast (as) 2. [superlatif] : **c'est la nourriture qui coûte le moins** the food costs the least ▸ **la ville la moins intéressante que nous ayons visitée** the least interesting town we visited ▸ **le moins possible** as little as possible 3. [en quantité] less ▸ **ils ont accepté de gagner moins** they have agreed to earn less ▸ **moins de viande** less meat ▸ **moins de gens** fewer people ▸ **moins de dix** fewer than ten 4. [dans des expressions] : **à moins de, à moins que** : **à moins d'un imprévu...** unless anything unforeseen happens... ▸ **à moins de rouler ou nous roulions toute la nuit...** unless we drive all night... ▸ **au moins** at least ▸ **de ou en moins** less ▸ **j'ai deux ans de moins qu'elle** I'm two years younger than her ▸ **de**

moins en moins less and less ▸ **moins tu y penseras, mieux ça ira** the less you think about it the better

◆ **prép 1.** [pour indiquer l'heure] : **trois heures moins le quart** quarter to three [UK], quarter of three [US] **2.** [pour soustraire, indiquer la température] minus.

mois [mwa] nm month ▸ **au mois de juillet** in July.

moisi, e [mwazi] ◆ adj mouldy. ◆ nm mould ▸ **sentir le moisi** to smell musty.

moisir [32] [mwazir] vi to go mouldy.

moisissure [mwazisyr] nf [moisi] mould.

moisson [mwasɔ̃] nf harvest.

moissonner [3] [mwasɔne] vt to harvest.

moissonneuse [mwasɔnøz] nf harvester.

moite [mwat] adj clammy ▸ **avoir les mains moites** to have sweaty hands.

moitié [mwatje] nf half ▸ **la moitié de** half (of) ▸ **à moitié plein** half-full ▸ **à moitié prix** half-price.

moit-moit [mwatmwat] adv fam : **faire moit-moit** to go halves.

moka [mɔka] nm **1.** [gâteau] coffee cake **2.** [café] mocha (coffee).

molaire [mɔlɛr] nf molar.

Moldavie [mɔldavi] nf : **la Moldavie** Moldavia.

molle adj f → **mou.**

mollet [mɔlɛ] nm calf.

molletonné, e [mɔltɔne] adj lined.

mollusque [mɔlysk] nm mollusc.

môme [mom] nmf fam kid.

moment [mɔmɑ̃] nm moment ▸ **c'est le moment de... it's time to...** ▸ **au moment où** just as ▸ **du moment que** since ▸ **en ce moment** at the moment ▸ **par moments** at times ▸ **pour le moment** for the moment.

momentané, e [mɔmɑ̃tane] adj temporary.

momentanément [mɔmɑ̃tanemɑ̃] adv temporarily.

momie [mɔmi] nf mummy.

mon, ma [mɔ̃, ma] (pl mes [me]) adj my ▸ **mes chats** my cats ▸ **ma maison** my house ▸ **mon père** my father.

Monaco [mɔnako] n Monaco.

monarchie [mɔnarʃi] nf monarchy.

monastère [mɔnastɛr] nm monastery.

monde [mɔ̃d] nm world ▸ **il y a du monde** ou **beaucoup de monde** there are a lot of people ▸ **tout le monde** everyone, everybody.

mondial, e, aux [mɔ̃djal, o] adj world (avant n).

mondialement [mɔ̃djalmɑ̃] adv throughout ou all over the world.

mondialisation [mɔ̃djalizasjɔ̃] nf globalization.

mondialiste [mɔ̃djalist] adj pro-globalization.

monétaire [mɔnetɛr] adj monetary.

Mongolie [mɔ̃gɔli] nf : **(la) Mongolie** Mongolia.

moniteur, trice [mɔnitœr, tris] ◆ nm, f **1.** [de colonie] leader **2.** [d'auto-école] instructor. ◆ nm [écran] monitor.

monnaie [mɔnɛ] nf **1.** [argent] money **2.** [devise] currency **3.** [pièces] change ▸ **la monnaie de 50 euros** change for

50 euros ▶ **faire de la monnaie** to get some change ▶ **rendre la monnaie à qqn** to give sb change.

monokini [mɔnɔkini] nm monokini, topless swimsuit ▶ **faire du monokini** to go topless.

monologue [mɔnɔlɔɡ] nm monologue.

monopole [mɔnɔpɔl] nm monopoly.

monopoliser [3] [mɔnɔpɔlize] vt to monopolize.

monospace [mɔnɔspas] nm people carrier UK, minivan US.

monotone [mɔnɔtɔn] adj monotonous.

monotonie [mɔnɔtɔni] nf monotony.

monsieur [məsjø] (pl **messieurs** [mesjø]) nm gentleman ▶ **monsieur X** Mr X ▶ **bonjour, monsieur /messieurs !** good morning (sir /gentlemen)! ▶ **Monsieur**, [dans une lettre] Dear Sir, ▶ **Monsieur !** Sir!

monstre [mɔstr] ◆ nm 1. monster 2. [personne très laide] hideous person. ◆ adj fam [énorme] enormous.

monstrueux, euse [mɔstryø, øz] adj 1. [très laid] hideous 2. [moralement] monstrous 3. [très grand, très gros] huge.

mont [mɔ] nm mountain ▶ **le mont Blanc** Mont Blanc ▶ **le Mont-Saint-Michel** Mont-Saint-Michel.

montage [mɔtaʒ] nm assembly.

montagnard, e [mɔtaɲar, ard] nm, f mountain dweller.

montagne [mɔtaɲ] nf mountain ▶ **à la montagne** in the mountains ▶ **montagnes russes** roller coaster.

montagneux, euse [mɔtaɲø, øz] adj mountainous.

montant, e [mɔtɑ, ɑt] ◆ adj [marée] rising. ◆ nm 1. [somme] total 2. [d'une fenêtre, d'une échelle] upright.

montée [mɔte] nf 1. [pente] slope 2. [ascension] climb 3. [des prix] rise.

Monténégro [mɔtenegro] nm : **le Monténégro** Montenegro.

monter [3] [mɔte] ◆ vi 1. [personne] to go (up)/come up 2. [route, avion, grimpeur] to climb 3. [dans un train] to get on 4. [dans une voiture] to get in 5. [niveau, prix, température] to rise. ◆ vt 1. [escalier, côte] to climb, to go /come up 2. [porter en haut] to take /bring up 3. [son, chauffage] to turn up 4. [meuble] to assemble 5. [tente] to put up 6. [société] to set up 7. [cheval] to ride 8. CULIN to beat ▶ **ça monte** [route] it's steep ▶ **monter à bord (d'un avion)** to board (a plane) ▶ **monter à cheval** to ride (horses). ◆ **se monter à** vp + prép [coût, dépenses] to come ou to amount ou to add up to.

montgolfière [mɔgɔlfjer] nf hot-air balloon.

montre [mɔtr] nf watch.

Montréal [mɔreal] n Montreal.

montrer [3] [mɔtre] vt to show ▶ **montrer qqch à qqn** to show sb sthg ▶ **montrer qqn /qqch du doigt** to point at sb / sthg. ◆ **se montrer** vp [apparaître] to appear ▶ **se montrer courageux** to be brave.

monture [mɔtyr] nf 1. [de lunettes] frame 2. [cheval] mount.

monument [mɔnymɑ] nm monument ▶ **monument historique** historic building ▶ **monument aux morts** war memorial.

moquer [3] [mɔke] ◆ **se moquer de** vp + prép 1. [plaisanter] to make fun of 2. [ignorer] not to care about ▶ **je m'en moque** I don't care.

moques [mɔk] nfpl Belg sweet cake spiced with cloves, a speciality of Ghent.

moquette [mɔkɛt] nf carpet.

moqueur, euse [mɔkœr, øz] adj mocking.

moral, e, aux [mɔral, o] ◆ adj **1.** [conduite, principes] moral **2.** [psychologique] mental. ◆ nm morale ▸ **avoir le moral** to be in good spirits.

morale [mɔral] nf **1.** [valeurs] morals pl **2.** [d'une histoire] moral ▸ **faire la morale à qqn** to preach at sb.

moralement [mɔralmɑ̃] adv **1.** [psychologiquement] mentally **2.** [du point de vue de la morale] morally.

moralité [mɔralite] nf morality.

morceau [mɔrso] (pl -x) nm piece ▸ **morceau de sucre** lump of sugar ▸ **en mille morceaux** in a thousand pieces.

morceler [24] [mɔrsəle] vt to break up, to split up.

mordiller [3] [mɔrdije] vt to nibble.

mordre [76] [mɔrdr] vt to bite ▸ **je me suis fait mordre** I got bitten.

morfler [3] [mɔrfle] vi vulg : **il a morflé !** [UK] he copped it! [US], he caught it! [US].

morgue [mɔrg] nf morgue.

morille [mɔrij] nf type of mushroom, considered a delicacy.

mors [mɔr] nm bit.

morse [mɔrs] nm **1.** [animal] walrus **2.** [code] Morse code.

morsure [mɔrsyr] nf bite.

mort, e [mɔr, mɔrt] ◆ pp → **mourir**. ◆ adj dead. ◆ nm, f dead person. ◆ nf death ▸ **être mort de peur** to be scared to death.

mortalité [mɔrtalite] nf mortality, death rate.

mortel, elle [mɔrtɛl] adj **1.** [qui peut mourir] mortal **2.** [qui tue] fatal.

mort-né, e [mɔrne] (mpl mort-nés, fpl mort-nées adj [enfant] still-born.

morue [mɔry] nf cod.

mosaïque [mɔzaik] nf mosaic.

Moscou [mɔsku] n Moscow.

mosquée [mɔske] nf mosque.

mot [mo] nm **1.** word **2.** [message] note ▸ **mot à mot** word for word ▸ **mot de passe** password ▸ **mots croisés** crossword sg.

motard [mɔtar] nm **1.** motorcyclist **2.** [gendarme, policier] motorcycle policeman.

mot-clé (pl mots-clés), **mot-clef** (pl mots-clefs) [mɔkle] nm keyword.

motel [mɔtɛl] nm motel.

moteur [mɔtœr] nm **1.** engine, motor **2.** INFORM : **moteur de recherche** search engine.

motif [mɔtif] nm **1.** [dessin] pattern **2.** [raison] motive.

motivation [mɔtivasjɔ̃] nf motivation ▸ **lettre de motivation** cover letter.

motivé, e [mɔtive] adj motivated.

motiver [3] [mɔtive] vt to motivate.

moto [mɔto] nf motorbike.

motocross [mɔtokrɔs] nm motocross.

motocycliste [mɔtosiklist] nmf motorcyclist.

moto-taxi [mɔtotaksi] (pl motos-taxis) nf motorbike taxi.

motte [mɔt] nf **1.** [de terre] clod **2.** [de beurre] pat **3.** [de gazon] sod.

mou, molle [mu, mɔl] adj **1.** soft **2.** [sans énergie] lethargic.

mouche [muʃ] nf fly.

moucher [3] [muʃe] ◆ **se moucher** vp to blow one's nose.

moucheron [muʃʁɔ̃] nm gnat.

mouchoir [muʃwaʁ] nm handkerchief
▸ **mouchoir en papier** (paper) tissue.

moudre [85] [mudʁ] vt to grind.

moue [mu] nf pout ▸ **faire la moue** to pout.

mouette [mwɛt] nf seagull.

moufle [mufl] nf mitten.

moufter [3] [mufte] vi vulg : **sans moufter** without a peep.

mouillé, e [muje] adj wet.

mouiller [3] [muje] vt to wet. ◆ **se mouiller** vp to get wet.

mouillette [mujet] nf strip of bread (for dunking).

moulant, e [mulɑ̃, ɑ̃t] adj tight-fitting.

moule[1] [mul] nm mould ▸ **moule à gâteau** cake tin.

moule[2] [mul] nf mussel ▸ **moules marinière** mussels in white wine ▸ **moules-frites** mussels and chips [UK] ou French fries.

mouler [3] [mule] vt 1. [statue] to cast 2. [suj : vêtement] to fit tightly.

moulin [mulɛ̃] nm 1. [à farine] mill ▸ **moulin à café** coffee grinder ▸ **moulin à poivre** pepper mill ▸ **moulin à vent** windmill.

moulinet [mulinɛ] nm [de canne à pêche] reel.

Moulinette® [mulinɛt] nf liquidizer.

moulu, e [muly] adj ground.

moulure [mulyʁ] nf moulding.

mourant, e [muʁɑ̃, ɑ̃t] adj dying.

mourir [42] [muʁiʁ] vi 1. to die 2. [civilisation] to die out 3. [son] to die away ▸ **mourir de faim** a) to starve to death b) fig to be starving (hungry) ▸ **mourir d'envie de faire qqch** to be dying to do sthg.

moussaka [musaka] nf moussaka.

moussant, e [musɑ̃, ɑ̃t] adj : **bain moussant** bubble bath.

mousse [mus] nf 1. [bulles] foam 2. [plante] moss 3. CULIN mousse ▸ **mousse à raser** shaving foam ▸ **mousse au chocolat** chocolate mousse.

mousseline [muslin] ◆ nf [tissu] muslin. ◆ adj inv : **purée** ou **pommes mousseline** pureed potatoes ▸ **sauce mousseline** light hollandaise sauce made with whipped cream.

mousser [3] [muse] vi 1. [savon] to lather 2. [boisson] to foam.

mousseux, euse [musø, øz] ◆ adj [chocolat] frothy. ◆ nm : **du (vin) mousseux** sparkling wine.

moustache [mustaʃ] nf moustache ▸ **des moustaches** [d'animal] whiskers.

moustachu, e [mustaʃy] adj with a moustache.

moustiquaire [mustikɛʁ] nf mosquito net.

moustique [mustik] nm mosquito.

moutarde [mutaʁd] nf mustard.

mouton [mutɔ̃] nm 1. sheep 2. CULIN mutton.

mouvants [muvɑ̃] adj m pl → **sable**.

mouvement [muvmɑ̃] nm movement.

mouvementé, e [muvmɑ̃te] adj eventful.

moyen, enne [mwajɛ̃, ɛn] ◆ adj 1. average 2. [intermédiaire] medium. ◆ nm way ▸ **il n'y a pas moyen de faire qqch** there's no way of doing sthg ▸ **moyen de transport** means of transport ▸ **au moyen de qqch** by means of sthg. ◆ **moyens** nmpl 1. [ressources] means 2. [capacités] ability sg ▸ **avoir les moyens de faire qqch** [financièrement] to be able to afford to do sthg ▸ **perdre ses moyens** to go to pieces.

Moyen Âge [mwajenaʒ] nm : **le Moyen Âge** the Middle Ages pl.

moyennant [mwajenɑ̃] prép for, in return for.

moyenne [mwajɛn] nf **1.** average **2.** SCOL pass mark UK, passing grade US ▸ **en moyenne** on average.

Moyen-Orient [mwajenɔrjɑ̃] nm : **le Moyen-Orient** the Middle East.

Mozambique [mɔzɑ̃bik] nm : **le Mozambique** Mozambique.

MP3 [abr de moving picture experts group audio layer 3] nm INFORM MP3 ▸ **lecteur (de) MP3** MP3 player.

MST nf **1.** [abr de maladie sexuellement transmissible] STD [sexually transmitted disease] **2.** [abr de maîtrise de sciences et techniques] masters degree in science and technology.

muer [7] [mɥe] vi **1.** [animal] to moult **2.** [voix] to break ▸ **sa voix est en train de muer** his voice is breaking.

muet, muette [mɥɛ, mɥɛt] adj **1.** dumb **2.** [cinéma] silent.

muguet [mygɛ] nm lily of the valley.

ⓘ Le muguet

On May Day in France, people sell bunches of lily of the valley in the streets. You give someone a bunch to bring them good luck. Originally a symbol of the return of spring, the lily of the valley became associated with Labour Day in 1936.

mule [myl] nf mule.

mulet [mylɛ] nm mule.

multicolore [myltikɔlɔr] adj multicoloured.

multilingue [myltilɛ̃g] adj multilingual.

multiple [myltipl] adj & nm multiple.

multiplication [myltiplikasjɔ̃] nf multiplication.

multiplier [10] [myltiplije] vt to multiply ▸ **2 multiplié par 9** 2 multiplied by 9. ◆ **se multiplier** vp to multiply.

multipropriété [myltiprɔprijete] nf : **appartement en multipropriété** timeshare.

multitude [myltityd] nf : **une multitude de** a multitude of.

multizone [myltizon] adj multi-region.

municipal, e, aux [mynisipal, o] adj municipal.

municipalité [mynisipalite] nf [mairie] (town) council.

munir [32] [mynir] vt : **munir qqn /qqch de** to equip sb /sthg with. ◆ **se munir de** vp + prép to equip o.s. with.

munitions [mynisjɔ̃] nfpl ammunition sg.

muqueuse [mykøz] nf mucous membrane.

mur [myr] nm wall ▸ **mur du son** sound barrier.

mûr, e [myr] adj [fruit] ripe.

muraille [myraj] nf wall.

mural, e, aux [myral, o] adj [carte, peinture] wall.

muralisme [myralism] nm mural painting, muralism.

mûre [myr] nf blackberry.

murer [3] [myre] vt [fenêtre] to wall up.

mûrir [32] [myrir] vi [fruit] to ripen.

murmure [myrmyr] nm murmur.

murmurer [3] [myrmyre] vi to murmur.

muscade [myskad] nf : **(noix) muscade** nutmeg.

muscat [myska] nm **1.** [raisin] muscat grape **2.** [vin] *sweet white liqueur wine*.

muscle [myskl] nm muscle.

musclé, e [myskle] adj muscular.

musculaire [myskyler] adj muscular.

musculation [myskylasjɔ̃] nf bodybuilding (exercises) ▸ **faire de la musculation** to work out.

museau [myzo] (pl -x) nm **1.** muzzle **2.** CULIN brawn UK, headcheese US.

musée [myze] nm **1.** museum **2.** [d'art] gallery.

muselière [myzəljɛr] nf muzzle.

musical, e, aux [myzikal, o] adj musical.

music-hall [myzikol] (pl music-halls) nm music hall.

musicien, enne [myzisjɛ̃, ɛn] nm, f musician.

musique [myzik] nf music ▸ **musique de chambre** chamber music ▸ **musique classique** classical music ▸ **musique de film** film music.

musulman, e [myzylmɑ̃, an] adj & nm, f Muslim.

mutation [mytasjɔ̃] nf [d'un employé] transfer.

mutiler [3] [mytile] vt to mutilate.

mutuel, elle [mytɥɛl] adj mutual.

mutuelle [mytɥɛl] nf mutual insurance company.

mutuellement [mytɥɛlmɑ̃] adv mutually.

myope [mjɔp] adj shortsighted.

myosotis [mjɔzɔtis] nm forget-me-not.

myrtille [mirtij] nf blueberry.

mystère [mister] nm mystery ▸ **Mystère®** [glace] *vanilla ice cream filled with meringue and coated with almonds*.

mystérieusement [misterjøzmɑ̃] adv mysteriously.

mystérieux, euse [misterjø, øz] adj mysterious.

mythe [mit] nm myth.

mythologie [mitɔlɔʒi] nf mythology.

N (abr écrite de nord) N (north).

n' adv → **ne**.

n° (abr écrite de numéro) no. (number).

nacre [nakr] nf mother-of-pearl.

nage [naʒ] nf **1.** [natation] swimming **2.** [façon de nager] stroke ▸ **en nage** dripping with sweat.

nageoire [naʒwar] nf fin.

nager [17] [naʒe] vt & vi to swim ▸ **nager la brasse /le crawl** to do the breaststroke / the crawl.

nageur, euse [naʒœr, øz] nm, f swimmer.

naïf, naïve [naif, iv] adj naive.

nain, e [nɛ̃, nɛn] adj & nm, f dwarf.

naissance [nɛsɑ̃s] nf birth ▸ **à sa naissance...** when he / she was born...

naître [92] [nɛtr] vi **1.** to be born **2.** [sentiment] to arise ▸ **je suis né le... à...** I was born on... in...

naïve adj f → **naïf**.

naïveté [naivte] nf naivety.

Namibie [namibi] nf **: (la) Namibie** Namibia.

nana [nana] nf *fam* girl.

nappe [nap] nf **1.** [linge] tablecloth **2.** [de pétrole] layer **3.** [de brouillard] patch ▸ **nappe phréatique** groundwater.

nappé, e [nape] adj **: nappé de** coated with.

napperon [naprɔ̃] nm tablemat.

narcotrafic [narkotrafik] nm narcotrafficking.

narcotrafiquant, e [narkotrafikɑ̃, ɑ̃t] nm, f drug trafficker.

narine [narin] nf nostril.

narrateur, trice [naratœr, tris] nm, f narrator.

nase [naz] adj *vulg* **1.** [appareil, meuble] bust, kaput **2.** [fatigué, malade] knackered ▸ **je suis nase** I'm exhausted ou knackered.

naseaux [nazo] nmpl nostrils.

Nassau [naso] n Nassau.

natal, e [natal] adj native.

natalité [natalite] nf **: (taux de) natalité** birth rate.

natation [natasjɔ̃] nf swimming ▸ **faire de la natation** to swim.

natif, ive [natif, iv] adj **: je suis natif de...** I was born in...

nation [nasjɔ̃] nf nation.

national, e, aux [nasjɔnal, o] adj national.

nationale [nasjɔnal] nf **: (route) nationale** ≃ A road UK; ≃ state highway US.

nationaliser [3] [nasjɔnalize] vt to nationalize.

nationalisme [nasjɔnalism] nm nationalism.

nationalité [nasjɔnalite] nf nationality.

native adj f → **natif**.

natte [nat] nf **1.** [tresse] plait **2.** [tapis] mat.

naturaliser [3] [natyralize] vt to naturalize.

nature [natyr] ◆ nf nature. ◆ adj inv **1.** [yaourt, omelette] plain **2.** [thé] black ▸ **nature morte** still life.

naturel, elle [natyrɛl] ◆ adj natural. ◆ nm **1.** [caractère] nature **2.** [simplicité] naturalness.

naturellement [natyrɛlmɑ̃] adv **1.** naturally **2.** [bien sûr] of course.

naturiste [natyrist] nmf naturist.

naufrage [nofraʒ] nm shipwreck ▸ **faire naufrage** to be shipwrecked.

nausée [noze] nf nausea ▸ **avoir la nausée** to feel sick.

nautique [notik] adj [carte] nautical ▸ **sports nautiques** water sports.

naval, e [naval] adj naval ▸ **chantier naval** shipyard.

navarin [navarɛ̃] nm mutton and vegetable stew.

navet [navɛ] nm **1.** turnip **2.** *fam* [mauvais film] turkey.

navette [navɛt] nf [véhicule] shuttle ▸ **faire la navette (entre)** to go back and forth (between) ▸ **navette hôtels** hotel shuttle ▸ **navette ADP** Paris airport shuttle.

navigateur, trice [navigatœr, tris] nm, f **1.** navigator **2.** INFORM browser.

navigation [navigasjɔ̃] nf **1.** navigation **2.** INFORM browsing ▸ **navigation de plaisance** yachting.

naviguer [3] [navige] vi **1.** (suj: bateau) to sail **2.** (suj: marin) to navigate **3.** INFORM to browse.

navire [navir] nm ship.

navré, e [navre] adj sorry ▸ **je suis navré (de)** I'm sorry (to).

NB (abr écrite de nota bene) NB.

ne [nə] adv → **jamais, pas¹, personne, plus, que, rien.**

né, e [ne] pp → **naître.**

néanmoins [neɑ̃mwɛ̃] adv nevertheless.

néant [neɑ̃] nm : **réduire qqch à néant** to reduce sthg to nothing ▸ **'néant'** (sur un formulaire) 'none'.

nécessaire [neseser] ◆ adj necessary. ◆ nm **1.** (ce qui est indispensable) bare necessities pl **2.** (outils) bag ▸ **il est nécessaire de faire qqch** it is necessary to do sthg ▸ **nécessaire de toilette** toilet bag.

nécessité [nesesite] nf necessity.

nécessiter [3] [nesesite] vt to necessitate.

nécessiteux, euse [nesesitø, øz] nm, f needy person.

nécropole [nekrɔpɔl] nf necropolis.

nectarine [nɛktarin] nf nectarine.

néerlandais, e [neɛrlɑ̃dɛ, ɛz] ◆ adj Dutch. ◆ **néerlandais** nm (langue) Dutch. ◆ **Néerlandais, e** nm, f Dutchman (Dutchwoman).

nef [nɛf] nf nave.

néfaste [nefast] adj harmful.

négatif, ive [negatif, iv] adj & nm negative.

négation [negasjɔ̃] nf GRAMM negative.

négationnisme [negasjɔnism] nm negationism.

négligé, e [negliʒe] adj (travail, tenue) untidy.

négligeable [negliʒabl] adj **1.** (quantité) negligible **2.** (détail) trivial.

négligent, e [negliʒɑ̃, ɑ̃t] adj negligent.

négliger [17] [negliʒe] vt to neglect.

négociant [negɔsjɑ̃] nm : **négociant en vins** wine merchant.

négociations [negɔsjasjɔ̃] nfpl negotiations.

négocier [9] [negɔsje] vt & vi to negotiate.

neige [nɛʒ] nf snow.

neiger [23] [neʒe] v impers : **il neige** it's snowing.

neigeux, euse [nɛʒø, øz] adj snowy.

nem [nɛm] nm CULIN (Vietnamese) small spring roll ▸ **nem (frit à la menthe fraîche)** Vietnamese spring roll (fried with fresh mint).

nénette [nenɛt] nf fam bird UK, broad US.

nénuphar [nenyfar] nm water lily.

néoclassique [neɔklasik] adj neoclassic, neoclassical.

néon [neɔ̃] nm (tube) neon light.

néo-zélandais, e [neɔzelɑ̃dɛ, ɛz] (mpl inv, fpl néo-zélandaises) adj New Zealand (avant n), of /from New Zealand. ◆ **Néo-Zélandais, e** nm, f New Zealander.

Népal [nepal] nm : **le Népal** Nepal.

nerd [nɛʀd] nm *péj* nerd.

nerf [nɛʀ] nm nerve ▸ **du nerf !** put a bit of effort into it! ▸ **être à bout de nerfs** to be at the end of one's tether.

nerveusement [nɛʀvøzmɑ̃] adv nervously.

nerveux, euse [nɛʀvø, øz] adj nervous.

nervosité [nɛʀvozite] nf nervousness.

n'est-ce pas [nɛspa] adv : **tu viens, n'est-ce pas ?** you're coming, aren't you? ▸ **il aime le foot, n'est-ce pas ?** he likes football, doesn't he?

net¹ [nɛt] nm INFORM : **le Net** theNet.

net², nette [nɛt] ◆ adj 1. [précis] clear 2. [propre] clean 3. [tendance, différence] marked 4. [prix, salaire] net. ◆ adv : **s'arrêter net** to stop dead ▸ **se casser net** to break clean off.

netcam [nɛtkam] nf INFORM netcam.

netéconomie [nɛtekonomi] nf Internet economy.

nettement [nɛtmɑ̃] adv 1. [clairement] clearly 2. [beaucoup, très] definitely ▸ **il va nettement mieux** he is much better.

netteté [nɛtte] nf clearness.

nettoyage [nɛtwajaʒ] nm cleaning ▸ **nettoyage à sec** dry cleaning.

nettoyer [13] [nɛtwaje] vt 1. to clean 2. [tache] to remove ▸ **faire nettoyer un vêtement** [à la teinturerie] to have a garment dry-cleaned.

neuf, neuve [nœf, nœv] ◆ adj new. ◆ num nine ▸ **remettre qqch à neuf** to do sthg up (like new) ▸ **quoi de neuf ?** what's new? ▸ **il a neuf ans** he's nine (years old) ▸ **il est neuf heures** it's nine o'clock ▸ **le neuf janvier** the ninth of

January ▸ **page neuf** page nine ▸ **ils étaient neuf** there were nine of them ▸ **le neuf de pique** the nine of spades ▸ **(au) neuf rue Lepic** at/to nine, rue Lepic.

neurone [nøʀon] nm neuron, neurone.

neutre [nøtʀ] adj 1. neutral 2. GRAMM neuter.

neuvième [nœvjɛm] num ninth ▸ **le neuvième étage** ninth floor UK, tenth floor US ▸ **le neuvième (arrondissement)** ninth arrondissement ▸ **il est arrivé neuvième** he came ninth.

neveu [nəvø] (*pl* **-x**) nm nephew.

new wave [njuwɛv] nf inv & adj inv new wave.

nez [ne] nm nose ▸ **se trouver nez à nez avec qqn** to find o.s. face to face with sb.

NF (*abr de* norme française) ≃ BS UK (British Standards) ; ≃ US standard US.

ni [ni] conj : **je n'aime ni la guitare ni le piano** I don't like either the guitar or the piano ▸ **ni l'un ni l'autre ne sont français** neither of them is French ▸ **elle n'est ni mince ni grosse** she's neither thin nor fat.

niais, e [nje, njɛz] adj silly.

Nicaragua [nikaʀagwa] nm : **le Nicaragua** Nicaragua.

niche [niʃ] nf 1. [à chien] kennel 2. [dans un mur] niche.

niçoise [niswaz] adj f → **salade**.

Nicosie [nikozi] n Nicosia.

nicotine [nikɔtin] nf nicotine.

nid [ni] nm nest.

nid-de-poule [nidpul] (*pl* **nids-de-poule**) nm pothole.

nièce [njɛs] nf niece.

nier [9] [nje] vt to deny ▸ **nier avoir fait qqch** to deny having done sthg ▸ **nier que** to deny that.

Niger [niʒɛʀ] nm 1. [fleuve] : **le Niger** the River Niger 2. [État] : **le Niger** Niger.

Nigeria [niʒeʀja] nm : **le Nigeria** Nigeria.

Nil [nil] nm : **le Nil** the Nile.

n'importe [nɛ̃pɔʀt] adv → **importer**.

niveau [nivo] (pl -x) nm level ▸ **au niveau de** [de la même qualité que] at the level of ▸ **arriver au niveau de** [dans l'espace] to come up to ▸ **niveau d'huile** AUTO oil level ▸ **niveau de vie** standard of living.

noble [nɔbl] ◆ adj noble. ◆ nmf nobleman (noblewoman).

noblesse [nɔblɛs] nf [nobles] nobility.

noce [nɔs] nf wedding ▸ **noces d'or** golden wedding (anniversary).

nocif, ive [nɔsif, iv] adj noxious.

nocturne [nɔktyʀn] ◆ adj nocturnal. ◆ nf [d'un magasin] late-night opening ▸ **nocturne du vendredi** [d'un musée] Friday late-night opening.

Noël [nɔɛl] ◆ nm Christmas. ◆ nf : **la Noël a)** [jour] Christmas Day **b)** [période] Christmastime.

ⓘ **Noël**

Many of our Christmas traditions are the same in France. There, however, Christmas Dinner is traditionally eaten after Christmas Eve **Messe de Minuit** (Midnight Mass). It typically consists of **dinde aux marrons** (turkey with chestnuts), followed by a **bûche de Noël** (Yule log).

---

nœud [nø] nm 1. knot 2. [ruban] bow ▸ **nœud papillon** bow tie.

noir, e [nwaʀ] ◆ adj 1. black 2. [sombre] dark. ◆ **noir** nm 1. black 2. [obscurité] darkness ▸ **il fait noir** it's dark ▸ **dans le noir** in the dark. ◆ **Noir, e** nm, f black.

noircir [32] [nwaʀsiʀ] ◆ vt to blacken. ◆ vi to darken.

noisetier [nwaztje] nm hazel.

noisette [nwazɛt] ◆ nf 1. hazelnut 2. [morceau] little bit. ◆ adj inv [yeux] hazel ▸ **une noisette de beurre** a knob of butter.

noix [nwa] nf 1. walnut 2. [morceau] little bit ▸ **noix de cajou** cashew (nut) ▸ **noix de coco** coconut.

nom [nɔ̃] nm 1. name 2. GRAMM noun ▸ **nom commun** common noun ▸ **nom de famille** surname ▸ **nom de jeune fille** maiden name ▸ **nom propre** proper noun.

nomade [nɔmad] nmf nomad.

nombre [nɔ̃bʀ] nm number ▸ **un grand nombre de** a great number of.

nombreux, euse [nɔ̃bʀø, øz] adj 1. [famille, groupe] large 2. [personnes, objets] many ▸ **peu nombreux a)** [groupe] small **b)** [personnes, objets] few ▸ **carte famille nombreuse** discount card (for families with three or more children).

nombril [nɔ̃bʀil] nm navel.

nommer [3] [nɔme] vt 1. [appeler] to name 2. [à un poste] to appoint. ◆ **se nommer** vp to be called.

non [nɔ̃] adv no ▸ **non ?** [exprime la surprise] no (really) ? ▸ **je crois que non** I don't think so ▸ **je ne suis pas content — moi non plus** I'm not happy — neither am I ▸ **je n'ai plus d'argent — moi**

non plus I haven't got any more money — neither have I ▶ **non seulement..., mais...** not only..., but...

non-alcoolisé, e [nɔ̃nalkɔlize] adj non-alcoholic.

nonante [nɔnɑ̃t] num Belg Suisse ninety.

nonchalant, e [nɔ̃ʃalɑ̃, ɑ̃t] adj nonchalant.

non-fumeur, euse [nɔ̃fymœr, øz] nm, f nonsmoker.

nord [nɔr] adj inv & nm nord ▶ **au nord** in the north ▶ **au nord de** north of.

nord-africain, e [nɔrafrikɛ̃, ɛn] (mpl nord-africains, fpl nord-africaines) adj North African. ◆ **Nord-Africain, e** nm, f North African.

nord-américain, e [nɔramerikɛ̃, ɛn] (mpl nord-américains, fpl nord-américaines) adj North American. ◆ **Nord-Américain, e** nm, f North American.

nord-est [nɔrɛst] adj inv & nm nord-est▶ **au nord-est** in the northeast ▶ **au nord-est de** northeast of.

nordique [nɔrdik] adj 1. Nordic 2. Québec [du nord canadien] Canadian.

nord-ouest [nɔrwɛst] adj inv & nm northwest ▶ **au nord-ouest** in the northwest ▶ **au nord-ouest de** northwest of.

normal, e, aux [nɔrmal, o] adj normal ▶ **ce n'est pas normal** [pas juste] it's not on.

normale [nɔrmal] nf : **la normale** [la moyenne] the norm.

normalement [nɔrmalmɑ̃] adv normally.

normand, e [nɔrmɑ̃, ɑ̃d] adj Norman.

Normandie [nɔrmɑ̃di] nf : **la Normandie** Normandy.

norme [nɔrm] nf standard.

Norvège [nɔrvɛʒ] nf : **la Norvège** Norway.

norvégien, enne [nɔrveʒjɛ̃, ɛn] ◆ adj Norwegian. ◆ nm [langue] Norwegian. ◆ **Norvégien, enne** nm, f Norwegian.

nos adj pl → **notre**.

nosocomial, e, aux [nozɔkɔmjal, o] adj nosocomial, contracted in hospital ▶ **infection /maladie nosocomiale** hospital-acquired infection.

nostalgie [nostalʒi] nf nostalgia ▶ **avoir la nostalgie de** to feel nostalgic about.

nostalgique [nostalʒik] adj nostalgic.

notable [nɔtabl] adj & nm notable.

notaire [nɔtɛr] nm lawyer.

notamment [nɔtamɑ̃] adv in particular.

notation [nɔtasjɔ̃] nf 1. [système] notation 2. SCOL marking, grading US 3. FIN : **notation financière** credit ratings, rating.

note [nɔt] nf 1. note 2. SCOL mark 3. [facture] bill UK, check US ▶ **prendre des notes** to take notes.

noter [3] [nɔte] vt 1. [écrire] to note (down) 2. [élève, devoir] to mark UK, to grade US 3. [remarquer] to note.

notice [nɔtis] nf [mode d'emploi] instructions pl.

notifier [9] [nɔtifje] vt : **notifier qqch à qqn** to notify sb of sthg.

notion [nɔsjɔ̃] nf notion ▶ **avoir des notions de** to have a basic knowledge of.

notoriété [nɔtɔrjete] nf fame.

notre [nɔtr] (pl nos [no]) adj our.

nôtre [notʁ] ♦ **le nôtre, la nôtre** [lənotʁ, lanotʁ] (pl **les nôtres** [lenotʁ]) **pron** ours.

nouer [6] [nwe] **vt 1.** [lacet, cravate] to tie **2.** [cheveux] to tie back.

nougat [nuga] nm nougat.

nougatine [nugatin] nf hard sweet mixture of caramel and chopped almonds.

nouilles [nuj] nfpl **1.** [type de pâtes] noodles **2.** fam [pâtes] pasta sg.

nounours [nunuʁs] nm fam teddy (bear).

nourrice [nuʁis] nf childminder.

nourrir [32] [nuʁiʁ] vt to feed. ♦ se **nourrir** vp to eat ▸ **se nourrir de** to eat.

nourrissant, e [nuʁisɑ̃, ɑ̃t] adj nutritious.

nourrisson [nuʁisɔ̃] nm baby.

nourriture [nuʁityʁ] nf food.

nous [nu] pron pl **1.** [sujet] we **2.** [complément d'objet direct] us **3.** [complément d'objet indirect] (to) us **4.** [réciproque] each other **5.** [réfléchi] : **nous nous sommes habillés** we got dressed ▸ **nous-mêmes** ourselves.

nouveau, nouvelle [nuvo, nuvɛl] (mpl **nouveaux** [nuvo]) (**nouvel** [nuvɛl] devant voyelle ou h muet) ♦ adj new. ♦ nm, f [dans une classe, un club] new boy (new girl) ▸ **rien de nouveau** nothing new ▸ **le nouvel an** New Year ▸ **à** ou **de nouveau** again.

nouveau-né, e [nuvone] (mpl -s) nm, f newborn baby.

nouveauté [nuvote] nf COMM new product.

nouvel adj m → nouveau.

nouvelle [nuvɛl] nf & adj f **1.** [information] (piece of) news **2.** [roman] short sto-

ry ▸ **les nouvelles** [à la radio, à la télé] the news sg ▸ **avoir des nouvelles de qqn** to hear from sb. → **nouveau**.

Nouvelle-Calédonie [nuvɛlkaledɔni] nf : **la Nouvelle-Calédonie** New Caledonia.

Nouvelle-Zélande [nuvɛlzelɑ̃d] nf : **la Nouvelle-Zélande** New Zealand.

novembre [nɔvɑ̃bʁ] nm November ▸ **en novembre, au mois de novembre** in November ▸ **début novembre** at the beginning of November ▸ **fin novembre** at the end of November ▸ **le deux novembre** the second of November.

noyade [nwajad] nf drowning.

noyau [nwajo] (pl -x) nm **1.** stone **2.** [petit groupe] small group.

noyé, e [nwaje] nm, f drowned person.

noyer [13] [nwaje] ♦ nm walnut tree. ♦ vt to drown. ♦ se **noyer** vp to drown.

NPI (abr de nouveaux pays industrialisés) nmpl NICs (Newly Industrialized countries).

nu, e [ny] adj **1.** [personne] naked **2.** [jambes, pièce, arbre] bare ▸ **pieds nus** barefoot ▸ **tout nu** stark naked ▸ **visible à l'œil nu** visible to the naked eye ▸ **nu-tête** bare-headed.

nuage [nɥaʒ] nm cloud.

nuageux, euse [nɥaʒø, øz] adj cloudy.

nuance [nɥɑ̃s] nf **1.** [teinte] shade **2.** [différence] nuance.

nubuck [nybyk] nm nubuck ▸ **des chaussures en nubuck** nubuck shoes.

nucléaire [nykleɛʁ] adj nuclear.

nudiste [nydist] nmf nudist.

nul [nɥl] pp → nuire.

nuire [97] [nɥiʁ] ♦ **nuire à** v + prép to harm.

nuisette [nɥizɛt] nf short nightgown, babydoll nightgown.

nuisible [nɥizibl] adj harmful ▸ **nuisible à** harmful to.

nuit [nɥi] nf night ▸ **cette nuit a)** [dernière] last night **b)** [prochaine] tonight ▸ **la nuit** [tous les jours] at night ▸ **bonne nuit !** good night ! ▸ **il fait nuit** it's dark ▸ **une nuit blanche** a sleepless night ▸ **de nuit** [travail, poste] night, at night.

nul, nulle [nyl] adj [mauvais, idiot] hopeless ▸ **être nul en qqch** to be hopeless at sthg ▸ **nulle part** nowhere.

numérique [nymerik] adj digital. → **appareil**.

numérisé, e [nymerize] adj digitalised.

numériser [3] [nymerize] vt to numerize, to digitize 🇺🇸, to digitise 🇬🇧.

numéro [nymero] nm **1.** number **2.** [d'une revue] issue **3.** [spectacle] act ▸ **numéro de compte** account number ▸ **numéro d'immatriculation** registration number ▸ **numéro de téléphone** telephone number ▸ **numéro vert** ≃ freefone number 🇬🇧 ; ≃ 800 number 🇺🇸.

numéroter [3] [nymerote] vt to number ▸ **place numérotée** [au spectacle] numbered seat.

nunuche [nynyʃ] adj fam goofy, dumb.

nu-pieds [nypje] nm inv sandal.

nuque [nyk] nf nape.

nutritif, ive [nytritif, iv] adj nutritious.

nutrition [nytrisjɔ̃] nf nutrition, feeding.

Nylon® [nilɔ̃] nm nylon.

O (abr écrite de **ouest**) W (west).

oasis [ɔazis] nf oasis.

obéir [32] [ɔbeir] vi to obey ▸ **obéir à** to obey.

obéissant, e [ɔbeisɑ̃, ɑ̃t] adj obedient.

obèse [ɔbɛz] adj obese.

obésité [ɔbezite] nf obesity.

objectif, ive [ɔbʒɛktif, iv] ◆ adj objective. ◆ nm **1.** [but] objective **2.** [d'appareil photo] lens.

objection [ɔbʒɛksjɔ̃] nf objection.

objet [ɔbʒɛ] nm **1.** object **2.** [sujet] subject ▸ **(bureau des) objets trouvés** lost property (office) 🇬🇧, lost-and-found office 🇺🇸 ▸ **objets de valeur** valuables.

obligation [ɔbligasjɔ̃] nf obligation ▸ **être dans l'obligation de** to be obliged to.

obligatoire [ɔbligatwar] adj compulsory.

obligatoirement [ɔbligatwarmɑ̃] adv necessarily ▸ **il doit obligatoirement avoir son diplôme pour s'inscrire** he must have his degree to enrol.

obligé, e [ɔbliʒe] adj fam [inévitable] : **c'est obligé** that's for sure ▸ **être obligé de faire qqch** to be obliged to do sthg.

obliger [17] [ɔbliʒe] vt : **obliger qqn à faire qqch** to force sb to do sthg.

oblique [ɔblik] adj oblique.

oblitérer [18] [ɔblitere] vt [ticket] to punch.

obscène [ɔpsɛn] adj obscene.

obscur, e [ɔpskyr] adj 1. dark 2. [incompréhensible, peu connu] obscure.

obscurcir [32] [ɔpskyrsir] ◆ **s'obscurcir** vp to grow dark.

obscurité [ɔpskyrite] nf darkness.

obséder [18] [ɔpsede] vt to obsess ▶ **être obsédé par** to be obsessed by.

obsèques [ɔpsɛk] nfpl sout funeral sg ▶ **assister aux obsèques de qqn** to go to sb's funeral.

observateur, trice [ɔpsɛrvatœr, tris] adj observant.

observation [ɔpsɛrvasjɔ̃] nf 1. remark 2. [d'un phénomène] observation.

observatoire [ɔpsɛrvatwar] nm observatory.

observer [3] [ɔpsɛrve] vt to observe.

obsession [ɔpsesjɔ̃] nf obsession.

obstacle [ɔpstakl] nm 1. obstacle 2. [en équitation] fence.

obstiné, e [ɔpstine] adj obstinate.

obstiner [3] [ɔpstine] ◆ **s'obstiner** vp to insist ▶ **s'obstiner à faire qqch** to persist (stubbornly) in doing sthg.

obstruer [3] [ɔpstrye] vt to block.

obtenir [40] [ɔptənir] vt 1. [récompense, faveur] to get, to obtain 2. [résultat] to reach.

obtenu, e [ɔptəny] pp → **obtenir**.

obturateur [ɔptyratœr] nm [d'appareil photo] shutter.

obus [ɔby] nm shell.

OC (abr écrite de **ondes courtes**) SW (short wave).

occasion [ɔkazjɔ̃] nf 1. [chance] chance 2. [bonne affaire] bargain ▶ **avoir l'occasion de faire qqch** to have the chance to do sthg ▶ **à l'occasion de** on the occasion of ▶ **d'occasion** second-hand.

occasionnel, elle [ɔkazjɔnɛl] adj occasional.

occasionnellement [ɔkazjɔnɛlmɑ̃] adv occasionally, every now and then, from time to time.

occasionner [3] [ɔkazjɔne] vt to cause.

Occident [ɔksidɑ̃] nm : **l'Occident** POL the West.

occidental, e, aux [ɔksidɑ̃tal, o] adj 1. [partie, région] western 2. POL Western.

occidentaliser [3] [ɔksidɑ̃talize] vt to westernize.

occupation [ɔkypasjɔ̃] nf occupation.

occupé, e [ɔkype] adj 1. busy 2. [place] taken 3. [toilettes] engaged 4. [ligne de téléphone] engaged UK, busy US ▶ **ça sonne occupé** the line's engaged UK, the line's busy US.

occuper [3] [ɔkype] vt 1. to occupy 2. [poste, fonctions] to hold ▶ **ça l'occupe** it keeps him busy. ◆ **s'occuper** vp [se distraire] to occupy o.s. ◆ **s'occuper de** vp + prép 1. [avoir pour responsabilité ou tâche] to be in charge of, to take care of 2. [entourer de soins] to look after, to care for ▶ **je m'en occuperai dès demain matin** I'll take care of it first thing in the morning ▶ **je m'occupe de jeunes délinquants** I'm in charge of young offenders ▶ **on s'occupe de vous, Madame ?** are you being served, Madam ? ▶ **s'occuper d'un bébé** to look after a baby.

occurrence [ɔkyrɑ̃s] ◆ **en l'occurrence** adv in this case.

océan [ɔseã] nm ocean.

Océanie [ɔseani] nf : **l'Océanie** Oceania.

ocre [ɔkr] adj inv ochre.

octane [ɔktan] nm : **indice d'octane** octane rating.

octante [ɔktãt] num Belg eighty.

octet [ɔktɛ] nm byte.

octobre [ɔktɔbr] nm October ▶ **en octobre, au mois d'octobre** in October ▶ **début octobre** at the beginning of October ▶ **fin octobre** at the end of October ▶ **le deux octobre** the second of October.

octogonal, e, aux [ɔktɔgɔnal, o] adj octagonal.

oculiste [ɔkylist] nmf ophthalmologist.

odeur [ɔdœr] nf smell ▶ **bonne / mauvaise odeur** nice / bad smell.

odieux, euse [ɔdjø, øz] adj hateful.

odorat [ɔdɔra] nm (sense of) smell.

œil [œj] (pl **yeux** [jø]) nm eye ▶ **à l'œil** fam for nothing ▶ **avoir qqn à l'œil** fam to have one's eye on sb ▶ **mon œil !** fam my foot!

œillet [œjɛ] nm **1.** carnation **2.** [de chaussure] eyelet.

œsophage [ezɔfaʒ] nm oesophagus.

œuf [œf] (pl **œufs** [ø]) nm egg ▶ **œuf à la coque** boiled egg ▶ **œuf dur** hardboiled egg ▶ **œuf de Pâques** Easter egg ▶ **œuf poché** poached egg ▶ **œuf sur le plat** fried egg ▶ **œufs brouillés** scrambled eggs ▶ **œufs à la neige** cold dessert of beaten egg whites served on custard.

œuvre [œvr] nf work ▶ **mettre qqch en œuvre** to make use of sthg ▶ **œuvre d'art** work of art.

offenser [3] [ɔfãse] vt to offend.

offert, e [ɔfɛr, ɛrt] pp → **offrir**.

office [ɔfis] nm **1.** [organisme] office **2.** [messe] service ▶ **faire office de** to act as ▶ **office de tourisme** tourist office ▶ **d'office** automatically.

officiel, elle [ɔfisjɛl] adj official.

officiellement [ɔfisjɛlmã] adv officially.

officier [ɔfisje] nm officer.

offre [ɔfr] nf offer ▶ **offres d'emploi** situations vacant ▶ **'offre spéciale'** 'special offer'.

offrir [34] [ɔfrir] vt : **offrir qqch à qqn** a) [en cadeau] to give sthg to sb b) [mettre à sa disposition] to offer sthg to sb ▶ **offrir (à qqn) de faire qqch** to offer to do sthg (for sb). ◆ **s'offrir** vp [cadeau, vacances] to treat o.s. to.

OGM (abr de organisme génétiquement modifié) nm GMO (genetically modified organism).

oie [wa] nf goose.

oignon [ɔɲɔ̃] nm **1.** onion **2.** [de fleur] bulb ▶ **petits oignons** pickling onions.

oiseau [wazo] (pl **-x**) nm bird.

OK [ɔke] interj OK!

ola [ɔla] nf Mexican wave UK, wave US.

olive [ɔliv] nf olive ▶ **olive noire** black olive ▶ **olive verte** green olive.

olivier [ɔlivje] nm olive tree.

olympique [ɔlɛ̃pik] adj Olympic.

Oman [ɔman] n Oman.

ombragé, e [ɔ̃braʒe] adj shady.

ombre [ɔ̃br] nf **1.** [forme] shadow **2.** [obscurité] shade ▶ **à l'ombre (de)** in the shade (of) ▶ **ombres chinoises**

shadow theatre ▸ **ombre à paupières** eye shadow.

ombrelle [ɔ̃bʀɛl] nf parasol.

OMC (abr de Organisation mondiale du commerce) nf WTO (World Trade Organization).

omelette [ɔmlɛt] nf omelette ▸ **omelette norvégienne** baked Alaska.

omission [ɔmisjɔ̃] nf omission.

omnibus [ɔmnibys] nm : **(train) omnibus** slow train UK, local train US.

omoplate [ɔmɔplat] nf shoulder blade.

on [ɔ̃] pron 1. [quelqu'un] somebody 2. [les gens] people 3. fam [nous] we ▸ **on n'a pas le droit de fumer ici** you're not allowed to smoke here.

oncle [ɔ̃kl] nm uncle.

onctueux, euse [ɔ̃ktɥø, øz] adj creamy.

onde [ɔ̃d] nf TECH wave ▸ **grandes ondes** long wave sg ▸ **ondes courtes / moyennes** short / medium wave sg.

ondulé, e [ɔ̃dyle] adj [cheveux] wavy ▸ **tôle ondulée** corrugated iron.

ongle [ɔ̃gl] nm nail ▸ **ongle incarné** an ingrowing toenail.

ont [ɔ̃] 3ᵉ pers. du pl de l'ind. prés. → **avoir**.

ONU [ɔny] nf (abr de Organisation des Nations unies) UN (United Nations).

onze [ɔ̃z] num eleven ▸ **il a onze ans** he's eleven (years old) ▸ **il est onze heures** it's eleven o'clock ▸ **le onze janvier** the eleventh of January ▸ **page onze** page eleven ▸ **ils étaient onze** there were eleven of them ▸ **(au) onze rue Lepic** at/to eleven, rue Lepic.

onzième [ɔ̃zjɛm] num eleventh ▸ **le onzième étage** eleventh floor UK, twelfth floor US ▸ **le onzième (arrondissement)** eleventh arrondissement ▸ **il est arrivé onzième** he came eleventh.

opaque [ɔpak] adj opaque.

opéra [ɔpeʀa] nm opera.

opérateur, trice [ɔpeʀatœʀ, tʀis] nm, f [au téléphone] operator.

opération [ɔpeʀasjɔ̃] nf 1. MATH calculation 2. [chirurgicale] operation 3. [financière, commerciale] deal.

opérer [18] [ɔpeʀe] ◆ vt [malade] to operate on. ◆ vi [médicament] to take effect ▸ **se faire opérer** to have an operation ▸ **se faire opérer du cœur** to have heart surgery.

opérette [ɔpeʀɛt] nf operetta.

ophtalmo [ɔftalmo] nmf fam ophtalmologist, eye specialist.

ophtalmologiste [ɔftalmɔlɔʒist] nmf ophthalmologist.

opinion [ɔpinjɔ̃] nf opinion ▸ **l'opinion (publique)** public opinion.

opportun, e [ɔpɔʀtœ̃, yn] adj opportune.

opportuniste [ɔpɔʀtynist] adj opportunist.

opposant, e [ɔpozɑ̃, ɑ̃t] nm, f : **opposant (à)** opponent (of).

opposé, e [ɔpoze] adj & nm opposite ▸ **opposé à** a) [inverse] opposite b) [hostile à] opposed to ▸ **à l'opposé de** a) [du côté opposé à] opposite b) [contrairement à] unlike.

opposer [3] [ɔpoze] vt 1. [argument] to put forward 2. [résistance] to put up 3. [personnes, équipes] to pit against each other. ◆ **s'opposer** vp [s'affronter] to clash ▶ **s'opposer à** to oppose.

opposition [ɔpozisjɔ̃] nf **1.** [différence] contrast **2.** [désapprobation] opposition **3.** POL Opposition ▶ **faire opposition (à un chèque)** to stop a cheque ▶ **faire opposition sur une carte bancaire** to cancel a bank card.

oppressant, e [ɔpresɑ̃, ɑ̃t] adj oppressive.

oppresser [4] [ɔprese] vt [étouffer] to suffocate, to stifle.

oppression [ɔpresjɔ̃] nf oppression.

opprimer [3] [ɔprime] vt to oppress.

opter [3] [ɔpte] vi : **opter pour** to opt for.

opticien, enne [ɔptisjɛ̃, ɛn] nm, f optician.

optimisme [ɔptimism] nm optimism.

optimiste [ɔptimist] ◆ adj optimistic. ◆ nmf optimist.

option [ɔpsjɔ̃] nf **1.** SCOL option **2.** [accessoire] optional extra ▶ **en option** [accessoire] as an (optional) extra.

optionnel, elle [ɔpsjɔnɛl] adj optional.

optique [ɔptik] ◆ adj [nerf] optic. ◆ nf [point de vue] point of view.

or [ɔr] ◆ conj but, now. ◆ nm gold ▶ **en or** gold.

orage [ɔraʒ] nm storm.

orageux, euse [ɔraʒø, øz] adj stormy.

oral, e, aux [ɔral, o] adj & nm oral ▶ **'voie orale'** 'to be taken orally'.

orange [ɔrɑ̃ʒ] adj inv, nm & nf orange ▶ **orange pressée** freshly squeezed orange juice.

orangeade [ɔrɑ̃ʒad] nf orange squash.

oranger [ɔrɑ̃ʒe] nm orange tree. → **fleur.**

orbite [ɔrbit] nf **1.** [de planète] orbit **2.** [de l'œil] (eye) socket.

Orcades [ɔrkad] nfpl : **les Orcades** the Orkney Islands, the Orkneys.

orchestre [ɔrkɛstr] nm **1.** orchestra **2.** [au théâtre] stalls pl 🇬🇧, orchestra 🇺🇸.

orchidée [ɔrkide] nf orchid.

ordi [ɔrdi] (abr de ordinateur) nm fam computer.

ordinaire [ɔrdinɛr] ◆ adj **1.** [normal] normal **2.** [banal] ordinary. ◆ nm [essence] ≃ two-star petrol 🇬🇧 ; ≃ regular 🇺🇸 ▶ **sortir de l'ordinaire** to be out of the ordinary ▶ **d'ordinaire** usually.

ordinateur [ɔrdinatœr] nm computer ▶ **ordinateur de poche** palmtop ▶ **ordinateur portable** laptop.

ordonnance [ɔrdɔnɑ̃s] nf [médicale] prescription ▶ **sur ordonnance** on prescription.

ordonné, e [ɔrdɔne] adj tidy.

ordonner [3] [ɔrdɔne] vt **1.** [commander] to order **2.** [ranger] to put in order ▶ **ordonner à qqn de faire qqch** to order sb to do sthg.

ordre [ɔrdr] nm **1.** order **2.** [organisation] tidiness ▶ **donner l'ordre de faire qqch** to give the order to do sthg ▶ **jusqu'à nouvel ordre** until further notice ▶ **en ordre** in order ▶ **mettre de l'ordre dans qqch** to tidy up sthg ▶ **dans l'ordre** in order ▶ **à l'ordre de** [chèque] payable to.

ordures [ɔrdyr] nfpl rubbish sg 🇬🇧, garbage sg 🇺🇸.

oreille [ɔrɛj] nf ear.

oreiller [ɔreje] nm pillow.

oreillons [ɔʀɛjɔ̃] nmpl mumps sg.

organe [ɔʀgan] nm [du corps] organ.

organigramme [ɔʀganigʀam] nm [hiérarchique] organization chart.

organique [ɔʀganik] adj organic.

organisateur, trice [ɔʀganizatœʀ, tʀis] nm, f organizer.

organisation [ɔʀganizasjɔ̃] nf organization ▸ **organisation mondiale du commerce** World Trade Organization.

organisé, e [ɔʀganize] adj organized.

organiser [3] [ɔʀganize] vt to organize. ◆ **s'organiser** vp to get (o.s.) organized.

organisme [ɔʀganism] nm **1.** [corps] organism **2.** [organisation] body.

orge [ɔʀʒ] nf → **sucre**.

orgue [ɔʀg] nm organ ▸ **orgue de Barbarie** barrel organ.

orgueil [ɔʀgœj] nm pride.

orgueilleux, euse [ɔʀgœjø, øz] adj proud.

Orient [ɔʀjã] nm : **l'Orient** the Orient.

oriental, e, aux [ɔʀjãtal, o] adj **1.** [de l'Orient] oriental **2.** [partie, région] eastern.

orientation [ɔʀjãtasjɔ̃] nf **1.** [direction] direction **2.** [d'une maison] aspect **3.** SCOL [conseil] careers guidance.

orienter [3] [ɔʀjãte] vt **1.** to direct **2.** SCOL to guide. ◆ **s'orienter** vp [se repérer] to get one's bearings ▸ **s'orienter vers a)** [se tourner vers] to move towards **b)** SCOL to take.

orifice [ɔʀifis] nm orifice.

origan [ɔʀigã] nm oregano.

originaire [ɔʀiʒinɛʀ] adj : **être originaire de** to come from.

original, e, aux [ɔʀiʒinal, o] ◆ adj **1.** original **2.** [excentrique] eccentric. ◆ nm, f eccentric. ◆ **original** nm [peinture, écrit] original.

originalité [ɔʀiʒinalite] nf **1.** originality **2.** [excentricité] eccentricity.

origine [ɔʀiʒin] nf origin ▸ **être à l'origine de qqch** to be behind sthg ▸ **à l'origine** originally ▸ **d'origine** [ancien] original ▸ **pays d'origine** native country.

ORL nmf (abr de oto-rhino-laryngologiste) ENT specialist (Ear, Nose and Throat).

ornement [ɔʀnəmã] nm ornament.

orner [3] [ɔʀne] vt to decorate ▸ **orner qqch de** to decorate sthg with.

ornière [ɔʀnjɛʀ] nf rut.

orphelin, e [ɔʀfəlɛ̃, in] nm, f orphan.

orphelinat [ɔʀfəlina] nm orphanage.

orque [ɔʀk] nf killer whale.

Orsay [ɔʀsɛ] n : **le musée d'Orsay** museum in Paris specializing in 19th-century art.

ⓘ **Le musée d'Orsay**

Located in a former railway station overlooking the Seine on Paris' left bank, the Musée d'Orsay houses works from the second half of the nineteenth century and early twentieth century, covering a period from the end of Romanticism at the beginning of Fauvism. Its originality lies in its interdisciplinary collection featuring painting and sculpture, as well as decorative arts, photography and architecture

orteil [ɔʀtɛj] nm toe ▶ **gros orteil** big toe.

orthographe [ɔʀtɔgʀaf] nf spelling.

orthophoniste [ɔʀtɔfɔnist] nmf speech therapist.

ortie [ɔʀti] nf nettle.

os [ɔs] (pl **os** [o]) nm bone.

osciller [3] [ɔsile] vi **1.** [se balancer] to sway **2.** [varier] to vary.

osé, e [oze] adj daring.

oseille [ozɛj] nf sorrel.

oser [3] [oze] vt ▶ **oser faire qqch** to dare (to) do sthg.

osier [ozje] nm wicker.

Oslo [ɔslo] n Oslo.

osselets [ɔslɛ] nmpl [jeu] jacks.

otage [ɔtaʒ] nm hostage ▶ **prendre qqn en otage** to take sb hostage.

otarie [ɔtaʀi] nf sea lion.

ôter [3] [ote] vt to take off ▶ **ôter qqch à qqn** to take sthg away from sb ▶ **ôter qqch de qqch** to take sthg off sthg ▶ **3 ôté de 10 égale 7** 3 from 10 is 7.

otite [ɔtit] nf ear infection.

oto-rhino-laryngologiste [ɔtoʀinolaʀɛ̃gɔlɔʒist] (pl **oto-rhino-laryngologistes**) nmf ear, nose and throat specialist.

Ottawa [ɔtawa] n Ottawa.

ou [u] conj or ▶ **ou bien** or else ▶ **ou... ou** either... or.

où [u] ◆ adv **1.** [pour interroger] where ▶ **où habitez-vous ?** where do you live ? ▶ **d'où êtes-vous ?** where are you from ? ▶ **par où faut-il passer ?** how do you get there ? **2.** [dans une interrogation indirecte] where ▶ **nous ne savons pas où dormir** we don't know where to sleep

◆ pron **1.** [spatial] where ▶ **le village où j'habite** the village where I live, the village I live in ▶ **le pays d'où je viens** the country I come from ▶ **la région où nous sommes allés** the region we went to ▶ **la ville par où nous venons de passer** the town we've just gone through **2.** [temporel] : **le jour où...** the day (that)... ▶ **juste au moment où...** at the very moment (that)...

ouate [wat] nf cotton wool.

oubli [ubli] nm oversight.

oublier [10] [ublije] vt **1.** to forget **2.** [laisser quelque part] to leave (behind) ▶ **oublier de faire qqch** to forget to do sthg.

oubliettes [ublijɛt] nfpl dungeon sg.

ouest [wɛst] adj inv & nm west ▶ **à l'ouest** in the west ▶ **à l'ouest de** west of.

ouf [uf] interj phew!

Ouganda [ugɑ̃da] nm : **(l')Ouganda** Uganda.

oui [wi] adv yes ▶ **je pense que oui** I think so.

ouïe [wi] nf hearing. ◆ **ouïes** nfpl [de poisson] gills.

ouragan [uʀagɑ̃] nm hurricane.

ourlet [uʀlɛ] nm hem.

ours [uʀs] nm bear ▶ **ours en peluche** teddy bear.

oursin [uʀsɛ̃] nm sea urchin.

outil [uti] nm tool ▸ **boîte** ou **caisse à outils** toolbox.

outillage [utijaʒ] nm tools pl.

outre [utr] prép as well as ▸ **en outre** moreover ▸ **outre mesure** unduly.

outré, e [utre] adj indignant.

outre-mer [utrəmɛr] adv overseas.

ouvert, e [uvɛr, ɛrt] ◆ pp → **ouvrir**.
◆ adj open ▸ **'ouvert le lundi'** 'open on Mondays'.

ouvertement [uvɛrtəmɑ̃] adv openly.

ouverture [uvɛrtyr] nf opening.

ouvrable [uvrabl] adj → **jour**.

ouvrage [uvraʒ] nm work.

ouvré, e [uvre] adj : **jour ouvré** working day [UK], workday.

ouvre-boîtes [uvrəbwat] nm inv tin opener.

ouvre-bouteilles [uvrəbutɛj] nm inv bottle opener.

ouvreur, euse [uvrœr, øz] nm, f usher (usherette).

ouvrier, ère [uvrije, ɛr] ◆ adj working-class. ◆ nm, f worker.

ouvrir [34] [uvrir] ◆ vt **1.** to open **2.** [robinet] to turn on. ◆ vi to open. ◆ **s'ouvrir** vp to open.

Ouzbékistan [uzbekistɑ̃] nm : **(l')Ouzbékistan** Uzbekistan.

ovaire [ɔvɛr] nm ovary.

ovale [ɔval] adj oval.

OVNI, Ovni [ɔvni] (abr de objet volant non identifié) nm UFO (unidentified flying object).

oxyder [3] [ɔkside] ◆ **s'oxyder vp** to rust.

oxygène [ɔksiʒɛn] nm oxygen.

oxygénée [ɔksiʒene] adj f → **eau**.

ozone [ozon] nm ozone ▸ **couche d'ozone** ozone layer.

pacifique [pasifik] adj peaceful ▸ **l'océan Pacifique, le Pacifique** the Pacific (Ocean).

pack [pak] nm [de bouteilles] pack.

PACS [paks] (abr de Pacte civil de solidarité) nm Civil Solidarity Pact ; civil contract conferring marital rights on the contracting parties.

pacsé, e [pakse] nm, f fam person who has signed a PACS agreement ; ≃ (life) partner.

pacser [3] [pakse] ◆ **se pacser vp** to register a civil partnership.

pacte [pakt] nm pact.

paella [paela] nf paella.

pagaille [pagaj] nf fam mess.

pagayer [11] [pageje] vi to paddle.

page [paʒ] nf page ▸ **page de garde** flyleaf ▸ **les pages jaunes** the Yellow Pages.

paie¹ [pɛ] nf = **paye**.

paie² [pɛ] 1ʳᵉ et 3ᵉ pers. du sg de l'ind. prés. → **payer**.

paiement [pɛmɑ̃] nm payment.

paillasson [pajasɔ̃] nm doormat.

paille [paj] nf straw.

paillette [pajɛt] nf sequin.

paillote [pajɔt] nf straw hut.

pain [pɛ̃] nm bread ▸ **un pain** a loaf (of bread) ▸ **pain au chocolat** sweet flaky pastry with chocolate filling ▸ **pain complet** wholemeal bread UK, wholewheat bread US ▸ **pain doré** Québec French toast ▸ **pain d'épice** ≃ gingerbread ▸ **pain de mie** sandwich bread ▸ **pain perdu** French toast ▸ **(mini) pain aux raisins** (small) sweet pastry containing raisins, rolled into a spiral shape.

ⓘ le pain

French bread isn't just all baguettes: there are more than thirty different types of bread of all shapes and sizes produced in France. A typical selection in a bakery will include variations on the baguette such the **ficelle** (thin loaf), the **bâtard** (short loaf) and the **épi** (wheat stalk bread), as well as **pains de campagne** (farmhouse loaves), **pains fantaisie** (fancy breads) and **pains spéciaux** (speciality breads).

---

pair, e [pɛr] ◆ adj MATH even. ◆ nm : **jeune fille au pair** au pair.

paire [pɛr] nf pair ▸ **une paire de ciseaux** a pair of scissors.

paisible [pezibl] adj **1.** [endroit] peaceful **2.** [animal] tame.

paître [31] [pɛtr] vi to graze.

paix [pɛ] nf peace ▸ **avoir la paix** to have peace and quiet.

Pakistan [pakistɑ̃] nm : **le Pakistan** Pakistan.

pakistanais, e [pakistanɛ, ɛz] adj Pakistani.

palace [palas] nm luxury hotel.

palais [palɛ] nm **1.** [résidence] palace **2.** ANAT palate ▸ **Palais de justice** law courts.

pâle [pɑl] adj pale.

Palestine [palɛstin] nf : **la Palestine** Palestine.

palestinien, enne [palɛstinjɛ̃, ɛn] adj Palestinian. ◆ **Palestinien, enne** nm, f Palestinian.

palette [palɛt] nf **1.** [de peintre] palette **2.** [viande] shoulder.

palier [palje] nm landing.

pâlir [32] [palir] vi to turn pale.

palissade [palisad] nf fence.

palm [palm] nm PDA (Personal Digital Assistant).

palmarès [palmarɛs] nm **1.** [de victoires] record **2.** [de chansons] pop charts pl ▸ **avoir de nombreuses victoires à son palmarès** to have numerous victories to one's credit.

palme [palm] nf [de plongée] flipper.

palmé, e [palme] adj [pattes] webbed.

palmier [palmje] nm **1.** [arbre] palm tree **2.** [gâteau] large, heart-shaped, hard dry biscuit.

palourde [palurd] nf clam.

palper [3] [palpe] vt to feel.

palpitant, e [palpitɑ̃, ɑ̃t] adj thrilling.

palpiter [3] [palpite] vi to pound.

paludisme [palydism] nm malaria.

pamplemousse [pɑ̃pləmus] nm grapefruit.

pan [pɑ̃] nm [de chemise] shirt tail ▸ **pan de mur** wall.

panaché [panaʃe] nm : **(demi) panaché** shandy.

Panamá [panama] ◆ nm [pays] : **le Panamá** Panama ▸ **le canal de Panamá** the Panama Canal ▸ **l'isthme de Panamá** the Isthmus of Panama. ◆ n [ville] Panama City.

panaris [panari] nm finger infection.

pan-bagnat [pɑ̃baɲa] (pl **pans-bagnats**) nm roll filled with lettuce, tomatoes, anchovies and olives.

pancarte [pɑ̃kart] nf **1.** [de manifestation] placard **2.** [de signalisation] sign.

pancréas [pɑ̃kreas] nm pancreas.

pané, e [pane] adj in breadcrumbs, breaded.

panier [panje] nm basket ▸ **panier à provisions** shopping basket.

panier-repas [panjerəpa] (pl **paniers-repas**) nm packed lunch.

panini [panini] (pl **paninis**) nm panini.

panique [panik] nf panic.

paniquer [3] [panike] vt & vi to panic.

panne [pan] nf breakdown ▸ **être en panne** to have broken down ▸ **tomber en panne** to break down ▸ **panne d'électricité** ou **de courant** power failure ▸ **tomber en panne d'essence** ou **sèche** to run out of petrol ▸ **'en panne'** 'out of order'.

panneau [pano] (pl **-x**) nm **1.** [d'indication] sign **2.** [de bois, de verre] panel ▸ **panneau d'affichage** notice board [UK], bulletin board [US] ▸ **panneau de signalisation** road sign.

panoplie [panɔpli] nf **1.** [déguisement] outfit **2.** [collection] range.

panorama [panɔrama] nm panorama.

pansement [pɑ̃smɑ̃] nm bandage ▸ **pansement adhésif** (sticking) plaster [UK], Band-Aid® [US].

pantacourt [pɑ̃takur] nm capri pants, capris, clamdiggers.

pantalon [pɑ̃talɔ̃] nm trousers pl [UK], pants pl [US], pair of trousers [UK], pair of pants [US].

panthère [pɑ̃tɛr] nf panther.

pantin [pɑ̃tɛ̃] nm puppet.

pantoufle [pɑ̃tufl] nf slipper.

PAO (abr de programmation assisté par ordinateur) nf DTP (desktop publishing).

paon [pɑ̃] nm peacock.

papa [papa] nm dad.

papaye [papaj] nf papaya, pawpaw.

pape [pap] nm pope.

papet [papɛ] nm : **papet vaudois** stew of leeks and potatoes plus sausage made from cabbage and pigs' liver, a speciality of the canton of Vaud in Switzerland.

papeterie [papɛtri] nf [magasin] stationer's.

papi [papi] nm fam grandad.

papier [papje] nm **1.** paper **2.** [feuille] piece of paper ▸ **papier alu** aluminium [UK] ou foil [US] ▸ **papier cadeau** gift wrap ▸ **papier d'emballage** wrapping paper ▸ **papier à en-tête** headed paper ▸ **papier hygiénique** ou **toilette** toilet paper ▸ **papier à lettres** writing paper ▸ **papier peint** wallpaper ▸ **papier de verre** sandpaper ▸ **papiers (d'identité)** (identity) papers.

papillon [papijɔ̃] nm butterfly ▸ **(brasse) papillon** butterfly (stroke).

papillote [papijɔt] nf : **en papillote** CULIN baked in foil or greaseproof paper.

papoter [3] [papɔte] vi to chatter.

paquebot [pakbo] nm liner.

pâquerette [pakrɛt] nf daisy.

Pâques [pak] nm Easter.

ⓘ **Les cloches de Pâques**

In France, Easter is traditionally symbolized not only by eggs but also by bells; according to legend, church bells fly to Rome at Easter.

paquet [pakɛ] nm **1.** [colis] parcel, package **2.** [de cigarettes, de chewing-gum] packet **3.** [de cartes] pack ▸ **je vous fais un paquet-cadeau ?** shall I gift-wrap it for you?

par [par] ◆ prép **1.** [à travers] through ▸ **passer par** to go through ▸ **regarder par la fenêtre** to look out of the window **2.** [indique le moyen] by ▸ **voyager par (le) train** to travel by train **3.** [introduit l'agent] by ▸ **le logiciel est protégé par un code** the software is code-protected **4.** [indique la cause] by ▸ **par accident** by accident ▸ **faire qqch par amitié** to do sthg out of friendship **5.** [distributif] per, a ▸ **deux comprimés par jour** two tablets a day ▸ **30 euros par personne** 30 euros per person ▸ **un par un** one by one **6.** [dans des expressions] : **par endroits** in places ▸ **par moments** sometimes ▸ **par-ci par-là** here and there.

paraben [paraben] nm paraben ▸ **sans paraben** paraben-free.

parabolique [parabɔlik] adj → **antenne**.

paracétamol [parasetamɔl] nm paracetamol.

parachute [paraʃyt] nm parachute.

parachutiste [paraʃytist] nmf parachutist ; MIL paratrooper.

parade [parad] nf [défilé] parade.

paradis [paradi] nm paradise ▸ **paradis fiscal** tax haven.

paradoxal, e, aux [paradɔksal, o] adj paradoxical.

paradoxe [paradɔks] nm paradox.

Paraguay [paragwɛ] nm : **le Paraguay** Paraguay.

paraître [91] [parɛtr] vi **1.** [sembler] to seem **2.** [apparaître] to appear **3.** [livre] to be published ▸ **il paraît que** it would appear that.

parallèle [paralɛl] adj & nm parallel ▸ **parallèle à** parallel to.

paralympique [paralɛ̃pik] adj Paralympic.

paralysé, e [paralize] adj paralysed 🇬🇧, paralyzed 🇺🇸 ▸ **être paralysé de peur** to be petrified.

paralyser [3] [paralize] vt to paralyse.

paralysie [paralizi] nf paralysis.

paramétrer [18] [parametre] vt INFORM to set, to program.

parapente [parapɑ̃t] nm paragliding.

parapet [parapɛ] nm parapet.

parapharmacie [parafarmasi] nf (non-pharmaceutical) chemist's 🇬🇧 ou druggist's 🇺🇸 products.

parapluie [paraplɥi] nm umbrella.

parasite [parazit] nm parasite. ◆ **parasites** nmpl [perturbation] interference sg.

parasol [parasɔl] nm parasol.

paratonnerre [paratɔnɛr] nm lightning conductor.

paravent [paʀavɑ̃] nm screen.

parc [paʀk] nm **1.** park **2.** [de bébé] playpen ▶ **parc animalier** animal park ▶ **parc d'attractions** amusement park ▶ **parc automobile** total number of cars on the roads ▶ **parc de stationnement** car park [UK], parking lot [US] ▶ **parc zoologique** zoological gardens *pl*.

parce que [paʀsk(ə)] conj because.

parchemin [paʀʃəmɛ̃] nm parchment.

parcmètre [paʀkmɛtʀ] nm parking meter.

parcourir [45] [paʀkuʀiʀ] vt **1.** [distance] to cover **2.** [lieu] to go all over **3.** [livre, article] to glance through.

parcours [paʀkuʀ] nm [itinéraire] route ▶ **parcours santé** trail in the countryside where signs encourage people to do exercises for their health.

parcouru, e [paʀkuʀy] pp → **parcourir**.

par-derrière [paʀdɛʀjɛʀ] ◆ adv **1.** [passer] round the back **2.** [attaquer] from behind. ◆ prép round the back of.

par-dessous [paʀdəsu] adv & prép underneath.

pardessus [paʀdəsy] nm overcoat.

par-dessus [paʀdəsy] ◆ adv over (the top). ◆ prép over (the top of).

par-devant [paʀdəvɑ̃] ◆ adv round the front. ◆ prép round the front of.

pardon [paʀdɔ̃] nm : **Pardon !** a) [pour s'excuser] (I'm) sorry! b) [pour appeler] excuse me! ▶ **demander pardon à qqn** to apologize to sb.

pardonner [3] [paʀdɔne] vt to forgive ▶ **pardonner (qqch) à qqn** to forgive sb (for sthg) ▶ **pardonner à qqn d'avoir fait qqch** to forgive sb for doing sthg.

pare-brise [paʀbʀiz] nm inv windscreen [UK], windshield [US].

pare-chocs [paʀʃɔk] nm inv bumper.

pare-feu [paʀfø] nm firewall.

pareil, eille [paʀɛj] ◆ adj the same. ◆ adv *fam* the same (way) ▶ **un culot pareil** such cheek ▶ **pareil que** the same as.

parent, e [paʀɑ̃, ɑ̃t] nm, f [de la famille] relative, relation ▶ **mes parents** [le père et la mère] my parents.

parenthèse [paʀɑ̃tɛz] nf **1.** bracket **2.** [commentaire] digression ▶ **entre parenthèses** [mot] in brackets.

parer [3] [paʀe] vt **1.** (éviter) to ward off **2.** [orner] to adorn.

paresse [paʀɛs] nf laziness.

paresseux, euse [paʀɛsø, øz] ◆ adj lazy. ◆ nm, f lazy person.

parfait, e [paʀfɛ, ɛt] ◆ adj perfect. ◆ nm CULIN frozen dessert made from cream with fruit.

parfaitement [paʀfɛtmɑ̃] adv **1.** perfectly **2.** [en réponse] absolutely.

parfois [paʀfwa] adv sometimes.

parfum [paʀfœ̃] nm **1.** [odeur] scent **2.** [pour femme] perfume, scent **3.** [pour homme] aftershave **4.** [goût] flavour.

parfumé, e [paʀfyme] adj sweet-smelling ▶ **être parfumé** [personne] to be wearing perfume.

parfumer [3] [paʀfyme] vt **1.** to perfume **2.** [aliment] to flavour ▶ **parfumé au citron** [aliment] lemon-flavoured. ◆ **se parfumer** vp to put perfume on.

parfumerie [paʀfymʀi] nf perfumery.

pari [paʀi] nm bet ▶ **faire un pari** to have a bet.

parier [9] [parje] vt & vi to bet ▶ **je (te) parie que...** I bet (you) that... ▶ **parier sur** to bet on.

Paris [pari] n Paris.

paris-brest [paribrɛst] nm inv choux pastry ring filled with hazelnut-flavoured cream and sprinkled with almonds.

parisien, enne [parizjɛ̃, ɛn] adj [vie, société] Parisian **2.** [métro, banlieue, région] Paris. ◆ **Parisien, enne** nm, f Parisian.

parité [parite] nf parity.

parka [parka] nm ou nf parka.

parking [parkiŋ] nm car park 🇬🇧, parking lot 🇺🇸.

parlante [parlɑ̃t] adj f → **horloge**.

parlement [parləmɑ̃] nm parliament.

parlementaire [parləmɑ̃tɛr] ◆ nmf **1.** [député] member of parliament **2.** [négociateur] negotiator. ◆ adj parliamentary.

parler [3] [parle] ◆ vi to talk, to speak. ◆ vt [langue] to speak ▶ **parler à qqn** de to talk to sb ou speak to sb about.

Parmentier [parmɑ̃tje] n → **hachis**.

parmesan [parməzɑ̃] nm Parmesan (cheese).

parmi [parmi] prép among.

parodie [parɔdi] nf parody.

paroi [parwa] nf **1.** [mur] wall **2.** [montagne] cliff face **3.** [d'un objet] inside.

paroisse [parwas] nf parish.

parole [parɔl] nf word ▶ **adresser la parole à qqn** to speak to sb ▶ **couper la parole à qqn** to interrupt sb ▶ **prendre la parole** to speak ▶ **tenir (sa) parole** to keep one's word. ◆ **paroles** nfpl [d'une chanson] lyrics.

parquet [parkɛ] nm [plancher] wooden floor.

parrain [parɛ̃] nm godfather.

parrainer [4] [parene] vt to sponsor.

parsemer [19] [parsəme] vt **: parsemer qqch de qqch** to scatter sth with sthg.

part [par] nf **1.** [de gâteau] portion **2.** [d'un héritage] share ▶ **prendre part à** to take part in ▶ **à part** [sauf] apart from ▶ **de la part de** a) from b) [remercier] on behalf of ▶ **c'est de la part de qui ?** [au téléphone] who's calling? ▶ **d'une part..., d'autre part** on the one hand..., on the other hand ▶ **autre part** somewhere else ▶ **nulle part** nowhere ▶ **quelque part** somewhere.

partage [partaʒ] nm sharing (out).

partager [17] [partaʒe] vt to divide (up). ◆ **se partager** vp **: se partager qqch** to share sthg out.

partenaire [partənɛr] nmf partner.

partenariat [partənarja] nm partnership.

parterre [partɛr] nm **1.** [de fleurs] (flower) bed **2.** [au théâtre] stalls pl 🇬🇧, orchestra 🇺🇸.

parti [parti] nm [politique] party ▶ **prendre parti pour** to decide in favour of ▶ **tirer parti de qqch** to make (good) use of sthg ▶ **parti pris** bias.

partial, e, aux [parsjal, o] adj biased.

participant, e [partisipɑ̃, ɑ̃t] nm, f [à un jeu, un concours] competitor.

participation [partisipasjɔ̃] nf **1.** participation **2.** [financière] contribution.

participer [3] [partisipe] ◆ **participer à** v + prép **1.** to take part in **2.** [payer pour] to contribute to.

particularité [partikylarite] nf distinctive feature.

particulier, ère [partikylje, ɛr] adj **1.** [personnel] private **2.** [spécial] special, particular **3.** [peu ordinaire] unusual ▸ **en particulier** [surtout] in particular.

particulièrement [partikyljɛrmã] adv particularly.

partie [parti] nf **1.** part **2.** [au jeu, en sport] game ▸ **en partie** partly ▸ **faire partie de** to be part of.

partiel, elle [parsjɛl] ◆ adj partial. ◆ nm [examen] ≃ end-of-term exam UK; ≃ midterm exam US.

partiellement [parsjɛlmã] adv partially.

partir [43] [partir] vi **1.** to go, to leave **2.** [moteur] to start **3.** [coup de feu] to go off **4.** [tache] to come out ▸ **être bien / mal parti** to get off to a good / bad start ▸ **partir de** [chemin] to start from ▸ **à partir de** from.

partisan [partizã] ◆ nm supporter. ◆ adj : **être partisan de qqch** to be in favour of sthg.

partition [partisjɔ̃] nf MUS score.

partout [partu] adv everywhere.

paru, e [pary] pp ▸ **paraître**.

parution [parysjɔ̃] nf publication.

parvenir [40] [parvənir] ◆ **parvenir à** v + prép **1.** [but] to achieve **2.** [personne, destination] to reach ▸ **parvenir à faire qqch** to manage to do sthg.

parvenu, e [parvəny] ◆ nm, f péj upstart. ◆ pp ▸ **parvenir**.

parvis [parvi] nm square (in front of a large building).

pas¹ [pa] ◆ adv **1.** [avec "ne"] not ▸ **je n'aime pas les épinards** I don't like

spinach ▸ **elle ne dort pas encore** she's not asleep yet ▸ **je n'ai pas terminé** I haven't finished **2.** [sans "ne"] not ▸ **tu viens ou pas ?** are you coming or not? ▸ **elle a aimé l'exposition, moi pas** ou **pas moi** she liked the exhibition, but I didn't ▸ **c'est un endroit pas très agréable** it's not a very nice place ▸ **pas du tout** not at all.

pas² [pa] nm **1.** step **2.** [allure] pace ▸ **à deux pas de** very near ▸ **pas à pas** step by step ▸ **sur le pas de la porte** on the doorstep.

passable [pasabl] adj passable.

passage [pasaʒ] nm **1.** [de livre, de film] passage **2.** [chemin] way ▸ **être de passage** to be passing through ▸ **passage (pour) piétons** pedestrian crossing ▸ **passage à niveau** level crossing UK, grade crossing US ▸ **passage protégé** crossroads where priority is given to traffic on the main road ▸ **passage souterrain** subway ▸ **'premier passage'** [d'un bus] 'first bus' ▸ **'passage interdit'** 'no entry'.

passager, ère [pasaʒe, ɛr] ◆ adj passing. ◆ nm, f passenger ▸ **passager clandestin** stowaway.

passant, e [pasã, ãt] ◆ nm, f passerby. ◆ nm (belt) loop.

passe [pas] nf SPORT pass.

passé, e [pase] ◆ adj **1.** [terminé] past **2.** [précédent] last **3.** [décoloré] faded. ◆ nm past ▸ **il est 11 heures passées** it's after 11 o'clock.

passe-partout [paspartu] nm inv [clé] skeleton key.

passe-passe [paspas] **nm inv : tour de passe-passe** conjuring trick.

passeport [paspɔr] nm passport.

passer [3] [pase] ◆ vi **1.** [aller, défiler] to go by ou past ▶ **passer par** [lieu] to pass through **2.** [faire une visite rapide] to drop in ▶ **passer voir qqn** to drop in on sb **3.** [facteur, autobus] to come **4.** [se frayer un chemin] to get past ▶ **laisser passer qqn** to let sb past **5.** [à la télé, à la radio, au cinéma] to be on ▶ **ce film passe demain à la télé** the film's on TV tomorrow **6.** [s'écouler] to pass ▶ **comme le temps passe !** how time flies! **7.** [douleur] to go away ; [couleur] to fade **8.** [à un niveau différent] to move up ▶ **je passe en 3e** SCOL I'm moving up into the fifth year ▶ **passer en seconde** [vitesse] to change into second **9.** [dans des expressions] : **passons !** [pour changer de sujet] let's move on! ▶ **en passant** in passing

◆ vt **1.** [temps, vacances] to spend ▶ **nous avons passé l'après-midi à chercher un hôtel** we spent the afternoon looking for a hotel **2.** [obstacle, frontière] to cross ▶ **passer une rivière à la nage** to swim across a river ; [douane] to go through **3.** [examen] to take ; [visite médicale, entretien] to have **4.** [vidéo, CD] to play ; [au cinéma, à la télé] to show ▶ **on passe un western au Rex** there's a western on at the Rex **5.** [vitesse] to change into **6.** [mettre, faire passer] to put ▶ **passer le bras par la portière** to put one's arm out of the door ▶ **passer l'aspirateur** to do the vacuuming **7.** [filtrer] to strain **8.** [sauter] : **passer son tour** to pass **9.** [donner, transmettre] to pass ▶ **passer qqch à qqn a)** [objet] to pass sb sth **b)** [mala-

die] to give sb sthg ▶ **je vous le passe** [au téléphone] I'll put him on

◆ **passer pour** v + prép to be thought of as ▶ **se faire passer pour** to pass o.s. off as.

◆ **se passer** vp **1.** [arriver] to happen ▶ **qu'est-ce qui se passe ?** what's going on? ▶ **se passer bien/mal** to go well / badly **2.** [crème, eau] : **je vais me passer de l'huile solaire sur les jambes** I'm going to put suntan oil on my legs.

◆ **se passer de** vp + prép to do without.

passerelle [pasrɛl] nf **1.** [pont] footbridge **2.** [d'embarquement] gangway **3.** [sur un bateau] bridge.

passe-temps [pastɑ̃] nm inv pastime.

passible [pasibl] adj : **passible de** liable to.

passif, ive [pasif, iv] adj & nm passive.

passion [pasjɔ̃] nf passion.

passionnant, e [pasjɔnɑ̃, ɑ̃t] adj fascinating.

passionné, e [pasjɔne] adj passionate ▶ **passionné de musique** mad on music.

passionner [3] [pasjɔne] vt to grip.
◆ **se passionner pour** vp + prép to have a passion for.

passoire [paswar] nf **1.** [à thé] strainer **2.** [à légumes] colander.

password [paswɔrd] nm INFORM password.

pastel [pastɛl] adj inv pastel.

pastèque [pastɛk] nf watermelon.

pasteur [pastœr] nm RELIG pastor, minister. ◆ **Pasteur** [pastœr] nm : **l'Institut Pasteur** important medical research centre.

pasteurisé, e [pastœrize] adj pasteurized.

pastille [pastij] nf pastille.

pastis [pastis] nm aniseed-flavoured aperitif.

patate [patat] nf fam [pomme de terre] spud ▸ **patates pilées** Québec mashed potato.

patauger [17] [patoʒe] vi to splash about.

patch nm patch.

pâte [pat] nf 1. [à pain] dough 2. [à tarte] pastry 3. [à gâteau] mixture ▸ **pâte d'amandes** almond paste ▸ **pâte brisée** shortcrust pastry ▸ **pâte feuilletée** puff pastry ▸ **pâte de fruits** jelly made from fruit paste ▸ **pâte à modeler** Plasticine® ▸ **pâte sablée** shortcrust pastry.
◆ **pâtes** nfpl [nouilles] pasta sg.

pâté [pate] nm 1. [charcuterie] pâté 2. [de sable] sandpie 3. [tache] blot ▸ **pâté de maisons** block (of houses) ▸ **pâté chinois** Québec shepherd's pie with a layer of sweetcorn.

pâtée [pate] nf [pour chien] food.

paternel, elle [patɛrnɛl] adj paternal.

pâteux, euse [patø, øz] adj chewy.

patiemment [pasjamã] adv patiently.

patience [pasjãs] nf patience.

patient, e [pasjã, ãt] adj & nm, f patient.

patienter [3] [pasjãte] vi to wait.

patin [patɛ̃] nm : **patins à glace** ice skates ▸ **patins à roulettes** roller skates.

patinage [patinaʒ] nm skating ▸ **patinage artistique** figure skating.

patiner [3] [patine] vi 1. [patineur] to skate 2. [voiture] to skid 3. [roue] to spin.

patineur, euse [patinœr, øz] nm, f skater.

patinoire [patinwar] nf ice rink.

pâtisserie [patisri] nf 1. [gâteau] pastry 2. [magasin] ≃ cake shop.

pâtissier, ère [patisje, ɛr] nm, f pastrycook.

patois [patwa] nm dialect.

patrie [patri] nf native country.

patrimoine [patrimwan] nm 1. [d'une famille] inheritance 2. [d'un pays] heritage.

patriote [patrijɔt] nmf patriot.

patriotique [patrijɔtik] adj patriotic.

patron, onne [patrɔ̃, ɔn] ◆ nm, f boss.
◆ nm [modèle de vêtement] pattern.

patronat [patrɔna] nm employers.

patrouille [patruj] nf patrol.

patte [pat] nf 1. [jambe] leg 2. [pied de chien, de chat] paw 3. [pied d'oiseau] foot 4. [de boutonnage] loop 5. [de cheveux] sideburn.

pâturage [patyraʒ] nm pasture land.

paume [pom] nf palm.

paumé, e [pome] fam ◆ adj lost.
◆ nm, f down and out.

paumer [3] [pome] ◆ **se paumer** vi fam to get lost.

paupière [popjɛr] nf eyelid.

paupiette [popjɛt] nf thin slice of meat rolled around a filling.

pause [poz] nf break ▸ **'pause'** [sur un lecteur CD, un magnétoscope] 'pause'.

pause-café [pozkafe] (pl **pauses-café**) nf coffee break.

pauvre [povr] adj poor.

pauvreté [povrəte] nf poverty.

pavé, e [pave] ◆ **adj** cobbled. ◆ **nm 1.** INFORM paving stone **2.** [pierre] paving stone ▸ **pavé numérique** INFORM numeric keypad ▸ **pavé de rumsteack** thick rump steak ▸ **pavé de cabillaud** chunky cod steak.

pavillon [pavijɔ̃] **nm** [maison individuelle] detached house.

payant, e [pejɑ̃, ɑ̃t] **adj 1.** [spectacle] with an admission charge **2.** [hôte] paying.

paye [pej] **nf** pay.

payer [11] [peje] ◆ **vt 1.** to pay **2.** [achat] to pay for ▸ **bien/mal payé** well /badly paid ▸ **payer qqch à qqn** *fam* [offrir] to buy sthg for sb, to treat sb to sthg ▸ **'payez ici'** 'pay here'.

pays [pei] **nm** country ▸ **les gens du pays** [de la région] the local people ▸ **de pays** [jambon, fromage] local ▸ **le pays de Galles** Wales.

paysage [peizaʒ] **nm** landscape.

paysan, anne [peizɑ̃, an] **nm, f** (small) farmer.

Pays-Bas [peiba] **nmpl : les Pays-Bas** the Netherlands.

PC nm 1. (*abr de* **Parti communiste**) CP (*Communist Party*) **2.** [ordinateur] PC (*Personal Computer*).

PCV nm : appeler en PCV to make a reverse-charge call UK, to call collect US.

PDA nm PDA.

PDF nm PDF.

P-DG nm (*abr de* **président-directeur général**) ≃ MD (*managing director*) UK ; ≃ CEO (*chief executive officer*) US.

péage [peaʒ] **nm 1.** [taxe] toll **2.** [lieu] tollbooth.

peau [po] (*pl* **-x**) **nf** skin ▸ **peau de chamois** chamois leather.

pêche [pɛʃ] **nf 1.** [fruit] peach **2.** [activité] fishing ▸ **pêche à la ligne** angling ▸ **pêche en mer** sea fishing ▸ **pêche Melba** peach Melba.

péché [peʃe] **nm** sin.

pêcher [4] [peʃe] ◆ **vt** [poisson] to catch. ◆ **vi** to go fishing. ◆ **nm** peach tree.

pêcheur, euse [peʃœr, øz] **nm, f** fisherman (fisherwoman).

pédagogie [pedagɔʒi] **nf** [qualité] teaching ability.

pédagogique [pedagɔʒik] **adj** educational ; [méthode] teaching (*avant n*).

pédale [pedal] **nf** pedal.

pédaler [3] [pedale] **vi** to pedal.

pédalier [pedalje] **nm** pedals and chain wheel assembly.

Pédalo® [pedalo] **nm** pedal boat.

pédant, e [pedɑ̃, ɑ̃t] **adj** pedantic.

pédestre [pedɛstr] **adj → randonnée.**

pédiatre [pedjatr] **nmf** pediatrician.

pédicure [pedikyr] **nmf** chiropodist UK, podiatrist US.

pedigree [pedigre] **nm** pedigree.

pédophile [pedɔfil] **nm** pedophile.

pédopsychiatre [pedɔpsikjatr] **nmf** child psychiatrist.

peigne [pɛɲ] **nm** comb.

peigner [4] [peɲe] **vt** to comb. ◆ **se peigner** **vp** to comb one's hair.

peignoir [peɲwar] **nm** dressing gown UK, robe US ▸ **peignoir de bain** bathrobe.

peindre [81] [pɛ̃dr] **vt** to paint ▸ **peindre qqch en blanc** to paint sthg white.

peine [pɛn] nf **1.** [tristesse] sorrow **2.** [effort] difficulty **3.** [de prison] sentence ▸ **avoir de la peine** to be sad ▸ **avoir de la peine à faire qqch** to have difficulty doing sthg ▸ **faire de la peine à qqn** to upset sb ▸ **ce n'est pas la peine** it's not worth it ▸ **ce n'est pas la peine d'y aller** it's not worth going ▸ **valoir la peine** to be worth it ▸ **sous peine de** on pain of ▸ **peine de mort** death penalty ▸ **à peine** hardly.

peiner [4] [pene] ◆ vt to sadden. ◆ vi to struggle.

peint, e [pɛ̃, pɛ̃t] pp → **peindre**.

peintre [pɛ̃tr] nm painter.

peinture [pɛ̃tyr] nf **1.** [matière] paint **2.** [œuvre d'art] painting **3.** [art] painting.

péjoratif, ive [peʒɔratif, iv] adj pejorative.

Pékin [pekɛ̃] n Beijing, Peking.

pelage [pəlaʒ] nm coat.

pêle-mêle [pɛlmɛl] adv higgledy-piggledy.

peler [25] [pəle] vt & vi to peel.

pèlerin [pɛlrɛ̃] nm pilgrim.

pèlerinage [pɛlrinaʒ] nm pilgrimage.

pelle [pɛl] nf **1.** shovel **2.** [jouet d'enfant] spade.

pellicule [pelikyl] nf film.
◆ **pellicules** nfpl dandruff *sg*.

pelote [pələt] nf [de fil, de laine] ball.

peloton [plɔtɔ̃] nm [de cyclistes] pack.

pelotonner [3] [pələtɔne] ◆ **se pelotonner** vp to curl up.

pelouse [pəluz] nf lawn ▸ **'pelouse interdite'** 'keep off the grass'.

peluche [pəlyʃ] nf [jouet] soft toy ▸ **animal en peluche** cuddly animal.

pelure [pəlyr] nf peel.

pénal, e, aux [penal, o] adj penal.

pénaliser [3] [penalize] vt to penalize.

penalty [penalti] (*pl* -s *ou* -ies) nm SPORT penalty.

penchant [pɑ̃ʃɑ̃] nm : **avoir un penchant pour** to have a liking for.

pencher [3] [pɑ̃ʃe] vt **1.** [tête] to bend **2.** [objet] to tilt ▸ **pencher pour** to incline towards. ◆ **se pencher** vp **1.** [s'incliner] to lean over **2.** [se baisser] to bend ▸ **se pencher par la fenêtre** to lean out of the window.

pendant [pɑ̃dɑ̃] prép during ▸ **pendant deux semaines** for two weeks ▸ **pendant que** while.

pendentif [pɑ̃dɑ̃tif] nm pendant.

penderie [pɑ̃dri] nf wardrobe 𝑈𝐾, closet 𝑈𝑆.

pendre [73] [pɑ̃dr] vt & vi to hang. ◆ **se pendre** vp [se tuer] to hang o.s.

pendule [pɑ̃dyl] nf clock.

pénétrer [18] [penetre] vi : **pénétrer dans a)** [entrer dans] to enter **b)** [s'incruster dans] to penetrate.

pénible [penibl] adj **1.** [travail] tough **2.** [souvenir, sensation] painful **3.** *fam* [agaçant] tiresome.

péniche [peniʃ] nf barge.

pénicilline [penisilin] nf penicillin.

péninsule [penɛ̃syl] nf peninsula.

pénis [penis] nm penis.

pénombre [penɔ̃br] nf half-light.

pense-bête [pɑ̃sbɛt] (*pl* pense-bêtes) nm reminder.

pensée [pɑ̃se] nf **1.** thought **2.** [esprit] mind **3.** [fleur] pansy.

penser [3] [pɑ̃se] vt & vi to think
▸ **qu'est-ce que tu en penses ?** what do
you think (of it)? ▸ **penser faire qqch** to
plan to do sthg ▸ **penser à** a) [réfléchir à]
to think about b) [se souvenir de] to remember ▸ **penser à faire qqch** to think of
doing sthg.

pensif, ive [pɑ̃sif, iv] adj thoughtful.

pension [pɑ̃sjɔ̃] nf 1. [hôtel] guest
house 2. [allocation] pension ▸ **être en
pension** [élève] to be at boarding school
▸ **pension complète** full board ▸ **pension de famille** family-run guest house.

pensionnaire [pɑ̃sjɔnεr] nmf 1. [élève]
boarder 2. [d'un hôtel] resident.
→ **demi-pensionnaire**.

pensionnat [pɑ̃sjɔna] nm boarding school.

pente [pɑ̃t] nf slope ▸ **en pente** sloping.

Pentecôte [pɑ̃tkot] nf : **la Pentecôte**
Whitsun.

pentu, e [pɑ̃ty] adj [chemin] steep,
sloping ; [toit] sloping, slanting, pointed.

pénurie [penyri] nf shortage.

pépé [pepe] nm fam grandad.

pépin [pepɛ̃] nm 1. pip 2. fam [ennui]
hitch.

perçant, e [pεrsɑ̃, ɑ̃t] adj 1. [cri] piercing 2. [vue] sharp.

percepteur [pεrsεptœr] nm tax collector.

perceptible [pεrsεptibl] adj perceptible.

perception [pεrsεpsjɔ̃] nf 1. [sensa-
tion] perception 2. [d'impôts] collection.

percer [16] [pεrse] ◆ vt 1. to pierce
2. [avec une perceuse] to drill a hole in

3. [trou, ouverture] to make 4. [réussir] to
make it. ◆ vi [dent] to come through.

perceuse [pεrsøz] nf drill.

percevoir [52] [pεrsəvwar] vt 1. to
perceive 2. [argent] to receive.

perche [pεrʃ] nf [tige] pole.

percher [3] [pεrʃe] ◆ **se percher** vp to
perch ▸ **se percher sur qqch** [personne]
to stand (up) on sthg.

perchoir [pεrʃwar] nm perch.

perçu, e [pεrsy] pp → **percevoir**.

percussions [pεrkysjɔ̃] nfpl percus-
sion sg.

percuter [3] [pεrkyte] vt to crash into.

perdant, e [pεrdɑ̃, ɑ̃t] nm, f loser.

perdre [77] [pεrdr] ◆ vt 1. to lose
2. [temps] to waste. ◆ vi to lose
▸ **perdre qqn de vue** a) [ne plus voir]
to lose sight of sb b) [ne plus avoir de
nouvelles] to lose touch with sb. ◆ **se
perdre** vp to get lost.

perdreau [pεrdro] (pl **-x**) nm young
partridge.

perdrix [pεrdri] nf partridge.

perdu, e [pεrdy] adj 1. [village, coin]
out-of-the-way 2. [isolé] remote.

père [pεr] nm father ▸ **le père Noël** Father Christmas, Santa Claus.

perfection [pεrfεksjɔ̃] nf perfection.

perfectionné, e [pεrfεksjɔne] adj
sophisticated.

perfectionnement [pεrfεksjɔnmɑ̃]
nm improvement.

perfectionner [3] [pεrfεksjɔne] vt to
improve. ◆ **se perfectionner** vp to improve ▸ **se perfectionner en anglais** to
improve one's English.

perforer [3] [pεrfɔre] vt to perforate.

performance [pɛrfɔrmãs] nf performance. ◆ **performances** nfpl [d'ordinateur, de voiture, etc.] (overall) performance.

performant, e [pɛrfɔrmã, ãt] adj **1.** [personne] efficient **2.** [machine] high-performance *(avant n)*.

perfusion [pɛrfyzjɔ̃] nf : **être sous perfusion** to be on a drip.

péril [peril] nm peril ▸ **en péril** in danger.

périlleux, euse [perijø, øz] adj perilous.

périmé, e [perime] adj out-of-date.

périmètre [perimɛtr] nm perimeter.

période [perjɔd] nf period ▸ **en période de vacances** during the holidays ▸ **une période de 3 mois** a three-month period.

périodique [perjɔdik] ◆ adj periodic. ◆ nm periodical.

péripéties [peripesi] nfpl events.

périph [perif] *fam* nm *abr de* **périphérique**.

périphérie [periferi] nf [de ville] outskirts *pl* ▸ **à la périphérie de** on the outskirts of.

périphérique [periferik] ◆ adj [quartier] outlying. ◆ nm INFORM peripheral ▸ **le (boulevard) périphérique** the Paris ring road 🇬🇧, the Paris beltway 🇺🇸 ▸ **périphérique de sortie** INFORM output device.

périr [32] [perir] vi *sout* to perish.

périssable [perisabl] adj perishable.

perle [pɛrl] nf pearl.

permanence [pɛrmanãs] nf **1.** [bureau] office **2.** SCOL free period ▸ **de per-**

manence on duty ▸ **en permanence** permanently.

permanent, e [pɛrmanã, ãt] adj permanent.

permanente [pɛrmanãt] nf perm.

perméable [pɛrmeabl] adj permeable.

permettre [84] [pɛrmɛtr] vt to allow ▸ **permettre à qqn de faire qqch** to allow sb to do sthg. ◆ **se permettre** vp : **se permettre de faire qqch** to take the liberty of doing sthg ▸ **pouvoir se permettre qqch** [financièrement] to be able to afford sthg.

permis, e [pɛrmi, iz] ◆ pp → **permettre**. ◆ nm licence ▸ **il n'est pas permis de fumer** smoking is not permitted ▸ **permis de conduire** driving licence 🇬🇧, driver's license 🇺🇸 ▸ **permis de pêche** fishing permit.

permission [pɛrmisjɔ̃] nf **1.** permission **2.** MIL leave ▸ **demander la permission de faire qqch** to ask permission to do sthg.

Pérou [peru] nm : **le Pérou** Peru.

perpendiculaire [pɛrpãdikylɛr] adj perpendicular.

perpétuel, elle [pɛrpetɥɛl] adj perpetual.

perpétuité [pɛrpetɥite] nf perpetuity ▸ **à perpétuité** for life ▸ **être condamné à perpétuité** to be sentenced to life imprisonment.

perplexe [pɛrplɛks] adj perplexed.

perquisitionner [3] [pɛrkizisjɔne] vt to search, to make a search of.

perron [pɛrɔ̃] nm steps *pl* (leading to building).

perroquet [pɛrɔkɛ] nm parrot.

perruche [peryʃ] nf budgerigar.

perruque [peryk] nf wig.

persécuter [3] [persekyte] vt to persecute.

persécution [persekysjɔ̃] nf persecution.

persévérant, e [perseverɑ̃, ɑ̃t] adj persistent.

persévérer [18] [persevere] vi to persevere.

persienne [persjen] nf shutter.

persil [persi] nm parsley.

persillé, e [persije] adj sprinkled with chopped parsley.

persistant, e [persistɑ̃, ɑ̃t] adj persistent.

persister [3] [persiste] vi to persist ▶ **persister à faire qqch** to persist in doing sthg.

perso [perso] (*abr de* personnel) adj *fam* personal, private.

personnage [persɔnaʒ] nm 1. character 2. [personnalité] person.

personnalisé, e [persɔnalize] adj [voiture, crédit] customized.

personnaliser [3] [persɔnalize] vt 1. to personalize 2. [voiture] to customize.

personnalité [persɔnalite] nf personality.

personne [persɔn] ◆ nf person. ◆ pron no one, nobody ▶ **il n'y a personne** there is no one there ▶ **je n'ai vu personne** I didn't see anyone ▶ **en personne** in person ▶ **par personne** per head ▶ **personne âgée** elderly person.

personnel, elle [persɔnel] ◆ adj personal. ◆ nm staff.

personnellement [persɔnelmɑ̃] adv personally.

personnifier [9] [persɔnifje] vt to personify.

perspective [perspektiv] nf 1. perspective 2. [panorama] view 3. [possibilité] prospect.

persuader [3] [persɥade] vt to persuade ▶ **persuader qqn de faire qqch** to persuade sb to do sthg.

persuasif, ive [persɥazif, iv] adj persuasive.

perte [pert] nf 1. loss 2. [gaspillage] waste ▶ **perte de temps** waste of time.

pertinent, e [pertinɑ̃, ɑ̃t] adj pertinent, relevant.

perturbation [pertyrbasjɔ̃] nf disturbance ▶ **des perturbations dans les transports** traffic disruptions.

perturber [3] [pertyrbe] vt 1. [plans, fête] to disrupt 2. [troubler] to disturb.

péruvien, enne [peryvjɛ̃, ɛn] adj Peruvian. ◆ **Péruvien, enne** nm, f Peruvian.

pesant, e [pəzɑ̃, ɑ̃t] adj [gros] heavy.

pesanteur [pəzɑ̃tœr] nf gravity.

pèse-personne [pezpersɔn] nm inv scales *pl*.

peser [19] [pəze] vt & vi to weigh ▶ **peser lourd** to be heavy.

pessimisme [pesimism] nm pessimism.

pessimiste [pesimist] ◆ adj pessimistic. ◆ nmf pessimist.

peste [pest] nf plague.

pesto [pesto] nm pesto ▶ **pâtes au pesto** pasta with pesto.

pétale [petal] nm petal.

perruche [peryʃ] nf budgerigar.

pétanque [petɑ̃k] nf ≃ bowls *sg.*

pétard [petar] nm [explosif] fire-cracker.

pété, e [pete] adj *vulg* **1.** [ivre] plastered, smashed ; [drogué] stoned, high (as a kite) **2.** [cassé] broken, bust.

péter [18] [pete] vi **1.** *fam* [se casser] to bust **2.** [personne] to fart ▸ **péter les plombs** ou **un boulon** *fam* to (completely) lose it.

pétillant, e [petijɑ̃, ɑ̃t] adj sparkling.

pétiller [3] [petije] vi **1.** [champagne] to fizz **2.** [yeux] to sparkle.

petit, e [p(ə)ti, it] ◆ adj **1.** small, little **2.** [en durée] short **3.** [peu important] small. ◆ nm, f [à l'école] junior ▸ **petit** [d'un animal] young ▸ **petit ami** boyfriend ▸ **petite amie** girlfriend ▸ **petit déjeuner** breakfast ▸ **petit pain** (bread) roll ▸ **petit pois** (garden) pea ▸ **petit pot** jar (of baby food) ▸ **petit à petit** little by little.

petit-beurre [p(ə)tibœr] (*pl* **petits-beurre**) nm square dry biscuit made with butter.

petit-déj' [pətideʒ] nm *fam* breakfast, brekkie [UK].

petit déjeuner [p(ə)tideʒøne] nm breakfast ▸ **'petit déjeuner compris'** 'breakfast included'.

petite-fille [p(ə)titfij] (*pl* **petites-filles**) nf granddaughter.

petit-fils [p(ə)tifis] (*pl* **petits-fils**) nm grandson.

petit-four [p(ə)tifur] (*pl* **petits-fours**) nm petit four ; small sweet cake or savoury.

pétition [petisjɔ̃] nf petition.

petit pois [pətipwa] (*pl* **petits pois**) nm (garden) pea.

petits-enfants [p(ə)tizɑ̃fɑ̃] nmpl grandchildren.

petit-suisse [p(ə)tisɥis] (*pl* **petits-suisses**) nm thick fromage frais sold in small individual portions and eaten as a dessert.

pétrole [petrɔl] nm oil.

pétrolier [petrɔlje] nm oil tanker.

peu [pø] ◆ adv **1.** [avec un verbe] not much ; [avec un adjectif, un adverbe] not very ▸ **j'ai peu voyagé** I haven't travelled much ▸ **peu aimable** not very nice ▸ **ils sont peu nombreux** there aren't many of them ▸ **peu après** soon afterwards **2.** [avec un nom] **: peu de a)** [sel, temps] not much, a little **b)** [gens, vêtements] not many, few **3.** [dans le temps] **: avant peu** il y a peu a short time ago **4.** [dans des expressions] **: à peu près** about ▸ **peu à peu** little by little.

◆ nm **: un peu** a bit, a little ▸ **un petit peu** a little bit ▸ **un peu de** a little.

peuple [pœpl] nm people.

peupler [5] [pœple] vt **1.** [pays] to populate **2.** [rivière] to stock **3.** [habiter] to inhabit.

peuplier [pœplije] nm poplar.

peur [pœr] nf fear ▸ **avoir peur** to be afraid ▸ **avoir peur de qqch** to be afraid of sthg ▸ **avoir peur de faire qqch** to be afraid of doing sthg ▸ **faire peur à qqn** to frighten sb.

peureux, euse [pœrø, øz] adj timid.

peut [pø] 3e pers. du sg de l'ind. prés. → **pouvoir**.

peut-être [pøtɛtr] adv perhaps, maybe ▸ **peut-être qu'il est parti** perhaps he's left.

peux [pø] 1re et 2e pers. du sg de l'ind. prés. → **pouvoir**.

phalange [falɑ̃ʒ] nf finger bone.

pharaon [faraɔ̃] nm pharaoh.

phare [far] nm **1.** [de voiture] headlight **2.** [sur la côte] lighthouse.

pharmacie [farmasi] nf **1.** [magasin] chemist's UK, drugstore US **2.** [armoire] medicine cabinet.

pharmacien, enne [farmasjɛ̃, ɛn] nm, f chemist UK, druggist US.

phase [faz] nf phase ▸ **en phase terminale** MÉD in the terminal phase.

phénoménal, e, aux [fenɔmenal, o] adj phenomenal.

phénomène [fenɔmɛn] nm phenomenon.

philatélie [filateli] nf stamp-collecting.

Philippines [filipin] nfpl : **les Philippines** the Philippines.

philo [filo] nf fam philosophy.

philosophe [filɔzɔf] ◆ adj philosophical. ◆ nmf philosopher.

philosophie [filɔzɔfi] nf philosophy.

phobie [fɔbi] nf phobia.

phonétique [fɔnetik] adj phonetic.

phoque [fɔk] nm seal.

phosphorescent, e [fɔsfɔresɑ̃, ɑ̃t] adj phosphorescent.

photo [fɔto] nf **1.** photo **2.** [art] photography ▸ **prendre qqn/qqch en photo** to take a photo of sb /sthg ▸ **prendre une photo (de)** to take a photo (of).

photocopie [fɔtokɔpi] nf photocopy.

photocopier [9] [fɔtokɔpje] vt to photocopy.

photocopieuse [fɔtokɔpjøz] nf photocopier.

photographe [fɔtɔgraf] nmf **1.** [artiste] photographer **2.** [commerçant] camera dealer and film developer.

⚠ Photograph est un faux ami, il signifie **photographie** et non « photographe ».

photographie [fɔtɔgrafi] nf **1.** [procédé, art] photography **2.** [image] photograph.

photographier [9] [fɔtɔgrafje] vt to photograph.

Photomaton® [fɔtɔmatɔ̃] nm photo-booth.

phrase [fraz] nf sentence.

physionomie [fizjɔnɔmi] nf [d'un visage] physiognomy.

physique [fizik] ◆ adj physical. ◆ nf physics sg. ◆ nm [apparence] physique.

physiquement [fizikmɑ̃] adv physically.

pi (abr écrite de **pour information**) FYI (for your information).

pianiste [pjanist] nmf pianist.

piano [pjano] nm piano ▸ **jouer du piano** to play (the) piano.

pic [pik] nm [montagne] peak ▸ **à pic** a) [descendre] vertically b) fig [tomber, arriver] at just the right moment ▸ **couler à pic** to sink like a stone.

pichet [piʃɛ] nm jug.

pickpocket [pikpɔkɛt] nm pickpocket.

picorer [3] [pikɔre] vt to peck.

picotement [pikɔtmɑ̃] nm prickling.

picoter [3] [pikɔte] vt to sting.

pie [pi] nf magpie.

pièce [pjɛs] nf 1. [argent] coin 2. [salle] room 3. [sur un vêtement] patch 4. [morceau] piece ▸ **20 euros pièce** 20 euros each ▸ **(maillot de bain) une pièce** one-piece (swimming costume) ▸ **pièce d'identité** identity card ▸ **pièce de monnaie** coin ▸ **pièce montée** wedding cake ▸ **pièce de rechange** spare part ▸ **pièce (de théâtre)** play ▸ **'pièces acceptées'** 'coins accepted'

pied [pje] nm foot ▸ **à pied** on foot ▸ **au pied de** at the foot of ▸ **avoir pied** to be able to touch the bottom ▸ **mettre sur pied** to get off the ground ▸ **prendre son pied** fam to get one's kicks.

piège [pjɛʒ] nm trap ▸ **être pris au piège** to be trapped.

piéger [22] [pjeʒe] vt 1. to trap 2. [voiture, valise] to booby-trap.

piercing [pirsiŋ] nm body piercing.

pierre [pjɛr] nf stone ▸ **pierre précieuse** precious stone.

piétiner [3] [pjetine] ◆ vt to trample. ◆ vi [foule] to mill around.

piéton, onne [pjetɔ̃, ɔn] ◆ nm, f pedestrian. ◆ adj = **piétonnier**.

piétonnier, ère [pjetɔnje, ɛr] adj pedestrianized.

pieu [pjø] (pl -x) nm post.

pieuvre [pjœvr] nf octopus.

pif(f)er [3] [pife] vt vulg : **je ne peux pas le piffer !** I just can't stand him!

pifomètre [pifɔmɛtr] nm fam : **faire qqch au pifomètre** to follow one's hunch in doing sthg.

pigeon [piʒɔ̃] nm pigeon.

piger [17] [piʒe] fam ◆ vt to understand. ◆ vi to get it.

pignon [piɲɔ̃] nm pine kernel.

pilaf [pilaf] nm → **riz**.

pile [pil] ◆ nf 1. [tas] pile 2. [électrique] battery. ◆ adv [arriver] at just the right moment ▸ **jouer qqch à pile ou face** to toss (up) for sthg ▸ **pile ou face ?** heads or tails? ▸ **s'arrêter pile** to stop dead ▸ **trois heures pile** three o'clock on the dot.

pile-poil [pilpwal] adv fam just ▸ **je suis arrivé pile-poil à l'heure** I arrived exactly on time.

piler [3] [pile] ◆ vt to crush. ◆ vi fam [freiner] to brake hard.

pilier [pilje] nm pillar.

piller [3] [pije] vt to loot.

pilote [pilɔt] nmf 1. [d'avion] pilot 2. [de voiture] driver.

piloter [3] [pilɔte] vt 1. [avion] to fly 2. [voiture] to drive 3. [diriger] to show around.

pilotis [pilɔti] nm stilts pl.

pilule [pilyl] nf pill ▸ **prendre la pilule** to be on the pill.

piment [pimɑ̃] nm [condiment] chilli ▸ **piment doux** sweet pepper ▸ **piment rouge** chilli (pepper).

pimenté, e [pimɑ̃te] adj spicy.

pin [pɛ̃] nm INFORM PIN.

pin' [pɛ̃] nm pine.

pinard [pinar] nm fam wine.

pince [pɛ̃s] nf 1. [outil] pliers pl 2. [de crabe] pincer 3. [de pantalon] pleat ▸ **pince à cheveux** hair clip ▸ **pince à épiler** tweezers pl ▸ **pince à linge** clothes peg.

pinceau [pɛ̃so] (pl -x) nm brush.

pincée [pɛ̃se] nf pinch.

pincer [16] [pɛ̃se] vt **1.** [serrer] to pinch **2.** [coincer] to catch.

pinède [pinɛd] nf pinewood.

pingouin [pɛ̃gwɛ̃] nm penguin.

ping-pong [piŋpɔ̃g] nm table tennis.

pin's [pins] nm inv badge.

pintade [pɛ̃tad] nf guinea fowl.

pinte [pɛ̃t] nf **1.** Suisse [café] café **2.** [de bière] pint.

pioche [pjɔʃ] nf [outil] pick.

piocher [3] [pjɔʃe] vi [aux cartes, aux dominos] to pick up.

pion [pjɔ̃] nm **1.** [aux échecs] pawn **2.** [aux dames] piece.

pionnier, ère [pjɔnje, ɛr] nm, f pioneer.

pipe [pip] nf pipe.

pipi [pipi] nm *fam* : **faire pipi** to have a wee.

piquant, e [pikɑ̃, ɑ̃t] ◆ adj [épicé] spicy. ◆ nm [de fleur] thorn.

pique [pik] ◆ nf [remarque] spiteful remark. ◆ nm [aux cartes] spades *pl*.

pique-nique [piknik] (*pl* **pique-niques**) nm picnic.

pique-niquer [3] [piknike] vi to have a picnic.

piquer [3] [pike] ◆ vt **1.** [suj : aiguille, pointe] to prick **2.** [suj : guêpe, ortie, fumée] to sting **3.** [suj : moustique] to bite **4.** [planter] to stick. ◆ vi **1.** [insecte] to sting **2.** [épice] to be hot ▶ **je me suis fait piquer par un moustique** I got bitten by a mosquito.

piquet [pike] nm stake.

piqueur [pikœr] adj m → **marteau**.

piqûre [pikyr] nf **1.** [d'insecte] sting **2.** [de moustique] bite **3.** MÉD injection ▶ **piqûre de rappel** booster (injection).

piratage [pirataʒ] nm **1.** INFORM hacking **2.** [de vidéos, de cassettes] pirating.

pirate [pirat] ◆ nm pirate. ◆ adj [radio, cassette] pirate ▶ **pirate de l'air** hijacker.

pirater [3] [pirate] vt to pirate.

pire [pir] ◆ adj **1.** [comparatif] worse **2.** [superlatif] worst. ◆ nm : **le pire** the worst.

pirouette [pirwɛt] nf pirouette.

pis [pi] nm [de vache] udder.

piscine [pisin] nf swimming pool.

pissenlit [pisɑ̃li] nm dandelion.

pisser [3] [pise] vi *vulg* to piss.

pistache [pistaʃ] nf pistachio (nut).

piste [pist] nf **1.** [track, trail **2.** [indice] lead **3.** [de cirque] (circus) ring **4.** [de ski] run **5.** [d'athlétisme] track ▶ **piste (d'atterrissage)** runway ▶ **piste cyclable a)** cycle track **b)** [sur la route] cycle lane ▶ **piste de danse** dance floor ▶ **piste verte/bleue/rouge/noire** [de ski] green/blue/red/black run (*in order of difficulty*).

pistolet [pistɔlɛ] nm gun.

piston [pistɔ̃] nm **1.** [de moteur] piston **2.** [aider] hand ▶ **donner un coup de piston à qqn** to pull strings for sb.

pistonner [3] [pistɔne] vt to pull strings for ▶ **se faire pistonner** to get a leg up.

pithiviers [pitivje] nm puff pastry cake filled with almond cream.

pitié [pitje] nf pity ▶ **avoir pitié de qqn** to feel pity for sb ▶ **elle me fait pitié** I feel sorry for her.

pitoyable [pitwajabl] adj pitiful.

pitre [pitʁ] nm clown ▸ **faire le pitre** to play the fool.

pittoresque [pitɔʁɛsk] adj picturesque.

pivoine [pivwan] nf peony.

pivotant, e [pivɔtɑ̃, ɑ̃t] adj swivel *(avant n)* ▸ **fauteuil pivotant** swivel chair.

pivoter [3] [pivɔte] vi 1. [personne] to turn round 2. [fauteuil] to swivel.

pixel [piksɛl] nm pixel.

pixellisation [pikselizasjɔ̃] nf pixelation.

pizza [pidza] nf pizza.

pizzeria [pidzeʁja] nf pizzeria.

PJ ◆ *(abr écrite de* pièce jointe) Encl. *(enclosed).* ◆ **nf** *(abr de* police judiciaire) ≃ CID [UK] *(Criminal Investigation Department)* ; ≃ FBI [US] *(Federal Bureau of Investigation).*

placard [plakaʁ] nm cupboard.

placarder [3] [plakaʁde] vt [affiche] to stick up.

place [plas] nf 1. [endroit, dans un classement] place 2. [de parking] space 3. [siège] seat 4. [d'une ville] square 5. [espace] room, space 6. [emploi] job ▸ **changer qqch de place** to move sthg ▸ **à la place de** instead of ▸ **sur place** on the spot ▸ **place assise** seat ▸ **place debout** [au concert] standing ticket.

⚠ Le mot anglais **place** ne traduit que rarement le mot français « place ». Voir article.

placement [plasmɑ̃] nm [financier] investment.

placer [16] [plase] vt 1. to place 2. [argent] to invest. ◆ **se placer vp** 1. [se mettre debout] to stand 2. [s'asseoir] to sit (down) 3. [se classer] to come.

plafond [plafɔ̃] nm ceiling.

plafonnier [plafɔnje] nm ceiling light.

plage [plaʒ] nf 1. beach 2. [de CD] track ▸ **plage arrière** back shelf.

plaider [4] [plede] ◆ vt DR to plead. ◆ vi DR to plead ▸ **plaider contre qqn** to plead against sb ▸ **plaider coupable /non coupable** to plead guilty / not guilty.

plaie [plɛ] nf 1. [blessure] wound 2. [personne ennuyeuse] pain 3. [Bible] plague.

plaindre [80] [plɛ̃dʁ] vt to feel sorry for. ◆ **se plaindre vp** to complain ▸ **se plaindre de** to complain about.

plaine [plɛn] nf plain.

plaint, e [plɛ̃, plɛ̃t] pp → **plaindre**.

plainte [plɛ̃t] nf 1. [gémissement] moan 2. [en justice] complaint ▸ **porter plainte** to lodge a complaint.

plaintif, ive [plɛ̃tif, iv] adj plaintive.

plaire [110] [plɛʁ] vi : **elle me plaît** I like her ▸ **le film m'a beaucoup plu** I enjoyed the film a lot ▸ **s'il vous /te plaît** please. ◆ **se plaire vp** : **tu te plais ici ?** do you like it here?

plaisance [plezɑ̃s] nf → **navigation**, **port**.

plaisanter [3] [plezɑ̃te] vi to joke.

plaisanterie [plezɑ̃tʁi] nf joke.

plaisir [pleziʁ] nm pleasure ▸ **votre lettre m'a fait très plaisir** I was delighted to receive your letter ▸ **avec plaisir !** with pleasure!

plan [plã] nm **1.** plan **2.** [carte] map **3.** [niveau] level ▸ **au premier/second plan** in the foreground/background ▸ **gros plan** close-up ▸ **plan d'eau** lake ▸ **plan du quartier** map of the district.

planche [plãʃ] nf plank ▸ **faire la planche** to float ▸ **planche à roulettes** skateboard ▸ **planche à voile** windsurf ▸ **faire de la planche à voile** to windsurf.

plancher [plãʃe] nm floor.

planer [3] [plane] vi to glide.

planète [planɛt] nf planet.

planeur [planœr] nm glider.

planifier [9] [planifje] vt to plan.

planning [planiŋ] nm schedule.

plantage [plãtaʒ] nm INFORM crash ▸ **il a subi un gros plantage aux législatives** he took a terrible beating in the general election.

plantation [plãtasjɔ̃] nf [exploitation agricole] plantation ▸ **plantations** [plantes] plants.

plante [plãt] nf plant ▸ **plante du pied** sole (of the foot) ▸ **plante grasse** succulent (plant) ▸ **plante verte** houseplant.

planter [3] [plãte] vt **1.** [graines] to plant **2.** [enfoncer] to drive in **3.** INFORM to crash.

plaque [plak] nf **1.** sheet **2.** [de chocolat] bar **3.** [de beurre] pack **4.** [sur un mur] plaque **5.** [tache] patch ▸ **plaque chauffante** hotplate ▸ **plaque d'immatriculation** ou **minéralogique** numberplate UK, license plate US.

plaqué, e [plake] adj ▸ **plaqué or/argent** gold/silver-plated.

plaquer [3] [plake] vt **1.** [aplatir] to flatten **2.** [au rugby] to tackle.

plaquette [plakɛt] nf **1.** [de beurre] pack **2.** [de chocolat] bar ▸ **plaquette de frein** brake pad.

plasma [plasma] nm ▸ **écran (à) plasma** plasma screen.

plastifié, e [plastifje] adj plastic-coated.

plastique [plastik] nm plastic ▸ **sac en plastique** plastic bag.

plat, e [pla, plat] ◆ adj **1.** flat **2.** [eau] still. ◆ nm **1.** dish **2.** [de menu] course ▸ **à plat a)** [pneu, batterie] flat **b)** fam [fatigué] exhausted ▸ **se mettre à plat ventre** to lie face down ▸ **plat cuisiné** ready-cooked dish ▸ **plat du jour** dish of the day ▸ **plat de résistance** main course.

platane [platan] nm plane tree.

plateau [plato] (pl -x) nm **1.** [de cuisine] tray **2.** [plaine] plateau **3.** [de télévision, de cinéma] set ▸ **plateau à fromages** cheese board ▸ **plateau de fromages** cheese board.

plate-bande [platbãd] (pl **plates-bandes**) nf flowerbed.

plate-forme [platfɔrm] (pl **plates-formes**) nf platform.

platine [platin] nf ▸ **platine cassette** cassette deck ▸ **platine laser** compact disc player.

plâtre [platr] nm **1.** plaster **2.** MÉD plaster cast.

plâtrer [3] [platre] vt MÉD to put in plaster.

plausible [plozibl] adj plausible.

plébiscite [plebisit] nm Suisse [référendum] referendum.

plein, e [plɛ̃, plɛn] ◆ adj full. ◆ nm : **faire le plein (d'essence)** to fill up ▸ **plein de a)** full of **b)** fam [beaucoup de] lots of ▸ **en plein air** in the open air ▸ **en pleine forme** in good form ▸ **en pleine nuit** in the middle of the night ▸ **en plein milieu** bang in the middle ▸ **pleins phares** with full beams on UK, high beams US.

pleurer [5] [plœre] vi to cry.

pleureur [plœrœr] adj m → **saule**.

pleurnicher [3] [plœrniʃe] vi to whine.

pleurote [plœrɔt] nm oyster mushroom.

pleut [plø] 3ᵉ pers. du sg de l'ind. prés. → **pleuvoir**.

pleuvoir [68] [pløvwar] ◆ vi (insultes, coups, bombes) to rain down. ◆ v impers : **il pleut** it's raining ▸ **il pleut à verse** it's pouring (down).

Plexiglas® [pleksiglas] nm Plexiglass®.

pli [pli] nm 1. (d'un papier, d'une carte) fold 2. (d'une jupe) pleat 3. (d'un pantalon) crease 4. (aux cartes) trick ▸ **(faux) pli** crease.

pliant, e [plijɑ̃, ɑ̃t] ◆ adj folding. ◆ nm folding chair.

plier [10] [plije] ◆ vt 1. to fold 2. (lit, tente) to fold up 3. (courber) to bend. ◆ vi (se courber) to bend.

plinthe [plɛ̃t] nf (en bois) skirting board.

plissé, e [plise] adj (jupe) pleated.

plisser [3] [plise] vt 1. (papier) to fold 2. (tissu) to pleat 3. (yeux) to screw up.

plomb [plɔ̃] nm 1. (matière) lead 2. (fusible) fuse 3. (de pêche) sinker 4. (de chasse) shot ▸ **les plombs ont sauté** the fuses have blown.

plombage [plɔ̃baʒ] nm (d'une dent) filling.

plombe [plɔ̃b] nf vulg hour ▸ **ça fait trois plombes que j'attends** I've been waiting for three hours.

plomberie [plɔ̃bri] nf plumbing.

plombier [plɔ̃bje] nm plumber.

plongeant, e [plɔ̃ʒɑ̃, ɑ̃t] adj 1. (décolleté) plunging 2. (vue) from above ▸ **une vue plongeante sur qqch** a view right down into sthg.

plongée [plɔ̃ʒe] nf diving ▸ **plongée sous-marine** scuba diving.

plongeoir [plɔ̃ʒwar] nm diving board.

plongeon [plɔ̃ʒɔ̃] nm dive.

plonger [17] [plɔ̃ʒe] ◆ vi to dive. ◆ vt to plunge. ◆ **se plonger dans** vp + prép 1. (activité) to immerse o.s. in ▸ **être plongé dans ses pensées / son travail** to be immersed in one's thoughts / work.

plongeur, euse [plɔ̃ʒœr, øz] nm, f (sous-marin) diver.

plu [ply] pp → **plaire, pleuvoir**.

pluie [plɥi] nf rain.

plumage [plymaʒ] nm plumage.

plume [plym] nf 1. feather 2. (pour écrire) nib.

plupart [plypar] nf : **la plupart (de)** most (of) ▸ **la plupart du temps** most of the time.

pluriculturel, elle [plyrikyltyrɛl] adj multicultural.

pluriel [plyrjɛl] nm plural.

plus [ply(s)] ◆ adv 1. (pour comparer) more ▸ **plus intéressant (que)** more interesting (than) ▸ **plus souvent (que)** more often (than) ▸ **plus court (que)** shorter (than) 2. (superlatif) : **c'est ce qui me plaît le plus ici** it's what I like best about this place ▸ **l'hôtel le plus confortable où nous ayons logé** the most comfortable hotel we've stayed in ▸ **le plus souvent** [d'habitude] usually ▸ **le plus vite possible** as quickly as possible **3.** [davantage] more ▸ **je ne veux pas dépenser plus** I don't want to spend any more ▸ **plus de** a) [encore de] more b) [au-delà de] more than **4.** [avec « ne »] **: il ne vient plus me voir** he doesn't come to see me any more, he no longer comes to see me ▸ **je n'en veux plus, merci** I don't want any more, thank you **5.** [dans des expressions] **: de ou en plus** [d'autre part] what's more ▸ **trois de ou en plus** three more ▸ **il a deux ans de plus que moi** he's two years older than me ▸ **de plus en plus (de)** more and more ▸ **plus de** in addition to ▸ **plus ou moins** more or less ▸ **plus tu y penseras, pire ce sera** the more you think about it the worse

◆ **prép** plus.

plusieurs [plyzjœr] adj & pron several.

plus-que-parfait [plyskaparfɛ] nm GRAMM pluperfect.

plutôt [plyto] adv rather ▸ **allons plutôt à la plage** let's go to the beach instead ▸ **plutôt que (de) faire qqch** rather than do ou doing sthg.

pluvieux, euse [plyvjø, øz] adj rainy.

PMR [peɛmɛr] (abr de **personne à mobilité réduite**) nf PRM (Persons with Reduced Mobility).

PMU (abr de **Pari Mutuel Urbain®**) nm **1.** system for betting on horses **2.** [bar] ≃ betting shop.

pneu [pnø] nm tyre.

pneumatique [pnømatik] adj → canot, matelas.

pneumonie [pnømɔni] nf pneumonia.

PO (abr écrite de **petites ondes**) MW (medium wave).

poche [pɔʃ] nf pocket ▸ **de poche** [livre, lampe] pocket.

poché, e [pɔʃe] adj **: avoir un œil poché** to have a black eye.

pocher [3] [pɔʃe] vt CULIN to poach.

pochette [pɔʃɛt] nf **1.** [de rangement] wallet **2.** [sac à main] clutch bag **3.** [mouchoir] (pocket) handkerchief ▸ **pochette surprise** lucky bag 🇺🇸, surprise pack 🇺🇸.

Podcast® [pɔdkast] nm Podcast®.

podcaster [3] [pɔdkaste] vt [une émission] to podcast.

podium [pɔdjɔm] nm podium.

poêle¹ [pwal] nm stove ▸ **poêle à mazout** oil-fired stove.

poêle² [pwal] nf **: poêle (à frire)** frying pan.

poème [pɔɛm] nm poem.

poésie [pɔezi] nf **1.** [art] poetry **2.** [poème] poem.

poète [pɔɛt] nm poet.

poétesse [pɔetɛs] nf poetess.

poétique [pɔetik] adj poetic.

poids [pwa] nm weight ▸ **lancer le poids** SPORT to put the shot ▸ **perdre / prendre du poids** to lose / put on weight ▸ **poids lourd** [camion] heavy goods vehicle.

poignard [pwaɲar] nm dagger.

poignarder [3] [pwaɲarde] vt to stab.

poignée [pwaɲe] nf **1.** [de porte, de valise] handle **2.** [de sable, de bonbons] handful ▸ **une poignée de** [très peu de] a handful of ▸ **poignée de main** handshake.

poignet [pwaɲɛ] nm **1.** wrist **2.** [de vêtement] cuff.

poil [pwal] nm **1.** hair **2.** [de pinceau, de brosse à dents] bristle ▸ **à poil** fam stark naked ▸ **au poil** fam [excellent] great.

poilant, e [pwalɑ̃, ɑ̃t] adj fam hilarious.

poilu, e [pwaly] adj hairy.

poinçonner [3] [pwɛ̃sɔne] vt [ticket] to punch.

poing [pwɛ̃] nm fist ▸ **un coup de poing** a punch.

point [pwɛ̃] nm **1.** [petite tache] dot, spot **2.** [de ponctuation] full stop UK, period US **3.** [problème, dans une note, un score] point **4.** [de couture, de tricot] stitch ▸ **point de côté** stitch ▸ **point de départ** starting point ▸ **point d'exclamation** exclamation mark ▸ **point faible** weak point ▸ **point final** full stop UK, period US ▸ **point d'interrogation** question mark ▸ **(au) point mort** AUTO (in) neutral ▸ **point de repère** [concret] landmark ▸ **points cardinaux** points of the compass ▸ **points de suspension** suspension points ▸ **points (de suture)** stitches ▸ **point** [steak] medium ▸ **au point** [méthode] perfected ▸ **au point** ou **à tel point que** to such an extent that ▸ **être sur le point de faire qqch** to be on the point of doing sthg ▸ **'point rencontre'** 'meeting point'.

point de vue [pwɛ̃dvy] (pl **points de vue**) nm **1.** [endroit] viewpoint **2.** [opinion] point of view.

pointe [pwɛ̃t] nf **1.** [extrémité] point, tip **2.** [clou] panel pin ▸ **sur la pointe des pieds** on tiptoe ▸ **de pointe** [technique] state-of-the-art ▸ **en pointe** [tail-ler] to a point. ◆ **pointes** nfpl [chaussons] points.

pointer [3] [pwɛ̃te] ◆ vt [diriger] to point. ◆ vi **1.** [à l'entrée] to clock in **2.** [à la sortie] to clock out.

pointeur [pwɛ̃tœr] nm : **pointeur de la souris** mouse pointer.

pointillé [pwɛ̃tije] nm **1.** [ligne] dotted line **2.** [perforations] perforated line ▸ **en pointillé** fig in outline.

pointu, e [pwɛ̃ty] adj pointed.

pointure [pwɛ̃tyr] nf [shoe] size ▸ **quelle pointure faites-vous ?** what size do you take?

point-virgule [pwɛ̃virgyl] (pl **points-virgules**) nm semicolon.

poire [pwar] nf pear ▸ **poire Belle-Hélène** pear served on vanilla ice cream and covered with chocolate sauce.

poireau [pwaro] (pl **-x**) nm leek.

poirier [pwarje] nm pear tree.

pois [pwa] nm [rond] spot ▸ **à pois** spotted ▸ **pois chiche** chickpea.

poison [pwazɔ̃] nm poison.

poisseux, euse [pwasø, øz] adj sticky.

poisson [pwasɔ̃] nm fish ▸ **poisson d'avril !** April Fool! ▸ **faire un poisson d'avril à qqn** to play an April Fool's trick on sb ▸ **poissons du lac** Suisse fish caught in Lake Geneva ▸ **poisson rouge** goldfish. ◆ **Poissons** nmpl Pisces sg.

poissonnerie [pwasɔnri] nf fishmonger's (shop).

poissonnier, ère [pwasɔnje, ɛr] nm, f fishmonger.

poitrine [pwatrin] nf **1.** [buste] chest **2.** [seins] bust **3.** [de porc] belly.

poivre [pwavr] nm pepper.

poivré, e [pwavre] adj peppery.

poivrier [pwavrije] nm [sur la table] pepper pot.

poivrière [pwavrijɛr] nf = **poivrier**.

poivron [pwavrɔ̃] nm pepper.

poivrot, e [pwavro] nm, f fam drunk.

poker [pɔkɛr] nm poker.

polaire [pɔlɛr] adj polar.

polar [pɔlar] nm fam thriller, whodunnit.

Polaroid® [pɔlarɔid] nm Polaroid®.

pôle [pol] nm [géographique] pole ▶ **pôle Nord/Sud** North/South Pole.

poli, e [pɔli] adj 1. polite 2. [verre, bois] polished.

police [pɔlis] nf 1. police pl 2. [de caractère] font ▶ **police d'assurance** insurance policy ▶ **police secours** emergency call-out service provided by the police.

policier, ère [pɔlisje, ɛr] ◆ adj 1. [roman, film] detective 2. [enquête] police. ◆ nm police officer.

poliment [pɔlimɑ̃] adv politely.

politesse [pɔlitɛs] nf politeness ▶ **par politesse** out of politeness.

politicien, enne [pɔlitisjɛ̃, ɛn] nm, f politician.

politique [pɔlitik] ◆ adj political. ◆ nf 1. [activité] politics sg 2. [extérieure, commerciale, etc.] policy ▶ **un homme/ une femme politique** a politician.

politiquement [pɔlitikmɑ̃] adv politically ▶ **politiquement correct** politically correct, PC.

pollen [pɔlɛn] nm pollen.

pollué, e [pɔlɥe] adj polluted.

polluer [7] [pɔlɥe] vt to pollute.

pollution [pɔlysjɔ̃] nf pollution.

polo [pɔlo] nm [vêtement] polo shirt.

polochon [pɔlɔʃɔ̃] nm bolster.

Pologne [pɔlɔɲ] nf : **la Pologne** Poland.

polonais, e [pɔlɔnɛ, ɛz] adj Polish. ◆ **polonais** nm [langue] Polish. ◆ **Polonais, e** nm, f Pole.

polycopié [pɔlikɔpje] nm photocopied notes pl.

polyester [pɔliɛstɛr] nm polyester.

Polynésie [pɔlinezi] nf : **la Polynésie** Polynesia ▶ **la Polynésie française** French Polynesia.

polystyrène [pɔlistirɛn] nm polystyrene.

polyvalent, e [pɔlivalɑ̃, ɑ̃t] adj 1. [salle] multi-purpose 2. [employé] versatile.

POM [pɔm] (abr de Pays d'outre-mer) designation for French Polynesia, which enjoys a special status as an "overseas country" within the French Republic.

pommade [pɔmad] nf ointment.

pomme [pɔm] nf 1. apple 2. [de douche] head 3. [d'arrosoir] rose ▶ **tomber dans les pommes** fam to pass out ▶ **pomme de pin** pine cone ▶ **pommes dauphine** mashed potato coated in batter and deep-fried ▶ **pommes noisettes** fried potato balls.

pomme de terre [pɔmdətɛr] (pl **pommes de terre**) nf potato.

pommette [pɔmɛt] nf cheekbone.

pommier [pɔmje] nm apple tree.

pompe [pɔ̃p] nf pump ▶ **pompe à essence** petrol pump 🇬🇧, gas pump 🇺🇸 ▶ **pompe à vélo** bicycle pump ▶ **pompes funèbres** funeral director's sg 🇬🇧, mortician's sg 🇺🇸.

pomper [3] [pɔ̃pe] vt to pump.

pompier [pɔ̃pje] nm fireman UK, firefighter US ▸ **les pompiers** the fire brigade.

pompiste [pɔ̃pist] nmf forecourt attendant.

pompon [pɔ̃pɔ̃] nm pompom.

poncer [16] [pɔ̃se] vt to sand down.

ponctualité [pɔ̃ktɥalite] nf punctuality.

ponctuation [pɔ̃ktɥasjɔ̃] nf punctuation.

ponctuel, elle [pɔ̃ktɥɛl] adj **1.** [à l'heure] punctual **2.** [limité] specific.

pondre [75] [pɔ̃dr] vt to lay.

poney [pɔnɛ] nm pony.

pont [pɔ̃] nm **1.** bridge **2.** [de bateau] deck ▸ **faire le pont** to have the day off between a national holiday and a weekend.

pont-levis [pɔ̃ləvi] (pl ponts-levis) nm drawbridge.

ponton [pɔ̃tɔ̃] nm pontoon.

pop [pɔp] adj inv & nf pop.

pop-corn [pɔpkɔrn] nm inv popcorn.

populaire [pɔpylɛr] adj **1.** [quartier, milieu] working-class **2.** [apprécié] popular.

population [pɔpylasjɔ̃] nf population.

pop-up [pɔpœp] (pl pop-ups) nm inv & nm pop-up.

porc [pɔr] nm **1.** pig **2.** CULIN pork.

porcelaine [pɔrsəlɛn] nf [matériau] porcelain.

porche [pɔrʃ] nm porch.

pore [pɔr] nm pore.

poreux, euse [pɔrø, øz] adj porous.

porno [pɔrno] fam ◆ adj [film, magazine] porn, porno. ◆ nm : **le porno** porn.

pornographique [pɔrnɔgrafik] adj pornographic.

port [pɔr] nm port ▸ **port de pêche** fishing port ▸ **port de plaisance** sailing harbour ▸ **'port payé'** 'postage paid' ▸ **port USB** INFORM USB port ▸ **port parallèle** INFORM parallel port ▸ **port série** INFORM serial port ▸ **port jeux** INFORM game port.

portable [pɔrtabl] ◆ adj portable. ◆ nm **1.** [téléphone] mobile UK, cell phone US **2.** [ordinateur] laptop.

portail¹ [pɔrtaj] nm gate.

portail² [pɔrtaj] nm portal.

portant, e [pɔrtɑ̃, ɑ̃t] adj : **être bien / mal portant** to be in good / poor health ▸ **à bout portant** point-blank.

portatif, ive [pɔrtatif, iv] adj portable.

Port-au-Prince [pɔropʀɛ̃s] n Port-au-Prince.

porte [pɔrt] nf **1.** door **2.** [d'un jardin, d'une ville] gate ▸ **mettre qqn à la porte** to throw sb out ▸ **porte (d'embarquement)** gate ▸ **porte d'entrée** front door.

porte-avions [pɔrtavjɔ̃] nm inv aircraft carrier.

porte-bagages [pɔrtbagaʒ] nm inv [de vélo] bike rack.

porte-bébé [pɔrtbebe] (pl portebébés) nm [harnais] baby sling.

porte-bonheur [pɔrtbɔnœr] nm inv lucky charm.

porte-clefs [pɔrtakle] nm inv = porte-clés.

porte-clés [pɔrtakle] nm inv key ring.

portée [pɔrte] nf **1.** [d'un son, d'une arme] range **2.** [d'une femelle] litter **3.** MUS stave ▸ **à la portée de qqn** [intellectuelle) within sb's understanding ▶ **à portée de (la) main** within reach ▶ **à portée de voix** within earshot ▶ **hors de portée** out of reach.

porte-fenêtre [pɔʀtfənɛtʀ] (pl **portes-fenêtres**) nf French window UK, French door US.

portefeuille [pɔʀtəfœj] nm wallet.

porte-jarretelles [pɔʀtʒaʀtɛl] nm inv suspender belt UK, garter belt US.

portemanteau [pɔʀtmɑ̃to] (pl **-x**) nm 1. [au mur] coat rack 2. [sur pied] coat stand.

porte-monnaie [pɔʀtmɔnɛ] nm inv purse.

porte-parole [pɔʀtpaʀɔl] nm inv spokesman (spokeswoman).

porter [3] [pɔʀte] ◆ vt 1. [tenir] to carry 2. [vêtement, lunettes] to wear 3. [nom, date, responsabilité] to bear 4. [apporter] to take. ◆ vi 1. [son] to carry 2. [remarque, menace] to hit home ▶ **porter bonheur/malheur à qqn** to bring sb good luck/bad luck ▶ **porter sur** [discussion] to be about. ◆ **se porter** vp : **se porter bien/mal** to be well/unwell.

porte-savon [pɔʀtsavɔ̃] (pl **porte-savons**) nm soap dish.

porte-serviette [pɔʀtsɛʀvjɛt] (pl **porte-serviettes**) nm towel rail.

porteur, euse [pɔʀtœʀ, øz] nm, f 1. [de bagages] porter 2. [d'une maladie] carrier.

portier [pɔʀtje] nm doorman.

portière [pɔʀtjɛʀ] nf door.

portillon [pɔʀtijɔ̃] nm barrier ▶ **portillon automatique** TRANSP automatic barrier.

portion [pɔʀsjɔ̃] nf 1. portion 2. [que l'on se sert soi-même] helping.

portique [pɔʀtik] nm [de balançoire] frame.

Port Louis [pɔʀlwi] n Port Louis.

porto [pɔʀto] nm port.

Porto Rico [pɔʀtoʀiko], **Puerto Rico** [pwɛʀtoʀiko] n Puerto Rico.

portrait [pɔʀtʀɛ] nm portrait.

portrait-robot [pɔʀtʀɛʀɔbo] nm Photofit® picture, Identikit® picture.

portuaire [pɔʀtɥɛʀ] adj : **ville portuaire** port.

portugais, e [pɔʀtygɛ, ɛz] ◆ adj Portuguese. ◆ nm [langue] Portuguese. ◆ **Portugais, e** nm, f Portuguese (person).

Portugal [pɔʀtygal] nm : **le Portugal** Portugal.

pose [poz] nf 1. [de moquette] laying 2. [de vitre] fitting 3. [attitude] pose ▶ **prendre la pose** to assume a pose.

posé, e [poze] adj [calme] composed.

poser [3] [poze] ◆ vt 1. [to put 2. [rideaux, tapisserie] to hang 3. [vitre] to fit 4. [moquette] to lay 5. [question] to ask 6. [problème] to pose. ◆ vi [pour une photo] to pose. ◆ **se poser** vp [oiseau, avion] to land.

positif, ive [pozitif, iv] adj positive.

position [pozisjɔ̃] nf position.

posologie [pozɔlɔʒi] nf dosage.

posséder [18] [posede] vt 1. to possess 2. [maison, voiture] to own.

possessif, ive [posesif, iv] adj possessive.

possibilité [posibilite] nf possibility ▶ **avoir la possibilité de faire qqch** to have the chance to do sthg. ◆ **possi-**

bilités nfpl **1.** [financières] means **2.** [intellectuelles] potential *sg.*

possible [pɔsibl] ◆ adj possible. ◆ nm : **faire son possible (pour faire qqch)** to do one's utmost (to do sthg) ▶ **le plus de vêtements possible** as many clothes as possible ▶ **le plus d'argent possible** as much money as possible ▶ **dès que possible, le plus tôt possible** as soon as possible ▶ **si possible** if possible.

postal, e, aux [pɔstal, o] adj **1.** [service] postal UK, mail US **2.** [wagon] mail.

poste¹ [pɔst] nm **1.** [emploi] post **2.** [de ligne téléphonique] extension ▶ **poste (de police)** police station ▶ **poste de radio** radio ▶ **poste de télévision** television (set).

poste² [pɔst] nf **1.** [administration] post UK, mail US **2.** [bureau] post office ▶ **poste restante** poste restante UK, general delivery US.

poster¹ [3] [pɔste] vt [lettre] to post UK, to mail US.

poster² [pɔstɛr] nm poster.

postérieur, e [pɔsterjœr] ◆ adj **1.** [dans le temps] later **2.** [partie, membres] rear. ◆ nm posterior.

postier, ère [pɔstje, ɛr] nm, f post-office worker.

postillonner [3] [pɔstijɔne] vi to splutter.

postillons [pɔstijɔ̃] nmpl [salive] droplets of saliva.

Post-it® [pɔstit] nm inv Post-it®, Post-it® note.

post-scriptum [pɔstskriptɔm] nm inv postscript.

postuler [3] [pɔstyle] vt [emploi] to apply for.

posture [pɔstyr] nf posture.

pot [po] nm **1.** [de yaourt, de peinture] pot **2.** [de confiture] jar ▶ **pot d'échappement** exhaust (pipe) ▶ **pot de fleurs** flowerpot ▶ **pot à lait** milk jug ▶ **petit pot (bébé)** jar of baby food.

potable [pɔtabl] adj → **eau**.

potage [pɔtaʒ] nm soup.

potager [pɔtaʒe] nm : **(jardin) potager** vegetable garden.

pot-au-feu [pɔtofø] nm inv boiled beef and vegetables.

pot-de-vin [pɔdvɛ̃] (pl **pots-de-vin**) nm bribe.

pote [pɔt] nm fam mate UK, buddy US.

poteau, x [pɔto] (pl **-x**) nm post ▶ **poteau indicateur** signpost.

potée [pɔte] nf stew of meat, usually pork, and vegetables.

potentiel, elle [pɔtɑ̃sjɛl] adj & nm potential.

poterie [pɔtri] nf **1.** [art] pottery **2.** [objet] piece of pottery.

potimarron [pɔtimarɔ̃] nm variety of small pumpkin.

potiron [pɔtirɔ̃] nm pumpkin.

pot-pourri [pupuri] (pl **pots-pourris**) nm potpourri.

pou [pu] (pl **-x**) nm louse.

poubelle [pubɛl] nf dustbin UK, trashcan US ▶ **mettre qqch à la poubelle** to put sthg in the dustbin UK, to put sthg in the trash US.

pouce [pus] nm thumb.

pouding [pudiŋ] nm sweet cake made from bread and candied fruit ▶ **pouding de cochon** French-Canadian dish of meatloaf made from chopped pork and pigs' livers.

poudre [pudʀ] nf powder ▸ **en poudre** [lait, amandes] powdered ▸ **chocolat en poudre** chocolate powder.

poudreux, euse [pudʀø, øz] adj powdery. ◆ **poudreuse** nf powder (snow).

pouf [puf] nm pouffe.

pouffer [3] [pufe] vi : **pouffer (de rire)** to titter.

poulailler [pulaje] nm henhouse.

poulain [pulɛ̃] nm foal.

poule [pul] nf **1.** hen **2.** CULIN fowl ▸ **poule au pot** chicken and vegetable stew.

poulet [pulɛ] nm chicken ▸ **poulet basquaise** sauteed chicken in a rich tomato, pepper and garlic sauce.

poulie [puli] nf pulley.

pouls [pu] nm pulse ▸ **prendre le pouls à qqn** to take sb's pulse.

poumon [pumɔ̃] nm lung.

poupée [pupe] nf doll.

pour [puʀ] ◆ prép **1.** [exprime le but, la destination] for ▸ **c'est pour vous** it's for you ▸ **faire qqch pour l'argent** to do sthg for money ▸ **le vol pour Londres** the flight for London ▸ **partir pour** to leave for **2.** [afin de] : **pour faire qqch** in order to do sthg ▸ **pour que** so that **3.** [en raison de] for ▸ **pour avoir fait qqch** for doing sthg **4.** [exprime la durée] for ▸ **on en a encore pour deux heures** it'll take another two hours **5.** [somme] : **je voudrais pour cinq euros de bonbons** I'd like five euros' worth of sweets **6.** [pour donner son avis] : **pour moi** as far as I'm concerned **7.** [à la place de] for ▸ **signe pour moi** sign for me **8.** [en faveur de] for ▸ **être**

pour qqch to be in favour of sthg ▸ **je suis pour !** I'm all for it!

pourboire [puʀbwaʀ] nm tip.

ⓘ Le pourboire

In France it is usual to tip in cafés and restaurants, even when service is included. Although it isn't compulsory, if you don't tip, you risk a dirty look from your waiter or waitress. You also generally tip taxi-drivers, porters, tour guides, hairdressers, delivery people, etc.

pourcentage [puʀsɑ̃taʒ] nm percentage.

pourchasser [3] [puʀʃase] vt to chase.

pourpre [puʀpʀ] nm & adj crimson.

pourquoi [puʀkwa] adv why ▸ **c'est pourquoi...** that's why... ▸ **pourquoi pas ?** why not?

pourra 3ᵉ pers. de l'ind. fut. → **pouvoir**.

pourri, e [puʀi] adj rotten.

pourrir [32] [puʀiʀ] vi to rot.

pourriture [puʀityʀ] nf [partie moisie] rotten part.

poursuite [puʀsɥit] nf chase ▸ **se lancer à la poursuite de qqn** to set off after sb. ◆ **poursuites** nfpl [juridique] proceedings.

poursuivi, e [puʀsɥivi] pp → **poursuivre**.

poursuivre [89] [puʀsɥivʀ] vt **1.** [voleur] to chase **2.** [criminel] to prosecute **3.** [voisin] to sue **4.** [continuer] to continue. ◆ **se poursuivre** vp to continue.

pourtant [puʀtɑ̃] adv yet.

pourtour [puʀtuʀ] nm perimeter.

pourvu [purvy] ◆ **pourvu que** conj **1.** [condition] provided (that) **2.** [souhait] let's hope that.

poussée [puse] nf [de fièvre, inflation] rise.

pousse-pousse [puspus] nm inv Suisse [poussette] pushchair.

pousser [3] [puse] ◆ vt **1.** to push **2.** [déplacer] to move **3.** [cri] to give **4.** [exagérer] to go too far. ◆ vi **1.** to push **2.** [plante] to grow ▶ **pousser qqn à faire qqch** to urge sb to do sthg ▶ **faire pousser** [plante, légumes] to grow ▶ 'poussez' 'push'. ◆ **se pousser** vp to move up.

poussette [puset] nf pushchair.

poussière [pusjer] nf dust.

poussiéreux, euse [pusjerø, øz] adj dusty.

poussin [pusɛ̃] nm chick.

poutine [putin] nf Québec fried potato topped with grated cheese and brown sauce.

poutre [putr] nf beam.

pouvoir [58] [puvwar] ◆ nm [influence] power. ◆ vt **1.** [être capable de] can, to be able **2.** [être autorisé à] : **vous ne pouvez pas stationner ici** you can't park here **3.** [exprime la possibilité] : **il peut faire très froid ici** it can get very cold here ▶ **attention, tu pourrais te blesser** careful, you might hurt yourself ▶ **le pouvoir** [politique] power ▶ **les pouvoirs publics** the authorities ▶ **pourriez-vous... ?** could you...? ▶ **je n'en peux plus a)** [je suis fatigué] I'm exhausted **b)** [j'ai trop mangé] I'm full up ▶ **je n'y peux rien** there's nothing I can do about it. ◆ **se pouvoir** vp : **il se peut que le vol soit annulé** the flight may

ou might be cancelled ▶ **ça se pourrait (bien)** it's (quite) possible.

Prague [prag] n Prague.

prairie [preri] nf meadow.

praline [pralin] nf **1.** praline, sugared almond **2.** Belg [chocolat] chocolate.

praliné, e [praline] adj hazelnut- or almond-flavoured.

pratiquant, e [pratikã, ãt] adj RELIG practising.

pratique [pratik] adj **1.** [commode] handy **2.** [concret] practical.

pratiquement [pratikmã] adv practically.

pratiquer [3] [pratike] vt **1.** : **pratiquer un sport** to do some sport ▶ **pratiquer le golf** to play golf **2.** [religion] to practise UK, to practice US.

pré [pre] nm meadow.

préalable [prealabl] adj prior, previous. ◆ **au préalable** loc adv first, beforehand.

préau [preo] (pl **-x**) nm [de récréation] (covered) play area.

préavis [preavi] nm advance notice ou warning.

précaire [preker] adj precarious.

précaution [prekosjɔ̃] nf precaution ▶ **prendre des précautions** to take precautions ▶ **avec précaution** carefully.

précédent, e [presedã, ãt] adj previous.

précéder [18] [presede] vt to precede.

précieux, euse [presjø, øz] adj precious.

précipice [presipis] nm precipice.

précipitation [presipitasjɔ̃] nf haste.
◆ **précipitations** nfpl [pluie] precipitation *sg.*

précipité, e [presipite] adj **1.** [pas, retour] hurried, hasty **2.** [décision hâtive] hasty, rash ▶ **tout cela a été si précipité** it all happened so fast.

précipiter [3] [presipite] vt **1.** [pousser] to push **2.** [allure] to quicken **3.** [départ] to bring forward. ◆ **se précipiter** vp **1.** [tomber] to throw o.s. **2.** [se dépêcher] to rush ▶ **se précipiter dans/vers** to rush into /towards ▶ **se précipiter sur qqn** to jump on sb.

précis, e [presi, iz] adj **1.** [clair, rigoureux] precise **2.** [exact] accurate ▶ **à cinq heures précises** at five o'clock sharp.

précisément [presizemɑ̃] adv precisely, exactly.

préciser [3] [presize] vt **1.** [déterminer] to specify **2.** [clarifier] to clarify. ◆ **se préciser** vp to become clear.

précision [presizjɔ̃] nf **1.** accuracy **2.** [explication] detail.

précoce [prekɔs] adj **1.** [enfant] precocious **2.** [printemps] early.

préconiser [3] [prekɔnize] vt to recommend ▶ **préconiser de faire qqch** to recommend doing sthg.

prédécesseur [predesesœr] nm predecessor.

prédiction [prediksjɔ̃] nf prediction.

prédire [103] [predir] vt to predict.

prédit, e [predi, it] pp → **prédire**.

prédominer [3] [predɔmine] vt to predominate.

préfabriqué, e [prefabrike] adj prefabricated.

préface [prefas] nf preface.

préfecture [prefektyr] nf *town where a préfet's office is situated, and the office itself* ▶ **préfecture de police** ≃ (Paris) police headquarters.

préférable [preferabl] adj preferable.

préféré, e [prefere] adj & nm, f favourite.

préférence [preferɑ̃s] nf preference ▶ **de préférence** preferably.

préférer [18] [prefere] vt to prefer ▶ **préférer faire qqch** to prefer to do sthg ▶ **je préférerais qu'elle s'en aille** I'd rather she left.

préfet [prefe] nm *senior local government official.*

préhistoire [preistwar] nf prehistory.

préhistorique [preistorik] adj prehistoric.

préjudice [preʒydis] nm harm, detriment ▶ **porter préjudice à qqn** to harm sb.

préjugé [preʒyʒe] nm prejudice.

prélasser [3] [prelase] ◆ **se prélasser** vp to lounge.

prélèvement [prelɛvmɑ̃] nm **1.** [d'argent] deduction **2.** [de sang] sample.

prélever [19] [preləve] vt **1.** [somme, part] to deduct **2.** [sang] to take.

prématuré, e [prematyre] ◆ adj premature. ◆ nm, f premature baby.

prémédité, e [premedite] adj premeditated.

premier, ère [prəmje, ɛr] adj & nm, f first ▶ **en premier** first ▶ **le premier de l'an** New Year's Day ▶ **Premier ministre** Prime Minister ▶ **le premier étage** first floor UK, second floor US ▶ **le premier**

(arrondissement) first arrondissement ▶ **il est arrivé premier** he came first.

première [prəmjɛr] nf **1.** SCOL ≃ lower sixth 🇬🇧; ≃ eleventh grade 🇺🇸 **2.** [vitesse] first (gear) **3.** TRANSP first class ▶ **voyager en première (classe)** to travel first class.

premièrement [prəmjɛrmɑ̃] adv firstly.

prenais etc 1ʳᵉ et 2ᵉ pers. de l'ind. imparfait → **prendre**.

prendre [79] [prɑ̃dr] ◆ vt **1.** [saisir, emporter, enlever] to take ▶ **prendre qqch à qqn** to take sthg from sb **2.** [passager, auto-stoppeur] to pick up ▶ **passer prendre qqn** to pick sb up **3.** [repas, boisson] to have ▶ **qu'est-ce que vous prendrez ?** [à boire] what would you like to drink? ▶ **prendre un verre** to have a drink **4.** [utiliser] to take ▶ **quelle route dois-je prendre ?** which route should I take? ▶ **prendre l'avion** to fly ▶ **prendre le train** to take the train **5.** [attraper, surprendre] to catch ▶ **se faire prendre** to get caught **6.** [air, ton] to put on **7.** [considérer] : **prendre qqn pour** a) [par erreur] to mistake sb for b) [sciemment] to take sb for **8.** [notes, photo, mesures] to take **9.** [poids] to put on **10.** [dans des expressions] : **qu'est-ce qui te prend ?** what's the matter with you?
◆ vi **1.** [sauce, ciment] to set **2.** [feu] to catch **3.** [se diriger] : **prenez à droite** turn right
◆ **se prendre** vp : **pour qui tu te prends ?** who do you think you are? ▶ **s'en prendre à qqn** [en paroles] to take it out on sb ▶ **s'y prendre mal** to go about things the wrong way.

prenne etc 1ʳᵉ et 3ᵉ pers. du subj. prés. → **prendre**.

prénom [prenɔ̃] nm first name.

préoccupé, e [preɔkype] adj preoccupied.

préoccuper [3] [preɔkype] vt to preoccupy. ◆ **se préoccuper de** vp + prép to think about.

préparatifs [preparatif] nmpl preparations.

préparation [preparasjɔ̃] nf preparation.

préparer [3] [prepare] vt **1.** to prepare **2.** [affaires] to get ready **3.** [départ, examen] to prepare for. ◆ **se préparer** vp **1.** to get ready **2.** [s'annoncer] to be imminent ▶ **se préparer à faire qqch** to be about to do sthg.

préposition [prepozisjɔ̃] nf preposition.

près [prɛ] adv : **de près** closely ▶ **tout près** very close, very near ▶ **près de** a) near (to) b) [presque] nearly.

presbyte [prɛsbit] adj longsighted 🇬🇧, farsighted 🇺🇸.

prescrire [99] [prɛskrir] vt to prescribe.

prescrit, e [prɛskri, it] pp & 3ᵉ pers. du sg de l'ind. prés. → **prescrire**.

présélectionner [3] [preselɛksjɔne] vt to preselect.

présence [prezɑ̃s] nf presence ▶ **en présence de** in the presence of.

présent, e [prezɑ̃, ɑ̃t] adj & nm present ▶ **jusqu'à présent (que)** so (that).

présentateur, trice [prezɑ̃tatœr, tris] nm, f presenter.

présentation [prezɑ̃tasjɔ̃] nf presentation. ◆ **présentations** nfpl : **faire**

les présentations to make the introductions.

présenter [3] [prezãte] vt **1.** to present **2.** [montrer] to show ▸ **présenter qqn à qqn** to introduce sb to sb. ◆ **se présenter** vp **1.** [occasion, difficulté] to arise **2.** [à un rendez-vous] to present o.s. **3.** [dire son nom] to introduce o.s. ▸ **se présenter bien/mal** to look good/bad.

préservatif [prezɛrvatif] nm condom.

préservation [prezɛrvasjɔ̃] nf preservation.

préserver [3] [prezɛrve] vt to protect ▸ **préserver qqn/qqch de** to protect sb/sthg from.

président, e [prezidã, ãt] nm, f [d'une assemblée, d'une société] chairman (chairwoman) ▸ **le président de la République** the French President.

présidentiel, elle [prezidãsjɛl] adj presidential ▸ **les élections présidentielles** ou **les présidentielles** the presidential elections.

présider [3] [prezide] vt [assemblée] to chair.

presque [prɛsk] adv almost ▸ **presque pas de** hardly any.

presqu'île [prɛskil] nf peninsula.

pressant, e [prɛsã, ãt] adj pressing.

presse [prɛs] nf [journaux] press ▸ **la presse à sensation** the tabloids pl.

pressé, e [prese] adj **1.** in a hurry **2.** [urgent] urgent **3.** [citron, orange] freshly squeezed ▸ **être pressé de faire qqch** to be in a hurry to do sthg.

presse-agrumes [prɛsagrym] nm inv electric (orange or lemon) squeezer.

presse-citron [prɛssitrɔ̃] nm inv lemon squeezer.

pressentiment [presãtimã] nm premonition.

presser [4] [prese] ◆ vt **1.** [fruit] to squeeze **2.** [bouton] to press **2.** [faire se dépêcher] to rush. ◆ vi : **le temps presse** there isn't much time ▸ **rien ne presse** there's no rush. ◆ **se presser** vp to hurry.

pressing [presiŋ] nm dry cleaner's.

pression [presjɔ̃] nf **1.** pressure **2.** [bouton] press stud 🇬🇧, snap fastener 🇺🇸 ▸ **(bière) pression** draught beer.

prestataire [prɛstatɛr] nmf [fournisseur] provider ▸ **prestataire de service** service provider.

prestidigitateur, trice [prɛstidiʒitatœr, tris] nm, f conjurer.

prestige [prɛstiʒ] nm prestige.

prêt, e [prɛ, prɛt] ◆ adj ready. ◆ nm FIN loan ▸ **être prêt à faire qqch** to be ready to do sthg.

prêt-à-porter [prɛtaportɛ] nm ready-to-wear clothing.

prétendre [73] [pretãdr] vt : **prétendre que** to claim (that).

prétentieux, euse [pretãsjø, øz] adj pretentious.

prétention [pretãsjɔ̃] nf pretentiousness ▸ **sans prétention** unassuming.

prêter [4] [prete] vt to lend ▸ **prêter qqch à qqn** to lend sb sthg ▸ **prêter attention à** to pay attention to.

prétexte [pretɛkst] nm pretext ▸ **sous prétexte que** under the pretext that.

prétimbré, e [pretɛ̃bre] adj prepaid.

Pretoria [prɛtɔrja] n Pretoria.

prêtre [prɛtr] nm priest.

preuve [prœv] nf proof, evidence ▶ **faire preuve de** to show ▶ **faire ses preuves** a) [méthode] to prove successful b) [employé] to prove one's worth.

prévenir [40] [prevnir] vt 1. [avertir] to warn 2. [empêcher] to prevent ▶ **prévenir qqn de qqch** to warn sb of sthg.

préventif, ive [prevātif, iv] adj preventive.

prévention [prevāsjɔ̃] nf prevention ▶ **prévention routière** road safety body.

prévenu, e [prevny] pp → **prévenir**.

prévisible [previzibl] adj foreseeable.

prévision [previzjɔ̃] nf forecast ▶ **en prévision de** in anticipation of ▶ **prévisions météo(rologiques)** weather forecast sg.

prévoir [63] [prevwar] vt 1. [anticiper] to anticipate, to expect 2. [organiser, envisager] to plan ▶ **comme prévu** as planned.

prévoyant, e [prevwajā, āt] adj : être prévoyant to think ahead.

prévu, e [prevy] pp → **prévoir**.

prier [10] [prije] ◆ vi to pray. ◆ vt RELIG to pray to ▶ **prier qqn de faire qqch** to ask sb to do sthg ▶ **je vous /t'en prie** a) [ne vous gênez/te gêne pas] please do b) [je t'en] don't mention it ▶ **les passagers sont priés de ne pas fumer** passengers are kindly requested not to smoke.

prière [prijer] nf RELIG prayer ▶ **'prière de ne pas fumer'** 'you are requested not to smoke'.

primaire [primer] adj 1. SCOL primary 2. péj [raisonnement, personne] limited.

prime [prim] nf 1. [d'assurance] premium 2. [de salaire] bonus ▶ **en prime** [avec un achat] as a free gift.

primeurs [primœr] nfpl early produce sg.

primevère [primver] nf primrose.

primitif, ive [primitif, iv] adj primitive.

prince [prɛ̃s] nm prince.

princesse [prɛ̃ses] nf princess.

principal, e, aux [prɛ̃sipal, o] ◆ adj main. ◆ nmf [d'un collège] headmaster (headmistress) ▶ **le principal** [l'essentiel] the main thing.

principalement [prɛ̃sipalmā] adv mainly.

principe [prɛ̃sip] nm principle ▶ **en principe** in principle.

printemps [prɛ̃tā] nm spring ▶ **au printemps** in (the) spring ou springtime.

priori → **a priori**.

prioritaire [prijoriter] adj : être prioritaire a) [urgent] to be a priority b) [sur la route] to have right of way.

priorité [prijorite] nf 1. priority 2. [sur la route] right of way ▶ **priorité à droite** right of way to traffic coming from the right ▶ **laisser la priorité** to give way ⓊⓀ, to yield ⓊⓈ ▶ **'vous n'avez pas la priorité'** a) ⓊⓀ 'give way' b) ⓊⓈ 'yield'.

pris, e [pri, iz] pp → **prendre**.

prise [priz] nf 1. [à la pêche] catch 2. [point d'appui] hold ▶ **prise (de courant)** a) [dans le mur] socket b) [fiche] plug ▶ **prise multiple** adapter ▶ **prise de sang** blood test ▶ **prise audio** INFORM audio socket.

prison [prizɔ̃] nf prison ▶ **en prison** in prison.

prisonnier, ère [prizɔnje, ɛr] nm, f prisoner.

privé, e [prive] adj private ▸ **en privé** in private.

priver [3] [prive] vt : **priver qqn de qqch** to deprive sb of sthg. ◆ **se priver** vp to deprive o.s. ▸ **se priver de qqch** to go without sthg.

privilège [privilɛʒ] nm privilege.

privilégié, e [privileʒje] adj privileged.

prix [pri] nm 1. price 2. [récompense] prize ▸ **à tout prix** at all costs ▸ **prix des places** ticket prices.

probable [prɔbabl] adj probable.

probablement [prɔbabləmɑ̃] adv probably.

problème [prɔblɛm] nm problem.

procédé [prɔsede] nm process.

procéder [18] [prɔsede] vi 1. [agir] to proceed 2. [exécuter] : **procéder à qqch** to set about sthg.

procès [prɔsɛ] nm trial ▸ **faire un procès à qqn** to take sb to court.

procession [prɔsesjɔ̃] nf procession.

processus [prɔsesys] nm process.

procès-verbal [prɔsɛvɛrbal] (pl **-aux**) nm [contravention] ticket.

prochain, e [prɔʃɛ̃, ɛn] adj next ▸ **la semaine prochaine** next week.

prochainement [prɔʃɛnmɑ̃] adv soon, shortly.

proche [prɔʃ] adj near ▸ **être proche de a)** [lieu, but] to be near (to) **b)** [personne, ami] to be close to ▸ **le Proche-Orient** the Near East.

procuration [prɔkyrasjɔ̃] nf mandate ▸ **voter par procuration** to vote by proxy ▸ **donner procuration à qqn** to give sb power of attorney.

procurer [3] [prɔkyre] ◆ **se procurer** vp [marchandise] to obtain.

prodigieux, euse [prɔdiʒjø, øz] adj incredible.

producteur, trice [prɔdyktœr, tris] nm, f producer.

productif, ive [prɔdyktif, iv] adj productive.

production [prɔdyksjɔ̃] nf production.

produire [98] [prɔdɥir] vt to produce. ◆ **se produire** vp [avoir lieu] to happen.

produit, e [prɔdɥi, it] ◆ pp → **produire.** ◆ nm product ▸ **produits de beauté** beauty products ▸ **produits laitiers** dairy products.

prof [prɔf] nmf fam teacher.

professeur [prɔfesœr] nm teacher ▸ **professeur d'anglais / de piano** English / piano teacher.

profession [prɔfesjɔ̃] nf occupation ▸ **profession libérale** professional.

professionnel, elle [prɔfesjɔnel] adj & nm, f professional.

profil [prɔfil] nm profile ▸ **de profil** in profile.

profit [prɔfi] nm 1. [avantage] benefit 2. [d'une entreprise] profit ▸ **tirer profit de qqch** to benefit from sthg.

profitable [prɔfitabl] adj 1. [rentable] profitable 2. [utile] beneficial.

profiter [3] [prɔfite] ◆ **profiter de** v + prép to take advantage of.

profiterole [prɔfitrɔl] nf profiterole ▸ **profiteroles au chocolat** (chocolate) profiteroles.

profond, e [prɔfɔ̃, ɔ̃d] adj deep.

profondeur [prɔfɔ̃dœr] nf depth ▸ **à 10 mètres de profondeur** 10 metres deep.

programmateur [prɔgramatœr] nm [d'un lave-linge] programme selector.

programme [prɔgram] nm **1.** programme **2.** SCOL syllabus **3.** INFORM program.

programmer [3] [prɔgrame] vt **1.** [projet, activité] to plan **2.** [magnétoscope, four] to set **3.** INFORM to program.

programmeur, euse [prɔgramœr, øz] nm, f INFORM computer programmer.

progrès [prɔgrɛ] nm progress ▶ **être en progrès** to be making (good) progress ▶ **faire des progrès** to make progress.

progresser [4] [prɔgrese] vi to make progress.

progressif, ive [prɔgresif, iv] adj progressive.

progressivement [prɔgresivmã] adv progressively.

proie [prwa] nf prey.

projecteur [prɔʒɛktœr] nm **1.** [lumière] floodlight **2.** [de films, de diapositives] projector.

projectile [prɔʒɛktil] nm missile.

projection [prɔʒɛksjɔ̃] nf [de films, de diapositives] projection.

projectionniste [prɔʒɛksjɔnist] nmf projectionist.

projet [prɔʒɛ] nm plan ▶ **projet de loi** bill.

projeter [27] [prɔʒte] vt **1.** [film, diapositives] to project **2.** [lancer] to throw **3.** [envisager] to plan ▶ **projeter de faire qqch** to plan to do sth.

prolongation [prɔlɔ̃gasjɔ̃] nf extension. ◆ **prolongations** nfpl SPORT extra time sg.

prolongement [prɔlɔ̃gmã] nm extension ▶ **être dans le prolongement de** [dans l'espace] to be a continuation of.

prolonger [17] [prɔlɔ̃ʒe] vt **1.** [séjour] to prolong **2.** [route] to extend. ◆ **se prolonger** vp to go on.

promenade [prɔmnad] nf **1.** [à pied] walk **2.** [en vélo] ride **3.** [en voiture] drive **4.** [lieu] promenade ▶ **faire une promenade a)** [à pied] to go for a walk **b)** [en vélo] to go for a (bike) ride **c)** [en voiture] to go for a drive.

promener [19] [prɔmne] vt **1.** [à pied] to take out for a walk **2.** [en voiture] to take out for a drive. ◆ **se promener** vp **1.** [à pied] to go for a walk **2.** [en vélo] to go for a ride **3.** [en voiture] to go for a drive.

promesse [prɔmɛs] nf promise ▶ **tenir ses promesses** to keep one's promises.

promettre [84] [prɔmɛtr] vt : **promettre qqch à qqn** to promise sb sthg ▶ **promettre à qqn de faire qqch** to promise sb to do sthg ▶ **c'est promis** it's a promise.

promis, e [prɔmi, iz] pp → **promettre**.

promo [prɔmo] nf fam **1.** year UK, class US **2.** COMM special offer ▶ **en promo** [article] on special offer.

promotion [prɔmosjɔ̃] nf promotion ▶ **en promotion** [article] on special offer.

promouvoir [56] [prɔmuvwar] vt to promote.

pronom [prɔnɔ̃] nm pronoun.

prononcer [16] [prɔnɔ̃se] vt **1.** [mot] to pronounce **2.** [discours] to deliver. ◆ **se prononcer** vp **1.** [mot] to be pronounced **2.** [s'exprimer] : **se prononcer sur qqch** to give one's opinion on sthg.

prononciation [prɔnɔ̃sjasjɔ̃] nf pronunciation.

pronostic [prɔnɔstik] nm forecast.

propagande [prɔpagɑ̃d] nf propaganda.

propager [17] [prɔpaʒe] vt to spread. ◆ **se propager** vp to spread.

prophète [prɔfɛt] nm prophet.

prophétie [prɔfesi] nf prophecy.

propice [prɔpis] adj favourable.

proportion [prɔpɔrsjɔ̃] nf proportion.

proportionnel, elle [prɔpɔrsjɔnɛl] adj : **proportionnel à** proportional to.

propos [prɔpo] ◆ nmpl 1. words 2. : **tenir des propos inacceptables, intolérables** to say unacceptable, unconscionable things. ◆ nm : **à propos, ...** by the way, ... ▶ **à propos de** about.

proposer [3] [prɔpoze] vt 1. [offrir] to offer 2. [suggérer] to propose ▶ **proposer à qqn de faire qqch** to suggest doing sthg to sb.

proposition [prɔpozisjɔ̃] nf proposal.

propre [prɔpr] adj 1. clean 2. [sens] proper 3. [à soi] own ▶ **avec ma propre voiture** in my own car.

proprement [prɔprəmɑ̃] adv [découper, travailler] neatly.

propreté [prɔprəte] nf cleanness.

propriétaire [prɔprijetɛr] nmf owner.

propriété [prɔprijete] ◆ nf property. ◆ nfpl properties ▶ **'propriété privée'** 'private property'.

proprio [prɔprijo] nmf fam landlord (landlady).

prose [proz] nf prose.

prospectus [prɔspɛktys] nm (advertising) leaflet.

prospère [prɔspɛr] adj prosperous.

prospérer [18] [prɔspere] vi to prosper.

prostituée [prɔstitɥe] nf prostitute.

prostitution [prɔstitysjɔ̃] nf prostitution.

protection [prɔtɛksjɔ̃] nf protection.

protège-cahier [prɔtɛʒkaje] (pl **protège-cahiers**) nm exercise book cover.

protéger [22] [prɔteʒe] vt to protect ▶ **protéger qqn de** ou **contre qqch** to protect sb from ou against sthg. ◆ **se protéger de** vp + prép 1. to protect o.s. from 2. [pluie] to shelter from.

protège-slip [prɔtɛʒslip] (pl **protège-slips**) nm panty liner.

protestant, e [prɔtɛstɑ̃, ɑ̃t] adj & nm, f Protestant.

protestantisme [prɔtɛstɑ̃tism] nm Protestantism.

protester [3] [prɔtɛste] vi to protest.

prothèse [prɔtɛz] nf prosthesis.

protocole [prɔtɔkɔl] nm protocol.

prototype [prɔtɔtip] nm prototype.

prouesse [prues] nf feat.

prouver [3] [pruve] vt to prove ▶ **prouver le contraire** to prove otherwise.

provenance [prɔvnɑ̃s] nf origin ▶ **en provenance de** [vol, train] from.

provençal, e, aux [prɔvɑ̃sal, o] adj of Provence.

Provence [prɔvɑ̃s] nf : **la Provence** Provence (region in the southeast of France).

provenir [40] [prɔvnir] ◆ **provenir de** v + prép to come from.

proverbe [prɔvɛrb] nm proverb.

provider [prɔvajdœr] nm provider.

province [prɔvɛ̃s] nf [région] province ▶ **la province** [hors Paris] the provinces *pl*.

provincial, e, aux [prɔvɛ̃sjal, o] ◆ adj [hors Paris] provincial. ◆ nm : **le provincial** [US-trad] provincial government.

proviseur [prɔvizœr] nm ≃ headteacher [US] ; ≃ principal [US].

provision [prɔvizjɔ̃] nf [réserve] : **provision de qqch** supply of sthg.

provisions [prɔvizjɔ̃] nfpl provisions ▶ **faire ses provisions** to buy some food.

provisoire [prɔvizwar] adj temporary.

provisoirement [prɔvizwarmɑ̃] adv temporarily.

provocant, e [prɔvɔkɑ̃, ɑ̃t] adj provocative.

provoquer [3] [prɔvɔke] vt 1. [occasionner] to cause 2. [défier] to provoke.

proximité [prɔksimite] nf : **à proximité (de)** near.

prudemment [prydamɑ̃] adv carefully.

prudence [prydɑ̃s] nf care ▶ **avec prudence** carefully.

prudent, e [prydɑ̃, ɑ̃t] adj careful.

prune [pryn] nf plum.

pruneau [pryno] (*pl* -x) nm prune.

PS nm 1. (*abr de* post-scriptum) PS (*postscript*) 2. (*abr de* parti socialiste) French party to the left of the political spectrum.

pseudonyme [psødɔnim] nm pseudonym.

psychanalyse [psikanaliz] nf psychoanalysis ▶ **faire une psychanalyse** to undergo psychoanalysis.

psychanalyste [psikanalist] nmf psychoanalyst.

psychiatre [psikjatr] nmf psychiatrist.

psychiatrique [psikjatrik] adj psychiatric.

psychique [psiʃik] adj psychic ; [maladie] psychosomatic.

psychologie [psikɔlɔʒi] nf 1. psychology 2. [tact] tactfulness.

psychologique [psikɔlɔʒik] adj psychological.

psychologue [psikɔlɔg] nmf psychologist.

PTOM [ptɔm] (*abr de* Pays et territoires d'outre-mer) nm Overseas Countries and Territories (OCT) of the European Union.

pu [py] pp → **pouvoir**.

pub¹ [pœb] nm pub.

pub² [pyb] nf *fam* advert.

public, ique [pyblik] adj & nm public ▶ **en public** in public.

publication [pyblikasjɔ̃] nf publication.

publicitaire [pyblisiter] adj [campagne, affiche] advertising.

publicité [pyblisite] nf 1. [activité, technique] advertising 2. [annonce] advert.

publier [10] [pyblije] vt to publish.

puce [pys] nf 1. flea 2. INFORM (silicon) chip ▶ **mettre la puce à l'oreille de qqn** to get sb thinking.

pudding [pudiŋ] nm = **pouding**.

pudeur [pydœr] nf modesty, decency.

pudique [pydik] adj 1. [décent] modest 2. [discret] discreet.

puer [7] [pɥe] ◆ vi to stink. ◆ vt to stink of.

puériculteur, trice [pɥerikyltœr, tris] nm, f nursery nurse.

puéril, e [pɥeril] **adj** childish.

puis [pɥi] **adv** then.

puisque [pɥiskə] **conj** since.

puissance [pɥisɑ̃s] **nf** power.

puissant, e [pɥisɑ̃, ɑ̃t] **adj** powerful.

puisse etc 1ʳᵉ et 3ᵉ pers. du subj. prés. → **pouvoir**.

puits [pɥi] **nm** well ▸ **puits de pétrole** oil well.

pull(-over) [pyl(ɔvɛr)] (pl **pull(-over)s**) **nm** sweater, jumper.

pulpe [pylp] **nf** pulp.

pulsation [pylsasjɔ̃] **nf** beat.

pulvérisateur [pylverizatœr] **nm** spray.

pulvériser [3] [pylverize] **vt** 1. [projeter] to spray 2. [détruire] to smash.

punaise [pynɛz] **nf** 1. [insecte] bug 2. [clou] drawing pin 🇬🇧, thumbtack 🇺🇸.

punch¹ [pɔ̃ʃ] **nm** [boisson] punch.

punch² [pœnʃ] **nm** fam [énergie] oomph.

punir [32] [pynir] **vt** to punish.

punition [pynisjɔ̃] **nf** punishment.

pupille [pypij] **nf** [de l'œil] pupil.

pupitre [pypitr] **nm** 1. [bureau] desk 2. [à musique] stand.

pur, e [pyr] **adj** 1. pure 2. [alcool] neat.

purée [pyre] **nf** puree ▸ **purée (de pommes de terre)** mashed potatoes pl.

pureté [pyrte] **nf** purity.

purger [17] [pyrʒe] **vt** 1. MÉD to purge 2. [radiateur] to bleed 3. [tuyau] to drain 4. [peine de prison] to serve.

purifiant, e [pyrifjɑ̃, ɑ̃t] **adj** 1. [crème, lotion] cleansing, purifying 2. [air] healthy.

purifier [9] [pyrifje] **vt** to purify.

pur-sang [pyrsɑ̃] **nm inv** thoroughbred.

pus [py] **nm** pus.

putain [pytɛ̃] **nf** vulg 1. [injure] whore 2. (en exclamation) : **putain !** bloody hell! 🇬🇧, goddammit! 🇺🇸.

puzzle [pœzl] **nm** jigsaw (puzzle).

PV nm abr de **procès-verbal**.

PVC nm PVC.

pyjama [piʒama] **nm** pyjamas pl.

pylône [pilon] **nm** pylon.

pyramide [piramid] **nf** pyramid.

Pyrénées [pirene] **nfpl** : **les Pyrénées** the Pyrenees.

Pyrex® [pirɛks] **nm** Pyrex®.

python [pitɔ̃] **nm** python.

Qatar [katar] **nm** : **le Qatar** Qatar, Katar.

QI nm (abr de **quotient intellectuel**) IQ (intelligence quotient).

quad [kwad] **nm** [moto] four-wheel motorbike, quad bike.

quadra [k(w)adra] **nm** fortysomething, babyboomer.

quadragénaire [k(w)adʀaʒenɛʀ] nmf forty year old.

quadrillé, e [kadʀije] adj [papier] squared.

quadruple [k(w)adʀypl] nm : **le quadruple du prix normal** four times the normal price.

quai [ke] nm 1. [de port] quay 2. [de gare] platform.

qualification [kalifikasjɔ̃] nf [sport, expérience] qualification.

qualifié, e [kalifje] adj [personnel, ouvrier] skilled.

qualifier [9] [kalifje] vt : **qualifier qqn/qqch de** to describe sb /sthg as. ◆ **se qualifier** vp [équipe, sportif] to qualify.

qualité [kalite] nf quality ▸ **de qualité** quality.

quand [kɑ̃] adv & conj [au moment où] when ▸ **quand tu le verras** when you see him ▸ **jusqu'à quand restez-vous ?** how long are you staying for? ▸ **quand même** [malgré tout] all the same ▸ **quand même !** a) [exprime l'indignation] really! b) [enfin] at last!

quant [kɑ̃] ◆ **quant à** prép as for.

quantité [kɑ̃tite] nf quantity ▸ **une quantité** ou **des quantités de** [beaucoup de] a lot ou lots of.

quarantaine [kaʀɑ̃tɛn] nf [isolement] quarantine ▸ **une quarantaine (de)** about forty ▸ **avoir la quarantaine** to be in one's forties.

quarante [kaʀɑ̃t] num forty ▸ **(au) quarante rue Lepic** (at) forty Rue Lepic ▸ **ils étaient quarante** there were forty of them.

quarantième [kaʀɑ̃tjɛm] num fortieth.

quart [kaʀ] nm quarter ▸ **cinq heures et quart** quarter past five [UK], quarter after five [US] ▸ **cinq heures moins le quart** quarter to five [UK], quarter of five [US] ▸ **un quart d'heure** a quarter of an hour.

quartier [kaʀtje] nm 1. [de pomme] piece 2. [d'orange] segment 3. [d'une ville] area, district.

ⓘ **Le Quartier Latin**

This area of Paris on the Left Bank of the Seine is traditionally associated with students and artists. It contains many important historical buildings such as the Sorbonne university. It is also famous for being at the centre of the student protests of May 1968.

quart-monde [kaʀmɔ̃d] (pl **quarts-mondes**) nm : **le quart-monde** the Fourth World.

quartz [kwaʀts] nm quartz ▸ **montre à quartz** quartz watch.

quasiment [kazimɑ̃] adv almost.

quatorze [katɔʀz] num fourteen ▸ **(au) quatorze rue Lepic** (at) fourteen Rue Leplic ▸ **il est quatorze heures** it's two pm ▸ **ils étaient quatorze** there were fourteen of them ▸ **le quatorze janvier** the fourteenth of January.

quatorzième [katɔʀzjɛm] num fourteenth ▸ **le quatorzième étage** fourteenth floor [UK], fifteenth floor [US] ▸ **le quatorzième (arrondissement)** fourteenth arrondissement ▸ **il est arrivé quatorzième** he came fourteenth.

quatre [katʀ] num four ▸ **monter les escaliers quatre à quatre** to run up the stairs ▸ **à quatre pattes** on all fours ▸ **il a quatre ans** he's four (years old) ▸ **il est quatre heures** it's four o'clock ▸ **le**

quatre janvier the fourth of January **▸ page quatre** page four **▸ ils étaient quatre** there were four of them **▸ le quatre de pique** the four of spades **▸ (au) quatre rue Lepic** at /to four, rue Lepic.

quatre-quarts [katkar] nm inv *cake made with equal weights of flour, butter, sugar and eggs.*

quatre-quatre [kat(rə)katr] nm inv *four-wheel drive.*

quatre-vingt [katrəvɛ̃] num = **quatre-vingts.**

quatre-vingt-dix [katrəvɛ̃dis] num ninety **▸ (au) quatre-vingt-dix rue Lepic** (at) ninety Rue Lepic **▸ ils étaient quatre-vingt-dix** there were ninety of them.

quatre-vingt-dixième [katrəvɛ̃dizjɛm] num ninetieth.

quatre-vingtième [katrəvɛ̃tjɛm] num eightieth.

quatre-vingts [katrəvɛ̃] num eighty **▸ (au) quatre-vingts rue Lepic** (at) eighty Rue Lepic **▸ ils étaient quatre-vingts** there were eighty of them.

quatrième [katrijɛm] ◆ num fourth. ◆ nf **1.** SCOL ≃ third year [UK]; ≃ ninth grade [US] **2.** [vitesse] fourth (gear) **▸ le quatrième étage** fourth floor [UK], fifth floor [US] **▸ le quatrième (arrondissement)** fourth arrondissement **▸ il est arrivé quatrième** he came fourth.

que [kə] ◆ conj **1.** [introduit une subordonnée] that **▸ voulez-vous que je ferme la fenêtre ?** would you like me to close the window ? **▸ je sais que tu es là** I know (that) you're there **2.** [exprime l'hypothèse] : **que nous partions aujourd'hui ou demain...** whether we leave today or tomorrow... **3.** [rem-

place une autre conjonction] : **comme il pleut et que je n'ai pas de parapluie...** since it's raining and I haven't got an umbrella... **4.** [exprime une restriction] : **ne... que** only **▸ je n'ai qu'une sœur** I've only got one sister

◆ pron rel **1.** [désigne une personne] that **▸ la personne que vous voyez là-bas** the person (that) you can see over there **2.** [désigne une chose] that, which **▸ le train que nous prenons part dans 10 minutes** the train (that) we're catching leaves in 10 minutes **▸ les livres qu'il m'a prêtés** the books (that) he lent me

◆ pron interr what **▸ qu'a-t-il dit ?, qu'est-ce qu'il a dit ?** what did he say ? **▸ je ne sais plus que faire** I don't know what to do any more

◆ adv [dans une exclamation] : **que c'est beau !, qu'est-ce que c'est beau !** it's really beautiful!

Québec [kebɛk] nm : **le Québec** Quebec.

québécisme [kebesism] nm Quebec French (turn of) phrase.

québécois, e [kebekwa, az] adj of Quebec. ◆ **Québécois, e** nm, f Quebecker.

quel, quelle [kɛl] ◆ adj **1.** [interrogatif:personne] which **▸ quels amis comptez-vous aller voir ?** which friends are you planning to go and see ? **▸ quelle est la vendeuse qui vous a servi ?** which shop assistant served you ? **2.** [interrogatif:chose] which, what **▸ quelle heure est-il ?** what time is it ? **▸ quel est ton vin préféré ?** what's your favourite wine ? **3.** [exclamatif] : **quel beau temps !** what beautiful weather! **▸ quel dommage !** what a shame! **4.** [avec « que »] : **tous les Français,**
→

quels qu'ils soient all French people, whoever they may be ▸ **que que soit le temps** whatever the weather
◆ *pron interr* which ▸ **quel est le plus intéressant des deux musées ?** which of the two museums is the most interesting?

quelconque [kɛlkɔ̃k] *adj* **1.** [banal] mediocre **2.** [n'importe quel] **: un chiffre quelconque** any number.

quelque [kɛlk(ə)] *adj* **1.** [un peu de] some **2.** [avec « que »] whatever ▸ **dans quelque temps** in a while ▸ **quelque route que je prenne** whatever route I take. ◆ **quelques** *adj* **1.** [plusieurs] some, a few **2.** [dans des expressions] **: 50 euros et quelque** just over 50 euros ▸ **il est midi et quelques** it's just gone midday ▸ **j'ai quelques lettres à écrire** I have some letters to write ▸ **aurais-tu quelques pièces pour le téléphone ?** have you got any change for the phone?

quelque chose [kɛlkəʃoz] *pron* **1.** something **2.** [dans les questions, les négations] anything ▸ **il y a quelque chose de bizarre** there's something funny.

quelquefois [kɛlkəfwa] *adv* sometimes.

quelque part [kɛlkəpar] *adv* **1.** somewhere **2.** [dans les questions, les négations] anywhere.

quelques-uns, quelques-unes [kɛlkəzœ̃, kɛlkəzyn] *pron* some.

quelqu'un [kɛlkœ̃] *pron* **1.** someone, somebody **2.** [dans les questions, les négations] anyone, anybody.

qu'en-dira-t-on [kɑ̃diratɔ̃] *nm inv* **:** **le qu'en-dira-t-on** tittle-tattle.

quenelle [kənɛl] *nf* minced fish or chicken mixed with egg and shaped into rolls.

qu'est-ce que [kɛskə] *pron interr* → **que.**

qu'est-ce qui [kɛski] *pron interr* → **que.**

question [kɛstjɔ̃] *nf* question ▸ **l'affaire en question** the matter in question ▸ **dans ce chapitre, il est question de...** this chapter deals with ▸ **il est question de faire qqch** there's some talk of doing sthg ▸ **(il n'en est) pas question !** (it's) out of the question! ▸ **remettre qqch en question** to question sthg.

questionnaire [kɛstjɔnɛr] *nm* questionnaire.

questionner [3] [kɛstjɔne] *vt* to question.

quête [kɛt] *nf* **1.** [d'argent] collection **2.** [recherche] **: en quête de** in search of ▸ **faire la quête** to collect money.

quêter [4] [kete] *vi* to collect money.

quetsche [kwɛtʃ] *nf* dark red plum.

queue [kø] *nf* **1.** tail **2.** [d'un train, d'un peloton] rear **3.** [file d'attente] queue [UK], line [US] ▸ **faire la queue** to queue [UK], to stand in line [US] ▸ **à la queue leu leu** in single file ▸ **faire une queue de poisson à qqn** to cut sb up.

queue-de-cheval [kødʃəval] (*pl* **queues-de-cheval**) *nf* ponytail.

qui [ki] ◆ *pron rel* **1.** [sujet : personne] who ▸ **les passagers qui doivent changer d'avion** passengers who have to change planes **2.** [sujet : chose] which, that ▸ **la route qui mène à Calais** the road which ou that goes to Calais **3.** [complément d'objet direct] who ▸ **tu vois qui je veux dire ?** do you

see who I mean? ▸ **invite qui tu veux** invite whoever you like **4.** [complément d'objet indirect] who, whom ▸ **la personne à qui j'ai parlé** the person to who ou whom I spoke **5.** [quiconque] : **qui que ce soit** whoever it may be **6.** [dans des expressions] : **qui plus est, ...** what's more, ...
◆ *pron interr* **1.** [sujet] who ▸ **qui êtes-vous ?** who are you? **4.** ▸ **je voudrais savoir qui sera là** I would like to know who's going to be there **2.** [complément d'objet direct] who ▸ **qui cherchez-vous ?, qui est-ce que vous cherchez ?** who are you looking for? ▸ **dites-moi qui vous cherchez** tell me who you are looking for **3.** [complément d'objet indirect] who, whom ▸ **à qui dois-je m'adresser ?** who should I speak to?

quiche [kiʃ] nf quiche ▸ **quiche lorraine** quiche (lorraine).

quiconque [kikɔ̃k] *pron* **1.** [dans une phrase négative] anyone, anybody **2.** [celui qui] anyone who.

quille [kij] nf **1.** [de jeu] skittle **2.** [d'un bateau] keel.

quincaillerie [kɛ̃kajri] nf [boutique] hardware shop.

quinoa [kinɔa] nm quinoa.

quinqua [kɛ̃ka] nmf fiftysomething.

quinquagénaire [kɛ̃kaʒenɛr] nmf fifty year old.

quinquennat [kɛ̃kena] nm five-year period of office, quinquennium, lustrum.

quinte [kɛ̃t] nf : **quinte de toux** coughing fit.

quintuple [kɛ̃typl] nm : **le quintuple du prix normal** five times the normal price.

quinzaine [kɛ̃zɛn] nf [deux semaines] fortnight ▸ **une quinzaine (de)** [environ quinze] about fifteen.

quinze [kɛ̃z] *num* fifteen ▸ **(au) quinze rue Lepic** (at) fifteen Rue Lepic ▸ **dans quinze jours** in a fortnight ▸ **il est quinze heures** it's three pm ▸ **ils étaient quinze** there were fifteen of them ▸ **le quinze janvier** the fifteenth of January.

quinzième [kɛ̃zjɛm] *num* fifteenth ▸ **le quinzième étage** fifteenth floor [UK], sixteenth floor [US] ▸ **le quinzième (arrondissement)** fifteenth arrondissement ▸ **il est arrivé quinzième** he came fifteenth.

quiproquo [kiprɔkɔ] nm misunderstanding.

quittance [kitɑ̃s] nf receipt ▸ **quittance de loyer** rent receipt.

quitte [kit] adj : **être quitte (envers qqn)** to be quits (with sb) ▸ **restons un peu, quitte à rentrer en taxi** let's stay a bit longer, even if it means getting a taxi home.

quitter [3] [kite] vt to leave ▸ **ne quittez pas** [au téléphone] hold the line. ◆ **se quitter** vp to part.

quiz [kwiz] nm quiz.

quoi [kwa] ◆ *pron interr* **1.** [employé seul] : **c'est quoi ?** *fam* what is it? ▸ **quoi de neuf ?** what's new? ▸ **quoi ?** [pour faire répéter] what? **2.** [complément d'objet direct] what ▸ **je ne sais pas quoi dire** I don't know what to say. **3.** [après une préposition] what ▸ **à quoi penses-tu ?** what are you thinking about? ▸ **à quoi bon ?** what's the point? **4.** [dans des expressions] : **tu viens ou quoi ?** *fam* are you coming or what? ▸ **quoi**
→

que whatever ▸ **quoi qu'il en soit, ...** be that as it may,

◆ **pron rel** [après une préposition] : **ce à quoi je pense** what I'm thinking about ▸ **de quoi manger / vivre** to have enough to eat / live on ▸ **avez-vous de quoi écrire ?** have you got something to write with? ▸ **merci — il n'y a pas de quoi** thank you — don't mention it.

quoique [kwakə] **conj** although.

quotidien, enne [kɔtidjɛ̃, ɛn] **adj & nm** daily.

quotidiennement [kɔtidjɛnmã] **adv** daily, every day.

quotient [kɔsjã] **nm** quotient ▸ **quotient intellectuel** intelligence quotient.

rab [rab] **nm** fam [portion] seconds pl.
◆ **en rab loc adj** fam : **un ticket en rab** a spare ticket.

rabâcher [3] [rabaʃe] **vt** fam to go over (and over).

rabais [rabɛ] **nm** discount.

rabaisser [4] [rabɛse] **vt** to belittle.

rabat [raba] **nm** flap.

rabat-joie [rabaʒwa] **nm inv** killjoy.

rabattre [83] [rabatr] **vt 1.** [replier] to turn down **2.** [gibier] to drive. ◆ **se rabattre vp** [automobiliste] to cut in ▸ **se rabattre sur** [choisir] to fall back on.

rabbin [rabɛ̃] **nm** rabbi.

rabibocher [3] [rabiboʃe] **vt** fam [époux] to reconcile, to get back together. ◆ **se rabibocher vp** fam to make (it) up.

rabot [rabo] **nm** plane.

raboter [3] [rabɔte] **vt** to plane.

rabougri, e [rabugri] **adj 1.** [personne] shrivelled **2.** [végétation] stunted.

raccommoder [3] [rakɔmɔde] **vt** to mend.

raccompagner [3] [rakɔ̃paɲe] **vt** to take home.

raccord [rakɔr] **nm** [de tuyau, de papier peint] join.

raccourci [rakursi] **nm** short cut ▸ **raccourci clavier** keyboard shortcut.

raccourcir [32] [rakursir] ◆ **vt** to shorten. ◆ **vi** [jours] to grow shorter.

raccrocher [3] [rakrɔʃe] ◆ **vt 1.** [remorque] to hitch up again **2.** [tableau] to hang back up. ◆ **vi 1.** [au téléphone] to hang up **2.** fam [abandonner] to retire.

race [ras] **nf 1.** [humaine] race **2.** [animale] breed ▸ **de race a)** [chien] pedigree **b)** [cheval] thoroughbred.

rachat [raʃa] **nm** buying back.

racheter [28] [raʃte] **vt 1.** [acheter en plus] to buy another **2.** [acheter plus de] to buy more **3.** [acheter un peu plus de] to buy some more **4.** COMM [société] to buy out ▸ **racheter qqch à qqn** [d'occasion] to buy sthg from sb.

racial, e, aux [rasjal, o] **adj** racial.

racine [rasin] **nf** root ▸ **racine carrée** square root.

racisme [rasism] **nm** racism.

raciste [rasist] **adj** racist.

racket [rakɛt] **nm** racketeering.

racketter [4] [rakɛte] vt to extort money from.

raclée [ʀakle] nf fam hiding, thrashing.

racler [3] [ʀakle] vt to scrape. ◆ **se racler** vp : **se racler la gorge** to clear one's throat.

raclette [ʀaklɛt] nf [plat] melted Swiss cheese served with jacket potatoes.

racontars [ʀakɔ̃taʀ] nmpl fam gossip sg.

raconter [3] [ʀakɔ̃te] vt to tell ▸ **raconter qqch à qqn** to tell sb sthg ▸ **raconter à qqn que** to tell sb that.

radar [ʀadaʀ] nm radar.

rade [ʀad] nf (natural) harbour 🇬🇧 ou harbor 🇺🇸.

radeau [ʀado] (pl -x) nm raft.

radiateur [ʀadjatœʀ] nm radiator.

radiations [ʀadjasjɔ̃] nfpl radiation sg.

radical, e, aux [ʀadikal, o] ◆ adj radical. ◆ nm [d'un mot] stem.

radieux, euse [ʀadjø, øz] adj 1. [soleil] bright 2. [sourire] radiant.

radin, e [ʀadɛ̃, in] adj fam stingy.

radio [ʀadjo] nf 1. [appareil] radio 2. [station] radio station 3. MÉD X-ray ▸ **à la radio** on the radio.

radioactif, ive [ʀadjoaktif, iv] adj radioactive.

radiocassette [ʀadjokasɛt] nf radio cassette player.

radiographie [ʀadjɔgʀafi] nf X-ray.

radiologue [ʀadjɔlɔg] nmf radiologist.

radiophonique [ʀadjɔfɔnik] adj radio (avant n).

radio-réveil [ʀadjɔʀevɛj] (pl radios-réveils) nm radio alarm.

radis [ʀadi] nm radish.

radoter [3] [ʀadɔte] vi to ramble.

radoucir [32] [ʀadusiʀ] ◆ **se radoucir** vp [temps] to get milder.

rafale [ʀafal] nf 1. [de vent] gust 2. [de coups de feu] burst.

raffermir [32] [ʀafɛʀmiʀ] vt [muscle, peau] to tone.

raffiné, e [ʀafine] adj refined.

raffinement [ʀafinmɑ̃] nm refinement.

raffinerie [ʀafinʀi] nf refinery.

raffoler [3] [ʀafɔle] ▸ **raffoler de** v + prép to be mad about.

rafler [3] [ʀafle] vt fam [emporter] to swipe.

rafraîchir [32] [ʀafʀeʃiʀ] vt 1. [atmosphère, pièce] to cool 2. [boisson] to chill 3. [coiffure] to trim. ◆ **se rafraîchir** vp 1. [boire] to have a drink 2. [temps] to get cooler.

rafraîchissant, e [ʀafʀeʃisɑ̃, ɑ̃t] adj refreshing.

rafraîchissement [ʀafʀeʃismɑ̃] nm [boisson] cold drink.

rage [ʀaʒ] nf 1. [maladie] rabies 2. [colère] rage ▸ **rage de dents** toothache.

ragots [ʀago] nmpl fam gossip sg.

ragoût [ʀagu] nm stew.

raide [ʀɛd] ◆ adj 1. [cheveux] straight 2. [corde] taut 3. [personne, démarche] stiff 4. [pente] steep. ◆ adv : **tomber raide mort** to drop dead.

raidir [32] [ʀediʀ] vt [muscles] to tense. ◆ **se raidir** vp to stiffen.

raie [rɛ] nf **1.** stripe **2.** [dans les cheveux] parting UK, part US **3.** [poisson] skate.

rails [raj] nmpl tracks.

rainure [rɛnyr] nf groove.

raisin [rɛzɛ̃] nm grapes ▸ **raisins secs** raisins.

⚠ Raisin est un faux ami, il signifie **raisin sec** et non « raisin ».

raison [rɛzɔ̃] nf **1.** reason **2.** [maîtrise] : **avoir raison de qqn /qqch** to get the better of sb /sthg ▸ **à raison de** at the rate of ▸ **avoir raison (de faire qqch)** to be right (to do sthg) ▸ **en raison de** owing to.

raisonnable [rɛzɔnabl] adj reasonable.

raisonnement [rɛzɔnmɑ̃] nm reasoning.

raisonner [3] [rɛzɔne] ◆ vi to think. ◆ vt [calmer] to reason with.

rajeunir [32] [raʒœnir] ◆ vi **1.** [paraître plus jeune] to look younger **2.** [se sentir plus jeune] to feel younger. ◆ vt : **ra-jeunir qqn a)** [vêtement] to make sb look younger **b)** [événement] to make sb feel younger.

rajouter [3] [raʒute] vt to add.

ralenti [ralɑ̃ti] nm **1.** [d'un moteur] idling speed **2.** [au cinéma] slow motion ▸ **tourner au ralenti** [fonctionner] to tick over ▸ **au ralenti** [au cinéma] in slow motion.

ralentir [32] [ralɑ̃tir] vt & vi to slow down.

râler [3] [rale] vi fam to moan.

rallonge [ralɔ̃ʒ] nf **1.** [de table] leaf **2.** [électrique] extension (lead).

rallonger [17] [ralɔ̃ʒe] ◆ vt to lengthen. ◆ vi [jours] to get longer.

rallumer [3] [ralyme] vt **1.** [lampe] to switch on again **2.** [feu, cigarette] to relight.

rallye [rali] nm [course automobile] rally.

RAM [ram] nf inv RAM.

ramadan [ramadɑ̃] nm Ramadan.

ramassage [ramasaʒ] nm : **ramas-sage scolaire** school bus service.

ramasser [3] [ramase] vt **1.** [objet tombé] to pick up **2.** [fleurs, champignons] to pick.

rambarde [rɑ̃bard] nf guardrail.

rame [ram] nf **1.** [aviron] oar **2.** [de métro] train.

ramener [19] [ramne] vt **1.** [raccompagner] to take home **2.** [amener de nouveau] to take back.

ramequin [ramkɛ̃] nm ramekin (mould).

ramer [3] [rame] vi **1.** [sport] to row **2.** fam to slog one's guts out.

ramollir [32] [ramɔlir] vt to soften. ◆ **se ramollir** vp to soften.

ramoner [3] [ramɔne] vt to sweep.

rampe [rɑ̃p] nf **1.** [d'escalier] banister **2.** [d'accès] ramp.

ramper [3] [rɑ̃pe] vi to crawl.

rampon [rɑ̃pɔ̃] nm Suisse lamb's-lettuce.

rancarder [3] [rɑ̃karde] vt vulg [donner un rendez-vous à] : **rancarder qqn** to arrange to meet sb.

rance [rɑ̃s] adj rancid.

ranch [rɑ̃tʃ] (pl -s ou -es) nm ranch.

rançon [rɑ̃sɔ̃] nf ransom ▸ **la rançon du succès** the price of success.

rancune [rɑ̃kyn] nf spite ▸ **sans rancune !** no hard feelings!

rancunier, ère [rɑ̃kynje, ɛr] adj spiteful.

randonnée [rɑ̃dɔne] nf **1.** [à pied] hike **2.** [à vélo] ride ▸ **faire de la randonnée (pédestre)** to go hiking.

rang [rɑ̃] nm **1.** [rangée] row **2.** [place] place ▸ **se mettre en rangs** to line up.

rangé, e [rɑ̃ʒe] adj [chambre] tidy.

rangée [rɑ̃ʒe] nf row.

rangement [rɑ̃ʒmɑ̃] nm [placard] storage unit ▸ **faire du rangement** to tidy up.

ranger [17] [rɑ̃ʒe] vt **1.** [chambre] to tidy (up) **2.** [objets] to put away. ◆ **se ranger** vp [en voiture] to park.

ranimer [3] [ranime] vt **1.** [blessé] to revive **2.** [feu] to rekindle.

rap [rap] nm rap.

rapace [rapas] nm bird of prey.

rapatrier [10] [rapatrije] vt to send home.

râpe [rap] nf **1.** grater **2.** Suisse *fam* [avare] skinflint ▸ **râpe à fromage** cheese grater.

râper [3] [rape] vt [aliment] to grate.

rapetisser [3] [raptise] vi to shrink.

râpeux, euse [rapø, øz] adj rough.

raphia [rafja] nm raffia.

rapide [rapid] adj **1.** [cheval, pas, voiture] fast **2.** [décision, guérison] quick.

rapidement [rapidmɑ̃] adv quickly.

rapidité [rapidite] nf speed.

rapido [rapido], **rapidos** [rapidos] adv *fam* pronto.

rapiécer [20] [rapjese] vt to patch up.

rappel [rapɛl] nm [de paiement] reminder ▸ **'rappel'** sign reminding drivers of speed limit or other traffic restriction.

rappeler [24] [raple] vt to call back ▸ **rappeler qqch à qqn** to remind sb of sthg. ◆ **se rappeler** vp to remember.

rapport [rapɔr] nm **1.** [compte-rendu] report **2.** [point commun] connection ▸ **par rapport à** in comparison to. ◆ **rapports** nmpl [relation] relationship *sg*.

rapporter [3] [rapɔrte] ◆ vt **1.** [rendre] to take back **2.** [ramener] to bring back **3.** [suj : investissement] to yield **4.** [suj : travail] to bring in. ◆ vi [être avantageux] to be lucrative. ◆ **se rapporter à** vp + prép to relate to.

rapporteur, euse [rapɔrtœr, øz] ◆ nm, f telltale. ◆ nm MATH protractor.

rapprocher [3] [raprɔʃe] vt to bring closer. ◆ **se rapprocher** vp to approach ▸ **se rapprocher de a)** to approach **b)** [affectivement] to get closer to.

raquette [rakɛt] nf **1.** [de tennis] racket **2.** [de ping-pong] bat **3.** [pour la neige] snowshoe.

rare [rar] adj rare.

rarement [rarmɑ̃] adv rarely.

ras, e [ra, raz] ◆ adj **1.** [très court] short **2.** [verre, cuillère] full. ◆ adv : **(à) ras** [couper] short ▸ **au ras de** just above ▸ **à ras bord** to the brim ▸ **en avoir ras le bol** *fam* to be fed up.

raser [3] [raze] vt **1.** [barbe] to shave off **2.** [personne] to shave **3.** [frôler] to hug. ◆ **se raser** vp to shave.

rasoir [razwar] nm razor ▸ **rasoir électrique** (electric) shaver.

rassasié, e [rasazje] adj full (up).

rassembler [3] [rasɑ̃ble] vt to gather. ◆ **se rassembler** vp 1. [manifestants] to gather 2. [famille] to get together.

rasseoir [65] [raswar] ◆ **se rasseoir** vp to sit down again.

rassis, e [rasi, iz] ◆ pp → **rasseoir**. ◆ adj [pain] stale.

rassurant, e [rasyrɑ̃, ɑ̃t] adj reassuring.

rassurer [3] [rasyre] vt to reassure.

rat [ra] nm rat.

ratatiné, e [ratatine] adj shrivelled.

ratatouille [ratatuj] nf ratatouille.

rate [rat] nf [organe] spleen.

râteau [rato] (pl -x) nm rake.

rater [3] [rate] ◆ vt 1. [cible, train] to miss 2. [examen] to fail. ◆ vi [échouer] to fail ▶ **rater un gâteau** to make a mess of a cake.

ration [rasjɔ̃] nf ration.

rationnel, elle [rasjɔnɛl] adj rational.

ratisser [3] [ratise] vt [allée] to rake.

RATP nf *Paris public transport authority.*

rattacher [3] [ratafe] vt : **rattacher qqch à** [relier] to link sthg to.

ratte [rat] nf [plante & CULIN] fingerling potato, (La) Ratte potato.

rattrapage [ratrapaʒ] nm SCOL remedial teaching.

rattraper [3] [ratrape] vt 1. [évadé] to recapture 2. [objet] to catch 3. [retard] to make up. ◆ **se rattraper** vp 1. [se retenir] to catch o.s. 2. [d'une erreur] to make up for it 3. [sur le temps perdu] to catch up.

rature [ratyr] nf crossing out.

rauque [rok] adj hoarse.

ravages [ravaʒ] nmpl : **faire des ravages** [dégâts] to wreak havoc.

ravaler [3] [ravale] vt [façade] to restore.

rave [rɛv], **rave-party** [rɛvparti] nf rave (party).

ravi, e [ravi] adj delighted ▶ **ravi de faire votre connaissance !** delighted to meet you !

ravin [ravɛ̃] nm ravine.

ravioli(s) [ravjɔli] nmpl ravioli sg.

raviser [3] [ravize] ◆ **se raviser** vp to change one's mind.

ravissant, e [ravisɑ̃, ɑ̃t] adj gorgeous.

ravisseur, euse [raviscœr, øz] nm, f kidnapper.

ravitaillement [ravitajmɑ̃] nm 1. supplying 2. [provisions] food supplies.

ravitailler [3] [ravitaje] vt to supply. ◆ **se ravitailler** vp [avion] to refuel.

rayé, e [rɛje] adj 1. [tissu] striped 2. [disque, verre] scratched.

rayer [11] [rɛje] vt 1. [abîmer] to scratch 2. [barrer] to cross out.

rayon [rɛjɔ̃] nm 1. [de soleil, de lumière] ray 2. [de grand magasin] department 3. [de roue] spoke 4. MATH radius ▶ **rayons X** X-rays.

rayonnage [rɛjɔnaʒ] nm shelves pl.

rayonnement [rɛjɔnmɑ̃] nm 1. [science physique] radiation 2. [brillance, splendeur] radiance.

rayonner [3] [rɛjɔne] vi 1. [visage, personne] to be radiant 2. [touriste, randonneur] to tour around ▶ **rayonner autour de** [ville] to radiate out (from).

rayure [rɛjyr] nf 1. [sur un tissu] stripe 2. [sur un disque, sur du verre] scratch ▶ **à rayures** striped.

raz(-)de(-)marée [radmare] nm inv tidal wave.

ré [ʀe] nm inv MUS D ; [chanté] re.

réacteur [ʀeaktœʀ] nm [d'avion] jet engine.

réaction [ʀeaksjɔ̃] nf reaction.

réagir [32] [ʀeaʒiʀ] vi to react.

réalisateur, trice [ʀealizatœʀ, tʀis] nm, f [de cinéma, de télévision] director.

réalisation [ʀealizasjɔ̃] nf 1. [de projet] carrying out 2. [cinéma, télévision] production.

réaliser [3] [ʀealize] vt 1. [projet, exploit] to carry out 2. [rêve] to fulfil 3. [film] to direct 4. [comprendre] to realize. ◆ **se réaliser** vp [rêve, souhait] to come true.

réaliste [ʀealist] adj realistic.

réalité [ʀealite] nf reality ▸ **réalité virtuelle** virtual reality ▸ **en réalité** in reality.

réanimation [ʀeanimasjɔ̃] nf [service] intensive care.

réanimer [3] [ʀeanime] vt to resuscitate.

réapprovisionner [3] [ʀeapʀovizjɔne] vt COMM [magasin] to restock ; [commerçant] to resupply. ◆ **se réapprovisionner** vp to stock up again.

rebelle [ʀəbɛl] ◆ nmf rebel. ◆ adj 1. [personne] rebellious 2. [troupes] rebel 3. [mèche] unruly.

rebeller [4] [ʀəbele] ◆ **se rebeller** vp to rebel.

rebelote [ʀəbəlɔt] nf : **rebelote !** fam here we go again!

rebondir [32] [ʀəbɔ̃diʀ] vi to bounce.

rebondissement [ʀəbɔ̃dismɑ̃] nm new development.

rebord [ʀəbɔʀ] nm [d'une fenêtre] sill.

reboucher [3] [ʀəbuʃe] vt 1. [bouteille] to recork 2. [trou] to fill in.

rebrousse-poil [ʀəbʀuspwal] ◆ **à rebrousse-poil** adv the wrong way.

rebrousser [3] [ʀəbʀuse] vt : **rebrousser chemin** to retrace one's steps.

rébus [ʀebys] nm game where pictures represent the syllables of words.

récalcitrant, e [ʀekalsitʀɑ̃, ɑ̃t] adj recalcitrant.

recalé, e [ʀəkale] adj fam : **recalée en juin, j'ai réussi en septembre** I failed in June but passed in September.

récapituler [3] [ʀekapityle] vt to summarize.

recaser [3] [ʀəkaze] vt fam [personne] to find a new job for. ◆ **se recaser** vp (emploi réfléchi) fam [retrouver un emploi] to get fixed up with a new job.

récemment [ʀesamɑ̃] adv recently.

recensement [ʀəsɑ̃smɑ̃] nm [de la population] census.

récent, e [ʀesɑ̃, ɑ̃t] adj recent.

récépissé [ʀesepise] nm receipt.

récepteur [ʀeseptœʀ] nm receiver.

réception [ʀesepsjɔ̃] nf reception ▸ **à réception du colis** on receipt ou delivery of the package ▸ **s'adresser à la réception** 'enquire at reception'.

réceptionniste [ʀesepsjɔnist] nmf receptionist.

recette [ʀəsɛt] nf 1. [de cuisine] recipe 2. [argent gagné] takings pl.

recevoir [52] [ʀəsəvwaʀ] vt 1. [colis, lettre] to receive 2. [balle, coup] to get 3. [à dîner] to entertain 4. [accueillir] to welcome ▸ **être reçu à un examen** to pass an exam.

rechange [rǝʃɑ̃ʒ] ◆ **de rechange** adj **1.** [vêtement] spare **2.** [solution] alternative.

recharge [rǝʃarʒ] nf refill.

rechargeable [rǝʃarʒabl] adj refillable.

recharger [17] [rǝʃarʒe] vt **1.** [briquet, stylo] to refill **2.** [arme] to reload.

réchaud [reʃo] nm (portable) stove ▸ **réchaud à gaz** gas stove.

réchauffement [reʃofmɑ̃] nm warming (up) ▸ **le réchauffement de la planète** global warming.

réchauffer [3] [reʃofe] vt to warm up. ◆ **se réchauffer** vp [temps] to get warmer ▸ **se réchauffer les mains** to warm one's hands.

recherche [rǝʃɛrʃ] nf [scientifique] research ▸ **faire des recherches** [pour un devoir] to do some research ▸ **faire de la recherche** to do research ▸ **être à la recherche de** to be looking for.

rechercher [3] [rǝʃɛrʃe] vt **1.** to search **2.** INFORM to look for.

rechute [rǝʃyt] nf relapse ▸ **faire une rechute** to (have) a relapse.

rechuter [3] [rǝʃyte] vi to relapse.

récidiver [3] [residive] vi DR to commit another offence UK ou offense US.

récif [resif] nm reef.

récipient [resipjɑ̃] nm container.

réciproque [resiprɔk] adj mutual.

récit [resi] nm story.

récital [resital] nm recital.

récitation [resitasjɔ̃] nf SCOL recitation piece.

réciter [3] [resite] vt to recite.

réclamation [reklamasjɔ̃] nf complaint ▸ **faire une réclamation** to make a complaint.

réclame [reklam] nf [annonce] advertisement ▸ **être en réclame** to be on special offer ▸ **faire de la réclame pour qqch** to advertize sthg.

réclamer [3] [reklame] vt to ask for.

réclusion [reklyzjɔ̃] nf imprisonment ▸ **réclusion à perpétuité** life imprisonment.

recoiffer [3] [rǝkwafe] ◆ **se recoiffer** vp to do one's hair again.

recoin [rǝkwɛ̃] nm corner.

recoller [3] [rǝkɔle] vt [objet brisé] to stick back together.

récolte [rekɔlt] nf harvest.

récolter [3] [rekɔlte] vt to harvest.

recommandation [rǝkɔmɑ̃dasjɔ̃] nf recommendation.

recommandé, e [rǝkɔmɑ̃de] ◆ adj [lettre, paquet] registered. ◆ nm : **envoyer qqch en recommandé** to send sthg by registered post UK, to send sthg by registered mail US.

recommander [3] [rǝkɔmɑ̃de] vt to recommend. ◆ **se recommander** vp Suisse [insister] to insist.

recommencer [16] [rǝkɔmɑ̃se] vt & vi to start again ▸ **recommencer à faire qqch** to start to do sthg again.

récompense [rekɔ̃pɑ̃s] nf reward.

récompenser [3] [rekɔ̃pɑ̃se] vt to reward.

recomposé, e [rǝkɔ̃poze] adj [famille] blended.

réconcilier [9] [rekɔ̃silje] vt to reconcile. ◆ **se réconcilier** vp to make up.

reconduire [98] [ʀəkɔ̃dɥiʀ] vt [raccompagner] to take back.

reconduit, e [ʀəkɔ̃dɥi, it] pp & 3ᵉ pers. du sg de l'ind. prés. → **reconduire**.

reconfigurer [3] [ʀəkɔ̃figyʀe] vt to reconfigure.

réconforter [3] [ʀekɔ̃fɔʀte] vt to comfort.

reconnaissance [ʀəkɔnesɑ̃s] nf [gratitude] gratitude.

reconnaissant, e [ʀəkɔnesɑ̃, ɑ̃t] adj grateful **‣ je vous suis très reconnaissant** I'm very grateful to you.

reconnaître [91] [ʀəkɔnɛtʀ] vt **1.** [se rappeler] to recognize **2.** [admettre] to admit.

reconnu, e [ʀəkɔny] pp → **reconnaître**.

reconstituer [7] [ʀəkɔ̃stitɥe] vt [puzzle, objet cassé] to piece together.

reconstruire [98] [ʀəkɔ̃stʀɥiʀ] vt to rebuild.

reconstruit, e [ʀəkɔ̃stʀɥi, it] pp & 3ᵉ pers. du sg de l'ind. prés. → **reconstruire**.

recontacter [3] [ʀəkɔ̃takte] vt to recontact, to get back in touch with **‣ nous vous recontacterons (ultérieurement)** we will get back in touch with you.

reconvertir [32] [ʀəkɔ̃vɛʀtiʀ] **◆ se reconvertir dans** vp + prép [profession] to go into **‣ se reconvertir dans l'informatique** to change career and go into computing.

recopier [9] [ʀəkɔpje] vt to copy out.

record [ʀəkɔʀ] nm record.

recoucher [3] [ʀəkuʃe] **◆ se recoucher** vp to go back to bed.

recoudre [86] [ʀəkudʀ] vt **1.** [bouton] to sew back on **2.** [vêtement] to sew up again.

recourbé, e [ʀekuʀbe] adj curved.

recours [ʀəkuʀ] nm **: avoir recours à** to have recourse to.

recouvert, e [ʀəkuvɛʀ, ɛʀt] pp → **recouvrir**.

recouvrir [34] [ʀəkuvʀiʀ] vt to cover **‣ recouvrir qqch de** to cover sthg with.

récréation [ʀekʀeasjɔ̃] nf SCOL break UK, recess US.

recroqueviller [3] [ʀəkʀɔkvije] **◆ se recroqueviller** vp to curl up.

recrutement [ʀəkʀytmɑ̃] nm recruitment.

recruter [3] [ʀəkʀyte] vt to recruit.

rectangle [ʀɛktɑ̃gl] nm rectangle.

rectangulaire [ʀɛktɑ̃gylɛʀ] adj rectangular.

rectificatif [ʀɛktifikatif] nm correction.

rectifier [9] [ʀɛktifje] vt to correct.

rectiligne [ʀɛktiliɲ] adj straight.

recto [ʀɛkto] nm right side **‣ recto verso** on both sides.

reçu, e [ʀəsy] **◆** pp → **recevoir**. **◆** nm receipt.

recueil [ʀəkœj] nm collection.

recueillir [41] [ʀəkœjiʀ] vt **1.** [rassembler] to collect **2.** [accueillir] to take in. **◆ se recueillir** vp to meditate.

recul [ʀəkyl] nm [d'une arme] recoil **‣ prendre du recul** [pour sauter] to step back.

reculé, e [ʀəkyle] adj distant.

reculer [3] [rǝkyle] ◆ vt **1.** to move back **2.** [date] to postpone. ◆ vi to move back.

reculons [rǝkylɔ̃] ◆ **à reculons** adv backwards.

récup [rekyp] (abr de récupération) nf fam [chiffons, papier, ferraille, etc.] recycling, reclaiming.

récupérer [18] [rekypere] ◆ vt **1.** [reprendre] to get back **2.** [pour réutiliser] to salvage **3.** [heures, journées de travail] to make up. ◆ vi to recover.

récurer [3] [rekyre] vt to scour.

recyclable [rǝsiklabl] adj recyclable.

recyclage [rǝsiklaʒ] nm **1.** [de déchets] recycling **2.** [professionnel] retraining.

recycler [3] [rǝsikle] vt [déchets] to recycle.

rédacteur, trice [redaktœr, tris] nm, f [de journal] subeditor ; [d'ouvrage de référence] editor ▸ **rédacteur en chef** editor-in-chief.

rédaction [redaksjɔ̃] nf SCOL essay.

redémarrer [3] [rǝdemare] vi to start again ; fig to get going again ; INFORM to reboot, to restart.

redescendre [73] [rǝdesɑ̃dr] vi **1.** to go /come down again **2.** [avion] to descend.

redevance [rǝdǝvɑ̃s] nf fee ▸ **redevance télé** TV licence fee UK.

rediffusion [rǝdifyzjɔ̃] nf [émission] repeat.

rédiger [17] [rediʒe] vt to write.

redimensionner [3] [rǝdimɑ̃sjɔne] vt to resize.

redire [102] [rǝdir] vt to repeat.

redonner [3] [rǝdɔne] vt : **redonner qqch à qqn a)** [rendre] to give sb

back sthg **b)** [donner plus] to give sb more sthg.

redoublement [rǝdublǝmɑ̃] nm **1.** SCOL repeating a year UK ou grade US **2.** [accroissement] increase, intensification ▸ **seul un redoublement d'efforts lui permettra de réussir** he will only succeed if he works much harder ▸ **son redoublement l'a fait progresser** she's doing much better at school since she was held back a year.

redoubler [3] [rǝduble] ◆ vt SCOL to repeat. ◆ vi **1.** SCOL to repeat a year **2.** [pluie] to intensify.

redoutable [rǝdutabl] adj formidable.

redouter [3] [rǝdute] vt to fear.

redressement [rǝdrɛsmɑ̃] nm **1.** [d'une entreprise] recovery **2.** [fiscal] adjustment ▸ **redressement fiscal** payment of back taxes.

redresser [4] [rǝdrɛse] ◆ vt **1.** [tête, buste] to lift **2.** [parasol, étagère, barre] to straighten. ◆ vi [conducteur] to straighten up. ◆ **se redresser** vp [personne] to sit /stand up straight.

réduction [redyksjɔ̃] nf **1.** reduction **2.** [copie] (scale) model.

réduire [98] [redɥir] ◆ vt **1.** to reduce **2.** INFORM to minimize ▸ **réduire qqch en miettes** to smash sthg into pieces ▸ **réduire qqch en poudre** [écraser] to grind sthg.

réduit, e [redɥi, it] ◆ pp & 3ᵉ pers. du sg de l'ind. prés. → **réduire.** ◆ adj [chiffre, vitesse] low. ◆ nm cubbyhole.

rééducation [reedykasjɔ̃] nf MÉD rehabilitation.

réel, elle [reɛl] adj real.

réellement [reɛlmɑ̃] adv really.

réexpédier [9] [reɛkspedje] vt
1. [rendre] to send back **2.** [faire suivre]
to forward.

refaire [109] [rəfɛr] vt **1.** [faire à nou-
veau] to do again **2.** [remettre en état]
to repair.

refait, e [rəfɛ, ɛt] pp & 3ᵉ pers. du sg
de l'ind. prés. → **refaire**.

réfectoire [refɛktwar] nm refectory.

référence [referɑ̃s] nf **1.** reference
2. [numéro] reference number ▸ **faire
référence à** to refer to.

référencer [16] [referɑ̃se] vt [sur In-
ternet] to reference.

référendum [referɛ̃dɔm] nm referendum.

refermer [3] [rəfɛrme] vt to close.
◆ **se refermer** vp to close.

réfléchi, e [refleʃi] adj GRAMM reflexive.

réfléchir [32] [refleʃir] ◆ vt [lumière]
to reflect. ◆ vi to think. ◆ **se réfléchir**
vp to be reflected.

reflet [rəflɛ] nm **1.** [dans un miroir] reflection **2.** [de cheveux] tint.

refléter [18] [rəflete] vt to reflect.
◆ **se refléter** vp to be reflected.

réflexe [reflɛks] nm reflex.

réflexion [reflɛksjɔ̃] nf **1.** [pensée]
thought **2.** [remarque, critique] remark.

reformater [3] [rəfɔrmate] vt INFORM
to reformat.

réforme [refɔrm] nf reform.

réformer [3] [reforme] vt **1.** to reform
2. MIL to discharge.

refouler [3] [rəfule] ◆ vt **1.** [foule]
to drive back **2.** [problème] to repress
3. [sentiment, larmes] to hold back. ◆ vi
fam [sentir mauvais] to stink.

refrain [rəfrɛ̃] nm chorus.

réfrigérateur [refriʒeratœr] nm refrigerator.

réfrigérer [18] [refriʒere] vt to re-
frigerate, to cool.

refroidir [32] [rəfrwadir] ◆ vt **1.** [ali-
ment] to cool **2.** [décourager] to discourage. ◆ vi to cool. ◆ **se refroidir** vp
[temps] to get colder.

refroidissement [rəfrwadismɑ̃] nm
1. [de la température] drop in temperature **2.** [rhume] chill.

refuge [rəfyʒ] nm **1.** [en montagne]
mountain lodge **2.** [pour sans-abri] refuge.

réfugié, e [refyʒje] nm, f refugee.

réfugier [9] [refyʒje] ◆ **se réfugier**
vp to take refuge.

refus [rəfy] nm refusal.

refuser [3] [rəfyze] vt **1.** to refuse
2. [candidat] to fail ▸ **refuser qqch à qqn**
to refuse sb sthg ▸ **refuser de faire qqch**
to refuse to do sthg.

regagner [3] [rəɡaɲe] vt **1.** [reprendre]
to regain **2.** [rejoindre] to return to
▸ **veuillez regagner vos places** return
to your seats.

régaler [3] [reɡale] ◆ **se régaler** vp
1. [en mangeant] to have a great meal
2. [s'amuser] to have a great time.

regard [rəɡar] nm look.

regarder [3] [rəɡarde] vt **1.** to look
at **2.** [télévision, spectacle] to watch
3. [concerner] to concern ▸ **ça ne te regarde pas** it's none of your business.

régénérant, e [reʒenerɑ̃, ɑ̃t] adj re-
generative.

reggae [reɡe] nm reggae.

régime [reʒim] nm 1. diet 2. [d'un moteur] speed 3. [de bananes] bunch 4. POL regime ▸ **être /se mettre au régime** to be /go on a diet.

régiment [reʒimã] nm regiment.

région [reʒjɔ̃] nf region.

ⓘ **Les régions**

France is made up of twenty-two **Régions**, subdivided into 96 **départements**. Each region is run by a prefect and a regional council. The administrative power they were given under decentralization legislation was intended to create a better balance between Paris and the rest of France, **la province**.

régional, e, aux [reʒjɔnal, o] adj regional.

registre [rəʒistr] nm register.

réglable [reglabl] adj adjustable.

réglage [reglaʒ] nm adjustment.

règle [regl] nf 1. [instrument] ruler 2. [loi] rule ▸ **être en règle** [papiers] to be in order ▸ **en règle générale** as a rule ▸ **règles du jeu** rules of the game. ◆ **règles** nfpl period sg.

règlement [reglǝmã] nm 1. [lois] regulations pl 2. [paiement] payment ▸ **règlement intérieur** house rules.

réglementaire [reglǝmãtɛr] adj [imposé] regulation (avant n).

réglementation [reglǝmãtasjɔ̃] nf [ensemble de règles] regulations pl, rules pl.

régler [18] [regle] vt 1. [appareil, moteur] to regulate 2. [payer] to pay 3. [problème] to sort out.

réglisse [reglis] nf liquorice.

règne [rɛɲ] nm reign.

régner [8] [reɲe] vi to reign.

regresser [4] [regrese] vi 1. [personne] to regress 2. [épidémie] to recede 3. [ventes] to drop.

regret [rəgrɛ] nm regret.

regrettable [rəgrɛtabl] adj regrettable ▸ **il est regrettable que** it is unfortunate ou a pity that.

regretter [4] [rəgrete] vt 1. [erreur, décision] to regret 2. [personne] to miss ▸ **regretter de faire qqch** to be sorry to do sthg ▸ **je regrette de lui avoir dit ça** I wish I hadn't told him ▸ **regretter que** to be sorry that.

regrouper [3] [rəgrupe] vt to regroup. ◆ **se regrouper** vp to gather.

régulier, ère [regylje, ɛr] adj 1. [constant] steady 2. [fréquent, habituel] regular 3. [légal] legal.

régulièrement [regyljɛrmã] adv 1. [de façon constante] steadily 2. [souvent] regularly.

rehausseur [Rǝosœr] nm booster seat.

rein [rɛ̃] nm kidney. ◆ **reins** nmpl [dos] back sg.

réincarner [3] [Reɛ̃karne] ◆ **se réincarner** vp to be reincarnated.

reine [rɛn] nf queen.

réinitialisation [Reinisjalizasjɔ̃] nf rebooting.

réinitialiser [3] [Reinisjalize] vt INFORM to reinitialize.

réinscriptible [Reɛ̃skriptibl] adj INFORM (re-)recordable ; [cédérom] rewritable.

réinsertion [Reɛ̃sɛrsjɔ̃] nf [dans la vie professionnelle] reintegration.

rejeter [27] [rəʒte] vt 1. [renvoyer] to throw back 2. [refuser] to reject.

rejoindre [82] [rəʒwɛ̃dr] vt 1. [personne, route] to join 2. [lieu] to return to.

rejoint, e [rəʒwɛ̃, ɛ̃t] pp & 3ᵉ pers. du sg de l'ind. prés. → **rejoindre**.

réjouir [32] [reʒwir] ◆ **se réjouir** vp to be delighted ▸ **se réjouir de qqch** to be delighted about sthg.

réjouissant, e [reʒwisɑ̃, ɑ̃t] adj joyful.

relâcher [3] [rəlɑʃe] vt [prisonnier] to release ▸ **relâcher son attention** to let one's attention wander. ◆ **se relâcher** vp 1. [corde] to go slack 2. [discipline] to become lax.

relais [rəlɛ] nm 1. [auberge] inn 2. SPORT relay ▸ **prendre le relais (de qqn)** to take over (from sb) ▸ **relais routier** roadside café UK, truck stop US.

relancer [16] [rəlɑ̃se] vt 1. [balle] to throw back 2. [solliciter] to pester.

relatif, ive [rəlatif, iv] adj relative ▸ **relatif à** relating to.

relation [rəlasjɔ̃] nf 1. relationship 2. [personne] acquaintance ▸ **être/entrer en relation(s) avec qqn** to be in / make contact with sb.

relativement [rəlativmɑ̃] adv relatively.

relaxation [rəlaksasjɔ̃] nf relaxation.

relaxer [3] [rəlakse] ◆ **se relaxer** vp to relax.

relayer [11] [rəleje] vt to take over from. ◆ **se relayer** vp : **se relayer (pour faire qqch)** to take turns (in doing sthg).

relevé, e [rəlve] ◆ adj [épicé] spicy. ◆ nm : **relevé de compte** bank statement.

relever [19] [rəlve] vt 1. [tête] to lift 2. [col] to turn up 3. [remettre debout] to pick up 4. [remarquer] to notice 5. [épicer] to season. ◆ **se relever** vp 1. [du lit] to get up again 2. [après une chute] to get up.

relief [rəljɛf] nm relief ▸ **en relief** a) [carte] relief.

relier [9] [rəlje] vt to connect.

religieuse [rəliʒjøz] nf [gâteau] choux pastry with a chocolate or coffee filling ▸ **religieuse au chocolat** chocolate cream puff.

religieux, euse [rəliʒjø, øz] ◆ adj religious. ◆ nm, f monk (nun).

religion [rəliʒjɔ̃] nf religion.

relire [106] [rəlir] vt 1. [lire à nouveau] to reread 2. [pour corriger] to read over.

reliure [rəljyr] nf binding.

relooker [3] [rəluke] vt [personne] to give a makeover to.

relou [rəlu] adj 1. fam [idiot] stupid ▸ **elle est relou, ta blague** that's a really stupid joke 2. [agaçant] : **tu deviens relou avec tes questions** your questions are starting to get on my nerves.

relu, e [rəly] pp → **relire**.

remanier [9] [rəmanje] vt 1. [texte] to revise 2. [équipe] to reshuffle.

remarcher [3] [rəmarʃe] vi [mécanisme] to work again.

remarquable [rəmarkabl] adj remarkable.

remarque [rəmark] nf remark.

remarquer [3] [rəmarke] vt [s'apercevoir de] to notice ▸ **faire remarquer qqch à qqn** to point sthg out to sb ▸ **remarque, ...** mind you, ... ▸ **se faire remarquer** to draw attention to o.s.

rembobiner [3] [ʀɑ̃bɔbine] vt to rewind.

rembourré, e [ʀɑ̃buʀe] adj [fauteuil, veste] padded.

remboursement [ʀɑ̃buʀsəmɑ̃] nm refund.

rembourser [3] [ʀɑ̃buʀse] vt to pay back ▸ **rembourser qqch à qqn** to pay back sb for sthg ▸ **se faire rembourser** to get reimbursed.

remède [ʀəmɛd] nm cure.

remédier [9] [ʀəmedje] ◆ **remédier à** v + prép 1. [problème] to solve 2. [situation] to put right.

remémorer [3] [ʀəmemɔʀe] ◆ **se remémorer** vp to recollect.

remerciements [ʀəmɛʀsimɑ̃] nmpl thanks.

remercier [9] [ʀəmɛʀsje] vt 1. [dire merci] to thank 2. [congédier] to dismiss ▸ **remercier qqn de** ou **pour qqch** to thank sb for sthg ▸ **remercier qqn d'avoir fait qqch** to thank sb for having done sthg.

remettre [84] [ʀəmɛtʀ] vt 1. [reposer] to put back 2. [vêtement] to put back on 3. [retarder] to put off ▸ **remettre qqch à qqn** to hand sthg over to sb ▸ **remettre qqch en état** to repair sthg. ◆ **se remettre** vp to recover ▸ **se remettre à qqch** to take sthg up again ▸ **se remettre à faire qqch** to go back to doing sthg ▸ **se remettre de qqch** to get over sthg.

remis, e [ʀəmi, iz] pp → **remettre**.

remise [ʀəmiz] nf 1. [abri] shed 2. [rabais] discount ▸ **faire une remise à qqn** to give sb a discount.

remontant [ʀəmɔ̃tɑ̃] nm tonic.

remontée [ʀəmɔ̃te] nf : **remontées mécaniques** ski lifts.

remonte-pente [ʀəmɔ̃tpɑ̃t] (pl **remonte-pentes**) nm ski tow.

remonter [3] [ʀəmɔ̃te] ◆ vt 1. [mettre plus haut] to raise 2. [aux avoir] [manches, chaussettes] to pull up 3. [côte, escalier] to come/go back up 4. [moteur, pièces] to put together again 5. [montre] to wind up. ◆ vi 1. to come/go back up 2. [dans une voiture] to get back in 3. [aux être] [augmenter] to rise ▸ **remonter à** [dater de] to go back to.

remords [ʀəmɔʀ] nm remorse.

remorque [ʀəmɔʀk] nf trailer.

remorquer [3] [ʀəmɔʀke] vt to tow.

remorqueur [ʀəmɔʀkœʀ] nm tug, tugboat.

rémoulade [ʀemulad] nf → **céleri**.

remous [ʀəmu] nm 1. eddy 2. [derrière un bateau] wash ▸ **bain à remous** Jacuzzi®.

remparts [ʀɑ̃paʀ] nmpl ramparts.

remplaçant, e [ʀɑ̃plasɑ̃, ɑ̃t] nm, f 1. [de sportif] substitute 2. [d'enseignant] supply teacher 3. [de médecin] locum.

remplacer [16] [ʀɑ̃plase] vt 1. [changer] to replace 2. [prendre la place de] to take over from ▸ **remplacer qqn/qqch par** to replace sb/sthg with.

remplir [32] [ʀɑ̃pliʀ] vt 1. to fill 2. [questionnaire] to fill in ▸ **remplir qqch de** to fill sthg with. ◆ **se remplir (de)** vp + prép to fill (with).

remporter [3] [ʀɑ̃pɔʀte] vt 1. [reprendre] to take back 2. [gagner] to win ▸ **remporter la victoire** to win.

remuant, e [ʀəmɥɑ̃, ɑ̃t] adj restless.

remue-ménage [rəmymenaʒ] nm inv confusion.

remuer [7] [rəmɥe] vt **1.** to move **2.** [mélanger] to stir **3.** [salade] to toss.

rémunération [remynerasjɔ̃] nf remuneration.

rémunérer [18] [remynere] vt to pay.

renard [rənar] nm fox.

rencontre [rɑ̃kɔ̃tr] nf **1.** meeting **2.** [sportive] match ▸ **aller à la rencontre de qqn** to go to meet sb.

rencontrer [3] [rɑ̃kɔ̃tre] vt to meet. ◆ **se rencontrer** vp to meet.

rendez-vous [rɑ̃devu] nm **1.** [d'affaires] appointment **2.** [amoureux] date **3.** [lieu] meeting place ▸ **rendez-vous chez moi à 14 h** let's meet at my house at two o'clock ▸ **avoir rendez-vous avec qqn** to have a meeting with sb ▸ **donner rendez-vous à qqn** to arrange to meet sb ▸ **prendre rendez-vous** to make an appointment.

rendormir [36] [rɑ̃dɔrmir] ◆ **se rendormir** vp to go back to sleep.

rendre [73] [rɑ̃dr] vt **1.** to give back **2.** [sourire, coup] to return **3.** [faire devenir] to make. ◆ vi [vomir] to be sick ▸ **rendre visite à qqn** to visit sb. ◆ **se rendre** vp [armée, soldat] to surrender ▸ **se rendre à** sout to go to ▸ **se rendre utile/malade** to make o.s. useful/ill.

rênes [rɛn] nfpl reins.

renfermé, e [rɑ̃ferme] ◆ adj withdrawn. ◆ nm ▸ **sentir le renfermé** to smell musty.

renfermer [3] [rɑ̃ferme] vt to contain.

renfoncement [rɑ̃fɔ̃smɑ̃] nm recess.

renforcer [16] [rɑ̃fɔrse] vt to reinforce.

renforts [rɑ̃fɔr] nmpl reinforcements.

renfrogné, e [rɑ̃frɔɲe] adj sullen.

renier [9] [rənje] vt [idées] to repudiate.

renifler [3] [rənifle] vi to sniff.

renne [rɛn] nm reindeer *(inv)*.

renommé, e [rənɔme] adj famous.

renommée [rənɔme] nf fame.

renommer [3] [rənɔme] vt to rename.

renoncer [16] [rənɔ̃se] ◆ **renoncer à** v + prép to give up ▸ **renoncer à faire qqch** to give up doing sthg.

renouer [6] [rənwe] ◆ vt [relation, conversation] to resume. ◆ vi ▸ **renouer avec qqn** to get back together with sb.

renouvelable [rənuvlabl] adj renewable.

renouveler [24] [rənuvle] vt **1.** [changer] to change **2.** [recommencer, prolonger] to renew. ◆ **se renouveler** vp [se reproduire] to recur.

rénovation [renɔvasjɔ̃] nf renovation.

rénover [3] [renɔve] vt to renovate.

renseignement [rɑ̃sɛɲmɑ̃] nm ▸ **un renseignement** information ▸ **des renseignements** information *sg* ▸ **les renseignements a)** [bureau] enquiries **b)** [téléphoniques] directory enquiries 🇬🇧, information 🇺🇸.

renseigner [4] [rɑ̃seɲe] vt ▸ **renseigner qqn (sur)** to give sb information (about). ◆ **se renseigner (sur)** vp + prép to find out (about).

rentabilité [rɑ̃tabilite] nf profitability.

rentable [rɑ̃tabl] adj profitable.

rente [rɑ̃t] nf [revenu] income.

rentrée [ʀɑ̃tʀe] **nf : rentrée (d'argent)** income ▸ **rentrée (des classes)** start of the school year.

ⓘ La rentrée

The **rentrée scolaire** or start of the new school year is usually at the beginning of September. Universities also go back a month later. The term **rentrée** is also used for the general return to work in September after the holiday months of July and August.

rentrer [3] [ʀɑ̃tʀe] ◆ **vi 1.** [aux. être] [entrer] to go in/come in **2.** [chez soi] to go/come home **3.** [être contenu] to fit. ◆ **vt 1.** [aux. avoir] [faire pénétrer] to fit **2.** [dans la maison] to bring/take in **3.** [chemise] to tuck in ▸ **rentrer dans a)** [entrer dans] to go/come into **b)** [heurter] to crash into ▸ **rentrer le ventre** to pull in one's stomach. ◆ **se rentrer dedans** vp *(emploi réciproque) fam* : **ils se sont rentrés dedans** they smashed ou banged into one another.

renverser [3] [ʀɑ̃vɛʀse] **vt 1.** [liquide] to spill **2.** [piéton] to knock over **3.** [gouvernement] to overthrow ▸ **se faire renverser** to be knocked down ou over. ◆ **se renverser** vp **1.** [bouteille] to fall over **2.** [liquide] to spill.

renvoi [ʀɑ̃vwa] **nm 1.** INFORM cross-reference **2.** [d'un salarié] dismissal **3.** [d'un élève] expulsion **4.** [rot] belch.

renvoyer [30] [ʀɑ̃vwaje] **vt 1.** [balle, lettre] to return **2.** [image, rayon] to reflect **3.** [salarié] to dismiss **4.** [élève] to expel.

réorganiser [3] [ʀeɔʀganize] **vt** to reorganize.

répandre [74] [ʀepɑ̃dʀ] **vt 1.** [renverser] to spill **2.** [nouvelle] to spread.

◆ **se répandre** vp **1.** [liquide] to spill **2.** [nouvelle, maladie] to spread.

répandu, e [ʀepɑ̃dy] **adj** [fréquent] widespread.

réparateur, trice [ʀepaʀatœʀ, tʀis] **nm, f** repairer.

réparation [ʀepaʀasjɔ̃] **nf** repair ▸ **en réparation** under repair.

réparer [3] [ʀepaʀe] **vt** to repair ▸ **faire réparer qqch** to get sthg repaired.

repartir [43] [ʀəpaʀtiʀ] **vi 1.** [partir] to set off again **2.** [rentrer] to return.

répartir [32] [ʀepaʀtiʀ] **vt** to share out. ◆ **se répartir** vp to divide up ▸ **se répartir en trois groupes** to break up into three groups.

répartition [ʀepaʀtisjɔ̃] **nf** distribution.

repas [ʀəpa] **nm** meal.

repassage [ʀəpasaʒ] **nm** [de linge] ironing ▸ **faire du repassage** to do the ironing.

repasser [3] [ʀəpase] ◆ **vt** [linge] to iron. ◆ **vi** [rendre visite] to drop by again later ▸ **repassez-moi le standard (téléphonique)** put me through to the switchboard again.

repêchage [ʀəpɛʃaʒ] **nm** [examen] resit.

repêcher [4] [ʀəpeʃe] **vt 1.** [sortir de l'eau] to fish out **2.** [à un examen] : **être repêché** to pass a resit.

repeindre [81] [ʀəpɛ̃dʀ] **vt** to repaint.

repeint, e [ʀəpɛ̃, ɛ̃t] **pp & 3ᵉ pers. du sg de l'ind. prés.** → **repeindre**.

répercussions [ʀepɛʀkysjɔ̃] **nfpl** [conséquences] repercussions.

répercuter [3] [ʀepɛʀkyte] **vt** [ordre, augmentation] to pass on.

◆ **se répercuter** vp [influer] **: se répercuter sur** to have repercussions on.

repère [ʀəpɛʀ] nm [marque] mark ▸ **ne plus avoir de repères** fig to lose one's bearings.

repérer [18] [ʀəpeʀe] vt [remarquer] to spot. ◆ **se repérer** vp to get one's bearings.

répertoire [ʀepɛʀtwaʀ] nm 1. [carnet] notebook 2. [d'un acteur, d'un musicien] repertoire 3. INFORM directory.

répéter [18] [ʀepete] vt 1. to repeat 2. [rôle, œuvre] to rehearse. ◆ **se répéter** vp [se reproduire] to be repeated.

répétitif, ive [ʀepetitif, iv] adj 1. [fréquent] common 2. [monotone] repetitive.

répétition [ʀepetisjɔ̃] nf 1. [dans un texte] repetition 2. [au théâtre] rehearsal ▸ **répétition générale** dress rehearsal.

replacer [16] [ʀəplase] vt to replace.

replier [10] [ʀəplije] vt to fold up.

réplique [ʀeplik] nf 1. [réponse] reply 2. [copie] replica.

répliquer [3] [ʀeplike] ◆ vt to reply. ◆ vi [avec insolence] to answer back.

répondeur [ʀepɔ̃dœʀ] nm **: répondeur (téléphonique)** answering machine.

répondre [75] [ʀepɔ̃dʀ] ◆ vi to answer. ◆ vt to answer ▸ **répondre à qqn a)** to answer sb **b)** [avec insolence] to answer sb back.

réponse [ʀepɔ̃s] nf answer.

reportage [ʀəpɔʀtaʒ] nm report.

reporter¹ [ʀəpɔʀtɛʀ] nm reporter.

reporter² [3] [ʀəpɔʀte] vt 1. [rapporter] to take back 2. [date, réunion] to postpone.

repos [ʀəpo] nm [détente] rest ▸ **jour de repos** day off.

reposant, e [ʀəpozɑ̃, ɑ̃t] adj relaxing.

repose-poignets [ʀəpozpwaɲɛ] nm inv wrist rest.

reposer [3] [ʀəpoze] ◆ vt [remettre] to put back. ◆ vi [être enterré] to be buried. ◆ **se reposer** vp to rest.

repousser [3] [ʀəpuse] ◆ vt 1. [faire reculer] to push back 2. [retarder] to put back. ◆ vi to grow back.

reprendre [79] [ʀəpʀɑ̃dʀ] vt 1. [objet] to take back 2. [lecture, conversation] to continue 3. [études, sport] to take up again ◆ [prisonnier] to recapture ▸ **reprenez du dessert** have some more dessert ▸ **reprendre son souffle** to get one's breath back. ◆ **se reprendre** vp [se ressaisir] to pull o.s. together.

représailles [ʀəpʀezaj] nfpl reprisals.

représentant, e [ʀəpʀezɑ̃tɑ̃, ɑ̃t] nm, f [porte-parole] representative ▸ **représentant (de commerce)** sales rep.

représentatif, ive [ʀəpʀezɑ̃tatif, iv] adj representative.

représentation [ʀəpʀezɑ̃tasjɔ̃] nf 1. [spectacle] performance 2. [image] representation.

représenter [3] [ʀəpʀezɑ̃te] vt to represent.

répression [ʀepʀesjɔ̃] nf repression.

réprimer [3] [ʀepʀime] vt [révolte] to put down.

repris, e [ʀəpʀi, iz] pp **: ni repris, ni échangé** goods may not be returned or exchanged. → **reprendre**.

reprise [ʀəpʀiz] nf 1. [couture] mending 2. [économique] recovery 3. [d'un appareil, d'une voiture] part exchange ▸ **à plusieurs reprises** several times.

repriser [3] [rəprize] vt to mend.

reproche [rəprɔʃ] nm reproach.

reprocher [3] [rəprɔʃe] vt : **reprocher qqch à qqn** to reproach sb for sthg.

reproduction [rəprɔdyksjɔ̃] nf reproduction.

reproduire [98] [rəprɔdɥir] vt to reproduce. ◆ **se reproduire** vp **1.** [avoir de nouveau lieu] to recur **2.** [animaux] to reproduce.

reproduit, e [rəprɔdɥi, it] pp & 3ᵉ pers. du sg de l'ind. prés. → **reproduire**.

reptile [rɛptil] nm reptile.

république [repyblik] nf republic▸ **la République démocratique du Congo** Democratic Republic of the Congo▸ **la République française** the French Republic▸ **la République populaire de Chine** the People's Republic of China▸ **la République tchèque** the Czech Republic.

répugnant, e [repyɲɑ̃, ɑ̃t] adj repulsive.

réputation [repytasjɔ̃] nf reputation.

réputé, e [repyte] adj well-known.

requête [rəkɛt] nf query.

requin [rəkɛ̃] nm shark.

RER nm *Paris rail network*.

rescapé, e [rɛskape] nm, f survivor.

rescousse [rɛskus] nf : **appeler qqn à la rescousse** to call on sb for help ▸ **aller à la rescousse de qqn** to go to sb's rescue.

réseau [rezo] (*pl* **-x**) nm network▸ **réseau local** INFORM local network▸ **réseau social** social network▸ **réseau Wi-fi** Wi-Fi network.

réseauter [3] [rezote] vi *fam* to network.

réservation [rezɛrvasjɔ̃] nf **1.** reservation, booking **2.** TRANSP [ticket] reservation.

réserve [rezɛrv] nf reserve ▸ **en réserve** in reserve.

réservé, e [rezɛrve] adj reserved.

réserver [3] [rezɛrve] vt [billet, chambre] to reserve, to book▸ **réserver qqch à qqn** to reserve sthg for sb. ◆ **se réserver** vp [pour un repas, le dessert] to save o.s.

réservoir [rezɛrvwar] nm [à essence] tank.

reset [Rɛsɛt] nm reset key.

résidence [rezidɑ̃s] nf **1.** *sout* [domicile] residence **2.** [immeuble] apartment building▸ **résidence secondaire** second home.

résidentiel, elle [rezidɑ̃sjɛl] adj residential.

résider [3] [rezide] vi *sout* [habiter] to reside.

résigner [3] [rezine] ◆ **se résigner à** vp + prép to resign o.s. to▸ **se résigner à faire qqch** to resign o.s. to doing sthg.

résiliation [rez11jasjɔ̃] nf cancellation, termination.

résilier [9] [rezilje] vt to cancel.

résine [rezin] nf resin.

résistance [rezistɑ̃s] nf **1.** resistance **2.** [électrique] element.

résistant, e [rezistɑ̃, ɑ̃t] ◆ adj tough. ◆ nm, f resistance fighter.

résister [3] [reziste] ◆ **résister à** v + prép **1.** [lutter contre] to resist **2.** [supporter] to withstand.

résolu, e [rezɔly] ◆ pp → **résoudre.**
◆ adj [décidé] resolute.

résolution [rezɔlysjɔ̃] nf [décision] resolution ▸ **haute résolution** INFORM resolution.

résonner [3] [rezɔne] vi [faire du bruit] to echo.

résoudre [88] [rezudr] vt to solve.

respect [rɛspɛ] nm respect ▸ **avoir du respect pour qqn /qqch** to have respect for sb /sthg.

respecter [4] [rɛspɛkte] vt to respect.

respectif, ive [rɛspɛktif, iv] adj respective.

respiration [rɛspirasjɔ̃] nf breathing.

respirer [3] [rɛspire] vi & vt to breathe.

responsabilité [rɛspɔ̃sabilite] nf responsibility ▸ **prendre ses responsabilités** to assume one's responsibilities ▸ **sous la responsabilité de qqn** under the supervision of sb.

responsable [rɛspɔ̃sabl] ◆ adj responsible. ◆ nmf 1. [coupable] person responsible 2. [d'une administration, d'un magasin] person in charge ▸ **être responsable de qqch a)** [coupable de] to be responsible for sthg **b)** [chargé de] to be in charge of sthg.

resquiller [3] [rɛskije] vi 1. fam [dans le bus] to dodge the fare 2. [au spectacle] to sneak in without paying.

ressaisir [32] [rəsezir] ◆ **se ressaisir** vp to pull o.s. together.

ressemblant, e [rəsɑ̃blɑ̃, ɑ̃t] adj lifelike.

ressembler [3] [rəsɑ̃ble] ◆ **ressembler à** v + prép 1. [en apparence] to look like 2. [par le caractère] to be like. ◆ **se**

ressembler vp 1. [en apparence] to look alike 2. [par le caractère] to be alike.

ressemeler [24] [rəsəmle] vt to resole.

ressentir [37] [rəsɑ̃tir] vt to feel.

resserrer [4] [rəsere] vt [ceinture, nœud] to tighten. ◆ **se resserrer** vp [route] to narrow.

resservir [38] [rəservir] ◆ vt to give another helping to. ◆ vi to be used again. ◆ **se resservir** vp : **se resservir (de)** [plat] to take another helping (of).

ressort [rəsɔr] nm spring.

ressortir [32] [rəsɔrtir] vi 1. [sortir à nouveau] to go out again 2. [se détacher] to stand out.

ressortissant, e [rəsɔrtisɑ̃, ɑ̃t] nm, f national ▸ **les ressortissants français** French nationals.

ressources [rəsurs] nfpl resources.

ressusciter [3] [resysite] vi to come back to life.

restant, e [rɛstɑ̃, ɑ̃t] ◆ adj → **poste.**
◆ nm rest.

restau [rɛsto] nm fam restaurant.

restaurant [rɛstɔrɑ̃] nm restaurant ▸ **restaurant universitaire** university canteen ou refectory ▸ **voiture restaurant** restaurant ou dining car.

restauration [rɛstɔrasjɔ̃] nf 1. [rénovation] restoration 2. [gastronomie] restaurant trade.

restaurer [3] [rɛstɔre] vt [monument] to restore.

reste [rɛst] nm rest ▸ **un reste de viande /de tissu** some left-over meat / material ▸ **les restes** [d'un repas] the leftovers.

rester [3] [rɛste] vi 1. [dans un lieu] to stay 2. [subsister] to be left 3. [continuer à être] to keep, to remain ▸ **il n'en reste que deux** there are only two left.

restituer [7] [ʀɛstitɥe] vt [rendre] to return.

resto [ʀɛsto] nm *fam* restaurant ▸ **les Restos du cœur** charity food distribution centres.

Restoroute® [ʀɛstoʀut] nm motorway cafe [UK], highway restaurant [US].

restreindre [81] [ʀɛstʀɛ̃dʀ] vt to restrict.

restreint, e [ʀɛstʀɛ̃, ɛ̃t] ◆ pp & 3ᵉ pers. du sg de l'ind. prés. → **restreindre**. ◆ adj limited.

résultat [ʀezylta] nm result ▸ **résultats** [scolaires, d'une élection] results.

résumé [ʀezyme] nm summary ▸ **en résumé** in short.

résumer [3] [ʀezyme] vt to summarize.

rétablir [32] [ʀetabliʀ] vt [l'ordre, l'électricité] to restore. ◆ **se rétablir** vp [guérir] to recover.

retard [ʀətaʀ] nm **1.** delay **2.** [d'un élève, d'un pays] backwardness ▸ **avoir du retard, être en retard** to be late ▸ **avoir une heure de retard** to be an hour late ▸ **être en retard sur qqch** to be behind sthg.

retarder [3] [ʀətaʀde] vi : **ma montre retarde (de cinq minutes)** my watch is (five minutes) slow.

retenir [40] [ʀətniʀ] vt **1.** [empêcher de partir, de tomber] to hold back **2.** [empêcher d'agir] to stop **3.** [réserver] to reserve, to book **4.** [se souvenir de] to remember ▸ **retenir son souffle** to hold one's breath ▸ **je retiens 1** [dans une opération] carry 1. ◆ **se retenir** vp : **se retenir (à qqch)** to hold on (to sthg) ▸ **se re-**

tenir (de faire qqch) to stop o.s. (from doing sthg).

retentir [32] [ʀətɑ̃tiʀ] vi to ring (out).

retenu, e [ʀətny] pp → **retenir**.

retenue [ʀətny] nf **1.** SCOL detention **2.** [dans une opération] amount carried.

réticent, e [ʀetisɑ̃, ɑ̃t] adj reluctant.

retiré, e [ʀətiʀe] adj [lieu] remote, isolated.

retirer [3] [ʀətiʀe] vt **1.** [extraire] to remove **2.** [vêtement] to take off **3.** [argent] to withdraw **4.** [billet, colis, bagages] to collect ▸ **retirer qqch à qqn** to take sthg away from sb.

retomber [3] [ʀətɔ̃be] vi **1.** [tomber à nouveau] to fall over again **2.** [après un saut] to land **3.** [pendre] to hang down ▸ **retomber malade** to fall ill again.

retouche [ʀətuʃ] nf [de vêtement] alteration.

retour [ʀətuʀ] nm **1.** return **2.** TRANSP return journey ▸ **être de retour** to be back ▸ **au retour** [sur le chemin] on the way back.

retourner [3] [ʀətuʀne] ◆ vt **1.** [mettre à l'envers] to turn over **2.** [vêtement, sac] to turn inside out **3.** [renvoyer] to send back. ◆ vi to go back, to return. ◆ **se retourner** vp **1.** [voiture, bateau] to turn over **2.** [tourner la tête] to turn round.

retrait [ʀətʀɛ] nm [d'argent] withdrawal ▸ **retrait des bagages** baggage reclaim.

retraite [ʀətʀɛt] nf retirement ▸ **être à la retraite** to be retired ▸ **prendre sa retraite** to retire.

retraité, e [ʀətʀɛte] nm, f pensioner.

retransmission [ʀətʀɑ̃smisjɔ̃] nf [à la radio] broadcast.

rétrécir [32] [retresir] **vi** [vêtement] to shrink. ◆ **se rétrécir vp** [route] to narrow.

rétro [retro] ◆ **adj inv** old-fashioned. ◆ **nm** fam [rétroviseur] (rearview) mirror.

rétrograder [3] [retrograde] **vi** [automobiliste] to change down.

rétroprojecteur [retroprojɛktœr] **nm** overhead projector.

rétrospective [retrospɛktiv] **nf** retrospective.

retrousser [3] [rətruse] **vt** [manches] to roll up.

retrouvailles [rətruvaj] **nfpl** reunion sg.

retrouver [3] [rətruve] **vt 1.** [objet perdu] to find **2.** [personne perdue de vue] to see again **3.** [rejoindre] to meet. ◆ **se retrouver vp 1.** [se réunir] to meet **2.** [après une séparation] to meet up again **3.** [dans une situation, un lieu] to find o.s.

rétroviseur [retrovizœr] **nm** rearview mirror.

réunion [reynjɔ̃] **nf** meeting ▸ **la Réunion** Réunion.

réunionnais, e [reynjɔnɛ, ɛz] **adj** from Réunion.

réunir [32] [reynir] **vt 1.** [personnes] to gather together **2.** [informations, fonds] to collect. ◆ **se réunir vp** to meet.

réussi, e [reysi] **adj 1.** [photo] good **2.** [soirée] successful ▸ **la soirée a été très réussie** the evening was a big success.

réussir [32] [reysir] ◆ **vt** [plat, carrière] to make a success of. ◆ **vi** to succeed ▸ **réussir (à) un examen** to pass an exam ▸ **réussir à faire qqch** to succeed in do-

ing sthg ▸ **réussir à qqn** [aliment, climat] to agree with sb.

réussite [reysit] **nf 1.** success **2.** [jeu] patience 🇬🇧, solitaire 🇺🇸.

revanche [rəvɑ̃ʃ] **nf 1.** revenge **2.** [au jeu] return game ▸ **en revanche** on the other hand.

rêve [rɛv] **nm** dream ▸ **faire un rêve** to have a dream.

réveil [revɛj] **nm** [pendule] alarm clock ▸ **à mon réveil** when I woke up.

réveiller [4] [reveje] **vt** to wake up. ◆ **se réveiller vp 1.** to wake up **2.** [douleur, souvenir] to come back.

réveillon [revɛjɔ̃] **nm 1.** [du 24 décembre] Christmas Eve supper and party **2.** [du 31 décembre] New Year's Eve supper and party.

réveillonner [3] [revɛjɔne] **vi 1.** [le 24 décembre] to celebrate Christmas Eve with a supper or party **2.** [le 31 décembre] to celebrate New Year's Eve with a supper or party.

révélation [revelasjɔ̃] **nf** revelation.

révéler [18] [revele] **vt** to reveal. ◆ **se révéler vp 1.** [s'avérer] to prove to be **2.** [apparaître] to be revealed.

revenant [rəvnɑ̃] **nm** ghost ▸ **tiens, un revenant/une revenante !** fam hey, long time no see!

revendication [rəvɑ̃dikasjɔ̃] **nf** claim.

revendre [73] [rəvɑ̃dr] **vt** to resell.

revenir [40] [rəvnir] **vi** to come back ▸ **faire revenir qqch** CULIN to brown sthg ▸ **revenir cher** to be expensive ▸ **ça nous est revenu à 400 euros** it cost us 400 euros ▸ **ça me revient maintenant** [je me souviens] I remember now ▸ **ça revient au même** it comes to the same thing ▸ **je n'en reviens pas** I can't get

revenu, e [rəvny] ◆ pp → **revenir**. ◆ nm income.

rêver [4] [reve] ◆ vi 1. to dream 2. (être distrait) to daydream. ◆ vt : **rêver que** to dream (that) ▸ **rêver de a)** to dream about b) [souhaiter] to long for ▸ **rêver de faire qqch** to be longing to do sthg.

réverbère [reverber] nm street light.

revers [rəver] nm 1. (d'une pièce) reverse side 2. [de la main, d'un billet] back 3. (d'une veste) lapel 4. [d'un pantalon] turn-up UK, cuff US 5. SPORT backhand.

réversible [reversibl] adj reversible.

revêtement [rəvɛtmɑ̃] nm 1. [d'un mur, d'un sol] covering 2. [d'une route] surface.

rêveur, euse [rɛvœr, øz] adj dreamy.

réviser [3] [revize] vt [leçons] to revise ▸ **faire réviser sa voiture** to have one's car serviced.

révision [revizjɔ̃] nf (d'une voiture) service. ◆ **révisions** nfpl SCOL revision sg.

revitalisant, e [rəvitalizɑ̃, ɑ̃t] adj revitalizing.

revoir [62] [rəvwar] vt 1. [retrouver] to see again 2. [leçons] to revise UK, to review US. ◆ **au revoir** interj goodbye!

révoltant, e [revɔltɑ̃, ɑ̃t] adj revolting.

révolte [revɔlt] nf revolt.

révolter [3] [revɔlte] vt (suj : spectacle, attitude) to disgust. ◆ **se révolter** vp to rebel.

révolution [revɔlysjɔ̃] nf revolution ▸ **la Révolution (française)** the French Revolution.

révolutionnaire [revɔlysjɔner] adj & nmf revolutionary.

revolver [revɔlver] nm revolver.

revue [rəvy] nf 1. [magazine] magazine 2. [spectacle] revue ▸ **passer qqch en revue** to review sthg.

Reykjavik [rekjavik] n Reykjavik.

rez-de-chaussée [redʃose] nm inv ground floor UK, first floor US.

Rhin [rɛ̃] nm : **le Rhin** the Rhine.

rhinocéros [rinɔseros] nm rhinoceros.

Rhône [ron] nm : **le Rhône** [fleuve] the (River) Rhone.

rhubarbe [rybarb] nf rhubarb.

rhum [rɔm] nm rum.

rhumatismes [rymatism] nmpl rheumatism sg ▸ **avoir des rhumatismes** to have rheumatism.

rhume [rym] nm cold ▸ **avoir un rhume** to have a cold ▸ **rhume des foins** hay fever.

ri [ri] pp → **rire**.

ricaner [3] [rikane] vi to snigger.

riche [riʃ] ◆ adj rich. ◆ nmf : **les riches** the rich ▸ **riche en** rich in.

richesse [riʃɛs] nf wealth. ◆ **richesses** nfpl 1. [minières] resources 2. [archéologiques] treasures.

ricocher [3] [rikɔʃe] vi to ricochet.

ricochet [rikɔʃɛ] nm : **faire des ricochets** to skim pebbles.

ride [rid] nf wrinkle.

ridé, e [ride] adj wrinkled.

rideau [rido] (pl -x) nm curtain.

ridicule [ridikyl] adj ridiculous.

ridiculiser [3] [ʀidikylize] **vt** to ridicule. ◆ **se ridiculiser vp** to make o.s. look ridiculous.

rien [ʀjɛ̃] **pron** nothing ▸ **ne... rien** nothing ▸ **je ne fais rien le dimanche** I do nothing on Sundays, I don't do anything on Sundays ▸ **ça ne fait rien** it doesn't matter ▸ **de rien** don't mention it ▸ **pour rien** for nothing ▸ **rien d'intéressant** nothing interesting ▸ **rien du tout** nothing at all ▸ **rien que** nothing but.

Riga [ʀiga] **n** Riga.

rigide [ʀiʒid] **adj** stiff.

rigole [ʀigɔl] **nf 1.** [caniveau] channel **2.** [eau] rivulet.

rigoler [3] [ʀigɔle] **vi 1.** fam [rire] to laugh **2.** [s'amuser] to have a laugh **3.** [plaisanter] to joke.

rigolo, ote [ʀigɔlo, ɔt] **adj** fam funny.

rigoureux, euse [ʀiguʀø, øz] **adj 1.** [hiver] harsh **2.** [analyse, esprit] rigorous.

rigueur [ʀigœʀ] ◆ **à la rigueur adv 1.** [si nécessaire] if necessary **2.** [si on veut] at a push.

rillettes [ʀijɛt] **nfpl** potted pork, duck or goose.

rime [ʀim] **nf** rhyme.

rinçage [ʀɛ̃saʒ] **nm** rinse.

rincer [16] [ʀɛ̃se] **vt** to rinse.

ring [ʀiŋ] **nm 1.** [de boxe] ring **2.** Belg [route] ring road.

riposter [3] [ʀipɔste] **vi 1.** [en paroles] to answer back **2.** [militairement] to retaliate.

ripou [ʀipu] (pl ripoux ou ripous) fam ◆ **adj** rotten. ◆ **nm : ce flic est un ripou** he's a bent copper UK ou a crooked cop US ▸ **ce monde ripou** this rotten lousy world.

riquiqui [ʀikiki] **adj inv** fam [minuscule] tiny ▸ **une portion riquiqui** a minute ou minuscule helping.

rire [95] [ʀiʀ] ◆ **nm** laugh. ◆ **vi 1.** to laugh **2.** [s'amuser] to have fun ▸ **rire aux éclats** to howl with laughter ▸ **tu veux rire !** you're joking! ▸ **pour rire** [en plaisantant] as a joke.

ris [ʀi] **nmpl : ris de veau** calves' sweetbreads.

risotto [ʀizɔto] **nm** risotto.

risque [ʀisk] **nm** risk.

risqué, e [ʀiske] **adj** risky.

risquer [3] [ʀiske] **vt 1.** to risk **2.** [proposition, question] to venture. ◆ **risquer de + prép : risquer de faire qqch a)** [être en danger de] to be in danger of doing sthg **b)** [exprime la probabilité] to be likely to do sthg ▸ **il risque de se faire mal** he might hurt himself ▸ **ne m'attends pas, je risque d'être en retard** don't wait for me, I'm likely to be late ou the chances are I'll be late.

rissolé, e [ʀisɔle] **adj** browned.

ristourne [ʀistuʀn] **nf** discount ▸ **faire une ristourne à qqn** to give sb a discount.

rite [ʀit] **nm 1.** RELIG rite **2.** fig [cérémonial] ritual.

rivage [ʀivaʒ] **nm** shore.

rival, e, aux [ʀival, o] **adj & nm, f** rival.

rivaliser [3] [ʀivalize] **vi : rivaliser avec** to compete with.

rivalité [ʀivalite] **nf** rivalry.

rive [ʀiv] **nf** bank ▸ **la rive gauche** [à Paris] the south bank of the Seine (traditionally associated with students and *artists*) ▶ **la rive droite** [à Paris] the north bank of the Seine *(generally considered more affluent)*.

riverain, e [rivrɛ̃, ɛn] nm, f [d'une rue] resident ▶ **'sauf riverains'** 'residents only'.

rivière [rivjɛr] nf river.

Riyad [rijad] n Riyadh.

riz [ri] nm rice ▶ **riz cantonais** fried rice ▶ **riz au lait** rice pudding ▶ **riz pilaf** pilaff ▶ **riz sauvage** wild rice.

rizière [rizjɛr] nf paddy (field).

RMI nm *(abr de revenu minimum d'insertion)* minimum guaranteed benefit.

RN *(abr écrite de* route nationale) = **nationale.**

robe [rɔb] nf **1.** dress **2.** [d'un cheval] coat ▶ **robe de chambre** dressing gown ▶ **robe du soir** evening dress.

robinet [rɔbinɛ] nm tap ᴜᴋ , faucet ᴜs ▶ **robinet d'arrêt** stop valve.

robot [rɔbo] nm **1.** [industriel] robot **2.** [ménager] food processor.

robuste [rɔbyst] adj sturdy.

roc [rɔk] nm rock.

rocade [rɔkad] nf ring road ᴜᴋ , beltway ᴜs.

roche [rɔʃ] nf rock.

rocher [rɔʃe] nm **1.** rock **2.** [au chocolat] chocolate covered with chopped hazelnuts.

rocheux, euse [rɔʃø, øz] adj rocky. ◆ **Rocheuses** nfpl : **les Rocheuses** the Rockies.

rock [rɔk] nm rock.

rodage [rɔdaʒ] nm running in.

rôder [3] [rode] vi **1.** [par ennui] to hang about **2.** [pour attaquer] to loiter.

rœsti [røʃti] nmpl ꜱᴜɪssᴇ grated potato fried to form a sort of cake.

rognons [rɔɲɔ̃] nmpl kidneys.

roi [rwa] nm king ▶ **les Rois, la fête des Rois** Twelfth Night ▶ **tirer les rois** to eat Kings' Cake on Twelfth Night.

Roland-Garros [rɔlɑ̃garos] n : **(le tournoi de) Roland-Garros** the French Open.

rôle [rol] nm role.

roller [rɔlœr] nm [sport] rollerblading ▶ **les rollers** [patins] Rollerblades® ▶ **faire du roller** to go rollerblading, to rollerblade.

ROM [rɔm] nf *(abr de* read only memory) ROM.

romain, e [rɔmɛ̃, ɛn] adj Roman.

roman, e [rɔmɑ̃, an] ◆ adj [architecture, église] Romanesque. ◆ nm novel.

romancier, ère [rɔmɑ̃sje, ɛr] nm, f novelist.

romantique [rɔmɑ̃tik] adj romantic.

romarin [rɔmarɛ̃] nm rosemary.

Rome [rɔm] n Rome.

rompre [78] [rɔ̃pr] vi [se séparer] to break up.

romsteck [rɔmstɛk] nm rump steak.

ronces [rɔ̃s] nfpl brambles.

rond, e [rɔ̃, rɔ̃d] ◆ adj **1.** round **2.** [gros] chubby. ◆ nm circle ▶ **en rond** in a circle.

ronde [rɔ̃d] nf **1.** [de policiers] patrol **2.** [danse] : **faire la ronde** to dance round in a circle ▶ **à la ronde (aux alentours)** around.

rondelle [rɔ̃dɛl] nf **1.** [tranche] slice **2.** TECH washer.

rond-point [rɔ̃pwɛ̃] (pl **ronds-points**) nm roundabout `UK`, traffic circle `US`.

ronfler [3] [rɔ̃fle] vi to snore.

ronger [17] [rɔ̃ʒe] vt **1.** [os] to gnaw at **2.** [suj : rouille] to eat away at. ◆ **se ronger** vp : **se ronger les ongles** to bite one's nails **▸ se ronger d'inquiétude** to worry o.s. sick.

rongeur [rɔ̃ʒœr] nm rodent.

ronronner [3] [rɔ̃rɔne] vi to purr.

roquefort [rɔkfɔr] nm Roquefort (strong blue cheese).

rosace [rozas] nf [vitrail] rose window.

rosbif [rɔzbif] nm roast beef.

rose [roz] ◆ adj & nm pink. ◆ nf rose **▸ rose bonbon** candy pink.

rosé, e [roze] ◆ adj **1.** [teinte] rosy **2.** [vin] rosé. ◆ nm [vin] rosé.

roseau [rozo] (pl -**x**) nm reed.

rosée [roze] nf dew.

rosier [rozje] nm rose bush.

rossignol [rɔsiɲɔl] nm nightingale.

Rossini [rɔsini] n → **tournedos.**

rot [ro] nm burp.

roter [3] [rɔte] vi to burp.

rôti [roti] nm joint.

rôtie [roti] nf `Québec` piece of toast. `Québec`

rotin [rɔtɛ̃] nm rattan.

rôtir [32] [rotir] vt & vi to roast.

rôtissoire [rotiswar] nf [électrique] rotisserie.

rotule [rɔtyl] nf kneecap.

roucouler [3] [rukule] vi to coo.

roue [ru] nf wheel **▸ roue de secours** spare wheel **▸ grande roue** ferris wheel.

rougail [rugaj] nm spicy sauce made from a base of vegetables (tomates,

aubergine), fruit (mango) or fish (cod), ground up with chilli pepper and ginger (a Creole speciality).

rouge [ruʒ] ◆ adj **1.** red **2.** [fer] red-hot. ◆ nm **1.** red **2.** [vin] red (wine) **▸ le feu est passé au rouge** the light has turned red **▸ rouge à lèvres** lipstick.

rouge-gorge [ruʒgɔrʒ] (pl **rouges-gorges**) nm robin.

rougeole [ruʒɔl] nf measles sg.

rouget [ruʒɛ] nm mullet.

rougeurs [ruʒœr] nfpl red blotches.

rougir [32] [ruʒir] vi **1.** [de honte, d'émotion] to blush **2.** [de colère] to turn red.

rouille [ruj] nf **1.** rust **2.** [sauce] garlic and red pepper sauce for fish soup.

rouillé, e [ruje] adj rusty.

rouiller [3] [ruje] vi to rust.

roulant, e [rylɑ̃] adj m → **fauteuil, tapis.**

rouleau [rulo] (pl -**x**) nm **1.** [de papier, de tissu] roll **2.** [pinceau, vague] roller **▸ rouleau à pâtisserie** rolling pin **▸ rouleau de printemps** spring roll.

roulement [rulmɑ̃] nm [tour de rôle] rota **▸ roulement à billes** ball bearings pl **▸ roulement de tambour** drum roll.

rouler [3] [rule] ◆ vt **1.** [nappe, tapis] to roll up **2.** [voler] to swindle. ◆ vi **1.** [balle, caillou] to roll **2.** [véhicule] to go **3.** [automobiliste, cycliste] to drive **▸ rouler les r** to roll one's r's **▸ 'roulez au pas'** 'dead slow'. ◆ **se rouler** vp [par terre, dans l'herbe] to roll around.

roulette [rulɛt] nf **1.** [roue] wheel **▸ la roulette** [jeu] roulette.

roulotte [rulɔt] nf caravan.

roumain, e [rumɛ̃, ɛn] adj Romanian.

Roumanie [rumani] nf : **la Rouma-nie** Romania.

rousse adj f → **roux**.

rousseur [rusœr] nf → **tache**.

roussi [rusi] nm : **ça sent le roussi** *fig* trouble's on its way.

routard, e [rutar, ard] nm, f back-packer.

route [rut] nf **1.** road **2.** [itinéraire] route ▸ **mettre qqch en route a)** [ma-chine] to start sthg up **b)** [processus] to get sthg under way ▸ **se mettre en route** [voyageur] to set off ▸ **'route bar-rée'** 'road closed'.

routeur [rutœr] nm router.

routier, ère [rutje, ɛr] ◆ adj [carte, transports] road. ◆ nm **1.** [camion-neur] lorry driver [UK], truck driver [US] **2.** [restaurant] transport café [UK], truck stop [US].

routine [rutin] nf routine.

rouvrir [34] [ruvrir] vt to reopen, to open again. ◆ **se rouvrir** vp to reopen, to open again.

roux, rousse [ru, rus] ◆ adj **1.** [che-veux] red **2.** [personne] red-haired **3.** [chat] ginger. ◆ nm, f redhead.

royal, e, aux [rwajal, o] adj **1.** royal **2.** [cadeau, pourboire] generous.

royaume [rwajom] nm kingdom.

Royaume-Uni [rwajomyni] nm : **le Royaume-Uni** the United Kingdom.

RTT *(abr de* réduction du temps de tra-vail*)* ◆ nf French 35 hour per week em-ployment scheme. ◆ adj : **jours RTT** paid holidays [UK], paid vacation [US]. ◆ nm : **j'ai pris un RTT** to take a day's holiday [UK] ou vacation [US].

ruade [ryad] nf kick.

ruban [rybã] nm ribbon ▸ **ruban ad-hésif** adhesive tape.

rubéole [rybeɔl] nf German mea-sles *sg*.

rubis [rybi] nm ruby.

rubrique [rybrik] nf **1.** [catégorie] heading **2.** [de journal] column.

ruche [ryʃ] nf beehive.

rude [ryd] adj **1.** [climat, voix] harsh **2.** [travail] tough.

rudimentaire [rydimãtɛr] adj ru-dimentary.

rue [ry] nf street ▸ **rue piétonne** ou **pié-tonnière** pedestrian street.

ruelle [rɥɛl] nf alley.

ruer [7] [rɥe] vi to kick. ◆ **se ruer** vp : se ruer dans /sur to rush onto /at.

rugby [rygbi] nm rugby.

rugir [32] [ryʒir] vi to roar.

rugueux, euse [rygø, øz] adj rough.

ruine [rɥin] nf [financière] ruin ▸ **en ruine** [château] ruined ▸ **tomber en ruine** to crumble. ▸ **ruines** nfpl ruins.

ruiné, e [rɥine] adj ruined.

ruiner [3] [rɥine] vt to ruin. ◆ **se ruiner** vp to ruin o.s., to bankrupt o.s.

ruisseau [rɥiso] *(pl -x)* nm stream.

ruisseler [24] [rɥisle] vi to stream ▸ **ruisseler de** [sueur, larmes] to stream with.

rumeur [rymœr] nf **1.** [nouvelle] ru-mour **2.** [bruit] rumble.

ruminer [3] [rymine] vi [vache] to chew the cud.

rupture [ryptyr] nf **1.** [de relations di-plomatiques] breaking off **2.** [d'une rela-tion amoureuse] break-up.

rural, e, aux [ryral, o] adj rural.

ruse [ryz] nf **1.** [habileté] cunning **2.** [procédé] trick.

rusé, e [ryze] adj cunning.

russe [rys] ◆ adj Russian. ◆ nm [langue] Russian. ◆ **Russe** nmf Russian.

Russie [rysi] nf : **la Russie** Russia.

Rustine® [rystin] nf rubber repair patch for bicycle tyres.

rustique [rystik] adj rustic.

ryad [ʀjad] nm riad.

rythme [ritm] nm **1.** rhythm **2.** [cardiaque] rate **3.** [de la marche] pace ▶ **battre le rythme** to keep time.

rythmé, e [ritme] adj rhythmic, rhythmical.

S s

S (abr écrite de sud) S (south).

s' pron → **se**.

sa adj → **son**.

SA nf (abr de société anonyme) ≃ plc (public limited company) UK ; ≃ Inc. (incorporated) US.

sable [sabl] nm sand ▶ **sables mouvants** quicksand sg.

sablé, e [sable] ◆ adj [biscuit] shortbread. ◆ nm shortbread biscuit UK, shortbread cookie US ▶ **pâte sablée** shortcrust pastry.

sablier [sablije] nm hourglass.

sablonneux, euse [sablɔnø, øz] adj sandy.

sabot [sabo] nm **1.** [de cheval, de vache] hoof **2.** [chaussure] clog ▶ **sabot de Denver** wheel clamp UK, Denver boot US.

sabre [sabʀ] nm sabre.

sac [sak] nm **1.** bag **2.** [de pommes de terre] sack ▶ **sac de couchage** sleeping bag ▶ **sac à dos** rucksack ▶ **sac à main** handbag UK, purse US.

saccadé, e [sakade] adj **1.** [gestes] jerky **2.** [respiration] uneven.

saccager [17] [sakaʒe] vt **1.** [ville, cultures] to destroy **2.** [appartement] to wreck.

sachant [saʃɑ̃] p prés → **savoir**.

sache etc 1ʳᵉ et 3ᵉ pers. du sg du subj. prés. → **savoir**.

sachet [saʃɛ] nm sachet ▶ **sachet de thé** teabag.

sacoche [sakɔʃ] nf **1.** [sac] bag **2.** [de vélo] pannier.

sac-poubelle [sakpubɛl] (pl **sacs-poubelle**) nm dustbin bag UK, garbage bag US.

sacre [sakʀ] nm **1.** [de roi] coronation **2.** [d'évêque] consecration.

sacré, e [sakʀe] adj **1.** sacred **2.** fam [maudit] damn.

sacrifice [sakʀifis] nm sacrifice.

sacrifier [9] [sakʀifje] vt to sacrifice. ◆ **se sacrifier** vp to sacrifice o.s.

sadique [sadik] adj sadistic.

safari [safaʀi] nm safari.

safran [safʀɑ̃] nm saffron.

sage [saʒ] adj **1.** [avisé] wise **2.** [obéissant] good, well-behaved.

sage-femme [saʒfam] (*pl* **sages-femmes**) nf midwife.

sagesse [saʒɛs] nf [prudence, raison] wisdom.

Sagittaire [saʒiter] nm Sagittarius.

Sahara [saara] nm : **le Sahara** the Sahara.

saignant, e [sɛɲɑ̃, ɑ̃t] adj [viande] rare.

saigner [4] [seɲe] vi to bleed ▸ **saigner du nez** to have a nosebleed.

saillant, e [sajɑ̃, ɑ̃t] adj **1.** [par rapport à un mur] projecting **2.** [pommettes, veines] prominent.

sain, e [sɛ̃, sɛn] adj **1.** healthy **2.** [mentalement] sane ▸ **sain et sauf** safe and sound.

saint, e [sɛ̃, sɛ̃t] ◆ adj holy. ◆ nm, f saint ▸ **la Saint-François** Saint Francis' day.

Saint-Domingue [sɛ̃dɔmɛ̃g] n Santo Domingo.

Saint-Germain-des-Prés [sɛ̃ʒɛrmɛ̃depre] n Saint-Germain-des-Prés (*area in Paris*).

ⓘ Saint-Germain-des-Prés

This is the literary centre of Paris near the oldest church in the city. Situated on the Left Bank of the Seine, it is famous for its bookshops, publishing houses, literary cafés and nightclubs. Its heyday was in the years following the Second World War, when Sartre and other existentialist intellectuals met regularly in its cafés.

---

saint-honoré [sɛ̃tɔnɔre] nm inv short-crust or puff pastry cake topped with choux pastry balls and whipped cream.

Saint-Jacques [sɛ̃ʒak] n → **coquille**.

Saint-Jacques-de-Compostelle [sɛ̃ʒakdəkɔ̃pɔstɛl] n Santiago de Compostela.

Saint-Marin [sɛ̃marɛ̃] n San Marino.

Saint-Michel [sɛ̃miʃel] n → **mont**.

Saint-Sylvestre [sɛ̃silvɛstr] nf : **la Saint-Sylvestre** New Year's Eve.

sais etc 1ʳᵉ et 2ᵉ pers. du sg de l'ind. prés. → **savoir**.

saisie [sezi] nf **1.** [fiscalité & DR] distraint, seizure **2.** INFORM input ▸ **saisie de données** data capture.

saisir [32] [sezir] vt **1.** [objet, occasion] to grab **2.** [comprendre] to understand **3.** [juridique] [biens] to seize **4.** INFORM [cran] to capture **5.** INFORM [donnes] to key in.

saison [sezɔ̃] nf season ▸ **basse saison** low season ▸ **haute saison** high season.

salade [salad] nf **1.** [verte] lettuce **2.** [plat en vinaigrette] salad ▸ **champignons en salade** mushroom salad ▸ **salade de fruits** fruit salad ▸ **salade mêlée** Suisse mixed salad ▸ **salade mixte** mixed salad ▸ **salade niçoise** niçoise salad ▸ **salade César** Caesar salad ▸ **salade de crudités** crudités ▸ **salade du chef** chef's salad ▸ **salade paysanne** salad with small onions and diced bacon.

saladerie [saladri] nf salad bar.

saladier [saladje] nm salad bowl.

salaire [saler] nm salary, wage.

salami [salami] nm salami.

salarié, e [salarje] nm, f (salaried) employee.

salaud [salo] nm *vulg* [injure] bastard.

sale [sal] adj **1.** dirty **2.** *fam* [temps] filthy **3.** *fam* [journée, mentalité] nasty.

salé, e [sale] ◆ adj **1.** [plat] salted **2.** [eau] salty. ◆ nm : **petit salé aux lentilles** salt pork served with lentils.

saler [3] [sale] vt to salt.

saleté [salte] nf **1.** [état] dirtiness **2.** [crasse] dirt **3.** [chose sale] disgusting thing.

salière [saljɛr] nf saltcellar.

salir [32] [salir] vt to (make) dirty. ◆ **se salir** vp to get dirty.

salissant, e [salisɑ̃, ɑ̃t] adj that shows the dirt.

salive [saliv] nf saliva.

salle [sal] nf **1.** room **2.** [d'hôpital] ward **3.** [de cinéma] screen **4.** [des fêtes, municipale] hall ▸ **salle d'attente** waiting room ▸ **salle de bains** bathroom ▸ **salle de classe** classroom ▸ **salle d'embarquement** departure lounge ▸ **salle à manger** dining room ▸ **salle d'opération** operating theatre ▸ **salle climatisée** air-conditioned room ▸ **salle des fêtes** village hall.

salon [salɔ̃] nm **1.** [séjour] living room **2.** [exposition] show ▸ **salon de coiffure** hairdressing salon ▸ **salon de thé** tearoom ▸ **salon de réception** reception room.

salope [salɔp] nf vulg [injure] bitch.

saloperie [salɔpri] nf fam **1.** [saleté] junk, rubbish **2.** [propos] dirty comment ▸ **faire des saloperies** to make a mess.

salopette [salɔpɛt] nf **1.** [d'ouvrier] overalls pl **2.** [en jean, etc.] dungarees pl.

salsifis [salsifi] nmpl salsify (root vegetable).

saluer [7] [salɥe] vt **1.** [dire bonjour à] to greet **2.** [de la tête] to nod to **3.** [dire au revoir à] to say goodbye to **4.** MIL to salute.

salut [saly] ◆ nm **1.** [pour dire bonjour] greeting **2.** [de la tête] nod **3.** [pour dire au revoir] farewell **4.** MIL salute. ◆ interj **1.** fam [bonjour] hi! **2.** [au revoir] bye!

salutations [salytasjɔ̃] nfpl greetings ▸ **'meilleures salutations** ou **salutations distinguées'** 'yours sincerely ou yours faithfully [UK]', 'sincerely yours [US]'.

Salvador [salvadɔr] nm : **le Salvador** El Salvador.

samaritain [samaritɛ̃] nm [Suisse] person qualified to give first aid.

samedi [samdi] nm Saturday ▸ **nous sommes** ou **c'est samedi** it's Saturday today ▸ **samedi 13 septembre** Saturday 13 September ▸ **nous sommes partis samedi** we left on Saturday ▸ **samedi dernier** last Saturday ▸ **samedi prochain** next Saturday ▸ **samedi matin** on Saturday morning ▸ **le samedi** on Saturdays ▸ **à samedi !** see you Saturday!

SAMU [samy] nm French ambulance and emergency service.

Sanaa [sanaa] n Sana'a.

sanction [sɑ̃ksjɔ̃] nf sanction.

sanctionner [3] [sɑ̃ksjɔne] vt to punish.

sandale [sɑ̃dal] nf sandal.

sandwich [sɑ̃dwitʃ] nm sandwich.

sang [sɑ̃] nm blood ▸ **en sang** bloody ▸ **se faire du mauvais sang** to be worried.

sang-froid [sɑ̃frwa] nm inv calm ▸ **de sang-froid** in cold blood.

sanglant, e [sɑ̃glɑ̃, ɑ̃t] adj bloody.

sangle [sɑ̃gl] nf strap.

sanglier [sɑ̃glije] nm boar.

sanglot [sɑ̃glo] nm sob.

sangloter [3] [sɑ̃glɔte] vi to sob.

sangria [sɑ̃grija] nf sangria.

sanguin [sɑ̃gɛ̃] adj m → **groupe**.

sanguine [sɑ̃gin] nf [orange] blood orange.

Sanisette® [sanizɛt] nf superloo.

sanitaire [sanitɛr] adj [d'hygiène] sanitary. ◆ **sanitaires** nmpl [d'un camping] toilets and showers.

sans [sɑ̃] prép without ▸ **sans faire qqch** without doing sthg ▸ **sans que personne s'en rende compte** without anyone realizing.

sans-abri [sɑ̃zabri] nmf homeless person.

sans-gêne [sɑ̃ʒɛn] ◆ adj inv rude. ◆ **nm** inv rudeness.

sans-papiers [sɑ̃papje] nmf illegal immigrant worker.

sans-plomb [sɑ̃plɔ̃] nm inv unleaded, unleaded petrol [UK] ou gas [US], lead-free petrol [UK] ou gas [US].

santé [sɑ̃te] nf health ▸ **en bonne / mauvaise santé** in good /poor health ▸ **(à ta) santé !** cheers!

saoul, e [su, sul] adj = **soûl**.

saouler [3] [sule] vt = **soûler**.

saphir [safir] nm sapphire.

sapin [sapɛ̃] nm fir ▸ **sapin de Noël** Christmas tree.

Sarajevo [saraʒevo] n Sarajevo.

sarcophage [sarkɔfaʒ] nm sarcophagus.

Sardaigne [sardɛɲ] nf : **la Sardaigne** Sardinia.

sardine [sardin] nf sardine.

SARL nf (abr de **société à responsabilité limitée**) ≃ Ltd (limited) [UK] ; ≃ Inc. (incorporated) [US].

sarrasin [sarazɛ̃] nm [graine] buckwheat ▸ **galette de sarrasin** buckwheat pancake.

sashimi [saʃimi] nm CULIN sashimi.

satellite [satelit] nm satellite.

satin [satɛ̃] nm satin.

satiné, e [satine] adj [tissu, peinture] satin.

satirique [satirik] adj satirical.

satisfaction [satisfaksjɔ̃] nf satisfaction.

satisfaire [109] [satisfɛr] vt to satisfy. ◆ **se satisfaire de** vp + prép to be satisfied with.

satisfaisant, e [satisfəzɑ̃, ɑ̃t] adj satisfactory.

satisfait, e [satisfɛ, ɛt] ◆ pp & 3e pers. du sg de l'ind. prés. → **satisfaire**. ◆ adj satisfied ▸ **être satisfait de** to be satisfied with.

saturé, e [satyre] adj saturated.

sauce [sos] nf sauce ▸ **en sauce** in a sauce ▸ **sauce blanche** white sauce made with chicken stock ▸ **sauce chasseur** mushroom, shallot, white wine and tomato sauce ▸ **sauce madère** vegetable, mushroom and Madeira sauce ▸ **sauce tartare** tartar sauce ▸ **sauce tomate** tomato sauce ▸ **sauce au poivre** peppercorn sauce.

saucée [sose] nf fam downpour ▸ **prendre** ou **recevoir la saucée** to get drenched ou soaked (to the skin).

saucer [16] [sose] vt [assiette] to wipe clean.

saucisse [sosis] nf sausage ▸ **saucisse sèche** thin dry sausage.

saucisson [sosisɔ̃] nm dry sausage.

sauf, sauve [sof, sov] ◆ adj → **sain**.
◆ prép [excepté] except ▸ **sauf erreur** unless there is some mistake.

sauge [soʒ] nf sage.

saugrenu, e [sogrəny] adj ridiculous.

saule [sol] nm willow ▸ **saule pleureur** weeping willow.

saumon [somɔ̃] ◆ nm salmon. ◆ adj inv : **(rose) saumon** salmon(-pink)
▸ **saumon fumé** smoked salmon.

sauna [sona] nm sauna.

saupoudrer [3] [sopudre] vt : **sau-poudrer qqch de** to sprinkle sthg with.

saur [sɔr] adj m → **hareng**.

saura etc 3ᵉ pers. du sg de l'ind. fut.→ **savoir**.

saut [so] nm jump ▸ **faire un saut chez qqn** to pop round to see sb ▸ **saut en hauteur** high jump ▸ **saut en longueur** long jump ▸ **saut périlleux** somersault ▸ **saut de colonne** INFORM column break ▸ **saut de page** INFORM page break.

sauté, e [sote] ◆ adj CULIN sautéed.
◆ nm : **sauté de veau** sautéed veal.

saute-mouton [sotmutɔ̃] nm inv : **jouer à saute-mouton** to play leapfrog.

sauter [3] [sote] ◆ vi 1. to jump 2. [ex-ploser] to blow up 3. [se défaire] to come off 4. [plombs] to blow. ◆ vt 1. [obstacle] to jump over 2. [passage, classe] to skip ▸ **sauter son tour** [dans un jeu] to pass ▸ **faire sauter qqch** a) [faire exploser] to blow sthg up b) CULIN to sauté sthg.

sauterelle [sotrɛl] nf grasshopper.

sautiller [3] [sotije] vi to hop.

sauvage [sovaʒ] ◆ adj 1. [animal, plante] wild 2. [tribu] primitive 3. [cri, haine] savage. ◆ nmf 1. [barbare] brute 2. [personne farouche] recluse.

sauvegarde [sovgard] nf 1. INFORM [-action] saving 2. INFORM [-copie] back-up ▸ **sauvegarde automatique** auto-matic backup.

sauvegarder [3] [sovgarde] vt 1. [pro-téger] to safeguard 2. INFORM to save.

sauver [3] [sove] vt to save ▸ **sauver qqn/qqch de qqch** to save sb /sthg from sthg. ◆ **se sauver** vp [s'échap-per] to run away.

sauvetage [sovtaʒ] nm rescue.

sauveteur [sovtœr] nm rescuer.

sauvette [sovet] ◆ **à la sauvette** loc adv hurriedly, at great speed.

SAV abr de **service après-vente**.

savane [savan] nf savanna.

savant, e [savɑ̃, ɑ̃t] ◆ adj [cultivé] scholarly. ◆ nm scientist.

savarin [savarɛ̃] nm ≈ rum baba.

saveur [savœr] nf flavour.

Savoie [savwa] nf : **la Savoie** Savoy.

savoir [59] [savwar] vt to know ▸ **sa-voir faire qqch** to know how to do sthg ▸ **savez-vous parler français ?** can you speak French ? ▸ **je n'en sais rien** I have no idea.

savoir-faire [savwarfɛr] nm inv know-how.

savoir-vivre [savwarvivr] nm inv good manners.

savon [savɔ̃] nm 1. soap 2. [bloc] bar of soap ▸ **savon de Marseille** house-hold soap.

savonner [3] [savɔne] vt to soap.

savonnette [savɔnet] nf bar of soap.

savourer [3] [savure] vt to savour.

savoureux, euse [savurø, øz] adj [ali-ment] tasty.

savoyarde [savwajard] adj f → **fondue**.

saxo [sakso] ◆ nm *fam* [instrument] sax. ◆ nm, f [musicien] sax (player).

saxophone [saksɔfɔn] nm saxophone.

sbrinz [ʃbrints] nm *hard crumbly Swiss cheese made from cow's milk.*

scandale [skɑ̃dal] nm **1.** [affaire] scandal **2.** [fait choquant] outrage ▸ **faire du** ou **un scandale** to make a fuss ▸ **faire scandale** to cause a stir.

scandaleux, euse [skɑ̃dalø, øz] adj outrageous.

scandinave [skɑ̃dinav] adj Scandinavian.

Scandinavie [skɑ̃dinavi] nf **: la Scandinavie** Scandinavia.

scanner¹ [skanɛr] nm **1.** [appareil] scanner **2.** [test] scan.

scanner² [3] [skane] vt to scan.

scanneur [skanœr] nm = **scanner**.

scaphandre [skafɑ̃dr] nm diving suit.

scarabée [skarabe] nm beetle, scarab.

scarification [skarifikasjɔ̃] nf scarring, scarification.

scarole [skarɔl] nf endive.

sceller [4] [sele] vt [cimenter] to cement.

scénario [senarjo] nm [de film] screenplay.

scène [sɛn] nf **1.** [estrade] stage **2.** [événement, partie d'une pièce] scene ▸ **mettre qqch en scène** [film, pièce de théâtre] to direct sthg.

sceptique [sɛptik] adj sceptical.

schéma [ʃema] nm **1.** diagram **2.** [résumé] outline.

schématique [ʃematik] adj **1.** [sous forme de schéma] diagrammatical **2.** [trop simple] simplistic.

schizo [skizo] adj *fam* schizophrenic.

schublig [ʃublig] nm Suisse *type of sausage.*

sciatique [sjatik] nf sciatica.

scie [si] nf saw.

science [sjɑ̃s] nf science ▸ **sciences naturelles** natural sciences.

science-fiction [sjɑ̃sfiksjɔ̃] nf science fiction.

scientifique [sjɑ̃tifik] ◆ adj scientific. ◆ nmf scientist.

scier [9] [sje] vt to saw.

scintiller [3] [sɛ̃tije] vi to sparkle.

sciure [sjyr] nf sawdust.

sclérose [skleroz] nf sclerosis ; *fig* ossification ▸ **sclérose en plaques** multiple sclerosis.

scolaire [skɔlɛr] adj [vacances, manuel] school.

scolariser [3] [skɔlarize] vt to provide with schooling.

scolarité [skɔlarite] nf schooling ▸ **frais de scolarité a)** SCOL school fees **b)** [à l'université] tuition fees.

scoop [skup] nm scoop.

scooter [skutœr] nm scooter ▸ **scooter des mers** jet ski.

score [skɔr] nm score.

Scorpion [skɔrpjɔ̃] nm Scorpio.

Scotch® [skɔtʃ] nm [adhésif] ≃ Sellotape® UK Scotch® tape US.

scotch [skɔtʃ] nm [whisky] Scotch.

scotché, e [skɔtʃe] adj **: être scotché devant la télévision** to be glued to the television ▸ **je suis resté scotché** [stupé-fait] I was flabbergasted.

scout, e [skut] nm, f scout.

scrupule [skrypyl] nm scruple.

scrutin [skrytɛ̃] nm ballot.

sculpter [3] [skylte] vt **1.** to sculpt **2.** [bois] to carve.

sculpteur [skyltœr] nm sculptor.

sculpture [skyltyr] nf sculpture.

SDF nmf (abr de **sans domicile fixe**) homeless person.

se [sə] ◆ pron **1.** [réfléchi : personne indéfinie] oneself ; [personne] himself (herself), themselves pl ; [chose, animal] itself, themselves pl ▸ **elle se regarde dans le miroir** she's looking at herself in the mirror ▸ **se faire mal** to hurt oneself **2.** [réciproque] each other, one another ▸ **se battre** to fight ▸ **ils s'écrivent toutes les semaines** they write to each other every week **3.** [avec certains verbes, sans de sens] ▸ **se décider** to decide ▸ **se mettre à faire qqch** to start doing sthg **4.** [passif] : **ce produit se vend bien /partout** this product is selling well /is sold everywhere **5.** [à valeur de possessif] : **se laver les mains** to wash one's hands ▸ **se couper le doigt** to cut one's finger.

séance [seɑ̃s] nf **1.** [de rééducation, gymnastique] session **2.** [de cinéma] per-formance.

seau [so] (pl **-x**) nm bucket ▸ **seau à champagne** champagne bucket.

sec, sèche [sɛk, sɛʃ] adj **1.** dry **2.** [fruit, légume] dried **▸** [cours d'eau] dried-up ▸ **au sec** [à l'abri de la pluie] out of the rain ▸ **fermer qqch d'un coup sec** to slam sthg shut.

sécateur [sekatœr] nm secateurs pl.

séchage [seʃaʒ] nm drying.

sèche adj f → **sec**.

sèche-cheveux [sɛʃʃəvø] nm inv hairdryer.

sèche-linge [sɛʃlɛ̃ʒ] nm inv tum-bledryer.

sèchement [sɛʃmɑ̃] adv drily ▸ **ré-pondre sèchement** to answer curtly.

sécher [18] [seʃe] ◆ vt to dry. ◆ vi **1.** to dry **2.** fam [à un examen] to have a men-tal block ▸ **sécher les cours** fam to play truant UK, to play hooky US.

sécheresse [seʃrɛs] nf [manque de pluie] drought.

séchoir [seʃwar] nm : **séchoir (à che-veux)** hairdryer ▸ **séchoir (à linge)** a) [sur pied] clothes dryer b) [électrique] tum-bledryer.

second, e [səgɔ̃, ɔ̃d] adj second ▸ **il est arrivé second** he came as second.

secondaire [səgɔ̃dɛr] adj secondary.

seconde [səgɔ̃d] nf **1.** [unité de temps] second **2.** SCOL ≃ fifth form UK, ≃ tenth grade US **3.** [vitesse] second (gear) ▸ **voyager en seconde (classe)** to travel second class.

secouer [6] [səkwe] vt **1.** to shake **2.** [bouleverser, inciter à agir] to shake up.

secourir [45] [səkurir] vt **1.** [d'un dan-ger] to rescue **2.** [moralement] to help.

secouriste [səkurist] nmf first-aid worker.

secours [səkur] nm help ▸ **appeler au secours** to call for help ▸ **au secours !** help! ▸ **secours d'urgence** emergency aid ▸ **premiers secours** first aid ▸ **por-ter secours à qqn** to give sb assistance.

secouru, e [səkury] pp → **secourir**.

secousse [səkus] nf jolt.

secret, ète [səkrɛ, ɛt] adj & nm secret ▸ **en secret** in secret.

secrétaire [səkretɛr] ◆ nmf secretary. ◆ nm [meuble] secretaire.

secrétariat [səkretarja] nm 1. [bureau] secretary's office 2. [métier] secretarial work.

secte [sɛkt] nf sect.

secteur [sɛktœr] nm 1. [zone] area 2. [électrique] mains 3. [économique, industriel] sector ▸ **fonctionner sur secteur** to run off the mains.

section [sɛksjɔ̃] nf 1. section 2. [de ligne d'autobus] fare stage.

sectionner [3] [sɛksjɔne] vt to cut.

Sécu [seky] nf fam : **la Sécu** French social security system.

sécurité [sekyrite] nf 1. [tranquillité] safety 2. [ordre] security ▸ **en sécurité** safe ▸ **mettre qqch en sécurité** to put sthg in a safe place ▸ **la sécurité routière** French organization providing traffic bulletins and safety information ▸ **la Sécurité sociale** French social security system.

sédentaire [sedɑ̃tɛr] adj [personne, métier] sedentary.

séduction [sedyksjɔ̃] nf seduction.

séduire [98] [seduir] vt to attract.

séduisant, e [seduizɑ̃, ɑ̃t] adj attractive.

séduit, e [sedui, it] pp & 3ᵉ pers. du sg de l'ind. prés. → **séduire**.

segment [sɛgmɑ̃] nm segment.

ségrégation [segregasjɔ̃] nf segregation.

seigle [sɛgl] nm rye.

seigneur [sɛɲœr] nm [d'un château] lord ▸ **le Seigneur** the Lord.

sein [sɛ̃] nm breast ▸ **au sein de** within.

Seine [sɛn] nf : **la Seine** [fleuve] the Seine.

séisme [seism] nm earthquake.

séismique = **sismique**.

seize [sɛz] num sixteen ▸ **(au) seize rue Lepic** (at) sixteen Rue Lepic ▸ **il est seize heures** it's four pm ▸ **ils étaient seize** there were sixteen of them ▸ **le seize janvier** the sixteenth of January.

seizième [sɛzjɛm] num sixteenth.

séjour [seʒur] nm stay ▸ **(salle de) séjour** living room.

séjourner [3] [seʒurne] vi to stay.

sel [sɛl] nm salt ▸ **sels de bain** bath salts.

sélection [selɛksjɔ̃] nf selection.

sélectionner [3] [selɛksjɔne] vt to select ▸ **sélectionner tout** INFORM to select all.

self-service [sɛlfsɛrvis] (pl self-services) nm 1. [restaurant] self-service restaurant 2. [station-service] self-service petrol station UK, self-service gas station US.

selle [sɛl] nf saddle.

seller [4] [sele] vt to saddle.

selon [səlɔ̃] prép 1. [de l'avis de, en accord avec] according to 2. [en fonction de] depending on ▸ **selon que** depending on whether.

semaine [səmɛn] nf week ▸ **en semaine** during the week.

semblable [sɑ̃blabl] adj similar ▸ **semblable à** similar to.

semblant [sɑ̃blɑ̃] nm : **faire semblant (de faire qqch)** to pretend (to do sthg) ▸ **un semblant de** a semblance of.

sembler [3] [sɑ̃ble] vi to seem ▸ **il semble que...** it seems that... ▸ **il me semble que...** I think that...

semelle [səmɛl] nf sole.

semer [19] [səme] vt 1. to sow 2. [se débarrasser de] to shake off.

semestre [səmɛstr] nm 1. half-year 2. SCOL semester.

séminaire [seminɛr] nm [colloque] seminar.

semi-précieux, euse [səmipresjø, øz] (*mpl* semi-précieux, *fpl* semi-précieuses) adj semi-precious.

semi-remorque [səmirəmɔrk] (*pl* semi-remorques) nm articulated lorry 🇬🇧, semitrailer 🇺🇸.

semoule [səmul] nf semolina.

sénat [sena] nm senate.

sénateur, trice [senatœr, tris] nm senator.

Sénégal [senegal] nm : **le Sénégal** Senegal.

senior [senjɔr] adj & nmf 1. SPORT senior 2. [personnes de plus de 50 ans] over-50 (*gén pl*).

sens [sɑ̃s] nm 1. [direction] direction 2. [signification] meaning ▸ **dans le sens inverse des aiguilles d'une montre** anticlockwise 🇬🇧, counterclockwise 🇺🇸 ▸ **en sens inverse** in the opposite direction ▸ **avoir du bon sens** to have common sense ▸ **sens giratoire** roundabout 🇬🇧, traffic circle 🇺🇸 ▸ **sens interdit** a) [panneau] no-entry sign b) [rue] one-way street ▸ **sens unique** one-way street ▸ **sens dessus dessous** upside-down ▸ **sens de la file** direction of the queue 🇬🇧 ou line 🇺🇸.

sensation [sɑ̃sasjɔ̃] nf feeling, sensation ▸ **faire sensation** to cause a stir.

sensationnel, elle [sɑ̃sasjɔnɛl] adj [formidable] fantastic.

sensibiliser [3] [sɑ̃sibilize] vt *fig* [public] : **sensibiliser (à)** to make aware (of).

sensible [sɑ̃sibl] adj 1. sensitive 2. [perceptible] noticeable ▸ **sensible à** sensitive to.

sensiblement [sɑ̃siblǝmɑ̃] adv 1. [à peu près] more or less 2. [de façon perceptible] noticeably.

sensuel, elle [sɑ̃sɥɛl] adj sensual.

sentence [sɑ̃tɑ̃s] nf [juridique] sentence.

sentier [sɑ̃tje] nm path ▸ **sentier de randonnée** a walking trail.

sentiment [sɑ̃timɑ̃] nm feeling ▸ **'veuillez agréer l'expression de mes sentiments distingués'** [dans une lettre] 'yours faithfully 🇬🇧', 'sincerely yours 🇺🇸'.

sentimental, e, aux [sɑ̃timɑ̃tal, o] adj sentimental.

sentir [37] [sɑ̃tir] vt 1. [odeur] to smell 2. [goût] to taste 3. [au toucher] to feel 4. [avoir une odeur de] to smell of ▸ **sentir bon** to smell good ▸ **sentir mauvais** to smell bad. ◆ **se sentir** vp : **se sentir mal** to feel ill ▸ **se sentir bizarre** to feel strange.

Séoul [seul] n Seoul.

séparation [separasjɔ̃] nf separation.

séparément [separemɑ̃] adv separately.

séparer [3] [separe] vt 1. to separate 2. [diviser] to divide ▸ **séparer qqn/qqch de** to separate sb /sthg from. ◆ **se séparer** vp 1. [couple] to split up 2. [se diviser] to divide ▸ **se séparer de qqn**

a) [conjoint] to separate from sb b) [employé] to let sb go.

sept [sɛt] num seven ▸ **il a sept ans** he's seven (years old) ▸ **il est sept heures** it's seven o'clock ▸ **le sept janvier** the seventh of January ▸ **page sept** page seven ▸ **ils étaient sept** there were seven of them ▸ **le sept de pique** the seven of spades ▸ **(au) sept rue Lepic** at /to seven, rue Lepic.

septante [sɛptɑ̃t] num Belg Suisse seventy.

septembre [sɛptɑ̃bʀ] nm September ▸ **en septembre, au mois de septembre** in September ▸ **début septembre** at the beginning of September ▸ **fin septembre** at the end of September ▸ **le deux septembre** the second of September.

septième [sɛtjɛm] num seventh ▸ **le septième étage** seventh floor UK, eighth floor US ▸ **le septième (arrondissement)** seventh arrondissement ▸ **il est arrivé septième** he came seventh.

séquelles [sekɛl] nfpl MÉD aftereffects.

séquence [sekɑ̃s] nf sequence.

séquoia [sekɔja] nm giant sequoia.

sera etc 3ᵉ pers. du sg de l'ind. fut. → **être**.

serbe [sɛʀb] adj Serbian. ◆ **Serbe** nmf Serb.

Serbie [sɛʀbi] nf : **la Serbie** Serbia.

séré [sere] nm Suisse fromage frais.

serein, e [səʀɛ̃, ɛn] adj serene.

sérénité [serenite] nf serenity.

sergent [sɛʀʒɑ̃] nm sergeant.

série [seri] nf 1. [succession] series 2. [ensemble] set ▸ **série (télévisée)** (television) series.

sérieusement [serjøzmɑ̃] adv seriously.

sérieux, euse [serjø, øz] ◆ adj serious. ◆ nm : **travailler avec sérieux** to take one's work seriously ▸ **garder son sérieux** to keep a straight face ▸ **prendre qqch au sérieux** to take sthg seriously.

seringue [səʀɛ̃g] nf syringe.

sermon [sɛʀmɔ̃] nm 1. RELIG sermon 2. péj [leçon] lecture.

séropositif, ive [seʀopozitif, iv] adj HIV-positive.

serpent [sɛʀpɑ̃] nm snake.

serpentin [sɛʀpɑ̃tɛ̃] nm [de fête] streamer.

serpillière [sɛʀpijɛʀ] nf floor cloth.

serre [sɛʀ] nf [à plantes] greenhouse ▸ **effet de serre** greenhouse effect.

serré, e [sere] adj 1. [vêtement] tight 2. [spectateurs, passagers] : **on est serré ici** it's packed in here.

serrer [4] [sere] vt 1. [comprimer] to squeeze 2. [dans ses bras] to hug 3. [dans une boîte, une valise] to pack tightly 4. [poings, dents] to clench 5. [nœud, vis] to tighten ▸ **ça me serre à la taille** it's tight around the waist ▸ **serrer la main à qqn** to shake sb's hand ▸ '**serrez à droite**' 'keep right'. ◆ **se serrer** vp to squeeze up ▸ **se serrer contre qqn** to huddle up against sb.

serre-tête [sɛʀtɛt] nm inv Alice band.

serrure [seʀyʀ] nf lock.

serrurier [seʀyʀje] nm locksmith.

sers etc 1ʳᵉ et 2ᵉ pers. du sg de l'ind. prés. → **servir**.

sérum [seʀɔm] nm serum ▶ **sérum physiologique** saline.

serveur, euse [sɛʀvœʀ, øz] nm, f **1.** [de café, de restaurant] server (waitress) **2.** INFORM server ▶ **serveur de courrier** mail server.

serviable [sɛʀvjabl] adj helpful.

service [sɛʀvis] nm **1.** [manière de servir] service **2.** [faveur] favour **3.** [de vaisselle] set **4.** [département] department **5.** SPORT service ▶ **faire le service** to serve the food out ▶ **rendre service à qqn** to be helpful to sb ▶ **être de service** to be on duty ▶ **premier/deuxième service** [au restaurant] first/second sitting ▶ **service après-vente** after-sales service department ▶ **service militaire** military service ▶ **'service compris/non compris'** 'service included/not included' ▶ **service clientèle** customer services ▶ **'en service'** 'in service'.

serviette [sɛʀvjɛt] nf [cartable] briefcase ▶ **serviette hygiénique** sanitary towel 🇬🇧, sanitary napkin 🇺🇸 ▶ **serviette (de table)** table napkin ▶ **serviette (de toilette)** towel ▶ **serviette en papier** paper napkin.

servir [38] [sɛʀviʀ] ♦ vt **1.** [invité, client] to serve **2.** [plat, boisson] to serve ▶ **qu'est-ce que je vous sers ?** what would you like (to drink)? ▶ **'servir frais'** 'serve chilled' ♦ vi **1.** [être utile] to be of use ▶ **servir à qqch** to be used for sthg ▶ **servir à faire qqch** to be used for doing sthg ▶ **ça ne sert à rien d'insister** there's no point in insisting **2.** [avec « de »] : **servir de qqch** [objet] to serve as sthg **3.** [au tennis]

to serve ▶ **c'est à toi de servir** it's your serve ou service **4.** [aux cartes] to deal

♦ **se servir** vp [de la nourriture, de la boisson] to help o.s.

♦ **se servir de** vp + prép [objet] to use.

ses adj pl → **son**.

sésame [sezam] nm [graines] sesame seeds pl.

set [sɛt] nm SPORT set ▶ **set (de table)** table mat.

seuil [sœj] nm threshold.

seul, e [sœl] ♦ adj **1.** [sans personne] alone **2.** [solitaire] lonely **3.** [unique] only. ♦ nm, f : **le seul** the only one ▶ **un seul** only one ▶ **pas un seul** not a single one ▶ **(tout) seul** a) [sans aide] by oneself b) [parler] to oneself.

seulement [sœlmɑ̃] adv only ▶ **non seulement… mais encore** ou **en plus** not only… but also ▶ **si seulement…** if only…

sève [sɛv] nf sap.

sévère [sevɛʀ] adj **1.** [professeur, parent] strict **2.** [regard, aspect, échec] severe **3.** [punition] harsh.

sévérité [severite] nf severity.

Séville [sevij] n Seville.

sévir [32] [seviʀ] vi **1.** [punir] to punish **2.** [épidémie, crise] to rage.

sexe [sɛks] nm **1.** [mâle, femelle] sex **2.** ANAT genitals pl.

sexiste [sɛksist] adj sexist.

sexuel, elle [sɛksɥɛl] adj sexual ▶ **éducation sexuelle** sex education ▶ **rapports sexuels** sexual relations.

Seychelles [seʃɛl] nfpl : **les Seychelles** the Seychelles.

shampo(o)ing [ʃɑ̃pwɛ̃] nm shampoo ▶ **un shampooing et une coupe** a shampoo and cut.

Shetland [ʃetlɑ̃d] nfpl : **les Shetland** the Shetlands.

shit [ʃit] nm *fam* hash.

shopping [ʃɔpiŋ] nm shopping ▶ **faire du shopping** to go (out) shopping.

short [ʃɔrt] nm (pair of) shorts.

show [ʃo] nm [de variétés] show.

si [si] ◆ **conj 1.** [exprime l'hypothèse] if ▶ **si tu veux, on y va** we'll go if you want ▶ **ce serait bien si vous pouviez** it would be good if you could ▶ **si c'est toi qui le dis, c'est que c'est vrai** since you told me, it must be true **2.** [dans une question] **: (et) on allait à la piscine ?** how about going to the swimming pool? **3.** [exprime un souhait] if ▶ **si seulement tu m'en avais parlé avant !** if only you had told me earlier! **4.** [dans une question indirecte] if, whether ▶ **dites-moi si vous venez** tell me if you are coming ◆ **adv 1.** [tellement] so ▶ **une si jolie ville** such a pretty town ▶ **si... que** so... that ▶ **ce n'est pas si facile que ça** it's not as easy as that ▶ **si bien que** with the result that **2.** [oui] yes ▶ **tu n'aimes pas le café ? — si** don't you like coffee? — yes, I do.

SICAV [sikav] nf inv [titre] share in a unit trust.

SIDA [sida] nm AIDS.

sidérurgie [sideryrʒi] nf iron and steel industry.

siècle [sjɛkl] nm century ▶ **au vingtième siècle** in the twentieth century.

siège [sjɛʒ] nm **1.** seat **2.** [d'une banque, d'une association] head office.

sien [sjɛ̃] ◆ **le sien, la sienne** [ləsjɛ̃, lasjɛn] (mpl **les siens** [lesjɛ̃], fpl **les siennes** [lesjɛn]) pron **1.** [d'homme] his **2.** [de femme] hers **3.** [de chose, d'animal] its.

sieste [sjɛst] nf nap ▶ **faire la sieste** to have a nap.

sifflement [sifləmɑ̃] nm whistling.

siffler [3] [sifle] ◆ **vi** to whistle. ◆ **vt 1.** [air] to whistle **2.** [acteur] to boo **3.** [chien] to whistle for **4.** [femme] to whistle at.

sifflet [siflɛ] nm **1.** [instrument] whistle **2.** [au spectacle] boo.

sigle [sigl] nm acronym.

signal [siɲal] (pl **-aux**) nm **1.** [geste, son] signal **2.** [feu, pancarte] sign ▶ **signal d'alarme** alarm signal ▶ **le signal sonore indique la fermeture des portes** the beeping sound indicates that the doors are closing.

signalement [siɲalmɑ̃] nm description.

signaler [3] [siɲale] vt **1.** [par un geste] to signal **2.** [par une pancarte] to signpost **3.** [faire remarquer] to point out.

signalisation [siɲalizasjɔ̃] nf **1.** [feux, panneaux] signs pl **2.** [au sol] road markings pl.

signature [siɲatyr] nf signature.

signe [siɲ] nm **1.** sign **2.** [dessin] symbol ▶ **faire signe à qqn (de faire qqch)** to signal to sb (to do sthg) ▶ **c'est bon/mauvais signe** it's a good/bad sign ▶ **faire le signe de croix** to cross o.s ▶ **signe du zodiaque** sign of the zodiac.

signer [3] [siɲe] vt & vi to sign. ◆ **se signer** vp to cross o.s.

significatif, ive [siɲifikatif, iv] adj significant.

signification [sinifikasjɔ̃] nf meaning.

signifier [9] [sinifje] vt to mean.

silence [silɑ̃s] nm silence ▸ **en silence** in silence.

silencieux, euse [silɑ̃sjø, øz] adj quiet.

silhouette [silwet] nf **1.** [forme] silhouette **2.** [corps] figure.

sillonner [3] [sijone] vt (parcourir) ▸ **sillonner une région** to travel all round a region.

SIM [sim] (abr de subscriber identity module) nm : **carte SIM** SIM card.

similaire [similer] adj similar.

simple [sɛ̃pl] adj **1.** simple **2.** [feuille, chambre] single **3.** [candide] simple(-minded).

simplement [sɛ̃pləmɑ̃] adv simply.

simplicité [sɛ̃plisite] nf simplicity.

simplifier [9] [sɛ̃plifje] vt to simplify.

simuler [3] [simyle] vt to feign.

simultané, e [simyltane] adj simultaneous.

simultanément [simyltanemɑ̃] adv simultaneously.

sincère [sɛ̃ser] adj sincere.

sincèrement [sɛ̃sermɑ̃] adv **1.** [franchement] honestly, sincerely **2.** [vraiment] really, truly.

sincérité [sɛ̃serite] nf sincerity.

Singapour [sɛ̃gapur] n Singapore.

singe [sɛ̃ʒ] nm monkey.

singulier, ère [sɛ̃gylje] ◆ adj singular. ◆ nm singular.

sinistre [sinistr] ◆ adj sinister. ◆ nm **1.** [incendie] fire **2.** [inondation] flood.

sinistré, e [sinistre] ◆ adj disaster-stricken. ◆ nm, f disaster victim.

sinon [sinɔ̃] conj **1.** [autrement] otherwise **2.** [si ce n'est] if not ▸ **dis-lui, sinon je le lui dirai** tell him/her, otherwise I will.

sinueux, euse [sinɥø, øz] adj winding.

sinusite [sinyzit] nf sinusitis.

sirène [siren] nf [d'alarme, de police] siren.

sirop [siro] nm CULIN syrup ▸ **sirop d'érable** maple syrup ▸ **sirop de fruits** fruit cordial ▸ **sirop (pour la toux)** cough mixture.

siroter [3] [sirote] vt to sip.

sismique [sismik]**, séismique** [seismik] adj seismic.

site [sit] nm **1.** [paysage] beauty spot **2.** [emplacement] site ▸ **site touristique** tourist site ▸ **site FTP/perso/professionnel** INFORM FTP/personal/business website.

situation [sitɥasjɔ̃] nf **1.** [circonstances] situation **2.** [emplacement] location **3.** [emploi] job ▸ **situation familiale** marital status.

situé, e [sitɥe] adj situated ▸ **bien/mal situé** well/badly situated.

situer [7] [sitɥe] ◆ **se situer** vp to be situated.

six [sis] num & nm six ▸ **il a six ans** he's six (years old) ▸ **il est six heures** it's six o'clock ▸ **le six janvier** the sixth of January ▸ **page six** page six ▸ **ils étaient six** there were six of them ▸ **le six de pique** the six of spades ▸ **(au) six rue Lepic** at/to six, rue Lepic.

sixième [sizjem] ◆ num sixth. ◆ nf SCOL ≃ first form UK ; ≃ seventh grade US. ◆ nm [fraction] sixth ▸ **le sixième étage** sixth floor UK, seventh floor US ▸ **le sixième (arrondissement)** sixth arrondissement ▸ **il est arrivé sixième** he came sixth.

Skaï® [skaj] nm Leatherette®.

skateboard [skɛtbɔrd] nm 1. [planche] skateboard 2. [sport] skateboarding.

sketch [skɛtʃ] nm sketch.

ski [ski] nm 1. [planche] ski 2. [sport] skiing ▸ **faire du ski** to go skiing ▸ **ski alpin** Alpine skiing ▸ **ski de fond** cross-country skiing ▸ **ski nautique** water skiing.

skier [10] [skje] vi to ski.

skieur, euse [skjœr, øz] nm, f skier.

sky-surfing [skajsœrfiŋ] (pl sky-surfings), **sky-surf** [skajsœrf] (pl sky-surfs) nm SPORT sky-surfing.

slalom [slalɔm] nm slalom.

slam [slam] nm [poésie] slam.

slim [slim] nm [pantalon] slim-fit ou skinny jeans.

slip [slip] nm 1. [sous-vêtement masculin] pants UK pl, shorts US pl 2. [sous-vêtement féminin] knickers pl ▸ **slip de bain** [d'homme] swimming trunks pl.

slogan [slɔgɑ̃] nm slogan.

slovaque [slɔvak] ◆ adj Slovak. ◆ nm [langue] Slovak. ◆ **Slovaque** nmf Slovak.

Slovaquie [slɔvaki] nf : **la Slovaquie** Slovakia.

slovène [slɔvɛn] ◆ adj Slovenian. ◆ nm [langue] Slovenian. ◆ **Slovène** nmf Slovenian.

Slovénie [slɔveni] nf : **la Slovénie** Slovenia.

smartphone [smartfɔn] nm smartphone.

SMIC [smik] nm guaranteed minimum wage.

smiley [smajli] nm smiley.

smoking [smɔkiŋ] nm [costume] dinner suit.

SMS nm SMS ▸ **envoyer un SMS** to send a text message.

snack(-bar) [snak(bar)] (pl snack(-bar) s) nm snack bar.

SNCF nf French national railway company ; ≃ BR UK ; ≃ Amtrak US.

sniffer [3] [snife] vi & vt vulg to snort ▸ **sniffer de la colle** to gluesniff, to sniff glue.

snob [snɔb] ◆ adj snobbish. ◆ nmf snob.

snowboard [snobɔrd] nm [planche] snowboard ; [sport] snowboarding ▸ **faire du snowboard** to snowboard.

soap opera [sopɔpera] (pl soap operas), **soap** [sop] (pl soaps) nm soap (opera).

sobre [sɔbr] adj sober.

sociable [sɔsjabl] adj sociable.

social, e, aux [sɔsjal, o] adj social.

socialisme [sɔsjalism] nm socialism.

socialiste [sɔsjalist] adj & nmf socialist.

société [sɔsjete] nf 1. society 2. [entreprise] company.

sociologie [sɔsjɔlɔʒi] nf sociology.

socle [sɔkl] nm 1. [d'un ordinateur] base 2. [d'une statue] pedestal.

socquette [sɔkɛt] nf ankle sock.

soda [sɔda] nm fizzy drink, soda US.

sœur [sœr] nf sister.

sofa [sɔfa] nm sofa.

Sofia [sɔfja] n Sofia.

software [softwɛʀ] nm software.

soi [swa] pron oneself ▸ **en soi** [par lui-même] in itself ▸ **cela va de soi** that goes without saying.

soi-disant [swadizɑ̃] ◆ adj inv so-called. ◆ adv supposedly.

soie [swa] nf silk.

soif [swaf] nf thirst ▸ **avoir soif** to be thirsty ▸ **ça donne soif** it makes you thirsty.

soigné, e [swaɲe] adj 1. [travail] meticulous 2. [personne] well-groomed.

soigner [3] [swaɲe] vt 1. [malade, maladie] to treat 2. [travail, présentation] to take care over 3. [s'occuper de] to look after, to take care of.

soigneusement [swaɲøzmɑ̃] adv carefully.

soigneux, euse [swaɲø, øz] adj careful.

soin [swɛ̃] nm care ▸ **prendre soin de qqch** to take care of sthg ▸ **prendre soin de faire qqch** to take care to do sthg. ◆ **soins** nmpl [médicaux, de beauté] care sg ▸ **premiers soins** first aid sg ▸ **soins-beauté** beauty care ▸ **soins du visage** skin care (for the face) ▸ **soins du corps** body care.

soir [swaʀ] nm evening ▸ **ce soir** tonight ▸ **le soir** [tous les jours] in the evening.

soirée [swaʀe] nf 1. evening 2. [réception] party.

sois [swa] 1ʳᵉ et 2ᵉ pers. du sg du subj. prés → **être**.

soit¹ [swa] 3ᵉ pers. du sg du subj. prés. → **être**.

soit² [swa(t)] conj : **soit... soit** either... or.

soixantaine [swasɑ̃tɛn] nf 1. [nombre] : **une soixantaine (de)** about sixty, sixty-odd 2. [âge] : **avoir la soixantaine** to be in one's sixties.

soixante [swasɑ̃t] num sixty ▸ **(au) soixante rue Lepic** (at) sixty Rue Lepic ▸ **ils étaient soixante** there were sixty of them.

soixante-dix [swasɑ̃tdis] num seventy ▸ **(au) soixante-dix rue Lepic** (at) seventy Rue Lepic ▸ **ils étaient soixante-dix** there were seventy of them.

soixante-dixième [swasɑ̃tdizjɛm] num seventieth.

soixantième [swasɑ̃tjɛm] num sixtieth.

soja [sɔʒa] nm soya ▸ **pousse de soja** bean sprout.

sol [sɔl] nm 1. [d'une maison] floor 2. [dehors] ground 3. [terrain] soil.

solaire [sɔlɛʀ] adj solar.

soldat [sɔlda] nm soldier.

solde [sɔld] nm [d'un compte bancaire] balance ▸ **en solde** in a sale. ◆ **soldes** nmpl 1. [vente] sales 2. [articles] sale goods.

soldé, e [sɔlde] adj [article] reduced.

solder [3] [sɔlde] vt 1. [compte] to close 2. [marchandises] to sell off. ◆ **se solder** vp : **se solder par qqch** to end in sthg.

sole [sɔl] nf sole ▸ **sole meunière** sole fried in butter and served with lemon juice and parsley.

soleil [sɔlɛj] nm sun ▸ **il fait (du) soleil** it's sunny ▸ **au soleil** in the sun ▸ **soleil couchant** sunset ▸ **soleil levant** sunrise.

solennel, elle [sɔlanɛl] adj [officiel] solemn.

solfège [sɔlfɛʒ] nm : **faire du solfège** to learn how to read music.

solidaire [sɔlidɛr] adj : **être solidaire de qqn** to stand by sb.

solidarité [sɔlidarite] nf solidarity.

solide [sɔlid] adj **1.** [matériau, construction] solid **2.** [personne] sturdy.

solidité [sɔlidite] nf solidity.

soliste [sɔlist] nmf soloist.

solitaire [sɔlitɛr] ♦ adj lonely. ♦ nmf loner.

solitude [sɔlityd] nf **1.** [calme] solitude **2.** [abandon] loneliness.

solliciter [3] [sɔlisite] vt **1.** [suj : mendiant] to beg **2.** [entrevue, faveur] to request.

soluble [sɔlybl] adj **1.** [café] instant **2.** [médicament] soluble.

solution [sɔlysjɔ̃] nf solution.

solvable [sɔlvabl] adj solvent, creditworthy.

Somalie [sɔmali] nf : **(la) Somalie** (république) Somalia.

sombre [sɔ̃br] adj **1.** dark **2.** [visage, humeur, avenir] gloomy.

sommaire [sɔmɛr] ♦ adj **1.** [explication, résumé] brief **2.** [repas, logement] basic. ♦ nm summary.

somme [sɔm] ♦ nf sum. ♦ nm : **faire un somme** to have a nap ▶ **faire la somme de** to add up ▶ **en somme** in short ▶ **somme toute** all things considered.

sommeil [sɔmɛj] nm sleep ▶ **avoir sommeil** to be sleepy.

sommelier, ère [sɔməlje, ɛr] nm, f wine waiter (waitress).

sommes [sɔm] 1ʳᵉ pers. du pl de l'ind. prés. → **être**.

sommet [sɔmɛ] nm **1.** top **2.** [montagne] peak.

sommier [sɔmje] nm base.

somnambule [sɔmnɑ̃byl] ♦ nmf sleepwalker. ♦ adj : **être somnambule** to sleepwalk.

somnifère [sɔmnifɛr] nm sleeping pill.

somnoler [3] [sɔmnɔle] vi to doze.

somptueux, euse [sɔ̃ptɥø, øz] adj sumptuous.

son¹, sa [sɔ̃, sa] (pl **ses** [se]) adj **1.** [d'homme] his **2.** [de femme] her **3.** [de chose, d'animal] its ▶ **son frère** [à lui] his brother ▶ **sa voiture** [à elle] her car ▶ **ses livres** [à lui] his books.

son² [sɔ̃] nm **1.** [bruit] sound **2.** [de blé] bran ▶ **son et lumière** historical play performed at night.

sondage [sɔ̃daʒ] nm survey.

sonde [sɔ̃d] nf MÉD probe.

songer [17] [sɔ̃ʒe] vi : **songer à faire qqch** [envisager de] to think of doing sthg.

songeur, euse [sɔ̃ʒœr, øz] adj thoughtful.

sonner [3] [sɔne] ♦ vi to ring. ♦ vt **1.** [cloche] to ring **2.** [horloge] to strike.

sonnerie [sɔnri] nf **1.** [son] ringing **2.** [mécanisme de réveil] alarm **3.** [de porte] bell.

sonnette [sɔnɛt] nf [de porte] bell ▶ **sonnette d'alarme** [dans un train] communication cord.

sono [sɔno] nf fam sound system.

sonore [sɔnɔr] adj [voix, rire] loud ▶ **signal sonore** [sur un répondeur] beep.

sonorité [sɔnɔrite] nf tone.

sont [sɔ̃] 3ᵉ pers. du pl de l'ind. prés. → **être**.

sophistiqué, e [sɔfistike] adj sophisticated.

sorbet [sɔʀbɛ] nm sorbet.

Sorbonne [sɔʀbɔn] nf : **la Sorbonne** the Sorbonne *(highly respected Paris university)*.

ⓘ La Sorbonne

This prestigious Parisian university was founded in 1257 by Robert de Sorbon, chaplain to King Louis IX. Today it comprises four universities: **Paris I Panthéon-Sorbonne, Paris III Sorbonne Nouvelle, Paris IV Paris-Sorbonne,** and **Paris V René-Descartes.** Its library, one of the finest in France, contains over 1.2 million books.

sorcier, ère [sɔʀsje, ɛʀ] nm, f wizard (witch).

sordide [sɔʀdid] adj sordid.

sort [sɔʀ] nm fate ▸ **tirer au sort** to draw lots.

sorte [sɔʀt] nf sort, kind ▸ **une sorte de** a sort of, a kind of ▸ **de (telle) sorte que** [afin que] so that ▸ **en quelque sorte** as it were.

sortie [sɔʀti] nf 1. [porte] exit, way out 2. [excursion] outing 3. [au cinéma, au restaurant] evening out 4. [d'un livre] publication 5. [d'un film] release ▸ **sortie de secours** emergency exit ▸ **'sortie de véhicules'** 'garage entrance'.

sortir [32] [sɔʀtiʀ] ◆ vi 1. *(aux être)* [aller dehors, au cinéma, au restaurant] to go out 2. [venir dehors] to come out 3. [livre, film] to come out. ◆ vt 1. *(aux avoir)* [chien] to take out 2. [livre, film] to bring out ▸ **sortir de a)** [aller] to leave **b)** [venir] to come out of **c)** [école, univer-

sité] to have studied at. ◆ **s'en sortir** vp to pull through.

SOS nm SOS ▸ **SOS Médecins** emergency medical service.

sosie [sɔzi] nm double.

sou [su] nm ▸ **ne plus avoir un sou** to be broke. ◆ **sous** nmpl *fam* [argent] money *sg.*

souche [suʃ] nf 1. [d'arbre] stump 2. [de carnet] stub.

souci [susi] nm worry ▸ **se faire du souci (pour)** to worry (about).

soucier [9] [susje] ◆ **se soucier de** vp + prép to care about.

soucieux, euse [susjø, øz] adj concerned.

soucoupe [sukup] nf saucer ▸ **soucoupe volante** flying saucer.

soudain, e [sudɛ̃, ɛn] ◆ adj sudden. ◆ adv suddenly.

Soudan [sudɑ̃] nm : **le Soudan** the Sudan.

souder [3] [sude] vt TECH to weld.

soudure [sudyʀ] nf 1. [opération] welding 2. [partie soudée] weld.

souffert [sufɛʀ] pp → **souffrir.**

souffle [sufl] nm 1. [respiration] breathing 2. [d'une explosion] blast ▸ **un souffle d'air** ou **de vent** a gust of wind ▸ **être à bout de souffle** to be out of breath.

soufflé [sufle] nm soufflé ▸ **soufflé au fromage** cheese soufflé.

souffler [3] [sufle] ◆ vt 1. [fumée] to blow 2. [bougie] to blow out. ◆ vi 1. [expirer] to breathe out 2. [haleter] to puff 3. [vent] to blow ▸ **souffler qqch à qqn** [à un examen] to whisper sthg to sb.

soufflet [suflɛ] nm **1.** [pour le feu] bellows pl **2.** [de train] concertina vestibule.

souffrance [sufrɑ̃s] nf suffering.

souffrant, e [sufrɑ̃, ɑ̃t] adj *sout* unwell.

souffrir [34] [sufrir] vi to suffer ▸ **souffrir de** to suffer from.

soufre [sufr] nm sulphur.

souhait [swɛ] nm wish ▸ **à tes souhaits !** bless you!

souhaitable [swɛtabl] adj desirable.

souhaiter [4] [swete] vt : **souhaiter que** to hope that ▸ **souhaiter faire qqch** to hope to do sthg ▸ **souhaiter bonne chance/bon anniversaire à qqn** to wish sb good luck/happy birthday.

soûl, e [su, sul] adj drunk.

soulagement [sulaʒmɑ̃] nm relief.

soulager [17] [sulaʒe] vt to relieve ▸ **soulager qqn** [d'une souffrance physique] to soothe sb, to bring sb relief.

soûler [3] [sule] ◆ **se soûler** vp to get drunk.

soulever [19] [sulve] vt **1.** [couvercle, jupe] to lift **2.** [enthousiasme, protestations] to arouse **3.** [problème] to bring up. ◆ **se soulever** vp **1.** [se redresser] to raise o.s. up **2.** [se rebeller] to rise up.

soulier [sulje] nm shoe.

souligner [3] [suliɲe] vt **1.** to underline **2.** [insister sur] to emphasize.

soumettre [84] [sumɛtr] vt : **soumettre qqn/qqch à** to subject sb/sthg to ▸ **soumettre qqch à qqn** [idée, projet] to submit sthg to sb. ◆ **se soumettre à** vp + prép [loi, obligation] to abide by.

soumis, e [sumi, iz] ◆ pp → **soumettre.** ◆ adj submissive.

soumission [sumisjɔ̃] nf submission.

soupape [supap] nf valve.

soupçon [supsɔ̃] nm suspicion ▸ **être au-dessus de tout soupçon** to be above suspicion.

soupçonner [3] [supsɔne] vt to suspect.

soupçonneux, euse [supsɔnø, øz] adj suspicious.

soupe [sup] nf soup ▸ **soupe à l'oignon** onion soup ▸ **soupe de légumes** vegetable soup ▸ **soupe au pistou** Provençal vegetable soup with basil and garlic ▸ **soupe minestrone** minestrone (soup).

souper [3] [supe] ◆ nm **1.** [dernier repas] late supper **2.** [dîner] dinner. ◆ vi **1.** [très tard] to have a late supper **2.** [dîner] to have dinner.

soupeser [19] [supəze] vt to feel the weight of.

soupière [supjɛr] nf tureen.

soupir [supir] nm sigh ▸ **pousser un soupir** to give a sigh.

soupirer [3] [supire] vi to sigh.

souple [supl] adj **1.** [matière] flexible **2.** [sportif] supple.

souplesse [suples] nf [d'un sportif] suppleness.

source [surs] nf **1.** [d'eau] spring **2.** [de chaleur, de lumière] source.

sourcil [sursi] nm eyebrow.

sourd, e [sur, surd] adj deaf.

sourdingue [surdɛ̃g] adj *vulg* clotheared.

sourd-muet, sourde-muette [surmɥɛ, surdmɥɛt] (*mpl* **sourds-muets,** *fpl* **sourdes-muettes**) nm, f deaf and dumb person.

souriant, e [surjɑ̃, ɑ̃t] adj smiling.

sourire [95] [suriʀ] ◆ nm smile. ◆ vi to smile ▸ **sourire à qqn** to smile at sb.

souris [suri] nf mouse ▸ **souris à molette** INFORM scroll wheel ou scroller mouse ▸ **souris optique** INFORM optical mouse.

sournois, e [surnwa, az] adj sly.

sous [su] prép under, underneath ▸ **sous enveloppe** in an envelope ▸ **sous la pluie** in the rain ▸ **sous peu** shortly.

sous-activité [suzaktivite] nf **: être en sous-activité** to be operating below capacity.

sous-bois [subwa] nm undergrowth.

sous-continent [sukɔ̃tinã] nm subcontinent ▸ **le sous-continent indien** the Indian subcontinent.

souscrire [99] [suskʀiʀ] vi **: souscrire à** to subscribe to.

sous-développé, e [sudevlɔpe] (mpl sous-développés) adj underdeveloped.

sous-effectif [suzefɛktif] (pl sous-effectifs) nm understaffing ▸ **en sous-effectif** [entreprise, usine] understaffed.

sous-entendre [73] [suzãtãdʀ] vt to imply.

sous-entendu [suzãtãdy] (pl sous-entendus) nm innuendo.

sous-estimer [3] [suzestime] vt to underestimate.

sous-louer [6] [sulwe] vt to sublet.

sous-marin, e [sumarɛ̃, marin] (mpl sous-marins) ◆ adj [flore] underwater. ◆ nm **1.** submarine **2.** Québec [sandwich] long filled roll, sub US.

sous-marque [sumark] nf sub-brand.

sous-préfecture [suprefɛktyr] (pl sous-préfectures) nf administrative area smaller than a "préfecture".

sous-pull [supyl] (pl sous-pulls) nm lightweight polo-neck sweater.

sous-répertoire [surepɛrtwar] nm subdirectory.

sous-sol [susɔl] (pl sous-sols) nm [d'une maison] basement.

sous-titrage [sutitraʒ] nm subtitling ▸ **le sous-titrage est excellent** the subtitles are very good.

sous-titre [sutitr] (pl sous-titres) nm subtitle.

sous-titré, e [sutitre] (mpl sous-titrés) adj subtitled.

soustraction [sustraksjɔ̃] nf subtraction.

soustraire [112] [sustrɛr] vt MATH to subtract.

sous-verre [suvɛr] nm inv picture in a clip-frame.

sous-vêtements [suvɛtmã] nmpl underwear sg.

soute [sut] nf [d'un bateau] hold ▸ **soute à bagages a)** [d'un car] luggage compartment **b)** [d'un avion] luggage hold.

soutenir [40] [sutnir] vt [porter, défendre] to support ▸ **soutenir que** to maintain (that).

souterrain, e [sutɛrɛ̃, ɛn] ◆ adj underground. ◆ nm **1.** underground passage **2.** [sous une rue] subway UK, underpass US.

soutien [sutjɛ̃] nm **1.** support **2.** SCOL extra classes pl ▸ **soutien scolaire** private tutoring.

soutien-gorge [sutjɛ̃gɔrʒ] (pl soutiens-gorge) nm bra.

soutif [sutif] nm fam bra.

souvenir [40] [suvnir] nm **1.** [memory] **2.** [objet touristique] souvenir. ◆ **se souvenir de** vp + prép to remember.

souvent [suvã] adv often.

souvenu, e [suvny] pp → **souvenir**.

souverain, e [suvrɛ̃, ɛn] nm, f monarch.

soviétique [sɔvjetik] adj Soviet.

soyeux, euse [swajø, øz] adj silky.

soyons [swajɔ̃] 1re pers. du pl du subj. prés. → **être**.

SPA nf ≃ RSPCA UK ; ≃ SPCA US.

spacieux, euse [spasjø, øz] adj spacious.

spaghetti(s) [spageti] nmpl spaghetti sg.

spam nm spam.

sparadrap [sparadra] nm (sticking) plaster UK, Band-Aid® US.

spatial, e, aux [spasjal, o] adj [recherche, vaisseau] space.

spatule [spatyl] nf [de cuisine] spatula.

spätzli [ʃpetsli] nmpl Suisse small dumplings.

spécial, e, aux [spesjal, o] adj **1.** special **2.** [bizarre] odd.

spécialement [spesjalmã] adv [particulièrement] particularly, especially.

spécialisé, e [spesjalize] adj specialized.

spécialiser [3] [spesjalize] ◆ **se spécialiser** vp : se spécialiser (dans) to specialize (in).

spécialiste [spesjalist] nmf specialist.

spécialité [spesjalite] nf speciality.

spécifique [spesifik] adj specific.

spécimen [spesimɛn] nm specimen.

spectacle [spektakl] nm **1.** [au théâtre, au cinéma] show **2.** [vue] sight.

spectaculaire [spektakylɛr] adj spectacular.

spectateur, trice [spektatœr, tris] nm, f spectator.

speculo(o)s [spekylos] nm Belg crunchy sweet biscuit flavoured with cinnamon.

speed [spid] adj : il est très speed he's really hyper.

spéléologie [speleolɔʒi] nf potholing.

sphère [sfɛr] nf sphere.

spirale [spiral] nf spiral ▸ **en spirale** spiral.

spirituel, elle [spirituɛl] adj **1.** spiritual **2.** [personne, remarque] witty.

spiritueux [spirituø] nm spirit.

splendide [splãdid] adj magnificent.

sponsor [spɔ̃sɔr] nm sponsor.

sponsoriser [3] [spɔ̃sɔrize] vt to sponsor.

spontané, e [spɔ̃tane] adj spontaneous.

spontanéité [spɔ̃taneite] nf spontaneity.

sport [spɔr] nm sport ▸ **sports de glisse** board sports ▸ **sports d'hiver** winter sports.

sportif, ive [spɔrtif, iv] ◆ adj **1.** [athlétique] sporty **2.** [épreuve, journal] sports. ◆ nm, f sportsman (sportswoman).

spot [spɔt] nm [projecteur, lampe] spotlight ▸ **spot publicitaire** commercial.

spray [sprɛ] nm spray.

sprint [sprint] nm sprint.

spyware [spajwɛr] nm spyware.

square [skwar] nm small public garden.

squash [skwaʃ] nm squash.

squelette [skəlɛt] nm skeleton.

squelettique [skəletik] adj [corps] emaciated.

Sri Lanka [ʃrilɑ̃ka] nm : **le Sri Lanka** Sri Lanka.

St (abr écrite de **saint**) St (Saint).

stabiliser [3] [stabilize] vt to stabilize. ◆ **se stabiliser** vp [véhicule, prix, situation] to stabilize.

stable [stabl] adj stable.

stade [stad] nm **1.** [de sport] stadium **2.** [période] stage ▶ **à ce stade, je ne peux plus rien faire** at this stage there is nothing else I can do.

stage [staʒ] nm **1.** [en entreprise] work placement **2.** [d'informatique, de yoga] intensive course ▶ **faire un stage** to go on an intensive course.

⚠ Stage est un faux ami, il signifie *scène* et non « stage ».

stagiaire [staʒjɛr] nmf trainee.

stagner [3] [stagne] vi to stagnate.

stalactite [stalaktit] nf stalactite.

stalagmite [stalagmit] nf stalagmite.

stand [stɑ̃d] nm stand.

standard [stɑ̃dar] ◆ adj inv standard. ◆ nm [téléphonique] switchboard.

standardiste [stɑ̃dardist] nmf switchboard operator.

standing [stɑ̃diŋ] nm standing ▶ **quartier de grand standing** select district.

star [star] nf star.

starter [starter] nm [d'une voiture] choke.

start up, start-up [startœp] nf start-up.

station [stasjɔ̃] nf [de métro, de radio] station ▶ **station de sports d'hiver** ou **de ski** ski resort ▶ **station balnéaire** seaside resort ▶ **station de taxis** taxi rank ▶ **station thermale** spa.

stationnement [stasjɔnmɑ̃] nm parking ▶ **'stationnement payant'** sign indicating that drivers must pay to park in designated area ▶ **'stationnement gênant'** 'restricted parking'.

stationner [3] [stasjɔne] vi to park.

station-service [stasjɔ̃sɛrvis] (pl **stations-service**) nf petrol station 🇬🇧, gas station 🇺🇸.

statique [statik] adj → **électricité**.

statistiques [statistik] nfpl statistics.

statue [staty] nf statue.

statuette [statyɛt] nf statuette.

statut [staty] nm [situation] status.

Sté (abr écrite de **sainte**) St (Saint).

Sté (abr écrite de **société**) Co. (company).

steak [stɛk] nm steak ▶ **steak frites** steak and chips ▶ **steak haché** beefburger ▶ **steak tartare** beef tartare.

sténo [steno] nf [écriture] shorthand.

sténodactylo [stenodaktilo] nf shorthand typist.

stéréo [stereo] adj inv & nf stereo.

stérile [steril] adj sterile.

stérilet [sterilɛ] nm IUD, intrauterine device.

stérilisé, e [sterilize] adj sterilized.

stériliser [3] [sterilize] vt to sterilize.

sterling [sterliŋ] adj → **livre²**

steward [stiwart] nm [dans un avion] (air) steward.

stimuler [3] [stimyle] vt [encourager] to encourage.

stock [stɔk] nm stock ▸ **en stock** in stock.

stocker [3] [stɔke] vt **1.** to stock **2.** INFORM to store.

Stockholm [stɔkɔlm] n Stockholm.

stock-option [stɔkɔpsjɔ̃] nf stock option.

stop [stɔp] ◆ nm **1.** [panneau] stop sign **2.** [phare] brake light. ◆ **interj** stop! ▸ **faire du stop** to hitchhike.

stopper [3] [stɔpe] vt & vi to stop.

store [stɔr] nm **1.** blind **2.** [de magasin] awning.

strapontin [strapɔ̃tɛ̃] nm folding seat.

stratégie [strateʒi] nf strategy.

stratégique [strateʒik] adj strategic.

stress [strɛs] nm stress.

stressant, e [strɛsɑ̃, ɑ̃t] adj stressful.

stressé, e [strɛse] adj stressed.

stresser [4] [strɛse] ◆ vt : **stresser qqn** to cause sb stress, to put sb under stress. ◆ vi to be stressed.

strict, e [strikt] adj strict.

strictement [striktəmɑ̃] adv strictly.

strident, e [stridɑ̃, ɑ̃t] adj shrill.

strié, e [strije] adj with ridges.

strophe [strɔf] nf verse.

structure [stryktyr] nf structure.

studieux, euse [stydjø, øz] adj studious.

studio [stydjo] nm **1.** [logement] studio flat 🇬🇧, studio apartment 🇺🇸 **2.** [de cinéma, de photo] studio.

stupéfait, e [stypefɛ, ɛt] adj astounded.

stupéfiant, e [stypefjɑ̃, ɑ̃t] ◆ adj astounding. ◆ nm drug.

stupide [stypid] adj stupid.

stupidité [stypidite] nf **1.** stupidity **2.** [parole] stupid remark.

style [stil] nm style ▸ **meubles de style** period furniture sg.

styliste [stilist] nmf designer.

stylo [stilo] nm pen ▸ **stylo (à) bille** ballpoint pen ▸ **stylo (à) plume** fountain pen.

stylo-feutre [stiloføtr] (pl stylos-feutres) nm felt-tip (pen).

su, e [sy] pp → **savoir**.

subir [32] [sybir] vt [attaque, opération, changement] to undergo.

subit, e [sybi, it] adj sudden.

subitement [sybitmɑ̃] adv suddenly.

subjectif, ive [sybʒɛktif, iv] adj subjective.

subjonctif [sybʒɔ̃ktif] nm subjunctive.

sublime [syblim] adj sublime.

submerger [17] [sybmɛrʒe] vt **1.** [suj : eau] to flood **2.** [suj : travail, responsabilités] to overwhelm.

subsister [3] [sybziste] vi [rester] to remain.

substance [sypstɑ̃s] nf substance.

substituer [7] [sypstitɥe] vt : **substituer qqch à qqch** to substitute sthg for sthg.

substitut [sypstity] nm substitute.

subtil, e [syptil] adj subtle.

subtilité [syptilite] nf subtlety.

subvention [sybvɑ̃sjɔ̃] nf subsidy.

subventionner [3] [sybvɑ̃sjɔne] vt to subsidize.

succéder [18] [syksede] ◆ **succéder à v + prép 1.** [suivre] to follow **2.** [dans un emploi] to succeed ▸ **il a succédé à ses parents à la tête de l'entreprise** he took over from his parents at the head of the company. ◆ **se succéder** vp [événements, jours] to follow one another.

succès [sykse] nm success ▸ **avoir du succès** to be successful.

successeur [syksesœr] nm successor.

successif, ive [syksesif, iv] adj successive.

succession [syksesjɔ̃] nf succession ▸ **droits de succession** death duties.

succomber [3] [sykɔ̃be] vi : **succomber (à)** to succumb (to).

succulent, e [sykylɑ̃, ɑ̃t] adj delicious.

succursale [sykyrsal] nf branch.

sucer [16] [syse] vt to suck.

sucette [sysεt] nf **1.** [bonbon] lollipop **2.** [de bébé] dummy [UK], pacifier [US].

sucre [sykr] nm sugar ▸ **sucre en morceaux** sugar lumps *pl* ▸ **un sucre d'orge** a stick of rock ▸ **sucre en poudre** caster sugar ▸ **sucre glace** icing sugar [UK], confectioner's *ou* powdered sugar [US].

sucré, e [sykre] adj **1.** [yaourt, lait concentré] sweetened **2.** [fruit, café] sweet ▸ **eau sucrée** sugar water.

sucrer [3] [sykre] vt to sweeten.

sucreries [sykrəri] nfpl sweets [UK], candies [US].

sucrette® [sykrεt] nf (artificial) sweetener.

sucrier [sykrije] nm sugar bowl.

sud [syd] adj inv & nm south ▸ **au sud** in the south ▸ **au sud de** south of.

sud-africain, e [sydafrikɛ̃, εn] (*mpl* **sud-africains**, *fpl* **sud-africaines**) adj South African.

sud-américain, e [sydamerikɛ̃, εn] (*mpl* **sud-américains**, *fpl* **sud-américaines**) adj South American. ◆ **Sud-Américain, e** nm, f South American.

sud-est [sydεst] adj inv & nm south-east ▸ **au sud-est** in the southeast ▸ **au sud-est de** southeast of.

sudoku [sydɔku] nm sudoku.

sud-ouest [sydwεst] adj inv & nm southwest ▸ **au sud-ouest** in the southwest ▸ **au sud-ouest de** southwest of.

Suède [syεd] nf : **la Suède** Sweden.

suédois, e [syedwa, az] ◆ adj Swedish. ◆ **suédois** nm [langue] Swedish. ◆ **Suédois, e** nm, f Swede.

suer [7] [sɥe] vi to sweat.

sueur [sɥœr] nf sweat ▸ **être en sueur** to be sweating ▸ **avoir des sueurs froides** to be in a cold sweat.

suffire [100] [syfir] vi to be enough ▸ **ça suffit !** that's enough! ▸ **suffire à qqn** [être assez] to be enough for sb ▸ **il (te) suffit de faire** all you have to do is.

suffisamment [syfizamɑ̃] adv enough ▸ **suffisamment de** enough.

suffisant, e [syfizɑ̃, ɑ̃t] adj sufficient.

suffixe [syfiks] nm suffix.

suffocant, e [syfɔkɑ̃, ɑ̃t] adj oppressive.

suffoquer [3] [syfɔke] vi to suffocate.

suffrage [syfraʒ] nm vote.

suggérer [18] [sygʒere] vt to suggest ▸ **suggérer à qqn de faire qqch** to suggest that sb should do sthg.

suggestion [sygʒεstjɔ̃] nf suggestion.

suicide [sɥisid] nm suicide.

suicider [3] [sɥiside] ◆ **se suicider** vp to commit suicide.

suie [sɥi] nf soot.

suinter [3] [sɥɛ̃te] vi 1. [murs] to sweat 2. [liquide] to ooze.

suis¹ [sɥi] 1ʳᵉ pers. du sg de l'ind. prés. → **être**.

suis² [sɥi] 1ʳᵉ et 2ᵉ pers. du sg de l'ind. prés. → **suivre**.

suisse [sɥis] adj Swiss. ◆ **Suisse** ◆ nmf Swiss (person). ◆ nf : **la Suisse** Switzerland ◆ **les Suisses** the Swiss.

suite [sɥit] nf 1. [série, succession] series 2. [d'une histoire] rest 3. [deuxième film] sequel ◆ **à la suite** [en suivant] one after the other ◆ **à la suite de** [à cause de] following ◆ **de suite** [d'affilée] in a row ◆ **par suite de** because of. ◆ **suites** nfpl 1. [conséquences] consequences 2. [d'une maladie] aftereffects.

suivant, e [sɥivɑ̃, ɑ̃t] ◆ adj next. ◆ nm, f next (one). ◆ prép [selon] according to ◆ **au suivant !** next!

suivi¹, e [sɥivi] adj pp → **suivre**.

suivi² [sɥivi] nm 1. [de personne] monitoring 2. [de dossier] follow-up.

suivre [89] [sɥivʀ] vt to follow ◆ **suivi de** followed by ◆ **faire suivre** [courrier] to forward ◆ **'à suivre'** 'to be continued'.

sujet [syʒɛ] nm subject ◆ **au sujet de** about.

sunnite [synit] ◆ adj Sunni. ◆ nmf Sunnit, Sunnite.

super [sypɛʀ] ◆ adj inv fam [formidable] great. ◆ nm [carburant] four-star (petrol).

superbe [sypɛʀb] adj superb.

supérette [sypeʀɛt] nf mini-market.

superficie [sypɛʀfisi] nf area.

superficiel, elle [sypɛʀfisjɛl] adj superficial.

superflu, e [sypɛʀfly] adj superfluous.

supérieur, e [sypeʀjœʀ] ◆ adj 1. [du dessus] upper 2. [qualité] superior. ◆ nm, f [hiérarchique] superior ◆ **supérieur à** a) [plus élevé que] higher than b) [meilleur que] better than.

supériorité [sypeʀjɔʀite] nf superiority.

supermarché [sypɛʀmaʀʃe] nm supermarket.

superposé, e [sypɛʀpoze] adj & pp : **lits superposés** bunk beds.

superposer [3] [sypɛʀpoze] vt 1. [objets] to put on top of each other 2. [images] to superimpose ◆ **lits superposés** bunk beds.

superpuissance [sypɛʀpɥisɑ̃s] nf superpower.

superstitieux, euse [sypɛʀstisjø, øz] adj superstitious.

superviser [3] [sypɛʀvize] vt to supervise.

suppléant, e [sypleɑ̃, ɑ̃t] ◆ adj acting (avant n), temporary. ◆ nm, f substitute, deputy.

supplément [syplemɑ̃] nm [argent] supplement, extra charge ◆ **en supplément** extra.

supplémentaire [syplemɑ̃tɛʀ] adj additional.

supplice [syplis] nm torture.

supplier [10] [syplije] vt : **supplier qqn de faire qqch** to beg sb to do sthg.

support [sypɔr] nm support.

supportable [sypɔrtabl] adj **1.** [douleur] bearable **2.** [situation] tolerable.

supporter¹ [3] [sypɔrte] vt **1.** [endurer] to bear, to stand **2.** [tolérer] to bear **3.** [soutenir] to support.

supporter² [sypɔrter] nm [d'une équipe] supporter.

supposer [3] [sypoze] vt to suppose ▸ **à supposer que...** supposing (that)...

supposition [sypozisjɔ̃] nf supposition.

suppositoire [sypozitwar] nm suppository.

suppression [sypresjɔ̃] nf **1.** removal **2.** [d'un mot] deletion.

supprimer [3] [syprime] vt **1.** to remove **2.** [train] to cancel **3.** [mot] to delete **4.** [tuer] to do away with.

suprême [syprɛm] nm : **suprême de volaille** chicken supreme.

sur [syr] ◆ prép **1.** [dessus] on ▸ **sur la table** (on top of) the table **2.** [au-dessus de] above, over ▸ **les nuages sont passés sur Paris** the clouds passed over Paris **3.** [indique la direction] towards ▸ **tournez sur la droite** turn (to the) right **4.** [indique la distance] for ▸ **'travaux sur 10 kilomètres'** 'roadworks for 10 kilometres' **5.** [au sujet de] on, about ▸ **un dépliant sur l'Auvergne** a leaflet on ou about the Auvergne **6.** [dans une mesure] by ▸ **un mètre sur deux** one metre by two **7.** [dans une proportion]

out of ▸ **9 sur 10** 9 out of 10 ▸ **un jour sur deux** every other day.

sûr, e [syr] adj **1.** [certain] certain, sure **2.** [sans danger] safe **3.** [digne de confiance] reliable ▸ **être sûr de /que** to be sure of /that ▸ **être sûr de soi** to be self-confident.

surbooké, e [syrbuke] adj overbooked.

surbooking [syrbukiŋ] nm overbooking.

surbrillance [syrbrijɑ̃s] nf : **mettre qqch en surbrillance** INFORM to highlight sthg.

surcharger [17] [syrʃarʒe] vt to overload.

surchauffé, e [syrʃofe] adj overheated.

surdimensionné, e [syrdimɑ̃sjɔne] adj oversize(d).

surdité [syrdite] nf deafness.

surélevé, e [syrelve] adj **1.** [voie ferrée] elevated **2.** [arche, rez-de-chaussée] raised.

surélever [19] [syrelve] vt to raise ▸ **surélever un bâtiment** to raise the height of a building.

sûrement [syrmɑ̃] adv [probablement] probably ▸ **sûrement pas !** certainly not!

surestimer [3] [syrestime] vt to overestimate.

sûreté [syrte] nf : **mettre qqch en sûreté** to put sthg in a safe place.

surévaluer [7] [syrevalɥe] vt to overvalue, to overestimate.

surexcité, e [syreksite] adj overexcited.

surf [sœrf] nm surfing ▶ **surf des neiges** snowboarding.

surface [syrfas] nf **1.** (étendue) surface area **2.** MATH surface.

surfer [3] [sœrfe] vi INFORM to surf ▶ **surfer sur Internet** to surf the net.

surgelé, e [syrʒəle] ◆ adj frozen. ◆ nm frozen food ▶ **des surgelés** frozen food sg.

surgir [32] [syrʒir] vi **1.** to appear suddenly **2.** (difficultés) to arise.

surimi [syrimi] nm surimi.

Surinam(e) [syrinam] nm : **le Suriname** Surinam.

sur-le-champ [syrləʃɑ̃] adv immediately.

surlendemain [syrlɑ̃dmɛ̃] nm : **le surlendemain** two days later ▶ **le surlendemain de son départ** two days after he left.

surligneur [syrliɲœr] nm highlighter (pen).

surmenage [syrmənaʒ] nm overwork.

surmené, e [syrməne] adj overworked.

sur-mesure [syrməzyr] nm inv : **c'est sur-mesure** it's custom made.

surmonter [3] [syrmɔ̃te] vt (difficulté, obstacle) to overcome.

surnaturel, elle [syrnatyrɛl] adj supernatural.

surnom [syrnɔ̃] nm nickname.

⚠ Surname est un faux ami, il signifie *nom de famille* et non « surnom ».

surnommer [3] [syrnɔme] vt to nickname.

surpasser [3] [syrpase] vt to surpass. ◆ **se surpasser** vp to excel o.s.

surpeuplé, e [syrpœple] adj overpopulated.

surplomber [3] [syrplɔ̃be] vt to overhang.

surplus [syrply] nm surplus.

surpoids [syrpwa] nm excess weight.

surprenant, e [syrprənɑ̃, ɑ̃t] adj surprising.

surprendre [79] [syrprɑ̃dr] vt to surprise.

surpris, e [syrpri, iz] ◆ pp → **surprendre.** ◆ adj surprised ▶ **être surpris de /que** to be surprised about / that.

surprise [syrpriz] nf surprise ▶ **faire une surprise à qqn** to give sb a surprise ▶ **par surprise** by surprise.

surqualifié, e [syrkalifje] adj overqualified.

surréservation [syrrezɛrvasjɔ̃] nf = **surbooking**.

sursaut [syrso] nm : **se réveiller en sursaut** to wake with a start.

sursauter [3] [syrsote] vi to start.

surtaxe [syrtaks] nf surcharge.

surtout [syrtu] adv **1.** (avant tout) above all **2.** (plus particulièrement) especially ▶ **surtout, fais bien attention !** whatever you do, be careful! ▶ **surtout que** especially as.

survécu [syrveky] pp → **survivre.**

surveillance [syrvejɑ̃s] nf supervision ▶ **être sous surveillance** to be under surveillance.

surveillant, e [syʀvɛjɑ̃, ɑ̃t] nm, f **1.** SCOL supervisor **2.** [de prison] prison guard.

surveiller [4] [syʀveje] vt to watch. ◆ **se surveiller** vp [faire du régime] to watch one's weight.

survenir [40] [syʀvəniʀ] vi to occur.

survêt [syʀvɛt] nm *fam* tracksuit.

survêtement [syʀvɛtmɑ̃] nm tracksuit.

survie [syʀvi] nf survival.

survivant, e [syʀvivɑ̃, ɑ̃t] nm, f survivor.

survivre [90] [syʀvivʀ] vi to survive. ▶ **survivre à** to survive.

survoler [3] [syʀvɔle] vt [lieu] to fly over.

sus [sy(s)] ◆ **en sus** loc adv moreover, in addition ▶ **en sus (de qqch)** in addition to (sthg).

susceptible [sysɛptibl] adj [sensible] touchy ▶ **le temps est susceptible de s'améliorer** the weather might improve.

susciter [3] [sysite] vt **1.** [intérêt, colère] to arouse **2.** [difficulté, débat] to create.

sushi [suʃi] nm sushi.

suspect, e [syspɛ, ɛkt] ◆ adj **1.** [comportement, individu] suspicious **2.** [aliment] suspect. ◆ nm, f suspect.

suspecter [4] [syspɛkte] vt to suspect.

suspendre [73] [syspɑ̃dʀ] vt **1.** [accrocher] to hang **2.** [arrêter, démettre] to suspend.

suspens [syspɑ̃] ◆ **en suspens** loc adv in abeyance.

suspense [syspɛns] nm suspense.

suspension [syspɑ̃sjɔ̃] nf **1.** [d'une voiture, d'un fonctionnaire] suspension, suspension **2.** [lampe] (ceiling) light *(hanging type)*.

suture [sytyʀ] nf → **point**.

SUV (*abr de* sport utility vehicle) nm SUV.

SVP (*abr de* s'il vous plaît) pls *(please)*.

SVT (*abr de* sciences de la vie et de la Terre) nfpl ENS biology.

Swaziland [swazilɑ̃d] nm : **le Swaziland** Swaziland.

sweat [swit] nm sweatshirt.

sweat-shirt [switʃœʀt] (*pl* -s) nm sweatshirt.

syllabe [silab] nf syllable.

symbole [sɛ̃bɔl] nm symbol.

symbolique [sɛ̃bɔlik] adj symbolic.

symboliser [3] [sɛ̃bɔlize] vt to symbolize.

symétrie [simetʀi] nf symmetry.

symétrique [simetʀik] adj symmetrical.

sympa [sɛ̃pa] adj *fam* nice.

sympathie [sɛ̃pati] nf : **éprouver** ou **avoir de la sympathie pour qqn** to have a liking for sb.

sympathique [sɛ̃patik] adj nice.

sympathisant, e [sɛ̃patizɑ̃, ɑ̃t] nm, f sympathizer.

sympathiser [3] [sɛ̃patize] vi to get on well.

symphonie [sɛ̃fɔni] nf symphony.

symptôme [sɛ̃ptom] nm symptom.

synagogue [sinagɔg] nf synagogue.

synchronisé, e [sɛ̃kʀɔnize] **adj** synchronized.

synchroniser [3] [sɛ̃kʀɔnize] **vt** to synchronize.

syncope [sɛ̃kɔp] **nf** MÉD blackout ▸ **faire une syncope** to faint.

syndic [sɛ̃dik] **nm** managing agent.

syndical, e, aux [sɛ̃dikal, o] **adj** [mouvement, revendications] (trade) union.

syndicaliste [sɛ̃dikalist] **nmf** (trade) unionist.

syndicat [sɛ̃dika] **nm** (trade) union ▸ **syndicat d'initiative** tourist office.

syndiqué, e [sɛ̃dike] **adj : être syndiqué** to belong to a (trade) union.

syndiquer [3] [sɛ̃dike] ◆ **se syndiquer** **vp** [personne] to join a trade [UK] ou union [US]union.

syndrome [sɛ̃dʀom] **nm** syndrome ▸ **syndrome immunodéficitaire acquis** acquired immunodeficiency syndrome.

synonyme [sinɔnim] **nm** synonym.

synopsis [sinɔpsis] **nm** [d'un film] synopsis.

synthèse [sɛ̃tɛz] **nf** [d'un texte] summary.

synthétique [sɛ̃tetik] ◆ **adj** [produit, fibre] synthetic, man-made. ◆ **nm** [tissu] synthetic ou man-made fabric.

synthétiseur [sɛ̃tetizœʀ] **nm** synthesizer.

Syrie [siʀi] **nf : la Syrie** Syria.

syrien, enne [siʀjɛ̃, ɛn] **adj** Syrian. ◆ **Syrien, enne** **nm, f** Syrian.

systématique [sistematik] **adj** systematic.

système [sistɛm] **nm** system ▸ **système d'exploitation** INFORM operating system.

t' **pron** → **te**.

ta **adj** → **ton**[1].

tabac [taba] **nm 1.** tobacco **2.** [magasin] tobacconist's.

> **ⓘ Les tabacs**
>
> In addition to tobacco products, French tobacconists also sell lottery tickets, stamps, phonecards, underground tickets and travel cards, newspapers and magazines.

tabagie [tabaʒi] **nf** [Québec] [bureau de tabac] tobacconist's.

table [tabl] **nf** table ▸ **mettre la table** to set ou lay the table ▸ **être à table** to be having a meal ▸ **se mettre à table** to sit down to eat ▸ **à table !** lunch /dinner etc. is ready! ▸ **table de chevet** ou **de nuit** bedside table ▸ **table à langer** baby changing table ▸ **table des matières** contents (page) ▸ **table d'opération** operating table ▸ **table d'orientation** viewpoint indicator ▸ **table à repasser** ironing board.

tableau [tablo] *(pl -x)* **nm 1.** [peinture] painting **2.** [panneau] board **3.** [grille] table **4.** INFORM array ▸ **tableau de bord** a) dashboard b) [d'un avion] instrument panel ▸ **tableau (noir)** blackboard.

tablette [tablɛt] **nf** [étagère] shelf ▸ **tablette de chocolat** bar of chocolate ▸ **tablette de lecture** e-book reader ▸ **tablette tactile** tablet computer ou tablet.

tableur [tablœr] nm spreadsheet.

tablier [tablije] nm apron.

taboulé [tabule] nm tabbouleh ; Lebanese dish of couscous, tomatoes, onion, mint and lemon.

tabouret [taburɛ] nm stool.

tache [taʃ] nf **1.** patch **2.** [de graisse] stain ▸ **taches de rousseur** freckles.

tâche [taʃ] nf task ▸ **tâches ménagères** household chores.

tacher [3] [taʃe] vt to stain. ◆ **se tacher** vp to get one's clothes dirty.

tâcher [3] [taʃe] ◆ **tâcher de** v + prép to try to.

tacheté, e [taʃte] adj spotted.

taciturne [tasityrn] adj taciturn.

tact [takt] nm tact.

tactile [taktil] **adj : pavé tactile** touch pad.

tactique [taktik] nf tactics pl.

Tadjikistan [tadʒikistɑ̃] nm **: le Tadjikistan** Tadzhikistan.

taffe [taf] nf fam drag, puff.

tag [tag] nm name written with a spray can on walls, trains, etc.

tagine [taʒin] nm North African stew, cooked in a special earthenware vessel.

tai-chi(-chuan) [tajʃiʃwan] nm inv T'ai Chi (Ch'uan).

taie [tɛ] nf **: taie d'oreiller** pillowcase.

taille [taj] nf **1.** size **2.** [hauteur] height **3.** [partie du corps] waist ▸ **quelle taille faites-vous ?** [de vêtement] what size do you take?

taille-crayon [tajkrɛjɔ̃] (pl **-s**) nm pencil sharpener.

tailler [3] [taje] vt **1.** [arbre] to prune **2.** [tissu] to cut out **3.** [crayon] to sharpen.

tailleur [tajœr] nm **1.** [couturier] tailor **2.** [vêtement] (woman's) suit ▸ **s'asseoir en tailleur** to sit cross-legged.

Taipei [tajpe] n Taipei.

taire [111] [tɛr] ◆ **se taire** vp **1.** [arrêter de parler] to stop speaking **2.** [rester silencieux] to be silent ▸ **tais-toi !** be quiet!

Taïwan [tajwan] n Taiwan.

talc [talk] nm talc.

talent [talɑ̃] nm talent.

talkie-walkie [tɔkiwɔki] (pl **talkies-walkies**) nm walkie-talkie.

talon [talɔ̃] nm **1.** heel **2.** [d'un chèque] stub ▸ **chaussures à talons hauts /plats** high-heeled /flat shoes.

talus [taly] nm embankment.

tambour [tɑ̃bur] nm drum.

tambourin [tɑ̃burɛ̃] nm tambourine.

tamis [tami] nm sieve.

Tamise [tamiz] nf **: la Tamise** the Thames.

tamisé, e [tamize] adj [lumière] soft.

tamiser [3] [tamize] vt [farine, sable] to sieve.

tampon [tɑ̃pɔ̃] nm **1.** [cachet] stamp **2.** [de tissu, de coton] wad ▸ **tampon (hygiénique)** tampon.

tamponneuse [tɑ̃pɔnøz] adj f → **auto**.

tandem [tɑ̃dɛm] nm tandem.

tandis [tɑ̃di] ◆ **tandis que** conj **1.** [pendant que] while **2.** [alors que] whereas.

tango [tɑ̃go] nm tango.

tanguer [3] [tɑ̃ge] vi to pitch.

tank [tɑ̃k] nm tank.

tant [tɑ̃] ◆ adv 1. [tellement] so much ▸ **il l'aime tant (que)** he loves her so much (that) ▸ **tant de... (que)** a) [travail, patience] so much... (that) b) [livres, gens] so many... (that) 2. [autant] : **tant que** as much as 3. [temporel] : **tant que nous resterons ici** for as long as we're staying here 4. [dans des expressions] : **en tant que** as ▸ **tant bien que mal** somehow or other ▸ **tant mieux** so much the better ▸ **tant mieux pour lui** good for him ▸ **tant pis** too bad.

tante [tɑ̃t] nf aunt.

tantôt [tɑ̃to] adv : **tantôt..., tantôt** sometimes..., sometimes.

Tanzanie [tɑ̃zani] nf : **(la) Tanzanie** Tanzania.

taon [tɑ̃] nm horsefly.

tapage [tapaʒ] nm din.

tapas [tapas] nfpl tapas ▸ **bar à tapas** tapas bar.

tape [tap] nf tap.

tapenade [tapәnad] nf spread made from black olives, capers and crushed anchovies, moistened with olive oil.

taper [3] [tape] vt 1. to hit 2. [code] to dial ▸ **taper des pieds** to stamp one's feet ▸ **taper sur** a) [porte] to hammer at b) [dos] to slap c) [frapper] to hit.

tapioca [tapjɔka] nm tapioca.

tapis [tapi] nm carpet ▸ **tapis roulant** moving pavement UK, moving sidewalk US ▸ **tapis de sol** groundsheet ▸ **tapis de souris** INFORM mouse mat UK ou pad US.

tapisser [3] [tapise] vt 1. [mur, pièce] to paper 2. [recouvrir] to cover.

tapisserie [tapisri] nf 1. [de laine] tapestry 2. [papier peint] wallpaper.

tapoter [3] [tapɔte] vt to tap.

taquiner [3] [takine] vt to tease.

tarama [tarama] nm taramasalata.

tard [tar] adv late ▸ **plus tard** later ▸ **à plus tard !** see you later! ▸ **au plus tard** at the latest.

tarder [3] [tarde] vi : **elle ne va pas tarder (à arriver)** she won't be long ▸ **tarder à faire qqch** [personne] to take a long time doing sthg.

tarif [tarif] nm [liste des prix] price ▸ **tarif plein** full price ▸ **tarif réduit** concession ▸ **tarif matin** morning rate.

tarir [32] [tarir] vi to dry up.

tarot [taro] nm [jeu] tarot.

tartare [tartar] adj → **sauce, steak**.

tarte [tart] nf tart ▸ **tarte aux fraises** strawberry tart ▸ **tarte aux matons** Belg tart made with curdled milk and almonds ▸ **tarte Tatin** apple tart cooked upside down with the pastry on top, then turned over before serving ▸ **tarte aux pommes** apple tart.

tartelette [tartәlɛt] nf tartlet.

Tartempion [tartɑ̃pjɔ̃] n fam so-and-so ▸ **c'est euh, Tartempion, qui me l'a donné** it's er… what's-his-name who gave it to me.

tartiflette [tartiflɛt] nf cheese and potato gratin from the Savoy region.

tartine [tartin] nf slice of bread ▸ **tartine de beurre** slice of bread and butter.

tartiner [3] [tartine] vt to spread ▶ **fromage à tartiner** cheese spread ▶ **pâte à tartiner** spread.

tartre [tartr] nm **1.** [sur les dents] tartar **2.** [calcaire] scale.

tas [ta] nm heap, pile ▶ **mettre qqch en tas** to pile sthg up ▶ **un** ou **des tas de** fam [beaucoup de] loads of.

tasse [tas] nf cup ▶ **boire la tasse** to swallow a mouthful ▶ **tasse à café** coffee cup ▶ **tasse à thé** teacup.

tasser [3] [tase] vt [serrer] to cram. ◆ **se tasser** vp **1.** [s'affaisser] to subside **2.** [dans une voiture] to cram ▶ **ça se tasse** fam [ça s'arrange] things are settling down.

tâter [3] [tate] vt to feel. ◆ **se tâter** vp [hésiter] to be in two minds.

tâtonner [3] [tatɔne] vi to grope around.

tâtons [tatɔ̃] ◆ **à tâtons** adv : **avancer à tâtons** to feel one's way.

tatouage [tatwaʒ] nm [dessin] tattoo.

tatouer [6] [tatwe] vt to tattoo.

taupe [top] nf mole.

taureau [tɔro] (pl -x) nm bull. ◆ **Taureau** nm Taurus.

taux [to] nm rate ▶ **taux de change** exchange rate.

taverne [tavɛrn] nf [Québec] [café] tavern.

taxe [taks] nf **1.** [gén] tax ▶ **toutes taxes comprises** inclusive of tax ▶ **hors taxe** exclusive of tax ▶ **taxe foncière** property tax.

taxer [3] [takse] vt [produit] to tax.

taxi [taksi] nm taxi.

taxi-brousse [taksibrus] (pl taxis-brousse) nm bush taxi.

Tbilissi [tbilisi] n Tbilis(s)i.

Tchad [tʃad] nm : **le Tchad** Chad.

tchatche [tʃatʃ] nf fam : **avoir la tchatche** to have the gift of the gab.

tchatcher [3] [tʃatʃe] vi fam to chat (away).

tchèque [tʃɛk] ◆ adj Czech. ◆ nm [langue] Czech ▶ **la République tchèque** the Czech Republic. ◆ **Tchèque** nmf Czech.

tchétchène [tʃetʃɛn] adj Chechen. ◆ **Tchétchène** nmf Chechen.

Tchétchénie [tʃetʃeni] nf : **la Tchétchénie** Chechnya.

tchin-tchin [tʃintʃin] interj fam cheers.

te [tə] pron **1.** [objet direct] you **2.** [objet indirect] (to) you **3.** [réfléchi] : **tu t'es bien amusé ?** did you have a good time?

technicien, enne [tɛknisjɛ̃, ɛn] nm, f technician.

technique [tɛknik] ◆ adj technical. ◆ nf technique.

techniquement [tɛknikmɑ̃] adv technically.

techno [tɛkno] adj & nf techno.

technologie [tɛknɔlɔʒi] nf technology ▶ **de haute technologie** high-tech.

technologique [tɛknɔlɔʒik] adj technological.

technopôle [tɛknopol] nf large urban centre with teaching and research facilities to support development of hi-tech industries.

teck, tek [tɛk] nm teak.

tee-shirt [tiʃœrt] (pl -s) nm tee shirt.

Téhéran [teerɑ̃] n Tehran, Teheran.

teindre [81] [tɛ̃dr] vt to dye ▶ **se faire teindre (les cheveux)** to have one's hair dyed.

teint, e [tɛ̃, tɛ̃t] ◆ pp & 3ᵉ pers. du sg de l'ind. prés. → **teindre**. ◆ nm complexion.

teinte [tɛ̃t] nf colour.

teinté, e [tɛ̃te] adj tinted.

teinter [3] [tɛ̃te] vt [bois, verre] to stain.

teinture [tɛ̃tyr] nf [produit] dye ▶ **teinture d'iode** tincture of iodine.

teinturerie [tɛ̃tyrri] nf dry cleaner's.

teinturier, ère [tɛ̃tyrje, ɛr] nm, f dry cleaner.

tel, telle [tɛl] adj such ▶ **tel que** a) [comparable à] like b) [pour donner un exemple] such as ▶ **il l'a mangé tel quel** he ate it as it was ▶ **tel ou tel** any particular.

tél. (abr écrite de **téléphone**) tel. (telephone).

télé [tele] nf fam telly ▶ **à la télé** on the telly.

télécabine [telekabin] nf cable car.

Télécarte® [telekart] nf phonecard.

téléchargeable [teleʃarʒabl] adj downloadable.

téléchargement [teleʃarʒəmɑ̃] nm downloading.

télécharger [17] [teleʃarʒe] vt to download.

télécommande [telekɔmɑ̃d] nf remote control.

télécommunications [telekɔmynikasjɔ̃] nfpl telecommunications.

télécopie [telekɔpi] nf fax.

télécopieur [telekɔpjœr] nm fax (machine).

téléfilm [telefilm] nm TV film.

télégramme [telegram] nm telegram ▶ **télégramme téléphoné** tele-gram phoned through to the addressee and then delivered as a written message.

téléguidé, e [telegide] adj 1. [missile] guided 2. [jouet] radio-controlled.

téléobjectif [teleɔbʒɛktif] nm telephoto lens.

téléphérique [teleferik] nm cable car.

téléphone [telefɔn] nm (tele)phone ▶ **au téléphone** on the (tele)phone ▶ **téléphone portable** ou **mobile** mobile phone [UK], cell phone [US] ▶ **téléphone sans fil** cordless phone ▶ **téléphone de voiture** car phone ▶ **téléphone fixe** land line.

téléphoner [3] [telefɔne] vi to (tele)phone ▶ **téléphoner à qqn** to (tele)phone sb. ◆ **se téléphoner** vp (emploi réciproque) to call each other ▶ **on se téléphone, d'accord ?** we'll talk on the phone later, OK?

téléphonie [telefɔni] nf telephony ▶ **téléphonie sans fil** wireless telephony.

téléphonique [telefɔnik] adj → **cabine, carte**.

télescope [teleskɔp] nm telescope.

télescopique [teleskɔpik] adj telescopic.

télésiège [telesjɛʒ] nm chair lift.

téléski [teleski] nm ski tow.

téléspectateur, trice [telespɛktatœr, tris] nm, f (television) viewer.

télétravail [teletravaj] (pl -aux) nm teleworking.

télévente [televɑ̃t] nf [à la télévision] television selling ; [via Internet] online selling ou commerce, e-commerce.

télévisé, e [televize] adj televised.

téléviseur [televizœr] nm television (set).

télévision [televizjɔ̃] nf television ▸ **à la télévision** on television.

télex [teleks] nm inv telex.

telle adj f → **tel**.

tellement [tɛlmɑ̃] adv **1.** [tant] so much **2.** [si] so ▸ **tellement de a)** [nourriture, patience] so much **b)** [objets, personnes] so many ▸ **pas tellement** not particularly.

tellurique [telyrik] adj telluric.

téloche [telɔʃ] nf fam telly UK, TV US.

témoignage [temwaɲaʒ] nm testimony.

témoigner [3] [temwaɲe] vi [en justice] to testify.

témoin [temwɛ̃] nm **1.** witness **2.** SPORT baton ▸ **être témoin de** to be witness to.

tempe [tɑ̃p] nf temple.

tempérament [tɑ̃peramɑ̃] nm temperament.

température [tɑ̃peratyr] nf temperature.

tempéré, e [tɑ̃pere] adj [climat] temperate.

tempête [tɑ̃pɛt] nf **1.** [vent] gale **2.** [avec orage] storm ▸ **tempête de neige** snow storm.

temple [tɑ̃pl] nm **1.** [grec, égyptien, etc.] temple **2.** [protestant] church.

temporaire [tɑ̃pɔrɛr] adj temporary.

temporairement [tɑ̃pɔrɛrmɑ̃] adv temporarily.

temps [tɑ̃] nm **1.** [durée, en musique] time **2.** [météo] weather **3.** GRAMM tense ▸ **avoir le temps de faire qqch** to have time to do sthg ▸ **il est temps de / que** it is time to / that ▸ **à temps** on time

▸ **de temps en temps** from time to time ▸ **en même temps** at the same time ▸ **à temps complet / partiel** full-/part-time.

tenace [tənas] adj **1.** [gén] stubborn **2.** fig [odeur, rhume] lingering.

tenailles [tənaj] nfpl pincers.

tenant, e [tənɑ̃, ɑ̃t] nm, f : **tenant du titre** title holder. ◆ **tenant** nm : **les tenants et les aboutissants** [d'une affaire] the ins and outs, the full details.

tendance [tɑ̃dɑ̃s] nf trend ▸ **avoir tendance à faire qqch** to have a tendency to do sthg, to tend to do sthg.

tendeur [tɑ̃dœr] nm [courroie] luggage strap.

tendinite [tɑ̃dinit] nf tendinitis.

tendon [tɑ̃dɔ̃] nm tendon.

tendre [73] [tɑ̃dr] ◆ adj tender. ◆ vt **1.** [corde] to pull taut **2.** [bras] to stretch out ▸ **tendre la main à qqn** to hold out one's hand to sb ▸ **tendre l'oreille** to prick up one's ears ▸ **tendre qqch à qqn** to hold sthg out to sb ▸ **tendre un piège à qqn** to set a trap for sb. ◆ **se tendre** vp to tighten ; fig [relations] to become strained.

tendrement [tɑ̃drəmɑ̃] adv tenderly.

tendresse [tɑ̃drɛs] nf tenderness.

tendu, e [tɑ̃dy] adj **1.** [personne] tense **2.** [rapports] strained.

tenir [40] [tənir] ◆ vt **1.** [à la main, dans ses bras] to hold ▸ **tenir la main de qqn** to hold sb's hand **2.** [garder] to keep ▸ **tenir un plat au chaud** to keep food hot **3.** [promesse, engagement] to keep **4.** [magasin, bar] to run **5.** [dans des expressions] : **tiens ! / tenez !** [en donnant] here! ▸ **tiens !** [exprime la surprise] hey!

◆ **vi 1.** [construction] to stay up ▸ **tout ça tient avec de la colle** all this is held together with glue ; [beau temps, relation] to last **2.** [rester] : **tenir debout** to stand (up) **3.** [résister] : **tenir bon** to stand firm **4.** [être contenu] to fit ▸ **on tient à six dans cette voiture** you can fit six people in this car

◆ **tenir à** v + prép [être attaché à] to care about ▸ **tenir à faire qqch** to insist on doing sthg ▸ **tenir à ce que** to be anxious that.

◆ **tenir de** v + prép [ressembler à] to take after ▸ **elle tient de sa mère** she takes after her mother.

◆ **se tenir** vp **1.** [avoir lieu] to be held ▸ **le festival se tient dans le château** the festival takes place in the castle **2.** [s'accrocher] to hold on ▸ **se tenir à** to hold on to **3.** [debout] to stand ; [assis] to sit ▸ **se tenir droit a)** [debout] to stand up straight **b)** [assis] to sit up straight ▸ **se tenir tranquille** to keep still **4.** [se comporter] : **bien / mal se tenir** to behave well / badly.

tennis [tenis] ◆ nm tennis. ◆ nmpl [chaussures] trainers ▸ **tennis de table** table tennis.

tension [tɑ̃sjɔ̃] nf **1.** [dans une relation] tension **2.** MÉD blood pressure **3.** [électrique] voltage ▸ **avoir de la tension** to have high blood pressure.

tentacule [tɑ̃takyl] nm tentacle.

tentant, e [tɑ̃tɑ̃, ɑ̃t] adj tempting.

tentation [tɑ̃tasjɔ̃] nf temptation.

tentative [tɑ̃tativ] nf attempt.

tente [tɑ̃t] nf tent.

tenter [3] [tɑ̃te] vt **1.** [essayer] to attempt, to try **2.** [attirer] to tempt ▸ **tenter de faire qqch** to attempt to do sthg.

tenu, e [təny] pp → **tenir**.

tenue [təny] nf [vêtements] clothes pl ▸ **tenue de soirée** evening dress.

ter [tɛr] adv [dans une adresse] b ▸ **11 ter** 11b.

Tergal® [tɛrgal] nm ≃ Terylene®.

tergiverser [3] [tɛrʒivɛrse] vi to shilly-shally.

terme [tɛrm] nm **1.** [mot] term **2.** [fin] end ▸ **à court terme, ...** in the short term, ... ▸ **à long terme, ...** in the long term, ...

terminaison [tɛrminɛzɔ̃] nf GRAMM ending.

terminal [tɛrminal] (pl -aux) nm terminal.

terminale [tɛrminal] nf SCOL ≃ upper sixth UK.

terminer [3] [tɛrmine] vt **1.** to finish, to end **2.** [repas, travail] to finish. ◆ **se terminer** vp to end.

terminus [tɛrminys] nm terminus.

terne [tɛrn] adj dull.

terrain [tɛrɛ̃] nm **1.** [emplacement] piece of land **2.** [sol] ground ▸ **terrain de camping** campsite ▸ **terrain de foot** football pitch ▸ **terrain de jeux** playground ▸ **terrain vague** piece of wasteland.

terrasse [tɛras] nf **1.** terrace **2.** [de café] tables outside a café ▸ **on mange en terrasse ?** [d'un café, restaurant] shall we eat outside?

terre [tɛr] nf **1.** [sol] ground **2.** [matière] soil **3.** [argile] clay **4.** [propriété] piece of land ▸ **la Terre** (the) Earth ▸ **par terre** on the ground.

terre-plein [tɛrplɛ̃] (*pl* **-s**) nm raised area ▸ **terre-plein central** central reservation.

terrestre [tɛrɛstr] adj [flore, animal] land.

terreur [tɛrœr] nf terror.

terrible [tɛribl] adj terrible ▸ **pas terrible** *fam* not brilliant.

terrier [tɛrje] nm **1.** [de lapin] burrow **2.** [de renard] earth.

terrifiant, e [tɛrifjɑ̃, ɑ̃t] adj **1.** [effrayant] terrifying **2.** *fam* [extraordinaire] amazing.

terrifier [9] [tɛrifje] vt to terrify.

terrine [tɛrin] nf terrine.

territoire [tɛritwar] nm territory.

terroriser [3] [tɛrɔrize] vt to terrorize.

terrorisme [tɛrɔrism] nm terrorism.

terroriste [tɛrɔrist] nmf terrorist.

tertiaire [tɛrsjɛr] nm tertiary sector.

tes adj pl → **ton¹**

test [tɛst] nm test.

testament [tɛstamɑ̃] nm will.

tester [3] [tɛste] vt to test.

testeur [tɛstœr] nm tester.

testicule [tɛstikyl] nm testicle.

tétanie [tetani] nf tetany.

tétanos [tetanɔs] nm tetanus.

tête [tɛt] nf **1.** head **2.** [visage] face **3.** [partie avant] front ▸ **de tête** [wagon] front ▸ **être en tête** to be in the lead ▸ **faire la tête** to sulk ▸ **en tête à tête a)** [parler] in private **b)** [dîner] alone together ▸ **tête de veau** [plat] *dish made from the soft part of a calf's head.*

tête-à-queue [tɛtakø] nm inv spin ▸ **faire un tête-à-queue** to spin around.

téter [8] [tete] vi to suckle.

tétine [tetin] nf **1.** [de biberon] teat **2.** [sucette] dummy 🇬🇧, pacifier 🇺🇸.

Tétrabrick® [tetrabrik] nm carton.

têtu, e [tety] adj stubborn.

teuf [tœf] nf *fam* party, rave.

tex mex [tɛksmɛks] ◆ adj Tex Mex. ◆ nm Tex Mex food.

texte [tɛkst] nm text.

textile [tɛkstil] nm [tissu] textile.

texto® [tɛksto] nm *fam* SMS message ▸ **envoyer / recevoir un Texto®** to send / receive a text.

TF1 n *French independent television company.*

TGV nm *French high-speed train.*

thaïlandais, e [tajlɑ̃dɛ, ɛz] adj Thai. ◆ **Thaïlandais, e** nm, f Thai.

Thaïlande [tajlɑ̃d] nf : **la Thaïlande** Thailand.

thalasso [talasɔ] nf *fam* seawater therapy.

thalassothérapie [talasɔterapi] nf seawater therapy.

thé [te] nm tea ▸ **thé au citron** lemon tea ▸ **thé au lait** tea with milk ▸ **thé nature** tea without milk.

théâtral, e, aux [teatral, o] adj theatrical.

théâtre [teatr] nm theatre.

théière [tejɛr] nf teapot.

thème [tɛm] nm **1.** theme **2.** [traduction] prose.

théorie [teɔri] nf theory ▸ **en théorie** in theory.

théorique [teɔrik] adj theoretical.

théoriquement [teɔʀikmɑ̃] adv theoretically.

thérapie [teʀapi] nf therapy.

thermal, e, aux [tɛʀmal, o] adj [source] thermal.

thermomètre [tɛʀmɔmɛtʀ] nm thermometer.

Thermos® [tɛʀmos] nf : (bouteille) **Thermos®** Thermos® flask.

thermostat [tɛʀmɔsta] nm thermostat.

thèse [tɛz] nf **1.** [universitaire] thesis **2.** [de doctorat] ≃ PhD **3.** [idée] theory.

thon [tɔ̃] nm tuna.

thym [tɛ̃] nm thyme.

Tibet [tibɛ] nm : le Tibet Tibet.

tibia [tibja] nm tibia.

tic [tik] nm **1.** [mouvement] tic **2.** [habitude] mannerism.

ticket [tikɛ] nm ticket ▶ **ticket de caisse** (till) receipt ▶ **ticket de métro** underground ticket.

tiède [tjɛd] adj lukewarm.

tien [tjɛ̃] ◆ **le tien, la tienne** [lətjɛ̃, latjɛn] (mpl **les tiens** [letjɛ̃], fpl **les tiennes** [letjɛn]) pron yours ▶ **à la tienne !** cheers!

tiendra etc 3ᵉ pers. du sg de l'ind. fut. → **tenir**.

tienne 1ʳᵉ et 3ᵉ pers. du sg du subj. prés. → **tenir, tien**.

tiens etc 1ʳᵉ et 2ᵉ pers. du sg de l'ind. prés. → **tenir**.

Tiercé® [tjɛʀse] nm system of betting involving the first three horses in a race ▶ **jouer au Tiercé®** ≃ to bet on the horses.

tiers [tjɛʀ] nm third ▶ **être assuré au tiers** to have third-party insurance ▶ **tiers-monde** Third World.

tiers-monde [tjɛʀmɔ̃d] nm : **le tiers-monde** the Third World.

tige [tiʒ] nf **1.** [de plante] stem **2.** [de métal] rod **3.** [de bois] shaft.

tignasse [tiɲas] nf fam mop (of hair).

tigre [tigʀ] nm tiger.

tilleul [tijœl] nm **1.** [arbre] lime (tree) **2.** [tisane] lime tea.

tilsit [tilsit] nm strong firm Swiss cheese with holes in it.

timbale [tɛ̃bal] nf **1.** [gobelet] (metal) cup **2.** CULIN meat, fish, etc. in a sauce, cooked in a mould lined with pastry **3.** MUS kettledrum.

timbre [tɛ̃bʀ] nm stamp ▶ **timbre-poste** postage stamp.

timbré, e [tɛ̃bʀe] adj **1.** [enveloppe] stamped **2.** fam [fou] barmy [U̶K̶], doolally [U̶K̶].

timbrer [3] [tɛ̃bʀe] vt to put a stamp on.

timide [timid] adj shy.

timidité [timidite] nf shyness.

Timor-Oriental [timɔʀɔʀjɑ̃tal] nm East Timor.

tipi [tipi] nm tepee, teepee.

tir [tiʀ] nm [sport] shooting ▶ **tir à l'arc** archery.

tirage [tiʀaʒ] nm [d'une loterie] draw ▶ **tirage au sort** drawing lots.

Tirana [tiʀana] n Tirana, Tiranë.

tire-bouchon [tiʀbuʃɔ̃] (pl **-s**) nm corkscrew.

tire-fesses [tiʀfɛs] nm inv fam ski tow.

tirelire [tirlir] nf moneybox.

tirer [3] [tire] ◆ vt **1.** [gén] to pull ; [tiroir] to pull open ; [rideau] to draw ; [caravane] to tow **2.** [trait] to draw **3.** [avec une arme] to fire ▶ **tirer un coup de feu** to fire a shot **4.** [sortir] : **tirer qqch de** to take sthg out of ▶ **tirer qqn de** [situation] to get sb out of ▶ **tirer une conclusion de qqch** to draw a conclusion from sthg ▶ **tirer la langue à qqn** to stick one's tongue out at sb **5.** [numéro, carte] to draw ◆ vi **1.** [avec une arme] to shoot ▶ **tirer sur** to shoot at **2.** [vers soi, vers le bas, etc.] : **tirer sur qqch** to pull on sthg **3.** SPORT to shoot ◆ **se tirer** vp fam [s'en aller] to push off. ◆ **s'en tirer** vp [se débrouiller] to get by ; [survivre] to pull through.

tiret [tire] nm dash.

tirette [tiret] nf Belg [fermeture] zip UK, zipper US.

tiroir [tirwar] nm drawer.

tisane [tizan] nf herb tea.

tisonnier [tizɔnje] nm poker.

tisser [3] [tise] vt to weave.

tissu [tisy] nm [toile] cloth.

titre [titr] nm **1.** title **2.** [de journal] headline ▶ **titre de transport** ticket.

titulaire [tityler] nmf [de passeport, permis] holder.

titularisation [titylarizasjɔ̃] nf [d'un professeur d'université] granting tenure to ; [d'un enseignant] appointment to a permanent post ; [d'un sportif] giving a contract to.

tjr, tjrs (abr écrite de **toujours**) SMS Alwz (Always).

toast [tost] nm [pain] piece of toast ▶ **porter un toast à qqn** to drink (a toast) to sb.

toboggan [tɔbɔgɑ̃] nm slide.

toc [tɔk] nm [imitation] fake ▶ **en toc** fake.

tofu [tofu] nm CULIN tofu.

Togo [tɔgo] nm : **le Togo** Togo.

toi [twa] pron you ▶ **lève-toi** get up ▶ **toi-même** yourself.

toile [twal] nf **1.** [tissu] cloth **2.** [tableau] canvas ▶ **toile d'araignée** spider's web ▶ **en toile** [vêtement] linen.

toilette [twalɛt] nf [vêtements] clothes pl ▶ **faire sa toilette** to (have a) wash. ◆ **toilettes** nfpl toilets.

toit [twa] nm roof.

tôle [tol] nf sheet metal ▶ **tôle ondulée** corrugated iron.

tolérant, e [tɔlerɑ̃, ɑ̃t] adj tolerant.

tolérer [18] [tɔlere] vt to tolerate.

tomate [tɔmat] nf tomato ▶ **tomates farcies** stuffed tomatoes.

tombe [tɔ̃b] nf grave.

tombeau [tɔ̃bo] nm (pl -x) tomb.

tombée [tɔ̃be] nf : **à la tombée de la nuit** at nightfall.

tomber [3] [tɔ̃be] vi **1.** to fall **2.** [date, fête] to fall on ▶ **ça tombe bien !** that's lucky! ▶ **laisser tomber** to drop ▶ **tomber amoureux de** to fall in love with ▶ **tomber malade** to fall ill ▶ **tomber en panne** to break down.

tombola [tɔ̃bɔla] nf raffle.

tome [tɔm] nm volume.

tomme [tɔm] nf : **tomme vaudoise** soft white cheese made from cow's milk.

ton¹, ta [tɔ̃, ta] (*pl* **tes** [te]) **adj** your ▸ **ton frère** your brother ▸ **ta chambre** your room ▸ **tes livres** your books.

ton² [tɔ̃] **nm** tone.

tonalité [tɔnalite] **nf** [au téléphone] dialling tone.

tondeuse [tɔ̃døz] **nf : tondeuse (à gazon)** lawnmower.

tondre [75] [tɔ̃dʀ] **vt 1.** [cheveux] to clip **2.** [gazon] to mow.

toner [tɔnɛʀ] **nm** toner.

tongs [tɔ̃g] **nfpl** flip-flops UK, thongs US.

tonique [tɔnik] **adj** [boisson] tonic *(avant n)* ; [lotion] toning.

tonne [tɔn] **nf** tonne.

tonneau [tɔno] (*pl* **-x**) **nm** [de vin] cask ▸ **faire des tonneaux** [voiture] to roll over.

tonnerre [tɔnɛʀ] **nm** thunder ▸ **coup de tonnerre** thunderclap.

tonus [tɔnys] **nm** energy.

torche [tɔʀʃ] **nf** [flamme] torch ▸ **torche électrique** (electric) torch.

torchon [tɔʀʃɔ̃] **nm** tea towel.

tordre [76] [tɔʀdʀ] **vt 1.** [linge, cou] to wring **2.** [bras] to twist **3.** [plier] to bend. ◆ **se tordre vp : se tordre la cheville** to twist one's ankle ▸ **se tordre de douleur** to be racked with pain ▸ **se tordre de rire** to be doubled up with laughter.

tornade [tɔʀnad] **nf** tornado.

torrent [tɔʀɑ̃] **nm** torrent ▸ **il pleut à torrents** it's pouring (down).

torsade [tɔʀsad] **nf : pull à torsades** cable sweater.

torse [tɔʀs] **nm** trunk ▸ **torse nu** barechested.

tort [tɔʀ] **nm : avoir tort (de faire qqch)** to be wrong (to do sthg) ▸ **causer** ou **faire du tort à qqn** to wrong sb ▸ **donner tort à qqn** a) [suj : personne] to disagree with sb b) [suj : événement] to prove sb wrong ▸ **être dans son tort, être en tort** [automobiliste] to be in the wrong ▸ **à tort** [accuser] wrongly.

torticolis [tɔʀtikɔli] **nm** stiff neck.

tortiller [3] [tɔʀtije] **vt** to twist. ◆ **se tortiller vp** to squirm.

tortue [tɔʀty] **nf** tortoise.

torture [tɔʀtyʀ] **nf** torture.

torturer [3] [tɔʀtyʀe] **vt** to torture.

tôt [to] **adv** early ▸ **tôt ou tard** sooner or later ▸ **au plus tôt** at the earliest.

total, e, aux [tɔtal, o] **adj & nm** total.

totalement [tɔtalmɑ̃] **adv** totally.

totaliser [3] [tɔtalize] **vt** to have a total of.

totalitaire [tɔtalitɛʀ] **adj** totalitarian.

totalité [tɔtalite] **nf : la totalité de** all (of) ▸ **en totalité** [rembourser] in full.

touchant, e [tuʃɑ̃, ɑ̃t] **adj** touching.

touche [tuʃ] **nf 1.** [de piano, d'ordinateur] key **2.** [de téléphone] button **3.** SPORT [ligne] touchline ▸ **touche entrée** enter key ▸ **touche de contrôle** control key ▸ **touche de suppression** delete key ▸ **touche majuscule** shift key ▸ **touche escape** escape key ▸ **faire une touche** fam to score.

toucher [3] [tuʃe] **vt 1.** to touch **2.** [argent] to get **3.** [chèque] to cash **4.** [cible] to hit ▸ **toucher à** to touch. ◆ **se toucher vp** [être en contact] to be touching.

touch pad [tuʃpad] **nm** touch pad.

touffe [tuf] **nf** tuft.

touffu, e [tufy] **adj** bushy.

touillette [tujɛt] nf fam stirrer.

toujours [tuʒur] adv 1. always 2. [dans l'avenir] forever 3. [encore] still ▸ **pour toujours** for good.

toupie [tupi] nf (spinning) top.

tour¹ [tur] nm [mouvement sur soi-même] turn ▸ **faire un tour** a) [à pied] to go for a walk b) [en voiture] to go for a drive ▸ **faire le tour de qqch** to go round sthg ▸ **jouer un tour à qqn** to play a trick on sb ▸ **c'est ton tour (de faire qqch)** it's your turn (to do sthg) ▸ **à tour de rôle** in turn ▸ **le Tour de** the Tour de ▸ **tour de magie** (magic) trick.

ⓘ **Le Tour de France**

First run in 1903, the gruelling 3,000 km cycle race is held annually in July, ending amid cheering crowds on the **Champs-Élysées** in Paris. Each stage is timed separately and the winner with the fastest time overall is given the famous yellow jersey, the **maillot jaune**.

---

tour² [tur] nf 1. [d'un château] tower 2. [immeuble] tower block [UK], high rise [US] ▸ **tour de contrôle** control tower ▸ **la tour Eiffel** the Eiffel Tower.

ⓘ **La tour Eiffel**

Paris's most famous landmark was constructed out of steel on the Champ-de-Mars by Gustave Eiffel for the 1889 World Fair. At 320 m high, for half a century it was the tallest man-made structure in the world. It is also used as a radio and television transmitter.

---

tourbillon [turbijɔ̃] nm 1. [de vent] whirlwind 2. [de sable] swirl.

tourbillonner [3] [turbijɔne] vi to whirl, to swirl ; fig to whirl (round).

tourisme [turism] nm ▸ **faire du tourisme** to go sightseeing.

tourista, turista [turista] nf traveller's [UK] ou traveler's [US] tummy, t(o)urista [US].

touriste [turist] nmf tourist.

touristique [turistik] adj [dépliant, ville] tourist.

tourmenter [3] [turmɑ̃te] vt to torment. ◆ **se tourmenter** vp to worry o.s.

tournage [turnaʒ] nm [d'un film] shooting.

tournant [turnɑ̃] nm bend.

tournedos [turnədo] nm tender fillet steak ▸ **tournedos Rossini** tender fillet steak served on fried bread and topped with foie gras.

tournée [turne] nf 1. [d'un chanteur] tour 2. [du facteur, au bar] round ▸ **c'est ma tournée !** it's my round !

tourner [3] [turne] ◆ vt 1. [clé, page, tête] to turn 2. [sauce, soupe] to stir 3. [salade] to toss 4. [regard] to direct 5. [film] to shoot. ◆ vi 1. [roue, route] to turn 2. [moteur, machine] to run 3. [lait] to go off 4. [acteur] to act ▸ **tournez à gauche/droite** turn left/right ▸ **tourner autour de qqch** to go around sthg ▸ **avoir la tête qui tourne** to feel dizzy ▸ **mal tourner** [affaire] to turn out badly. ◆ **se tourner** vp to turn round ▸ **se tourner vers** to turn to.

tournesol [turnəsɔl] nm sunflower.

tournevis [turnəvis] nm screwdriver.

tourniquet [turnikɛ] nm [du métro] turnstile.

tournoi [turnwa] nm tournament.

tournure [turnyr] nf [expression] turn of phrase.

tourte [turt] nf pie.

tourtière [turtjɛr] nf Québec pie made from minced beef and onions.

tous adj pl → tout.

Toussaint [tusɛ̃] nf : la Toussaint All Saints' Day.

ⓘ **La Toussaint**

All Saints' Day on 1 November, is a public holiday in France. People traditionally visit cemeteries to lay flowers, usually chrysanthemums, on the graves of their loved ones.

tousser [3] [tuse] vi to cough.

tout, e [tu, tut] (mpl **tous** [tus], fpl **toutes** [tut]) ◆ adj 1. [avec un substantif singulier] all ▸ **tout le vin** all the wine ▸ **tout un gâteau** a whole cake ▸ **toute la journée** the whole day, all day ▸ **tout le monde** everyone, everybody ▸ **tout le temps** all the time 2. [avec un pronom démonstratif] all ▸ **tout ça** ou **cela** all that 3. [avec un substantif pluriel] all ▸ **tous les gâteaux** all the cakes ▸ **tous les Anglais** all English people ▸ **tous les jours** every day ▸ **toutes les deux** both ▸ **toutes les trois** all three of us / them ▸ **tous les deux ans** every two years 4. [n'importe quel] any ▸ **à toute heure** at any time

◆ pron 1. [la totalité] everything ▸ **je t'ai tout dit** I've told you everything ▸ **c'est tout** that's all ▸ **ce sera tout ?** [dans un magasin] is that everything? ▸ **en tout** in all 2. [au pluriel : tout le monde] : **ils voulaient tous la voir** they all wanted to see her

◆ adv 1. [très, complètement] very ▸ **tout près** very near ▸ **ils étaient tout seuls** they were all alone ▸ **tout en haut** right at the top 2. [avec un gérondif] : **tout en marchant** while walking 3. [dans des expressions] : **tout à coup** suddenly ▸ **tout à fait** absolutely ▸ **tout à l'heure a)** [avant] a little while ago **b)** [après] in a minute ▸ **à tout à l'heure !** see you soon! ▸ **tout de même** [malgré tout] anyway ▸ **tout de suite** immediately, at once

◆ nm : **le tout** [la totalité] the lot ▸ **le tout est de…** the main thing is to… ▸ **pas du tout** not at all.

toutefois [tutfwa] adv however.

tout(-)terrain [tutɛrɛ̃] (pl -s) adj offroad.

toux [tu] nf cough.

toxico [tɔksiko] nmf fam druggie.

toxicomane [tɔksikɔman] nmf drug addict.

toxique [tɔksik] adj toxic.

TP (abr de travaux pratiques) nmpl = travail.

trac [trak] nm : **avoir le trac a)** [acteur] to get stage fright **b)** [candidat] to be nervous.

traçabilité [trasabilite] nf traceability.

tracasser [3] [trakase] vt to worry.
◆ **se tracasser** vp to worry.

trace [tras] nf trace ▸ **trace de pas** footprint.

tracer [16] [trase] vt [dessiner] to draw.

tract [trakt] nm leaflet.

tracteur [traktœr] nm tractor.

trader [tredœr] nm trader.

tradition [tradisjɔ̃] nf tradition.

traditionnel, elle [tradisjɔnɛl] adj traditional.

traducteur, trice [tradyktœr, tris] nm, f translator.

traduction [tradyksjɔ̃] nf translation.

traduire [98] [tradɥir] vt to translate.

trafic [trafik] nm traffic ▸ **trafic de drogue** drug trafficking.

traficoter [3] [trafikɔte] fam [manigancer] : **traficoter qqch** to be up to sthg.

trafiquer [3] [trafike] ◆ vt to doctor. ◆ vi to be involved in trafficking.

tragédie [traʒedi] nf tragedy.

tragique [traʒik] adj tragic.

trahir [32] [trair] vt 1. to betray 2. [secret] to give away. ◆ **se trahir** vp to give o.s. away.

trahison [traizɔ̃] nf betrayal.

train [trɛ̃] nm train ▸ **être en train de faire qqch** to be doing sthg ▸ **train d'atterrissage** landing gear ▸ **train de banlieue** commuter train ▸ **train-couchettes** sleeper ▸ **train rapide** express train ▸ **trains grandes lignes** mainline ou intercity [UK] trains.

traîne [trɛn] nf [d'une robe] train ▸ **être à la traîne** [en retard] to lag behind.

traîneau [trɛno] (pl -x) nm sledge.

traînée [trɛne] nf [trace] trail.

traîner [4] [trɛne] ◆ vt to drag. ◆ vi 1. [par terre] to trail 2. [prendre du temps] to drag on 3. [s'attarder] to dawdle 4. [être en désordre] to lie around 5. péj [dans la rue, dans les bars] to hang around. ◆ **se traîner** vp 1. [par terre] to crawl 2. [avancer lentement] to be slow.

train-train [trɛ̃trɛ̃] nm inv routine.

traire [112] [trɛr] vt to milk.

trait [trɛ] nm 1. line 2. [caractéristique] trait ▸ **d'un trait** [boire] in one go ▸ **trait**

d'union hyphen. ◆ **traits** nmpl [du visage] features.

traite [trɛt] nf : **d'une (seule) traite** in one go.

traitement [trɛtmɑ̃] nm MÉD treatment ▸ **traitement de texte** [programme] word-processing package.

traiter [4] [trɛte] vt 1. to treat 2. [affaire, sujet] to deal with ▸ **traiter qqn d'imbécile** to call sb an idiot. ◆ **traiter de** v + prép [suj : livre, exposé] to deal with.

traiteur [trɛtœr] nm caterer.

traître [trɛtr] nm traitor.

trajectoire [traʒɛktwar] nf [d'une balle] trajectory.

trajet [traʒɛ] nm [voyage] journey.

tram [tram] nm fam tram [UK], streetcar [US].

tramontane [tramɔ̃tan] nf tramontane.

trampoline [trɑ̃pɔlin] nm trampoline.

tramway [tramwɛ] nm tram [UK], streetcar [US].

tranchant, e [trɑ̃ʃɑ̃, ɑ̃t] adj 1. [couteau] sharp 2. [ton] curt.

tranche [trɑ̃ʃ] nf 1. [morceau] slice 2. [d'un livre] edge 3. [d'âge, d'imposition] bracket ▸ **tranche horaire** period ▸ **tranche d'imposition** tax bracket.

tranchée [trɑ̃ʃe] nf trench.

trancher [3] [trɑ̃ʃe] ◆ vt to cut. ◆ vi [décider] to decide ▸ **trancher une question** to settle a question.

tranquille [trɑ̃kil] adj quiet ▸ **laisser qqn /qqch tranquille** to leave sb /sthg alone ▸ **restez tranquilles** ! don't fidget! ▸ **soyez tranquille** [ne vous inquiétez pas] don't worry.

tranquillisant [trãkilizã] nm tranquillizer.

tranquillité [trãkilite] nf peace ▶ **en toute tranquillité** with complete peace of mind.

transaction [trãzaksjɔ̃] nf transaction.

transcutané, e [trãskytane] adj MÉD transcutaneous.

transept [trãsɛpt] nm transept.

transférer [18] [trãsfere] vt to transfer ▶ **transférer un message** to forward an e-mail.

transfert [trãsfɛʀ] nm : **transfert de fichier** file transfer.

transformateur [trãsfɔʀmatœʀ] nm transformer.

transformation [trãsfɔʀmasjɔ̃] nf 1. transformation 2. [aménagement] alteration.

transformer [3] [trãsfɔʀme] vt 1. to transform 2. [vêtement] to alter ▶ **transformer qqch en qqch a)** to turn sthg into sthg **b)** [bâtiment] to convert sthg into sthg. ◆ **se transformer** vp to change completely ▶ **se transformer en qqch** to turn into sthg.

transfusion [trãsfyzjɔ̃] nf : **transfusion (sanguine)** (blood) transfusion.

transgénique [trãsʒenik] adj transgenic.

transgresser [4] [trãsgrese] vt [loi] to infringe ; [ordre] to disobey.

transi, e [trãzi] adj : **être transi de froid** to be chilled to the bone.

transiger [17] [trãziʒe] vi : **transiger (sur)** to compromise (on).

transistor [trãzistɔʀ] nm transistor.

transit [trãzit] nm : **passagers en transit** transit passengers ▶ **transit intestinal** intestinal transit.

transition [trãzisjɔ̃] nf transition.

transmettre [84] [trãsmɛtʀ] vt : **transmettre qqch à qqn** to pass sthg on to sb. ◆ **se transmettre** vp [maladie] to be transmitted.

transmis, e [trãsmi, iz] pp → **transmettre**.

transmission [trãsmisjɔ̃] nf transmission.

transparent, e [trãsparã, ãt] adj 1. [eau] transparent 2. [blouse] see-through.

transpercer [16] [trãsperse] vt to pierce.

transpiration [trãspiʀasjɔ̃] nf perspiration.

transpirer [3] [trãspiʀe] vi to perspire.

transplanter [3] [trãsplãte] vt to transplant.

transport [trãspɔʀ] nm transport ▶ **les transports (en commun)** public transport sg.

transporter [3] [trãspɔʀte] vt 1. [à la main] to carry 2. [en véhicule] to transport.

transporteur [trãspɔʀtœʀ] nm [personne] carrier ▶ **transporteur routier** road haulier 🇬🇧 ou hauler 🇺🇸.

transvaser [3] [trãsvaze] vt to decant.

transversal, e, aux [trãsvɛʀsal, o] adj 1. [poutre] cross 2. [ligne] diagonal.

trapèze [trapɛz] nm [de cirque] trapeze.

trapéziste [trapezist] nmf trapeze artist.

trappe [trap] nf trap door.

trapu, e [trapy] adj [personne] stocky, solidly built.

traquer [3] [trake] vt [animal] to track ; [personne] to track ou hunt down.

traumatiser [3] [tromatize] vt to traumatize.

traumatisme [tromatism] nm traumatism ▶ **traumatisme crânien** cranial trauma.

travail [travaj] (pl **-aux**) nm 1. [activité, lieu] work 2. [tâche, emploi] job ▶ **être sans travail** [au chômage] to be out of work. ◆ **travaux** nmpl 1. [ménagers, agricoles] work sg 2. [de construction] building (work) sg ▶ **travaux pratiques** practical work sg ▶ '**travaux**' [sur la route] 'roadworks'.

travailler [3] [travaje] ◆ vi to work. ◆ vt 1. [matière scolaire, passage musical] to work on 2. [bois, pierre] to work ▶ **travailler à temps partiel/plein** to work part-time/full-time.

travailleur, euse [travajœr, øz] ◆ adj hard-working. ◆ nm, f worker ▶ **travailleur émigré/indépendant** immigrant worker/freelancer.

travailliste [travajist] ◆ nmf member of the Labour Party. ◆ adj Labour (avant n).

traveller's check [travlœrʃɛk] (pl **traveller's-checks**) nm traveller's cheque.

traveller's cheque [travlœrʃɛk] (pl **traveller's-cheques**) nm = **traveller's check**.

travers [traver] nm : **à travers** through ▶ **de travers** a) [marcher] crooked b) [marcher] sideways c) fig [mal] wrong ▶ **j'ai avalé de travers** it went down the wrong way ▶ **regarder qqn de travers** to give sb a

funny look ▶ **en travers (de)** across ▶ **travers de porc** sparerib of pork.

traversée [traverse] nf crossing.

traverser [3] [traverse] ◆ vt 1. [rue, rivière] to cross 2. [transpercer] to go through. ◆ vi [piéton] to cross ▶ '**piétons attention, traversez en deux temps**' pedestrians should cross in two stages.

traversin [traversɛ̃] nm bolster.

travesti [travesti] nm [homosexuel] transvestite.

travestir [32] [travestir] ◆ **se travestir** vp 1. [pour une fête] to put on fancy dress 2. [pour un homme] to put on drag.

traviole [travjɔl] ◆ **de traviole** fam ◆ loc adj [tableau] aslant, crooked ; [dents] crooked, badly set. ◆ loc adv 1. [en biais] : **j'écris de traviole** my handwriting's all crooked ou cockeyed 2. [mal] : **il fait tout de traviole** he can't do anything right.

trébucher [3] [trebyʃe] vi to stumble.

trèfle [trɛfl] nm 1. [plante] clover 2. [aux cartes] clubs pl ▶ **trèfle à quatre feuilles** four-leaf clover.

treize [trez] num thirteen ▶ **(au) treize rue Lepic** (at) thirteen Rue Lepic ▶ **il est treize heures** it's one pm ▶ **ils étaient treize** there were thirteen of them ▶ **le treize janvier** the thirteenth of January.

treizième [trezjɛm] num thirteenth.

trek [trɛk], **trekking** [trɛkiŋ] nm trekking ▶ **faire un trek** to go on a trek ▶ **faire du trekking** to go trekking.

tréma [trema] nm diaeresis 🇬🇧, dieresis 🇺🇸.

tremblement [tʀɑ̃bləmɑ̃] nm : **tremblement de terre** earthquake ▸ **avoir des tremblements** to shiver.

trembler [3] [tʀɑ̃ble] vi to tremble ▸ **trembler de peur /froid** to shiver with fear /cold.

trémousser [3] [tʀemuse] ◆ **se trémousser** vp to jig up and down.

trempé, e [tʀɑ̃pe] adj [mouillé] soaked.

tremper [3] [tʀɑ̃pe] ◆ vt [plonger] to dip. ◆ vi to soak ▸ **faire tremper qqch** to soak sthg.

tremplin [tʀɑ̃plɛ̃] nm 1. [de gymnastique] springboard 2. [de piscine] divingboard.

trentaine [tʀɑ̃tɛn] nf 1. [nombre] : **une trentaine de** about thirty 2. [âge] : **avoir la trentaine** to be in one's thirties.

trente [tʀɑ̃t] num thirty ▸ **(au) trente rue Lepic** (at) thirty Rue Lepic ▸ **ils étaient trente** there were thirty of them ▸ **le trente janvier** the thirtieth of January.

trentenaire [tʀɑ̃tnɛʀ] adj & nmf thirty-year-old.

trentième [tʀɑ̃tjɛm] num thirtieth.

très [tʀɛ] adv very ▸ **très bien /mal** very good /bad.

trésor [tʀezɔʀ] nm treasure.

trésorier, ère [tʀezɔʀje, ɛʀ] nm, f treasurer.

tresse [tʀɛs] nf 1. plait 🇬🇧, braid 🇺🇸 2. 🇨🇭 plait-shaped bread.

tresser [4] [tʀese] vt to plait 🇬🇧, to braid 🇺🇸.

tréteau [tʀeto] (pl -x) nm trestle.

treuil [tʀœj] nm winch.

trêve [tʀɛv] nf 1. [cessez le feu] truce 2. [répit] respite.

tri [tʀi] nm : **faire un tri parmi** to choose from.

triangle [tʀijɑ̃gl] nm triangle.

triangulaire [tʀijɑ̃gylɛʀ] adj triangular.

triathlon [tʀijatlɔ̃] nm triathlon.

tribord [tʀibɔʀ] nm starboard ▸ **à tribord** to starboard.

tribu [tʀiby] nf tribe.

tribunal [tʀibynal] (pl -aux) nm court ▸ **tribunal d'instance** ≃ magistrates' court 🇬🇧 ; ≃ county court 🇺🇸.

tricher [3] [tʀiʃe] vi to cheat.

tricheur, euse [tʀiʃœʀ, øz] nm, f cheat.

tricolore [tʀikɔlɔʀ] adj 1. [à trois couleurs] three-coloured 🇬🇧, three-colored 🇺🇸 2. [français] French.

tricot [tʀiko] nm 1. [ouvrage] knitting 2. [pull] jumper ▸ **tricot de corps** vest 🇬🇧, undershirt 🇺🇸.

tricoter [3] [tʀikɔte] vt & vi to knit.

tricycle [tʀisikl] nm tricycle.

trier [10] [tʀije] vt 1. INFORM to sort 2. [sélectionner] to select 3. [classer] to sort out.

trimestre [tʀimɛstʀ] nm 1. [trois mois] quarter 2. SCOL term.

trimestriel, elle [tʀimɛstʀijɛl] adj quarterly.

trinquer [3] [tʀɛ̃ke] vi [boire] to clink glasses.

triomphe [tʀijɔ̃f] nm triumph.

triompher [3] [tʀijɔ̃fe] vi 1. [armée] to triumph 2. [parti] to win (decisively) 3. [artiste] to be a great success **triompher de** to overcome ▸ **il triomphe à l'Apollo tous les soirs** he's playing to packed houses at the Apollo every night.

tripes [trip] nfpl CULIN tripe *sg*.

triple [tripl] ◆ adj triple. ◆ nm : **le triple du prix normal** three times the normal price.

tripler [3] [triple] vt & vi to triple.

tripoter [3] [tripote] vt [objet] to fiddle with.

trisomique [trizɔmik] ◆ adj : **enfant trisomique** Down's syndrome child. ◆ nmf Down's syndrome child.

triste [trist] adj 1. sad 2. [couleur] dull 3. [endroit] gloomy.

tristesse [tristɛs] nf sadness.

troc [trɔk] nm [échange] swap.

trognon [trɔɲɔ̃] nm [de pomme, de poire] core.

trois [trwa] num three ▸ **il a trois ans** he's three (years old) ▸ **il est trois heures** it's three o'clock ▸ **le trois janvier** the third of January ▸ **page trois** page three ▸ **ils étaient trois** there were three of them ▸ **le trois de pique** the three of spades ▸ **(au) trois rue Lepic** at /to three, rue Lepic.

troisième [trwazjɛm] ◆ num third. ◆ nf 1. SCOL ≃ fourth year 2. [vitesse] third (gear) ▸ **le troisième étage** third floor UK, fourth floor US ▸ **le troisième (arrondissement)** third arrondissement ▸ **il est arrivé troisième** he came third.

trois-quarts [trwakar] nm [manteau] three-quarter length coat.

trombe [trɔ̃b] nf : **des trombes d'eau** a downpour ▸ **partir en trombe** to shoot off.

trombone [trɔ̃bɔn] nm 1. [agrafe] paper clip 2. MUS trombone.

trompe [trɔ̃p] nf [d'éléphant] trunk.

tromper [3] [trɔ̃pe] vt 1. [conjoint] to be unfaithful to 2. [client] to cheat. ◆ **se tromper** vp to make a mistake ▸ **se tromper de jour** to get the wrong day.

trompette [trɔ̃pɛt] nf trumpet.

trompeur, euse [trɔ̃pœr, øz] adj deceptive.

tronc [trɔ̃] nm : **tronc (d'arbre)** (tree) trunk.

tronçonneuse [trɔ̃sɔnøz] nf chain saw.

trône [tron] nm throne.

trop [tro] adv too ▸ **trop fatigué / lentement** too tired /slowly ▸ **trop manger** to eat too much ▸ **trop de a)** [nourriture] too much **b)** [gens] too many ▸ **20 euros de** ou **en trop** 20 euros too much ▸ **deux personnes de** ou **en trop** two people too many.

trophée [trofe] nm trophy.

tropical, e, aux [tropikal, o] adj tropical.

tropique [tropik] nm tropic. ◆ **tropiques** nmpl tropics.

trot [tro] nm trot ▸ **au trot** at a trot.

trotte [trɔt] nf *fam* : **il y a une bonne trotte d'ici à la plage** it's a fair distance ou it's quite a step from here to the beach.

trotter [3] [trɔte] vi to trot.

trotteuse [trɔtøz] nf second hand.

trottinette [trɔtinɛt] nf child's scooter.

trottoir [trɔtwar] nm pavement UK, sidewalk US.

trou [tʁu] nm hole ▸ **j'ai un trou de mémoire** my mind has gone blank.

troublant, e [tʁublɑ̃, ɑ̃t] adj disturbing.

trouble [tʁubl] ◆ adj 1. [eau] cloudy 2. [image] blurred. ◆ adv : **voir trouble** to have blurred vision. ◆ **troubles** nmpl [sociaux] unrest.

troubler [3] [tʁuble] vt 1. [inquiéter, émouvoir] to disturb 2. [image, vue] to blur.

troué, e [tʁue] adj : **un vieux châle troué** a tatty UK ou raggedy US old shawl ▸ **des chaussettes toutes trouées** socks full of holes.

trouer [3] [tʁue] vt to make a hole in.

trouille [tʁuj] nf fam : **avoir la trouille** to be scared stiff.

troupe [tʁup] nf [de théâtre] company.

troupeau [tʁupo] (pl **-x**) nm 1. [de vaches] herd 2. [de moutons] flock.

trousse [tʁus] nf [d'écolier] pencil case ▸ **trousse de secours** first-aid kit ▸ **trousse de toilette** sponge bag.

trousseau [tʁuso] (pl **-x**) nm [de clefs] bunch.

trouver [3] [tʁuve] vt to find ▸ **je trouve que** I think (that).
◆ **se trouver** vp [se situer] to be ▸ **se trouver mal** to faint.

truander [3] [tʁyɑ̃de] vt fam to rip off.

truc [tʁyk] nm 1. fam [objet] thing 2. [astuce] trick.

trucage [tʁykaʒ] nm [au cinéma] special effect.

Trucmuche [tʁykmyʃ] nm fam [personne] What's-his-name (What's-her-name).

truffe [tʁyf] nf 1. [d'un animal] muzzle 2. [champignon] truffle ▸ **truffe (en chocolat)** (chocolate) truffle.

truite [tʁɥit] nf trout ▸ **truite aux amandes** trout with almonds.

truquage [tʁykaʒ] nm = **trucage**.

truquer [3] [tʁyke] vt [élections] to rig.

T-shirt [tiʃœʁt] nm = **tee-shirt**.

tsigane, tzigane [tsigan] adj Gypsyish. ◆ **Tsigane, Tzigane** nmf (Hungarian) Gypsy.

tsunami [tsynami] nm tsunami.

TSVP (abr écrite de **tournez s'il vous plaît**) PTO (please turn over).

TTC adj (abr de **toutes taxes comprises**) inclusive of tax.

tu¹ [ty] pron you.

tu², e [ty] pp → **taire**.

tuba [tyba] nm [de plongeur] snorkel.

tube [tyb] nm 1. tube 2. fam [musique] hit.

tuberculose [tybɛʁkyloz] nf tuberculosis.

tuer [7] [tɥe] vt to kill. ◆ **se tuer** vp 1. [se suicider] to kill o.s. 2. [accidentellement] to die.

tuerie [tyʁi] nf slaughter.

tue-tête [tytɛt] ◆ **à tue-tête** adv at the top of one's voice.

tueur, euse [tɥœʁ, øz] nm, f [meurtrier] killer ▸ **tueur en série** serial killer.

tulle [tyl] nf tile ▸ **tuile aux amandes** thin curved almond biscuit.

tulipe [tylip] nf tulip.

tumeur [tymœʁ] nf tumour.

tuner [tynɛʁ] nm tuner.

tunique [tynik] nf tunic.

Tunisie [tynizi] nf **: la Tunisie** Tunisia.

tunisien, enne [tynizjɛ̃, ɛn] adj Tunisian. ◆ **Tunisien, enne** nm, f Tunisian.

tunnel [tynɛl] nm tunnel ▸ **le tunnel sous la Manche** the Channel Tunnel.

turbo [tyrbo] adj inv & nf turbo.

turbot [tyrbo] nm turbot.

turbulences [tyrbylɑ̃s] nfpl [dans un avion] turbulence *sg*.

turbulent, e [tyrbylɑ̃, ɑ̃t] adj boisterous.

turc, turque [tyrk] adj Turkish.

Turkménistan [tyrkmenistɑ̃] nm **: le Turkménistan** Turkmenistan.

Turquie [tyrki] nf **: la Turquie** Turkey.

turquoise [tyrkwaz] adj inv & nf turquoise.

tuteur, trice [tytœr, tris] nm, f guardian.

tutoyer [13] [tytwaje] vt **: tutoyer qqn** to use the "tu" form to sb. ◆ **se tutoyer** vp to use the familiar "tu" form with each other.

tutu [tyty] nm tutu.

tuyau [tɥijo] (*pl* **-x**) nm pipe ▸ **tuyau d'arrosage** hosepipe ▸ **tuyau d'échappement** exhaust (pipe).

tuyauterie [tɥijotri] nf piping, pipes *pl*.

TV (*abr de* **télévision**) TV (television).

TVA nf (*abr de* **taxe sur la valeur ajoutée**) VAT (value added tax).

tweed [twid] nm tweed.

tympan [tɛ̃pɑ̃] nm ANAT eardrum.

type [tip] nm **1.** [sorte] type **2.** *fam* [individu] guy, bloke UK.

typé, e [tipe] adj **: il est très typé** he has all the characteristic features.

typhon [tifɔ̃] nm typhoon.

typique [tipik] adj typical.

tyran [tirɑ̃] nm tyrant.

tyrannique [tiranik] adj tyrannical.

tzatziki [tzatziki] nm CULIN tzatziki.

tzigane = **tsigane**.

UDF nf French party to the right of the political spectrum.

UE (*abr de* **Union européenne**) nf EU (European Union).

Ukraine [ykrɛn] nf **: l'Ukraine** Ukraine.

ulcère [ylsɛr] nm ulcer.

ULM nm microlight.

ultérieur, e [ylterjœr] adj later.

ultérieurement [ylterjœrmɑ̃] adv later, subsequently.

ultime [yltim] adj ultimate.

ultra- [yltra] préf ultra- ▸ **ultra-moderne** ultramodern.

un, une [œ̃, yn] (*pl* **des** [de]) ◆ art a, an (*devant voyelle*) ▸ **un homme** a man →

▶ **une femme** a woman ▶ **une pomme** an apple ▶ **des valises** suitcases
◆ pron one ▶ **(l')un de mes amis/un des meilleurs** one of my friends / one of the best ▶ **l'un l'autre** each other, one another ▶ **l'un et l'autre** both (of them / us) ▶ **l'un ou l'autre** either (of them / us) ▶ **ni l'un ni l'autre** neither (of them / us)
◆ num one ▶ **il a un an** he's one (year old) ▶ **(au) un rue Lepic** (at / to) one, rue Lepic.

unanime [ynanim] adj unanimous.

unanimité [ynanimite] nf unanimity ▶ **à l'unanimité** unanimously.

Unetelle nf → **Untel**.

uni, e [yni] adj 1. [tissu, couleur] plain 2. [famille, couple] close.

unidose [ynidoz] adj single-dose.

unifier [9] [ynifje] vt to unify.

uniforme [ynifɔrm] ◆ adj 1. uniform 2. [surface] even. ◆ nm uniform.

uniformiser [3] [ynifɔrmize] vt to standardize.

unilatéral, e, aux [ynilateral, o] adj unilateral.

union [ynjɔ̃] nf 1. [d'États] union 2. [de syndicats] confederation ▶ **l'Union européenne** the European Union.

unique [ynik] adj 1. [seul] only 2. [exceptionnel] unique ▶ **monnaie unique** single currency.

uniquement [ynikmɑ̃] adv only.

unir [32] [ynir] vt [mots, idées] to combine. ◆ **s'unir** vp 1. [s'associer] to join together 2. [pays] to unite.

unisson [ynisɔ̃] nm : **à l'unisson** in unison.

unitaire [yniter] adj [prix, poids] unit.

unité [ynite] nf 1. unit 2. [harmonie, ensemble] unity ▶ **vendu à l'unité** sold individually ▶ **unité centrale** central processing unit.

univers [yniver] nm universe.

universel, elle [yniversel] adj universal.

universitaire [yniversiter] adj [diplôme, bibliothèque] university.

université [yniversite] nf university.

Untel, Unetelle [œ̃tel, yntel] nm, f Mr so-and-so / Mrs so-and-so.

urbain, e [yrbɛ̃, ɛn] adj urban.

urbanisme [yrbanism] nm town planning.

urgence [yrʒɑ̃s] nf 1. urgency 2. MÉD emergency ▶ **d'urgence** [vite] immediately ▶ **(service des) urgences** casualty (department).

urgent, e [yrʒɑ̃, ɑ̃t] adj urgent.

urgentissime [yrʒɑ̃tisim] adj fam super urgent.

urgentiste [yrʒɑ̃tist] nmf MÉD A&E doctor.

urger [17] [yrʒe] vi fam : **ça urge ?** is it urgent?, how urgent is it? ▶ **j'ai du travail, mais ça n'urge pas** I do have some work to do, but it's not urgent ou but there's no rush.

urine [yrin] nf urine.

uriner [3] [yrine] vi to urinate.

urinoir [yrinwar] nm urinal.

URL (abr de uniform resource locator) nf URL.

urne [yrn] nf [de vote] ballot box.

urologue [yʀɔlɔg] nmf urologist.

urticaire [yʀtikɛʀ] nf nettle rash.

Uruguay [yʀygwɛ] nm : **l'Uruguay** Uruguay.

USA nmpl : **les USA** the USA.

usage [yzaʒ] nm [utilisation] use ▶ **d'usage** usual ▶ **'usage externe'** 'for external use only' ▶ **'usage interne'** 'for internal use only'.

usagé, e [yzaʒe] adj [ticket] used.

usager [yzaʒe] nm user.

USB n : **clé USB** USB flash drive.

usé, e [yze] adj worn.

user [3] [yze] vt 1. [abimer] to wear out 2. [consommer] to use. ◆ **s'user** vp to wear out.

usine [yzin] nf factory.

usité, e [yzite] adj : **très /peu usité** commonly /rarely used.

ustensile [ystɑ̃sil] nm tool ▶ **ustensile de cuisine** kitchen utensil.

usuel, elle [yzɥɛl] adj common, usual.

usure [yzyʀ] nf [de vêtement, meuble] wear.

utérus [yteʀys] nm uterus, womb.

utile [ytil] adj useful.

utilisateur, trice [ytilizatœʀ, tʀis] nm, f user.

utilisation [ytilizasjɔ̃] nf use.

utiliser [3] [ytilize] vt to use.

utilité [ytilite] nf : **être d'une grande utilité** to be of great use.

utopique [ytɔpik] adj utopian.

UV nmpl (abr de ultraviolets) UV rays (ultra-violet rays).

va [va] 3ᵉ pers. du sg de l'ind. prés. → **aller**.

vacances [vakɑ̃s] nfpl holiday sg 🇬🇧, vacation sg 🇺🇸 ▶ **être/partir en vacances** to be /go on holiday 🇬🇧, to be /go on vacation 🇺🇸 ▶ **prendre des vacances** to take a holiday 🇬🇧, to take a vacation 🇺🇸 ▶ **vacances scolaires** school holidays 🇬🇧, school break 🇺🇸.

vacancier, ère [vakɑ̃sje, ɛʀ] nm, f holidaymaker 🇬🇧, vacationer 🇺🇸.

vacarme [vakaʀm] nm racket.

vaccin [vaksɛ̃] nm vaccine.

vaccination [vaksinasjɔ̃] nf vaccination.

vacciner [3] [vaksine] vt : **vacciner qqn contre qqch** to vaccinate sb against sthg.

vache [vaʃ] ◆ nf cow. ◆ adj fam [méchant] mean ▶ **il lui a fait un coup vache** he stabbed him in the back.

vachement [vaʃmɑ̃] adv fam dead 🇬🇧, real 🇺🇸 ▶ **c'est vachement bien** it's really good ▶ **il est vachement sympa** he's dead nice.

vacherie [vaʃri] nf fam nastiness ▶ **faire /dire une vacherie** to do /say something nasty.

vacherin [vaʃʀɛ̃] nm 1. [gâteau] meringue filled with ice cream and whipped cream **2.** [fromage] soft cheese made from cow's milk.

vagabond, e [vagabɔ̃, ɔ̃d] nm, f vagrant.

vagin [vaʒɛ̃] nm vagina.

vague [vag] ◆ adj [peu précis] vague. ◆ nf wave ▸ **vague de chaleur** heat wave.

vaguement [vagmɑ̃] adv vaguely.

vaille etc 1ʳᵉ et 3ᵉ pers. du sg du subj. prés. → **valoir**.

vain [vɛ̃] ◆ **en vain** adv in vain.

vaincre [114] [vɛ̃kr] vt **1.** [ennemi] to defeat **2.** [peur, obstacle] to overcome.

vaincu, e [vɛ̃ky] nm, f **1.** [équipe] losing team **2.** [sportif] loser.

vainqueur [vɛ̃kœr] nm **1.** [d'un match] winner **2.** [d'une bataille] victor.

vais [vɛ] 1ʳᵉ pers. du sg de l'ind. prés. → **aller**.

vaisseau [veso] (pl -x) nm [veine] vessel ▸ **vaisseau spatial** spaceship.

vaisselle [vesɛl] nf [assiettes] crockery ▸ **faire la vaisselle** to wash up ▸ **vaisselle jetable** paper plates and cups.

valable [valabl] adj valid.

valait 3ᵉ pers. du sg de l'ind. imparfait → **valoir**.

valent [val] 3ᵉ pers. du pl de l'ind. prés. → **valoir**.

valet [valɛ] nm [aux cartes] jack.

valeur [valœr] nf value ▸ **sans valeur** worthless.

valider [3] [valide] vt [ticket] to validate.

validité [validite] nf : **date limite de validité** expiry date.

valise [valiz] nf case, suitcase ▸ **faire ses valises** to pack.

vallée [vale] nf valley.

vallonné, e [valɔne] adj undulating.

valoche [valɔʃ] nf vulg [valise] case, bag.

valoir [60] [valwar] ◆ vi **1.** [coûter, avoir comme qualité] to be worth **2.** [dans un magasin] to cost. ◆ v impers : **il vaut mieux faire qqch** it's best to do sthg ▸ **il vaut mieux que tu restes** you had better stay ▸ **ça vaut combien ?** how much is it? ▸ **ça ne vaut pas la peine** ou **le coup** it's not worth it ▸ **ça vaut la peine** ou **le coup d'y aller** it's worth going.

valse [vals] nf waltz.

valu [valy] pp → **valoir**.

vandale [vɑ̃dal] nm vandal.

vandalisme [vɑ̃dalism] nm vandalism.

vanille [vanij] nf vanilla.

vaniteux, euse [vanitø, øz] adj vain.

vannerie [vanri] nf basketwork.

vanter [3] [vɑ̃te] vt [vanter] to praise. ◆ **se vanter** vp to boast.

vapeur [vapœr] nf steam ▸ **fer à vapeur** steam iron ▸ **(à la) vapeur** CULIN steamed.

vaporisateur [vaporizatœr] nm atomizer.

vaporiser [3] [vaporize] vt to spray.

varappe [varap] nf rock climbing.

variable [varjabl] adj **1.** [chiffre] varying **2.** [temps] changeable.

varice [varis] nf varicose vein.

varicelle [varisɛl] nf chickenpox.

varices [varis] nfpl varicose veins.

varié, e [varje] adj **1.** [travail] varied **2.** [paysage] diverse ▸ **'hors-d'œuvre variés'** 'a selection of starters'.

varier [9] [varje] vt & vi to vary.

variété [varjete] nf variety. ◆ **variétés** nfpl [musique] easy listening sg ▸ **variétés françaises** French easy listening music ▸ **variétés internationales** international easy listening music.

variole [varjɔl] nf smallpox.

Varsovie [varsɔvi] n Warsaw.

vas [va] 2ᵉ pers. du sg de l'ind. prés. → **aller.**

vase [vaz] ◆ nf mud. ◆ nm vase.

vaseux, euse [vazø, øz] adj **1.** [boueux] muddy **2.** fam [malade] under the weather.

vasistas [vazistas] nm fanlight.

vaste [vast] adj vast.

Vatican [vatikɑ̃] nm **: le Vatican** the Vatican ▸ **l'État de la cité du Vatican** Vatican City.

vaudra 3ᵉ pers. du sg de l'ind. fut. → **valoir.**

vaut [vo] 3ᵉ pers. du sg de l'ind. prés. → **valoir.**

vautour [votur] nm vulture.

veau [vo] (pl -x) nm **1.** calf **2.** CULIN veal.

vécu, e [veky] ◆ pp → **vivre.** ◆ adj [histoire] true.

vedette [vədɛt] nf **1.** [acteur, sportif] star **2.** [bateau] launch.

végétal, e, aux [veʒetal, o] ◆ adj [huile, teinture] vegetable. ◆ nm plant.

végétalien, enne [veʒetaljɛ̃, ɛn] adj & nm, f vegan.

végétarien, enne [veʒetarjɛ̃, ɛn] adj & nm, f vegetarian.

végétation [veʒetasjɔ̃] nf vegetation. ◆ **végétations** nfpl MÉD adenoids.

véhicule [veikyl] nm vehicle.

veille [vɛj] nf [jour précédent] day before, eve ▸ **la veille au soir** the evening before.

veillée [veje] nf [en colonie de vacances] evening entertainment where children stay up late.

veiller [4] [veje] vi [rester éveillé] to stay up ▸ **veillez à ne rien oublier** make sure you don't forget anything ▸ **veiller à ce que** to see (to it) that ▸ **veiller sur qqn** to look after sb.

veilleur [vejœr] nm **: veilleur de nuit** night watchman.

veilleuse [vejøz] nf **1.** [lampe] night light **2.** [flamme] pilot light.

veine [vɛn] nf ANAT vein ▸ **avoir de la veine** fam to be lucky.

Velcro® [vɛlkro] nm Velcro®.

véliplanchiste [veliplɑ̃ʃist] nmf windsurfer.

vélo [velo] nm bicycle, bike ▸ **faire du vélo** to cycle ▸ **vélo de course** racing bike ▸ **vélo tout terrain** mountain bike.

vélomoteur [velomɔtœr] nm moped.

velours [vəlur] nm velvet ▸ **velours côtelé** corduroy.

velouté [vəlute] nm **: velouté d'asperge** cream of asparagus soup.

vendange [vɑ̃dɑ̃ʒ] nf **1.** [récolte] grape harvest, wine harvest **2.** [période] **: les vendanges** (grape) harvest time.

vendeur, euse [vɑ̃dœr, øz] nm, f **1.** [de grand magasin] sales assistant ⓊⓀ, sales clerk ⓊⓈ **2.** [sur un marché, ambulant] salesman (saleswoman).

vendre [73] [vɑ̃dʀ] vt to sell ▸ **vendre qqch à qqn** to sell sb sthg ▸ **'à vendre'** 'for sale'.

vendredi [vɑ̃dʀədi] nm Friday ▸ **vendredi saint** Good Friday ▸ **nous sommes ou c'est vendredi** it's Friday today ▸ **vendredi 13 septembre** Friday 13 September ▸ **nous sommes partis vendredi** we left on Friday ▸ **vendredi dernier** last Friday ▸ **vendredi prochain** next Friday ▸ **vendredi matin** on Friday morning ▸ **le vendredi** on Fridays ▸ **à vendredi !** see you Friday!

vénéneux, euse [venenø, øz] adj poisonous.

Venezuela [venezɥela] nm : **le Venezuela** Venezuela.

vengeance [vɑ̃ʒɑ̃s] nf revenge.

venger [17] [vɑ̃ʒe] ◆ **se venger** vp to get one's revenge.

venimeux, euse [vənimø, øz] adj poisonous.

venin [vənɛ̃] nm venom.

venir [40] [vəniʀ] vi to come ▸ **venir de** to come from ▸ **venir de faire qqch** to have just done sthg ▸ **nous venons d'arriver** we've just arrived ▸ **faire venir qqn** [docteur, réparateur] to send for sb.

Venise [vəniz] n Venice.

vent [vɑ̃] nm wind ▸ **il y a** ou **il fait du vent** it's windy ▸ **vent d'ouest** west wind.

vente [vɑ̃t] nf sale ▸ **être en vente** to be up for sale ▸ **mettre qqch en vente** to put sthg for sale ▸ **vente par correspondance** mail order ▸ **vente aux enchères** auction.

venté, e [vɑ̃te] adj **1.** [où le vent souffle] windswept, windy **2.** [exposé] windswept.

venteux, euse [vɑ̃tø, øz] adj windy.

ventilateur [vɑ̃tilatœʀ] nm fan.

ventiler [3] [vɑ̃tile] vt [pièce] to ventilate.

ventouse [vɑ̃tuz] nf [en caoutchouc] suction pad.

ventre [vɑ̃tʀ] nm stomach ▸ **avoir du ventre** to have a bit of a paunch.

venu, e [vəny] pp → **venir**.

venue [vəny] nf arrival.

ver [vɛʀ] nm **1.** [de fruit] maggot **2.** worm ▸ **ver luisant** glow worm ▸ **ver (de terre)** (earth)worm.

véranda [veʀɑ̃da] nf **1.** [pièce vitrée] conservatory **2.** [espace ouvert] veranda(h) [UK], porch [US].

verbe [vɛʀb] nm verb.

verdâtre [vɛʀdɑtʀ] adj greenish.

verdict [vɛʀdikt] nm verdict.

verdoyant, e [vɛʀdwajɑ̃, ɑ̃t] adj green.

verdure [vɛʀdyʀ] nf greenery.

véreux, euse [veʀø, øz] adj [fruit] worm-eaten.

verger [vɛʀʒe] nm orchard.

verglacé, e [vɛʀglase] adj icy.

verglas [vɛʀgla] nm (black) ice.

vérification [veʀifikasjɔ̃] nf checking.

vérifier [9] [veʀifje] vt to check.

véritable [veʀitabl] adj real.

vérité [veʀite] nf truth ▸ **dire la vérité** to tell the truth.

verlan [vɛʀlɑ̃] nm back slang.

vermicelle [vɛʀmisɛl] nm vermicelli.

verni, e [vɛʀni] adj **1.** [chaussure] patent-leather **2.** [meuble] varnished.

vernir [32] [vɛʁniʁ] vt to varnish.

vernis [vɛʁni] nm varnish ▸ **vernis à ongles** nail varnish.

vernissage [vɛʁnisaʒ] nm private viewing.

verra 3ᵉ pers. du sg de l'ind. fut. → **voir.**

verre [vɛʁ] nm glass ▸ **boire** ou **prendre un verre** to have a drink ▸ **verre à pied** wine glass ▸ **verre à vin** wine glass ▸ **verres de contact** contact lenses.

verrière [vɛʁjɛʁ] nf [toit] glass roof.

verrine [vɛʁin] nf appetizer or dessert served in a small glass.

verrou [vɛʁu] nm bolt.

verrouillage [vɛʁujaʒ] nm [téléphone, ordinateur portable & AUTO] locking ▸ **verrouillage centralisé** central locking.

verrouiller [3] [vɛʁuje] vt 1. [porte] to bolt 2. [téléphone, ordinateur portable] to lock.

verrue [vɛʁy] nf wart.

vers [vɛʁ] ◆ nm line. ◆ prép 1. [direction] towards 2. [époque] around.

Versailles [vɛʁsaj] n Versailles.

ⓘ Versailles

France's greatest palace, by Le Vau and Mansart, with gardens by Le Nôtre. Built at enormous cost by Louis XIV and added to in the 18th century, it was the home of the French court until the Revolution.

---

versant [vɛʁsɑ̃] nm side.

versatile [vɛʁsatil] adj fickle.

verse [vɛʁs] ◆ **à verse** adv : **il pleut à verse** it's pouring down.

Verseau [vɛʁso] nm Aquarius.

versement [vɛʁsəmɑ̃] nm payment.

verser [3] [vɛʁse] ◆ vt 1. [liquide] to pour 2. [argent] to pay. ◆ vi fig : **verser dans qqch** to lapse into sthg.

verseur [vɛʁsœʁ] adj m → **bec.**

version [vɛʁsjɔ̃] nf 1. version 2. [traduction] translation ▸ **version française** version dubbed into French ▸ **version originale** version in original language.

verso [vɛʁso] nm back ▸ **'voir au verso'** 'see overleaf'.

vert, e [vɛʁ, vɛʁt] ◆ adj 1. green 2. [fruit] unripe 3. [vin] young. ◆ nm green ▸ **vert bouteille** bottle green ▸ **vert émeraude** emerald green.

vertébrale [vɛʁtebʁal] adj f → **colonne.**

vertèbre [vɛʁtebʁ] nf vertebra.

vertical, e, aux [vɛʁtikal, o] adj vertical.

verticalement [vɛʁtikalmɑ̃] adv vertically.

vertige [vɛʁtiʒ] nm : **avoir le vertige** to be dizzy.

vertigineux, euse [vɛʁtiʒinø, øz] adj [vitesse, vue] breathtaking.

verveine [vɛʁvɛn] nf [infusion] verbena tea.

vessie [vesi] nf bladder.

veste [vɛst] nf jacket.

vestiaire [vɛstjɛʁ] nm [d'un musée, d'un théâtre] cloakroom.

vestibule [vɛstibyl] nm hall.

vestiges [vɛstiʒ] nmpl remains.

vestimentaire [vɛstimɑ̃tɛʁ] adj : **style vestimentaire** style in clothing ou in clothes.

veston [vɛstɔ̃] nm jacket.

vêtements [vɛtmɑ̃] nmpl clothes.

vétérinaire [veteriner] nmf vet.

vététiste [vetetist] nmf mountain biker.

vêtu, e [vɛty] adj : **vêtu (de)** dressed (in).

vétuste [vetyst] adj dilapidated.

veuf, veuve [vœf, vœv] ◆ adj widowed. ◆ nm, f widower (widow).

veuille etc 3ᵉ pers. du sg du subj. prés. → **vouloir**.

veuve adj f & nf → **veuf**.

veux [vø] 1ʳᵉ et 2ᵉ pers. du sg de l'ind. prés. → **vouloir**.

vexant, e [vɛksɑ̃, ɑ̃t] adj hurtful.

vexer [4] [vɛkse] vt to offend. ◆ se **vexer** vp to take offence.

VF abr de **version française**.

viaduc [vjadyk] nm viaduct.

viande [vjɑ̃d] nf meat ▸ **viande séchée des Grisons** dried salt beef ▸ **viande grillée** grilled 🇬🇧 ou broiled 🇺🇸 meat.

vibration [vibrasjɔ̃] nf vibration.

vibrer [3] [vibre] vi to vibrate.

vibreur [vibrœr] nm VibraCall® ▸ **mettre son téléphone portable en mode vibreur** to switch one's phone to vibrate.

vice [vis] nm vice.

vice versa [vis(e)vɛrsa] adv vice versa.

vicieux, euse [visjø, øz] adj [pervers] perverted.

victime [viktim] nf 1. victim 2. [d'un accident] casualty ▸ **être victime de** to be the victim of.

victoire [viktwar] nf victory.

vidange [vidɑ̃ʒ] nf [d'une auto] oil change.

vide [vid] ◆ adj empty. ◆ nm 1. [espace] gap 2. [absence d'air] vacuum ▸ **sous vide** [aliment] vacuum-packed.

vide-greniers [vidɡrənje] nm inv second-hand goods sale, car-boot sale 🇬🇧, yard sale 🇺🇸.

vidéo [video] adj inv & nf video.

vidéoclip [videoklip] (pl **vidéoclips**) nm (music) video.

vidéoconférence [videokɔ̃ferɑ̃s] nf = **visioconférence**.

vidéoprojecteur [videoprɔʒɛktœr] nm video projector.

vide-ordures [vidɔrdyr] nm inv rubbish chute 🇬🇧, garbage chute 🇺🇸.

vide-poches [vidpɔʃ] nm inv [dans une voiture] pocket.

vider [3] [vide] vt 1. to empty 2. [poulet, poisson] to gut ▸ **vider son sac** fam & fig to get things off one's chest. ◆ se **vider** vp [salle, baignoire] to empty.

videur [vidœr] nm [de boîte de nuit] bouncer.

vie [vi] nf life ▸ **en vie** alive.

vieil adj m → **vieux**.

vieillard [vjejar] nm old man.

vieille adj f → **vieux**.

vieillesse [vjejɛs] nf old age.

vieillir [32] [vjejir] ◆ vi 1. to get old 2. [vin] to age. ◆ vt : **ça le vieillit** [en apparence] it makes him look old(er).

viendra etc 3ᵉ pers. du sg de l'ind. fut. → **venir**.

Vienne [vjɛn] n [en Autriche] Vienna.

viennoiserie [vjɛnwazri] nf pastry made with sweetened dough like croissant, brioche, etc.

viens etc 1ʳᵉ et 2ᵉ pers. du sg de l'ind. prés. → **venir**.

vierge [vjɛrʒ] adj [cassette, CD, DVD] blank. ◆ **Vierge** nf [signe du zodiaque] Virgo.

Vietnam [vjetnam] nm : **le Vietnam** Vietnam.

vieux, vieille [vjø, vjɛj] (mpl **vieux** [vjø]) (**vieil** [vjɛj] devant voyelle ou h muet) adj old ▸ **vieux jeu** old-fashioned.

vif, vive [vif, viv] adj 1. [geste] sharp 2. [pas] brisk 3. [regard, couleur] bright 4. [esprit] lively.

vigile [viʒil] nm watchman.

Vigipirate [viʒipirat] n : **le plan Vigipirate** measures to protect the public from terrorist attacks.

vigne [viɲ] nf 1. [plante] vine 2. [terrain] vineyard.

vignette [viɲɛt] nf 1. [automobile] tax disc 2. [de médicament] price sticker (for reimbursement of cost of medicine by the social security services).

vignoble [viɲɔbl] nm vineyard.

vigoureux, euse [vigurø, øz] adj sturdy.

vigueur [vigœr] nf : **les prix en vigueur** current prices ▸ **entrer en vigueur** to come into force.

VIH, V.I.H. (abr de virus d'immunodéficience humaine) nm HIV (human immunodeficiency virus).

vilain, e [vilɛ̃, ɛn] adj 1. [méchant] naughty 2. [laid] ugly.

villa [vila] nf villa.

village [vilaʒ] nm village.

villageois, e [vilaʒwa, az] nm, f villager.

ville [vil] nf 1. [petite, moyenne] town 2. [importante] city ▸ **aller en ville** to go into town.

Villette [vilɛt] nf : **(le parc de) la Villette** cultural park in the north of Paris, including a science museum.

Vilnius [vilnjys] n Vilnius.

vin [vɛ̃] nm wine ▸ **vin blanc** white wine ▸ **vin doux** sweet wine ▸ **vin rosé** rosé wine ▸ **vin rouge** red wine ▸ **vin sec** dry wine ▸ **vin de table** table wine ▸ **vin chaud** mulled wine.

ⓘ **Le vin**

French wines are officially divided into four categories: wines labelled **Appellation d'Origine Contrôlée** (AOC) are of the highest quality; next in quality come those classed as **Vins De Qualité Supérieure** (VDQS); then **vins de pays**, local wines from an identifiable region; and lastly **vins de table**, generic table wines. France produces red, white and rosé wines as well as sparkling and dessert wines. The major wine-producing regions include Alsace, Bordeaux, Burgundy, the Loire Valley, the Rhone Valley and Champagne.

vinaigre [vinɛgr] nm vinegar.

vinaigrette [vinɛgrɛt] nf French dressing ⓊⓀ, vinaigrette.

vingt [vɛ̃] num twenty ▸ **(au) vingt rue Lepic** (at) twenty Rue Lepic ▸ **ils étaient vingt** there were twenty of them ▸ **le vingt janvier** the twentieth of January.

vingtaine [vɛ̃tɛn] nf : **une vingtaine (de)** about twenty.

vingtième [vɛ̃tjɛm] num twentieth.

vinicole [vinikɔl] adj wine-growing, wine-producing.

vintage [vɛ̃taʒ, vintɛdʒ] ◆ adj inv vintage. ◆ nm : **le vintage est très tendance aujourd'hui** vintage fashions are very much in vogue.

vinyle [vinil] nm vinyl.

viol [vjɔl] nm rape.

violemment [vjɔlamɑ̃] adv violently.

violence [vjɔlɑ̃s] nf violence.

violent, e [vjɔlɑ̃, ɑ̃t] adj violent.

violer [3] [vjɔle] vt [personne] to rape.

violet, ette [vjɔlɛ, ɛt] adj & nm purple.

violette [vjɔlɛt] nf violet.

violon [vjɔlɔ̃] nm violin.

violoncelle [vjɔlɔ̃sɛl] nm cello.

violoniste [vjɔlɔnist] nmf violinist.

vipère [vipɛr] nf viper.

virage [viraʒ] nm **1.** [sur la route] bend **2.** [en voiture, à ski] turn.

viral, e, aux [viral, o] adj viral.

virement [virmɑ̃] nm [sur un compte] transfer.

virer [3] [vire] ◆ vi **1.** [tourner] to turn **2. : virer de bord a)** NAUT to veer **b)** [voilier] to tack **c)** fig to do a U-turn. ◆ vt [argent] to transfer.

virgule [virgyl] nf **1.** [entre mots] comma **2.** [entre chiffres] (decimal) point.

viril, e [viril] adj virile.

virtuel, elle [virtɥɛl] adj potential.

virtuelle [virtɥɛl] adj f → **réalité**.

virtuose [virtɥoz] nmf virtuoso.

virus [virys] nm virus.

vis [vis] nf screw.

visa [viza] nm [de séjour] visa.

visage [vizaʒ] nm face.

vis-à-vis [vizavi] ◆ **vis-à-vis de** prép : **vis-à-vis de qqn** towards sb.

viser [3] [vize] vt **1.** [cible] to aim at **2.** [suj : loi] to apply to **3.** [suj : remarque] to be aimed at.

viseur [vizœr] nm **1.** [de carabine] sights pl **2.** [d'appareil photo] viewfinder.

visibilité [vizibilite] nf visibility.

visible [vizibl] adj visible.

visière [vizjɛr] nf [de casquette] peak.

visioconférence [vizjokɔ̃ferɑ̃s], **vidéoconférence** [videokɔ̃ferɑ̃s] nf videoconference.

vision [vizjɔ̃] nf [vue] vision.

visionneuse [vizjɔnøz] nf projector.

visiophone [vizjɔfɔn] nm videophone, viewphone.

visite [vizit] nf visit ▸ **rendre visite à qqn** to visit sb ▸ **visite guidée** guided tour ▸ **visite guidée audio** audio tour ▸ **visite médicale** medical.

visiter [3] [vizite] vt to visit ▸ **faire visiter qqch à qqn** to show sb round sthg.

visiteur, euse [vizitœr, øz] nm, f visitor.

visqueux, euse [viskø, øz] adj sticky.

visser [3] [vise] vt **1.** [vis] to screw in **2.** [couvercle] to screw on.

visuel, elle [vizɥɛl] adj visual.

vital, e, aux [vital, o] adj vital.

vitalité [vitalite] nf vitality.

vitamine [vitamin] nf vitamin.

vite [vit] adv fast, quickly.

vitesse [vitɛs] nf **1.** speed **2.** TECH [d'une voiture, d'un vélo] gear ▸ **à toute vitesse** at top speed.

viticulteur, trice [vitikyltœr, tris] nm, f wine-grower.

vitrage [vitraʒ] nm : **fenêtre à double vitrage** double-glazed window.

vitrail [vitraj] (pl -**aux**) nm stained-glass window.

vitre [vitr] nf **1.** [de fenêtre] window pane **2.** [de voiture] window.

vitré, e [vitre] adj [porte] glass.

vitrine [vitrin] nf **1.** [de magasin] (shop) window **2.** [meuble] display cabinet ▸ **en vitrine** in the window ▸ **faire les vitrines** to window-shop.

vivable [vivabl] adj [appartement] livable-in ; [situation] bearable, tolerable.

vivacité [vivasite] nf vivacity.

vivant, e [vivā, āt] adj **1.** [en vie] alive **2.** [animé] lively.

vive [viv] ◆ adj f → **vif.** ◆ interj : **vive les vacances !** hurray for the holidays!

vivement [vivmā] ◆ adv quickly. ◆ interj : **vivement demain !** roll on tomorrow!

vivifiant, e [vivifjā, āt] adj invigorating.

vivre [90] [vivr] ◆ vi to live. ◆ vt [passer] to experience ▸ **vivre des moments difficiles** to go through a difficult time.

VO abr de **version originale.**

vocabulaire [vɔkabylɛr] nm vocabulary.

vocales [vɔkal] adj f pl → **corde.**

vodka [vɔdka] nf vodka.

vœu [vø] (pl -**x**) nm [souhait] wish ▸ **meilleurs vœux** best wishes.

voici [vwasi] prép here is /are ▸ **le voici** here he /it is ▸ **voici ma fille** this is my daughter ▸ **voici votre clef** here's your key.

voie [vwa] nf **1.** [chemin] road **2.** [sur une route] lane **3.** [de gare] platform ▸ **être en voie d'amélioration** to be improving ▸ **voie ferrée** railway track UK, railroad

track US ▸ **voie sans issue** dead end ▸ **'par voie orale'** 'to be taken orally'.

voilà [vwala] prép there is /are ▸ **voilà ce qui s'est passé** this is what happened ▸ **voilà Pierre** there's Pierre.

voile [vwal] ◆ nm veil. ◆ nf [de bateau] sail ▸ **faire de la voile** to go sailing.

voilé, e [vwale] adj **1.** [roue] buckled **2.** [femme] veiled **3.** [ciel] overcast **4.** [son] muffled.

voiler [3] [vwale] ◆ **se voiler** vp [ciel] to cloud over.

voilier [vwalje] nm sailing boat UK, sailboat US.

voir [62] [vwar] vt to see ▸ **ça n'a rien à voir** that's got nothing to do with it ▸ **voyons !** [pour reprocher] come on now! ▸ **faire voir qqch à qqn** to show sb sthg. ◆ **se voir** vp **1.** [être visible] to show **2.** [se rencontrer] to see each other.

voisin, e [vwazɛ̃, in] ◆ adj **1.** [ville] neighbouring **2.** [maison] next-door. ◆ nm, f neighbour.

voisinage [vwazinaʒ] nm **1.** [quartier] neighbourhood UK, neighborhood US **2.** [environs] vicinity.

voiture [vwatyr] nf **1.** car **2.** [wagon] carriage ▸ **voiture de sport** sports car.

voix [vwa] nf **1.** voice **2.** [vote] vote ▸ **à voix basse** in a low voice ▸ **à voix haute** in a loud voice.

vol [vɔl] nm **1.** [groupe d'oiseaux] flock **2.** [trajet en avion] flight **3.** [délit] theft ▸ **attraper qqch au vol** to grab sthg ▸ **à vol d'oiseau** as the crow flies ▸ **en vol** [dans un avion] during the flight ▸ **vol régulier** scheduled flight.

volage [vɔlaʒ] adj fickle.

volaille [vɔlaj] nf [oiseau] fowl ▸ **de la volaille** poultry.

volant [vɔlɑ̃] nm 1. [de voiture] steering wheel 2. [de nappe, de jupe] flounce 3. [de badminton] shuttlecock **une jupe à volants** a flounced skirt.

volante [vɔlɑ̃t] adj f → **soucoupe**.

vol-au-vent [vɔlovɑ̃] nm inv vol-au-vent.

volcan [vɔlkɑ̃] nm volcano.

voler [3] [vɔle] ◆ vt 1. [argent, objet] to steal 2. [personne] to rob. ◆ vi [oiseau, avion] to fly.

volet [vɔlɛ] nm 1. [de fenêtre] shutter 2. [d'imprimé] tear-off section.

voleur, euse [vɔlœr, øz] nm, f thief ▸ **au voleur !** stop thief!

volière [vɔljɛr] nf aviary.

volley(-ball) [vɔlɛ(bol)] nm volleyball.

volontaire [vɔlɔ̃tɛr] ◆ adj [geste, engagement] deliberate. ◆ nmf volunteer.

volontairement [vɔlɔ̃tɛrmɑ̃] adv [exprès] deliberately.

volonté [vɔlɔ̃te] nf 1. [énergie] will 2. [désir] wish ▸ **bonne volonté** goodwill ▸ **mauvaise volonté** unwillingness ▸ **'frites à volonté'** unlimited chips 🇬🇧 ou French fries.

volontiers [vɔlɔ̃tje] adv willingly ▸ **volontiers !** [à table] yes, please!

volt [vɔlt] nm volt.

volume [vɔlym] nm volume ▸ **réglage du volume** volume adjustment.

volumineux, euse [vɔlyminø, øz] adj bulky.

volupté [vɔlypte] nf sensual ou voluptuous pleasure.

vomir [32] [vɔmir] ◆ vi to be sick. ◆ vt to bring up.

vomissement [vɔmismɑ̃] nm 1. [action] vomiting 2. [vomissure] vomit ▸ **il**

a été pris de vomissements he started vomiting.

vont [vɔ̃] 3ᵉ pers. du pl de l'ind. prés. → **aller**.

vos adj pl → **votre**.

Vosges [voʒ] nfpl : **les Vosges** the Vosges.

vote [vɔt] nm vote.

voter [3] [vɔte] vi to vote.

votre [vɔtr] (pl **vos** [vo]) adj your.

vôtre [votr] ◆ **le vôtre, la vôtre** [ləvotr, lavotr] (pl **les vôtres** [levotr]) pron yours ▸ **à la vôtre !** your good health!

voudra [vudra] 3ᵉ pers. du sg de l'ind. fut. → **vouloir**.

vouloir [57] [vulwar] ◆ vt 1. [désirer] to want ▸ **voulez-vous boire quelque chose ?** would you like something to drink? ▸ **je veux qu'il parte** I want him to go ▸ **si tu veux** if you like ▸ **sans le vouloir** unintentionally ▸ **je voudrais…** I would like… 2. [accepter] : **tu prends un verre ? — oui, je veux bien** would you like a drink? — yes, I'd love one ▸ **veuillez vous asseoir** please sit down 3. [dans des expressions] : **ne pas vouloir de qqn/qqch** not to want sb/sthg ▸ **en vouloir à qqn** to have a grudge against sb ▸ **vouloir dire** to mean

◆ **s'en vouloir** vp : **s'en vouloir (de faire qqch)** to be annoyed with o.s. (for doing sthg).

voulu, e [vuly] pp → **vouloir**.

vous [vu] pron 1. you 2. [objet indirect] (to) you 3. [réciproque] each other 4. [réfléchi] : **vous vous êtes lavés ?** have you washed? ▸ **vous-même** yourself ▸ **vous-mêmes** yourselves.

voûte [vut] nf vault.

voûté, e [vute] adj [personne, dos] hunched.

vouvoyer [13] [vuvwaje] vt **: vouvoyer qqn** to address sb as "vous". ◆ **se vouvoyer** vp to use the formal "vous" form with each other.

voyage [vwajaʒ] nm 1. [déplacement] journey 2. [trajet] trip ▸ **bon voyage !** have a good trip! ▸ **partir en voyage** to go away ▸ **voyage de noces** honeymoon ▸ **voyage organisé** package tour.

voyager [17] [vwajaʒe] vi to travel.

voyageur, euse [vwajaʒœr, øz] nm, f traveller.

voyagiste [vwajaʒist] nm tour operator.

voyant, e [vwajɑ̃, ɑ̃t] ◆ adj [couleur, vêtement] gaudy. ◆ nm **: voyant lumineux** light.

voyelle [vwajɛl] nf vowel.

voyons [vwajɔ̃] 1re pers. du pl de l'ind. prés. → **voir**.

voyou [vwaju] nm yob.

vrac [vrak] nm **: en vrac a)** [en désordre] higgledy-piggledy **b)** [thé] loose.

vrai, e [vre] adj 1. [exact] true 2. [véritable] real ▸ **à vrai dire** to tell the truth.

vraiment [vremɑ̃] adv really.

vraisemblable [vresɑ̃blabl] adj likely.

VTT abr de **vélo tout terrain**.

vu, e [vy] ◆ pp → **voir**. ◆ prép in view of. ◆ adj **: être bien /mal vu (de qqn) a)** [personne] to be popular /unpopular (with sb) **b)** [attitude] to be acceptable / unacceptable (to sb) ▸ **vu que** seeing as.

vue [vy] nf 1. [sens] eyesight 2. [panorama] view 3. [vision, spectacle] sight ▸ **avec vue sur...** overlooking... ▸ **connaître qqn de vue** to know sb by sight ▸ **en vue de faire qqch** with a view to doing sthg ▸ **à vue d'œil** visibly.

vulgaire [vylger] adj 1. [grossier] vulgar 2. [quelconque] plain.

vulnérable [vylnerabl] adj vulnerable.

wagon [vagɔ̃] nm 1. [de passagers] carriage 🇬🇧, car 🇺🇸 2. [de marchandises] wagon.

wagon-lit [vagɔ̃li] (pl wagons-lits) nm sleeping car.

wagon-restaurant [vagɔ̃restɔrɑ̃] (pl wagons-restaurants) nm restaurant car.

wallon, onne [walɔ̃, ɔn] adj Walloon. ◆ **Wallon, onne** nm, f Walloon.

Wap nm WAP.

wasabi [wazabi] nm wasabi.

Washington [waʃiŋtɔn] n Washington D.C.

waterproof [watɛʀpʀuf] adj inv waterproof.

waters [watɛʀ] nmpl toilet sg.

waterz(o)oi [watɛʀzɔj] nm [Belg] chicken or fish with vegetables, cooked in a cream sauce, a Flemish speciality.

watt [wat] nm watt.

WAV nm WAV.

W-C [vese] nmpl toilets.

Web [wɛb] nm : **le Web** the Web, the web.

webcam [wɛbkam] nf webcam.

webcast [wɛbkast] nm webcast.

webcasting [wɛbkastiŋ] nm webcasting.

webmail [wɛbmɛl] nm webmail.

webmaster [wɛbmastœʀ] nm webmaster.

webmestre [wɛbmɛstʀ] nm webmaster.

webtélé [wɛbtele] nf web TV station.

webzine [wɛbzin] nm webzine.

week-end [wikɛnd] (pl week-ends) nm weekend ▶ **bon week-end !** have a nice weekend!

western [wɛstɛʀn] nm western.

whisky [wiski] nm whisky.

Wi-Fi [wifi] nm Wi-Fi.

www (abr écrite de World Wide Web) www.

xénophobe [gzenɔfɔb] adj xenophobic.

xérès [gzeʀɛs] nm sherry.

XML (abr de Extensible Markup Language) nm XML.

xylophone [ksilɔfɔn] nm xylophone.

y [i] ◆ adv **1.** [indique le lieu] there ▶ **j'y vais demain** I'm going there tomorrow ▶ **maintenant que j'y suis** now (that) I'm here **2.** [dedans] in (it / them) ▶ **mets-y du sel** put some salt in it **3.** [dessus] on it / them ▶ **va voir sur la table si les clefs y sont** go and see if the keys are on the table → **aller, avoir.** ◆ pron : **pensez-y** think about it ▶ **n'y comptez pas** don't count on it.

yacht [jɔt] nm yacht.

Yaoundé [jaunde] n Yaoundé, Yaunde.

yaourt [jauʀt] nm yoghurt.

Yémen [jemɛn] nm **: le Yémen** Yemen ▸ **le Yémen du Nord** North Yemen ▸ **le Yémen du Sud** South Yemen.

yeux n pl → **œil**.

yoga [jɔga] nm yoga.

yoghourt [jɔgurt] nm = **yaourt**.

yougoslave [jugɔslav] adj Yugoslav, Yugoslavian. ◆ **Yougoslave** nmf Yugoslav, Yugoslavian.

Yougoslavie [jugɔslavi] nf **: la Yougoslavie** Yugoslavia.

youpi [jupi] interj yippee!

Yo-Yo® [jojo] nm inv yo-yo.

Z z

Zambie [zɑ̃bi] nf **: (la) Zambie** Zambia.

zapper [3] [zape] vi to channel-hop.

zèbre [zɛbr] nm zebra.

zèle [zɛl] nm zeal ▸ **faire du zèle** péj to be over-zealous.

zélé, e [zele] adj zealous.

zélé, e [zele] adj zealous.

zen [zɛn] adj inv Zen ▸ **rester zen** to keep cool.

zéro [zero] nm **1.** zero **2.** SPORT nil **3.** SCOL nought.

zeste [zɛst] nm peel.

zigzag [zigzag] nm zigzag ▸ **en zigzag** [route] winding.

zigzaguer [3] [zigzage] vi [route, voiture] to zigzag.

Zimbabwe [zimbabwe] nm **: le Zimbabwe** Zimbabwe.

ZIP [zip] nm zip ▸ **fichier zip** zip file.

zipper [3] [zipe] vt to zip.

zizanie [zizani] nf ill-feeling ▸ **semer la zizanie** to stir things up.

zizi [zizi] nm fam willy UK, peter US.

zodiaque [zɔdjak] nm → **signe**.

zona [zona] nm shingles.

zone [zon] nf area ▸ **zone bleue** restricted parking zone ▸ **zone industrielle** industrial estate UK, industrial park US ▸ **zone euro** euro zone ▸ **zone piétonne** ou **piétonnière** pedestrian precinct UK, pedestrian zone US.

zoo [zo(o)] nm zoo.

zoologique [zɔɔlɔʒik] adj → **parc**.

zoom [zum] nm **: zoom numérique / optique** digital /optical zoom.

zut [zyt] interj damn!

Grammaire du français

French Grammar

Sommaire / Contents

1. Nouns..388
  1.1. Nouns and their gender...388
  1.2. Regular plurals of nouns..388
  1.3. Irregular plurals...389

2. Articles..390
  2.1. The definite article 390
  2.2. The indefinite article...391
  2.3. The partitive article...392

3. Personal pronouns..392
  3.1. Direct object pronouns...393
  3.2. Indirect object pronoun..393
  3.3. Stressed direct and indirect object pronouns..........393
  3.4. Adverbial pronouns *en* & *y*..................................394
  3.5. Reflexive pronoun..394

4. Adjectives..395
  4.1 The comparative and the superlative of adjectives......396

5. Possessive adjectives and pronouns.................................397
  5.1. Uses of possessive adjectives.................................397
  5.2. Uses of possessive pronouns..................................397

6. Prepositions...398
  6.1 Prepositions used to indicate place 398
  6.2 Prepositions used to indicate movement..................399

7. Adverbs..399

8. Verbs..400
  8.1. Verb tenses...400
  8.2. Particular uses..403

1.1. Nouns and their gender

- In French, all nouns are either masculine or feminine. Nouns relating to *animate beings* usually take the gender of the sex of the person or animal to which they refer:

un garçon a boy	**une fille** a girl
un lion a lion	**une lionne** a lioness

- Although all *inanimate nouns* (objects, ideas and the like are either masculine or feminine, there are no fixed rules for their gender. If you are uncertain, you should look them up in the dictionary:

un bâtiment a building	**une maison** a house
un concept a concept	**une idée** an idea

- In general, the feminine is formed by adding an **-e** to the end of the masculine form of a noun:

un cousin a male cousin	**une cousine** a female cousin
un Français a Frenchman	**une Française** a Frenchwoman

- However, some masculine nouns already ending in **-e** do not change in the feminine:

un / une adulte an adult   **un / une artiste** an artist

- In certain cases, even though the base is the same for the masculine and the feminine forms of the noun, their endings are different.

un époux a husband	**une épouse** a wife
un veuf a widower	**une veuve** a widow
un chanteur a singer	**une chanteuse** a singer

- In other cases, the masculine and the feminine are completely different:

un monsieur a gentleman	**une dame** a lady
un cerf a stag	**une biche** a doe

- In general, the following endings are masculine:

-age, -eau, -eu, -i, -ier, -illon, -in, -isme, -ment, -oi, -oir, -ou

- whereas feminine nouns usually end in:

-aison, -ance, -e, -ence, -ense, -gion, -tion, -sion, té.

1.2. Regular plurals of nouns

- In most cases, the plural of nouns is indicated by adding an **-s** at the end of the singular form:

un lit a bed	**des lits** beds
une maison a house	**des maisons** houses

- When the pronunciation of a noun is the same, the article can help to determine if the noun is singular or plural.

1.3. Irregular plurals

- Nouns ending in **-s**, **-x**, **-z** do not change in the plural:

un fils a son	**des fils** sons
un prix a price	**des prix** prices
un nez a nose	**des nez** noses

- Nouns ending in **-eau**, **-au**, **-eu** form their plural in **-eaux**, **-aux**, **-eux**:

un cadeau a gift	**des cadeaux** gifts
un feu a fire	**des feux** fires

- There are exceptions:

  un pneu a tyre   **des pneus** tyres

- Seven words ending in **-ou** form their plural by adding an **-x**: bijou, caillou, chou, genou, hibou, joujou and pou.

- Most nouns ending in **-ail** change the **-ail** to **-aux** in the plural:

  un émail an enamel   **des émaux** enamels
  un vitrail a stained-glass window
  des vitraux stained-glass windows

- However, a few form their plural with **-ails**:

  un détail a detail   **des détails** details

- Certain nouns ending in **-al** change to **-aux**:

un journal a newspaper	**des journaux** newspapers
un cheval a horse	**des chevaux** horses

- Some nouns have a unique plural:

un œil an eye	**des yeux** eyes
Monsieur Sir	**Messieurs** Sirs

- Some nouns exist only in the plural: **des annales** annals, **environs** surroundings.

- Certain nouns exist only in the plural in French and in the singular in English:

  les fiançailles engagement   **des frais** expenditure

- Whereas others exist in the singular in French and the plural in English:

  un pantalon trousers

2. Articles

three types of articles exist in French: the definite article, the indefinite article and the partitive.

2.1. The definite article

The definite article in English is *the*. In French, there are several forms of the definite article depending on whether the noun is masculine or feminine, singular or plural.

Uses:

- The definite article is used in the same way in French as it is in English with: official titles *le pape* / *the* pope, unique things *la Tour Eiffel* / the Eiffel Tower, names of rivers, mountain ranges and oceans, as well as any noun referring to an object that is clearly identified or which has already been mentioned.

- However, there are many uses of the definite article in French which are different from the way it is used in English. For example, in French it is used with:

  - abstract nouns (i.e. nouns relating to ideas, concepts etc., rather than concrete objects) *le courage* / courage

  - concrete nouns used in a general sense **Elle n'aime pas *le* fromage.** / She doesn't like cheese.

  - nouns relating to a part of the body **Il s'est fait mal *au* bras.** / He has hurt *his* arm.

  - names of countries and continents *La* **Tunisie** / Tunisia, **L'Afrique** / Africa

Forms:

	singular		plural
	masc.	*fem.*	*masc. & fem.*
standard	le	la	les
vowel or mute h	l'	l'	

- Before a singular noun beginning with a vowel or a mute *h*, the definite article is always *l'*:

  masc.   *l'*homme *the* man

  fem.   *l'*orange *the* orange

- But if the *h* is aspirate, this change does not occur:
    le hérisson the hedgehog
    la hache the axe

- The masculine definite article *le* combines with the preposition *à* to form *au*, while *les* (both masculine and feminine) combines with *à* to form *aux* (pl.).
    Likewise, *le* combines with the preposition *de* to form *du*, while *les* combines with *de* to form *des* (pl.).

    Je vais *au* marché. (*à* + *le* = *au*) I'm going to the market.
    Le ministre a parlé *aux* journalistes. (*à* + *les* = *aux*) The minister spoke *to* the journalists.
    Le château *du* comte est à vendre. (*de* + *le* = *du*) The count's castle is for sale.
    Il aime bien parler *des* voitures. (*de* + *les* = *des*) He really likes talking *about* cars.

2.2. The indefinite article

The indefinite article in English is *a* or *an*. In French there are forms of the indefinite article for the masculine singular, feminine singular and for the plural.

Uses:

- In general, the uses of the indefinite article are the same in French as in English. However, French requires the indefinite article to be used with abstract nouns if they are described by an adjective:
    Elle a fait preuve d'*une* patience remarquable.
    She showed remarkable patience.

Forms:

	singular	plural
masc.	un	des
fem.	une	

un parapluie an umbrella
une rue a street   **des chats** cats

- In a negative sentence, the indefinite articles *un*, *une* and *des* change to *de* or *d'* before a vowel or mute h:
    Ils ont *un* yacht. They have *a* yacht.
    Ils n'ont pas *de* yacht. They don't have *a* yacht.

- The plural article **des** changes to **de** when an adjective is used before a plural noun:

    Il m'offre **des** fleurs tous les jours.

    He brings me flowers every day.

    Il m'offre **de** belles fleurs tous les jours.

    He brings me beautiful flowers every day.

2.3. The partitive article

- There is no partitive article in English, though the adjectives *some* and *many* come close to expressing the same idea. The partitive article is used to express an indefinite amount of something. These nouns are termed uncountable because they cannot be determined in units unless one indicates a specific amount (i.e. a glass of water, a spoonful of sugar):

    Je voudrais **de** l'eau. I would like *some* water.

    Il me faut **du** pain, **de** l'eau, **de** l'air.

    I need bread, water and air.

Forms:

singular		plural
masc.	fem.	
du	de la	des
de l'	de l'	

3. Personal pronouns

- pronouns replace nouns. For example, Pam went to school. *She* was late. The pronoun *She* replaces *Pam*.

Forms:

	Subject	Direct Object	Indirect Object	Stressed Direct & Indirect Object
singular				
1st person	je	me, m'	me, m'	moi
2nd person	tu	te, t'	te, t'	toi
3rd person (m)	il	le, l'	lui	lui
3rd person (f)	elle	la, l'	lui	elle

	Subject	Direct Object	Indirect Object	Stressed Direct & Indirect Object
plural				
1st person	nous	nous	nous	nous
2nd person	vous	vous	vous	vous
3rd person (m)	ils	les	leur	eux
3rd person (f)	elles	les	leur	elles

- **Vous** is also used as a polite form to address a person.
- **Il** is also used as an impersonal form: **Il pleut.** *It's raining.*

3.1. Direct object pronouns

- A direct object pronoun is the person or thing on whom the subject of the verb carries out the action. In French, it is placed before the verb. A direct object does not take a preposition of any kind. *Me, te, le, la, nous, vous* and *les* represent the direct object of the verb.
  Il *le* connaît. (connaître quelqu'un)
  He knows *him*. (to know someone)
  Il ne *les* voit pas. (voir quelqu'un)
  He doesn't see *them*. (to see someone)

3.2. Indirect object pronouns

- An indirect object pronoun is a person or thing that receives the action of the verb indirectly. The verb always takes the preposition à.
- In French, the indirect object pronoun is placed before the verb. *Me, te, lui, nous, vous* and *leur* are indirect object pronouns.
  Elle *lui* parle. (parler à quelqu'un)
  She's speaking to *him*. (to speak *to* someone)
  Il *leur* a donné un livre. (donner qqch. à qqn.)
  He gave *them* a book. (to give sthg. *to* sb.)

3.3. Stressed direct and indirect object pronouns

Stressed direct and indirect object pronouns *moi, toi, lui, elle, nous, vous, eux, elles* are used after a preposition. They are also used to emphasize the object of the verb.

- Following a preposition:
  Ma femme travaille avec *moi*. My wife works with *me*.
  Je fais un effort pour *toi*. I'm making an effort for *you*.

- For stress:

  Moi, j'adore nager. Mes amies, *elles*, ne pensent qu'à danser. *I* love swimming. My friends, *however*, only think about dancing.

3.4. Adverbial pronouns *en* & *y*

En

- There is no real equivalent for the pronoun *en* in English. It can refer to people, things or abstract nouns. *En* usually stands for the preposition *de* + *noun* or *pronoun*. It includes any of the three meanings of *de*: about, from, of. (*En = de, de la, du,* or *des* + *noun* or *pronoun*).

  As-tu acheté *du* pain ? Oui, j'*en* ai acheté.
  Did you buy bread? Yes, I did./ Yes, I bought *some* bread.
  A-t-elle mangé *du* gâteau ? Oui, elle *en* a mangé.
  Did she eat *some* cake? Yes, she ate *some* of it.
  Il parle *de* l'accident. Il *en* parle souvent.
  He's talking *about the* accident. He frequently talks *about it*.
  Elle est revenue *de* Paris. Elle *en* est revenue hier.
  She's back *from* Paris. She came back *(from there)* yesterday.

Y

- *Y* often means there. It can also replace the prepositions *à, dans* or *sur* + pronoun or noun.

  Je vais *à* Nice. J'*y* vais. I'm going *to* Nice. I'm going *there*.
  Pensez *à* mon offre. Pensez-*y*. Think *about* my offer. Think *about it*.

3.5. Reflexive pronouns

In English, reflexive pronouns are myself, yourself, himself etc. They are used when the object of the verb is the same as the subject of the verb. In French they precede the verb. They are used more frequently in French than in English.

Form:

	singular	plural
1st person	me ,m'	nous
2nd person	te, t'	vous
3rd person	se, s'	se, s'

Je *me* suis acheté un microscope. I bought *myself* a microscope.

Il *s'*ennuie souvent. He's often bored.
Tu *t'*es endormi dans la voiture. You fell asleep in the car.

4. Adjectives

Uses:

- In general, adjectives describe nouns. In French, adjectives usually follow nouns, though there are exceptions such as: *grand*, *bon*, *beau*, *joli*, *petit*, *gros*, *nouveau*, *premier*, etc.

Forms:

- In French, the adjective agrees with the noun it is describing; it is masculine or feminine, singular or plural:
  un stylo bleu *a* blue pen   **une voiture bleue** *a* blue car
  des gants bleus blue gloves   **des chemises bleues** blue shirts

Making an adjective feminine:

- In most cases, an adjective is made feminine by adding an *-e* to the masculine form of the adjective. If the masculine form ends in an *-e*, the masculine and feminine forms are the same.

  grand big   **grande** big
  voisin neighbouring   **voisine** neighbouring

But:

  jeune young   **jeune** young

- In some cases, the adjective drops the final *-x* or *-f*, replacing them with *-se*, *-ce* or *-ve*:

  heureux happy   **heureuse** happy
  doux soft/sweet   **douce** soft/sweet
  actif active   **active** active

- There are particular cases:

  beau handsome   **belle** beautiful
  nouveau new   **nouvelle** new
  vieux old   **vieille** old

- The aforementioned masculine adjectives change when preceding a vowel or mute *h*:

  un bel homme a handsome man
  un nouvel appartement a new apartment
  le vieil arbre the old tree

Making an adjective plural:

- In most cases, an adjective is made plural by adding *-s*. However, adjectives which already end with *-x* or *-s* in the singular, do not change in the masculine plural:

  chaud hot / **chaud(e)s** hot

But:

  un homme sérieux a serious man /
  des hommes sérieux serious men

- To form the plural masculine adjectives ending in *-eau* take a final *-x*, endings in *-al* change to *-aux*:

beau handsome	**beaux** handsome
principal principal	**principaux** principal

4.1 The comparative and the superlative of adjectives

- the *comparative of superiority* (i.e. when something is bigger, heavier, more interesting, etc., than something else) is formed as follows:

plus + adjective + *que*

  Michelle est *plus* grande *que* Claire. Michelle is taller *than* Claire.

  Il est *plus* jeune *que* son frère. He's younger *than* his brother.

- the *comparative of inferiority* (i.e. something is less expensive, less exciting etc., than something else) is formed as follows:

moins + adjective + *que*

  C'est *moins* cher *que* l'avion. It's *less* expensive than flying.

  Il a *moins* de bagages *que* toi. He has *less* luggage than you do.

- the *comparative of equality* (i.e. something is as good, as bad etc., as something else) is formed as follows:

aussi + adjective + *que*

  Il est *aussi* bon musicien *que* ma tante. He's *as* good a musician *as* my aunt.

  Elle est *aussi* grande *que* Monika. She is *as* tall *as* Monika.

- the *superlative* (i.e. biggest, oldest, most beautiful) is formed as follows:

le / la / les plus + adjective

  Il est *le plus* courageux. He is *the most* courageous.

If the superlative comes immediately after the noun, the definite article is repeated both before the noun and before the adjective. **Elle est _l'_élève _la_ plus intelligente de la classe.** She is the most intelligent student in the class.

- Four adjectives have an irregular comparative and superlative:

	comparative	superlative
bon good	**meilleur(e)**	**le/la/les meilleur(e)(s)**
bien well	**mieux**	**le mieux** etc.
mauvais bad	**pire**	**le pire** etc.
petit small	**moindre**	**le moindre** etc.

5. Possessive adjectives and pronouns

5.1. Uses of possessive adjectives

- The _possessive adjective_ comes before the noun with which it agrees in gender and number.
    Mon sac est jaune. My bag is yellow.
    _Ma_ cousine dort. My cousin is sleeping.

Forms:

Possessive Adjectives			
Person	singular		plural
	masculine	feminine	masculine + feminine
1st sing.	**mon**	**ma**	**mes**
2nd sing.	**ton**	**ta**	**tes**
3rd sing.	**son**	**sa**	**ses**
1st plural	**notre**	**notre**	**nos**
2nd plural	**votre**	**votre**	**vos**
3rd plural	**leur**	**leur**	**leurs**

5.2. Uses of possessive pronouns

- _Possessive pronouns_ are always preceded by the definite article. They are equivalent to _mine, yours_, etc., in English. The gender of the possessive pronoun is the same as the gender of the noun it stands for, in other words the thing or things owned.

Ce parapluie est à toi ? Oui, c'est **le mien.** Is this umbrella yours? Yes, it is *mine.*

Ces gants sont-ils à vous ? Non, ce ne sont pas les **nôtres,** ce sont les **leurs.** Are these gloves yours? No, they are not *ours,* they are *theirs.*

Forms:

Possessive Pronouns			
	singular		plural	

Person	masculine	feminine	masculine	feminine
1st sing.	le mien	la mienne	les miens	les miennes
2nd sing.	le tien	la tienne	les tiens	les tiennes
3rd sing.	le sien	la sienne	les siens	les siennes
1st plural	le nôtre	la nôtre	les nôtres	les nôtres
2nd plural	le vôtre	la vôtre	les vôtres	les vôtres
3rd plural	le leur	la leur	les leurs	les leurs

6. Prepositions

6.1 Prepositions used to indicate place

- **Dans**   Le billet est **dans** ma poche. The ticket is *in* my pocket.

- **Derrière**   Il est assis **derrière** moi. He is sitting *behind* me.

- **Devant**   Il y a un camion **devant** nous. There is a truck in front of us.

- **À côté de**   La boucherie se trouve **à côté** de la librairie. The butcher's is *next to* the bookshop.

- **Près de**   La ville de Rome est **près de** la mer. The city of Rome is *near* the sea.

- **Entre**   L'école est **entre** le marché et l'église. The school is *between* the market and the church.

- **Sur / dessus**   J'ai posé ton verre **sur** la table. I placed your glass *on* the table.

  Je l'ai mis **dessus.** I put it *on top.*

- **Sous / dessous**   Tes pantoufles **sont** sous le lit. Your slippers are *under* the bed.

Je les ai rangées **dessous.** I put them away underneath.

- En face de **Nous sommes en face de la mairie.** We are *opposite* the town hall.

- Chez **J'ai emmené la voiture chez le garagiste.** I took the car *to* the garage.

- Contre **Appuie-toi contre le mur.** Lean *against* the wall.

6.2 Prepositions used to indicate movement

- En haut **Elle est montée en haut de l'échelle.** She climbed *to the top* of the ladder.

- En bas **Je t'attends en bas des escaliers.** I'm waiting for you *at the bottom* of the stairs.

- À l'intérieur **Nous entrons à l'intérieur de l'immeuble.** We go *into* the building.

- À l'extérieur **Passons à l'extérieur.** Let's go *outside*.

- Par **L'autoroute passe par Naples.** The motorway passes *by* Naples.

7. Adverbs

uses:

Adverbs most commonly provide information about the verb, though they can also be used to qualify adjectives and other adverbs.

Forms:

- The vast majority of adverbs ending in **-ment** are derived from the feminine form of the adjective, to which the ending **-ment** is added:

Adjective (feminine) + -ment

masculine	feminine	adverb
doux soft	**douce**	**doucement** softly
clair bright	**claire**	**clairement** brightly

- Some adverbs ending in **-ment**, however, are based on the masculine form of the adjective, to which the ending **-ment** is added:

    absolu absolute   **absolument** absolutely

    vrai true   **vraiment** truly

- Adjectives ending in **-ant** and **-ent** form adverbs in **-amment** and **-emment**:

violent violent	**violemment** violently
constant constant	**constamment** constantly

Except:

lent slow	**lentement** slowly
présent present	**présentement** presently

The following adverbs are irregular:	
bref brief	**brièvement** briefly
gentil kind	**gentiment** kindly
précis precise	**précisément** precisely
énorme enormous	**énormément** enormously
intense intense	**intensément** intensely
profond deep	**profondément** deeply
commun common	**communément** commonly
aveugle blind	**aveuglément** blindly

- An adverb used with a verb is placed after the verb:
  Il marche *lentement*.   He walks *slowly*.

- But when an adverb is used with an adjective or another adverb, the adverb comes first:
  Elle est *très* douée.   She is *very* gifted.

8. Verbs

In French, verbs are divided into three groups or conjugations. The group they belong to depends primarily on the ending of the infinitive:

- First group: verbs ending in **-er** like **chanter** to sing.
- Second group: verbs ending in **-ir** (present participle ends in **-issant**) like **finir** to end.
- Third group: verbs ending in **-oir** or **-ir** (present participle ends in **-ant**) like **apercevoir** to perceive, **mourir** to die, **naître** to be born.

8.1. Verb tenses

The present:

- The present tense is used to present an action which is currently taking place.

First group	Second group	Third group
je chante	je finis	j'aperçois
tu chantes	tu finis	tu aperçois
il / elle chante	il / elle finit	il / elle aperçoit
nous chantons	nous finissons	nous apercevons
vous chantez	vous finissez	vous apercevez
ils / elles chantent	ils / elles finissent	ils / elles aperçoivent

• However, for verbs in the first group, the following spelling changes occur:

- verbs ending in *-ger* (**manger**, **protéger**); an *-e* must be added if the ending begins with *-o*:

   nous mangeons we eat

- verbs ending in *-cer* (**commencer**, **lancer**); before *-a*, *-o* or *-u*, the original *-c* changes to *-ç*:

   nous commençons we begin

- verbs endings in *-yer* (**essayer** to try, **payer** to pay); the forms finishing in *-ye* or *-yent* (**j'essaye**, **ils payent**) can also be spelled with *-ie* or *-ient* for **je**, **tu**, **il**, **elle**, **ils** and **elles** but not for the **nous** and **vous** forms:

   j'essaye, **j'essaie** but **nous essayons** and **vous essayez**

- **appeler** and **jeter** (to call and to throw) double the *-l* or *-t* for **je**, **tu**, **il**, **elle**, **ils** and **elles** but not for the **nous** and **vous** forms:

j'appe**ll**e	tu appe**ll**es	il appe**ll**e
je je**tt**e	tu je**tt**es	il je**tt**e etc.

but:

nous appe**l**ons	vous appe**l**ez
nous je**t**ons	vous je**t**ez

Note: In French there is only one form of the present tense. **Je parle**, for example, can signify not only I speak but also I am speaking and I do speak. To stress the idea that something is actually happening, you can use the phrase **être en train de** + *the infinitive*:

Il est en train de manger. He is eating right now.

The imperfect:

- The imperfect is a past tense. It shows that an action or state in the past was still in progress when something else happened. The imperfect is formed by the endings given below to the stem of the verb:

First group	Second group	Third group
je chant -ais	Je finiss -ais	J'apercev -ais
tu chant -ais	Tu finiss -ais	Tu apercev -ais
il / elle chant -ait	Il / elle finiss -ait	il / elle apercev -ait
nous chant -ions	nous finiss -ions	nous apercev -ions
vous chant -iez	vous finiss -iez	vous apercev -iez
ils / elles chant -aient	ils / elles finiss -aient	ils / elles apercev -aient

The perfect:

- The perfect tense *passé composé* indicates that the action or state referred to occurred in the past and is over and done with. It is usually formed with the auxiliary verb **avoir** to have:

    J'ai parlé avec le chef. I *spoke* to the boss.

- Verbs expressing a state (**rester**), a change of state (**devenir, mourir**, etc.) or movement (**sortir, monter**, etc.) are conjugated with **être** to be in the *passé composé*. In this case the past participle agrees with the subject:

    Elle est restée en France. She *stayed* in France.
    Il est devenu plus raisonnable. He *became* more sensible.
    Elle est tombée. She *fell*.

- Reflexive verbs also take **être** as an auxiliary.

    Elle s'est vite **changée.** She *changed* quickly.

- The verbs **descendre** to descend, **monter** to go up, **sortir** to go out, **passer** to pass are conjugated with **avoir** when they have a direct object:

    Elle a passé une merveilleuse soirée. She *spent* a wonderful evening.

The future:

- The future tense is used to refer to actions or states which will happen or come about in the future, whether or not they are seen as likely. It is formed by adding the endings given below to the infinitive of the verb:

First group	Second group	Third group
je chanter-ai	je finir-ai	je partir-ai
tu chanter-as	tu finir-as	tu partir-as
il / elle chanter-a	il / elle finir-a	il / elle partir-a
nous chanter-ons	nous finir-ons	nous partir-ons
vous chanter-ez	vous finir-ez	vous partir-ez
ils / elles chanter-ont	ils / elles finir-ont	ils / elles partir-ont

- Some irregular verbs from the third group:

Faire to do   je **fer**-ai, tu feras, il / elle fera, nous ferons, vous ferez, ils / elles feront.

Aller to go   j'**ir**-ai, tu iras, il / elle ira, nous irons, vous irez, ils / elles iront.

Voir to see   je **verr**-ai, tu verras, il / elle verra, nous verrons, vous verrez, ils / elles verront.

8.2. Particular uses

- In many expressions we find the impersonal form:
    il **faut que** *one* must / *you* have to
    il **me semble que** *it* seems to me that
    il **a l'air** *he* looks / *he* seems

- for the weather:
    Il **pleut.** *It's* raining.
    Il **neigera.** *It will* snow.

These verbs are conjugated with the auxiliary *avoir*:
    Il a plu. It rained.

- ***Être en train de*** + *infinitive* is the equivalent of *to be* + *present participle*.
    Je *suis en train de* mettre la table. I'm *setting* the table.

- ***Aller*** + *infinitive* translates as *to be* + *infinitive*.
    J'*allais* sortir. I *was going to* go out.

- ***Venir de*** + *infinitive* can be translated as *just* + *past participle*.
    Je *viens de* finir ce travail difficile. I *just finished* this difficult job.

Auxiliary verbs:

- The verbs *être* and *avoir* can be used as auxiliary verbs in order to form certain tenses of other verbs.

- **Être** is used as an auxiliary verb to form the compound tenses of most verbs indicating motion or a change of state of some kind. The most commonly used of these verbs are: **aller** to go, **arriver** to arrive, **entrer** to enter, **monter** to go up, **venir** to come etc.

- **Avoir** is used as an auxiliary verb to form the compound tenses of the verb **être** and the verb **avoir** itself:

  J'ai été malade. I have been ill.

The following are the auxiliary forms of the verbs **être** and **avoir** (present tense).

Être	Avoir
je suis	j'ai
tu es	tu as
il / elle est	il / elle a
nous sommes	nous avons
vous êtes	vous avez
ils / elles sont	ils / elles ont

- Other verbs can function as auxiliaries: **venir** to come, **faire** to do, **laisser** to leave, **savoir** to know, **pouvoir** to be able to, **devoir** to have to do something, etc.

They are followed by the infinitive:

  Tu *peux* manger avec moi. You *can* eat with me.
  Il *doit* arriver cette nuit. He *should* arrive this evening.
  Elle *a fait* rire tout le monde. She *made* everyone laugh.
  Tu *viens* danser avec moi ? *Will* you dance with me?

Reflexive verbs:

- Reflexive verbs are preceded by a reflexive pronoun. The reflexive pronoun always corresponds to the subject. Most reflexive verbs indicate that the subject carries out the action of the verb on himself, herself etc.

  Ils *se* sont amusés. They enjoyed *themselves*.
  Elle *se* regarde. She looks at *herself*.

- In French, there are many more reflexive verbs than in English. Some verbs change meaning when they are used reflexively:

apercevoir to see	**s'apercevoir** to realize
appeler to call	**s'appeler** to be called = named
douter to doubt	**se douter** to suspect

Conjugaison des verbes français

French verbs

Abréviations: ind prés = présent de l'indicatif ; **ind fut** = futur de l'indicatif ; **subj prés** = présent du subjonctif ; **imp** = imparfait ; **pprés** = participe présent ; **pp** = participe passé

The number preceding each conjugated example verb corresponds to the number indicated in square brackets in the dictionary.

1. avoir

ind prés ai, as, a, avons, avez, ont ; **imparfait** avais, avais, avait, avions aviez, avaient ; **ind fut** aurai, auras, aura, aurons, aurez, auront ; **subj prés** que j'aie, que tu aies, qu'il ait, que nous ayons, que vous ayez, qu'ils aient ; **imp** aie, ayons ; **pprés** ayant ; **pp** eu

2. être

ind prés suis, es, est, sommes, êtes, sont ; **imparfait** étais, étais, était, étions, étiez, étaient ; **ind fut** serai, seras, sera, serons, serez, seront ; **subj prés** que je sois, que tu sois, qu'il soit, que nous soyons, que vous soyez, qu'ils soient ; **imp** sois, soyons ; **pprés** étant ; **pp** été

3. chanter

ind prés chante, chantes, chante, chantons, chantez, chantent ; **imparfait** chantais, chantais chantait, chantions, chantiez, chantaient ; **ind fut** chanterai, chanteras, chantera, chanterons, chanterez, chanteront ; **subj prés** que je chante, que tu chantes, qu'il chante, que nous chantions, que vous chantiez, qu'ils chantent ; **imp** chante, chantons ; **pprés** chantant ; **pp** chanté

4. baisser

ind prés baisse, baissons ; **imparfait** baissais ; **ind fut** baisserai ; **subj prés** que je baisse ; **imp** baisse, baissons ; **pprés** baissant ; **pp** baissé

5. pleurer

ind prés pleure, pleurons ; **imparfait** pleurais ; **ind fut** pleurerai ; **subj prés** que je pleure ; **imp** pleure, pleurons ; **pprés** pleurant ; **pp** pleuré

6. jouer

ind prés joue, jouons ; **imparfait** jouais ; **ind fut** jouerai ; **subj prés** que je joue ; **imp** joue, jouons ; **pprés** jouant ; **pp** joué

7. saluer

ind prés salue; saluons ; **imparfait** saluais ; **ind fut** saluerai ; **subj prés** que je salue ; **imp** salue, saluons ; **pprés** saluant ; **pp** salué

8. arguer

ind prés argue, arguons
imparfait arguais ; **ind fut**
arguerai ; **subj prés** que j'argue ;
imp argue, arguons ; **pprés**
arguant ; **pp** argué

9. copier

ind prés copie, copions ;
imparfait copiais ; **ind fut**
copierai ; **subj prés** que je copie ;
imp copie, copions ; **pprés**
copiant ; **pp** copié

10. prier

ind prés prie, prions ; **imparfait**
priais ; **ind fut** prierai ; **subj prés**
que je prie ; **imp** prie, prions ;
pprés priant ; **pp** prié

11. payer

ind prés paie, payons, paient ;
imparfait payais ; **ind fut**
paierai ; **subj prés** que je paie ;
imp paie, payons ; **pprés** payant ;
pp payé

12. grasseyer

ind prés grasseye, grasseyons ;
imparfait grasseyais ; **ind fut**
grasseyerai ; **subj prés** que
je grasseye ; **imp** grasseye,
grasseyons ; **pprés** grasseyant ;
pp grasseyé

13. ployer

ind prés ploie, ployons, ploient ;
imparfait ployais ; **ind fut**
ploierai ; **subj prés** que je ploie ;
imp ploie, ployons ; **pprés**
ployant ; **pp** ployé

14. essuyer

ind prés essuie, essuyons,
essuient ; **imparfait** essuyais ;
ind fut essuirai ; **subj prés** que
j'essuie, que nous essuyions ;
imp essuie, essuyons ; **pprés**
essuyant ; **pp** essuyé

15. créer

ind prés crée, créons ; **imparfait**
créais ; **ind fut** créerai ; **subj prés**
que je crée ; **imp** crée, créons ;
pprés créant ; **pp** créé

16. avancer

ind prés avance, avançons,
avancent ; **imparfait** avançais ;
ind fut avancerai ;
subj prés que j'avance ; **imp**
avance, avançons ; **pprés**
avançant ; **pp** avancé

17. manger

ind prés mange, mangeons ;
imparfait mangeais ; **ind fut**
mangerai ; **subj prés** que je
mange ; **imp** mange, mangeons ;
pprés mangeant ; **pp** mangé

18. céder

ind prés cède, cédons, cèdent ;
imparfait cédais ; **ind fut**
céderai ; **subj prés** que je cède ;
imp cède, cédons ; **pprés** cédant ;
pp cédé

19. semer

ind prés sème, semons sèment ; **imparfait** semais ; **ind fut** sèmerai ; **subj prés** que je sème ; **imp** sème, semons ; **pprés** semant ; **pp** semé

20. rapiécer

ind prés rapièce, rapiéçons, rapiècent ; **imparfait** rapiéçais ; **ind fut** rapiécerai ; **subj prés** que je rapièce ; **imp** rapièce, rapiéçons ; **pprés** rapiéçant ; **pp** rapiécé

21. acquiescer

ind prés acquiesce, acquiesçons, acquiescent ; **imparfait** acquiesçais ; **ind fut** acquiescerai ; subj prés que j'acquiesce ; **imp** acquiesce, acquiesçons ; **pprés** acquiesçant ; **pp** acquiescé

22. siéger

ind prés siège, siégeons, siègent ; **imparfait** siégeais ; **ind fut** siégerai ; **subj prés** que je siège ; **imp** siège, siégeons ; **pprés** siégeant ; **pp** siégé

23. déneiger

ind prés déneige, déneigeons ; **imparfait** déneigeais ; **ind fut** déneigerai ; **subj prés** que je déneige ; **imp** déneige, déneigeons ; **pprés** déneigeant ; **pp** déneigé

24. appeler

ind prés appelle, appelons, appellent ; **imparfait** appelais ;

ind fut appellerai ; **subj prés** que j'appelle ; **imp** appelle, appelons ; **pprés** appelant ; **pp** appelé

25. peler

ind prés pèle, pelons, pèlent ; **imparfait** pelais ; **ind fut** pèlerai ; **subj prés** que je pèle ; **imp** pèle, pelons ; **pprés** pelant ; **pp** pelé

26. interpeller

ind prés interpelle, interpellons ; **imparfait** interpellais ; **ind fut** interpellerai ; **subj prés** que j'interpelle ; **imp** interpelle, interpellons ; **pprés** interpellant ; **pp** interpellé

27. jeter

ind prés jette, jetons, jettent ; **imparfait** jetais ; **ind fut** jetterai ; **subj prés** que je jette ; **imp** jette, jetons ; **pprés** jetant ; **pp** jeté

28. acheter

ind prés achète, achetons, achètent ; **imparfait** achetais ; **ind fut** achèterai ; **subj prés** que j'achète ; **imp** achète, achetons ; **pprés** achetant ; **pp** acheté

29. dépecer

ind prés dépèce, dépeçons, dépècent ; **imparfait** dépeçais ; **ind fut** dépècerai ; **subj prés** que je dépèce ; **imp** dépèce, dépeçons ; **pprés** dépeçant ; **pp** dépecé

30. envoyer

ind prés envoie, envoyons, envoient ; **imparfait** envoyais ; **ind fut** enverrai ; **subj prés** que j'envoie ; **imp** envoie, envoyons ; **prés** envoyant ; **pp** envoyé

31. aller

ind prés vais, allons, vont ; **imparfait** allais ; **ind fut** irai ; **subj prés** que j'aille ; **imp** va, allons ; **prés** allant ; **pp** allé

32. finir

ind prés finis, finis, finit, finissons, finissez, finissent ; **imparfait** finissais, finissais, finissait, finissions, finissiez, finissaient ; **ind fut** finirai, finiras, finira, finirons, finirez, finiront ; **subj prés** que je finisse, que tu finisses, qu'il finisse, que nous finissions, que vous finissiez, qu'ils finissent ; **imp** finis, finissons ; **prés** finissant ; **pp** fini

33. haïr

ind prés je hais, haïssons ; **imparfait** haïssais ; **ind fut** haïrai ; **subj prés** que je haïsse ; **imp** hais, haïssons ; **prés** haïssant ; **pp** haï

34. ouvrir

ind prés ouvre, ouvrons ; **imparfait** ouvrais ; **ind fut** ouvrirai ; **subj prés** que j'ouvre ; **imp** ouvre, ouvrons ; **prés** ouvrant ; **pp** ouvert

35. fuir

ind prés fuis, fuyons, fuient ; **imparfait** fuyais ; **ind fut** fuirai ; **subj prés** que je fuie ; **imp** fuis, fuyons ; **prés** fuyant ; **pp** fui

36. dormir

ind prés dors, dormons ; **imparfait** dormais ; **ind fut** dormirai ; **subj prés** que je dorme ; **imp** dors, dormons ; **prés** dormant ; **pp** dormi

37. mentir

ind prés mens, mentons ; **imparfait** mentais ; **ind fut** mentirai ; **subj prés** que je mente ; **imp** mentais ; **prés** mentant ; **pp** menti

38. servir

ind prés sers, servons ; **imparfait** servais ; **ind fut** servirai ; **subj prés** que je serve ; **imp** sers, servons ; **prés** servant ; **pp** servi

39. acquérir

ind prés acquiers, acquérons, acquièrent ; **imparfait** acquérais ; **ind fut** acquerrai ; **subj prés** que j'acquière ; **imp** acquiers, acquérons ; **prés** acquérant ; **pp** acquis

40. venir

ind prés viens, venons, viennent ; **imparfait** venais ; **ind fut** viendrai ; **subj prés** que je vienne ; **imp** viens, venons ; **prés** venant ; **pp** venu

41. cueillir

ind prés cueille, cueillons ;
imparfait cueillais ; **ind fut**
cueillerai ; **subj prés** que je
cueille ; **imp** cueille, cueillons ;
pprés cueillant ; **pp** cueilli

42. mourir

ind prés meurs, mourons,
meurent ; **imparfait** mourais ;
ind fut mourrai ; **subj prés** que
je meure ; **imp** meurs, mourons ;
pprés mourant ; **pp** mort

43. partir

ind prés pars, partons ;
imparfait partais ; **ind fut**
partirai ; **subj prés** que je parte ;
imp pars, partons ; **pprés**
partant ; **pp** parti

44. revêtir

ind prés revêts, revêtons ;
imparfait revêtais ; **ind fut**
revêtirai ; **subj prés** que je revête ;
imp revêts, revêtons ; **pprés**
revêtant ; **pp** revêtu

45. courir

ind prés cours, courons ;
imparfait courais ; **ind fut**
courrai ; **subj prés** que je coure ;
imp cours, courons ; **pprés**
courant ; **pp** couru

46. faillir

ind prés faillis, faillissons ;
imparfait faillissais ; **ind fut**
faillirai ; **subj prés** que je faillisse ;
pprés faillissant ; **pp** failli

47. défaillir

ind prés défaille, défaillons ;
imparfait défaillais ; **ind fut**
défaillirai ; **subj prés** que je
défaille ; **imp** défaille, défaillons ;
pprés défaillant ; **pp** défailli

48. bouillir

ind prés bous, bouillons ;
imparfait bouillais ; **ind fut**
bouillirai ; **subj prés** que je
bouille ; **imp** bous, bouillons ;
pprés bouillant ; **pp** bouilli

49. gésir

ind prés gis, gisons ; **imparfait**
gisais ; **pprés** gisant

50. saillir

ind prés il saille, ils saillent ;
imparfait il saillait ; **ind fut** il
saillera ; **subj prés** qu'il saille,
qu'ils saillent ; **pprés** saillant ;
pp sailli

51. ouïr

ind prés ouïs, ouïssons ;
imparfait ouïssais ; **ind fut**
ouïrai ; **subj prés** que j'ouïsse ;
imp ouïs, ouïssons ; **pprés** oyant ;
pp ouï

52. recevoir

ind prés reçois, recevons,
reçoivent ; **imparfait** recevais ;
ind fut recevrai ; **subj prés** que
je reçoive ; **imp** reçois, recevons ;
pprés recevant ; **pp** reçu

53. devoir

ind prés dois, devons, doivent ;
imparfait devais ; **ind fut** devrai ;
subj prés que je doive ; **pprés**
devant ; **pp** dû

54. mouvoir

ind prés meus, mouvons,
meuvent ; **imparfait** mouvais ;
ind fut mouvrai ; **subj prés**
meuve, mouvions, meuvent ; **imp**
meus, mouvons ; **pprés** mouvant ;
pp mû

55. émouvoir

ind prés émeus, émouvons,
émeuvent ; **imparfait** émouvais ;
ind fut émouvrai ; **subj prés**
que j'émeuve ; **imp** émeus,
émouvons ; **pprés** émouvant ;
pp ému

56. promouvoir

ind prés promeus, promouvons,
promeuvent ; **imparfait**
promouvais ; **ind fut** promouvrai ;
subj prés que je promeuve ; **imp**
promeus, promouvons ; **pprés**
promouvant ; **pp** promu

57. vouloir

ind prés veux, voulons, veulent ;
imparfait voulais ; **ind fut**
voudrai ; **subj prés** que je
veuille, que nous voulions, qu'ils
veuillent ; **imp** veuille, veuillons ;
pprés voulant ; **pp** voulu

58. pouvoir

ind prés peux, pouvons,
peuvent ; **imparfait** pouvais ;
ind fut pourrai ; **subj prés** que je
puisse ; **pprés** pouvant ; **pp** pu

59. savoir

ind prés sais, savons ; **imparfait**
savais ; **ind fut** saurai ;
subj prés que je sache ; **imp**
sache, sachons ; **pprés** sachant ;
pp su

60. valoir

ind prés vaux, valons ; **imparfait**
valais ; **ind fut** vaudrai ; **subj prés**
que je vaille ; **imp** vaux, valons ;
pprés valant ; **pp** valu

61. prévaloir

ind prés prévaux, prévalons ;
imparfait prévalais ; **nd fut**
prévaudrai ; **subj prés** que je
prévale ; **imp** prévaux, prévalons ;
pprés prévalant ; **pp** prévalu

62. voir

ind prés vois, voyons, voient ;
imparfait voyais ; **ind fut** verrai ;
subj prés que je voie ; **imp** vois,
voyons ; **pprés** voyant ; **pp** vu

63. prévoir

ind prés prévois, prévoyons,
prévoient ; **imparfait** prévoyais ;
ind fut prévoirai ; **subj prés**
que je prévoie ; **imp** prévois,
prévoyons ; **pprés** prévoyant ;
pp prévu

64. pourvoir

ind prés pourvois, pourvoyons, pourvoient ; **imparfait** pourvoyais ; **ind fut** pourvoirai ; **subj prés** que je pourvoie ; **imp** pourvois, pourvoyons ; **pprés** pourvoyant ; **pp** pourvu

65. asseoir

ind prés assieds, asseyons, assoient ; **imparfait** asseyais ; **ind fut** assiérai ; **subj prés** que j'asseye ; **imp** assieds, asseyons ; **pprés** asseyant ; **pp** assis

66. surseoir

ind prés sursois, sursoyons, sursoient ; **imparfait** sursoyais ; **ind fut** surseoirai ; **subj prés** que je surseoie ; **imp** sursois, sursoyons ; **pprés** sursoyant ; **pp** sursis

67. seoir

ind prés il sied, ils siéent ; **imparfait** il seyait ; **ind fut** il siéra ; **subj prés** qu'il siée, qu'ils siéent ; **pprés** seyant

68. pleuvoir

ind prés il pleut ; **imparfait** il pleuvait ; **ind fut** il pleuvra ; **subj prés** qu'il pleuve ; **pprés** pleuvant ; **pp** plu

69. falloir

ind prés il faut ; **imparfait** il fallait ; **ind fut** il faudra ; **subj prés** qu'il faille ; **pp** fallu

70. échoir

ind prés il échoit, ils échoient ; **imparfait** il échoyait ; **ind fut** il échoira ; **subj prés** qu'il échoie ; **pprés** échéant ; **pp** échu

71. déchoir

ind prés déchois, déchoyons, déchoient ; **ind fut** déchoirai ; **subj prés** que je déchoie, qu'ils déchoient ; **pp** déchu

72. choir

ind prés je chois, ils choient ; **ind fut** choirai ; **pp** chu

73. vendre

ind prés vends, vends, vend, vendons, vendez, vendent ; **imparfait** vendais, vendais, vendait, vendions, vendiez, vendaient ; **ind fut** vendrai, vendras, vendra, vendrons, vendrez, vendront ; **subj prés** que je vende, que tu vendes, qu'il vende, que nous vendions, que vous vendiez, qu'ils vendent ; **imp** vends, vendons ; **pprés** vendant ; **pp** vendu

74. répandre

ind prés répands, répandons ; **imparfait** répandais ; **ind fut** répandrai ; **subj prés** que je répande ; **imp** répands, répandons ; **pprés** répandant ; **pp** répandu

75. répondre

ind prés réponds, répondons ; **imparfait** répondais ; **ind**

...ut répondrai ; **subj prés** que
...e réponde ; **imp** réponds,
...épondons ; **pprés** répondant ;
...p répondu

76. mordre

...nd prés mors, mordons ;
imparfait mordais ; **ind fut**
...nordrai ; **subj prés** que je morde ;
...mp mors, mordons ; **pprés**
...nordant ; **pp** mordu

77. perdre

...nd prés perds, perdons ;
imparfait perdais ; **ind fut**
...perdrai ; **subj prés** que je perde ;
...mp perds, perdons ; **pprés**
...perdant ; **pp** perdu

78. rompre

...nd prés romps, rompons ;
imparfait rompais ; **ind fut**
...omprai ; **subj prés** que je rompe ;
...mp romps, rompons ; **pprés**
...ompant ; **pp** rompu

79. prendre

...nd prés prends, prenons,
...prennent ; **imparfait** prenais ;
...nd fut prendrai ; **subj prés** que
...e prenne ; **imp** prends, prenons ;
...pprés prenant ; **pp** pris

80. craindre

...ind prés crains, craignons ;
imparfait craignais ; **ind fut**
...craindrai ; **subj prés** que je
...craigne ; **imp** crains, craignons ;
pprés craignant ; **pp** craint

81. peindre

ind prés peins, peignons ;
imparfait peignais ; **ind fut**
peindrai ; **subj prés** que je
peigne ; **imp** peins, peignons ;
pprés peignant ; **pp** peint

82. joindre

ind prés joins, joignons ;
imparfait joignais ; **ind fut**
joindrai ; **subj prés** que je joigne ;
imp joins, joignons ; **pprés**
joignant ; **pp** joint

83. battre

ind prés bats, battons ; **imparfait**
battais ; **ind fut** battrai ; **subj prés**
que je batte ; **imp** bats, battons ;
pprés battant ; **pp** battu

84. mettre

ind prés mets, mettons ;
imparfait mettais ; **ind fut**
mettrai ; **subj prés** que je mette ;
imp mets, mettons ; **pprés**
mettant ; **pp** mis

85. moudre

ind prés mouds, moulons ;
imparfait moulais ; **ind fut**
moudrai ; **subj prés** que je
moule ; **imp** mouds, moulons ;
pprés moulant ; **pp** moulu

86. coudre

ind prés couds, cousons ;
imparfait cousait ; **ind fut**
coudrai ; **subj prés** que je couse ;
imp couds, cousons ; **pprés**
cousant ; **pp** cousu

87. absoudre

ind prés absous, absolvons ;
imparfait absolvais ; **ind fut**
absoudrai ; **subj prés** que
j'absolve ; **imp** absous, absolvons ;
pprés absolvant ; **pp** absous

88. résoudre

ind prés résous, résolvons ;
imparfait résolvais ; **ind fut**
résoudrai ; **subj prés** que je
résolve ; **imp** résous, résolvons ;
pprés résolvant ; **pp** résolu

89. suivre

ind prés suis, suivons ; **imparfait**
suivais ; **ind fut** suivrai ; **subj prés**
que je suive ; **imp** suis, suivons ;
pprés suivant ; **pp** suivi

90. vivre

ind prés vis, vivons ; **imparfait**
vivais ; **ind fut** vivrai ; **subj prés**
que je vive, que nous vivions ;
imp vis, vivons ; **pprés** vivant ;
pp vécu

91. paraître

ind prés parais, paraissons ;
imparfait paraissais ;
ind fut paraîtrai ; **subj prés** que je
paraisse ; **imp** parais, paraissons ;
pprés paraissant ; **pp** paru

92. naître

ind prés nais, naissons ;
imparfait naissais ; **ind fut**
naîtrai ; **subj prés** que je naisse ;
imp nais, naissons ; **pprés**
naissant ; **pp** né

93. croître

ind prés croîs, croissons ;
imparfait croissait ; **ind fut**
croîtrai ; **subj prés** que je croisse ,
imp croîs, croissons ; **pprés**
croissant ; **pp** crû

94. accroître

ind prés accrois, accroissons ;
imparfait accroissait ; **ind
fut** accroîtrai ; **subj prés**
que j'accroisse ; **imp** accrois,
accroissons ; **pprés** accroissant ;
pp accru

95. rire

ind prés ris, rions ; **imparfait**
riais ; **ind fut** rirai ; **subj prés**
que je rie ; **imp** ris, rions ; **pprés**
riant ; **pp** ri

96. conclure

ind prés conclus, concluons ;
imparfait concluais ; **ind fut**
conclurai ; **subj prés** que je
conclue ; **imp** conclus, concluons
pprés concluant ; **pp** conclu

97. nuire

ind prés nuis, nuisons ; **imparfait**
nuisais ; **ind fut** nuirai ; **subj prés**
que je nuise ; **imp** nuis, nuisons ;
pprés nuisant ; **pp** nui

98. conduire

ind prés conduis, conduisons ;
imparfait conduisais ; **ind
fut** conduirai ; **subj prés** que
je conduise ; **imp** conduis,
conduisons ; **pprés** conduisant ;
pp conduit

99. écrire

ind prés écris, écrivons ;
imparfait écrivais ; **ind fut**
écrirai ; **subj prés** que j'écrive ;
imp écris, écrivons ; **pprés**
écrivant ; **pp** écrit

100. suffire

ind prés suffis, suffisons ;
imparfait suffisais ; **ind fut**
suffirai ; **subj prés** que je suffise ;
pprés suffisant ; **pp** suffi

101. confire

ind prés confis, confisons ;
imparfait confisais ; **ind fut**
confirai ; **subj prés** que je confise ;
imp confis, confisons ; **pprés**
confisant ; **pp** confit

102. dire

ind prés dis, disons ;
imparfait disais ; **ind fut** dirai ;
subj prés que je dise ; **imp** dis,
disons ; **pprés** disant ; **pp** dit

103. contredire

ind prés contredis, contredisons ;
imparfait contredisais ;
ind fut contredirai ; **subj
prés** que je contredise ; **imp**
contredis, contredisons ; **pprés**
contredisant ; **pp** contredit

104. maudire

ind prés maudis, maudissons ;
imparfait maudissais ; **ind
fut** maudirai ; **subj prés** que
je maudisse ; **imp** maudis,
maudissons ; **pprés** maudissant ;
pp maudit

105. bruire

ind prés bruis ; **imparfait**
bruyais ; **ind fut** bruirai ; **pp** bruit

106. lire

ind prés lis, lisons ; **imparfait**
lisais ; **ind fut** lirai ; **subj prés** que
je lise, que nous lisions ; **imp** lis,
lisons ; **pprés** lisant ; **pp** lu

107. croire

ind prés crois, croyons, croient ;
imparfait croyais ; **ind
fut** croirai ; **subj prés** que je
croie ; **imp** crois, croyons ; **pprés**
croyant ; **pp** cru

108. boire

ind prés bois, buvons, boivent ;
imparfait buvais ; **ind fut** boirai ;
subj prés que je boive ; **imp** bois,
buvons ; **pprés** buvant ; **pp** bu

109. faire

ind prés fais, faisons, font ;
imparfait faisais ; **ind fut** ferai ;
subj prés que je fasse ; **imp** fais,
faisons, faites ; **pprés** faisant ;
pp fait

110. plaire

ind prés plais, plaisons ;
imparfait plaisais ; **ind fut**
plairai ; **subj prés** que je plaise ;
imp plais, plaisons ; **pprés**
plaisant ; **pp** plu

111. taire

ind prés tais, taisons ; **imparfait**
taisais ; **ind fut** tairai ; **subj prés**
que je taise ; **imp** tais, taisons ;
pprés taisant ; **pp** tu

112. extraire

ind prés extrais, extrayons, extraient ; **imparfait** extrayais ; **ind fut** extrairai ; **subj prés** que j'extraie ; **imp** extrais, extrayons ; **pprés** extrayant ; **pp** extrait

113. clore

ind prés clos, closons ; **ind fut** clorai ; **subj prés** que je close ; **imp** clos ; **pprés** closant ; **pp** clos

114. vaincre

ind prés vaincs, vainquons ; **imparfait** vainquais ; **ind fut** vaincrai ; **subj prés** que je vainque ; **imp** vaincs, vainquons ; **pprés** vainquant ; **pp** vaincu

115. frire

ind prés fris ; **ind fut** frirai ; **imp** fris ; **pp** frit

116. foutre

ind prés fous, foutons ; **imparfait** foutais ; **ind fut** foutrai ; **subj prés** que je foute ; **imp** fous, foutons ; **pprés** foutant ; **pp** foutu

Grammaire de l'anglais

English grammar

Sommaire

Contents

1. Les articles **419**
    1.1. L'article indéfini 419
    1.2. L'article défini 419
    1.3. Les cas particuliers 419

2. Les noms **420**
    2.1. La formation du pluriel 420
    2.2. Indénombrables 420
    2.3. Les exceptions 420

3. Les adjectifs **421**
    3.1. Les comparatifs et les superlatifs 421
    3.2. Les comparatifs et les superlatifs irréguliers 422
    3.3. Les adjectifs possessifs 422
    3.4. Le possessif 422
    3.5. Nationalité 423

4. Les pronoms **423**
    4.1. Les pronoms personnels 423
    4.2. Les pronoms possessifs 424

5. Some et any **424**
    5.1. Dans les affirmations 424
    5.2. Les pronoms indéfinis 425

6. Les prépositions **425**
    6.1. Prépositions de lieu courantes 425
    6.2. Prépositions de mouvement courantes 425
    6.3. Prépositions de temps courantes 426
    6.4. Les verbes prépositionnels 426

7. Le discours indirect **427**
    7.1. Le verbe introductif au présent 427
    7.2. Le verbe introductif au prétérit 427
    7.3. L'interrogation indirecte 427

8. Les nombres, la date et l'heure **428**
    8.1. Les nombres 428
    8.2. La date 428
    8.3. L'heure 428
    8.4. Les adverbes 428

9. Les verbes **429**
    9.1. Le présent simple 430
    9.2. Le présent progressif 430
    9.3. Le prétérit 431
    9.4. Le present perfect 432
    9.5. Used to 433
    9.6. Le futur 433
    9.7. Verbes auxiliaires 433

1. Les articles

Les *articles* n'ont pas de genre en anglais.

1.1. L'article indéfini

- L'*article indéfini* s'écrit *a* devant une consonne ou un *h* aspiré :
  a **restaurant**   un restaurant
  a **chair**   une chaise

- *a* devient *an* devant une voyelle
  an **apple**   une pomme

- On emploie *a* ou *an* devant un nom de métier :
  I am *a* painter   je suis peintre

1.2. L'article défini

- Il n'y a, en anglais, qu'un seul *article défini*, valable pour les noms singuliers et pluriels :
  the **book**   le livre
  the **keys**   les clés

1.3. Les cas particuliers

- Les noms propres et les titres sont employés sans article :
  Doctor Allen   le docteur Allen
  King Louis XIV   le Roi Louis XIV
  President Kennedy   le Président Kennedy

  mais il y a des exceptions :
  the President of the United States
  le Président des États-Unis.

- Il n'y a pas d'article non plus devant les noms de pays, sauf s'ils sont formés à partir d'un nom commun :
  France   la France
  England   l'Angleterre

  mais
  the British Isles   les îles Britanniques
  the United States   les États-Unis

- Et on n'utilise pas d'article devant la plupart des notions abstraites :
  happiness   le bonheur

419

2. Les noms

Les *noms* sont neutres en anglais.

2.1. La formation du pluriel

- Au pluriel, la majorité des noms prend un **-s** :

book	**books**,	livre	livres
hat	**hats**,	chapeau	chapeaux
car	**cars**,	voiture	voitures

- Quand le nom se termine par **-s**, **-ss**, **-sh**, **-ch** ou **-x**, on ajoute **-es** :

bus	**bus*es***	
kiss	**kiss*es***	
box	**box*es***	
watch	**watch*es***	

- Quand le nom se termine par **-y**, on ajoute **-ies** :

baby	**bab*ies***

- Attention, quelques noms ont un *pluriel irrégulier* :

man	**men**	**child**	**children**
foot	**feet**	**mouse**	**mice**
sheep	**sheep**	**fish**	**fish**

2.2. Indénombrables

- Certains noms n'ont pas de pluriel, on les appelle *indénombrables* : **water**, **money**, **furniture**, **work**... On les traduit avec **de** en français :

Give me some *water*	donne-moi *de l'eau*
I have no *money* left	je n'ai plus *d'argent*

2.3. Les exceptions

- La terminaison en **-s** n'est pas forcément la marque du pluriel.
- Certains noms en **-s**, (des noms de jeux, de maladies et de matières), sont des indénombrables toujours suivis d'un verbe au singulier :

news	nouvelle
mathematics	mathématiques
the United States	les États-Unis
The *news* is bad.	C'est une mauvaise *nouvelle*.
The *United States* is a very big country.	
Les États-Unis sont un très grand pays.	

- Les noms qui font référence à des groupes peuvent être suivis d'un verbe singulier ou pluriel :

> **government**   gouvernement
> **team**   équipe
> ***England* is/are winning 2-0.**   *L'Angleterre* mène 2-0.

- Certains noms, terminés ou non par *-s*, sont suivis d'un verbe au pluriel :

> **people**   les gens
> **police**   la police
> **scissors**   les ciseaux
> **Some *people* are never tired!**
> Il y a des *gens* qui ne sont jamais fatigués !

3. Les adjectifs

- Ils sont *invariables* en genre et en nombre et se placent toujours *devant le nom* :

> **a *little* girl**   une *petite* fille
> ***little* girls**   des *petites* filles

- S'il y a plusieurs adjectifs *épithètes*, l'ordre est généralement le suivant : taille, âge, couleur, origine, matière.

> **A *large black* London taxi.**   Un grand taxi noir de Londres.
> **A *small metal* toy.**   Un petit jouet en métal.

3.1. Les comparatifs et les superlatifs

Le *comparatif* et le *superlatif* se forment différemment selon la longueur de l'adjectif :

- – Adjectifs courts (une syllabe) : on ajoute *-er* pour le comparatif et *-est* pour le superlatif.

> **small   smaller   smallest**

Attention, la consonne finale redouble lorsqu'elle est précédée d'une voyelle.

> **big   bigger   biggest**

- Les adjectifs en *-y* voient celui-ci se transformer en *-i*.

> **silly   sillier   silliest**

- Adjectifs longs (deux syllabes ou plus) : on emploie *more* et *most*.

difficult	**more difficult**	**most difficult**
beautiful	**more beautiful**	**most beautiful**

Remarque : certains adjectifs de deux syllabes prennent **-er** :
funny   funn**ier**   funn**iest**
narrow   narrow**er**   narrow**est**

3.2. Les comparatifs et les superlatifs irréguliers

adjectif	comparatif	superlatif
bad	worse	worst
far	farther/further	farthest/furthest
good	better	best
little	less	least
much/many	more	most
old	older/elder*	oldest/eldest*

* Remarque : quand on parle des membres d'une famille.

3.3. Les adjectifs possessifs

		singulier	pluriel
1re personne	masc. ou fém.	my	our
2e personne	masc. ou fém.	your	your
3e personne	masculin	his	their
	féminin	her	their
	indéfini	one's	
	neutre	its	

• C'est le possesseur, et non la chose possédée, qui détermine le choix de l'*adjectif possessif*.

Par exemple, si le possesseur est un homme :
his coat   *son* manteau
his car   *sa* voiture
his keys   *ses* clés

3.4. Le possessif

• En anglais on utilise la construction **'s** pour exprimer la possession quand le possesseur est une personne.
Martin's bicycle   le vélo de Martin

Lorsque le nom se termine déjà par **-s** (notamment les pluriels réguliers), on ajoute simplement une apostrophe :
the boys' father   le père des garçons

- On utilise **of** quand le possesseur est une chose :
  the tyre *of* the car   la roue de la voiture

3.5. Nationalité
- Les adjectifs de nationalité s'écrivent avec une majuscule.
  French wine   du vin français

4. Les pronoms

4.1. Les pronoms personnels

pronom sujet	pronom complément d'objet
I je	**me** me
you tu/vous	**you** te
he il	**him** le/lui
she elle	**her** la/lui
it il/elle/cela	**it** le/la/lui
we nous	**us** nous
you vous	**you** vous
they ils/elles	**them** les/leur

- ***You*** (tu/vous) désigne à la fois le singulier et le pluriel ; on l'emploie indistinctement pour tutoyer ou vouvoyer quelqu'un.
- ***He*** et ***him*** s'emploient pour une personne ou un animal de sexe masculin, ***she*** et ***her*** pour une personne ou un animal de sexe féminin :
  There's Mark's brother. *He*'s a student.
  Do you know *him*?
  C'est le frère de Mark. *Il* est étudiant. Tu *le* connais ?

  There's Lucy's mother. *She*'s a dentist.
  Have you met *her*?
  C'est la mère de Lucy. *Elle* est dentiste. Tu *la* connais ?
- ***It*** s'emploie pour une chose, une notion ou encore un animal dont on ne connaît pas le sexe :
  Here is my house. *It*'s not big. I like *it*.
  Voici ma maison. *Elle* n'est pas grande. Je *l'*aime bien.

4.2. Les pronoms possessifs

mine	le mien / la mienne / les miens / les miennes
yours	le tien / la tienne / les tiens / les tiennes
his	le sien / la sienne / les siens / les siennes
hers	le sien / la sienne / les siens / les siennes
ours	le/la nôtre / les nôtres
yours	le/la vôtre / les vôtres
theirs	le/la leur / les leurs

- À la troisième personne du singulier, comme pour l'adjectif possessif, le pronom s'accorde avec le possesseur et non avec la chose possédée :

    This is your book. *Hers* is over there.
    C'est ton livre. *Le sien* (à elle) est là-bas.

5. Some et any

- *Some* et *any* s'emploient comme déterminants devant un nom pluriel dénombrable ou indénombrable.

Ils désignent une quantité (ou une qualité) indéterminée.

- On emploie *some* à la forme affirmative et *any* aux formes négative et interrogative.

    There are *some* books on the table.
    Il y a *des* livres sur la table.
    Are there *any* good films on television tonight?
    Y a-t-il *de* bons films à la télévision ce soir ?
    I don't want *any* sugar.
    Je ne veux pas *de* sucre.

5.1. Dans les affirmations

- On peut employer *some* dans une question si la réponse attendue est affirmative :

    Would you like *some* cake?   Tu veux *du* gâteau ?

- *Any* peut avoir le sens de « n'importe lequel ».

Il s'emploie alors également à la forme affirmative.

5.2. Les pronoms indéfinis

• **Some** et **any** s'emploient également comme pronoms indéfinis.

Ils peuvent dans cet emploi, se combiner avec **-body**, **-one**, **-thing** et **-where** pour former des pronoms indéfinis composés :

> **Something** strange happened yesterday.
> *Quelque chose* d'étrange est arrivé hier.

> She lives **somewhere** in Milton Keynes.
> Elle habite *quelque part* à Milton Keynes.

6. Les prépositions

6.1. Prépositions de lieu courantes

> The cat is **on** / **under** the table.
> Le chat est *sur* / *sous* la table.

> The lorry is **in front of** / **behind** the car.
> Le camion est *devant* / *derrière* la voiture.

> Mark is **next to** Lucy.
> Mark est *à côté de* Lucy.

> Mark and Lucy are standing **near** Tom.
> Mark et Lucy sont *près de* Tom.

> Lucy is **between** Mark and Tom.
> Lucy est *entre* Mark et Tom.

> Lucy is **in** the tent. She's **inside** / **outside**.
> Lucy est *dans* la tente. Elle est *à l'intérieur* / *à l'extérieur*.

> The car went **above** / **below** the bridge.
> La voiture est passé *au-dessus*, *au-dessous* du pont.

> I am **at** Lucy's.
> Je suis *chez* Lucy.

6.2. Prépositions de mouvement courantes

> We are going **to** London.
> Nous allons *à* Londres.

> Insert the card **into** the machine.
> Insérez la carte *dans* la machine.

> He sees her **through** the window.
> Il la voit *par* / *à travers* la fenêtre.

I'm **across** the street.

Je suis *de l'autre côté de* la rue.

The post office is **past** the traffic lights.

La poste est *après* le feu.

Go **toward(s)** the river.

Allez *vers / en direction de* la rivière.

6.3. Prépositions de temps courantes

Mark arrived **before / after** us.

Mark est arrivé *avant / après* nous.

« Depuis » se traduit par **for** (durée) ou **since** (début de durée).

Jane has been at home **for** two hours.

Jane est à la maison *depuis* deux heures. (durée)

Jane has been at home **since** half past five.

Jane est à la maison *depuis* 17h30. (début de durée)

We waited **until** ten.

Nous avons attendu *jusqu'à* 10 h.

We arrived **in** the morning / **in** the evening / **at** night.

Nous sommes arrivés le matin / le soir / la nuit.

In the beginning   au début

At the end   à la fin

6.4. Les verbes prépositionnels

- Ils sont formés d'une base verbale et d'une préposition.
- Ils sont toujours suivis d'un complément :

  look at (a picture)   regarder (un tableau)

  ask for (some money)   demander (de l'argent)

  wait for (someone)   attendre (quelqu'un)

  put on (some clothes)   mettre (des vêtements).

- Le complément d'objet se place toujours après la préposition :

  She **looked** at my car.   Elle a regardé ma voiture.

- Dans les questions et les propositions relatives, la préposition reste derrière le verbe :

  Who are you **thinking about**?   À qui penses-tu ?

7. Le discours indirect

- On utilise un verbe introductif tel que **say** ou **tell**, mais il en existe d'autres tels que **add**, **answer**, **declare**, **promise**, **wonder**, **explain**.

7.1. Le verbe introductif au présent

- Il n'y a aucune modification de temps dans la phrase rapportée :

    I **don't like** cakes.
    Je *n'aime pas* les gâteaux.

    Fred says that he **doesn't like** cakes.
    Fred dit qu'il *n'aime pas* les gateaux.

7.2. Le verbe introductif au prétérit

- Les verbes rapportés se mettent au prétérit ou au **past perfect** :

    He said he **didn't like** cakes.
    Il a dit qu'il *n'aimait pas* les gâteaux.

    You told me you **didn't like** cakes.
    Tu m'as dit que tu *n'aimais pas* les gâteaux.

- Il n'y a pas de modification de temps si le verbe renvoie à quelque chose de toujours valable au moment où l'on parle, ou à un état :

    He said he **doesn't like** cakes.
    Il m'a dit qu'il *n'aime pas* les gâteaux.

7.3. L'interrogation indirecte

- L'énonciateur emploie le verbe **ask** pour rapporter des questions. **Ask** est suivi de **if** dans le cas des **yes/no questions**, et d'une forme en **wh-** dans le cas des questions ouvertes.

    She asked him if he **likes** cakes.
    Elle lui a demandé s'il *aimait* les gâteaux.

    Wayne asked Fred if he **liked** cakes.
    Wayne a demandé à Fred s'il *aimait* les gâteaux.

8. Les nombres, la date et l'heure

8.1. Les nombres   Voir le tableau page : 471

- Remarque : en anglais, on sépare les milliers des centaines, les millions des milliers, avec une virgule ou parfois un espace : **1,000** ou **1 000** ; **40,000,000** ou **40 000 000**.

8.2. La date

What date is it today?	**It's July fifth.** (US)
What's the date today?	**It's the fifth.** (Br)
What's today's date?	**It's the fifth of July.** (Br)
Quel jour est-on aujourd'hui ?	Nous sommes le cinq juillet.

- On écrit la date différemment en Grande-Bretagne et aux États-Unis :
- **8/10/2011** signifie en Grande-Bretagne (comme en France) le huit octobre 2011, mais aux États-Unis, cela signifie le dix août 2011.

lundi	**Monday**	janvier	**January**
mardi	**Tuesday**	février	**February**
mercredi	**Wednesday**	mars	**March**
jeudi	**Thursday**	avril	**April**
vendredi	**Friday**	mai	**May**
samedi	**Saturday**	juin	**June**
dimanche	**Sunday**	juillet	**July**
		août	**August**
		septembre	**September**
		octobre	**October**
		novembre	**November**
		décembre	**December**

<u>Remarque</u> : en anglais, les jours de la semaine et les mois prennent toujours une majuscule.

8.3. L'heure   Voir le tableau page : 478

8.4. Les adverbes

- La plupart des *adverbes* se forme en ajoutant le suffixe **-ly** à l'adjectif :

slow → slowly	doux, douce → doucement
quick → quickly	rapide → rapidement
clear → clearly	clair, claire → clairement
careful → carefully	prudent, prudente → prudemment

- Quand l'adjectif se termine en **-y**, on le remplace par **-ily**
  happy → happily heureux, heureuse→ heureusement

- Quand l'adjectif se termine en **-le**, on le remplace par **-ly**
  simple → simply simple → simplement

- Quand l'adjectif se termine en **-ll**, on ajoute **y**
  full → fully plein, pleine → pleinement

- Quelques *adverbes* ont la même forme que l'adjectif :

late	tardif/tardive, tardivement
fast	rapide, rapidement,
hard	dur/dure, durement
wrong	mauvais/mauvaise, mal,
righ	exact/exacte, bien

L'*adverbe* de **good** bon/bonne est **well** bien.

- En général, les *adverbes* se placent directement avant ou après le verbe, ou après le complément d'objet quand il y en a un.

  Mark works *slowly*.
  Mark travaille *lentement*.

  I *simply* can't come.
  Je ne peux *vraiment* pas venir.

  Lucy finished her homework *quickly*.
  Lucy a terminé ses devoirs *rapidement*.

9. Les verbes

- La plupart des *verbes* anglais n'ont pas plus de cinq formes :

Forme de base ou base verbale	**write**
Forme en **-s** (troisième pers. du singulier)	Lucy **writes** letters
Forme en **-ing** (participe présent)	I'm **writing** a letter
Prétérit	I **wrote** a letter
Participe passé	I have **written** a letter

9.1. Le présent simple

• Base verbale (infinitif sans **to**) à toutes les personnes, excepté à la troisième personne du singulier, qui prend un **-s**.

base verbale : **play** jouer

singulier	I/you play	je joue/tu joues
	He/she/it plays	il/elle/on joue
pluriel	we/you/they play	nous jouons/vous jouez/ ils/elles jouent

• Le **-s** final se transforme en **-es** si le verbe se termine en **-o, -ss, -sh, -ch, -x** ou **z**.

do	he/she/it do**es**
kiss	he/she/it kiss**es**
crash	he/she/it crash**es**

• Le **-s** final devient **-ies** si le verbe se termine par « consonne + **-y** ».

cry	he/she/it cr**ies**

• Le présent simple s'emploie pour parler :
– d'une caractéristique permanente

   I *am* from Brazil.
   Je *viens* du Brésil.

– d'une action habituelle

   She *plays* tennis every Saturday.
   Elle *joue* au tennis tous les samedis.

– de goûts et d'opinions

   They *love* chocolate.
   Ils *adorent* le chocolat.

9.2. Le présent progressif

• **Be** conjugué à toutes les personnes, + **-ing**.

La forme en **-ing** s'obtient en ajoutant **-ing** à la base verbale :

   watch → watch**ing**
   I am *watching* TV.
   Je *regarde* la télé.

• Quand la base verbale se termine par :
– une consonne + **-e**, on remplace **-e** par **-ing**

   have → hav**ing**
   come → com**ing**

– **-ie**, on remplace **-ie** par **-ying**

    die → d**ying**

– une voyelle précédée d'une seule consonne, on redouble la consonne

    sit → sit**ting**

• On emploie le *présent progressif* pour parler :

– d'une action qui se déroule au moment où l'on parle

    It's *snowing*.
    Il *neige*.

– d'une action qui se déroule dans le présent pour une période de temps limitée

    I'm *learning* English.
    J'*apprends* l'anglais.

– d'un futur proche

    I'm *playing* football tomorrow.
    Je *joue* au football demain.

9.3. Le prétérit

• Base verbale + -ed.

I/you/he/she/it/we/you/they *watched* TV

• Quand la base verbale se termine par :

– une consonne + **-e**, on ajoute seulement **-d**

    like → like**d**

– une consonne + **-y**, on remplace **-y** par **-ied**

    try → tri**ed**

– une voyelle précédée d'une seule consonne, on redouble la consonne

    drop → drop**ped**

• On emploie le prétérit pour décrire une action ou une situation complètement terminée.

    I *lived* in Mexico for two years.
    J'*ai habité* au Mexique pendant deux ans.

    Lucy *tidied* her room yesterday.
    Lucy *a rangé* sa chambre hier.

9.4. Le present perfect

Have / has + participe passé.

• Le participe passé des verbes réguliers se forme comme le prétérit. Le *present perfect* s'emploie pour désigner :

– une action récente

Tom *has finished* his homework.
Tom *a fini* ses devoirs.

– un événement passé qui continue dans le présent et est toujours valable au moment où l'on parle

I *have lived* in Brazil for ten years.
J'*habite* au Brésil depuis 10 ans.

• Lorsqu'il n'y a pas de lien avec le présent, ou qu'on emploie un marqueur de temps exprimant une action terminée, on doit employer le prétérit : **last year** (l'année dernière), **at one o'clock** (à une heure), **when I was young** (quand j'étais jeune), **in 1977** (en 1977)...

Tom *finished* his homework *yesterday* / two hours *ago* / on Tuesday.
Tom *a fini* ses devoirs *hier* / *il y a* deux heures / mardi.

• Le *present perfect* s'emploie avec des repères temporels qui englobent le moment présent : *so far*, *until now* (jusqu'à maintenant), *since*, *for* (depuis), et se traduit souvent par le présent en français.

He's *known* Marie for five years / since 2000.
Il *connaît* Marie depuis cinq ans / depuis 2000.

• Cependant, si le complément de temps introduit par *for* désigne une durée qui renvoie exclusivement au passé, on utilise le prétérit :

He *lived* in San Francisco *for* five years *during the 1980s*.
Il *a vécu* à San Francisco *pendant* cinq ans dans les années 1980.

• Il est employé avec des adverbes de fréquence comme *always* (toujours) et *never* (jamais), *already* (déjà), *yet* (encore), *not yet* (pas encore), *recently* (récemment), *just* (juste), *it's the first time* (c'est la première fois que) :

I've *always wanted* to go to Australia.
J'*ai toujours voulu* aller en Australie.

9.5. Used to

Cette expression se traduit par l'imparfait en français.

- Elle s'emploie pour parler de quelque chose qui a eu lieu pendant un certain temps dans le passé et qui a pris fin.

    He *used to* be responsible for the technical operations.
    Il *était* responsable des opérations techniques.

9.6. Le futur

Il n'y a, en anglais, qu'une seule forme de futur simple pour toutes les personnes : *will* + base verbale.

- Forme contractée *'ll*, forme négative contractée *won't*.

    Will you come back?
    Est-ce que tu *reviendras* ?

    They'll be here soon.
    Ils *seront* bientôt là.

    I won't be late.
    Je ne *serai* pas en retard.

Mais il existe d'autres manières d'exprimer le futur :

- *be going to* + base verbale

    It's going to rain.
    Il *va* pleuvoir.

- *will* + *be* + *-ing*

    I'll be working late tomorrow.
    Je *travaillerai* tard demain.

- *be about to* + base verbale

Cette forme indique que l'événement est imminent.

    They're about to leave.
    Ils *sont sur le point* de partir.

9.7. Verbes auxiliaires

Ce sont les verbes *to be* (être), *to have* (avoir) et *to do* (faire).

- *Be* s'utilise pour former le présent progressif (*be* + *-ing*) et la forme passive (*be* + participe passé).

1re pers. du singulier : **I am**
2e pers. du singulier : **you are**
3e pers. du singulier : **he/she/it is**
1re/2e/3e pers. du pluriel : **we/you/they are**

forme entière	forme contractée	forme négative contractée
am	'm	-
are	're	aren't
is	's	isn't

• **Have** s'utilise pour le *present perfect* (**have** + participe passé).
Troisième personne du singulier : **he/she/it has**

forme entière	forme contractée	forme négative contractée
have	've	haven't
has	's	hasn't

• **Do** s'utilise pour former les phrases négatives et interrogatives
au présent simple et au prétérit.
Troisième personne du singulier : **he/she/it does**

forme entière	forme négative contractée
do	don't
does	doesn't

***Do** you **speak** English?* *Est-ce que* vous *parlez* anglais ?
Jane *doesn't smoke*. *Jane ne fume pas.*

Verbes irréguliers anglais

English Irregular Verbs

infinitive	past tense	past participle
arise	arose	arisen
awake	awoke	awoken
be	was/were	been
bear	bore	born(e)
beat	beat	beaten
begin	began	begun
bend	bent	bent
bet	bet/betted	bet/betted
bid	bid	bid
bind	bound	bound
bite	bit	bitten
bleed	bled	bled
blow	blew	blown
break	broke	broken
breed	bred	bred
bring	brought	brought
build	built	built
burn	burnt/burned	burnt/burned
burst	burst	burst
buy	bought	bought
can	could	-
cast	cast	cast
catch	caught	caught
choose	chose	chosen
come	came	come
cost	cost	cost
creep	crept	crept
cut	cut	cut
deal	dealt	dealt

infinitive	past tense	past participle
dig	dug	dug
do	did	done
draw	drew	drawn
dream	dreamed/dreamt	dreamed/dreamt
drink	drank	drunk
drive	drove	driven
eat	ate	eaten
fall	fell	fallen
feed	fed	fed
feel	felt	felt
fight	fought	fought
find	found	found
fling	flung	flung
fly	flew	flown
forget	forgot	forgotten
freeze	froze	frozen
get	got	got
give	gave	given
go	went	gone
grind	ground	ground
grow	grew	grown
hang	hung/hanged	hung/hanged
have	had	had
hear	heard	heard
hide	hid	hidden
hit	hit	hit
hold	held	held
hurt	hurt	hurt
keep	kept	kept

infinitive	past tense	past participle
kneel	knelt/kneeled	knelt/kneeled
know	knew	known
lay	laid	laid
lead	led	led
lean	leant/leaned	leant/leaned
leap	leapt/leaped	leapt/leaped
learn	learnt/learned	learnt/learned
leave	left	left
lend	lent	lent
let	let	let
lie	lay	lain
light	lit/lighted	lit/lighted
lose	lost	lost
make	made	made
may	might	-
mean	meant	meant
meet	met	met
mow	mowed	mown/mowed
pay	paid	paid
put	put	put
quit	quit/quitted	quit/quitted
read	read	read
rid	rid	rid
ride	rode	ridden
ring	rang	rung
rise	rose	risen
run	ran	run
saw	sawed	sawn
say	said	said

infinitive	past tense	past participle
see	saw	seen
seek	sought	sought
sell	sold	sold
send	sent	sent
set	set	set
shake	shook	shaken
shall	should	-
shed	shed	shed
shine	shone	shone
shoot	shot	shot
show	showed	shown
shrink	shrank	shrunk
shut	shut	shut
sing	sang	sung
sink	sank	sunk
sit	sat	sat
sleep	slept	slept
slide	slid	slid
sling	slung	slung
smell	smelt/smelled	smelt/smelled
sow	sowed	sown/sowed
speak	spoke	spoken
speed	sped/speeded	sped/speeded
spell	spelt/spelled	spelt/spelled
spend	spent	spent
spill	spilt/spilled	spilt/spilled
spin	spun	spun
spit	spat	spat
split	split	split

infinitive	past tense	past participle
spoil	spoiled/spoilt	spoiled/spoilt
spread	spread	spread
spring	sprang	sprung
stand	stood	stood
steal	stole	stolen
stick	stuck	stuck
sting	stung	stung
stink	stank	stunk
strike	struck/stricken	struck
swear	swore	sworn
sweep	swept	swept
swell	swelled	swollen/swelled
swim	swam	swum
swing	swung	swung
take	took	taken
teach	taught	taught
tear	tore	torn
tell	told	told
think	thought	thought
throw	threw	thrown
tread	trod	trodden
wake	woke/waked	woken/waked
wear	wore	worn
weave	wove/weaved	woven/weaved
weep	wept	wept
win	won	won
wind	wound	wound
wring	wrung	wrung
write	wrote	written

Guide de conversation

Communication Guide

Sommaire

Content

Saluer quelqu'un	Greeting s.o.	444
Se présenter	Introducing yourself	444
Présenter quelqu'un	Making introductions	444
Prendre congé	Saying goodbye	445
Remercier	Saying thank you	445
Répondre à des remerciements	Replying to thanks	446
Présenter ses excuses	Apologizing	446
Accepter des excuses	Accepting an apology	447
Exprimer des vœux	Wishes and greetings	447
Le temps	The weather	448
Exprimer une opinion	Expressing likes and dislikes	448
Au téléphone	Phoning	449
Relations professionnelles	Business	450
Louer une voiture	Hiring UK ou renting US a car	450
Circuler en voiture	In the car	451
À la station-service	At the petrol UK ou gas US station	451
Chez le garagiste	At the garage	452
Prendre un taxi	Taking a taxi UK ou cab US	452
Prendre le car	Taking the coach UK ou bus US	453
Prendre le train	Taking the train	454

Sommaire

Content

À l'aéroport	At the airport	454
Se déplacer en ville	Getting around town	455
Au café	At the café	456
Au restaurant	At the restaurant	456
À l'hôtel	At the hotel	457
Les achats	At the shops	458
À l'office de tourisme	Out and about	459
La certitude	Certainly	459
Inviter quelqu'un	Invitations	460
Demander des explications	Asking for explanations	461
Donner des explications	Giving explanations	461
Encourager quelqu'un	Encouraging	461
Demander la permission	Asking permission	461
Donner la permission	Giving permission	462
Exprimer un refus	To express refusal	462
Le sport	Sports	463
À la banque	At the bank	464
Au bureau de poste	At the post office	464
Chez le médecin	At the doctor's	465
Chez le dentiste	At the dentist's	466
À la pharmacie	At the chemist's **UK** ou drugstore **US**	466
Urgences	Emergencies	467

Communication Guide

Saluer quelqu'un

Greeting s.o.

- Bonjour !

Good morning! [le matin]
Good afternoon! [l'après-midi]

- Bonsoir !

Good evening!

- Salut !

Hello!
Hi!

- Comment vas-tu ? [to a friend]/Comment allez-vous ? [polite form]

How are you?

- Très bien, merci.

Very well, thank you.

- Bien, merci.

Fine, thank you.

- Et toi ?/Et vous ?

And you?

- Ça va ? [sans attendre de réponse]

How's it going?
How are you doing?

- Bien, et vous ? [idem]

Fine, and you?

Se présenter

Introducing yourself

- Je m'appelle Pierre.

My name is Pierre.

- Je suis français.

I'm French.

- Je viens de Paris.

I come from Paris.

- Salut, moi c'est Marc.

Hello, I'm Marc.

- Je me présente, je m'appelle Lola.

Allow me to introduce myself, I'm Lola.

- Je ne crois pas que nous nous connaissons.

I don't think we've met.

Présenter quelqu'un

Making introductions

- Voici M. Durand.

This is Mr Durand.

- Je vous présente M. Durand.

I'd like to introduce Mr Durand.

- Enchanté/enchantée.

Pleased to meet you.

• Ravi de vous connaître/ faire votre connaissance.	Pleased to meet you.
• J'espère que vous avez fait bon voyage.	I hope you had a good trip.
• Bienvenue.	Welcome.
• Je vais faire les présentations.	Shall I do the introductions?

Prendre congé — Saying goodbye

• Au revoir.	Goodbye. ou Bye.
• À tout à l'heure.	See you later.
• À bientôt.	See you soon.
• À plus.	See you ou so long.
• À plus tard.	See you later.
• À un de ces jours.	See you again sometime.
• Bonsoir.	Good evening./Good night.
• Bonne nuit.	Good night.
• Je vous souhaite un bon voyage.	Enjoy your trip.
• Heureux d'avoir fait votre connaissance.	It was nice to meet you.
• Je vais devoir vous laisser.	I'm afraid I have to go now.
• Salut la compagnie.	Bye everybody.
• Mes amitiés à…	Give my best regards to…
• Bonne continuation.	All the best.

Remercier — Saying thank you

• Merci.	Thank you.
• Merci beaucoup.	Thank you very much.
• Vous de même.	You too.

• Merci de votre aide.	Thank you for your help.
• Un grand merci pour tout.	Thanks a lot for everything.
• Je ne sais comment vous remercier.	I can't thank you enough.
• Je vous suis très reconnaissant de…	I'm very grateful for…

Répondre à des remerciements	Replying to thanks
• Il n'y a pas de quoi.	Don't mention it.
• De rien.	Not at all.
• Je vous en prie. [polite form]	You're welcome my pleasure.
• Je t'en prie. [to a friend]	You're welcome.
• Ce n'est rien.	It was nothing.
• C'est la moindre des choses.	That's the least I can do.

Présenter ses excuses	Apologizing
• Excusez-moi.	Excuse me.
• Pardon.	Excuse me.
• Je suis désolé.	I'm sorry.
• Je suis vraiment désolé.	I'm very ou terribly **UK** sorry.
• Désolé.	Sorry.
• Je suis désolé d'être en retard.	I'm sorry I'm late.
• Je suis désolé de vous déranger.	I'm sorry to bother you.
• J'ai bien peur de devoir annuler le rendez-vous.	I'm afraid I have to cancel our appointment.
• Toutes mes excuses.	I apologize.

Accepter des excuses	Accepting an apology
• Ce n'est pas grave.	It doesn't matter/it's ou that's OK.
• Ça ne fait rien.	That's all right.
• Il n'y a pas de mal.	No harm done.
• C'est oublié.	Forget it ou don't worry about it.
• N'en parlons plus.	Let's say no more about it.
• Ne vous excusez pas.	There's no need to apologize.

Exprimer des vœux	Wishes and greetings
• Bonne chance !	Good luck!
• Amuse-toi bien !	Have fun! Enjoy yourself!
• Bon appétit !	Enjoy your meal!
• Bon anniversaire !	Happy birthday!
• Joyeuses Pâques !	Happy Easter!
• Joyeux Noël !	Merry Christmas!
• Bonne année !	Happy New Year!
• Bon week-end !	Have a good weekend!
• Bonnes vacances !	Enjoy your holiday UK ou vacation US!
• Meilleurs vœux !	Best wishes!
• Passe une bonne journée !	Have a nice day!
• Santé !	Cheers!
• À votre santé !	To your health!
• Bonne continuation !	All the best!
• Félicitations !	Congratulations!

447

Le temps	The weather
• Il fait très beau aujourd'hui.	It's a beautiful day.
• Il fait beau.	It's nice.
• Il y a du soleil.	It's sunny.
• Il pleut.	It's raining.
• Le ciel est couvert.	It's cloudy.
• On annonce de la pluie pour demain.	It's supposed to rain tomorrow.
• Quel temps épouvantable !	What horrible ou awful weather!
• Il fait (très) chaud/froid.	It's (very) hot/cold.
• Quel temps fait-il ?	What's the weather like?
• Il y a une éclaircie.	Here's a sunny spell.
• Le temps est humide.	It's humid.
• Le temps est très lourd.	It's very oppressive/sultry/close **UK**.
• Pensez-vous que les températures vont remonter ?	Do you think the temperature is going to rise?
• J'espère que le temps va changer !	I hope the weather's going to change!

Exprimer une opinion	Expressing likes and dislikes
• Ça me plaît.	I like it.
• Ça ne me plaît pas.	I don't like it.
• Oui, volontiers.	Yes, please.
• Non merci.	No, thanks. No, thank you.
• Cela vous dirait-il de venir au cinéma avec nous ?	Would you like to come to the cinema **UK** ou movies **US** with us?
• Oui, avec grand plaisir.	Yes, I'd love to.

• Je ne suis pas d'accord.	I don't agree.
• Je suis totalement de votre avis.	I totally agree with you.
• Ce n'est pas ma tasse de thé.	This is not my cup of tea.
• Cela me tenterait bien.	That sounds very tempting I'd really like that.
• Je préférerais quelque chose d'autre.	I'd prefer something else.
• J'adore la voile.	I have a passion for sailing.
• À mon avis…	In my opinion…
• En ce qui me concerne…	As far as I'm concerned…

Au téléphone	Phoning
• Allô !	Hello!
• Anne Martin à l'appareil.	Anne Martin speaking.
• Je voudrais parler à M. Gladstone.	I'd like to speak to Mr Gladstone.
• J'appelle de la part de Mme Smith.	I'm calling on behalf of Mrs Smith.
• Je rappellerai dans dix minutes.	I'll call back in ten minutes.
• Je préfère patienter.	I'd rather hold the line.
• Puis-je lui laisser un message ?	Can I leave him a message?
• Excusez-moi, j'ai dû faire un mauvais numéro.	Sorry, I must have dialled the wrong number.
• Qui est à l'appareil ?	Who's calling?
• Ne quittez pas, je vous le passe.	Hold the line, I'll put you through.

• Pouvez-vous rappeler dans une heure ?	Could you call back in an hour?
• Elle est sortie.	She's out.
• Elle est absente jusqu'à demain.	She won't be back until tomorrow.
• Je pense que vous faites erreur.	I think you've got the wrong number.

Relations professionnelles — Business

• Bonjour, je fais partie de Biotech Ltd.	Hello, I'm from Biotech Ltd.
• J'ai rendez-vous avec M. Martin à 14 h 30.	I have an appointment with Mr Martin at 2:30.
• Voici ma carte de visite.	Here's my business card.
• Je voudrais voir le directeur.	I'd like to see the managing director.
• Mon adresse e-mail est paul@easyconnect.com.	My e-mail address is paul@easyconnect.com.
• J'appelle pour prendre rendez-vous.	I'm calling to make an appointment.
• Seriez-vous libre pour déjeuner ?	Are you free for lunch?
• Ma secrétaire vous rappellera pour fixer une date.	My secretary will call you back to arrange a date.

Louer une voiture — Hiring UK ou renting US a car

• Je voudrais louer une voiture climatisée pour une semaine.	I'd like to hire UK ou rent US a car with air-conditioning for a week.
• Quel est le tarif pour une journée ?	What's the cost per day?
• Le kilométrage est-il illimité ?	Is the mileage unlimited?

• Combien coûte l'assurance tous risques ?	How much does it cost for comprehensive insurance?
• Est-il possible de rendre la voiture à l'aéroport ?	Can I leave the car at the airport?
• Voici mon permis de conduire	Here's my driving licence **UK** ou driver's license **US**

Circuler en voiture	In the car
• Comment rejoint-on le centre-ville/l'autoroute ?	How do we get downtown **US** ou to the city centre **UK**/ motorway?
• Y a-t-il un parking près d'ici ?	Is there a car park nearby?
• Est-ce que je peux stationner ici ?	Can I park here?
• Je cherche une station-service	I'm looking for a petrol **UK** ou gas **US** station.
• Où se trouve le garage le plus proche ?	Where's the nearest garage?
• Est-ce bien la direction de la gare ?	Is this the way to the train station?
• Est-ce que c'est loin en voiture ?	Is it far by car?

À la station-service	At the petrol **UK** ou gas **US** station
• Le plein, s'il vous plaît.	Fill it up, please.
• Je voudrais vérifier la pression des pneus.	I'd like to check the tyre pressure.
• Pompe (numéro) 3.	Pump number three.
• Vous ne vendez pas de GPL ?	Don't you sell LPG?
• Je voudrais une paire d'essuie-glaces.	I'd like a pair of windscreen wipers **UK** ou windshield wipers **US**.

451

Chez le garagiste

	At the garage
• Je suis en panne.	My car has broken down.
• Je suis en panne d'essence.	I've run out of petrol **UK** ou gas **US**.
• L'air conditionné ne marche pas.	The air-conditioning doesn't work.
• J'ai perdu le pot d'échappement.	The exhaust pipe has fallen off.
• Ma voiture perd de l'huile.	My car has an oil leak.
• Le moteur chauffe.	The engine is overheating.
• Le moteur fait un drôle de bruit.	The engine is making strange sounds.
• Pourriez-vous vérifier les freins ?	Could you check the brakes?
• Pourriez-vous vérifier le niveau d'eau ?	Could you check the water level?
• La batterie est à plat.	The battery is flat **UK** ou dead **US**.
• J'ai crevé.	I've got a puncture **UK** ou a flat tire **US**.
• Il faut réparer le pneu.	The tyre needs to be repaired.
• Combien vont coûter les réparations ?	How much will the repairs cost?

Prendre un taxi

Taking a taxi UK ou cab US

• Pourriez-vous m'appeler un taxi ?	Could you call a taxi **UK** ou cab **US** for me?
• Où est la station de taxis ?	Where is there a taxi stand?
• Je voudrais réserver un taxi pour 8 heures.	I'd like to book a taxi **UK** ou cab **US** for 8:00 a.m.
• Combien coûte un taxi d'ici au centre-ville ?	How much does a taxi to the city centre cost?

• Combien de temps met-on pour aller à l'aéroport ?	How long does it take to get to the airport?
• Puis-je monter devant ?	Can I ride up front **US** ou in the front (seat)?
• À la gare routière/à la gare/à l'aéroport, s'il vous plaît.	To the bus station/train station/ airport, please.
• Veuillez vous arrêter ici/au feu/au coin de la rue.	Stop here/at the lights/at the corner, please.
• Pourriez-vous m'attendre ?	Can you wait for me?
• Je vous dois combien ?	How much is it?
• Pourrais-je avoir une fiche ?	Can I have a receipt, please?
• Gardez la monnaie	Keep the change.

Prendre le car	Taking the coach **UK** ou **bus US**
• Quand part le prochain car pour Oxford ?	What time is the next coach **UK** ou bus **US** to Oxford?
• De quel quai part-il ?	From which platform does the bus leave?
• Combien de temps met le car pour Brighton ?	How long does the coach **UK** ou bus **US** take to get to Brighton?
• Combien coûte un aller-retour pour Chicago ?	How much is a return **UK** ou round-trip **US** ticket to Chicago?
• Vous avez des tarifs réduits ?	Do you have any reduced fares **UK** ou discounts **US**?
• Y a-t-il des toilettes dans le car ?	Is there a toilet **UK** ou restroom **US** ou bathroom **US** on the bus?
• Le car est-il climatisé ?	Is the coach **UK** ou bus **US** air-conditioned?
• Excusez-moi, cette place est-elle occupée ?	Excuse me, is the seat taken?

• Cela vous ennuie si je baisse le store ?	Would it bother you if I lowered the blind UK ou shade US?
• Arrêt demandé.	Next stop.

Prendre le train | Taking the train

• Où se trouvent les guichets ?	Where is the ticket office?
• À quelle heure part le prochain train pour Paris ?	When does the next train for Paris leave?
• De quel quai part-il ?	From which platform does it leave?
• Combien coûte un aller-retour pour Boston ?	How much is a return ticket to Boston?
• Y a-t-il un tarif jeune ?	Is there a youth fare?
• Y a-t-il une consigne ?	Is there a left-luggage office UK ou baggage storage US?
• Une place côté fenêtre (dans un wagon) non-fumeur(s) dans le sens de la marche, s'il vous plaît.	A window seat facing forward in a non-smoking coach UK ou car US, please.
• Je voudrais réserver une couchette dans le train de 21h pour Paris.	I'd like to reserve a sleeper on the 9:00 p.m. train to Paris.
• Où puis-je composter mon billet ?	Where do I validate my ticket?
• Excusez-moi, cette place est-elle libre ?	Excuse me, is this seat free?
• Où est la voiture restaurant ?	Where is the restaurant car?

À l'aéroport | At the airport

• Où se trouve le terminal 1 /la porte 2 ?	Where is terminal 1/gate number 2?
• Où est le comptoir Air France ?	Where is the Air France desk?

• Où dois-je enregistrer mes bagages ?	Where is the check-in desk?
• J'aimerais une place côté couloir/hublot.	I'd like an aisle/window seat.
• À quelle heure est l'embarquement ?	What time is boarding?
• J'ai raté ma correspondance.	I've missed my connection.
• J'ai perdu ma carte d'embarquement.	I've lost my boarding card.
• Quand part le prochain vol pour Seattle ?	when is the next flight to Seattle?
• Où récupère-t-on les bagages ?	Where is the baggage reclaim **UK** ou claim **US**?
• Où se trouve la navette pour le centre-ville ?	Where's the shuttle bus downtown **US**/to the city centre **UK**?

Se déplacer en ville — Getting around town

• Quel est le bus pour l'aéroport ?	Which bus goes to the airport?
• Où puis-je prendre le bus pour la gare ?	Where do I catch the bus for the (railway) station?
• J'aimerais un aller simple/un aller-retour pour Boston.	I'd like a single **UK** ou one-way **US**/ return **UK** ou round-trip **US** ticket to Boston.
• Pourriez-vous me prévenir quand nous serons arrivés/à cet arrêt ?	Could you tell me when we get there/to the stop?
• Est-ce que ce bus va à la gare ?	Does this bus go to the train station?
• Où faut-il prendre la ligne 63 vers Coventry ?	Where can one get line 63 to Coventry?
• À quelle heure est le dernier métro/tramway ?	What time is the last train/tram?

Au café

At the café

- Cette table/chaise est-elle libre ?

Is this table/seat free?

- S'il vous plaît !

Excuse me!

- Pourriez-vous nous apporter la carte des consommations ?

Could you please bring us the drinks list ?

- Deux cafés noirs, s'il vous plaît.

Two cups of black coffee, please.

- Je voudrais un café crème/au lait.

I'd like a coffee with cream/milk **US** ou white coffee **UK** .

- Un thé nature/citron/au lait.

A tea/lemon tea/tea with milk.

- Qu'est-ce que vous avez comme boissons chaudes/fraîches ?

What have you got that's warm/cold to drink?

- Avez-vous du soda sans sucre ?

Do you have any light sodas **US** ou soft-drinks?

- Pourrais-je avoir des glaçons ?

Could I have some ice?

- Un jus d'orange./Une eau minérale.

An orange juice./A mineral water.

- Puis-je avoir une autre bière ?

Can I have another beer, please?

- Où sont les toilettes ?

Where is the toilet **UK** ou restroom **US** ou bathroom **US**?

- Y a-t-il une zone fumeur ?

Is there a smoking section?

Au restaurant

At the restaurant

- J'aimerais réserver une table pour 20 heures.

I'd like to reserve a table for 8 p.m.

- Une table pour deux personnes.

A table for two, please.

- Le café avec l'addition, s'il vous plaît !

Could we have the bill **UK** ou check **US** with our coffee, please?

• Avez-vous un menu enfant/végétarien ?	Do you have a children's/vegetarian menu?
• Nous aimerions prendre un apéritif.	We'd like a drink before dinner.
• Une bouteille/un verre de vin blanc/rouge de la cuvée du patron, s'il vous plaît.	A bottle/a glass of house white/red, please.
• Quelle est votre plat du jour ?	What is the special of the day?
• Saignant./À point./Bien cuit.	Rare./Medium./Well-done.
• Qu'est-ce que vous avez comme desserts ?	What desserts do you have?
• L'addition, s'il vous plaît.	Can I have the bill **UK** ou check **US**, please?

À l'hôtel — At the hotel

• Nous voudrions une chambre double/deux chambres simples.	We'd like a double room/two single rooms.
• J'aimerais une chambre pour deux nuits.	I'd like a room for two nights, please.
• J'ai réservé une chambre au nom de Berger.	I have a reservation in the name of Berger.
• J'ai réservé une chambre avec douche/avec salle de bains.	I reserved a room with a shower/bathroom.
• Y a-t-il un parking réservé aux clients de l'hôtel ?	Is there a car park for hotel guests?
• La clé de la chambre 121, s'il vous plaît.	Could I have the key for room 121, please?
• Pourrais-je avoir un oreiller/une couverture supplémentaire ?	Could I have an extra pillow/blanket, please?

• Est-ce qu'il y a des messages pour moi ?	Are there any messages for me?
• À quelle heure est le petit déjeuner ?	What time is breakfast served?
• J'aimerais prendre le petit déjeuner dans ma chambre.	I'd like breakfast in my room.
• Pourriez-vous me réveiller à 7 heures ?	I'd like a wake-up call at 7 a.m., please.
• Je voudrais régler	I'd like to check out now.

Les achats

At the shops

• Combien ça coûte ? /C'est combien ?	How much is this?
• Je cherche des lunettes de soleil/un maillot de bain.	I'd like to buy sunglasses/a swimsuit **US** ou bathing suit **UK**.
• Je fais du 38.	I'm a size 10. [vêtements]
• Je chausse du 40.	I take a size 7. [chaussures]
• Est-ce que je peux l'essayer ?	Can I try it on?
• Est-ce que je peux l'échanger/le faire rembourser ?	Can I exchange it/get a refund?
• Où se trouvent les cabines d'essayage ?	Where are the fitting rooms **UK** ou changing rooms **US**?
• Avez-vous la taille au-dessus/en dessous ?	Do you have this in a bigger/smaller size?
• L'avez-vous en bleu ?	Do you have this in blue?
• Vendez-vous des enveloppes/des plans de la ville ?	Do you sell envelopes/street maps?
• Une pellicule photo, s'il vous plaît.	I'd like to buy a roll of film for my camera, please.

À l'office de tourisme

Out and about

- À quelle heure le musée ferme-t-il ?

  What time does the museum close?

- Où se trouve la piscine la plus proche ?

  Where is the nearest public swimming pool?

- Pourriez-vous m'indiquer une église (catholique/ baptiste) à proximité ?

  Could you tell me where the nearest (Catholic/Baptist) church is?

- Savez-vous quand a lieu la messe/le prochain office religieux ?

  Do you know what time mass/ the next service is?

- Y a-t-il un cinéma près d'ici ?

  Is there a cinema UK ou movie theatre US nearby?

- À quelle distance se trouve la plage ?

  How far is it to the beach?

- Avez-vous un plan de la ville ?

  Have you got a city map?

- e cherche un hôtel pas trop cher.

  I'm looking for an hotel that's not too expensive.

- Pouvez-vous me recommander un hôtel près du centre ?

  Could you recommend a hotel near the centre UK ou close to town US?

- Avez-vous un guide des restaurants de la ville ?

  Have you got a town restaurant guide?

La certitude

Certaintly

- Elle va réussir, j'en suis sûr et certain.

  I'm convinced she'll pass.

- Je suis persuadé qu'il va revenir.

  I'm sure he'll come back.

- Je suis convaincu de sa bonne foi. | I'm sure he acted in good faith.
- Tu es sûr que c'était elle ? | Are you sure it was her?
- On va les retrouver, c'est sûr. | We'll definitely find them.
- Bien sûr qu'il va venir. | Of course he'll come.
- Je sais qu'il ne le fera pas. | I know that he won't do it.
- Je t'assure, c'est quelqu'un de très bien. | Believe me, he's/she's a really nice person.
- Il n'y a pas de doute, c'est bien lui. | There's no doubt about it, it is him.

Inviter quelqu'un — Invitations

- J'organise une fête pour mon anniversaire samedi 22. Vous viendrez, j'espère? | I'm having a birthday party on Saturday 22. I hope you'll be able to come.
- Tu viens boire un verre après le match ? | Why don't you come for a drink with after the match?
- Tu es libre pour déjeuner demain ? | Are you free for lunch tomorrow?
- Je me demandais si tu aimerais venir dîner ce soir avec Catherine? | I was wondering if you and Catherine would like to come to dinner this evening?
- Pourquoi ne viendrais-tu pas avec nous? | Why don't you come with us?
- Une partie de tennis, ça te tente? | Do you feel like a game of tennis?

Demander des explications — Asking for explanations

- Qu'est-ce que tu veux dire, exactement ? | What do you mean exactly?
- C'est-à-dire ? | Meaning?

Demander des explications	Asking for explanations
• Pourriez-vous être plus précis ?	Could you be a little more specific?
• Qu'entendez-vous par là ?	What do you mean by that?
• Comment ça ?	How do you mean?

Donner des explications	Giving explanations
• Je veux/voulais dire que...	I mean/meant that...
• Je vais tâcher d'être plus clair...	Let me try to explain a little more clearly.
• Je m'explique : ...	Let me explain: ...
• Ce que j'essaie de dire, c'est...	What I'm trying to say is...

Encourager quelqu'un	Encouraging
• Vas-y, demande-lui !	Go on, ask her!
• Allez, tu sais bien que ça va te plaire.	Oh, come on – you know you'll enjoy it.
• Je trouve tout cela très positif.	I have a good feeling about this.
• Tu es très bien.	You look just fine.
• Tu ne vas pas laisser tomber maintenant !	You can't give up now!

Demander la permission	Asking permission
• Est-ce que je peux me servir de l'ordinateur?	Could I use the computer?
• Je peux utiliser votre téléphone?	Do you mind if I use your phone?

| • J'emprunte ta voiture, d'accord? | Is it OK if I borrow your car? |
| • Ça pose un problème si je pars maintenant? | Would it be all right if I left now? |

Donner la permission · Giving permission

• Oui, bien sûr.	Yes, of course.
• Allez-y.	Go ahead.
• Mais certainement.	Yes, feel free.
• Je vous en prie.	Please do.
• Servez-vous.	Help yourself.
• Non, ça ne me dérange pas.	No, I don't mind.

Exprimer un refus · To express refusal

• Non, je suis désolé, je ne peux pas.	No, I'm sorry, I can't.
• Je regrette, mais je ne peux vraiment pas.	I'm afraid I can't possibly do that.
• Je regrette, mais ce n'est pas possible.	I'm afraid that's not possible.
• J'aimerais mieux pas.	I'd rather you didn't.
• En fait, je préférerais que vous restiez.	Actually, I'd prefer you to stay.
• Désolé, ça ne dépend pas de moi.	I'm sorry, but it's not up to me.
• Je ne peux vraiment rien faire.	There's really nothing I can do.
• Je regrette, mais je ne peux pas accepter votre suggestion.	I am afraid I cannot accept your suggestion.
• Je refuse de faire son travail à sa place.	I refuse to do her job for her.

• Il n'en est pas question.	It's out of the question.
• Certainement pas !	Certainly not!
• Pas question !	No way!
• Alors là, tu peux toujours courir !	Forget it!

Le sport / Sports

• Nous aimerions voir un match de football, y en a-t-il un ce soir ?	We'd like to see a football match **UK** ou soccer game **US**, is there one on tonight?
• Où se trouve le stade ?	Where's the stadium?
• Où peut-on louer des vélos ?	Where can we hire **UK** ou rent **US** bicycles?
• Je voudrais réserver un court (de tennis) pour 19 heures.	I'd like to book a tennis court for 7:00 p.m.
• C'est combien pour une heure de cours ?	How much does a one-hour lesson cost?
• La piscine est-elle ouverte tous les jours ?	Is the pool open every day?
• Où peut-on se changer ?	Where can we change?
• Peut-on louer du matériel ?	Can we hire **UK** ou rent **US** equipment?
• Est-ce que vous louez des bateaux ?	Do you rent boats?
• Où peut-on faire un bowling par ici ?	Where can we go bowling around here?
• J'aimerais faire une randonnée (à vélo).	I'd like to go on a bike ride.

À la banque

- Je voudrais changer 100 euros en dollars/livres sterling.
- En petites coupures, s'il vous plaît.
- Quel est le taux de change pour le dollar ?
- Quel est le montant de la commission ?
- En euros, cela fait combien ?
- Je voudrais encaisser des chèques de voyage.
- Je voudrais faire un transfert d'argent.
- Où se trouve le distributeur de billets ?
- Le distributeur a avalé ma carte de crédit.
- Ma carte de crédit ne fonctionne pas.

At the bank

- I'd like to change 100 euros into dollars/pounds, please.
- In small denominations ou notes **UK** ou bills **US**, please.
- What is the exchange rate for dollars?
- How much is the commission?
- How much is that in euros?
- I'd like to cash some traveller's cheques.
- I'd like to transfer some money.
- Where is the cash point **UK** ou ATM **US**?
- The cash machine **UK** ou ATM **US** retained my credit card.
- My credit card isn't working.

Au bureau de poste

- Combien ça coûte pour envoyer une lettre/une carte postale à Paris ?
- Je voudrais dix timbres pour la France.
- Je voudrais envoyer ce paquet en recommandé.
- Quel est le tarif pour un courrier urgent ?

At the post office

- How much is it to send a letter/postcard to Paris?
- I'd like ten stamps for France.
- I'd like to send this parcel by registered post **UK** ou mail **US**.
- How much is it to send an urgent letter?

• Combien de temps mettra-t-il pour arriver ?	How long will it take to get there?
• J'aurais voulu une télécarte à 50 unités.	I'd like a 50-unit phonecard.
• Puis-je envoyer un fax ?	Can I send a fax?
• Je voudrais envoyer un e-mail, pouvez-vous m'indiquer un cybercentre ?	I'd like to send an e-mail, can you tell me where I can find an Internet cafe?
• Je voudrais consulter l'annuaire.	I'd like to have the telephone directory **UK** ou phone book **US**.

Chez le médecin — At the doctor's

• J'ai vomi.	I've been vomiting.
• J'ai la diarrhée.	I have diarrhoea.
• J'ai mal là.	It hurts here ou there.
• J'ai mal à la tête.	I have a headache.
• J'ai mal à la gorge.	I have a sore throat.
• J'ai mal au ventre.	My stomach hurts.
• Je ne peux plus marcher.	I can't walk.
• Mon fils tousse.	My son has a cough.
• Il a de la fièvre.	He has a fever.
• Je suis allergique à la pénicilline.	I'm allergic to penicillin.
• Je ne supporte pas bien les antibiotiques.	Antibiotics don't agree with me.
• Je crois que j'ai une otite.	I think I have an ear infection.
• Je fais de l'hypertension.	I've got high blood pressure.
• Je suis diabétique.	I'm diabetic.

465

• Je crois que je me suis cassé le poignet.	I think I may have broken my wrist.
• Jusqu'à quand dois-je suivre le traitement ?	For how long should I follow the treatment?

Chez le dentiste

At the dentist's

• J'ai une rage de dents	I have a toothache
• C'est une molaire qui me fait mal	One of my molars hurts
• J'ai perdu un plombage	I've lost a filling
• J'ai certainement une carie	I'm sure I have a cavity
• Une de mes incisives s'est cassée	I've broken an incisor
• Mes dents de sagesse me font souffrir	My wisdom teeth are really bothering me
• Mon bridge est cassé	I've broken my dental bridge
• J'ai perdu mon appareil dentaire	I've lost my dentures
• Pourriez-vous me faire une anesthésie locale ?	Could you give me a local anaesthetic?

À la pharmacie

At the chemist's UK ou drugstore US

• Je voudrais un médicament contre les maux de tête/le mal de gorge/la diarrhée	Can you give me something for a headache/sore throat/diarrhoea?
• Il me faudrait de l'aspirine/des pansements	Can I have some aspirin/band-aids® US ou plasters UK, please?
• j'aurais voulu une crème solaire haute protection	I need some high-protection sunscreen

- Auriez-vous une lotion contre les piqûres d'insectes ? — Do you have any insect repellent?

- J'ai une ordonnance de mon médecin français — I have a prescription from my doctor in France

- Vendez-vous ce médicament sans ordonnance ? — Do you sell this medicine without a prescription?

- Pourriez-vous me recommander un médecin ? — Could you recommend a doctor?

- Où est le médecin de garde ? — Where is there a doctor on duty?

Urgences / Emergencies

- Appelez un médecin/les pompiers/la police ! — Call a doctor/the fire brigade **UK** ou department **US**/the police!

- Appelez une ambulance ! — Call an ambulance!

- Pouvez-vous nous emmener aux urgences ? — Can you please take us to the Casualty Department **UK** ou Emergency Room **US**?

- Où est l'hôpital le plus proche ? — Where is the nearest hospital?

- Le groupe sanguin de mon fils est O+ — My son's blood group **UK** ou blood type **US** is O positive

- Je dois voir un médecin /un dentiste de toute urgence — I have to see a doctor/a dentist, urgently

- J'ai été volé — I've been robbed

- Il y a eu un accident — There's been an accident

- On m'a volé ma voiture — My car's been stolen

- Nous avons été agressés — We've been assaulted ou mugged

Les chiffres
et l'heure

Numbers
and time

Sommaire

Content

Nombres cardinaux	**Cardinal numbers**	**471**
Nombres ordinaux	**Ordinal numbers**	**472**
Valeurs mathématiques	**Fractional, decimal and negative numbers**	**473**
Le calcul	**Mathematical operations**	**473**
Longueur	**Length**	**474**
Superficie	**Area**	**474**
Capacité	**Capacity**	**475**
Volume	**Volume**	**475**
Poids	**Weight**	**475**
Unités anglo-saxonnes		**476**
La monnaie britannique	**British currency**	**476**
La monnaie américaine	**American currency**	**476**
La monnaie européenne	**European currency**	**477**
L'heure	**Time**	**478**

Nombres cardinaux / Cardinal numbers

zéro	0	zero
un	1	one
deux	2	two
trois	3	three
quatre	4	four
cinq	5	five
six	6	six
sept	7	seven
huit	8	eight
neuf	9	nine
dix	10	ten
onze	11	eleven
douze	12	twelve
treize	13	thirteen
quatorze	14	fourteen
quinze	15	fifteen
seize	16	sixteen
dix-sept	17	seventeen
dix-huit	18	eighteen
dix-neuf	19	nineteen
vingt	20	twenty
vingt et un	21	twenty-one
vingt-deux	22	twenty-two
vingt-trois	23	twenty-three
vingt-quatre	24	twenty-four
vingt-cinq	25	twenty-five
vingt-six	26	twenty-six
vingt-sept	27	twenty-seven
vingt-huit	28	twenty-eight
vingt-neuf	29	twenty-nine
trente	30	thirty
cinquante	50	fifty
cent	100	one hundred
mille	1 000/1000	one thousand

Nombres ordinaux / Ordinal numbers

premier	1er/1st	first
deuxième	2e/2nd	second
troisième	3e/3rd	third
quatrième	4e/4th	fourth
cinquième	5e/5th	fifth
septième	6e/7th	seventh
huitième	8e/8th	eighth
neuvième	9e/9th	ninth
dixième	10e/10th	tenth
onzième	11e/11th	eleventh
douzième	12e/12th	twelfth
treizième	13e/13th	thirteenth
quatorzième	14e/14th	fourteenth
quinzième	15e/15th	fifteenth
seizième	16e/16th	sixteenth
dix-septième	17e/17th	seventeenth
dix-huitième	18e/18th	eighteenth
dix-neuvième	19e/19th	nineteenth
vingtième	20e/20th	twentieth
vingt et unième	21e/21st	twenty-first
vingt-deuxième	22e/22nd	twenty-second
vingt-troisième	23e/23rd	twenty-third
vingt-quatrième	24e/24th	twenty-fourth
vingt-cinquième	25e/25th	twenty-fifth
vingt-sixième	26e/26th	twenty-sixth
vingt-septième	27e/27th	twenty-seventh
vingt-huitième	28e/28th	twenty-eighth
vingt-neuvième	29e/29th	twenty-ninth
trentième	30e/30th	thirtieth
cinquantième	50e/50th	fiftieth
centième	100e/100th	(one) hundredth
millième	1 000e/1000th	(one) thousandth

Valeurs mathématiques / Fractional, decimal and negative numbers

un demi	½	(one) half
deux tiers	2/3	two thirds*
trois quarts	¾	three quarters/three fourths*
six cinquièmes	6/5	six fifths*
trois et sept cinquièmes	3 7/5	three and seven fifths
un dixième	1/10	one tenth
un centième	1/100	one hundredth
zéro virgule un	0,1/0.1	(zero) point one
deux virgule cinq	2,5/2.5	two point five
six virgule zéro trois	6,03/6.03	six point zero three
moins un	-1	minus/negative one
moins douze	-12	minus/negative twelve

[*avec trait d'union (two-thirds etc.) en adjectif]

Le calcul / Mathematical operations

huit plus deux égal dix	$8+2=10$	eight plus two equals ten
neuf moins trois égal six	$9-3=6$	nine minus three equals six
sept fois trois égal vingt et un	$7\times3=21$	seven times three equals twenty-one/seven multiplied by three equals twenty-one
vingt divisé par quatre égal cinq	$20:4=5$	twenty divided by four equals five
la racine carrée de neuf est trois	$\sqrt{9}=3$	the square root of nine is three
cinq au carré égal vingt-cinq	$5^2=25$	five squared equals twenty-five

Le calcul / Mathematical operations (suite)

quatre puissance vingt-neuf	4²⁹	four to the power of twenty-nine/four to the twenty-ninth
f est supérieur à x	f > x	f is greater than x
f est inférieur à x	f < x	f is less than x

Longueur / Length

millimètre	mm	millimetre*
centimètre	cm	centimetre*
mètre	m	metre*
kilomètre	km	kilometre *

* US : meter

pouce	1 in = 2.54 cm	inch
pied	1 ft = 0.304 m	foot
yard	1 yd = 0.9144 m	yard
mile	1 m = 1.609 km	mile

Superficie / Area

centimètre carré	cm^2	square centimetre*
mètre carré	m^2	square metre*
are (= 100 m²)	a	are (= 100 m²)
hectare (= 10 000 m²)	ha	hectare (= 10,000 m²)
kilomètre carré	km^2	square kilometre*

* US : meter

pouce carré	6.45 cm² = 1 in²	square inch
pied carré	0.09290 m² = 1 ft²	square foot
yard carré	0.836 m² = 1 yd²	square yard
mille carré	2.59 km² = 1 m²	square mile

Capacité / Capacity

décilitre	dl	decilitre **UK** / deciliter **US**
litre	l	litre **UK** / liter **US**
once	oz	**ounce**
UK	1 oz = 28.41 ml	
US	1 oz = 29.6 ml	
pinte	pt	**pint**
UK	1pt = 0.125 gal = 0.56 l	
US	1pt = 0.124 gal = 0.47 l	
gallon	gal	**gallon**
UK	1 gal = 4.546 l	
US	1 gal = 3.785 l	

Volume / Volume

centimètre cube	cm³	cubic centimetre*
mètre cube	m³	cubic metre*

* **US** : meter

pied cube	0,028 m³ = 1 ft3	cubic foot
yard cube	0,765 m³ = 1 yd3	cubic yard

Poids / Weight

milligramme	mg/mg	milligramme*
gramme	g/g	gramme*
hectogramme	hg/hg	hectogramme*
livre	500 g/lb	pound
kilo(gramme)	kg/kg	(kilo)gramme*
quintal	q/q	quintal
tonne	t/t	(metric) ton(ne)

* ou gram

Unités anglo-saxonnes

once	1 oz = 28,35 g	ounce
livre	lb	pound

UK 1 lb = 11.99oz = 0.373kg

US 1 lb = 16.01oz = 0.454kg

La monnaie britannique / British currency

pièces		coins
un penny	1p	a penny
deux pence	2p	two pence
cinq pence	5p	five pence
dix pence	10p	ten pence
vingt pence	20p	twenty pence
cinquante pence	50p	fifty pence
une livre	£1	a pound/a quid (fam)
banknotes		billets
cinq livres	£5	five pounds
dix livres	£10	ten pounds
vingt livres	£20	twenty pounds
cinquante livres	£50	fifty pounds

La monnaie américaine / American currency

pièces		coins
un cent	1¢	one cent/a penny
cinq cents	5¢	five cents/a nickel
dix cents	10¢	ten cents/a dime
vingt-cinq cents	25¢	twenty-five cents/a quarter
cinquante cents	50¢	fifty cents/a half dollar

billets		banknotes
un dollar	$1	one dollar/a buck (fam)
cinq dollars	$5	five dollars
dix dollars	$10	ten dollars
vingt dollars	$20	twenty dollars
cinquante dollars	$50	fifty dollars
cent dollars	$100	a hundred dollars

La monnaie européenne / European currency

pièces		coins
un centime	1 cent	a cent
deux centimes	2 cents	two cents
cinq centimes	5 cents	five cents
dix centimes	10 cents	ten cents
vingt centimes	20 cents	twenty cents
cinquante centimes	50 cents	fifty cents
un euro	1€/€1	a euro
deux euros	2€/€2	two euros
billets		banknotes
cinq euros	5 €/€5	five euros
dix euros	10 €/€10	ten euros
vingt euros	20 €/€20	twenty euros
cinquante euros	50 €/€50	fifty euros
cent euros	100 €/€100	a hundred euros
deux cents euros	200 €/€200	two hundred euros
cinq cents euros	500 €/€500	five hundred euros

The sidebar: "Les chiffres et l'heure"

Title: L'heure / Time

Rows with clocks between French and English.

Les chiffres et l'heure

L'heure / Time

cinq heures		five o'clock
sept heures cinq		five past seven
huit heures dix		ten past eight
neuf heures et quart/ neuf heures quinze		a quarter past nine
onze heures et demie		half past eleven
midi		noon/twelve p.m. (post meridiem)/midday
midi et demie		half past twelve/twelve thirty
minuit		twelve a.m. (ante meridiem)/midnight
une heure or une heure (du matin)		one p.m. (post meridiem) ou one a.m./one in the morning
deux heures /quatorze heures		two o'clock
quatre heures moins le quart/quinze heures quarante-cinq		a quarter to four/three forty-five

478

Anglais-Français

English-French

Aa

a (stressed [eɪ], unstressed [ə]) ◆ art **1.** [gen] un (une) ▸ **a restaurant** un restaurant ▸ **a chair** une chaise ▸ **a friend** un ami ▸ **an apple** une pomme **2.** [instead of the number one] ▸ **a month ago** il y a un mois ▸ **a thousand** mille ▸ **four and a half** quatre et demi **3.** [in prices, ratios] : **three times a year** trois fois par an ▸ **£2 a kilo** 2 livres le kilo.

A3 n [paper size] format m A3.

AA (abbr of Automobile Association) n 🇬🇧 ≃ ACF (Automobile Club de France) m.

aback [əˈbæk] adj : **to be taken aback** être déconcerté(e).

abandon [əˈbændən] vt abandonner.

abattoir [ˈæbətwɑːʳ] n 🇬🇧 abattoir m.

abbey [ˈæbɪ] n abbaye f.

abbreviation [əˌbriːvɪˈeɪʃn] n abréviation f.

abdomen [ˈæbdəmən] n abdomen m.

abide [əˈbaɪd] vt : **I can't abide him** je ne peux pas le supporter. ◆ **abide by** vt insep respecter.

ability [əˈbɪlətɪ] n (U) capacité f.

abjectly [ˈæbdʒektlɪ] adv [act, refuse] de manière abjecte.

able [ˈeɪbl] adj compétent(e) ▸ **to be able to do sthg** pouvoir faire qqch.

abnormal [æbˈnɔːml] adj anormal(e).

aboard [əˈbɔːd] ◆ adv à bord. ◆ prep **1.** [ship, plane] à bord de **2.** [train, bus] dans.

abode [əˈbəʊd] n fml demeure f.

abolish [əˈbɒlɪʃ] vt abolir.

aborigine [ˌæbəˈrɪdʒənɪ] n aborigène m ou f (d'Australie).

abort [əˈbɔːt] vt [call off] abandonner.

abortion [əˈbɔːʃn] n avortement m ▸ **to have an abortion** se faire avorter.

about [əˈbaʊt] ◆ adv **1.** [approximately] environ ▸ **about 50** environ 50 ▸ **at about six o'clock** vers 6 h **2.** [referring to place] çà et là ▸ **to walkabout** se promener **3.** [on the point of] : **to be about to do sthg** être sur le point de faire qqch ▸ **it's about to rain** il va pleuvoir ◆ prep **1.** [concerning] au sujet de ▸ **a book about Scotland** un livre sur l'Écosse ▸ **what's it about?** de quoi s'agit-il ? ▸ **what about a drink?** et si on prenait un verre ? **2.** [referring to place] : **about the town** dans la ville.

above [əˈbʌv] ◆ prep au-dessus de. ◆ adv **1.** [higher] au-dessus **2.** [more] plus ▸ **above all** avant tout.

abroad [əˈbrɔːd] adv à l'étranger.

abrupt [əˈbrʌpt] adj [sudden] brusque.

abs [æbz] npl inf [abdominal muscles] abdos mpl.

ABS (abbr of Anti-lock braking system) n ABS m.

abscess [ˈæbses] n abcès m.

abseiling [ˈæbseɪlɪŋ] n 🇬🇧 (descente f en) rappel m.

absence [ˈæbsəns] n (U) absence f.

absent [ˈæbsənt] adj absent(e).

absent-minded ['maɪndɪd] adj distrait(e).

absolute ['æbsəlu:t] adj absolu(e).

absolutely ◆ adv [ˌæbsəlu:tlɪ] vraiment. ◆ excl [ˌæbsə'lu:tlɪ] absolument !

absorb [əb'sɔ:b] vt absorber.

absorbed [əb'sɔ:bd] adj : **to be absorbed in a book** être absorbé par un livre.

absorbent [əb'sɔ:bənt] adj absorbant(e).

abstain [əb'steɪn] vi s'abstenir ▶ **to abstain from doing sthg** s'abstenir de faire qqch.

absurd [əb'sɜ:d] adj absurde.

ABTA ['æbtə] n association des agences de voyage britanniques.

abuse ◆ n [ə'bju:s] 1. (U) [insults] injures fpl, insultes fpl 2. [wrong use] abus m 3. (U) [maltreatment] mauvais traitements mpl. ◆ vt [ə'bju:z] 1. [insult] injurier, insulter 2. [use wrongly] abuser de 3. [maltreat] maltraiter.

abusive [ə'bju:sɪv] adj injurieux(euse).

AC abbr of **alternating current**.

academic [ˌækə'demɪk] ◆ adj 1. [of school] scolaire 2. [of college, university] universitaire. ◆ n universitaire m ou f.

academy [ə'kædəmɪ] n 1. école f 2. [of music] conservatoire m 3. [military] académie f.

accelerate [ək'seləreɪt] vi accélérer.

accelerator [ək'seləreɪtər] n accélérateur m.

accent ['æksent] n accent m.

accept [ək'sept] vt accepter.

acceptable [ək'septəbl] adj acceptable.

access ['ækses] n accès m.

access card n carte f d'accès.

access code n code m d'accès.

accessible [ək'sesəbl] adj accessible.

accessory [ək'sesərɪ] n accessoire m.

access ramp n bretelle f d'accès.

access road n voie f d'accès.

accident ['æksɪdənt] n accident m ▶ **by accident** par accident.

accidental [ˌæksɪ'dentl] adj accidentel(elle).

accidentally [ˌæksɪ'dentəlɪ] adv 1. [drop, break] par mégarde 2. [meet] par hasard.

accident insurance n (U) assurance f accidents.

accident-prone adj prédisposé aux accidents ▶ **to be accident-prone** être prédisposé aux accidents.

acclimatize [ə'klaɪmətaɪz] vi s'acclimater.

accommodate [ə'kɒmədeɪt] vt loger.

accommodation [əˌkɒmə'deɪʃn] n (U) logement m.

accommodations [əˌkɒmə'deɪʃnz] US npl = **accommodation**.

accompany [ə'kʌmpənɪ] vt accompagner.

accomplish [ə'kʌmplɪʃ] vt accomplir.

accomplishment [ə'kʌmplɪʃmənt] n [achievement] réussite f. ◆ **accomplishments** npl talents mpl.

accord [ə'kɔːd] n : **of one's own accord** de soi-même.

accordance [ə'kɔːdəns] n : **in accordance with** conformément à.

accordingly [ə'kɔːdɪŋlɪ] adv [appropriately] en conséquence.

according to prep selon.

accordion [ə'kɔːdɪən] n accordéon m.

account [ə'kaʊnt] n 1. [at bank, shop] compte m 2. [report] compte-rendu m ▸ **to take sthg into account** prendre qqch en compte ▸ **on no account** en aucun cas ▸ **on account of** à cause de. ◆ **account for** vt insep 1. [explain] expliquer 2. [constitute] représenter.

accountable [ə'kaʊntəbl] adj [responsible] : **accountable (for)** responsable (de).

accountant [ə'kaʊntənt] n comptable m ou f.

account balance n [status] situation f de compte.

account executive n responsable mf grands comptes.

account holder n titulaire mf du compte.

account manager n = **account executive**.

account number n numéro m de compte.

accrual [ə'kruːəl] n fml accumulation f.

accumulate [ə'kjuːmjʊleɪt] vt accumuler.

accurate ['ækjʊrət] adj exact(e).

accuse [ə'kjuːz] vt : **to accuse sb of murder** accuser qqn de meurtre.

accused [ə'kjuːzd] n : **the accused** l'accusé m, -e f.

ace [eɪs] n as m.

ache [eɪk] ◆ vi 1. [person] avoir mal. ◆ n douleur f ▸ **my head aches** j'ai mal à la tête.

achieve [ə'tʃiːv] vt 1. [victory, success] remporter 2. [aim] atteindre 3. [result] obtenir.

⚠ **Achever** is a false friend, it means **to finish**, not "to achieve".

achievement [ə'tʃiːvmənt] n [success] réussite f.

acid ['æsɪd] ◆ adj acide. ◆ n acide m.

acid house n MUS house f (music).

acid rain n (U) pluies fpl acides.

acknowledge [ək'nɒlɪdʒ] vt 1. [accept] reconnaître 2. [letter] accuser réception de.

acknowledg(e)ment [ək'nɒlɪdʒmənt] n 1. [admission] reconnaissance f 2. [letter, receipt] accusé m de réception. ◆ **acknowledg(e)ments** npl [in article, book] remerciements mpl.

acne ['ækni] n (U) acné f.

acorn ['eɪkɔːn] n gland m.

acoustic [ə'kuːstɪk] adj acoustique.

acquaintance [ə'kweɪntəns] n [person] connaissance f.

acquire [ə'kwaɪəʳ] vt acquérir.

acre ['eɪkəʳ] n = 4 046,9 m² ; ≃ demi-hectare m.

acrobat ['ækrəbæt] n acrobate m ou f.

across [ə'krɒs] ◆ prep 1. [from one side to the other of] en travers de 2. [on other side of] de l'autre côté de. ◆ adv : **to walk/drive across sthg** traverser qqch ▸ **10 miles across** 16 km de large ▸ **across from** en face de.

acrylic [ə'krɪlɪk] n acrylique m.

act [ækt] ◆ vi 1. agir 2. [in play, film] jouer. ◆ n 1. [action, of play] acte m 2. POL loi f 3. [performance] numéro m ▸ **to act as** [serve as] servir de.

acting ['æktɪŋ] adj par intérim.

action ['ækʃn] n 1. action f 2. (U) MIL combat m ▸ **to take action** agir ▸ **to put**

a plan into action mettre un plan à exécution ▸ **out of action** [machine, person] hors service.

action movie n film m d'action.

activate ['æktıveıt] vt activer.

activated ['æktıveıtıd] pp activé.

active ['æktıv] adj actif(ive).

activewear ['æktıweəʳ] n vêtements mpl de sport.

activity [æk'tıvıtı] n activité f.

activity centre n centre m d'activités ; [specifically for children] centre m aéré or de loisirs.

activity holiday 🇬🇧 vacances organisées pour enfants, avec activités sportives.

act of God n cas m de force majeure.

actor ['æktəʳ] n acteur m, -trice f.

actress ['æktrıs] n actrice f.

actual ['æktʃʊəl] adj 1. [real] réel(elle) 2. [for emphasis] même.

actually ['æktʃʊəlı] adv 1. [really] vraiment 2. [in fact] en fait.

⚠ Actuellement is a false friend, it means **at the moment**, not "actually".

acupressure ['ækjʊpreʃəʳ] n MED acupressing m.

acupuncture ['ækjʊpʌŋktʃəʳ] n (U) acupuncture f.

acute [ə'kjuːt] adj 1. aigu(ë) 2. [feeling] vif (vive) ▸ **acute accent** accent aigu.

ad [æd] n 1. inf [on TV] pub f 2. [in newspaper] petite annonce f.

AD (abbr of Anno Domini) ap. J-C (après Jésus Christ).

adapt [ə'dæpt] ◆ vt adapter. ◆ vi s'adapter.

adapter [ə'dæptəʳ] n 1. [for foreign plug] adaptateur m 2. [for several plugs] prise f multiple.

adaptor [ə'dæptəʳ] = **adapter**.

add [æd] vt 1. ajouter 2. [numbers, prices] additionner. ◆ **add up** vt sep additionner. ◆ **add up to** vt insep [total] se monter à.

adder ['ædəʳ] n vipère f.

addict ['ædıkt] n drogué m, -e f.

addicted [ə'dıktıd] adj : **to be addicted to sthg** être accro à qqch.

addiction [ə'dıkʃn] n dépendance f.

addition [ə'dıʃn] n 1. [added thing] ajout m 2. (U) [in maths] addition f ▸ **in addition (to)** en plus (de).

additional [ə'dıʃənl] adj supplémentaire.

additive ['ædıtıv] n additif m.

address [ə'dres] ◆ n [on letter] adresse f. ◆ vt 1. [speak to] s'adresser à 2. [letter] adresser.

address book n carnet m d'adresses.

addressee [,ædre'siː] n destinataire m ou f.

adequate ['ædıkwət] adj 1. [sufficient] suffisant(e) 2. [satisfactory] adéquat(e).

adhere [əd'hıəʳ] vi : **to adhere to** a) [stick to] adhérer à b) [obey] respecter.

adhesive [əd'hiːsıv] ◆ adj adhésif(ive). ◆ n adhésif m.

adjacent [ə'dʒeısənt] adj 1. [room] contigu(ë) 2. [street] adjacent(e).

adjective ['ædʒıktıv] n adjectif m.

adjoining [ə'dʒɔınıŋ] adj [rooms] contigu(ë).

adjust [ə'dʒʌst] ◆ vt 1. régler 2. [price] ajuster. ◆ vi : **to adjust to** s'adapter à.

adjustable [ə'dʒʌstəbl] adj réglable.

adjustment [ə'dʒʌstmənt] n 1. réglage 2. [to price] ajustement m.

ad lib [,æd'lɪb] adj improvisé(e). ◆ **ad lib** vi improviser.

administration [əd,mɪnɪ'streɪʃn] n 1. (U) administration f 2. US [government] gouvernement m.

administrative costs npl frais mpl d'administration OR de gestion.

administrator [əd'mɪnɪstreɪtər] n administrateur m, -trice f.

admiral [admərəl] n amiral m.

admire [əd'maɪər] vt admirer.

admission [əd'mɪʃn] n 1. (U) [permission to enter] admission f 2. [entrance cost] entrée f 3. [confession] aveu m.

admission charge n entrée f.

admit [əd'mɪt] vt admettre ▶ **to admit to a crime** admettre OR reconnaître un crime ▶ **'admits one'** [on ticket] 'valable pour une personne'.

admittance [əd'mɪtəns] n admission f ▶ **'no admittance'** 'entrée interdite'.

adolescent [,ædə'lesnt] n adolescent m, -e f.

adopt [ə'dɒpt] vt adopter.

adopted [ə'dɒptɪd] adj adopté(e).

adoption [ə'dɒpʃn] n adoption f.

adorable [ə'dɔːrəbl] adj adorable.

adore [ə'dɔːr] vt adorer.

Adriatic [,eɪdrɪ'ætɪk] n : the Adriatic (Sea) l'Adriatique f, la mer Adriatique.

ADSL (abbr of Asymmetric Digital Subscriber Line) n ADSL m.

adult ['ædʌlt] ◆ n adulte m ou f. ◆ adj 1. [entertainment, films] pour adultes 2. [animal] adulte.

adult education n (U) enseignement m pour adultes.

adultery [ə'dʌltərɪ] n (U) adultère m.

advance [əd'vɑːns] ◆ n avance f. ◆ adj [payment] anticipé(e). ◆ vt & vi avancer ▶ **to give sb advance warning** prévenir qqn.

advance booking n réservation à l'avance f.

advanced [əd'vɑːnst] adj 1. [student] avancé(e) 2. [level] supérieur(e).

advantage [əd'vɑːntɪdʒ] n avantage m ▶ **to take advantage of** profiter de.

adventure [əd'ventʃər] n aventure f.

adventurous [əd'ventʃərəs] adj aventureux(euse).

adverb ['ædvɜːb] n adverbe m.

adverse ['ædvɜːs] adj défavorable.

advert ['ædvɜːt] = **advertisement**.

advertise ['ædvətaɪz] vt [product, event] faire de la publicité pour.

advertisement [əd'vɜːtɪsmənt] n 1. [on TV, radio] publicité f 2. [in newspaper] annonce f.

advice [əd'vaɪs] n (U) conseils mpl ▶ **a piece of advice** un conseil.

advice slip n reçu m (du distributeur de billets).

advisable [əd'vaɪzəbl] adj conseillé(e).

advise [əd'vaɪz] vt conseiller ▶ **to advise sb to do sthg** conseiller à qqn de faire qqch ▶ **to advise sb against doing sthg** déconseiller à qqn de faire qqch.

advocate ◆ n ['ædvəkət] LAW avocat m, -e f. ◆ vt ['ædvəkeɪt] préconiser.

adware ['ædweər] n publiciel m.

aerial ['eərɪəl] n UK antenne f.

aerobics [eə'rəʊbɪks] n (U) aérobic m.

aerodynamic [ˌeərəʊdəˈnæmɪk] adj aérodynamique.

aeroplane [ˈeərəpleɪn] n avion m.

aerosol [ˈeərəsɒl] n aérosol m.

affair [əˈfeəʳ] n 1. affaire f 2. [love affair] liaison f.

affect [əˈfekt] vt [influence] affecter.

affection [əˈfekʃn] n (U) affection f.

affectionate [əˈfekʃnət] adj affectueux(euse).

affluence [ˈæfluəns] n prospérité f.

affluent [ˈæfluənt] adj riche.

afford [əˈfɔːd] vt : **can you afford to go on holiday?** peux-tu te permettre de partir en vacances ? ▸ **I can't afford it** je n'en ai pas les moyens ▸ **I can't afford the time** je n'ai pas le temps.

affordability [əˌfɔːdəˈbɪlɪtɪ] n prix m raisonnable.

affordable [əˈfɔːdəbl] adj abordable.

Afghanistan [æfˈɡænɪstæn] n Afghanistan m.

afloat [əˈfləʊt] adj à flot.

afraid [əˈfreɪd] adj : **to be afraid of** avoir peur de ▸ **I'm afraid so** j'en ai bien peur ▸ **I'm afraid not** j'ai bien peur que non.

afresh [əˈfreʃ] adv de nouveau.

Africa [ˈæfrɪkə] n l'Afrique f.

African [ˈæfrɪkən] ◆ adj africain(e). ◆ n Africain m, -e f.

African American n Noir américain m, Noire américaine f (ressortissants américains d'origine africaine). ◆ **African(-)American** adj noir américain (noire américaine).

African Union n POL Union f africaine.

after [ˈɑːftəʳ] ◆ prep & adv après. ◆ conj après que ▸ **a quarter after ten** US dix heures et quart ▸ **to be after** [in search of] chercher ▸ **after all** après tout. ◆ **afters** npl dessert m.

aftercare [ˈɑːftəkeəʳ] n (U) postcure f.

aftereffects [ˈɑːftərɪˌfekts] npl suites fpl.

afternoon [ˌɑːftəˈnuːn] n après-midi m inv ou f inv ▸ **good afternoon!** bonjour !

afternoon tea n le thé de cinq heures.

after-party n after m.

aftershave [ˈɑːftəʃeɪv] n (U) après-rasage m.

after-shaving lotion US n = **aftershave**.

aftersun [ˈɑːftəsʌn] n (U) après-soleil m.

afterwards [ˈɑːftəwədz] UK, **afterward** [ˈɑːftəwəd] US adv après.

again [əˈɡen] adv encore, à nouveau ▸ **again and again** à plusieurs reprises ▸ **never... again** ne... plus jamais.

against [əˈɡenst] prep contre ▸ **against the law** contraire à la loi.

age [eɪdʒ] n âge m ▸ **to be under age** être mineur(e) ▸ **I haven't seen him for ages** [inf] ça fait une éternité que je ne l'ai pas vu.

aged [eɪdʒd] adj : **aged eight** âgé de huit ans.

age group n tranche f d'âge.

age limit n limite f d'âge.

agency [ˈeɪdʒənsɪ] n agence f.

agenda [əˈdʒendə] n ordre m du jour.

agent [ˈeɪdʒənt] n agent m.

aggression [əˈɡreʃn] n (U) violence f ▸ **act of aggression** agression.

aggressive [ə'gresɪv] adj agressif(ive).

agile [UK 'ædʒaɪl, US 'ædʒəl] adj agile.

agility [ə'dʒɪlətɪ] n (U) agilité f.

agitated ['ædʒɪteɪtɪd] adj agité(e).

ago [ə'gəʊ] adv : **a month ago** il y a un mois ▸ **how long ago?** il y a combien de temps ?

agonizing ['ægənaɪzɪŋ] adj déchirant(e).

agony ['ægənɪ] n **1.** (U) [physical] douleur f atroce. **2.** [mental] angoisse f.

agree [ə'griː] vi **1.** être d'accord **2.** [correspond] concorder ▸ **it doesn't agree with me** [food] ça ne me réussit pas ▸ **to agree to sthg** accepter qqch ▸ **to agree to do sthg** accepter de faire qqch ▸ **we agreed to meet at six o'clock** nous avons décidé de nous retrouver à 6 h. ◆ **agree on** vt insep [time, price] se mettre d'accord sur.

agreed [ə'griːd] adj [price] convenu(e) ▸ **to be agreed** [person] être d'accord.

agreement [ə'griːmənt] n accord m ▸ **in agreement with** en accord avec.

agriculture ['ægrɪkʌltʃəʳ] n (U) agriculture f.

agritourism ['ægrɪtʊərɪzəm] n agritourisme m.

agro-industry ['ægrəʊ-] n agro-industrie f.

agroterrorism ['ægrəʊterərɪzəm] n agro-terrorisme m.

ahead [ə'hed] adv [in front] devant ▸ **go straight ahead** allez tout droit ▸ **the months ahead** les mois à venir ▸ **to be ahead** [winning] être en tête ▸ **ahead of** a) [in front of] devant b) [in time] avant ▸ **ahead of schedule** en avance.

AICE [eɪs] (abbr of Advanced International Certificate of Education) n SCH di-

plôme international d'études secondaires qui donne accès aux études universitaires, délivré par l'université de Cambridge.

aid [eɪd] ◆ n aide f. ◆ vt aider ▸ **in aid of** au profit de ▸ **with the aid of** à l'aide de.

AIDS [eɪdz] n (U) SIDA m.

ailment ['eɪlmənt] n fml mal m.

aim [eɪm] ◆ n [purpose] but m. ◆ vt [gun, camera, hose] braquer. ◆ vi : **to aim (at)** viser ▸ **to aim to do sthg** avoir pour but de faire qqch.

ain't [eɪnt] inf → **am not, are not, is not, has not, have not.**

air [eəʳ] ◆ n air m. ◆ vt [room] aérer. ◆ adj [terminal, travel] aérien(enne) ▸ **by air** par avion.

airbag ['eəbæg] n AUT Airbag® m.

airbed ['eəbed] n matelas m pneumatique.

airborne ['eəbɔːn] adj [plane] en vol ▸ **whilst we are airborne** pendant le vol.

air-conditioned [-kən'dɪʃnd] adj climatisé(e).

air-conditioning [-kən'dɪʃnɪŋ] n (U) climatisation f.

aircraft ['eəkrɑːft] (pl inv) n avion m.

aircraft carrier [-,kærəʳ] n porte-avions m inv.

airfield ['eəfiːld] n aérodrome m.

air force, airforce ['eəfɔːs] n armée f de l'air ▸ **air force base** base f aérienne.

Air Force One n nom de l'avion officiel du président des États-Unis.

air freshener [-,freʃnəʳ] n désodorisant m.

airhostess ['eə,həʊstɪs] n hôtesse f de l'air.

airing cupboard ['eərɪŋ-] n UK armoire f sèche-linge.

airletter ['eə,letə'] n aérogramme m.

airline ['eəlaɪn] n compagnie f aérienne.

airliner ['eə,laɪnə'] n avion m de ligne.

airmail ['eəmeɪl] n (U) poste f aérienne ▶ **by airmail** par avion.

air mattress n matelas m pneumatique.

airplane ['eəpleɪn] n US avion m.

airport ['eəpɔːt] n aéroport m.

air raid n raid m aérien.

airship ['eəʃɪp] n (ballon m) dirigeable m.

airsick ['eəsɪk] adj : **to be airsick** avoir le mal de l'air.

air steward n steward m.

air stewardess n hôtesse f de l'air.

airtight ['eətaɪt] adj hermétique.

air traffic control n (U) contrôle m aérien.

airy ['eərɪ] adj aéré(e).

aisle [aɪl] n 1. [in plane] couloir m 2. [in cinema, supermarket] allée f 3. [in church] bas-côté m.

aisle seat n fauteuil m côté couloir.

ajar [ə'dʒɑː'] adj entrebâillé(e).

à la carte adv à la carte.

alarm [ə'lɑːm] ◆ n alarme f. ◆ vt alarmer.

alarm clock n réveil m.

alarmed [ə'lɑːmd] adj 1. inquiet 2. [door, car] protégé par une alarme.

alarming [ə'lɑːmɪŋ] adj alarmant(e).

Albania [æl'beɪnjə] n Albanie f.

Albert Hall ['ælbət-] n : **the Albert Hall** l'Albert Hall.

album ['ælbəm] n album m.

alcohol ['ælkəhɒl] n (U) alcool m ▶ **alcohol level** taux d'alcoolémie.

alcohol-free adj sans alcool.

alcoholic [,ælkə'hɒlɪk] ◆ adj [drink] alcoolisé(e). ◆ n alcoolique m ou f.

Alcoholics Anonymous n Alcooliques mpl anonymes, ligue f antialcoolique.

alcoholism ['ælkəhɒlɪzm] n (U) alcoolisme m.

alcove ['ælkəʊv] n renfoncement m.

ale [eɪl] n bière f.

alert [ə'lɜːt] ◆ adj vigilant(e). ◆ vt alerter.

A-level n UK ≃ baccalauréat m.

algebra ['ældʒɪbrə] n (U) algèbre f.

Algeria [æl'dʒɪərɪə] n l'Algérie f.

Algerian [æl'dʒɪərɪən] ◆ adj algérien(enne). ◆ n Algérien m, -enne f.

Algiers [æl'dʒɪəz] n Alger.

alias ['eɪlɪəs] adv alias.

aliasing ['eɪlɪəsɪŋ] n COMPUT aliassage m, crénelage m.

alibi ['ælɪbaɪ] n alibi m.

alien ['eɪlɪən] n 1. [foreigner] étranger m, -ère f 2. [from outer space] extraterrestre m ou f.

alight [ə'laɪt] ◆ adj [on fire] en feu. ◆ vi fml [from train, bus] : **to alight (from)** descendre (de).

align [ə'laɪn] vt aligner.

alike [ə'laɪk] ◆ adj semblable. ◆ adv de la même façon ▶ **to look alike** se ressembler.

A-list [in Hollywood] *liste des stars des plus en vue du moment* ▶ **an A-list celebrity** *une star très en vogue.*

alive [ə'laɪv] adj [living] vivant(e).

all [ɔːl] ◆ adj **1.** [with singular noun] tout (toute) ▶ **all the money** tout l'argent ▶ **all the time** tout le temps ▶ **all day** toute la journée **2.** [with plural noun] tous (toutes) ▶ **all the houses** toutes les maisons ▶ **all trains stop at Tonbridge** tous les trains s'arrêtent à Tonbridge ◆ adv **1.** [completely] complètement ▶ **all alone** tout seul (toute seule) **2.** [in scores] **it's two all** ça fait deux partout **3.** [in phrases] **all but empty** presque vide ▶ **all over** [finished] terminé(e) ◆ pron **1.** [everything] tout ▶ **is that all?** [in shop] ce sera tout? ▶ **all of the work** tout le travail ▶ **the best of all** le meilleur de tous **2.** [everybody] **all of the guests** tous les invités ▶ **all of us went** nous y sommes tous allés **3.** [in phrases] **can I help you at all?** puis-je vous aider en quoi que ce soit? ▶ **in all** en tout.

Allah [ˈælə] n Allah m.

all-consuming adj [passion, ambition] dévorant(e).

allege [ə'ledʒ] vt prétendre.

allegedly [ə'ledʒɪdlɪ] adv prétendument.

allergenic [ælə'dʒenɪk] adj allergisant(e).

allergic [ə'lɜːdʒɪk] adj : **to be allergic to** être allergique à.

allergy [ˈælədʒɪ] n allergie f.

alleviate [ə'liːvɪeɪt] vt [pain] alléger.

all-expenses-paid adj tous frais payés.

alley [ˈælɪ] n [narrow street] ruelle f.

alligator [ˈælɪgeɪtə'] n alligator m.

all-in adj UK [inclusive] tout compris.

all-night adj [bar, petrol station] ouvert la nuit.

allocate [ˈæləkeɪt] vt attribuer.

allotment [ə'lɒtmənt] n UK [for vegetables] potager m (loué par la commune à un particulier).

allow [ə'laʊ] vt **1.** [permit] autoriser **2.** [time, money] prévoir ▶ **to allow sb to do sthg** autoriser qqn à faire qqch ▶ **to be allowed to do sthg** avoir le droit de faire qqch. ◆ **allow for** vt insep tenir compte de.

allowance [ə'laʊəns] n **1.** [state benefit] allocation f **2.** [for expenses] indemnité f **3.** US [pocket money] argent m de poche.

all-party talks n POL discussions entre les partis.

all right ◆ adj pas mal inv. ◆ adv **1.** [satisfactorily] bien **2.** [yes, okay] d'accord ▶ **is everything all right?** est-ce que tout va bien? ▶ **is it all right if I smoke?** cela ne vous dérange pas si je fume? ▶ **are you all right?** ça va? ▶ **how are you? — I'm all right** comment vas-tu? — bien.

ally [ˈælaɪ] n allié m, -e f.

almond [ˈɑːmənd] n [nut] amande f.

almost [ˈɔːlməʊst] adv presque ▶ **we almost missed the train** nous avons failli rater le train.

alone [ə'ləʊn] adj & adv seul(e) ▶ **to leave sb alone** [in peace] laisser qqn tranquille ▶ **to leave sthg alone** laisser qqch tranquille.

along [ə'lɒŋ] ◆ prep le long de. ◆ adv : **to walk along** se promener ▶ **to bring**

sthg along apporter qqch ▶ **all along** [knew, thought] depuis le début ▶ **along with** avec.

alongside [ə,lɒŋ'saɪd] prep à côté de ▶ **to come alongside** accoster.

aloof [ə'lu:f] adj distant(e).

aloud [ə'laʊd] adv à haute voix, à voix haute.

alphabet ['ælfəbet] n alphabet m.

alpha male n mâle m alpha.

Alps [ælps] npl **: the Alps** les Alpes fpl.

already [ɔːl'redɪ] adv déjà.

alright [,ɔːl'raɪt] = **all right**.

also ['ɔːlsəʊ] adv aussi.

altar ['ɔːltəʳ] n autel m.

alter ['ɔːltəʳ] vt modifier.

alteration [,ɔːltə'reɪʃn] n **1.** [to plan, timetable] modification f **2.** [to house] aménagement m.

alternate [UK ɔːl't3:nət, US 'ɔːltənət] adj **: on alternate days** tous les deux jours, un jour sur deux.

alternating current ['ɔːltəneɪtɪŋ-] n courant m alternatif.

alternative [ɔːl't3:nətɪv] ◆ adj **1.** [accommodation, route] autre **2.** [medicine, music, comedy] alternatif(ive). ◆ n choix m.

alternatively [ɔːl't3:nətɪvlɪ] adv ou bien.

alternator ['ɔːltəneɪtəʳ] n alternateur m.

although [ɔːl'ðəʊ] conj bien que (+ subjunctive).

altitude ['æltɪtjuːd] n altitude f.

altogether [,ɔːltə'geðəʳ] adv **1.** [completely] tout à fait **2.** [in total] en tout.

aluminium [,æljʊ'mɪnɪəm] n UK aluminium m.

aluminum [ə'luːmɪnəm] US = **aluminium**.

always ['ɔːlweɪz] adv toujours.

Alzheimer's disease ['ælts,haɪməz -] n maladie f d'Alzheimer.

am [æm] → **be**.

a.m. (abbr of ante meridiem) **: at 2 a.m.** à 2 h du matin.

amateur ['æmətəʳ] n amateur m.

amaze [ə'meɪz] vt étonner, stupéfier.

amazed [ə'meɪzd] adj stupéfait(e).

amazing [ə'meɪzɪŋ] adj extraordinaire.

Amazon ['æməzn] n [river] **: the Amazon** l'Amazone f.

ambassador [æm'bæsədəʳ] n ambassadeur m, -drice f.

amber ['æmbəʳ] adj **1.** [traffic lights] orange inv **2.** [jewellery] d'ambre.

ambiguous [æm'bɪgjʊəs] adj ambigu(ë).

ambition [æm'bɪʃn] n (U) ambition f.

ambitious [æm'bɪʃəs] adj [person] ambitieux(euse).

ambulance ['æmbjʊləns] n ambulance f.

ambush ['æmbʊʃ] n embuscade f.

amenities [ə'miːnətɪz] npl équipements mpl.

America [ə'merɪkə] n l'Amérique f.

American [ə'merɪkən] ◆ adj américain(e). ◆ n [person] Américain m, -e f.

amiable ['eɪmɪəbl] adj aimable.

ammunition [,æmjʊ'nɪʃn] n (U) munitions fpl.

amnesia [æm'niːzɪə] n amnésie f.

among(st) [ə'mʌŋ(st)] **prep 1.** parmi **2.** [when sharing] entre.

amount [ə'maʊnt] **n 1.** [quantity] quantité f **2.** [sum] montant m. ◆ **amount to vt insep** [total] se monter à.

amp [æmp] **n** ampère m ▶ **a 13-amp plug** une prise 13 ampères.

ample ['æmpl] **adj** [time] largement assez de.

amplifier ['æmplɪfaɪəʳ] **n** amplificateur m.

amputate ['æmpjʊteɪt] **vt** amputer.

Amtrak ['æmtræk] **n** société nationale de chemins de fer aux États-Unis.

amuse [ə'mju:z] **vt 1.** [make laugh] amuser **2.** [entertain] occuper.

amusement [ə'mju:zmənt] **n** [diversion, game] distraction f.

amusement arcade [ə'mju:zmənt-] **n** UK galerie f de jeux.

amusement park [ə'mju:zmənt-] **n** parc m d'attractions.

amusements [ə'mju:zmənts] **npl** distractions fpl.

amusing [ə'mju:zɪŋ] **adj** amusant(e).

an (stressed [æn], unstressed [ən]) → **a**.

anaemic [ə'ni:mɪk] **adj** UK [person] anémique.

anaesthetic [,ænɪs'θetɪk] **n** UK anesthésie f.

analgesic [,ænæl'dʒi:sɪk] **n** analgésique m.

analogue UK, **analog** ['ænəlɒg] **adj** analogique.

analyse UK, **analyze** US ['ænəlaɪz] **vt** analyser.

analyst ['ænəlɪst] **n** [psychoanalyst] psychanalyste m ou f.

analyze ['ænəlaɪz] US = **analyse**.

anaphylactic [,ænəfə'læktɪk] **adj** [shock] anaphylactique.

anarchist ['ænəkɪst] **n** anarchiste mf.

anarchy ['ænəkɪ] **n** (U) anarchie f.

anatomy [ə'nætəmɪ] **n** (U) anatomie f.

ancestor ['ænsestəʳ] **n** ancêtre m ou f.

anchor ['æŋkəʳ] **n** ancre f.

anchovy ['æntʃəvɪ] **n** anchois m.

ancient ['eɪnʃənt] **adj** ancien(enne).

and (strong form [ænd], weak form [ənd], [ən]) **conj et** ▶ **more and more** de plus en plus ▶ **and you?** et toi ? ▶ **a hundred and one** cent un ▶ **to try and do sthg** essayer de faire qqch ▶ **to go and see** aller voir.

Andalusia [,ændə'lu:zjə] **n** Andalousie f ▶ **in Andalusia** en Andalousie.

Andes ['ændi:z] **npl : the Andes** les Andes fpl.

Andorra [æn'dɔ:rə] **n** Andorre f.

anecdote ['ænɪkdəʊt] **n** anecdote f.

anemic [ə'ni:mɪk] US = **anaemic**.

anesthetic [,ænɪs'θetɪk] US = **anaesthetic**.

angel ['eɪndʒl] **n** ange m.

angel investor n FIN ange m investisseur.

anger ['æŋgəʳ] **n** (U) colère f.

anger management n thérapie pour aider les gens coléreux à mieux se maîtriser.

angina [æn'dʒaɪnə] **n** (U) angine f de poitrine.

angle ['æŋgl] **n** angle m ▶ **at an angle** en biais.

angler ['æŋgləʳ] **n** pêcheur m (à la ligne).

Anglican ['æŋglɪkən] ◆ adj anglican(e). ◆ n anglican m, -e f.

angling ['æŋglɪŋ] n (U) pêche f (à la ligne).

angry ['æŋgrɪ] adj 1. en colère 2. [words] violent(e) ▸ **to get angry (with sb)** se mettre en colère (contre qqn).

animal ['ænɪml] n animal m.

animate ◆ vt ['ænɪmeɪt] 1. [give life to & TV] animer 2. fig égayer 3. [move to action] inciter. ◆ adj vivant(e).

anime ['ænɪm] n anime m, animé m.

anise ['ænɪs] n anis m.

aniseed ['ænɪsiːd] n (U) anis m.

ankle ['æŋkl] n cheville f.

anklet ['æŋklɪt] n [chain] bracelet m de cheville.

annex ['æneks] n [building] annexe f.

annihilate [ə'naɪəleɪt] vt anéantir.

anniversary [ˌænɪ'vɜːsərɪ] n anniversaire m (d'un événement).

announce [ə'naʊns] vt annoncer.

announcement [ə'naʊnsmənt] n annonce f.

announcer [ə'naʊnsər] n [on TV, radio] présentateur m, -trice f.

annoy [ə'nɔɪ] vt agacer.

annoyed [ə'nɔɪd] adj agacé(e) ▸ **to get annoyed (with)** s'énerver (contre).

annoying [ə'nɔɪɪŋ] adj agaçant(e).

annual ['ænjʊəl] adj annuel(elle).

annual earnings npl 1. [of company] recette f annuelle, recettes fpl annuelles 2. [of person] revenu m annuel.

annual income n revenu m annuel.

annually ['ænjʊəlɪ] adv annuellement.

anonymous [ə'nɒnɪməs] adj anonyme.

anorak ['ænəræk] n anorak m.

another [ə'nʌðər] adj & pron un autre (une autre) ▸ **can I have another (one)?** puis-je en avoir un autre ? ▸ **to help one another** s'entraider ▸ **to talk to one another** se parler ▸ **one after another** l'un après l'autre (l'une après l'autre).

answer ['ɑːnsər] ◆ n 1. réponse f 2. [solution] solution f. ◆ vt répondre à. ◆ vi répondre ▸ **to answer the door** aller ouvrir la porte. ◆ **answer back** vi répondre.

answering machine ['ɑːnsərɪŋ-] = **answerphone**.

answerphone ['ɑːnsəfəʊn] n répondeur m.

ant [ænt] n fourmi f.

Antarctic [æn'tɑːktɪk] n : **the Antarctic** l'Antarctique m.

Antarctica [æn'tɑːktɪkə] n Antarctique f, le continent m antarctique.

antenna [æn'tenə] n [US] [aerial] antenne f.

anthem ['ænθəm] n hymne m.

antibiotics [ˌæntɪbaɪ'ɒtɪks] npl antibiotiques mpl.

anticipate [æn'tɪsɪpeɪt] vt 1. [expect] s'attendre à 2. [guess correctly] anticiper.

anticlimax [ˌæntɪ'klaɪmæks] n déception f.

anticlockwise [ˌæntɪ'klɒkwaɪz] adv [UK] dans le sens inverse des aiguilles d'une montre.

anticompetitive [ˌæntɪkəm'petɪtɪv] adj COMM anticoncurrentiel(le).

antidote ['æntɪdəʊt] n antidote m.

antidumping [ˌæntɪ'dʌmpɪŋ] adj [law, legislation] antidumping.

antifreeze ['æntɪfriːz] n (U) antigel m.

antiglobalization, antiglobalisation [ˌæntɪgloʊbəlaɪˈzeɪʃən] n POL antimondialisation f.

antihistamine [ˌæntɪˈhɪstəmɪn] n (U) antihistaminique m.

antioxidant [ˌæntɪˈɒksɪdənt] n antioxydant m.

antiperspirant [ˌæntɪˈpɜːspərənt] n déodorant m.

antiquarian bookshop [ˌæntɪˈkweərɪən-] n librairie spécialisée dans les livres anciens.

antique [ænˈtiːk] n antiquité f.

antique shop n magasin m d'antiquités.

antiseptic [ˌæntɪˈseptɪk] n (U) antiseptique m.

antisocial [ˌæntɪˈsəʊʃl] adj 1. [person] sauvage 2. [behaviour] antisocial(e).

antiterrorist [ˌæntɪˈterərɪst] adj antiterroriste.

antivirus [ˈæntɪvaɪrəs] adj antivirus.

antivirus software n antivirus m.

antlers [ˈæntləz] npl bois mpl.

anxiety [æŋˈzaɪətɪ] n (U) [worry] anxiété f.

anxious [ˈæŋkʃəs] adj 1. [worried] anxieux(euse) 2. [eager] impatient(e).

any [ˈenɪ] ◆ adj 1. [in questions] du, de l', de la, des pl ▶ **is there any milk left?** est-ce qu'il reste du lait ? ▶ **have you got any money?** as-tu de l'argent ? ▶ **have you got any postcards?** avez-vous des cartes postales ? 2. [in negatives] de, d' ▶ **I haven't got any money** je n'ai pas d'argent ▶ **we don't have any rooms** nous n'avons plus de chambres libres 3. [no matter which] n'importe quel (n'importe quelle) ▶ **any box will do** n'importe quelle boîte fera l'affaire ▶ **take any one you like** prends celui qui te plaît

◆ pron 1. [in questions] en ▶ **I'm looking for a hotel, are there any nearby?** je cherche un hôtel, est-ce qu'il y en a par ici ? 2. [in negatives] en ▶ **I don't want any (of them)** je n'en veux aucun ▶ **I don't want any (of it)** je n'en veux pas 3. [no matter which one] n'importe lequel (n'importe laquelle) ▶ **you can sit at any of the tables** vous pouvez vous asseoir à n'importe quelle table

◆ adv 1. [in questions] : **is that any better?** est-ce que c'est mieux comme ça ? ▶ **any other questions?** d'autres questions ? 2. [in negatives] : **he's not any better** il ne va pas mieux ▶ **we can't wait any longer** nous ne pouvons plus attendre.

anybody [ˈenɪbɒdɪ] = **anyone.**

anyhow [ˈenɪhaʊ] adv 1. [carelessly] n'importe comment 2. [in any case] de toute façon 3. [in spite of that] quand même.

any more, anymore US [ˈenɪmɔːʳ] adv : they don't live here any more ils n'habitent plus ici.

anyone [ˈenɪwʌn] pron 1. [any person] n'importe qui 2. [in questions] quelqu'un 3. [in negatives] : **there wasn't anyone in** il n'y avait personne.

anything [ˈenɪθɪŋ] pron 1. [no matter what] n'importe quoi 2. [in questions] quelque chose 3. [in negatives] : **I don't want anything to eat** je ne veux rien manger ▶ **have you anything bigger?** vous n'avez rien de plus grand ?

anytime [ˈenɪtaɪm] adv 1. [at any time] n'importe quand 2. [you're welcome] je t'en prie, je vous en prie.

anyway ['enɪweɪ] adv **1.** de toute façon **2.** [in spite of that] quand même.

anywhere ['enɪweə'] adv **1.** [no matter where] n'importe où **2.** [in questions] quelque part **3.** [in negatives] : **I can't find it anywhere** je ne le trouve nulle part ▶ **anywhere else** ailleurs.

apart [ə'pɑːt] adv [separated] : **the towns are 5 miles apart** les deux villes sont à 8 km l'une de l'autre ▶ **to come apart** [break] se casser ▶ **apart from** à part.

apartheid [ə'pɑːtheɪt] n (U) apartheid m.

apartment [ə'pɑːtmənt] n appartement m.

apathetic [,æpə'θetɪk] adj apathique.

ape [eɪp] n singe m.

aperitif [ə,perə'tiːf] n apéritif m.

aperture ['æpətʃə'] n [of camera] ouverture f.

apeshit ['eɪpʃɪt] adj US vulg : **to go apeshit** péter les plombs.

APEX ['eɪpeks] n **1.** [plane ticket] : **APEX ticket** UK billet m APEX **2.** [train ticket] billet à tarif réduit sur longues distances et sur certains trains seulement, la réservation devant être effectuée à l'avance.

apiece [ə'piːs] adv chacun(e) ▶ **they cost £5 apiece** ils coûtent 5 £ pièce.

aplenty [ə'plentɪ] adj [literary] : **she's always had money aplenty** elle a toujours eu beaucoup ou énormément d'argent.

apocryphal [ə'pɒkrɪfl] adj apocryphe.

apologetic [ə,pɒlə'dʒetɪk] adj : **to be apologetic** s'excuser.

apologize, apologise UK [ə'pɒlə-dʒaɪz] vi s'excuser ▶ **to apologize (to**

sb for sthg) s'excuser (auprès de qqn de qqch) ▶ **to apologize to sb for one's behaviour** s'excuser auprès de qqn de son comportement.

apology [ə'pɒlədʒɪ] n excuses fpl.

apostrophe [ə'pɒstrəfɪ] n apostrophe f.

app [æp] (abbr of application) n COMPUT application f.

appal [ə'pɔːl] vt UK horrifier.

appall [ə'pɔːl] US = **appal**.

appalling [ə'pɔːlɪŋ] adj épouvantable.

apparatus [,æpə'reɪtəs] n appareil m.

apparently [ə'pærəntlɪ] adv apparemment.

appeal [ə'piːl] ♦ n **1.** LAW appel m **2.** [fundraising campaign] collecte f. ♦ vi LAW faire appel ▶ **to appeal to sb for help** demander de l'aide à qqn ▶ **it doesn't appeal to me** ça ne me dit rien.

appealing [ə'piːlɪŋ] adj [attractive] attirant(e).

appear [ə'pɪə'] vi **1.** [come into view] apparaître **2.** [seem] sembler **3.** [in play] jouer **4.** [before court] comparaître ▶ **to appear on TV** passer à la télé ▶ **it appears that** il semble que.

appearance [ə'pɪərəns] n **1.** (U) [arrival] apparition f **2.** [look] apparence f.

appendices [ə'pendɪsiːz] pl → **appendix**.

appendicitis [ə,pendɪ'saɪtɪs] n appendicite f.

appendix [ə'pendɪks] (pl -dices) n appendice m.

appetite ['æpɪtaɪt] n appétit m.

appetizer ['æpɪtaɪzə'] n amuse-gueule m inv.

appetizing ['æpɪtaɪzɪŋ] adj appétissant(e).

applaud [ə'plɔːd] vt & vi applaudir.

applause [ə'plɔːz] n (U) applaudissements mpl.

apple ['æpl] n pomme f.

apple charlotte [-'ʃɑːlət] n charlotte f aux pommes.

apple crumble n dessert consistant en une compote de pommes recouverte de pâte sablée.

apple juice n (U) jus m de pomme.

apple pie n tarte aux pommes recouverte d'une couche de pâte.

apple sauce n (U) compote de pommes, accompagnement traditionnel du rôti de porc.

apple strudel n 🇬🇧 strudel m aux pommes.

apple tart n tarte f aux pommes.

apple turnover [-'tɜːn,əʊvə'] n chausson m aux pommes.

appliance [ə'plaɪəns] n appareil m ▶ electrical /domestic appliance appareil électrique /ménager.

applicable [ə'plɪkəbl] adj : to be applicable (to) s'appliquer (à) ▶ if applicable s'il y a lieu.

applicant ['æplɪkənt] n candidat m, -e f.

application [,æplɪ'keɪʃn] n 1. [for job, membership] demande f 2. COMPUT application f.

application form n formulaire m.

applications program [,æplɪ'keɪʃns -] n COMPUT programme m d'application.

apply [ə'plaɪ] ◆ vt appliquer. ◆ vi : to apply to sb [make request] s'adresser à qqn ▶ to apply (to sb) [be applica-

ble] s'appliquer (à qqn) ▶ to apply the brakes freiner ▶ to apply to the bank for a loan faire une demande de prêt à la banque.

appointment [ə'pɔɪntmənt] n rendez-vous m ▶ to have /make an appointment (with) avoir /prendre rendez-vous (avec) ▶ by appointment sur rendez-vous.

appreciable [ə'priːʃəbl] adj appréciable.

appreciate [ə'priːʃɪeɪt] vt 1. [be grateful for] être reconnaissant de 2. [understand] comprendre 3. [like, admire] apprécier.

apprehensive [,æprɪ'hensɪv] adj inquiet(iète).

apprentice [ə'prentɪs] n apprenti m, -e f.

apprenticeship [ə'prentɪsʃɪp] n apprentissage m.

approach [ə'prəʊtʃ] ◆ n 1. [road] voie f d'accès 2. [of plane] descente f 3. [to problem, situation] approche f. ◆ vt 1. s'approcher de 2. [problem, situation] aborder. ◆ vi 1. [person, vehicle] s'approcher 2. [event] approcher.

appropriate [ə'prəʊprɪət] adj approprié(e).

approval [ə'pruːvl] n (U) approbation f.

approve [ə'pruːv] vi : to approve of sb's behaviour approuver le comportement de qqn.

approximate [ə'prɒksɪmət] adj approximatif(ive).

approximately [ə'prɒksɪmətlɪ] adv environ, à peu près.

Apr. (abbr of April) avr. (avril).

apricot ['eɪprɪkɒt] n abricot m.

April ['eɪprəl] n avril m ▶ **at the beginning of April** début avril ▶ **at the end of April** fin avril ▶ **during April** en avril ▶ **every April** tous les ans en avril ▶ **in April** en avril ▶ **last April** en avril (dernier) ▶ **next April** en avril de l'année prochaine ▶ **this April** en avril (prochain) ▶ **2 April 2012** [in letters, etc.] le 2 avril 2012.

April Fools' Day n le premier avril.

apron ['eɪprən] n [for cooking] tablier m.

apt [æpt] adj [appropriate] approprié(e) ▶ **to be apt to do sthg** avoir tendance à faire qqch.

aquaculture ['ækwə,kʌltʃə^r] n aquaculture f.

aquarium [əˈkweərɪəm] (pl -ria) n aquarium m.

Aquarius [əˈkweərɪəs] n Verseau m.

aquarobics [,ækwəˈrəʊbɪks] n aquagym f.

aqueduct ['ækwɪdʌkt] n aqueduc m.

Arab ['ærəb] ◆ adj arabe. ◆ n [person] Arabe m ou f.

Arabic ['ærəbɪk] ◆ adj arabe. ◆ n [language] arabe m.

arbitrary ['ɑːbɪtrərɪ] adj arbitraire.

arc [ɑːk] n arc m.

arcade [ɑːˈkeɪd] n 1. [for shopping] galerie f marchande 2. [of video games] galerie f de jeux.

arch [ɑːtʃ] n arc m.

archaeology [,ɑːkɪˈɒlədʒɪ] n (U) archéologie f.

archbishop [,ɑːtʃˈbɪʃəp] n archevêque m.

archery ['ɑːtʃərɪ] n (U) tir m à l'arc.

archipelago [,ɑːkɪˈpeləgəʊ] n archipel m.

architect ['ɑːkɪtekt] n architecte m ou f.

architecture ['ɑːkɪtektʃə^r] n (U) architecture f.

archive ['ɑːkaɪv] n archives fpl.

archives ['ɑːkaɪvz] npl archives fpl.

Arctic ['ɑːktɪk] n : **the Arctic** l'Arctique m.

are (weak form [ə^r], strong form [ɑː^r]) → **be**.

area ['eərɪə] n 1. [region] région f 2. [space, zone] aire f 3. [surface size] superficie f ▶ **dining area** coin m de repas.

area code n indicatif m de zone.

arena [əˈriːnə] n 1. [at circus] chapiteau m 2. [sportsground] stade m.

aren't [ɑːnt] → **are not**.

Argentina [,ɑːdʒənˈtiːnə] n l'Argentine f.

Argentine ['ɑːdʒəntaɪn], **Argentinian** [,ɑːdʒənˈtɪnɪən] ◆ adj argentin(e). ◆ n Argentin m, -e f.

argue ['ɑːgjuː] vi 1. [quarrel] se disputer 2. [maintain] : **to argue (that)...** soutenir que... ▶ **to argue with one's partner about money** se disputer avec son conjoint / son partenaire pour des questions d'argent.

argument ['ɑːgjʊmənt] n 1. [quarrel] dispute f 2. [reason] argument m.

arid ['ærɪd] adj aride.

Aries ['eəriːz] n Bélier m.

arise [əˈraɪz] (pt arose, pp arisen [əˈrɪzn]) vi surgir ▶ **to arise from** résulter de.

aristocracy [,ærɪˈstɒkrəsɪ] n aristocratie f.

arithmetic [əˈrɪθmətɪk] n (U) arithmétique f.

arm [ɑːm] n **1.** bras m **2.** [of garment] manche f.

armbands ['ɑːmbændz] npl [for swimming] bouées fpl (autour des bras).

armchair ['ɑːmtʃeəʳ] n fauteuil m.

armed [ɑːmd] adj [person] armé(e).

armed forces npl : the armed forces les forces fpl armées.

armor ['ɑːmər] US = **armour**.

armour [ɑːməʳ] UK armure f.

armpit ['ɑːmpɪt] n aisselle f.

armrest ['ɑːmrest] n accoudoir m.

arms [ɑːmz] npl [weapons] armes fpl.

army ['ɑːmɪ] n armée f.

A-road n UK ≃ (route) nationale f.

aroma [əˈrəʊmə] n arôme m.

aromatherapist [ə,rəʊməˈθerəpɪst] n spécialiste mf en aromathérapie.

aromatherapy [ə,rəʊməˈθerəpɪ] n aromathérapie f.

aromatic [,ærəˈmætɪk] adj aromatique.

arose [əˈrəʊz] pt → **arise**.

around [əˈraʊnd] ◆ adv [present] dans le coin. ◆ prep **1.** autour de **2.** [approximately] environ ▸ to get around an obstacle contourner un obstacle ▸ at around two o'clock in the morning vers 2 h du matin ▸ around here [in the area] par ici ▸ to look around a) [turn head] regarder autour de soi b) [in shop] jeter un coup d'œil c) [in city] faire un tour ▸ to turn around se retourner ▸ to walk around se promener.

arouse [əˈraʊz] vt [cause] provoquer.

arrange [əˈreɪndʒ] vt **1.** arranger **2.** [meeting, event] organiser ▸ to arrange to go to the cinema with a friend convenir d'aller au cinéma avec un ami.

arrangement [əˈreɪndʒmənt] n **1.** [agreement] arrangement m **2.** [layout] disposition f ▸ by arrangement [tour, service] sur réservation ▸ travel arrangements organisation f du voyage.

arrest [əˈrest] ◆ n arrestation f. ◆ vt arrêter ▸ under arrest en état d'arrestation.

arrival [əˈraɪvl] n arrivée f ▸ on arrival à l'arrivée ▸ new arrival [person] nouveau venu m, nouvelle venue f.

arrive [əˈraɪv] vi arriver.

arrogant [ˈærəgənt] adj arrogant(e).

arrow [ˈærəʊ] n flèche f.

arse [ɑːs] UK, **ass** [æs] US n vulg cul m.

arson [ˈɑːsn] n (U) incendie m criminel.

art [ɑːt] n (U) art m. ◆ **arts** npl [humanities] ≃ lettres fpl ▸ the arts [fine arts] l'art m.

artefact [ˈɑːtɪfækt] n objet m fabriqué.

artery [ˈɑːtərɪ] n artère f.

art gallery n **1.** [shop] galerie f d'art **2.** [museum] musée m d'art.

arthritis [ɑːˈθraɪtɪs] n (U) arthrite f.

artichoke [ˈɑːtɪtʃəʊk] n artichaut m.

article [ˈɑːtɪkl] n article m.

articulate [ɑːˈtɪkjʊlət] adj **1.** [person] qui s'exprime bien **2.** [speech] clair(e).

artifact [ˈɑːtɪfækt] n objet m fabriqué.

artificial [,ɑːtɪˈfɪʃl] adj artificiel(elle).

artist [ˈɑːtɪst] n artiste m ou f.

artistic [ɑːˈtɪstɪk] adj **1.** [design] artistique **2.** [person] artiste.

arts centre n centre m culturel.

artsy [ˈɑːtzɪ] (compar **artsier**, superl **artsiest**) adj inf = **arty**.

arty ['ɑ:tɪ] adj pej qui se veut artiste.

as (unstressed [əz], stressed [æz]) ◆ adv [in comparisons] : **as... as** aussi... que ▸ **he's as tall as I am** il est aussi grand que moi ▸ **as many as** autant que ▸ **as much as** autant que. ◆ conj **1.** comme **2.** [in phrases] : **as for** quant à ▸ **as from**, **as of** à partir de ▸ **as if** comme si. ◆ prep [referring to function, job] comme ▸ **as the plane was coming in to land** comme l'avion s'apprêtait à atterrir ▸ **do you like this teacher ?** faites comme tu veux ▸ **as expected,...** comme prévu ▸ **as you know...** comme tu sais... ▸ **I work as a teacher** je suis professeur.

asap (abbr of as soon as possible) dès que possible.

ascent [ə'sent] n [climb] ascension f.

ascribe [ə'skraɪb] vt : **to ascribe sthg to sb** [quality] attribuer qqch à qqn ▸ **to ascribe her success to luck** attribuer son succès à la chance.

ash [æʃ] n **1.** (U) [from cigarette, fire] cendre f **2.** [tree] frêne m.

ashamed [ə'ʃeɪmd] adj honteux(euse) ▸ **to be ashamed (of)** avoir honte (de).

ashore [ə'ʃɔːr] adv à terre ▸ **to go ashore** débarquer.

ashtray ['æʃtreɪ] n cendrier m.

Asia [UK 'eɪʃə, US 'eɪʒə] n l'Asie f.

Asian [UK 'eɪʃn, US 'eɪʒn] ◆ adj asiatique. ◆ n Asiatique m ou f.

aside [ə'saɪd] adv de côté ▸ **to move aside** s'écarter.

ask [ɑːsk] ◆ vt **1.** [person] demander à **2.** [question] poser **3.** [request] demander **4.** [invite] inviter. ◆ vi : **to ask about train times** se renseigner sur les horaires de train ▸ **I asked him his name** je lui ai demandé son nom ▸ **did you ask her about her new job?** tu lui as

posé des questions sur son nouveau travail ? ▸ **she asked them to help** elle leur a demandé de l'aide ▸ **to ask one's boss for a rise** demander une augmentation à son patron ▸ **to ask questions** poser des questions. ◆ **ask for** vt insep demander ▸ **to ask for information** se renseigner.

asleep [ə'sliːp] adj endormi(e) ▸ **to fall asleep** s'endormir.

AS level n UK examen facultatif complétant les A-levels.

asparagus [ə'spærəgəs] n (U) asperge f.

asparagus tips npl pointes fpl d'asperge.

aspect ['æspekt] n aspect m.

aspirin ['æsprɪn] n aspirine f.

ass [æs] n [animal] âne m.

assassinate [ə'sæsɪneɪt] vt assassiner.

assault [ə'sɔːlt] ◆ n [on person] agression f. ◆ vt agresser.

assemble [ə'sembl] ◆ vt [bookcase, model] monter. ◆ vi se rassembler.

assembly [ə'semblɪ] n [at school] réunion quotidienne, avant le début des cours, des élèves d'un établissement.

assembly hall n salle de réunion des élèves dans une école.

assembly point n [at airport, in shopping centre] point m de rassemblement.

assert [ə'sɜːt] vt affirmer ▸ **to assert o.s.** s'imposer.

assess [ə'ses] vt évaluer.

assessment [ə'sesmənt] n évaluation f.

asset ['æset] n [valuable person, thing] atout m.

assign [ə'saɪn] vt : to assign a task to an employee assigner une tâche à un employé ▸ **to assign police officers to watch a building** [designate] désigner des policiers pour surveiller un immeuble.

assignment [ə'saɪnmənt] n 1. [task] mission f 2. SCH devoir m.

assist [ə'sɪst] vt assister, aider.

assistance [ə'sɪstəns] n (U) aide f ▸ **to be of assistance (to sb)** être utile (à qqn).

assistance dog n chien m guide.

assistant [ə'sɪstənt] n assistant m, -e f.

assistant headmaster [ə'sɪstənt ˌhed'mɑːstər] [UK], **assistant principal** [ə'sɪstənt ˌprɪnsəpl] [US] n SCH principal m adjoint, principale f adjointe.

associate ◆ n [ə'səʊʃiət] associé m, -e f. ◆ vt [ə'səʊʃieɪt] : **to associate a product with a particular image** associer un produit à une image spécifique ▸ **to be associated with** [attitude, person] être associé à.

association [əˌsəʊsi'eɪʃn] n association f.

assorted [ə'sɔːtɪd] adj [sweets, chocolates] assortis(ties).

assortment [ə'sɔːtmənt] n assortiment m.

assume [ə'sjuːm] vt 1. [suppose] supposer 2. [control, responsibility] assumer.

assumption [ə'sʌmpʃn] n [supposition] supposition f.

assurance [ə'ʃʊərəns] n assurance f.

assure [ə'ʃʊər] vt assurer ▸ **to assure sb (that)...** assurer qqn que....

assuredly [ə'ʃʊərɪdlɪ] adv assurément, sans aucun doute.

asterisk ['æstərɪsk] n astérisque m.

asthma ['æsmə] n (U) asthme m.

asthmatic [æs'mætɪk] adj asthmatique.

astonish [ə'stɒnɪʃ] vt étonner.

astonished [ə'stɒnɪʃt] adj stupéfait(e).

astonishing [ə'stɒnɪʃɪŋ] adj stupéfiant(e).

astound [ə'staʊnd] vt stupéfier.

astray [ə'streɪ] adv : **to go astray** s'égarer.

astrology [ə'strɒlədʒɪ] n (U) astrologie f.

astronomy [ə'strɒnəmɪ] n (U) astronomie f.

asylum [ə'saɪləm] n asile m.

asylum-seeker n demandeur m, -euse f d'asile.

at (unstressed) [ət], (stressed) [æt]
◆ prep 1. [indicating place, position] à ▸ **at the supermarket** au supermarché ▸ **at school** à l'école ▸ **at the hotel** à l'hôtel ▸ **at home** à la maison, chez moi / toi etc ▸ **at my mother's** chez ma mère 2. [indicating direction] : **to throw stones at a dog** jeter des pierres à un chien ▸ **to look at a painting** regarder un tableau ▸ **to smile at a neighbour** sourire à un voisin 3. [indicating time] à ▸ **at nine o'clock** à 9 h ▸ **at night** la nuit 4. [indicating rate, level, speed] à ▸ **it works out at £5 each** ça revient à 5 livres chacun ▸ **at 60 km / h** à 60 km / h 5. [indicating activity] : **to be at lunch** être en train de déjeuner ▸ **to be good / bad at sthg** être bon / mauvais en qqch 6. [indicating cause] de ▸ **shocked at sthg** choqué par qqch ▸ **angry at sb** fâché contre qqn ▸ **delighted at sthg** ravi de qqch.

ate [[UK] et, [US] eɪt] pt → **eat.**

atheist ['eɪθɪɪst] n athée m ou f.

athlete ['æθliːt] n athlète m ou f.

athletics [æθ'letɪks] n (U) athlétisme m.

Atlantic [ət'læntɪk] n : **the Atlantic (Ocean)** l'(océan) Atlantique m.

atlas ['ætləs] n atlas m.

ATM (abbr of automatic OR automated teller machine) n US DAB (distributeur automatique de billets).

atmosphere ['ætməsfɪəʳ] n atmosphère f.

atom ['ætəm] n atome m.

A to Z n US [map] plan m de ville.

at-risk adj : **an at-risk group** un groupe OR une population à risque.

atrocious [ə'trəʊʃəs] adj [very bad] atroce.

atrophy ['ætrəfɪ] (pt & pp -ied) vi s'atrophier.

at(') sign n arobase m.

attach [ə'tætʃ] vt attacher ▶ **to attach a padlock to a bicycle** attacher un cadenas à un vélo.

attachment [ə'tætʃmənt] n 1. [device] accessoire m 2. COMPUT pièce f jointe.

attack [ə'tæk] ◆ n 1. attaque f 2. [fit, bout] crise f. ◆ vt attaquer.

attack dog n chien m d'attaque.

attacker [ə'tækəʳ] n agresseur m.

attain [ə'teɪn] vt fml atteindre.

attempt [ə'tempt] ◆ n tentative f. ◆ vt tenter ▶ **to attempt to do sthg** tenter de faire qqch.

attempted [ə'temptɪd] adj : **attempted murder/suicide** tentative de meurtre/suicide.

attend [ə'tend] vt 1. [meeting, mass] assister à 2. [school] aller à. ◆ **attend to** vt insep [deal with] s'occuper de.

attendance [ə'tendəns] n 1. [people at concert, match] spectateurs mpl 2. (U) [at school] présence f.

attendant [ə'tendənt] n 1. [at museum] gardien m, -enne f 2. [at petrol station] pompiste m ou f 3. [at public toilets, cloakroom] préposé m, -e f.

attention [ə'tenʃn] n (U) attention f ▶ **to pay attention (to)** prêter attention (à).

attention-seeking n : **it's just attention-seeking** il/elle etc. essaie juste de se faire remarquer.

attic ['ætɪk] n grenier m.

attire [ə'taɪəʳ] n (U) fml tenue f.

attitude ['ætɪtjuːd] n attitude f.

attorney [ə'tɜːnɪ] n US avocat m, -e f.

Attorney General (pl Attorneys General OR Attorney Generals) n [in England, Wales and Northern Ireland] principal avocat de la Couronne ; [in US] ≃ ministre m de la Justice.

attract [ə'trækt] vt attirer.

attraction [ə'trækʃn] n 1. (U) [liking] attirance f 2. [attractive feature] attrait m 3. [of town, resort] attraction f.

attractive [ə'træktɪv] adj séduisant(e).

attribute [ə'trɪbjuːt] vt : **to attribute his success to hard work** attribuer son succès à un travail acharné.

aubergine ['əʊbəʒiːn] n US aubergine f.

auburn ['ɔːbən] adj auburn inv.

auction ['ɔːkʃn] n vente f aux enchères.

audience ['ɔːdɪəns] n **1.** [of play, concert, film] public m **2.** [of TV] téléspectateurs mpl **3.** [of radio] auditeurs mpl.

audio ['ɔːdɪəʊ] adj audio inv.

audioblog ['ɔːdɪəʊblɒg] n audioblog m.

audiobook ['ɔːdɪəʊbʊk] n livre m audio.

audio socket n prise f audio.

audio tour n visite f guidée audio.

audio(-)visual [ˌɔːdɪəʊvɪzjʊəl] adj audiovisuel(elle).

auditorium [ˌɔːdɪ'tɔːrɪəm] n salle f.

Aug. abbr of **August**.

August ['ɔːgəst] n août m ▸ **at the beginning of August** début août ▸ **at the end of August** fin août ▸ **during August** en août ▸ **every August** tous les ans en août ▸ **in August** en août ▸ **last August** en août (dernier) ▸ **this August** en août ▸ **next August** en août de l'année prochaine ▸ **2 August 2012** [in letters, etc.] le 2 août 2012.

aunt [ɑːnt] n tante f.

auntie, aunty [ɑːntɪ] n inf tata f, tantine f.

au pair [ˌəʊ'peəʳ] n jeune fille f au pair.

aural ['ɔːrəl] adj auditif(ive) ▸ **an aural exam** un test de compréhension orale.

Australia [ɒ'streɪlɪə] n l'Australie f.

Australian [ɒ'streɪlɪən] ◆ adj australien(enne). ◆ n Australien(enne).

Austria ['ɒstrɪə] n l'Autriche f.

Austrian ['ɒstrɪən] ◆ adj autrichien(enne). ◆ n Autrichien(enne).

autarchy ['ɔːtɑːkɪ] (pl -ies) n = **autocracy**.

authentic [ɔː'θentɪk] adj authentique.

author ['ɔːθəʳ] n auteur m.

authoring ['ɔːθərɪŋ] n [of DVD] authoring m (création des menus et du système de navigation).

authoritarianism [ɔːˌθɒrɪ'teərɪənɪzm] n autoritarisme m.

authority [ɔː'θɒrətɪ] n (U) autorité f ▸ **the authorities** les autorités.

authorization [ˌɔːθəraɪ'zeɪʃn] n (U) autorisation f.

authorize ['ɔːθəraɪz] vt autoriser ▸ **to authorize one's son to act on one's behalf** autoriser son fils à agir en son nom.

autobiography [ˌɔːtəbaɪ'ɒgrəfɪ] n autobiographie f.

autocorrect [ˌɔːtəʊkə'rekt] n correction f automatique.

autocracy [ɔː'tɒkrəsɪ] (pl -ies) n autocratie f.

autoformat ['ɔːtəʊˌfɔːmæt] n COMPUT composition f automatique.

autograph ['ɔːtəgrɑːf] n autographe m.

automatic [ˌɔːtə'mætɪk] ◆ adj **1.** [machine] automatique **2.** [fine] systématique. ◆ n [car] voiture f à boîte automatique.

automatically [ˌɔːtə'mætɪklɪ] adv automatiquement.

automatic teller n US distributeur m de billets.

automobile ['ɔːtəməbiːl] n US voiture f.

autumn ['ɔːtəm] n automne m ▸ **in (the) autumn** en automne.

auxiliary (verb) [ɔːg'zɪljərɪ] n auxiliaire m.

availability [əˌveɪlə'bɪlətɪ] n disponibilité f.

available [ə'veɪləbl] adj disponible.

avalanche [ˈævəlɑːnʃ] n avalanche f.

Ave. (abbr of **avenue**) av.

avenue [ˈævənjuː] n avenue f.

average [ˈævərɪdʒ] ◆ adj moyen(enne). ◆ n moyenne f ▶ **on average** en moyenne.

aversion [əˈvɜːʃn] n aversion f.

aviation [ˌeɪvɪˈeɪʃn] n (U) aviation f.

avid [ˈævɪd] adj avide.

avocado [ˌævəˈkɑːdəʊ] n (fruit) avocat m.

avoid [əˈvɔɪd] vt éviter ▶ **to avoid doing sthg** éviter de faire qqch.

await [əˈweɪt] vt attendre.

awake [əˈweɪk] (pt **awoke**, pp **awoken**) ◆ adj réveillé(e). ◆ vi se réveiller.

award [əˈwɔːd] ◆ n (prize) prix m. ◆ vt : **to award a student a prize** décerner un prix à un étudiant ▶ **to award an accident victim compensation** accorder une compensation à une victime d'accident.

aware [əˈweəʳ] adj conscient(e) ▶ **to be aware of** être conscient de.

awareness [əˈweənɪs] n (U) conscience f.

away [əˈweɪ] adv (not at home, in office) absent(e) ▶ **to put one's things away** ranger ses affaires ▶ **to look away** détourner les yeux ▶ **to turn away** se détourner ▶ **to walk/drive away** s'éloigner ▶ **to take a knife away from an attacker** enlever son couteau à un agresseur ▶ **far away** loin ▶ **it's 10 miles away (from here)** c'est à une quinzaine de kilomètres (d'ici) ▶ **it's two weeks away** c'est dans deux semaines.

awesome [ˈɔːsəm] adj **1.** (impressive) impressionnant(e) **2.** inf (excellent) génial(e).

awful [ˈɔːfəl] adj affreux(euse) ▶ **I feel awful** je ne me sens vraiment pas bien ▶ **an awful lot of** énormément de.

awfully [ˈɔːflɪ] adv (very) terriblement.

awkward [ˈɔːkwəd] adj **1.** (uncomfortable) inconfortable **2.** (movement) maladroit(e) **3.** [shape, size] peu pratique **4.** [embarrassing] embarrassant(e) **5.** [question, task] difficile.

awning [ˈɔːnɪŋ] n auvent m.

awoke [əˈwəʊk] pt → **awake**.

awoken [əˈwəʊkən] pp → **awake**.

axe, ax US [æks] n hache f.

axle [ˈæksl] n essieu m.

AZERTY keyboard [əˈzɜːtɪ-] n clavier m AZERTY.

Bb

B & B abbr of **bed and breakfast**.

BA (abbr of **Bachelor of Arts**) (titulaire d'une) licence de lettres.

babble [ˈbæbl] vi marmonner.

baby [ˈbeɪbɪ] n bébé m ▶ **to have a baby** avoir un enfant ▶ **baby sweetcorn** jeunes épis mpl de maïs.

baby carriage n US landau m.

baby food n (U) aliments mpl pour bébé.

baby-sit vi faire du baby-sitting.

baby-sitter n baby-sitter mf.

baby wipe n lingette f.

bachelor ['bætʃələʳ] n célibataire m.

Bachelor of Medicine n 🇬🇧 [degree] ≃ licence f de médecine.

bachelor party n 🇺🇸 enterrement m de vie de garçon.

back [bæk] ◆ adv en arrière. ◆ n 1. dos m 2. [of chair] dossier m 3. [of room] fond m 4. [of car] arrière m. ◆ adj [wheels] arrière inv. ◆ vi [car, driver] faire marche arrière. ◆ vt [support] soutenir ▶ **to arrive back** rentrer ▶ **to give sthg back** rendre qqch ▶ **to put sthg back** remettre qqch ▶ **to stand back** reculer ▶ **at the back of** derrière ▶ **in back of** 🇺🇸 derrière ▶ **back to front** devant derrière.

◆ **back up** ◆ vt sep [support] appuyer. ◆ vi [car, driver] faire marche arrière.

backache ['bækeɪk] n (U) mal m au dos.

backbone ['bækbəʊn] n colonne f vertébrale.

back door n porte f de derrière.

backfire [ˌbæk'faɪəʳ] vi [car] pétarader.

background ['bækgraʊnd] n 1. [in picture, on stage] arrière-plan m 2. [to situation] contexte m 3. [of person] milieu m.

backlist ['bæklɪst] n liste f des ouvrages disponibles.

backlog ['bæklɒg] n accumulation f ▶ **a backlog of work** beaucoup de travail en retard.

backpack ['bækpæk] n sac m à dos.

backpacker ['bækpækəʳ] n routard m, -e f.

back seat n siège m arrière.

backside [ˌbæk'saɪd] n inf fesses fpl.

backslash ['bækslæʃ] n antislash m.

back street n ruelle f.

backstreet ['bækstriːt] adj [underhanded] louche.

backstroke ['bækstrəʊk] n (U) dos m crawlé.

backup ['bækʌp] n sauvegarde f.

backup copy n copie f de sauvegarde.

backward ['bækwəd] ◆ adj [movement, look] en arrière. ◆ adv 🇺🇸 = **backwards**.

backwards ['bækwədz], **backward** ['bækwəd, 🇺🇸] adv 1. [move, go] en arrière, à reculons 2. [the wrong way round] à l'envers 3. [read list] à rebours, à l'envers.

bacon ['beɪkən] n (U) bacon m ▶ **bacon and eggs** œufs mpl frits au bacon.

bacteria [bæk'tɪərɪə] npl bactéries fpl.

bad [bæd] (compar **worse**, superl **worst**) adj 1. mauvais(e) 2. [serious] grave 3. [naughty] méchant(e) 4. [rotten, off] pourri(e) ▶ **to have a bad back** avoir mal au dos ▶ **to have a bad cold** avoir un gros rhume ▶ **to go bad** [milk, yoghurt] tourner ▶ **not bad** pas mauvais, pas mal.

badge [bædʒ] n 1. [metal, plastic] badge m 2. [sewn-on] écusson m. ◆ **badge in** vi badger (en entrant). ◆ **badge out** vi badger (en sortant).

badger ['bædʒəʳ] n blaireau m.

badly ['bædlɪ] (compar **worse**, superl **worst**) adv 1. mal 2. [seriously] gravement ▶ **to badly need sthg** avoir sérieusement besoin de qqch.

badly paid [peɪd] adj mal payé(e).

badminton ['bædmɪntən] n (U) badminton m.

bad-tempered ['tempəd] adj 1. [by nature] qui a mauvais caractère 2. [in a bad mood] de mauvaise humeur.

Bafta ['bæftə] (abbr of **British Academy of Film and Television Awards**) n :

Bafta (award) *prix récompensant les meilleurs films et émissions de télévision en Grande-Bretagne.*

bag [bæg] n **1.** sac m **2.** [piece of luggage] bagage m ▶ **a bag of crisps** un paquet de chips.

bagboy ['bægbɔɪ] n US commis m *(qui aide à l'emballage des achats).*

bagel ['beɪgəl] n *petit pain en couronne.*

baggage ['bægɪdʒ] n (U) bagages mpl.

baggage allowance n franchise f de bagages.

baggage control n contrôle m des bagages.

baggage reclaim UK, **baggage claim** US n **1.** retrait m des bagages **2.** [delivery] livraison f des bagages ▶ '**baggage claim area**' livraison f des bagages.

baggy ['bægɪ] adj ample.

bagpipes ['bægpaɪps] npl cornemuse f.

bail [beɪl] n (U) caution f.

bait [beɪt] n (U) appât m.

bake [beɪk] ◆ vt faire cuire (au four). ◆ n CULIN gratin m ▶ **vegetable bake** gratin de légumes.

baked [beɪkt] adj cuit au four.

baked Alaska [ə'læskə] n omelette f norvégienne.

baked beans npl haricots mpl blancs à la tomate.

baked potato n pomme de terre f en robe de chambre.

baker ['beɪkə'] n boulanger(ère) ▶ **baker's [shop]** boulangerie f.

bakery ['beɪkərɪ] n boulangerie f.

Bakewell tart ['beɪkwel-] n *gâteau constitué d'une couche de confiture prise entre deux couches de génoise*

à l'amande, avec un glaçage décoré de vagues.

baking powder n levure f (chimique).

balance ['bæləns] ◆ n **1.** [of person] équilibre m **2.** [of bank account] solde m **3.** [remainder] reste m. ◆ vt [object] maintenir en équilibre.

balcony ['bælkənɪ] n balcon m.

bald [bɔːld] adj chauve.

balderdash ['bɔːldədæʃ] n (U) [dated] âneries fpl.

bald spot n : **to have a bald spot** avoir un début de calvitie.

bale [beɪl] n [of cloth, hay] balle f.

Balearic Islands [,bælɪˈærɪk-], **Balearics** [,bælɪˈærɪks] npl : **the Balearic Islands** les Baléares fpl.

ball [bɔːl] n **1.** SPORT balle f **2.** [in football, rugby] ballon m **3.** [in snooker, pool] boule f **4.** [of wool, string] pelote f **5.** [of paper] boule f **6.** [dance] bal m ▶ **on the ball** fig vif (vive).

ballad ['bæləd] n ballade f.

ballerina [,bæləˈriːnə] n ballerine f.

ballet ['bæleɪ] n **1.** [dancing] danse f (classique) **2.** [work] ballet m.

ballet dancer n danseur classique.

ball game n US [baseball match] match m de base-ball.

balloon [bəˈluːn] n ballon m.

balloon loan n crédit-ballon m.

ballot ['bælət] n scrutin m.

ballpark ['bɔːlpɑːk] n **1.** US [stadium] stade m de base-ball **2.** inf [approximate range] ordre m de grandeur ▶ **his guess was in the right ballpark** il avait plutôt bien deviné.

ballpoint pen ['bɔːlpɔɪnt-] n stylo m (à) bille.

ballroom ['bɔːlrʊm] n salle f de bal.

ballroom dancing n (U) danse f de salon.

ballsy ['bɔːlzɪ] adj US vulg culotté(e).

bamboo [bæm'buː] n (U) bambou m.

bamboo shoots npl pousses fpl de bambou.

ban [bæn] ◆ n interdiction f. ◆ vt interdire ▸ **to ban sb from driving** interdire à qqn de conduire.

banana [bə'nɑːnə] n banane f.

banana split n banana split m.

band [bænd] n 1. [musical group] groupe m 2. [strip of paper, rubber] bande f.

bandage ['bændɪdʒ] ◆ n bandage m, bande f. ◆ vt mettre un bandage sur.

Band-Aid® n pansement m adhésif.

B and B abbr of **bed and breakfast**.

bandstand ['bændstænd] n kiosque m à musique.

bang [bæŋ] ◆ n 1. [of gun] détonation f 2. [of door] claquement m. ◆ vt 1. cogner 2. [door] claquer ▸ **to bang one's head** se cogner la tête.

banger ['bæŋəʳ] n UK inf [sausage] saucisse f ▸ **bangers and mash** saucisses-purée.

bangle ['bæŋgl] n bracelet m.

bangs [bæŋz] npl US frange f.

banister ['bænɪstəʳ] n rampe f.

banjo ['bændʒəʊ] n banjo m.

bank [bæŋk] n 1. [for money] banque f 2. [of river, lake] berge f 3. [slope] talus m.

ⓘ **Bank holiday**

Au Royaume-Uni, ce jour férié, qui coïncide avec les jours de fermeture des banques, est traditionnellement célébré un lundi. La plupart des Britanniques prennent un jour de congé à cette date sauf s'ils travaillent dans les services publics. Les principaux **bank holidays** se situent à Noël, Pâques, au mois de mai et fin août.

bank account n compte m bancaire.

bank balance n UK solde m bancaire.

bank book n livret m d'épargne.

bank card n = **banker's card**.

bank charges npl frais mpl bancaires.

bank clerk n employé m de banque.

bank details n relevé m d'identité bancaire, RIB m.

bank draft n traite f bancaire.

banker ['bæŋkəʳ] n banquier m.

banker's card n carte à présenter, en guise de garantie, par le titulaire d'un compte lorsqu'il paye par chèque.

bank holiday n UK jour m férié.

bank manager n directeur m, -trice f d'agence bancaire.

bank note n billet m de banque.

bankrupt ['bæŋkrʌpt] adj en faillite.

bankruptcy ['bæŋkrəptsɪ] n faillite f.

bank statement n relevé m de compte.

banner ['bænəʳ] n 1. [flag] banderole f 2. COMPUT bandeau m.

banner ad n bannière f publicitaire.

bannister ['bænɪstəʳ] = **banister**.

banquet ['bæŋkwɪt] n 1. banquet m 2. [at Indian restaurant, etc.] menu pour plusieurs personnes.

bap [bæp] n UK petit pain m.

baptism ['bæptɪzm] n baptême m.

baptize [UK bæp'taɪz, US 'bæptaɪz] vt baptiser.

bar [bɑːʳ] ◆ n 1. [pub, in hotel] bar m 2. [counter in pub] comptoir m 3. [of metal, wood] barre f 4. [of chocolate] tablette f. ◆ vt [obstruct] barrer ▸ a bar of soap une savonnette.

barbarism ['bɑːbərɪzm] n [state] barbarie f.

barbarity [bɑː'bærəti] n [brutality] barbarie f, inhumanité f.

barbecue ['bɑːbɪkjuː] ◆ n barbecue m. ◆ vt faire griller au barbecue.

barbecue sauce n (U) sauce épicée servant elever viandes et poissons.

barbed wire [bɑːbd-] n (U) fil m de fer barbelé.

barber ['bɑːbəʳ] n coiffeur m (pour hommes) ▸ barber's [shop] salon m de coiffure (pour hommes).

barbershop ['bɑːbəʃɒp] ◆ n US salon m de coiffure (pour hommes). ◆ adj MUS [songs] chanté en harmonie étroite ▸ barbershop quartet quatuor d'hommes chantant en harmonie étroite.

barbie ['bɑːbɪ] n AUSTR inf barbecue m.

bar code n code-barres m.

bare [beəʳ] adj 1. [feet, head, arms] nu(e) 2. [room, cupboard] vide ▸ the bare minimum le strict minimum.

barefoot [,beə'fut] adv pieds nus.

barely ['beəlɪ] adv à peine.

barf [bɑːf] vi US vulg vomir.

bargain ['bɑːgɪn] ◆ n affaire f. ◆ vi [haggle] marchander. ◆ bargain for vt insep s'attendre à.

bargain basement n sous-sol d'un magasin où sont regroupés les soldes.

barge [bɑːdʒ] n péniche f. ◆ barge in vi faire irruption ▸ to barge in on sb interrompre qqn.

barhop ['bɑːhɒp] vi US faire la tournée des bars.

bark [bɑːk] ◆ n (U) [of tree] écorce f. ◆ vi aboyer.

barley ['bɑːlɪ] n (U) orge f.

barmaid ['bɑːmeɪd] n serveuse f.

barman ['bɑːmən] (pl -men) n barman m, serveur m.

bar meal n repas léger servi dans un bar ou un pub.

barn [bɑːn] n grange f.

barometer [bə'rɒmɪtəʳ] n baromètre m.

baron ['bærən] n baron m.

baroque [bə'rɒk] adj baroque.

barracks ['bærəks] npl caserne f.

barrage ['bærɑːʒ] n [of questions, criticism] avalanche f.

barrel ['bærəl] n 1. [of beer, wine] tonneau m 2. [of oil] baril m 3. [of gun] canon m.

barren ['bærən] adj [land, soil] stérile.

barricade [,bærɪ'keɪd] n barricade f.

barrier ['bærɪəʳ] n barrière f.

barrister ['bærɪstəʳ] n UK avocat(e).

bar staff n personnel m de bar.

bartender ['bɑːtendəʳ] n US barman m, serveur m.

barter ['bɑːtəʳ] vi faire du troc.

base [beɪs] ◆ n **1.** [of lamp, pillar, mountain] pied m **2.** MIL base f. ◆ vt : **to base sthg on** fonder qqch sur ▶ **to be based** [located] être installé(e).

baseball ['beɪsbɔːl] n (U) base-ball m.

baseball cap n casquette f.

base-jump vi pratiquer le base-jump.

basement ['beɪsmənt] n sous-sol m.

bases ['beɪsiːz] pl → **basis**.

bash [bæʃ] vt inf : **to bash one's head** se cogner la tête.

basic ['beɪsɪk] adj **1.** [fundamental] de base **2.** [accommodation, meal] rudimentaire. ◆ **basics** npl : **the basics** les bases.

basically ['beɪsɪklɪ] adv **1.** en fait **2.** [fundamentally] au fond.

basil ['bæzl] n (U) basilic m.

basilica [bə'zɪlɪkə] n basilique f.

basin ['beɪsn] n **1.** [washbasin] lavabo m **2.** [bowl] cuvette f.

basis ['beɪsɪs] (pl -ses) n base f ▶ **on a weekly basis** une fois par semaine ▶ **on the basis of** [according to] d'après.

basket ['bɑːskɪt] n **1.** corbeille f **2.** [with handle] panier m.

basketball ['bɑːskɪtbɔːl] n (U) [game] basket(-ball) m.

basmati rice [bəz'mætɪ-] n (U) riz m basmati.

Basque [bɑːsk] ◆ adj basque. ◆ n **1.** [person] Basque mf **2.** [language] basque m.

Basque Country n : **the Basque Country** le Pays basque ▶ **in the Basque Country** au Pays basque.

bass¹ [beɪs] ◆ n [singer] basse f. ◆ adj : **a bass guitar** une basse.

bass² [bæs] n **1.** [freshwater fish] perche f **2.** [sea fish] bar m.

bass guitar [beɪs-] n basse f.

bassist ['beɪsɪst] n bassiste mf.

bassoon [bə'suːn] n basson m.

bastard ['bɑːstəd] n vulg salaud m.

bat [bæt] n **1.** [in cricket, baseball] batte f **2.** [in table tennis] raquette f **3.** [animal] chauve-souris f.

batch [bætʃ] n **1.** [of papers, letters] liasse f **2.** [of people] groupe m.

bath [bɑːθ] ◆ n **1.** bain m **2.** [tub] baignoire f. ◆ vt donner un bain à ▶ **to have a bath** 🇬🇧 prendre un bain. ◆ **baths** npl 🇬🇧 [public swimming pool] piscine f.

bathe [beɪð] vi **1.** 🇬🇧 [swim] se baigner **2.** 🇺🇸 [have bath] prendre un bain.

bathing ['beɪðɪŋ] n (U) 🇬🇧 baignade f.

bathing costume 🇬🇧, **bathing suit** n maillot m de bain.

bathrobe ['bɑːθrəʊb] n peignoir m.

bathroom ['bɑːθrʊm] n **1.** salle f de bains **2.** 🇺🇸 [toilet] toilettes fpl.

bathroom cabinet n armoire à pharmacie.

bath towel n serviette f de bain.

bathtub ['bɑːθtʌb] n baignoire f.

baton ['bætən] n **1.** [of conductor] baguette f **2.** [truncheon] matraque f.

batter ['bætəʳ] ◆ n (U) pâte f. ◆ vt [wife, child] battre.

battered ['bætəd] adj CULIN cuit dans un enrobage de pâte à frire.

battery ['bætərɪ] n **1.** [for radio, torch, etc.] pile f **2.** [for car] batterie f.

battery charger [ˌtʃɑːdʒəʳ] n chargeur m.

battery life n autonomie f.

battle ['bætl] n **1.** bataille f **2.** [struggle] lutte f.

battlefield ['bætlfi:ld] n champ m de bataille.

battlements ['bætlmənts] npl remparts mpl.

battleship ['bætlʃɪp] n cuirassé m.

Bavaria [bə'veərɪə] n Bavière f ▶ **in Bavaria** en Bavière.

bay [beɪ] n **1.** [on coast] baie f **2.** [for parking] place f (de stationnement).

bay leaf n feuille f de laurier.

bay window n fenêtre f en saillie.

BC (abbr of before Christ) av. J-C (avant Jésus-Christ).

Bcc (abbr of blind carbon copy) n Cci m (copie conforme invisible).

be [bi:] (pt was, were, pp been [bi:n]) ◆ vi **1.** [exist] être ▶ **there is /are** il y a ▶ **are there any shops near here?** y a-t-il des magasins près d'ici ? **2.** [referring to location] être ▶ **the hotel is near the airport** l'hôtel est ou se trouve près de l'aéroport **3.** [referring to movement] aller ▶ **has the postman been?** est-ce que le facteur est passé ? ▶ **have you ever been to Ireland?** êtes-vous déjà allé en Irlande ? ▶ **I'll be there in ten minutes** j'y serai dans dix minutes **4.** [occur] être ▶ **my birthday is in November** mon anniversaire est en novembre **5.** [identifying, describing] être ▶ **he's a doctor** il est médecin ▶ **I'm British** je suis britannique ▶ **I'm hot /cold** j'ai chaud /froid **6.** [referring to health] aller ▶ **how are you?** comment allez-vous ? ▶ **I'm fine** je vais bien, ça va ▶ **she's ill** elle est malade **7.** [referring to age] : **how old are you?** quel âge as-tu ? ▶ **I'm 14 (years old)** j'ai 14 ans **8.** [referring to cost] coûter, faire ▶ **how much is it?** a) [item] combien ça coûte ? b) [meal, shopping] ça fait combien ? ▶ **it's £10** a) [item] ça coûte 10 livres b) [meal, shopping] ça fait 10 livres **9.** [referring to time, dates] être ▶ **what time is it?** quelle heure est-il ? ▶ **it's ten o'clock** il est dix heures **10.** [referring to measurement] être ▶ **it's 2 m wide** ça fait 2 m de large ▶ **I'm 6 feet tall** je mesure 1 mètre 80 **11.** [referring to weather] faire ▶ **it's hot /cold** il fait chaud /froid ▶ **it's going to be nice today** il va faire beau aujourd'hui ▶ **it's sunny /windy** il y a du soleil /du vent

◆ **aux vb 1.** [forming continuous tense] : **I'm learning French** j'apprends le français ▶ **we've been visiting the museum** nous avons visité le musée ▶ **I was eating when...** j'étais en train de manger quand... **2.** [forming passive] être ▶ **the flight was delayed** le vol a été retardé **3.** [with infinitive to express order] : **all rooms are to be vacated by 10 a.m.** toutes les chambres doivent être libérées avant 10 h A. **4.** [with infinitive to express future tense] : **the race is to start at noon** le départ de la course est prévu pour midi **5.** [in tag questions] : **it's Monday today, isn't it?** c'est lundi aujourd'hui, n'est-ce pas ?

beach [bi:tʃ] n plage f ▶ **beach umbrella /sunshade** parasol.

bead [bi:d] n [of glass, wood, etc.] perle f.

beak [bi:k] n bec m.

beaker ['bi:kəᴿ] n gobelet m.

beam [bi:m] ◆ n **1.** [of light] rayon m **2.** [of wood, concrete] poutre f. ◆ vi [smile] faire un sourire radieux.

bean [bi:n] n **1.** haricot m **2.** [of coffee] grain m.

beanbag ['bi:nbæg] n [chair] sacco m.

bean curd [kɜːd] n (U) pâte f de soja.

beansprouts ['biːnsprauts] npl germes mpl de soja.

bear [beəʳ] (pt **bore**, pp **borne**) ♦ n [animal] ours m. ♦ vt supporter ▸ **to bear left/right** se diriger vers la gauche /la droite. ♦ **bear on, bear upon** vt insep [be relevant to] se rapporter à.

bearable ['beərəbl] adj supportable.

beard [bɪəd] n barbe f.

bearer ['beərəʳ] n 1. [of cheque] porteur m 2. [of passport] titulaire m ou f.

bearing ['beərɪŋ] n (U) [relevance] rapport m ▸ **to get one's bearings** se repérer.

beast [biːst] n bête f.

beat [biːt] (pt **beat**, pp **beaten** ['biːtn]) ♦ n 1. [of heart, pulse] battement m 2. MUS rythme m. ♦ vt battre. ♦ **beat down** ♦ vi 1. [sun] taper 2. [rain] tomber à verse. ♦ vt sep : **I beat him down to £20** je lui ai fait baisser son prix à 20 livres. ♦ **beat up** vt sep tabasser.

beautiful ['bjuːtɪfʊl] adj beau (belle).

beauty ['bjuːtɪ] n (U) beauté f.

beauty parlor 🇺🇸 = **beauty parlour**.

beauty parlour n salon m de beauté.

beauty salon = **beauty parlour**.

beauty spot n [place] site m touristique.

beaver ['biːvəʳ] n castor m.

became [bɪ'keɪm] pt → **become**.

because [bɪ'kɒz] conj parce que ▸ **because of** à cause de.

beckon ['bekən] vi : **to beckon (to)** faire signe (à).

become [bɪ'kʌm] (pt **became**, pp **become**) vi devenir ▸ **what became of him?** qu'est-il devenu ?

bed [bed] n 1. lit m 2. [of sea] fond m ▸ **in bed** au lit ▸ **to get out of bed** se lever ▸ **to go to bed** aller au lit, se coucher ▸ **to go to bed with sb** coucher avec qqn ▸ **to make the bed** faire le lit.

bed and breakfast n UK ≃ chambre f d'hôte (avec petit déjeuner).

ⓘ **Bed and breakfast**

Établissements privés typiquement britanniques (même s'ils existent aussi aux États-Unis, au Canada, en Australie et en Nouvelle-Zélande), reconnaissables à leurs enseignes B & B. Situés dans de grandes demeures ou dans des logements plus simples, les B & B proposent des prix raisonnables incluant le petit déjeuner. Certains B & B abritent également un bar et proposent des repas le soir.

bedclothes ['bedkləʊðz] npl draps mpl et couvertures.

bedding ['bedɪŋ] n (U) draps mpl et couvertures.

bed linen n (U) draps mpl (et taies d'oreiller).

bedroom ['bedrʊm] n chambre f.

bedside manner n [of doctor] comportement m envers les malades.

bedside table ['bedsaɪd-] n table f de nuit or de chevet.

bedsit ['bed,sɪt] n UK chambre f meublée.

bedspread ['bedspred] n dessus-de-lit m inv, couvre-lit m.

bedtime ['bedtaɪm] n (U) heure f du coucher.

bee [biː] n abeille f.

beech [biːtʃ] n hêtre m.

beef [biːf] n (U) bœuf m ▸ **beef Wellington** morceau de bœuf enveloppé de pâte feuilletée et servi en tranches.

beefburger ['biːf,bɜːgər] n UK hamburger m.

beehive ['biːhaɪv] n ruche f.

beekeeper ['biː,kiːpər] n apiculteur m, -trice f.

been [biːn] pp → **be**.

beep [biːp] inf ◆ n bip m. ◆ vi faire bip.

beeper n = **bleeper**.

beer [bɪər] n bière f.

beer garden n jardin d'un pub, où l'on peut prendre des consommations.

beer mat n dessous-de-verre m.

beet [biːt] n US betterave f.

beetle ['biːtl] n scarabée m.

beetroot ['biːtruːt] n UK betterave f.

before [bɪ'fɔːr] ◆ adv avant. ◆ prep 1. avant 2. fml [in front of] devant. ◆ conj : **before it gets too late** avant qu'il ne soit trop tard ▸ **before doing sthg** avant de faire qqch ▸ **the day before** la veille ▸ **the week before last** il y a deux semaines.

beforehand [bɪ'fɔːhænd] adv à l'avance.

befriend [bɪ'frend] vt prendre en amitié.

beg [beg] ◆ vi mendier. ◆ vt : **to beg sb to help** implorer de l'aide à qqn ▸ **to beg for money** mendier de l'argent.

began [bɪ'gæn] pt → **begin**.

beggar ['begər] n mendiant m, -e f.

begin [bɪ'gɪn] (pt **began**, pp **begun**) vt & vi commencer ▸ **to begin doing** OR **to do sthg** commencer à faire qqch ▸ **to begin by doing sthg** commencer par faire qqch ▸ **to begin with** pour commencer.

beginner [bɪ'gɪnər] n débutant m, -e f.

beginning [bɪ'gɪnɪŋ] n début m.

begun [bɪ'gʌn] pp → **begin**.

behalf [bɪ'hɑːf] n : **on behalf of** au nom de.

behave [bɪ'heɪv] vi se comporter, se conduire ▸ **to behave (o.s.)** [be good] se tenir bien.

behavior [bɪ'heɪvjər] US = **behaviour**.

behaviour [bɪ'heɪvjər] n (U) comportement m.

behind [bɪ'haɪnd] ◆ adv 1. derrière 2. [late] en retard. ◆ prep derrière. ◆ n inf derrière m ▸ **to leave sthg behind** oublier qqch ▸ **to stay behind** rester.

beige [beɪʒ] adj beige.

being ['biːɪŋ] n être m ▸ **to come into being** naître.

belated [bɪ'leɪtɪd] adj tardif(ive).

belch [beltʃ] vi roter.

Belgian ['beldʒən] ◆ adj belge. ◆ n Belge m ou f.

Belgian waffle n US gaufre f de Bruxelles.

Belgium ['beldʒəm] n la Belgique.

belief [bɪ'liːf] n 1. [faith] croyance f 2. [opinion] opinion f.

believe [bɪ'liːv] ◆ vt croire. ◆ vi : **to believe in** [God] croire en ▸ **to believe in always telling the truth** être convaincu qu'il faut toujours dire la vérité.

believer [bɪ'liːvər] n croyant m, -e f.

bell [bel] n 1. [of church] cloche f 2. [of phone] sonnerie f 3. [of door] sonnette f.

bellboy ['belbɔɪ] n chasseur m.

belle [bel] n beauté f.

bellhop ['belhɒp] n US groom m, chasseur m.

bellow ['beləʊ] vi meugler.

bell pepper n US poivron m.

belly ['belɪ] n ventre m.

belly button n inf nombril m.

belly-up adv inf : **to go belly-up a)** [project] tomber à l'eau **b)** [company] faire faillite.

belong [bɪ'lɒŋ] vi [be in right place] être à sa place ▸ **to belong to a)** [property] appartenir à **b)** [to club, party] faire partie de.

belongings [bɪ'lɒŋɪŋz] npl affaires fpl ▸ **personal belongings** effets personnels.

below [bɪ'ləʊ] ◆ adv **1.** en bas, en dessous **2.** [downstairs] au-dessous **3.** [in text] ci-dessous. ◆ prep au-dessous de ▸ **children below the age of ten** des enfants de moins de dix ans.

below-average adj en dessous de la moyenne.

belt [belt] n **1.** [for clothes] ceinture f **2.** TECH courroie f.

beltway ['belt,weɪ] n US route f périphérique.

bench [bentʃ] n banc m.

benchmarking ['bentʃmɑːkɪŋ] n benchmarking m, étalonnage m concurrentiel.

benchwarmer ['bentʃwɔːməʳ] n US inf SPORT joueur qui se trouve souvent sur le banc des remplaçants.

bend [bend] (pt & pp bent) ◆ n **1.** [in road] tournant m **2.** [in river, pipe] coude m. ◆ vt plier. ◆ vi [road, river, pipe] faire un coude. ◆ **bend down** vi s'incliner. ◆ **bend over** vi se pencher.

bender ['bendəʳ] n inf [drinking binge] beuverie f.

beneath [bɪ'niːθ] ◆ adv en dessous, en bas. ◆ prep sous.

beneficial [,benɪ'fɪʃl] adj bénéfique.

benefit ['benɪfɪt] ◆ n **1.** [advantage] avantage m **2.** (U) [money] allocation f. ◆ vi : **to benefit from** profiter de ▸ **for the benefit of** dans l'intérêt de.

benefits agency n caisse f des allocations sociales.

benign [bɪ'naɪn] adj MED bénin(igne).

bent [bent] pt & pp ▸ **bend**.

bereaved [bɪ'riːvd] adj en deuil ▸ **the bereaved** la famille du défunt.

beret ['bereɪ] n béret m.

Berlin [bɜː'lɪn] n Berlin.

Bermuda shorts [bə'mjuːdə-] npl bermuda m.

berry ['berɪ] n baie f.

berserk [bə'zɜːk] adj : **to go berserk** devenir fou (folle).

berth [bɜːθ] n **1.** [for ship] mouillage m **2.** [in ship, train] couchette f.

beside [bɪ'saɪd] prep [next to] à côté de ▸ **that's beside the point** ça n'a rien à voir.

besides [bɪ'saɪdz] ◆ adv en plus. ◆ prep en plus de.

best [best] ◆ adj meilleur(e). ◆ adv le mieux. ◆ n : **the best** le meilleur (la meilleure) ▸ **a pint of best** UK [beer] ≃ un demi-litre de bière brune ▸ **the best thing to do is...** la meilleure chose à faire est... ▸ **to make the best of things** faire contre mauvaise fortune bon cœur ▸ **to do one's best** faire de son mieux ▸ **'best before...'** 'à consommer avant...' ▸ **at best** au mieux ▸ **all the best! a)** [at end of letter] amicalement **b)** [spoken] bonne continuation !

best-before date n date f limite de consommation.

best man n témoin m du marié.

---

① **Best man**

Nom donné au témoin d'un futur jeune marié, auquel incombent diverses responsabilités. Il organise son « enterrement de vie de garçon » dans le cercle de ses amis proches puis, lors de la réception du mariage, il fait une allocution retraçant les souvenirs cocasses ou embarrassants de la vie du jeune marié et porte un toast aux nouveaux mariés.

---

best-seller [-'selə^r] n [book] best-seller m.

bet [bet] (pt & pp **bet**) ◆ n pari m. ◆ vt parier. ◆ vi : **to bet (on)** parier (sur), miser (sur) ▶ **I bet (that) you can't do it** je parie que tu ne peux pas le faire.

beta test n test m bêta.

betray [bɪ'treɪ] vt trahir.

better ['betə^r] ◆ adj meilleur(e). ◆ adv mieux ▶ **you had better...** tu ferais mieux de... ▶ **to get better** a) [in health] aller mieux b) [improve] s'améliorer.

better off adj [in better situation] mieux.

betting ['betɪŋ] n (U) paris mpl.

betting shop n UK ≃ PMU® m.

between [bɪ'twi:n] ◆ prep entre. ◆ adv [in time] entre-temps ▶ **in between** a) [in space] entre b) [in time] entre-temps.

beverage ['bevərɪdʒ] n fml boisson f.

beware [bɪ'weə^r] vi : **to beware of** se méfier de ▶ **'beware of the dog'** 'attention, chien méchant'.

bewildered [bɪ'wɪldəd] adj perplexe.

bewitch [bɪ'wɪtʃ] vt [cast spell over] ensorceler, enchanter.

beyond [bɪ'jɒnd] ◆ adv au-delà. ◆ prep au-delà de ▶ **beyond reach** hors de portée.

bia(s)sed ['baɪəst] adj partial(e).

bib [bɪb] n [for baby] bavoir m.

bible ['baɪbl] n bible f.

bicarbonate [baɪ'kɑ:bənət] n bicarbonate m ▶ **bicarbonate of soda** bicarbonate m de soude.

biceps ['baɪseps] n biceps m.

bicycle ['baɪsɪkl] n vélo m.

bicycle path n piste f cyclable.

bicycle pump n pompe f à vélo.

bicycler ['baɪsɪklə^r] n US cycliste mf.

bid [bɪd] (pt & pp **bid**) ◆ n 1. [at auction] enchère f 2. [attempt] tentative f. ◆ vt [money] faire une offre de. ◆ vi : **to bid (for)** faire une offre (pour).

bidet ['bi:deɪ] n bidet m.

big [bɪg] adj 1. grand(e) 2. [problem, book] gros (grosse) ▶ **my big brother** mon grand frère ▶ **how big is it?** quelle taille cela fait-il ?

---

① **Big Ben**

Symbole de Londres, **Big Ben** désigne la cloche de la tour de l'horloge du Palais de Westminster, siège du Parlement britannique, et est souvent utilisé à tort pour désigner la tour elle-même. Le 31 décembre, la nouvelle année débute traditionnellement par le tintement particulier de son carillon. Les quatre côtés de l'horloge s'illuminent lorsque se tient une session parlementaire.

---

big-budget adj à gros budget.

bike [baɪk] n **1.** inf [bicycle] vélo m **2.** [motorcycle] moto f **3.** [moped] Mobylette® f.

bike lane n piste f cyclable.

bike shed n cabane f OR remise f à vélos.

biking ['baɪkɪŋ] n **: to go biking** faire du vélo.

bikini [bɪ'kiːnɪ] n bikini m.

bikini bottom n bas m de maillot de bain.

bikini top n haut m de maillot de bain.

bilingual [baɪ'lɪŋgwəl] adj bilingue.

bill [bɪl] n **1.** [for hotel room] note f **2.** [in restaurant] addition f **3.** [for electricity, etc.] facture f **4.** US [bank note] billet m (de banque) **5.** [at cinema, theatre] programme m **6.** POL projet m de loi ▸ **can I have the bill please?** l'addition, s'il vous plaît !

billboard ['bɪlbɔːd] n panneau m d'affichage.

billfold ['bɪlfəʊld] n US portefeuille m.

billiards ['bɪljədz] n (U) billard m.

billing ['bɪlɪŋ] n **1.** [theatre] **: to get** OR **to have top/second billing** être en tête d'affiche /en deuxième place à l'affiche **2.** US [advertising] **: to give sthg advance billing** annoncer qqch.

billion ['bɪljən] n **1.** [thousand million] milliard m **2.** UK [million million] billion m.

billionth ['bɪljənθ] adj & n milliardième.

bin [bɪn] n **1.** [rubbish bin] poubelle f **2.** [wastepaper bin] corbeille f à papier **3.** [for bread] huche f **4.** [on plane] compartiment m à bagages.

binary ['baɪnərɪ] adj binaire.

bind [baɪnd] (pt & pp **bound**) vt [tie up] attacher.

binding ['baɪndɪŋ] n **1.** [for book] reliure f **2.** [for ski] fixation f.

binge drinking n fait de boire de très grandes quantités d'alcool en une soirée, de façon régulière.

binge eating n consommation compulsive de nourriture.

bingo ['bɪŋgəʊ] n (U) ≃ loto m.

binoculars [bɪ'nɒkjʊləz] npl jumelles fpl.

bio ['baɪəʊ] adj bio (inv).

biodegradable [ˌbaɪəʊdɪ'greɪdəbl] adj biodégradable.

biodiesel ['baɪəʊdiːzəl] n biodiesel m.

biofuel ['baɪəʊfjuːl] n biocarburant m.

biography [baɪ'ɒgrəfɪ] n biographie f.

biological [ˌbaɪə'lɒdʒɪkl] adj biologique.

biological weapon n arme f biologique.

biology [baɪ'ɒlədʒɪ] n (U) biologie f.

biometric [ˌbaɪəʊ'metrɪk] adj biométrique.

biotechnology [ˌbaɪəʊtek'nɒlədʒɪ] n biotechnologie f.

bioterrorism [ˌbaɪəʊ'terərɪzm] n bioterrorisme m.

bioweapon ['baɪəʊwepən] n arme f biologique.

birch [bɜːtʃ] n bouleau m.

bird [bɜːd] n **1.** oiseau m **2.** UK inf [woman] nana f.

bird flu n grippe f aviaire.

bird-watching [-ˌwɒtʃɪŋ] n (U) ornithologie f ▸ **to go bird-watching** aller observer des oiseaux.

Biro® ['baɪərəʊ] n stylo m (à) bille.

birth [bɜːθ] n naissance f **▸ by birth** de naissance **▸ to give birth to** donner naissance à.

birth certificate n extrait m de naissance.

birth control n (U) contraception f.

birthday ['bɜːθdeɪ] n anniversaire m **▸ Happy birthday!** joyeux anniversaire !

birthday card n carte f d'anniversaire.

birthday party n fête f d'anniversaire.

birthparent ['bɜːθpeərənt] n parent m biologique.

birthplace ['bɜːθpleɪs] n lieu m de naissance.

birth sign n signe m du zodiaque.

biscuit ['bɪskɪt] n 1. UK biscuit m 2. US [scone] petit gâteau de pâte non levée que l'on mange avec de la confiture ou un plat salé.

bishop ['bɪʃəp] n 1. RELIG évêque m 2. [in chess] fou m.

bistro ['biːstrəʊ] n bistrot m.

bit [bɪt] ♦ pt → **bite**. ♦ n 1. [piece] morceau m, bout m 2. [of drill] mèche f 3. [of bridle] mors m 4. COMPUT bit m **▸ a bit** un peu **▸ a bit of money** un peu d'argent **▸ bit by bit** petit à petit **▸ not a bit** pas du tout **▸ to do a bit of walking** marcher un peu.

bitch [bɪtʃ] n 1. vulg [woman] salope f 2. [dog] chienne f.

bite [baɪt] (pt bit, pp bitten ['bɪtn]) ♦ n 1. [when eating] bouchée f 2. [from insect] piqûre f 3. [from dog, snake] morsure f. ♦ vt 1. mordre 2. [subj: insect] piquer **▸ to have a bite to eat** manger un morceau.

bitrate ['bɪtreɪt] n COMPUT débit m binaire, bitrate m.

bitter ['bɪtəʳ] ♦ adj 1. amer(ère) 2. [weather, wind] glacial(e) 3. [argument, conflict] violent(e). ♦ n (U) UK [beer] ≈ bière f brune.

bitter lemon n (U) Schweppes® m au citron.

bizarre [bɪˈzɑːʳ] adj bizarre.

black [blæk] ♦ adj 1. noir(e) 2. [tea] nature inv. ♦ n 1. noir m 2. [person] Noir m, -e f. ♦ **black out** vi perdre connaissance.

black and white adj noir et blanc inv.

blackberry ['blækbri] n mûre f.

blackbird ['blækbɜːd] n merle m.

blackboard ['blækbɔːd] n tableau m (noir).

black cab n taxi m londonien.

black cherry n cerise f noire.

blackcurrant [,blækˈkʌrənt] n cassis m.

black eye n œil m au beurre noir.

Black Forest n : **the Black Forest** la Forêt-Noire.

Black Forest gâteau n forêt-noire f.

black ice n (U) verglas m.

blackmail ['blækmeɪl] ♦ n (U) chantage m. ♦ vt faire chanter.

blackout ['blækaʊt] n [power cut] coupure f de courant.

black pepper n (U) poivre m noir.

black pudding n UK boudin m noir.

blacksmith ['blæksmɪθ] n 1. [for horses] maréchal-ferrant m 2. [for tools] forgeron m.

bladder ['blædəʳ] n vessie f.

blade [bleɪd] n **1.** [of knife, saw] lame f **2.** [of propeller, oar] pale f **3.** [of grass] brin m.

blame [bleɪm] ◆ n (U) responsabilité f, faute f. ◆ vt rejeter la responsabilité sur ▶ **to blame sb for the failure of a plan** reprocher à qqn d'avoir fait échouer un plan ▶ **to blame the bombings on extremists** attribuer aux extrémistes la responsabilité des attentats.

bland [blænd] adj [food] fade.

blank [blæŋk] ◆ adj **1.** [space, page] blanc (blanche) **2.** [cassette] vierge **3.** [expression] vide. ◆ n [empty space] blanc m.

blank check US = **blank cheque.**

blank cheque n chèque m en blanc.

blanket ['blæŋkɪt] n couverture f.

blast [blɑːst] ◆ n **1.** [explosion] explosion f **2.** [of air, wind] souffle m. ◆ excl inf zut ! ▶ **at full blast** à fond.

blaze [bleɪz] ◆ n [fire] incendie m. ◆ vi **1.** [fire] flamber **2.** [sun, light] resplendir.

blazer ['bleɪzəʳ] n blazer m.

bleach [bliːtʃ] ◆ n (U) eau m de Javel. ◆ vt **1.** [hair] décolorer **2.** [clothes] blanchir à l'eau de Javel.

bleak [bliːk] adj triste.

bleed [bliːd] (pt & pp **bled** [bled]) vi saigner.

bleeper ['bliːpəʳ] n UK bip m, biper m.

blend [blend] ◆ n [of coffee, whisky] mélange m. ◆ vt mélanger.

blender ['blendəʳ] n mixer m.

bless [bles] vt bénir ▶ **bless you!** [said after sneeze] à tes / vos souhaits !

blessing ['blesɪŋ] n bénédiction f.

blew [bluː] pt → **blow.**

blind [blaɪnd] ◆ adj aveugle. ◆ n [for window] store m. ◆ npl : **the blind** les aveugles mpl.

blind alley n impasse f.

blind corner n virage m sans visibilité.

blindfold ['blaɪndfəʊld] ◆ n bandeau m. ◆ vt bander les yeux à.

blind side n AUT angle m mort.

blind spot n AUT angle m mort.

blind testing n tests mpl aveugles.

bling ['blɪŋ], **bling-bling** ['blɪŋ'blɪŋ] inf ◆ n [jewellery] bijoux mpl lourds et clinquants. ◆ adj [ostentatious] bling(-)bling, tape-à-l'œil.

blink [blɪŋk] vi cligner des yeux.

blinkers ['blɪŋkəz] npl UK œillères fpl.

bliss [blɪs] n (U) bonheur m absolu.

blister ['blɪstəʳ] n ampoule f.

blisteringly ['blɪstərɪŋlɪ] adv : **it was blisteringly hot** il faisait une chaleur étouffante.

blitzed [blɪtst] adj US inf bourré(e) (ivre).

blizzard ['blɪzəd] n tempête f de neige.

bloated ['bləʊtɪd] adj ballonné(e).

blob [blɒb] n [of cream, paint] goutte f.

block [blɒk] ◆ n **1.** [of stone, wood, ice] bloc m **2.** [building] immeuble m **3.** [in town, city] pâté m de maison. ◆ vt bloquer ▶ **to have a blocked(-up) nose** avoir le nez bouché. ◆ **block up** vt sep boucher.

blockage ['blɒkɪdʒ] n obstruction f.

blockbuster ['blɒkbʌstəʳ] n inf **1.** [book] best-seller m **2.** [film] film m à succès.

block capitals npl capitales fpl.

block of flats n [UK] immeuble m.

blog ['blɒg] n blogue m.

blogger ['blɒgəʳ] n bloggeur m, -euse f.

blogging ['blɒgɪŋ] n blogging m, création f de blogs.

blogosphere ['blɒgəʊsfɪəʳ] n blogosphère f.

bloke [bləʊk] n [UK] inf type m.

blond [blɒnd] ◆ adj blond(e). ◆ n blond m.

blonde [blɒnd] ◆ adj blond(e). ◆ n blonde f.

blood [blʌd] n (U) sang m.

blood donor n donneur m de sang, donneuse de sang f.

blood group n groupe m sanguin.

blood poisoning n (U) septicémie f.

blood pressure n tension f (artérielle) ▸ **to have high blood pressure** avoir de la tension ▸ **to have low blood pressure** faire de l'hypotension.

bloodshot ['blʌdʃɒt] adj injecté de sang.

blood test n analyse f de sang.

blood transfusion n transfusion f (sanguine).

blood type n groupe m sanguin.

bloody ['blʌdɪ] ◆ adj 1. ensanglanté(e) 2. [UK] vulg [damn] foutu(e). ◆ adv [UK] vulg vachement.

Bloody Mary n [-'meərɪ] n bloody mary m inv.

bloom [blu:m] ◆ n fleur f. ◆ vi fleurir ▸ **in bloom** en fleur.

bloomer ['blu:məʳ] n [plant] plante f fleurie.

blossom ['blɒsəm] n (U) fleurs fpl.

blot [blɒt] n tache f.

blotch [blɒtʃ] n tache f.

blotting paper ['blɒtɪŋ-] n (U) papier m buvard.

blouse [blaʊz] n chemisier m.

blow [bləʊ] (pt blew, pp blown) ◆ vt 1. [subj: wind] faire s'envoler 2. [whistle, trumpet] souffler dans 3. [bubbles] faire. ◆ vi 1. souffler 2. [fuse] sauter. ◆ n [hit] coup m ▸ **to blow one's nose** se moucher. ◆ **blow away** vt sep 1. [subj: wind] chasser 2. [US] inf [defeat completely] écraser, battre à plate couture 3. [US] inf [impress] : **it really blew me away!** j'ai trouvé ça génial ! ◆ **blow off** ◆ vi s'envoler. ◆ vt [US] inf : **to blow sb off** a) [not turn up] poser un lapin à qqn b) [ignore] snober qqn. ◆ **blow up** ◆ vt sep 1. [cause to explode] faire exploser 2. [inflate] gonfler. ◆ vi [explode] exploser.

blow-dry ◆ n brushing m. ◆ vt faire un brushing à.

blown [bləʊn] pp → **blow**.

blow out n crevaison f.

BLT n sandwich au bacon, à la laitue et à la tomate.

blue [blu:] ◆ adj 1. bleu(e) 2. [film] porno inv. ◆ n bleu m. ◆ **blues** n MUS blues m.

bluebell ['blu:bel] n jacinthe f des bois.

blueberry ['blu:bərɪ] n myrtille f.

bluebottle ['blu:ˌbɒtl] n mouche f bleue.

blue cheese n (U) bleu m.

blue-collar adj manuel(elle).

Bluetooth ['blu:tu:θ] n technologie f Bluetooth.

bluff [blʌf] ◆ n [cliff] falaise f. ◆ vi bluffer.

blunder ['blʌndə^r] n gaffe f.

blunt [blʌnt] adj 1. [knife] émoussé(e) 2. [pencil] mal taillé(e) 3. fig [person] brusque.

blurred [blɜːd] adj 1. [vision] trouble 2. [photo] flou(e).

blush [blʌʃ] vi rougir.

blusher ['blʌʃə^r] n (U) blush m.

blustery ['blʌstərɪ] adj venteux(euse).

board [bɔːd] ◆ n 1. [plank] planche f 2. [notice board] panneau m 3. [for games] plateau m 4. [blackboard] tableau m 5. [of company] conseil m 6. [hardboard] contreplaqué m. ◆ vt [plane, ship, bus] monter dans ▶ **board and lodging** pension f ▶ **full board** pension complète ▶ **half board** demi-pension ▶ **on board** à bord ▶ **on board sthg** a) [plane, ship] à bord de qqch b) [bus] dans qqch.

board game n jeu m de société.

boarding ['bɔːdɪŋ] n (U) embarquement m.

boarding card n carte f d'embarquement.

boardinghouse ['bɔːdɪŋhaʊs] (pl [-haʊzɪz]) n pension f de famille.

boarding school n pensionnat m, internat m.

board of directors n conseil m d'administration.

board sports npl sports mpl de glisse.

boast [bəʊst] vi : **to boast (about sthg)** se vanter (de qqch).

boat [bəʊt] n 1. [large] bateau m 2. [small] canot m ▶ **by boat** en bateau.

boating lake n lac où l'on peut faire du bateau.

boatswain ['bəʊsn] n maître m d'équipage.

boat train n train qui assure la correspondance avec un bateau.

bob [bɒb] n [hairstyle] coupe f au carré.

bobby pin ['bɒbɪ-] n US épingle f à cheveux.

bodice ['bɒdɪs] n corsage m.

body ['bɒdɪ] n 1. corps m 2. [of car] carrosserie f 3. [organization] organisme m.

bodyguard ['bɒdɪgɑːd] n garde m du corps.

body piercing n piercing m.

bodysurf ['bɒdɪsɜːf] vi SPORT bodysurfer.

bodysurfing ['bɒdɪsɜːfɪŋ] n SPORT bodysurfing m.

bodywork ['bɒdɪwɜːk] n (U) carrosserie f.

bog¹ [bɒg] ◆ **bog off** vi UK vulg : **oh, bog off!** dégage !

bog² [bɒg] n marécage m.

bogged down [ˌbɒgd-] adj fig [in work] : **bogged down (in)** submergé(e) (de).

bogus ['bəʊgəs] adj faux (fausse).

boil [bɔɪl] ◆ vt 1. [water] faire bouillir 2. [kettle] mettre à chauffer 3. [food] faire cuire à l'eau. ◆ vi bouillir. ◆ n [on skin] furoncle m.

boiled egg [bɔɪld-] n œuf m à la coque.

boiled potatoes [bɔɪld-] npl pommes de terre fpl à l'eau.

boiler ['bɔɪlə^r] n chaudière f.

boiling (hot) ['bɔɪlɪŋ-] adj 1. inf [water] bouillant(e) 2. [weather] très chaud(e) ▶ **I'm boiling hot** je crève de chaud.

bold [bəʊld] adj [brave] audacieux(euse).

Bolivia [bə'lɪvɪə] n Bolivie f ▶ **in Bolivia** en Bolivie.

Bolivian [bə'lɪvɪən] ◆ adj bolivien(enne). ◆ n Bolivien m, -enne f.

bollard ['bɒlɑːd] n UK [on road] borne f.

bolt [bəʊlt] ◆ n 1. [on door, window] verrou m 2. [screw] boulon m. ◆ vt [door, window] fermer au verrou.

bomb [bɒm] ◆ n bombe f. ◆ vt bombarder.

bombard [bɒm'bɑːd] vt bombarder.

bombed-out adj inf 1. [exhausted] crevé(e), nase 2. [drunk] bourré(e) 3. [on drugs] défoncé(e).

bombing ['bɒmɪŋ] n 1. MIL bombardement m 2. [from terrorist] attentat m.

bomb scare n alerte f à la bombe.

bomb shelter n abri m (antiaérien).

bond [bɒnd] n [tie, connection] lien m.

bonding ['bɒndɪŋ] n 1. [in psychology] liens mpl affectifs 2. [of two objects] collage m.

bone [bəʊn] n 1. [of person, animal] os m 2. [of fish] arête f.

boned [bəʊnd] adj 1. [chicken] désossé(e) 2. [fish] sans arêtes.

boneless ['bəʊnləs] adj [chicken, pork] désossé(e).

boner ['bəʊnər] n 1. US [blunder] gaffe f 2. vulg [erection] ▶ **to have a boner** bander.

bonfire ['bɒn,faɪər] n feu m.

bonnet ['bɒnɪt] n UK [of car] capot m.

bonus ['bəʊnəs] (pl -es) n 1. [extra money] prime f 2. [additional advantage] plus m.

bony ['bəʊnɪ] adj 1. [hand, face] maigre, osseux(euse) 2. [fish] plein(e) d'arêtes 3. [chicken] plein(e) d'os.

boo [buː] vi siffler.

boogie ['buːɡɪ] vi inf guincher.

book [bʊk] ◆ n 1. livre m 2. [of stamps, tickets] carnet m 3. [of matches] pochette f. ◆ vt [reserve] réserver. ◆ **book in** vi [at hotel] se faire enregistrer.

bookable ['bʊkəbl] adj [seats, flight] qu'on peut réserver.

bookcase ['bʊkkeɪs] n bibliothèque f.

book group n club m de lecture.

bookie ['bʊkɪ] n inf bookmaker m.

booking ['bʊkɪŋ] n [reservation] réservation f.

booking office n UK bureau m de location.

bookkeeping ['bʊk,kiːpɪŋ] n (U) comptabilité f.

booklet ['bʊklɪt] n brochure f.

bookmaker ['bʊk,meɪkər] n bookmaker m.

bookmaker's ['bʊk,meɪkəz] n [shop] ≃ PMU® m.

bookmark ['bʊkmɑːk] n marque-page m.

bookshelf ['bʊkʃelf] (pl -shelves) n 1. [shelf] étagère f, rayon m 2. [bookcase] bibliothèque f.

bookshop ['bʊkʃɒp] n librairie f.

bookstall ['bʊkstɔːl] n kiosque m à journaux.

bookstore ['bʊkstɔːr] = **bookshop**.

book token n UK bon m d'achat de livres.

boom [buːm] ◆ n [sudden growth] boom m. ◆ vi [voice, guns] tonner.

boost [buːst] vt **1.** [profits, production] augmenter **2.** [confidence] renforcer
▸ **to boost sb's spirits** remonter le moral à qqn.

booster ['buːstə'] n [injection] rappel m.

boot [buːt] n **1.** [shoe] botte f **2.** [for walking, sport] chaussure f **3.** 🇬🇧 [of car] coffre m.

bootcut ['buːtkʌt] adj [pantalon, jean] trompette.

boot disk n COMPUT disque m de démarrage.

booth [buːð] n **1.** [for telephone] cabine f **2.** [at fairground] stand m.

booze [buːz] ◆ n (U) inf alcool m. ◆ vi inf picoler.

booze-up 🇬🇧 inf beuverie f.

bop [bɒp] n inf [dance] : **to have a bop** guincher.

border ['bɔːdə'] n **1.** [of country] frontière f **2.** [edge] bord m ▸ **the Borders** région du sud-est de l'Écosse.

bore [bɔː'] ◆ pt → **bear**. ◆ n **1.** inf [boring person] raseur m, -euse f **2.** [boring thing] corvée f. ◆ vt **1.** [person] ennuyer **2.** [hole] creuser.

bored [bɔːd] adj : **to be bored** s'ennuyer.

boredom ['bɔːdəm] n (U) ennui m.

boring ['bɔːrɪŋ] adj ennuyeux(euse).

born [bɔːn] adj : **to be born** naître.

borne [bɔːn] pp → **bear**.

borough ['bʌrə] n municipalité f.

borrow ['bɒrəʊ] vt emprunter ▸ **to borrow money from a friend** emprunter de l'argent à un ami.

bosom ['bʊzəm] n poitrine f.

boss [bɒs] n chef m ou f. ◆ **boss around** vt sep donner des ordres à.

bossy ['bɒsɪ] adj autoritaire.

bosun ['bəʊsn] = **boatswain**.

bot [bɒt] n COMPUT bot m informatique.

botanical garden [bə'tænɪkl-] n jardin m botanique.

both [bəʊθ] ◆ adj & pron les deux... ◆ adv : **both... and...** à la fois... et... ▸ **both of them** tous les deux ▸ **both of us** nous deux, tous les deux.

bother ['bɒðə'] ◆ vt **1.** [worry] inquiéter **2.** [annoy] déranger **3.** [pester] embêter. ◆ n [trouble] ennui m. ◆ vi : **don't bother!** ne te dérange pas ! ▸ **I can't be bothered** 🇬🇧 inf je n'ai pas envie ▸ **it's no bother!** ça ne me dérange pas !

Botox® ['bəʊtɒks] n (U) MED Botox m.

bottle ['bɒtl] n **1.** bouteille f **2.** [for baby] biberon m.

bottle bank n 🇬🇧 conteneur pour le verre usagé.

bottled ['bɒtld] adj [beer, water] en bouteille ▸ **bottled beer** bière en bouteille ▸ **bottled water** eau en bouteille.

bottleneck ['bɒtlnek] n [in traffic] bouchon m, embouteillage m.

bottle(-)opener ['bɒtl,əʊpnə'] n ouvre-bouteilles m inv, décapsuleur m.

bottom ['bɒtəm] ◆ adj **1.** [lowest] du bas **2.** [last] dernier(ière) **3.** [worst] plus mauvais(e). ◆ n **1.** [of sea, bag, glass] fond m **2.** [of page, hill, stairs] bas m **3.** [of street, garden] bout m **4.** [buttocks] derrière m ▸ **bottom floor** rez-de-chaussée m inv ▸ **bottom gear** première f.

bottom-of-the-range adj bas de gamme.

bottom-up adj [design, approach, democracy] ascendant(e).

bought [bɔːt] pt & pp → buy.

boulder ['bəʊldəʳ] n rocher m.

bounce [baʊns] ◆ vi 1. [rebound] rebondir 2. [jump] bondir ▸ his cheque bounced il a fait un chèque sans provision.

bounce message n rapport m de non livraison (d'un e-mail).

bouncer ['baʊnsəʳ] n inf videur m.

bouncy ['baʊnsɪ] adj 1. [person] dynamique 2. [ball] qui rebondit.

bound [baʊnd] ◆ pt & pp → bind.
◆ vi bondir. ◆ adj : we're bound to be late nous allons être en retard, c'est sûr ▸ it's bound to rain il va certainement pleuvoir ▸ to be bound for a) [person] être en route pour b) [plane] être à destination de ▸ out of bounds interdit(e).

boundary ['baʊndrɪ] n frontière f.

bouquet [bʊ'keɪ] n bouquet m.

bourbon ['bɜːbən] n bourbon m.

bout [baʊt] n 1. [of illness] accès m 2. [of activity] période f.

boutique [buːˈtiːk] n boutique f.

bow¹ [baʊ] ◆ n 1. [of head] salut m 2. [of ship] proue f. ◆ vi incliner la tête.

bow² [bəʊ] n 1. [knot] nœud m 2. [weapon] arc m 3. MUS archet m.

bowels ['baʊəlz] npl ANAT intestins mpl.

bowl [bəʊl] n 1. [container] bol m 2. [for fruit, salad] saladier m 3. [for washing up, of toilet] cuvette f ▸ sugar bowl sucrier.
◆ **bowls** npl boules fpl (sur gazon).

bowling ['bəʊlɪŋ] n (U) bowling m.

bowling alley ['bəʊlɪŋ-] n bowling m.

bowling green ['bəʊlɪŋ-] n terrain m de boules (sur gazon).

bow tie [ˌbəʊ-] n nœud m papillon.

box [bɒks] ◆ n 1. boîte f 2. [on form] case f 3. [in theatre] loge f. ◆ vi boxer ▸ a box of chocolates une boîte de chocolats.

boxer ['bɒksəʳ] n boxeur m.

boxer shorts npl caleçon m.

box file n boîte f archive.

boxing ['bɒksɪŋ] n (U) boxe f.

Boxing Day n le 26 décembre.

ⓘ Boxing Day

Au Royaume-Uni, le 26 décembre est un jour férié au cours duquel l'on rend visite à ses proches. Ce terme remonte au XIXᵉ siècle : on offrait alors des « boîtes de Noël » contenant des friandises ou des boissons aux employés ou commerçants ayant rendu des services durant l'année. Aujourd'hui, il est d'usage de donner des étrennes ou d'offrir un petit cadeau aux livreurs de lait ou de journaux.

---

boxing gloves npl gants mpl de boxe.

boxing ring n ring m.

box office n bureau m de location.

boy [bɔɪ] ◆ n garçon m. ◆ excl inf : (oh) boy! la vache !

boy band n boy's band m.

boycott ['bɔɪkɒt] vt boycotter.

boyfriend ['bɔɪfrend] n copain m.

boy scout n scout m.

boy wonder n petit génie m.

BR (abbr of British Rail) n ancienne société des chemins de fer britanniques.

bra [brɑː] n soutien-gorge m.

brace [breɪs] n UK [for teeth] appareil m (dentaire). ◆ **braces** npl **1.** UK bretelles fpl **2.** US [for teeth] appareil m (dentaire).

bracelet ['breɪslɪt] n bracelet m.

bracken ['brækn] n (U) fougère f.

bracket ['brækɪt] n **1.** [written symbol] parenthèse f **2.** [support] équerre f.

bracketing ['brækɪtɪŋ] n [in parentheses] mise f entre parenthèses.

brag [bræɡ] vi se vanter.

braid [breɪd] n **1.** [hairstyle] natte f, tresse f **2.** (U) [on clothes] galon m.

brain [breɪn] n cerveau m.

brainy ['breɪnɪ] adj inf futé(e).

braised [breɪzd] adj braisé(e).

brake [breɪk] ◆ n frein m. ◆ vi freiner.

brake block n patin m de frein.

brake fluid n (U) liquide m de freins.

brake light n feu m de stop.

brake pad n plaquette f de frein.

brake pedal n pédale f de frein.

bran [bræn] n (U) son m.

branch [brɑːntʃ] n **1.** branche f **2.** [of company] filiale f **3.** [of bank] agence f. ◆ **branch off** vi bifurquer.

branch line n ligne f secondaire.

brand [brænd] ◆ n marque f. ◆ vt : **to brand sb (as)** étiqueter qqn (comme).

brand building n création f de marque.

brand loyalty n fidélité f à la marque.

brand-new adj tout neuf (toute neuve).

brand recognition n identification f de la marque.

brandy ['brændɪ] n cognac m.

brash [bræʃ] adj pej effronté(e).

brass [brɑːs] n (U) laiton m.

brass band n fanfare f.

brasserie ['bræsərɪ] n brasserie f.

brassiere [UK 'bræsɪə, US brə'zɪr] n soutien-gorge m.

brat [bræt] n inf sale gosse m ou f.

brave [breɪv] adj courageux(euse).

bravery ['breɪvərɪ] n (U) courage m.

bravo [ˌbrɑː'vəʊ] excl bravo !

brawl [brɔːl] n bagarre f.

brazenness ['breɪznnɪs] n effronterie f.

Brazil [brə'zɪl] n le Brésil.

Brazilian [brə'zɪljən] ◆ adj brésilien(enne). ◆ n Brésilien m, -enne f.

Brazil nut n noix f du Brésil.

breach [briːtʃ] vt [contract] rompre.

bread [bred] n (U) pain m ▸ **bread and butter** pain m beurré.

breadbasket ['bred,bɑːskɪt] n **1.** [basket] corbeille f à pain **2.** [in geography] région f céréalière.

bread bin n UK huche f à pain.

breadboard ['bredbɔːd] n planche f à pain.

bread box US = **bread bin**.

breadcrumb ['bredkrʌm] n miette f de pain.

breadcrumbs ['bredkrʌmbz] npl CULIN chapelure f, panure f ▸ **fish fried in breadcrumbs** (du) poisson pané.

breaded ['bredɪd] adj pané(e).

bread knife n couteau m à pain.

bread roll n petit pain m.

breadth [bretθ] n largeur f.

break [breɪk] (*pt* **broke**, *pp* **broken**) ◆ n
1. [interruption] interruption f 2. [rest,
pause] pause f 3. *(U)* SCH récréation f.
◆ vt 1. casser 2. [rule, law] ne pas respecter 3. [promise] manquer à 4. [a re-
cord] battre 5. [news] annoncer. ◆ vi
1. se casser 2. [voice] se briser ▶ **without a break** sans interruption ▶ **a lucky
break** un coup de bol ▶ **to break one's
journey** faire étape ▶ **to break one's
leg** se casser une jambe. ◆ **break
down** ◆ vi [car, machine] tomber en
panne. ◆ vt sep [door, barrier] enfoncer. ◆ **break in** vi entrer par effrac-
tion. ◆ **break off** ◆ vt 1. [detach] détacher 2. [holiday] interrompre. ◆ vi
[stop suddenly] s'interrompre. ◆ **break
out** vi [fire, war, panic] éclater ▶ **to break
out in a rash** se couvrir de boutons.
◆ **break up** vi 1. [with spouse, partner]
rompre 2. [meeting, marriage] prendre
fin 3. [school] finir.

breakage ['breɪkɪdʒ] n casse f.

breakdown ['breɪkdaʊn] n 1. [of car]
panne f 2. [in communications, negotia-
tions] rupture f 3. [mental] dépression f.

breakdown truck n UK dépanneuse f.

breakfast ['brekfəst] n petit déjeuner m ▶ **to have breakfast** prendre le
petit déjeuner ▶ **to have cereal for
breakfast** prendre des céréales au petit déjeuner.

breakfast cereal n céréales fpl.

break-in n cambriolage m.

breakthrough ['breɪkθruː] n percée f.

breakwater ['breɪkˌwɔːtər] n digue f.

breast [brest] n 1. sein m 2. [of chick-
en, duck] blanc m.

breastbone ['brestbəʊn] n ster-
num m.

breast-feed vt allaiter.

breaststroke ['breststrəʊk] n *(U)*
brasse f.

breath [breθ] n 1. *(U)* haleine f 2. [air
inhaled] inspiration f ▶ **out of breath**
hors d'haleine ▶ **to go for a breath of
fresh air** aller prendre l'air.

Breathalyzer® ['breθəlaɪzər] n UK
≃ Alcootest®.

Breathalyzer® ['breθəlaɪ-
zər] US = **Breathalyser®**.

breathe [briːð] vi respirer. ◆ **breathe
in** vi inspirer. ◆ **breathe out** vi expirer.

breath freshener n purificateur m
d'haleine.

breathlessness ['breθlɪsnɪs] n es-
soufflement m.

breathtaking ['breθˌteɪkɪŋ] adj à couper le souffle.

breathtakingly ['breθˌteɪkɪŋlɪ] adv
de manière impressionnante.

breath test n Alcootest® m.

bred¹ [bred] ◆ pt & pp → **breed**.
◆ adj élevé m, -e f.

-bred adj *(in compounds)* élevé ▶ **ill /
well-bred** mal / bien élevé.

breed [briːd] (*pt* & *pp* **bred** [bred]) ◆ n
espèce f. ◆ vt [animals] élever. ◆ vi se
reproduire.

breeze [briːz] n brise f.

breezy ['briːzɪ] adj [weather, day] ven-
teux(euse) ▶ **it's breezy** il y a un peu
de vent.

brew [bruː] ◆ vt 1. [beer] brasser
2. [tea, coffee] faire. ◆ vi 1. [tea] infuser 2. [coffee] se faire.

brewery ['brʊərɪ] n brasserie f (*usine*).

bribe [braɪb] ◆ n pot-de-vin m. ◆ vt
acheter.

bric-a-brac ['brɪkəbræk] n (U) bric-à-brac m inv.

brick [brɪk] n brique f.

bricklayer ['brɪk,leɪə'] n maçon m.

brickwork ['brɪkwɜːk] n (U) maçonnerie f (en briques).

bride [braɪd] n mariée f.

bridegroom ['braɪdgrom] n marié m.

bridesmaid ['braɪdzmeɪd] n demoiselle f d'honneur.

bridge [brɪdʒ] n 1. pont m 2. [of ship] passerelle f 3. (U) [card game] bridge m.

bridle ['braɪdl] n bride f.

bridle path n piste f cavalière.

brief [briːf] ◆ adj bref(ève). ◆ vt mettre au courant ▶ **in brief** en bref. ◆ **briefs** npl 1. [for men] slip m 2. [for women] culotte f.

briefcase ['briːfkeɪs] n serviette f.

briefly ['briːflɪ] adv brièvement.

brigade [brɪ'geɪd] n brigade f.

bright [braɪt] adj 1. [light, sun, colour] vif (vive) 2. [weather, room] clair(e) 3. [clever] intelligent(e) 4. [lively, cheerful] gai(e).

brightly-coloured adj aux couleurs vives.

brightness ['braɪtnɪs] n luminosité f.

brilliant ['brɪljənt] adj 1. [colour, light, sunshine] éclatant(e) 2. [idea, person] brillant(e) 3. inf [wonderful] génial(e).

brim [brɪm] n bord m ▶ **it's full to the brim** c'est plein à ras bord.

brine [braɪn] n (U) saumure f.

bring [brɪŋ] (pt & pp **brought**) vt 1. apporter 2. [person] amener. ◆ **bring along** vt sep 1. [object] apporter 2. [person] amener. ◆ **bring back** vt sep rapporter. ◆ **bring in** vt sep 1. [introduce]

introduire 2. [earn] rapporter. ◆ **bring out** vt sep [new product] sortir. ◆ **bring up** vt sep 1. [child] élever 2. [subject] mentionner 3. [food] rendre, vomir.

brink [brɪŋk] n : **on the brink of** au bord de.

brisk [brɪsk] adj 1. [quick] vif (vive) 2. [person] énergique 3. [wind] frais (fraîche).

bristle ['brɪsl] n poil m.

Brit [brɪt] (abbr of **Briton**) n inf Britannique mf.

Britain ['brɪtn] n la Grande-Bretagne.

British ['brɪtɪʃ] ◆ adj britannique. ◆ npl : **the British** les Britanniques mpl.

British Council n : **the British Council** organisme public chargé de promouvoir la langue et la culture anglaises.

ⓘ **British Council**

Le **British Council** est un organisme international chargé de promouvoir la langue et la culture anglaises par le biais de son réseau de centres répartis dans plus de 100 pays. Il organise ainsi de nombreuses activités culturelles et d'enseignement dans les pays où il est présent, notamment des cours de langue anglaise, et prépare aux examens de l'IELTS et aux différents niveaux de l'examen d'anglais de Cambridge.

British Isles npl : **the British Isles** les îles fpl Britanniques.

British Rail n ancienne société des chemins de fer britanniques.

British Telecom [-'telɪkɒm] n (U) ≃ France Télécom.

Briton ['brɪtn] n Britannique m ou f.

Brittany ['brɪtənɪ] n la Bretagne.

brittle ['brɪtl] adj cassant(e).

broad [brɔːd] adj **1.** large **2.** [description, outline] général(e) **3.** [accent] fort(e).

B road n ⓤⓚ ≃ route f départementale.

broadband ['brɔːdbænd] n COMPUT ≃ ADSL m (*Asymmetric Digital Subscriber Line*). ◆ **broadband** adj à haut débit ; ≃ ADSL.

broad bean n fève f.

broadcast ['brɔːdkɑːst] (pt & pp broadcast) ◆ n émission f. ◆ vt diffuser.

broadly ['brɔːdlɪ] adv [in general] en gros ▸ **broadly speaking** en gros.

broadsheet ['brɔːdʃiːt] n ⓤⓚ journal m de qualité.

ⓘ **Broadsheet**

Nom des journaux britanniques de grand format (appelés **broadside** aux États-Unis), dont le contenu journalistique est synonyme de qualité, par opposition à la futilité de la presse à sensation des **tabloids** (magazines de petit format consacrés aux scandales touchant les personnalités ou les stars). Cependant, la plupart des quotidiens (**The Independent, The Times**) ont aujourd'hui adopté ce format réduit, plus pratique pour les usagers des transports en commun.

Broadway ['brɔːdweɪ] n Broadway (*rue des théâtres à Manhattan*).

ⓘ **Broadway**

Broadway est le nom donné au quartier des théâtres de New York, le **theater district** qui se situe autour de Times Square et sur une partie de l'avenue de Broadway. Avec 40 salles de théâtre de plus de 500 places, c'est l'un des centres les plus importants de production théâtrale commerciale du monde anglophone ainsi que l'un des endroits les plus visités par les touristes qui viennent y voir des spectacles et des comédies musicales à succès ou des acteurs de cinéma connus jouer dans des pièces.

broccoli ['brɒkəlɪ] n (U) brocoli m.

brochure ['brəʊʃər] n brochure f.

broil [brɔɪl] vt ⓤⓢ griller.

broiled [brɔɪld] adj ⓤⓢ grillé(e).

broke [brəʊk] ◆ pt → **break**. ◆ adj inf fauché(e).

broken ['brəʊkn] ◆ pp → **break**. ◆ adj **1.** cassé(e) **2.** [English, French] hésitant(e).

brokenhearted [,brəʊkn'hɑːtɪd] adj au cœur brisé.

bronchitis [brɒŋ'kaɪtɪs] n (U) bronchite f.

bronze [brɒnz] n (U) bronze m.

brooch [brəʊtʃ] n broche f.

brook [brʊk] n ruisseau m.

broom [bruːm] n balai m.

broomstick ['bruːmstɪk] n manche m à balai.

broth [brɒθ] n (U) bouillon m épais.

brother ['brʌðər] n frère m.

brother-in-law n beau-frère m.

brought [brɔːt] pt & pp → **bring**.

brow [braʊ] n **1.** [forehead] front m **2.** [eyebrow] sourcil m.

brown [braʊn] ◆ adj **1.** brun(e) **2.** [paint, eyes] marron inv **3.** [tanned] bronzé(e). ◆ n **1.** brun m **2.** [paint, eyes] marron m.

brown bread n (U) pain m complet.

brownfield site ['braʊnfiːld-] n terrain m à bâtir *(après démolition de bâtiments préexistants).*

brownie ['braʊnɪ] n CULIN *petit gâteau au chocolat et aux noix.*

Brownie ['braʊnɪ] n ≃ *jeannette f.*

brown rice n (U) *riz m complet.*

brown sauce n (U) ⓤⓀ *sauce épicée servant de condiment.*

brown sugar n (U) *sucre m roux.*

browse [braʊz] ◆ vi [in shop] regarder. ◆ vi COMPUT naviguer. ◆ vt [file, document] parcourir ▶ **to browse through** [book, paper] feuilleter ▶ **to browse a site** naviguer sur un site.

browser ['braʊzəʳ] n **1.** COMPUT navigateur m, browser m **2.** [in shop] : **'browsers welcome'** 'entrée libre'.

bruise [bruːz] n bleu m.

brunch [brʌntʃ] n brunch m.

brunette [bruː'net] n brune f.

brush [brʌʃ] ◆ n **1.** brosse f **2.** [for painting] pinceau m. ◆ vt **1.** [clothes] brosser **2.** [floor] balayer ▶ **to brush one's hair** se brosser les cheveux ▶ **to brush one's teeth** se brosser les dents.

Brussels ['brʌslz] n Bruxelles.

Brussels sprouts npl *choux mpl de Bruxelles.*

brutal ['bruːtl] adj *brutal(e).*

BSc (abbr of Bachelor of Science) n *(titulaire d'une) licence de sciences.*

BT abbr of British Telecom.

bubble ['bʌbl] n *bulle f.*

bubble bath n (U) *bain m moussant.*

bubble gum n (U) *chewing-gum avec lequel on peut faire des bulles.*

bubbly ['bʌblɪ] n inf *champ m.*

buck [bʌk] n **1.** ⓤⓈ inf [dollar] dollar m **2.** [male animal] mâle m.

bucket ['bʌkɪt] n *seau m.*

Buckingham Palace ['bʌkɪŋəm-] n *le palais de Buckingham.*

ⓘ **Buckingham Palace**

Résidence officielle londonienne de la famille royale britannique, érigée en 1703 par le duc de Buckingham. L'édifice a été largement modifié à la fin du XVIIIᵉ siècle (apports néoclassiques de l'architecte John Nash) et reste un monument incontournable pour les touristes. Les appartements royaux (**State Rooms**) sont ouverts au public en août et septembre ; les visiteurs viennent notamment y assister à la célèbre « relève de la garde », qui se tient tous les deux jours à 11 h 30 devant le palais.

buckle ['bʌkl] ◆ n *boucle f.* ◆ vt [fasten] boucler. ◆ vi **1.** [metal] plier **2.** [wheel] se voiler. ◆ **buckle up** in sep ⓤⓈ : **buckle up!** attachez vos ceintures !

Buck's Fizz n ⓤⓀ *cocktail à base de champagne et de jus d'orange.*

bud [bʌd] ◆ n *bourgeon m.* ◆ vi *bourgeonner.*

Buddhist ['bʊdɪst] n *bouddhiste m ou f.*

buddy ['bʌdɪ] n inf *pote m.*

budge [bʌdʒ] vi *bouger.*

budgerigar ['bʌdʒərɪɡɑːʳ] n *perruche f.*

budget ['bʌdʒɪt] ◆ adj [holiday, travel] *économique.* ◆ n *budget m.* ◆ **budget for** vt insep : **to budget for doing sthg** prévoir de faire qqch.

budgie ['bʌdʒɪ] n inf *perruche f.*

buff [bʌf] n (U) inf fana m ou f.

buffalo ['bʌfələʊ] n buffle m.

buffalo wings npl US ailes de poulet frites et épicées.

buffer ['bʌfəʳ] n [on train] tampon m.

buffering ['bʌfərɪŋ] n COMPUT [storage] stockage m en mémoire tampon.

buffer memory n mémoire f tampon.

buffet [UK 'bʊfeɪ, US bə'feɪ] n buffet m.

buffet car ['bʊfeɪ-] n wagon-restaurant m.

bug [bʌg] ◆ n 1. [insect] insecte m 2. inf [mild illness] microbe m 3. COMPUT bug m, bogue f QUEBEC. ◆ vt inf [annoy] embêter ▸ **bug off!** US vulg dégage ! ▸ **to catch a bug** attraper une maladie.

buggy ['bʌgɪ] n 1. UK [pushchair] poussette f 2. US [pram] landau m.

bugle ['bjuːgl] n clairon m.

bug-ridden adj 1. [room, hotel] infesté(e) de vermine 2. [software] plein(e) de bugs OR de bogues.

build [bɪld] (pt & pp built) ◆ n carrure f. ◆ vt construire. ◆ **build up** ◆ vi augmenter. ◆ vt sep : **to build up speed** accélérer.

builder ['bɪldəʳ] n entrepreneur m (en bâtiment).

building ['bɪldɪŋ] n bâtiment m.

building site n chantier m.

building society n UK société d'investissements et de prêts immobiliers.

built [bɪlt] pt & pp → build.

built-in adj encastré(e).

built-up adj : **built-up area** agglomération f.

built-up area n agglomération f.

bulb [bʌlb] n 1. [for lamp] ampoule f 2. [of plant] bulbe m.

Bulgaria [bʌl'geərɪə] n la Bulgarie.

bulge [bʌldʒ] vi être gonflé.

bulk [bʌlk] n : **the bulk of** la majeure partie de ▸ **in bulk** en gros.

bulky ['bʌlkɪ] adj volumineux(euse).

bull [bʊl] n taureau m.

bulldog ['bʊldɒg] n bouledogue m.

bulldozer ['bʊldəʊzəʳ] n bulldozer m.

bullet ['bʊlɪt] n balle f.

bulletin ['bʊlətɪn] n bulletin m.

bulletin board n US tableau m d'affichage.

bullfight ['bʊlfaɪt] n corrida f.

bull's-eye n centre m (de la cible).

bully ['bʊlɪ] ◆ n enfant qui maltraite ses camarades. ◆ vt tyranniser.

bum [bʌm] n 1. UK inf [bottom] derrière m 2. US inf [tramp] clodo m.

bum bag n UK banane f (sac).

bumblebee ['bʌmblbiː] n bourdon m.

bump [bʌmp] ◆ n 1. [lump] bosse f 2. [sound] bruit m sourd 3. [minor accident] choc m. ◆ vt [head, leg] cogner ▸ **to bump one's head** se cogner la tête. ◆ **bump into** vt insep 1. [hit] rentrer dans 2. [meet] tomber sur.

bumper ['bʌmpəʳ] n 1. [on car] pare-chocs m inv 2. US [on train] tampon m.

bumper car n auto f tamponneuse.

bumpkin ['bʌmpkɪn] n inf & pej plouc m.

bumpy ['bʌmpɪ] adj [road] cahoteux(euse) ▸ **the flight was bumpy** il y a eu des turbulences pendant le vol.

bun [bʌn] n **1.** [cake] petit gâteau m **2.** [bread roll] petit pain m rond **3.** [hairstyle] chignon m.

bunch [bʌntʃ] n **1.** [of people] bande f **2.** [of flowers] bouquet m **3.** [of grapes] grappe f **4.** [of bananas] régime m **5.** [of keys] trousseau m.

bundle ['bʌndl] n paquet m.

bundling ['bʌndlɪŋ] n [of products] groupage m.

bung [bʌŋ] n bonde f.

bungalow ['bʌŋgələʊ] n bungalow m.

bungee ['bʌndʒiː] n : **bungee (cord)** tendeur m ▸ **bungee jump(ing)** saut m à l'élastique.

bunion ['bʌnjən] n oignon m (au pied).

bunk [bʌŋk] n [berth] couchette f.

bunk bed n lit m superposé.

bunk beds npl lits mpl superposés.

bunker ['bʌŋkəʳ] n **1.** bunker m **2.** [for coal] coffre m.

bunny ['bʌnɪ] n inf lapin m.

buoy [UK bɔɪ, US 'buːɪ] n bouée f.

buoyant ['bɔɪənt] adj qui flotte bien.

BUPA ['buːpə] n (U) organisme britannique d'assurance maladie privée.

burden ['bɜːdn] n charge f.

bureaucracy [bjʊəˈrɒkrəsɪ] n bureaucratie f.

bureau de change [ˌbjʊərəʊdəˈʃɒndʒ] n bureau m de change.

burgeoning ['bɜːdʒənɪŋ] adj [industry, population] en expansion, en plein essor.

burger ['bɜːgəʳ] n **1.** steak m haché **2.** [made with nuts, vegetables, etc.] croquette f.

burglar ['bɜːgləʳ] n cambrioleur m, -euse f.

burglar alarm n système m d'alarme.

burglarize ['bɜːgləraɪz] US = **burgle**.

burglary ['bɜːglərɪ] n cambriolage m.

burgle ['bɜːgl] vt cambrioler.

Burgundy ['bɜːgəndɪ] n la Bourgogne.

burial ['berɪəl] n enterrement m.

burial chamber n caveau m.

burlesque [bɜːˈlesk] ◆ n **1.** [literature, theater] burlesque m **2.** US [striptease show] revue f déshabillée. ◆ adj burlesque.

burn [bɜːn] (pt & pp burnt or burned) ◆ n brûlure f. ◆ vt & vi **1.** brûler **2.** COMPUT graver ▸ **to burn one's hand** se brûler la main. ◆ **burn down** ◆ vt sep incendier. ◆ vi brûler complètement.

burning (hot) ['bɜːnɪŋ-] adj brûlant(e).

Burns' Night [bɜːnz-] n fête célébrée en l'honneur du poète écossais Robert Burns, le 25 janvier.

burnt [bɜːnt] pt & pp → **burn**.

burp [bɜːp] vi roter.

burrow ['bʌrəʊ] n terrier m.

burst [bɜːst] (pt & pp burst) ◆ n salve f. ◆ vt faire éclater. ◆ vi éclater ▸ **he burst into the room** il a fait irruption dans la pièce ▸ **to burst into tears** éclater en sanglots ▸ **to burst open** s'ouvrir brusquement.

bursting ['bɜːstɪŋ] adj [full] plein(e) ▸ **to be bursting to do sthg** [eager] mourir d'envie de faire qqch ▸ **to be full to bursting** être plein à craquer.

bury ['berɪ] vt enterrer.

bus [bʌs] n bus m, autobus m ▸ **by bus** en bus.

busboy ['bʌsbɔɪ] n US aide-serveur m.

bus conductor n [-,kən'dʌktər] n receveur m, -euse f.

bus driver n conducteur m, -trice f d'autobus.

bush [bʊʃ] n buisson m.

bushy ['bʊʃɪ] adj touffu(e).

business ['bɪznɪs] n 1. (U) affaires fpl 2. [shop, firm, affair] affaire f ▸ **mind your own business!** occupe-toi de tes affaires ! ▸ **'business as usual'** le magasin reste ouvert!

business account n compte m professionnel OR commercial.

business card n carte f de visite.

business class n (U) classe f affaires.

business hours npl 1. [of office] heures fpl de bureau 2. [of shop] heures fpl d'ouverture.

businessman ['bɪznɪsmæn] (pl -men) n homme m d'affaires.

business model n modèle m économique.

business park n zone f d'activités.

business partner n associé m, -e f.

business reply card n carte-réponse f.

business studies npl études fpl de commerce.

business-to-business adj interentreprises, B to B.

businesswoman ['bɪznɪs,wʊmən] (pl -women) n femme f d'affaires.

busker ['bʌskər] n UK musicien m, -ienne f qui fait la manche.

bus lane n couloir m de bus.

bus pass n carte f d'abonnement (de bus).

bus shelter n Abribus® m.

bus station n gare f routière.

bus stop n arrêt m de bus.

bust [bʌst] n 1. [of woman] poitrine f. ◆ adj : **to go bust** inf faire faillite.

buster[1] ['bʌstər] n US inf [pal] : **thanks, buster** merci, mon pote.

-buster[2] adj (in compounds) inf : **crime-busters** superflics mpl.

bustle ['bʌsl] n (U) [activity] agitation f.

bus tour n voyage m en autocar.

busty ['bʌstɪ] (compar -ier, superl -iest) adj qui a une forte poitrine.

busy ['bɪzɪ] adj 1. occupé(e) 2. [day, schedule] chargé(e) 3. [street, office] animé(e) ▸ **to be busy doing sthg** être occupé à faire qqch.

busybody ['bɪzɪ,bɒdɪ] n inf & pej mouche f du coche.

busy signal n US tonalité f occupé.

but [bʌt] ◆ conj mais. ◆ prep sauf ▸ **the last but one** l'avant-dernier m, -ière f ▸ **but for** sans.

butcher ['bʊtʃər] n boucher m, -ère f ▸ **butcher's** [shop] boucherie f.

butt[1] [bʌt] ◆ **butt out** vi insep US inf : **why don't you just butt out?** fiche-moi la paix ! ◆ **butt in** vi [interrupt] : **to butt in on sb** interrompre qqn.

butt[2] [bʌt] n 1. [of rifle] crosse f 2. [of cigarette, cigar] mégot m.

butter ['bʌtər] ◆ n (U) beurre m. ◆ vt beurrer.

butter bean n haricot m beurre.

buttercup ['bʌtəkʌp] n bouton-d'or m.

butterfly ['bʌtəflaɪ] n papillon m.

butterscotch ['bʌtəskɒtʃ] n (U) caramel dur au beurre.

buttery ['bʌtəri] adj [smell, taste] de beurre.

buttocks ['bʌtəks] npl fesses fpl.

button ['bʌtn] n 1. bouton m 2. US [badge] badge m.

buttonhole ['bʌtnhəʊl] n [hole] boutonnière f.

button mushroom n champignon m de Paris.

buttress ['bʌtrɪs] n contrefort m.

buy [baɪ] (pt & pp bought) ◆ vt acheter. ◆ n : a good buy une bonne affaire ▶ to buy a bike for one's son, to buy one's son a bike acheter un vélo à son fils.

buyer ['baɪər] n acheteur m, -euse f.

buy-to-let n investissement m locatif.

buzz [bʌz] ◆ vi bourdonner. ◆ n inf [phone call] : to give sb a buzz passer un coup de fil à qqn.

buzzer ['bʌzər] n sonnerie f.

buzz word n mot m à la mode.

by [baɪ] ◆ prep 1. [expressing cause, agent] par ▶ he was hit by a car il s'est fait renverser par une voiture ▶ a book by A.R. Scott un livre de A.R. Scott 2. [expressing method, means] par ▶ by car/bus en voiture /bus ▶ to pay by credit card payer par carte de crédit ▶ to win by cheating gagner en trichant 3. [near to, beside] près de ▶ by the sea au bord de la mer 4. [past] : a car went by the house une voiture est passée devant la maison 5. [via] par ▶ exit by the door on the left sortez par la porte de gauche 6. [with time] : be there by nine soyez-y pour neuf heures ▶ by day le jour ▶ by now déjà 7. [expressing quantity] : they're sold by the dozen ils sont vendus à la douzaine ▶ prices fell by 20 % les prix ont baissé de 20 % ▶ paid by the hour payé à l'heure 8. [expressing meaning] : what do you mean by that? qu'entendez-vous par là ? 9. [in sums, measurements] par ▶ divide /multiply twenty by two divisez /multipliez vingt par deux ▶ two metres by five deux mètres sur cinq 10. [according to] selon ▶ by law selon la loi ▶ it's fine by me ça me va 11. [expressing gradual process] : one by one un par un ▶ day by day de jour en jour 12. [in phrases] : by mistake par erreur ▶ by oneself a) [alone] seul b) [unaided] tout seul ▶ by profession de métier. ◆ adv [past] : to go by passer.

bye(-bye) [baɪ(baɪ)] excl inf salut !

bypass ['baɪpɑːs] n rocade f.

byte [baɪt] n octet m.

Cc

C 1. (abbr of Celsius) C 2. (abbr of centigrade) cgr.

cab [kæb] n 1. [taxi] taxi m 2. [of lorry] cabine f.

cabaret ['kæbəreɪ] n spectacle m de cabaret.

cabbage ['kæbɪdʒ] n chou m.

cabin ['kæbɪn] n 1. cabine f 2. [wooden house] cabane f.

cabin crew n équipage m.

cabinet ['kæbınıt] n **1.** [cupboard] meuble m (de rangement) **2.** POL cabinet m.

cable ['keıbl] n câble m.

cable car n téléphérique m.

cablecast ['keıblkɑːst] vt US TV transmettre par câble.

cable television, cable TV n télévision f par câble.

cache [kæʃ] n cache m.

cache memory ['kæʃˌmemərı] n mémoire f cache.

cactus ['kæktəs] (pl -tuses OR -ti) n cactus m.

cadaverous [kə'dævərəs] adj fml cadavéreux, cadavérique.

Caesar salad [ˌsiːzə-] n salade de laitue, anchois, croûtons et parmesan.

cafe ['kæfeı] n café m.

cafeteria [ˌkæfı'tıərıə] n cafétéria f.

cafetiere, cafetière [kæfə'tjeəʳ] n UK cafetière f à piston.

caffeine ['kæfiːn] n (U) caféine f.

cage [keıdʒ] n cage f.

cagoule [kə'guːl] n UK K-way® m inv.

Cajun ['keıdʒən] adj cajun.

---

riche et des spécialités culinaires épicées, très appréciées par les Américains.

cake [keık] n **1.** gâteau m **2.** [of soap] pain m ▸ **fish cake** croquette de poisson.

calculate ['kælkjuleıt] vt **1.** calculer **2.** [risks, effect] évaluer.

calculation [ˌkælkju'leıʃn] n calcul m.

calculator ['kælkjuleıtəʳ] n calculatrice f.

calendar ['kælındəʳ] n calendrier m.

calf [kɑːf] (pl **calves** [-vz]) n **1.** [of cow] veau m **2.** [part of leg] mollet m.

call [kɔːl] ◆ n **1.** [visit] visite f **2.** [phone call] coup m de fil **3.** [of bird] cri m **4.** [at airport] appel m. ◆ vt **1.** appeler **2.** [summon] convoquer **3.** [meeting] convoquer. ◆ vi **1.** [visit] passer **2.** [phone] appeler ▸ **to call sb a liar** traiter qqn de menteur ▸ **to be called** s'appeler ▸ **what is he called?** comment s'appelle-t-il ? ▸ **on call** [nurse, doctor] de garde ▸ **to pay sb a call** rendre visite à qqn ▸ **this train calls at...** ce train desservira les gares de... ▸ **who's calling?** qui est à l'appareil ? ◆ **call back** ◆ vt sep rappeler. ◆ vi **1.** [phone again] rappeler **2.** [visit again] repasser. ◆ **call for** vt insep **1.** [come to fetch] passer prendre **2.** [demand] demander **3.** [require] exiger. ◆ **call in** [visit] passer voir ▸ **to call on the government to take action** demander instamment au gouvernement d'intervenir. ◆ **call out** ◆ vt sep **1.** [name, winner] annoncer **2.** [doctor, fire brigade] appeler. ◆ vi crier. ◆ **call up** vt sep appeler.

call box n cabine f téléphonique.

call centre UK, **call center** US n centre m d'appels.

caller ['kɔːlə^r] n **1.** [visitor] visiteur m, -euse f **2.** [on phone] personne qui passe un appel téléphonique.

call screening n filtrage m d'appels.

calm [kɑːm] ◆ adj calme. ◆ vt calmer. ◆ **calm down** ◆ vt sep calmer. ◆ vi se calmer.

Calor gas® ['kælə-] n (U) UK butane m.

calorie ['kælərɪ] n calorie f.

calorie-conscious adj : she's very calorie-conscious elle fait très attention au nombre de calories qu'elle absorbe.

calorie-controlled adj [diet] faible en calories.

calorie-free adj sans calories.

calves [kɑːvz] pl → **calf**.

camcorder ['kæm‚kɔːdə^r] n Caméscope® m.

came [keɪm] pt → **come**.

camel ['kæml] n chameau m.

camembert ['kæməmbeə^r] n (U) camembert m.

camera ['kæmərə] n **1.** appareil m photo **2.** [for filming] caméra f.

cameraman ['kæmərəmæn] (pl -men) n caméraman m.

camera phone n téléphone m avec appareil photo.

camera shop n photographe m.

camisole ['kæmɪsəʊl] n caraco m.

camp [kæmp] ◆ n camp m. ◆ vi camper.

campaign [kæm'peɪn] ◆ n campagne f. ◆ vi : to campaign (for /against) faire campagne (pour /contre).

campaign trail n tournée f électorale.

camp bed n UK lit m de camp.

camper ['kæmpə^r] n **1.** [person] campeur m, -euse f **2.** [van] camping-car m.

campfire ['kæmp‚faɪə^r] n feu m de camp.

camping ['kæmpɪŋ] n (U) : to go camping faire du camping.

camping stove n Camping-Gaz® m inv.

campsite ['kæmpsaɪt] n camping m.

campus ['kæmpəs] (pl -es) n campus m.

can¹ [kæn] n **1.** [of food] boîte f **2.** [of drink] can(n)ette f **3.** [of oil, paint] bidon m.

can² (weak form [kən], strong form [kæn], conditional and preterit form could) aux vb **1.** pouvoir **2.** [know how to] savoir **3.** [be allowed to] pouvoir **4.** [in polite requests] pouvoir **5.** [expressing occasional occurrence] pouvoir **6.** [expressing possibility] pouvoir ▶ can you help me? tu peux m'aider ? ▶ I can see you je te vois ▶ can you drive? tu sais conduire ? ▶ I can speak French je parle (le) français ▶ you can't smoke here ici il est interdit de fumer ici ▶ can you tell me the time? pourriez-vous me donner l'heure ? ▶ can I speak to the manager? puis-je parler au directeur ? ▶ it can get cold at night il arrive qu'il fasse froid la nuit ▶ they could be lost il se peut qu'ils se soient perdus.

Canada ['kænədə] n le Canada.

Canadian [kə'neɪdɪən] ◆ adj canadien(ienne). ◆ n Canadien m, -ienne f.

canal [kə'næl] n canal m.

canapé ['kænəpeɪ] n canapé m (pour l'apéritif).

Canaries [kə'neərɪz] pl : the Canaries les Canaries fpl.

Canary Islands npl : the Canary Islands les îles fpl Canaries ▶ **in the Canary Islands** aux Canaries.

cancel ['kænsl] vt **1.** annuler **2.** [cheque] faire opposition à.

cancellation [,kænsə'leɪʃn] n annulation f.

cancer ['kænsə^r] n (U) cancer m.

Cancer ['kænsə^r] n Cancer m.

candidate ['kændɪdət] n candidat m, -e f.

candle ['kændl] n bougie f.

candlelit ['kændllɪt] adj aux chandelles ▶ **candlelit dinner** dîner aux chandelles.

candlestick ['kændlstɪk] n bougeoir m.

can-do ['kænduː] adj : **can-do spirit** esprit m de battant or de gagneur.

candy ['kændɪ] n US **1.** [confectionery] confiserie f **2.** [sweet] bonbon m.

candy apple n US pomme f d'amour.

candy bar n US [chocolate] barre f de chocolat ; [muesli] barre f de céréales.

candyfloss ['kændɪflɒs] n (U) UK barbe f à papa.

cane [keɪn] n **1.** [for walking] canne f **2.** [for punishment] verge f **3.** (U) [for furniture, baskets] rotin m.

canister ['kænɪstə^r] n **1.** [for tea] boîte f **2.** [for gas] bombe f.

cannabis ['kænəbɪs] n (U) cannabis m.

canned [kænd] adj **1.** [food] en boîte **2.** [drink] en can(n)ette.

cannon ['kænən] n canon m.

cannot ['kænɒt] = **can not**.

canoe [kə'nuː] n canoë m.

canoeing [kə'nuːɪŋ] n (U) : **to go canoeing** faire du canoë.

canopy ['kænəpɪ] n [over bed, etc.] baldaquin m.

can't [kɑːnt] = **cannot**.

cantaloup(e) ['kæntəluːp] n cantaloup m.

canteen [kæn'tiːn] n cantine f.

canvas ['kænvəs] n (U) [for tent, bag] toile f.

cap [kæp] n **1.** [hat] casquette f **2.** [of pen] capuchon m **3.** [of bottle] capsule f **4.** [for camera] cache m **5.** [contraceptive] diaphragme m.

capability [,keɪpə'bɪlətɪ] n capacité f.

capable ['keɪpəbl] adj [competent] capable ▶ **to be capable of doing sthg** être capable de faire qqch.

capacity [kə'pæsɪtɪ] n capacité f.

cape [keɪp] n **1.** [of land] cap m **2.** [cloak] cape f.

capers ['keɪpəz] npl câpres fpl.

capital ['kæpɪtl] n **1.** [of country] capitale f **2.** (U) [money] capital m **3.** [letter] majuscule f.

capital punishment n (U) peine f capitale.

cappuccino [,kæpʊ'tʃiːnəʊ] n cappuccino m.

Capricorn ['kæprɪkɔːn] n Capricorne m.

capsicum ['kæpsɪkəm] n **1.** [sweet] poivron m **2.** [hot] piment m.

capsize [kæp'saɪz] vi chavirer.

capsule ['kæpsjuːl] n [for medicine] gélule f.

captain ['kæptɪn] n **1.** capitaine m **2.** [of plane] commandant m.

caption ['kæpʃn] n légende f.

capture ['kæptʃə^r] vt **1.** capturer **2.** [town, castle] s'emparer de.

car [kɑː^r] n voiture f.

carafe [kə'ræf] n carafe f.

car alarm n AUT alarme f de voiture.

caramel ['kærəmel] n caramel m.

carat ['kærət] n carat m ▶ **24-carat gold** de l'or 24 carats.

caravan ['kærəvæn] n UK caravane f.

caravanning ['kærəvænɪŋ] n (U) UK : **to go caravanning** faire du caravaning.

caravan site n UK camping m pour caravanes.

carbohydrates [ˌkɑːbəʊ'haɪdreɪt] npl [in foods] glucides mpl.

carbon ['kɑːbən] n (U) carbone m.

carbon copy n carbone m.

carbon dioxide [-daɪ'ɒksaɪd] n (U) gaz m carbonique.

carbon footprint n empreinte f carbone.

carbon monoxide [-mɒ'nɒksaɪd] n (U) oxyde m de carbone.

carbon neutral ◆ adj à bilan carbone neutre. ◆ n (U) écologique m.

carbon paper n (papier m) carbone m.

car boot sale n UK brocante en plein air où les coffres des voitures servent d'étal.

carburetor [ˌkɑːbə'retə^r] US = **carburettor**.

carburettor [ˌkɑːbə'retə^r] n UK carburateur m.

car crash n accident m de voiture OR de la route.

card [kɑːd] n **1.** carte f **2.** [for filing, notes] fiche f **3.** (U) [cardboard] carton m.

cardboard ['kɑːdbɔːd] n (U) carton m.

car deck n pont m des voitures.

card game n jeu m de cartes.

cardiac arrest [ˌkɑːdɪæk-] n arrêt m cardiaque.

cardigan ['kɑːdɪgən] n cardigan m.

cardiologist [ˌkɑːdɪ'ɒlədʒɪst] n cardiologue mf.

cardphone ['kɑːdfəʊn] n UK téléphone m à carte.

cards npl : **to play cards** jouer aux cartes.

care [keə^r] ◆ n (U) **1.** [attention] soin m **2.** [treatment] soins mpl. ◆ vi : **I don't care** ça m'est égal ▶ **to take care of** s'occuper de ▶ **would you care to...?** fml voudriez-vous... ? ▶ **to take care to do sthg** prendre soin de faire qqch ▶ **to take care not to do sthg** prendre garde de ne pas faire qqch ▶ **take care!** expression affectueuse que l'on utilise lorsqu'on quitte quelqu'un ▶ **with care** avec soin ▶ **to care about** a) [think important] se soucier de b) [person] aimer.

career [kə'rɪə^r] n carrière f.

career-minded adj ambitieux(euse).

carefree ['keəfriː] adj insouciant(e).

careful ['keəful] adj **1.** [cautious] prudent(e) **2.** [thorough] soigneux(euse) ▶ **be careful!** (fais) attention !

carefully ['keəflɪ] adv **1.** [cautiously] prudemment **2.** [thoroughly] soigneusement.

caregiver ['keəgɪvə^r] n [professional] aide-soignant m, -e f.

careless ['keələs] adj **1.** [inattentive] négligent(e) **2.** [unconcerned] insouciant(e).

carer ['keərə^r] n [professional] aide-soignant m, -e f.

caretaker [ˈkeəˌteɪkəʳ] n UK gardien m, -ienne f.

care worker n aide-soignant m, -e f.

car ferry n ferry m.

cargo [ˈkɑːgəʊ] (pl -es OR -s) n cargaison f.

car hire n UK location f de voitures.

Caribbean [UK ˌkærɪˈbiːən, US kəˈrɪbɪən] n : the Caribbean [area] les Caraïbes fpl.

caring [ˈkeərɪŋ] adj attentionné(e).

carlot [kɑːlɒt] n US parking m (d'un garage automobile).

carnation [kɑːˈneɪʃn] n œillet m.

carnival [ˈkɑːnɪvl] n carnaval m.

carousel [ˌkærəˈsel] n 1. [for luggage] tapis m roulant 2. US [merry-go-round] manège m.

carp [kɑːp] n carpe f.

car park n UK parking m.

carpenter [ˈkɑːpəntəʳ] n 1. [on building site] charpentier m 2. [for furniture] menuisier m.

carpentry [ˈkɑːpəntrɪ] n (U) 1. [on building site] charpenterie f 2. [furniture] menuiserie f.

carpet [ˈkɑːpɪt] n 1. [fitted] moquette f 2. [rug] tapis m.

carpool [ˈkɑːpuːl] n covoiturage m.

carport [ˈkɑːpɔːt] n appentis m (pour voitures).

car rental n US location f de voitures.

carriage [ˈkærɪdʒ] n 1. UK [of train] wagon m 2. [horse-drawn] calèche f.

carriageway [ˈkærɪdʒweɪ] n UK chaussée f.

carrier (bag) [ˈkærɪəʳ-] n UK sac m (en plastique).

carrot [ˈkærət] n carotte f.

carrot cake n gâteau à la carotte.

carry [ˈkærɪ] ◆ vt 1. porter 2. [transport] transporter 3. [disease] être porteur de 4. [cash, passport, map] avoir sur soi. ◆ vi porter. ◆ **carry on** ◆ vi continuer. ◆ vt insep 1. [continue] continuer 2. [conduct] réaliser ▸ **to carry on doing sthg** continuer à faire qqch. ◆ **carry out** vt sep 1. [work, repairs] effectuer 2. [plan] réaliser 3. [promise] tenir 4. [order] exécuter.

carrycot [ˈkærɪkɒt] n UK couffin m.

carryout [ˈkærɪaʊt] n US SCOT repas m à emporter.

carsick [ˈkɑːˌsɪk] adj malade (en voiture).

cart [kɑːt] n 1. [for transport] charrette f 2. US [in supermarket] caddie m 3. inf [video game cartridge] cartouche f.

carton [ˈkɑːtn] n 1. [of milk, juice] carton m 2. [of yoghurt] pot m.

cartoon [kɑːˈtuːn] n 1. [drawing] dessin m humoristique 2. [film] dessin m animé.

cartoon character n personnage m de bande dessinée.

cartoon strip n bande f dessinée.

cartridge [ˈkɑːtrɪdʒ] n cartouche f.

carve [kɑːv] vt 1. [wood, stone] sculpter 2. [meat] découper.

carvery [ˈkɑːvərɪ] n UK restaurant où l'on mange, en aussi grande quantité que l'on veut, de la viande découpée à table.

car wash n station f de lavage de voitures.

case [keɪs] n 1. UK [suitcase] valise f 2. [for glasses, camera] étui m 3. [for jewellery] écrin m 4. [instance, patient] cas m 5. LAW [trial] affaire f ▸ **in any case**

de toute façon ▶ **in case** au cas où ▶ **in case of** en cas de ▶ **(just) in case** au cas où ▶ **in that case** dans ce cas.

case-sensitive adj : **this password is case-sensitive** le respect des majuscules et des minuscules est nécessaire pour ce mot de passe.

cash [kæʃ] ◆ n (U) **1.** [coins, notes] argent m liquide **2.** [money in general] argent m. ◆ vt : **to cash a cheque** encaisser un chèque ▶ **to pay cash** payer comptant OR en espèces.

cashback ['kæʃbæk] n UK [in supermarket] espèces retirées à la caisse d'un supermarché lors d'un paiement par carte.

cash card n carte f de retrait.

cash desk n caisse f.

cash dispenser [-,dɪ'spensər] n UK distributeur m (automatique) de billets.

cashew (nut) ['kæʃuː-] n (noix f de) cajou m.

cashier [kæ'ʃɪər] n caissier m, -ière f.

cashless ['kæʃlɪs] adj sans argent ▶ **cashless pay system** système m de paiement électronique ▶ **cashless society** société f de l'argent virtuel.

cash machine n UK distributeur m de billets.

cashmere [kæʃ'mɪər] n (U) cachemire m.

cash point, cashpoint ['kæʃpɔɪnt] n UK [cash dispenser] distributeur m (automatique de billets), DAB m.

cash register n caisse f enregistreuse.

casino [kə'siːnəʊ] (pl -s) n casino m.

cask [kɑːsk] n tonneau m.

cask-conditioned [-,kən'dɪʃnd] adj se dit de la 'real ale', dont la fermentation se fait en fûts.

casserole ['kæsərəʊl] n [stew] ragoût m ▶ **casserole (dish)** cocotte f.

cassette [kæ'set] n cassette f.

cassette recorder n magnétophone m.

cast [kɑːst] (pt & pp cast) ◆ n **1.** [actors] distribution f **2.** [for broken bone] plâtre m. ◆ vt [shadow, light, look] jeter ▶ **to cast one's vote** voter ▶ **to cast doubt on** jeter le doute sur. ◆ **cast off** vi larguer les amarres.

caster ['kɑːstər] n [wheel] roulette f.

caster sugar n (U) UK sucre m en poudre.

cast iron n fonte f. ◆ **cast-iron** adj [made of cast iron] en OR de fonte.

castle ['kɑːsl] n **1.** château m **2.** [in chess] tour f.

casual ['kæʒʊəl] adj **1.** [relaxed] désinvolte **2.** [offhand] sans-gêne inv **3.** [clothes] décontracté(e) ▶ **casual work** travail temporaire.

casualization, casualisation UK [,kæʒʊəlar'zeɪʃən] n précarisation f.

casualty ['kæʒjʊəltɪ] n **1.** [injured] blessé m, -e f **2.** [dead] mort m, -e f ▶ **casualty (department)** UK urgences fpl.

cat [kæt] n chat m.

Catalan ['kætə,læn] ◆ adj catalan(e). ◆ n **1.** [person] Catalan m, -e f **2.** [language] catalan m.

catalog ['kætəlɒg] US = **catalogue**.

catalogue ['kætəlɒg] n catalogue m.

Catalonia [,kætə'ləʊnɪə] n Catalogne f ▶ **in Catalonia** en Catalogne.

Catalonian [,kætə'ləʊnɪən] ◆ adj catalan. ◆ n [person] catalan m, -e f.

catapult ['kætəpʌlt] n lance-pierres m inv.

cataract ['kætərækt] n [in eye] cataracte f.

catarrh [kə'tɑːʳ] n (U) catarrhe m.

catastrophe [kə'tæstrəfi] n catastrophe f.

catch [kætʃ] (pt & pp **caught**) ◆ vt 1. attraper 2. [falling object] rattraper 3. [surprise] surprendre 4. [hear] saisir 5. [attention] attirer. ◆ vi [become hooked] s'accrocher. ◆ n 1. [of window, door] loquet m 2. [snag] hic m. ◆ **catch up** ◆ vt sep rattraper. ◆ vi rattraper son retard ▶ to catch up with sb rattraper qqn.

catching ['kætʃɪŋ] adj inf contagieux(ieuse).

category ['kætəgəri] n catégorie f.

cater ['keɪtəʳ] ◆ **cater for** vt insep 1. UK [needs, tastes] satisfaire 2. [anticipate] prévoir.

caterpillar ['kætəpɪləʳ] n chenille f.

catfight ['kætfaɪt] n crêpage m de chignon.

cathedral [kə'θiːdrəl] n cathédrale f.

Catholic ['kæθlɪk] ◆ adj catholique. ◆ n catholique m ou f.

cat litter n litière f (pour chats).

Catseyes® ['kætsaɪz] npl UK catadioptres mpl.

cattle ['kætl] npl bétail m.

cattle grid, cattle guard US n [sur une route] grille au sol destinée à empêcher le passage du bétail mais non celui des voitures.

caught [kɔːt] pt & pp → catch.

cauldron ['kɔːldrən] n chaudron m.

cauliflower ['kɒlɪˌflaʊəʳ] n choufleur m.

cauliflower cheese n (U) choufleur m au gratin.

cause [kɔːz] ◆ n 1. cause f 2. (U) [justification] motif m x. ◆ vt causer ▶ to cause sb to make a mistake faire faire une erreur à qqn.

causeway ['kɔːzweɪ] n chaussée f (aménagée sur l'eau).

caustic soda [ˌkɔːstɪk-] n (U) soude f caustique.

caution ['kɔːʃn] n 1. (U) [care] précaution f 2. [warning] avertissement m.

cautious ['kɔːʃəs] adj prudent(e).

cave [keɪv] n caverne f. ◆ **cave in** vi s'effondrer.

caveat ['kæviæt] n avertissement m ; LAW notification f d'opposition.

cave painting [keɪv-] n peinture f rupestre.

caviar(e) ['kævɪɑːʳ] n (U) caviar m.

cavity ['kævəti] n [in tooth] cavité f.

cayenne (pepper) [keɪ'en-] n poivre m de cayenne.

CD (abbr of **compact disc**) n CD m.

CD burner n COMPUT graveur m de CD.

CDI (abbr of **compact disc interactive**) n CD-I m inv (Compact Disc Interactif).

CD player n lecteur m laser OR de CD.

CD-ROM [ˌsiːdiːˈrɒm] n Cédérom m.

CDW (abbr of **collision damage waiver**) n franchise f.

CD writer n graveur m de CD.

cease [siːs] vt & vi fml cesser.

ceasefire ['siːsˌfaɪəʳ] n cessez-le-feu m inv.

ceilidh ['keɪli] n bal folklorique écossais ou irlandais.

ceiling ['siːlɪŋ] n plafond m.

celeb [sɪ'leb] n inf célébrité f.

celebrate ['selɪbreɪt] ◆ vt 1. fêter 2. [Mass] célébrer. ◆ vi faire la fête.

celebration [,selɪ'breɪʃn] n [event] fête f. ◆ **celebrations** npl [festivities] cérémonies fpl.

celebratory ['selə'breɪtərɪ] adj [dinner] de fête ; [marking official occasion] commémoratif.

celebrity [sɪ'lebrətɪ] n [person] célébrité f.

celeriac [sɪ'lerɪæk] n (U) céleri-rave m.

celery ['selərɪ] n (U) céleri m.

cell [sel] n cellule f.

cellar ['selər] n cave f.

cello ['tʃeləʊ] n violoncelle m.

Cellophane® ['seləfeɪn] n (U) Cellophane® f.

cellphone, cell phone ['selfəʊn], **cellular phone** ['seljʊlər-] US n (téléphone m) portable m, (téléphone m) mobile m.

cell phone mast US n antenne-relais f.

Celsius ['selsɪəs] adj Celsius.

cement [sɪ'ment] n (U) ciment m.

cement mixer n bétonnière f.

cemetery ['semɪtrɪ] n cimetière m.

census ['sensəs] (pl -es) n recensement m.

cent [sent] n cent m.

centaur ['sentɔːr] n centaure m.

centenarian [,sentɪ'neərɪən] n & adj centenaire.

center ['sentər] US = **centre**.

centered ['sentəd] adj US : he's not very centered il est un peu paumé.

center strip n US terre-plein m central.

centigrade ['sentɪgreɪd] adj centigrade.

centimeter US = **centimetre**.

centimetre ['sentɪ,miːtər] n UK centimètre m.

centipede ['sentɪpiːd] n mille-pattes m inv.

central ['sentrəl] adj central(e).

Central America n Amérique f centrale.

central heating n (U) chauffage m central.

centralization, centralisation US [,sentrəlaɪ'zeɪʃn] n centralisation f.

central locking [-'lɒkɪŋ] n (U) verrouillage m centralisé.

central processing unit n processeur m, unité centrale (de traitement).

central reservation n UK terre-plein m central.

centre ['sentər] ◆ n UK centre m. ◆ adj UK central(e) ▶ the centre of attention le centre d'attention.

century ['sentʃʊrɪ] n siècle m.

CEO (abbr of chief executive officer) n US P-DG m inv (président-directeur général).

ceramic [sɪ'ræmɪk] adj en céramique. ◆ **ceramics** npl [objects] céramiques fpl.

cereal ['sɪərɪəl] n céréales fpl.

ceremony ['serɪmənɪ] n cérémonie f.

certain ['sɜːtn] adj certain(e) ▶ we're certain to be late nous allons être en retard, c'est sûr ▶ to be certain of sthg être certain de qqch ▶ to make certain (that) s'assurer que.

certainly ['sɜːtnlɪ] adv 1. [without doubt] vraiment 2. [of course] bien sûr, certainement.

certificate [sə'tɪfɪkət] n certificat m.

certified check n US chèque m de banque.

certify ['sɜːtɪfaɪ] vt [declare true] certifier.

CFO ['siːef'əʊ] (abbr of **Chief Financial Officer**) n US contrôleur m, -euse f de gestion.

CGI n 1. COMPUT (abbr of common gateway interface) CGI f, interface f commune de passerelle 2. COMPUT (abbr of computer-generated imagery) images fpl créées par ordinateur.

chad [tʃæd] n US [residue from punched paper] confettis mpl.

chain [tʃeɪn] ◆ n 1. chaîne f 2. [of islands] chapelet m. ◆ vt : **to chain a bike to a lamppost** attacher un vélo à un réverbère (avec une chaîne).

chain reaction n réaction f en chaîne.

chain store n grand magasin m (à succursales multiples).

chair [tʃeəʳ] n 1. chaise f 2. [armchair] fauteuil m.

chairlift n télésiège m.

chairman ['tʃeəmən] (pl -men) n président m, -e f.

chairperson ['tʃeə,pɜːsn] n président m, -e f.

chairwoman ['tʃeə,wʊmən] (pl -women) n présidente f.

chalet ['ʃæleɪ] n 1. chalet m 2. [at holiday camp] bungalow m.

chalk [tʃɔːk] n craie f ▸ **a piece of chalk** une craie.

chalkboard ['tʃɔːkbɔːd] n US tableau m (noir).

challenge ['tʃælɪndʒ] ◆ n défi m. ◆ vt [question] remettre en question ▸ **to**

challenge sb to a fight défier qqn à se battre.

chamber ['tʃeɪmbəʳ] n chambre f.

chambermaid ['tʃeɪmbəmeɪd] n femme f de chambre.

champagne [,ʃæm'peɪn] n (U) champagne m.

champion ['tʃæmpjən] n champion m, -ionne f.

championship ['tʃæmpjənʃɪp] n championnat m.

chance [tʃɑːns] ◆ n 1. (U) [luck] hasard m 2. [possibility] chance f 3. [opportunity] occasion f. ◆ vt : **to chance it** tenter le coup ▸ **to take a chance** prendre un risque ▸ **by chance** par hasard ▸ **on the off chance** à tout hasard.

Chancellor of the Exchequer [,tʃɑːnsələrəvðəɪks'tʃekəʳ] n UK ≃ ministre m des Finances.

chandelier [,ʃændə'lɪəʳ] n lustre m.

change [tʃeɪndʒ] ◆ n 1. changement m 2. (U) [money] monnaie f. ◆ vt 1. changer 2. [switch] changer de 3. [exchange] échanger. ◆ vi 1. changer 2. [change clothes] se changer ▸ **a change of clothes** des vêtements de rechange ▸ **do you have change for a pound?** avez-vous la monnaie d'une livre ? ▸ **for a change** pour changer ▸ **to get changed** se changer ▸ **to change money** changer de l'argent ▸ **to change a nappy** changer une couche ▸ **to change trains/planes** changer de train/d'avion ▸ **to change a wheel** changer une roue ▸ **all change!** [on train] tout le monde descend !

changeable ['tʃeɪndʒəbl] adj [weather] variable.

change machine n monnayeur m.

changing room ['tʃeɪndʒɪŋ-] n **1.** [for sport] vestiaire m **2.** 🇬🇧 [in shop] cabine f d'essayage.

channel ['tʃænl] n **1.** [on TV] chaîne f **2.** [on radio] station f **3.** [in sea] chenal m **4.** [for irrigation] canal m ▶ **the (English) Channel** la Manche.

channel-hopper n ['tʃænlhɒpəʳ] n zappeur m, -euse f.

Channel Islands npl : **the Channel Islands** les îles fpl Anglo-Normandes.

Channel Tunnel n : **the Channel Tunnel** le tunnel sous la Manche.

chant [tʃɑːnt] vt **1.** RELIG chanter **2.** [words, slogan] scander.

chaos ['keɪɒs] n (U) chaos m.

chaotic [keɪ'ɒtɪk] adj chaotique.

chap [tʃæp] n 🇬🇧 inf type m.

chapat(t)i [tʃə'pætɪ] n galette f de pain indienne.

chapel ['tʃæpl] n chapelle f.

chapped [tʃæpt] adj gercé(e).

chapter ['tʃæptəʳ] n chapitre m.

character ['kærəktəʳ] n **1.** caractère m **2.** [in film, book, play] personnage m **3.** inf [person, individual] individu m.

characteristic [,kærəktə'rɪstɪk] ◆ adj caractéristique. ◆ n caractéristique f.

char-broil vt 🇺🇸 CULIN griller au charbon de bois.

charcoal ['tʃɑːkəʊl] n (U) [for barbecue] charbon m de bois.

charge [tʃɑːdʒ] ◆ n **1.** [cost] frais mpl **2.** LAW chef m d'accusation. ◆ vt **1.** [money, customer] faire payer **2.** LAW inculper **3.** [battery] recharger. ◆ vi **1.** [ask money] faire payer **2.** [rush] se précipiter ▶ **to be in charge (of)** être responsable (de) ▶ **to take charge** prendre les choses en main ▶ **to take charge of** prendre en charge ▶ **free of charge** gratuitement ▶ **extra charge** supplément m ▶ **there is no charge for service** le service est gratuit.

charger ['tʃɑːdʒəʳ] n [for batteries] chargeur m, -euse f.

char(-)grilled ['tʃɑːgrɪld] adj grillé(e) au charbon de bois.

charity ['tʃærətɪ] n association f caritative ▶ **to give to charity** donner aux œuvres.

charity shop n 🇬🇧 magasin aux employés bénévoles, dont les bénéfices sont versés à une œuvre.

charm [tʃɑːm] ◆ n (U) [attractiveness] charme m. ◆ vt charmer.

charming ['tʃɑːmɪŋ] adj charmant(e).

charmless ['tʃɑːmlɪs] adj sans charme.

chart [tʃɑːt] n **1.** [diagram] graphique m **2.** [map] carte f ▶ **the charts** le hit-parade.

chartered accountant [,tʃɑːtəd-] n expert-comptable m.

charter flight ['tʃɑːtə-] n vol m charter.

chase [tʃeɪs] ◆ n poursuite f. ◆ vt poursuivre.

chat [tʃæt] ◆ n **1.** conversation f **2.** COMPUT clavardage m 🇶🇧, chat m. ◆ vi **1.** causer, bavarder **2.** COMPUT tchatter, clavarder 🇶🇧 ▶ **to have a chat (with)** bavarder (avec).

chat up vt sep 🇬🇧 inf baratiner.

château ['ʃætəʊ] n château m.

chatline ['tʃætlaɪn] n **1.** [gen] réseau m téléphonique (payant) **2.** [for sexual encounters] téléphone m rose.

chat room n COMPUT forum m de discussion.

chat show n 🇬🇧 talk-show m.

chatty ['tʃætɪ] adj bavard(e).

chauffeur ['ʃəʊfər] n chauffeur m.

chav [tʃæv] n UK inf & pej racaille f.

cheap [tʃiːp] adj bon marché inv.

cheap day return n UK billet aller-retour dans la journée, sur certains trains seulement.

cheaply ['tʃiːplɪ] adv à bon marché.

cheat [tʃiːt] ◆ n tricheur m, -euse f. ◆ vi tricher. ◆ vt escroquer ▸ **to cheat sb out of their inheritance** escroquer l'héritage de qqn.

Chechnya [tʃetʃnɪə] n Tchétchénie f.

check [tʃek] ◆ n 1. [inspection] contrôle m 2. US = cheque 3. US [bill] addition f 4. US [tick] ≃ croix f. ◆ vt 1. [inspect] contrôler 2. [verify] vérifier. ◆ vi vérifier ▸ **to check for sthg** vérifier qqch. ◆ **check in** ◆ vt sep [luggage] enregistrer. ◆ vi 1. [at hotel] se présenter à la réception 2. [at airport] se présenter à l'enregistrement. ◆ **check off** vt sep cocher. ◆ **check out** ◆ vt sep 1. [pay hotel bill] régler sa note 2. [leave hotel] quitter l'hôtel. ◆ **check up** vi : **to check up on sthg** vérifier qqch ▸ **to check up on sb** se renseigner sur qqn.

checkbook US = chequebook.

check box n case f (à cocher).

check card US = cheque card.

checked [tʃekt] adj à carreaux.

checked luggage n bagage m enregistré.

checkers ['tʃekəz] n (U) jeu m de dames.

check-in n enregistrement m.

check-in desk n comptoir m d'enregistrement.

checking account ['tʃekɪŋ-] n US compte m courant.

checkout ['tʃekaʊt] n caisse f.

checkpoint ['tʃekpɔɪnt] n poste m de contrôle.

checkroom ['tʃekrʊm] n US consigne f.

checkup ['tʃekʌp] n bilan m de santé.

cheddar (cheese) ['tʃedər] n (U) variété très commune de fromage de vache.

cheek [tʃiːk] n joue f ▸ **what a cheek!** UK quel culot !

cheeky ['tʃiːkɪ] adj UK culotté(e).

cheep [tʃiːp] vi pépier.

cheer [tʃɪər] ◆ n acclamation f. ◆ vi applaudir et crier.

cheerful ['tʃɪəfʊl] adj gai(e).

cheerio [,tʃɪərɪ'əʊ] excl UK inf salut !

cheerleader ['tʃɪə,liːdər] n majorette qui stimule l'enthousiasme des supporters des équipes sportives, surtout aux États-Unis.

cheers [tʃɪəz] excl 1. [when drinking] à la tienne / vôtre ! 2. UK inf [thank you] merci !

cheese [tʃiːz] n fromage m ▸ **a piece of cheese** un morceau de fromage.

cheeseboard ['tʃiːzbɔːd] n plateau m de fromages.

cheeseburger ['tʃiːz,bɜːgər] n cheeseburger m.

cheesecake ['tʃiːzkeɪk] n gâteau au fromage blanc.

cheesemonger ['tʃiːzmʌŋgər] n fromager m, -ère f.

chef [ʃef] n chef m (cuisinier).

chef's special n spécialité f du chef.

chemical ['kemɪkl] ◆ adj chimique. ◆ n produit m chimique.

chemist ['kemɪst] n 🇬🇧 [pharmacist] pharmacien m, -ienne f **2.** [scientist] chimiste m ou f ▶ **chemist's** 🇬🇧 [shop] pharmacie f.

chemistry ['kemɪstrɪ] n (U) chimie f.

cheque [tʃek] 🇬🇧 chèque m ▶ **to pay by cheque** payer par chèque.

chequebook ['tʃekbʊk] n 🇬🇧 chéquier m, carnet m de chèques.

cheque card n 🇬🇧 carte à présenter, en guise de garantie, par le titulaire d'un compte lorsqu'il paye par chèque.

cherry ['tʃerɪ] n cerise f.

chess [tʃes] n (U) échecs mpl.

chest [tʃest] n **1.** poitrine f **2.** [box] coffre m.

chestnut ['tʃesnʌt] ◆ n châtaigne f. ◆ adj [colour] châtain inv.

chest of drawers n commode f.

chew [tʃuː] ◆ vt mâcher. ◆ n 🇬🇧 [sweet] bonbon m mou.

chewing gum n (U) chewing-gum m.

chic [ʃiːk] adj chic.

chicken ['tʃɪkɪn] n poulet m. ◆ **chicken out** vi inf se dégonfler.

chicken breast n blanc m de poulet.

chicken Kiev [-'kiːev] n (U) blancs de poulet farcis de beurre à l'ail et enrobés de chapelure.

chickenpox ['tʃɪkɪnpɒks] n (U) varicelle f.

chick flick n inf film qui cible les jeunes femmes.

chick lit n inf littérature populaire, en général écrite par des femmes, qui cible les jeunes femmes.

chickpea ['tʃɪkpiː] n pois m chiche.

chicory ['tʃɪkərɪ] n (U) endive f.

chief [tʃiːf] ◆ adj **1.** [highest-ranking] en chef **2.** [main] principal(e). ◆ n chef m.

chiefly ['tʃiːflɪ] adv **1.** [mainly] principalement **2.** [especially] surtout.

chief operating officer n directeur m général adjoint, directrice f générale adjointe.

child [tʃaɪld] (pl children) n enfant m ou f.

child abuse n (U) maltraitance f (à enfant).

child benefit n (U) 🇬🇧 allocations fpl familiales.

child care n **1.** 🇬🇧 [administration] protection f de l'enfance **2.** 🇺🇸 [day care] ▶ **child care center** crèche f.

child directory n COMPUT sous-répertoire m.

childfree ['tʃaɪldfriː] adj 🇺🇸 [couple, household] sans enfants.

childhood ['tʃaɪldhʊd] n enfance f.

childish ['tʃaɪldɪʃ] adj pej puéril(e).

child maintenance n pension f alimentaire.

childminder ['tʃaɪldˌmaɪndə[r]] n 🇬🇧 nourrice f.

children ['tʃɪldrən] pl → **child**.

childrenswear ['tʃɪldrənzweə[r]] n (U) vêtements mpl pour enfant.

child seat n [in car] siège m auto.

child support n 🇺🇸 LAW pension f alimentaire.

Chile ['tʃɪlɪ] n le Chili.

Chilean ['tʃɪlɪən] ◆ adj chilien(enne). ◆ n Chilien m, -enne f.

chili 🇺🇸 = **chilli**.

chili con carne 🇺🇸 = **chilli con carne**.

chill ['tʃɪl] ◆ n [illness] coup m de froid. ◆ vt mettre au frais ▶ **there's a chill in the air** il fait un peu frais. ◆ **chill out** vt inf décompresser ▶ **chill out!** du calme !

chilled ['tʃɪld] adj frais (fraîche) ▶ '**serve chilled**' 'servir frais'.

chilli ['tʃɪlɪ] (pl -ies) n 1. [vegetable] piment m 2. [dish] chili m con carne.

chilli con carne ['tʃɪlɪkɒn'kɑːnɪ] n (U) UK chili m con carne.

chilly ['tʃɪlɪ] adj froid(e).

chimney ['tʃɪmnɪ] n cheminée f.

chimneypot ['tʃɪmnɪpɒt] n tuyau m de cheminée.

chimpanzee [,tʃɪmpən'ziː] n chimpanzé m.

chin [tʃɪn] n menton m.

china ['tʃaɪnə] n (U) [material] porcelaine f.

China ['tʃaɪnə] n la Chine.

Chinese [,tʃaɪ'niːz] ◆ adj chinois(e). ◆ n [language] chinois m. ◆ npl ▶ **the Chinese** les Chinois mpl ▶ **a Chinese restaurant** un restaurant chinois.

chino ['tʃiːnəʊ] n [trousers] chino m.

chip [tʃɪp] ◆ n 1. [small piece] éclat m 2. [mark] ébréchure f 3. [counter] jeton m 4. COMPUT puce f. ◆ vt ébrécher. ◆ **chips** npl 1. UK [French fries] frites fpl 2. US [crisps] chips fpl.

chip-and-pin n UK paiement m par carte à puce.

chip shop n UK friterie f.

chiropodist [kɪ'rɒpədɪst] n pédicure m ou f.

chisel ['tʃɪzl] n ciseau m.

chives [tʃaɪvz] npl ciboulette f.

chlorine ['klɔːriːn] n (U) chlore m.

chocaholic n = **chocoholic.**

choc-ice ['tʃɒkaɪs] n UK Esquimau® m.

chocoholic ['tʃɒkə,hɒlɪk] n inf accro m/f au chocolat.

chocolate ['tʃɒkələt] ◆ n chocolat m. ◆ adj au chocolat ▶ **a bar of chocolate** une barre de chocolat.

chocolate biscuit n UK biscuit m au chocolat.

choice [tʃɔɪs] ◆ n choix m. ◆ adj [meat, ingredients] de choix ▶ **the topping of your choice** la garniture de votre choix.

choir ['kwaɪəʳ] n chœur m.

choke [tʃəʊk] ◆ n AUT starter m. ◆ vt 1. [strangle] étrangler 2. [block] boucher. ◆ vi s'étrangler.

choker ['tʃəʊkəʳ] n [necklace] collier m (court).

cholera ['kɒlərə] n (U) choléra m.

choose [tʃuːz] (pt chose, pp chosen) vt & vi choisir ▶ **to choose to do sthg** choisir de faire qqch.

chop [tʃɒp] ◆ n [of meat] côtelette f. ◆ vt couper. ◆ **chop down** vt sep abattre. ◆ **chop up** vt sep couper en morceaux.

chopper ['tʃɒpəʳ] n inf [helicopter] hélico m.

chopping board ['tʃɒpɪŋ-] n UK planche f à découper.

choppy ['tʃɒpɪ] adj agité(e).

chopsticks ['tʃɒpstɪks] npl baguettes fpl.

chop suey [,tʃɒp'suːɪ] n (U) chop suey m (émincé de porc ou de poulet avec riz, légumes et germes de soja).

chord [kɔːd] n accord m.

chore [tʃɔːʳ] n corvée f ▶ **household chores** tâches ménagères.

chorus ['kɔːrəs] n **1.** [part of song] refrain m **2.** [singers] troupe f.

chose [tʃəʊz] pt → **choose.**

chosen ['tʃəʊzn] pp → **choose.**

choux pastry [ʃuː-] n pâte f à choux.

chowder ['tʃaʊdər] n soupe f de poisson ou de fruits de mer.

chow mein [ˌtʃaʊˈmeɪn] n (U) chow mein m (nouilles frites avec légumes, viande ou fruits de mer).

Christ [kraɪst] n le Christ.

christen ['krɪsn] vt [baby] baptiser.

christening ['krɪsnɪŋ] n baptême m.

Christian ['krɪstʃən] ♦ adj chrétien(ienne). ♦ n chrétien m, -ienne f.

Christian name n prénom m.

Christmas ['krɪsməs] n Noël m ▶ **Happy Christmas!** joyeux Noël !

Christmas card n carte f de vœux.

Christmas carol [-ˈkærəl] n chant m de Noël.

Christmas Day n le jour de Noël.

Christmas Eve n la veille de Noël.

Christmas pudding n pudding traditionnel de Noël.

Christmas tree n sapin m de Noël.

chrome [krəʊm] n (U) chrome m.

chubby ['tʃʌbɪ] adj [person, hands] potelé(e).

chuck [tʃʌk] vt inf **1.** [throw] balancer **2.** UK [boyfriend, girlfriend] plaquer. ♦ **chuck away** vt sep inf balancer.

chunk [tʃʌŋk] n gros morceau m.

church [tʃɜːtʃ] n église f ▶ **to go to church** aller à l'église.

churchyard ['tʃɜːtʃjɑːd] n cimetière m.

chute [ʃuːt] n toboggan m.

chutney ['tʃʌtnɪ] n chutney m.

CIA (abbr of Central Intelligence Agency) n CIA f.

cider ['saɪdər] n cidre m.

cigar [sɪˈgɑːr] n cigare m.

cigarette [ˌsɪgəˈret] n cigarette f.

cigarette lighter n briquet m.

cinema ['sɪnəmə] n cinéma m.

cinnamon ['sɪnəmən] n (U) cannelle f.

circle ['sɜːkl] ♦ n **1.** cercle m **2.** [in theatre] balcon m. ♦ vt **1.** [draw circle around] encercler **2.** [move round] tourner autour de. ♦ vi [plane] tourner en rond.

circuit ['sɜːkɪt] n **1.** [track] circuit m **2.** [lap] tour m.

circular ['sɜːkjʊlər] ♦ adj circulaire. ♦ n circulaire f.

circulation [ˌsɜːkjʊˈleɪʃn] n **1.** (U) [of blood] circulation f **2.** [of newspaper, magazine] tirage m.

circumcised ['sɜːkəmsaɪzd] adj circoncis(e).

circumstances ['sɜːkəmstənsɪz] npl circonstances fpl ▶ **in** OR **under the circumstances** étant donné les circonstances.

circus ['sɜːkəs] n cirque m.

cistern ['sɪstən] n [of toilet] réservoir m.

citadel ['sɪtədəl] n citadelle f.

citizen ['sɪtɪzn] n **1.** [of country] citoyen m, -enne f **2.** [of town] habitant m, -e f.

city ['sɪtɪ] n ville f ▶ **the City** UK la City.

city centre n UK centre-ville m.

city council n US conseil m municipal.

city hall n US mairie f.

civic ['sɪvɪk] adj [leader, event] municipal(e) ; [duty, pride] civique.

civil ['sɪvl] adj **1.** [public] civile(e) **2.** [polite] courtois(e), poli(e).

civilian [sɪ'vɪljən] n civil m, -e f.

civilization, civilisation UK [,sɪvəlaɪ'zeɪʃn] n civilisation f.

civilized, civilised UK ['sɪvəlaɪzd] adj civilisé(e).

civil partner n conjoint m, -e f (par union civile).

civil partnership n loi britannique qui garantit aux couples homosexuels les mêmes droits qu'aux couples mariés en matière de succession, de retraite, et pour les questions de garde et d'éducation des enfants.

civil rights [,sɪvl-] npl droits mpl civiques.

civil servant [,sɪvl-] n fonctionnaire m ou f.

civil service [,sɪvl-] n fonction f publique.

civil union n union f civile.

civil war [,sɪvl-] n guerre f civile.

cl (abbr of **centilitre**) cl (centilitre).

claim [kleɪm] ◆ n **1.** [assertion] affirmation f **2.** [demand] revendication f **3.** [for insurance] demande f d'indemnité. ◆ vt **1.** [allege] prétendre **2.** [benefit, responsibility] revendiquer. ◆ vi [on insurance] faire une demande d'indemnité.

claimant ['kleɪmənt] n [of benefit] demandeur m, -euse f.

claim form n formulaire m de déclaration de sinistre.

clam [klæm] n palourde f.

clamp [klæmp] ◆ n UK [for car] sabot m de Denver. ◆ vt UK [car] poser un sabot (de Denver) à.

clap [klæp] vi applaudir.

claret ['klærət] n bordeaux m rouge.

clarify ['klærɪfaɪ] vt [explain] éclaircir, clarifier.

clarinet [,klærə'net] n clarinette f.

clash [klæʃ] ◆ n **1.** [noise] fracas m **2.** [confrontation] affrontement m. ◆ vi **1.** [colours] jurer **2.** [events, dates] tomber en même temps.

clasp [klɑːsp] ◆ n [fastener] fermoir m. ◆ vt serrer.

class [klɑːs] ◆ n **1.** classe f **2.** [teaching period] cours m. ◆ vt : **to class cocaine as a hard drug** classer la cocaïne comme drogue dure.

classic ['klæsɪk] ◆ adj classique. ◆ n classique m.

classical ['klæsɪkl] adj classique.

classical music n (U) musique f classique.

classification [,klæsɪfɪ'keɪʃn] n **1.** (U) classification f **2.** [category] catégorie f.

classified ads [,klæsɪfaɪd-] npl petites annonces fpl.

classmate ['klɑːsmeɪt] n camarade mf de classe.

classroom ['klɑːsrʊm] n salle f de classe.

clause [klɔːz] n [in document] clause f.

claustrophobic [,klɔːstrə'fəʊbɪk] adj **1.** [person] claustrophobe **2.** [place] étouffant(e).

claw [klɔː] n **1.** [of bird, cat, dog] griffe f **2.** [of crab, lobster] pince f.

clay [kleɪ] n (U) argile f.

clean [kliːn] ◆ vt **1.** [gen] nettoyer **2.** [teeth] **: to clean one's teeth** se laver les dents. ◆ adj **1.** propre **2.** [unused] vierge ▶ **I have a clean driving licence** je n'ai jamais eu de contraventions graves. ◆ **clean up** vt sep [clear up] nettoyer.

clean-burning adj [fuel] *brûlant sans résidu de combustible.*

cleaner ['kliːnər] n **1.** [woman] femme f de ménage **2.** [man] agent m d'entretien **3.** [substance] produit m d'entretien.

cleanse [klenz] vt nettoyer.

cleanser ['klenzər] n **1.** [for skin] démaquillant m **2.** [detergent] détergent m.

clear [klɪər] ◆ adj **1.** clair(e) **2.** [glass] transparent(e) **3.** [easy to see] net (nette) **4.** [easy to hear] distinct(e) **5.** [road, path] dégagé(e). ◆ vt **1.** [road, path] dégager **2.** [jump over] franchir **3.** [declare not guilty] innocenter **4.** [authorize] autoriser **5.** [cheque] compenser. ◆ vi [weather, fog] se lever ▶ **to be clear (about sthg)** être sûr (de qqch) ▶ **to clear one's throat** s'éclaircir la voix ▶ **to clear the table** débarrasser la table ▶ **clear soup** bouillon m. ◆ **clear up** ◆ vt sep **1.** [room, toys] ranger **2.** [problem, confusion] éclaircir. ◆ vi **1.** [weather] s'éclaircir **2.** [tidy up] ranger.

clearance ['klɪərəns] n (U) **1.** [authorization] autorisation f **2.** [free distance] espace m **3.** [for takeoff] autorisation f de décollage.

clearance sale n soldes mpl.

cleared cheque n UK chèque m compensé.

clearing ['klɪərɪŋ] n clairière f.

clearly ['klɪəlɪ] adv **1.** clairement **2.** [obviously] manifestement.

clearway ['klɪəweɪ] n UK route f à stationnement interdit.

clementine ['klemən̩taɪn] n clémentine f.

clerk [UK klɑːk, US klɜːrk] n **1.** [in office] employé m, -e f (de bureau) **2.** US [in shop] vendeur m, -euse f.

clever ['klevər] adj **1.** [intelligent] intelligent(e) **2.** [skilful] adroit(e) **3.** [idea, device] ingénieux(ieuse).

click [klɪk] ◆ n déclic m. ◆ vi faire un déclic.

clickable ['klɪkəbl] adj cliquable.

click-through adj **: click-through licence** OR **agreement** contrat m de licence en ligne ▶ **click-through rate** taux m de clics.

client ['klaɪənt] n client m, -e f.

cliff [klɪf] n falaise f.

climate ['klaɪmɪt] n climat m.

climate change n changement m climatique.

climate control n US AUT climatiseur m.

climatologist [ˌklaɪmə'tɒlədʒɪst] n climatologue mf.

climax ['klaɪmæks] n apogée m.

climb [klaɪm] ◆ vt **1.** [steps] monter **2.** [hill] grimper **3.** [tree, ladder] grimper à. ◆ vi **1.** grimper **2.** [plane] prendre de l'altitude. ◆ **climb down** ◆ vt insep descendre de. ◆ vi descendre. ◆ **climb up** vt insep **1.** [steps] monter **2.** [hill] grimper **3.** [tree, ladder] grimper à.

climber ['klaɪmər] n **1.** [mountaineer] alpiniste m ou f **2.** [rock climber] varappeur m, -euse f.

climbing ['klaɪmɪŋ] n **1.** [mountaineering] alpinisme m **2.** [rock climbing] varappe f ▶ **to go climbing** a) [mountaineering] faire de l'alpinisme b) [rock climbing] faire de la varappe.

climbing frame n UK cage f à poules.

clingfilm ['klɪŋfɪlm] n (U) UK film m alimentaire.

clinic ['klɪnɪk] n clinique f.

clip [klɪp] ◆ n 1. [fastener] pince f 2. [for paper] trombone m 3. [of film, programme] extrait m. ◆ vt 1. [fasten] attacher 2. [cut] couper.

cloak [kləʊk] n cape f.

cloakroom ['kləʊkrʊm] n 1. [for coats] vestiaire m 2. UK [toilet] toilettes fpl.

clock [klɒk] n 1. [small] pendule f 2. [large] horloge f 3. [mileometer] compteur m ▸ round the clock 24 heures sur 24.

clockface ['klɒkfeɪs] n cadran m.

clockwise ['klɒkwaɪz] adv dans le sens des aiguilles d'une montre.

clog [klɒg] ◆ n sabot m. ◆ vt boucher.

close¹ [kləʊs] ◆ adj 1. proche 2. [contact, link] étroit(e) 3. [examination] approfondi(e) 4. [race, contest] serré(e). ◆ adv près ▸ close by tout près ▸ close to a) [near] près de b) [on the verge of] au bord de.

close² [kləʊz] ◆ vt fermer. ◆ vi 1. [door, eyes] se fermer 2. [shop, office] fermer 3. [deadline, offer, meeting] prendre fin. ◆ **close down** vt sep & vi fermer.

closed [kləʊzd] adj fermé(e).

closely ['kləʊslɪ] adv 1. [related] étroitement 2. [follow, examine] de près.

closet ['klɒzɪt] n US placard m.

close-up ['kləʊs-] n gros plan m.

closing-down sale UK, **closing-out sale** US n liquidation f.

closing time ['kləʊzɪŋ-] n (U) heure f de fermeture.

clot [klɒt] n [of blood] caillot m.

cloth [klɒθ] n 1. (U) [fabric] tissu m 2. [piece of cloth] chiffon m.

clothes [kləʊðz] npl vêtements mpl.

clothesline ['kləʊðzlaɪn] n corde f à linge.

clothes peg n UK pince f à linge.

clothespin ['kləʊðzpɪn] US = **clothes peg**.

clothes rack n US portant m à vêtements.

clothes shop n UK magasin m de vêtements.

clothing ['kləʊðɪŋ] n (U) vêtements mpl.

clotted cream [,klɒtɪd-] n (U) crème fraîche très épaisse, typique du sud-ouest de l'Angleterre.

cloud [klaʊd] n nuage m.

cloudy ['klaʊdɪ] adj 1. nuageux(euse) 2. [liquid] trouble.

clove [kləʊv] n [of garlic] gousse f. ◆ **cloves** npl [spice] clous mpl de girofle.

clown [klaʊn] n clown m.

club [klʌb] n 1. [organization] club m 2. [nightclub] boîte f (de nuit) 3. [stick] massue f. ◆ **clubs** npl [in cards] trèfle m.

clubbing ['klʌbɪŋ] n (U) : to go clubbing inf aller en boîte.

club class n (U) classe f club.

club sandwich n sandwich à deux ou plusieurs étages.

club soda n US eau f de Seltz.

clue [kluː] n 1. [information] indice m 2. [in crossword] définition f ▸ I haven't got a clue! aucune idée !

clumsy ['klʌmzɪ] adj [person] maladroit(e).

clunky ['klʌŋkɪ] adj **1.** [shoes] gros (grosse) **2.** [furniture] encombrant(e).

clutch [klʌtʃ] ◆ n embrayage m. ◆ vt agripper.

cluttered ['klʌtəd] adj encombré(e).

cm (abbr of centimetre) cm (centimètre).

c/o (abbr of care of) a/s (aux soins de).

Co. (abbr of company) Cie (compagnie).

coach [kəʊtʃ] n **1.** UK [bus] car m, autocar m **2.** UK [of train] voiture f **3.** SPORT entraîneur m, -euse f.

coach party n UK groupe m d'excursionnistes en car.

coach station n UK gare f routière.

coach trip n UK excursion f en car.

coal [kəʊl] n (U) charbon m.

coal mine n mine f de charbon.

coarse [kɔːs] adj grossier(ière).

coast [kəʊst] n côte f.

coaster ['kəʊstə'] n [for glass] dessous m de verre.

coastguard ['kəʊstgɑːd] n **1.** [person] garde-côte m **2.** [organization] gendarmerie f maritime.

coastline ['kəʊstlaɪn] n littoral m.

coat [kəʊt] ◆ n **1.** manteau m **2.** [of animal] pelage m. ◆ vt : to coat sthg (with) recouvrir qqch (de).

-coated [kəʊtɪd] adj (in compounds) **1.** plaqué(e) **2.** [plastic] plastifié(e).

coat hanger n cintre m.

coating ['kəʊtɪŋ] n **1.** [on surface] couche f **2.** [on food] enrobage m.

cobbled street ['kɒbld-] n rue f pavée.

cobbles ['kɒblz] npl pavés mpl.

cobweb ['kɒbweb] n toile f d'araignée.

Coca-Cola® [,kəʊkə'kəʊlə] n Coca-Cola® m inv.

cocaine [kəʊ'keɪn] n (U) cocaïne f.

cock [kɒk] n [male chicken] coq m.

cock-a-doodle-doo [,kɒkəduːdl'duː] n cocorico.

cock-a-leekie [,kɒkə'liːkɪ] n potage typiquement écossais aux poireaux et au poulet.

cockerel ['kɒkrəl] n jeune coq m.

cockles ['kɒklz] npl coques fpl.

Cockney ['kɒknɪ] (pl Cockneys) n [person] Cockney mf (personne issue des quartiers populaires de l'est de Londres).

cockpit ['kɒkpɪt] n cockpit m.

cockroach ['kɒkrəʊtʃ] n cafard m.

cocktail ['kɒkteɪl] n cocktail m.

cocktail party n cocktail m.

cock-up n UK inf : to make a cock-up of sthg faire foirer qqch.

cocoa ['kəʊkəʊ] n [drink] cacao m.

coconut ['kəʊkənʌt] n noix f de coco.

cod [kɒd] (pl inv) n (U) morue f.

code [kəʊd] n **1.** code m **2.** [dialling code] indicatif m.

cod-liver oil n (U) huile f de foie de morue.

coeducational [,kəʊedjuː'keɪʃənl] adj mixte.

coeliac UK, **celiac** US ['siːlɪæk] adj cœliaque.

coffee ['kɒfɪ] n café m ▸ **black/white coffee** café noir/au lait ▸ **ground/instant coffee** café moulu/soluble ▸ **a cup of coffee** une tasse de café ▸ **two coffees, please** deux café, s'il-vous-plait.

coffee bar n cafétéria f.

coffee break n pause-café f.

coffee maker n cafetière f électrique.

coffeepot [ˈkɒfɪpɒt] n cafetière f.

coffee shop n **1.** [cafe] café m **2.** [in store, etc.] cafétéria f.

coffee table n table f basse.

coffin [ˈkɒfɪn] n cercueil m.

cog(wheel) [ˈkɒg(wiːl)] n roue f dentée.

coherence [kəʊˈhɪərəns] n **1.** [cohesion] adhérence f **2.** [logical consistency] cohérence f.

co-host ◆ n coprésentateur m, -trice f. ◆ vt coprésenter.

coil [kɔɪl] ◆ n **1.** [of rope] rouleau m **2.** UK [contraceptive] stérilet m. ◆ vt enrouler.

coin [kɔɪn] n pièce f (de monnaie).

coinbox [ˈkɒɪnbɒks] n UK cabine f (téléphonique) à pièces.

coincide [ˌkəʊɪnˈsaɪd] vi : to coincide (with) coïncider (avec).

coincidence [kəʊˈɪnsɪdəns] n coïncidence f.

Coke® [kəʊk] n Coca® m inv.

cokehead [ˈkəʊkhed] n inf : to be a cokehead être accro à la coke.

colander [ˈkʌləndəʳ] n passoire f.

cold [kəʊld] ◆ adj froid(e). ◆ n **1.** [illness] rhume m UK **2.** [low temperature] froid m ▸ to be cold [person] avoir froid ▸ to get cold [food, water, weather] se refroidir ▸ to catch (a) cold attraper un rhume.

cold cuts US = **cold meats**.

cold meats npl viandes fpl froides.

cold turkey n : to go cold turkey a) [stop taking drugs] arrêter de se droguer d'un seul coup b) [suffer withdrawal symptoms] être en manque.

coleslaw [ˈkəʊlslɔː] n (U) salade de chou et de carottes râpés à la mayonnaise.

colic [ˈkɒlɪk] n (U) colique f.

collaborate [kəˈlæbəreɪt] vi collaborer.

collapse [kəˈlæps] vi s'effondrer.

collar [ˈkɒləʳ] n **1.** [of shirt, coat] col m **2.** [of dog, cat] collier m.

collarbone [ˈkɒləbəʊn] n clavicule f.

colleague [ˈkɒliːg] n collègue m ou f.

collect [kəˈlekt] ◆ vt **1.** [gather] ramasser **2.** [information] recueillir **3.** [as a hobby] collectionner **4.** [go and get] aller chercher **5.** [money] collecter. ◆ vi [dust, leaves, crowd] s'amasser. ◆ adv US : to call (sb) collect appeler (qqn) en PCV.

collection [kəˈlekʃn] n **1.** [of stamps, coins] collection f **2.** [of stories, poems] recueil m **3.** [of money] collecte f **4.** [of mail] levée f.

collector [kəˈlektəʳ] n [as a hobby] collectionneur m, -euse f.

college [ˈkɒlɪdʒ] n **1.** [school] école f d'enseignement supérieur **2.** UK [of university] organisation indépendante d'étudiants et de professeurs au sein d'une université **3.** US [university] université f.

⚠ Collège is a is a is a false friend, it refers to a **secondary school** for 11-16 year olds, not to "university".

collide [kəˈlaɪd] vi : to collide (with) entrer en collision (avec).

collision [kəˈlɪʒn] n collision f.

cologne [kəˈləʊn] n eau f de Cologne.

Colombia [kəˈlɒmbɪə] n Colombie f.

Colombian [kə'lɒmbɪən] ◆ adj colombien(enne). ◆ n Colombien m, -enne f.

colon ['kəʊlən] n GRAM deux-points m.

colonel ['kɜːnl] n colonel m.

colony ['kɒlənɪ] n colonie f.

color ['kʌlər] US = **colour**.

colorful US = **colourful**.

coloring US = **colouring**.

colour ['kʌlər] UK ◆ n couleur f. ◆ adj [photograph, film] en couleur. ◆ vt [hair, food] colorer. ◆ **colour in** vt sep colorier.

colour-blind adj UK daltonien (ienne).

colourful ['kʌləful] adj UK coloré(e).

colouring ['kʌlərɪŋ] n UK **1.** [of food] colorant m **2.** (U) [complexion] teint m.

colouring book n UK album m de coloriages.

colour supplement n UK supplément m en couleur.

colour television n UK télévision f couleur.

column ['kɒləm] n **1.** colonne f **2.** [newspaper article] rubrique f.

column break n saut m (de colonne).

coma ['kəʊmə] n coma m.

comb [kəʊm] ◆ n peigne m. ◆ vt : to **comb one's hair** se peigner.

combats ['kɒmbæts], **combat trousers** [,kɒmbæt'traʊzəz] npl pantalon m treillis.

combination [,kɒmbɪ'neɪʃn] n combinaison f.

combine [kəm'baɪn] vt : to **combine sthg (with)** combiner qqch (avec).

combine harvester ['kɒmbaɪn'hɑːvɪstər] n moissonneuse-batteuse f.

come [kʌm] (pt came, pp come) ◆ vi **1.** [move] venir ▸ **we came by taxi** nous sommes venus en taxi ▸ **come and see!** venez voir ! ▸ **come here!** viens ici ! **2.** [arrive] arriver ▸ **they still haven't come** ils ne sont toujours pas arrivés ▸ **to come home** rentrer chez soi ▸ '**coming soon**' 'prochainement' **3.** [in order] : **to come first** a) [in sequence] venir en premier b) [in competition] se classer premier ▸ **to come last** a) [in sequence] venir en dernier b) [in competition] se classer dernier **4.** [reach] : **to come down to** arriver à ▸ **to come up to** arriver à **5.** [become] : **to come undone** se défaire ▸ **to come true** se réaliser **6.** [be sold] être vendu ▸ **they come in packs of six** ils sont vendus par paquets de six

◆ **come across** vt insep tomber sur.

◆ **come along** vi [progress] avancer ; [arrive] arriver ▸ **come along!** allez !

◆ **come apart** vi tomber en morceaux.

◆ **come around** vi [visit] passer ; US [regain consciousness] reprendre connaissance.

◆ **come back** vi revenir.

◆ **come down** vi [price] baisser.

◆ **come down with** vt insep [illness] attraper.

◆ **come from** vt insep venir de.

◆ **come in** vi [enter] entrer ; [arrive] arriver ; [tide] monter ▸ **come in!** entrez !

◆ **come off** vi [button, top] tomber ; [succeed] réussir.

◆ **come on** vi [progress] progresser ▸ **come on!** allez !

◆ **come out** vi sortir ; [stain] partir ; [sun, moon] paraître.

◆ **come over** vi [visit] venir (en visite).

→

◆ **come round** vi [UK] [visit] passer ; [regain consciousness] reprendre connaissance.

◆ **come to** vt insep [subj: bill] s'élever à.

◆ **come up** vi [go upstairs] monter ; [be mentioned] être soulevé ; [happen, arise] se présenter ; [sun, moon] se lever.

◆ **come up with** vt insep [idea] avoir.

comedian [kə'miːdjən] n comique m ou f.

comedy ['kɒmədi] n 1. [TV programme, film, play] comédie f 2. (U) [humour] humour m.

comfort ['kʌmfət] ◆ n (U) 1. confort m 2. [consolation] réconfort m. ◆ vt réconforter.

comfortable ['kʌmftəbl] adj 1. [chair, shoes, hotel] confortable 2. [person] à l'aise ▸ **to be comfortable** [after operation, illness] aller bien.

comforter ['kʌmfətəʳ] n [US] [duvet] couette f.

comfort zone n : to stay within one's comfort zone rester en terrain connu ▸ **to step out of one's comfort zone** prendre des risques.

comic ['kɒmɪk] ◆ adj comique. ◆ n 1. [person] comique m ou f 2. [magazine] bande f dessinée.

comical ['kɒmɪkl] adj comique.

comic book n magazine m de bandes dessinées.

comic strip n bande f dessinée.

coming out n [of homosexual] coming-out m.

comma ['kɒmə] n virgule f.

command [kə'mɑːnd] ◆ n 1. [order] ordre m 2. (U) [mastery] maîtrise f. ◆ vt 1. [order] commander à 2. [be in charge of] commander.

commander [kə'mɑːndəʳ] n 1. [army officer] commandant m 2. [US] [in navy] capitaine m de frégate.

commemorate [kə'meməreɪt] vt commémorer.

commence [kə'mens] vi fml débuter.

comment ['kɒment] ◆ n commentaire m. ◆ vi faire des commentaires.

commentary ['kɒməntri] n [on TV, radio] commentaire m.

commentator ['kɒmənteɪtəʳ] n [on TV, radio] commentateur m, -trice f.

commerce ['kɒmɜːs] n (U) commerce m.

commercial [kə'mɜːʃl] ◆ adj commercial(e). ◆ n publicité f.

commercial break n page f de publicité.

commercial-use adj à usage commercial.

commission [kə'mɪʃn] n commission f.

commit [kə'mɪt] vt [crime, sin] commettre ▸ **to commit o.s. (to doing sthg)** s'engager (à faire qqch) ▸ **to commit suicide** se suicider.

commitment [kə'mɪtmənt] n 1. (U) [dedication] engagement m 2. [responsibility] obligation f.

committee [kə'mɪti] n comité m.

commodity [kə'mɒdəti] n marchandise f.

common ['kɒmən] ◆ adj commun(e). ◆ n [UK] [land] terrain m communal ▸ **in common** [shared] en commun.

common gateway interface n COMPUT interface f commune de passerelle.

commonly ['kɒmənli] adv [generally] communément.

Common Market n : the **Common Market** le Marché commun.

commonplace ['kɒmənpleɪs] adj banal(e), ordinaire.

common room n **1.** [for students] salle f commune **2.** [for teachers] salle f des professeurs.

common sense n (U) bon sens m.

Commonwealth ['kɒmənwelθ] n : **the Commonwealth** le Commonwealth.

ⓘ **Commonwealth Games**

Les Commonwealth Games désignent un événement sportif international qui a lieu tous les 4 ans et qui réunit des athlètes du Commonwealth, une association de 54 pays, anciennes colonies ou protectorats britanniques pour la plupart. Ces jeux comportent de nombreux sports olympiques ainsi que des sports spécifiques aux pays du Commonwealth, tels que le badminton, le rugby sevens ou le netball. Contrairement à ce qui passe aux Jeux olympiques, les athlètes du Royaume-Uni ne participent pas tous sous le même drapeau, le Pays de Galles, l'Écosse, l'Angleterre et l'Irlande du Nord étant représentés par des équipes distinctes.

communal ['kɒmjʊnl] adj [bathroom, kitchen] commun(e).

communicate [kə'mju:nɪkeɪt] vi : **to communicate (with)** communiquer (avec).

communication [kə,mju:nɪ'keɪʃn] n (U) communication f.

communication cord n UK sonnette f d'alarme.

communist ['kɒmjʊnɪst] n communiste m ou f.

community [kə'mju:nətɪ] n communauté f.

community center US = **community centre**.

community centre n UK ≃ foyer m municipal.

commute [kə'mju:t] vi faire chaque jour la navette entre son domicile et son travail.

commuter [kə'mju:tər] n personne qui fait tous les jours la navette de banlieue en ville pour se rendre à son travail.

compact ◆ adj [kəm'pækt] compact(e). ◆ n ['kɒmpækt] **1.** [for make-up] poudrier m **2.** US [car] petite voiture f.

compact disc [,kɒmpækt-] n Compact Disc® m, compact m.

compact disc player n lecteur m CD.

company ['kʌmpənɪ] n **1.** [business] société f (U) **2.** [companionship] compagnie f **3.** (U) [guests] visite f ▸ **to keep sb company** tenir compagnie à qqn.

company car n voiture f de fonction.

comparable ['kɒmprəbl] adj : **comparable (to** or **with)** comparable (à).

comparatively [kəm'pærətɪvlɪ] adv [relatively] relativement.

compare [kəm'peər] vt : **to compare sthg (with)** comparer qqch (à or avec) ▸ **compared with** par rapport à.

comparison [kəm'pærɪsn] n comparaison f ▸ **in comparison with** par rapport à.

compartment [kəm'pɑ:tmənt] n compartiment m.

compass ['kʌmpəs] n [magnetic] boussole f ▸ **(a pair of) compasses** un compas.

compatibility [kəm‚pætə'bɪlətɪ] n compatibilité f.

compatible [kəm'pætəbl] adj compatible.

compensate ['kɒmpenseɪt] ◆ vt compenser. ◆ vi : **to compensate (for sthg)** compenser (qqch) ▸ **to compensate sb for the damage** dédommager qqn du préjudice subi.

compensation [‚kɒmpen'seɪʃn] n (U) [money] dédommagement m.

compete [kəm'piːt] vi : **to compete in** participer à ▸ **to compete with ten other teams for the cup** rivaliser avec dix autres équipes pour remporter la coupe.

competent ['kɒmpɪtənt] adj compétent(e).

competition [‚kɒmpɪ'tɪʃn] n 1. compétition f 2. [contest] concours m 3. (U) [between firms] concurrence f ▸ **the competition** [rivals] la concurrence.

competitive [kəm'petətɪv] adj 1. [price] compétitif(ive) 2. [person] qui a l'esprit de compétition.

competitor [kəm'petɪtər] n concurrent m, -e f.

complain [kəm'pleɪn] vi : **to complain (about)** se plaindre (de).

complaint [kəm'pleɪnt] n 1. [statement] plainte f 2. [in shop] réclamation f 3. [illness] maladie f.

complement ['kɒmplɪ‚ment] vt compléter.

complete [kəm'pliːt] ◆ adj 1. complet(ète) 2. [finished] achevé(e). ◆ vt 1. [finish] achever 2. [a form] remplir 3. [make whole] compléter ▸ **complete with** équipé(e) de.

completely [kəm'pliːtlɪ] adv complètement.

complex ['kɒmpleks] ◆ adj complexe. ◆ n [buildings, mental] complexe m.

complexion [kəm'plekʃn] n [of skin] teint m.

compliance [kəm'plaɪəns] n : **compliance (with)** conformité f (à).

complicated ['kɒmplɪkeɪtɪd] adj compliqué(e).

compliment ◆ n ['kɒmplɪmənt] compliment m. ◆ vt ['kɒmplɪment] 1. [on dress] faire des compliments à 2. [on attitude] féliciter.

complimentary [‚kɒmplɪ'mentərɪ] adj 1. [seat, ticket] gratuit(e) 2. [words, person] élogieux(ieuse).

comply [kəm'plaɪ] vi : **to comply with** se conformer à.

component [kəm'pəʊnənt] n composant m.

compose [kəm'pəʊz] vt 1. composer 2. [letter] écrire ▸ **to be composed of** se composer de.

composed [kəm'pəʊzd] adj calme.

composer [kəm'pəʊzər] n compositeur m, -trice f.

composition [‚kɒmpə'zɪʃn] n [essay] composition f.

compound ['kɒmpaʊnd] n composé m.

comprehend [‚kɒmprɪ'hend] vt [understand] comprendre.

comprehensive [‚kɒmprɪ'hensɪv] adj 1. complet(ète) 2. [insurance] tous risques.

comprehensive (school) n UK établissement public d'enseignement secondaire.

compress [kəm'pres] vt compresser.

compressed air [kəm'prest-] n (U) air m comprimé.

compression [kəm'preʃn] n compression f.

comprise [kəm'praɪz] vt comprendre.

compromise ['kɒmprəmaɪz] n compromis m.

compulsory [kəm'pʌlsərɪ] adj obligatoire.

computer [kəm'pju:təʳ] n ordinateur m.

computer-aided learning n enseignement m assisté par ordinateur.

computer game n jeu m électronique.

computer-generated [-'dʒenəreɪtɪd] adj créé(e) par ordinateur.

computerized [kəm'pju:təraɪzd] adj informatisé(e).

computer-literate adj qui a des compétences en informatique.

computer operator n opérateur m, -trice f de saisie.

computer programmer [-'prəʊgræməʳ] n programmeur m, -euse f.

computer scientist n informaticien m, -enne f.

computer virus n virus m informatique.

computing [kəm'pju:tɪŋ] n (U) informatique f.

con [kɒn] n inf [trick] arnaque f.

conceal [kən'si:l] vt dissimuler.

concealer [kən'si:ləʳ] n correcteur m (pour imperfections).

concede [kən'si:d] ◆ vt concéder. ◆ vi céder.

conceited [kən'si:tɪd] adj pej suffisant(e).

conceive [kən'si:v] vt concevoir.

concentrate ['kɒnsəntreɪt] ◆ vi se concentrer. ◆ vt : to be concentrated [in one place] être concentré ▸ to concentrate on sthg se concentrer sur qqch.

concentrated ['kɒnsəntreɪtɪd] adj [juice, soup, baby food] concentré(e).

concentration [ˌkɒnsən'treɪʃn] n concentration f.

concern [kən'sɜ:n] ◆ vt 1. [be about] traiter de 2. [worry] inquiéter 3. [involve] concerner. ◆ n 1. [worry] inquiétude f 2. [interest] intérêt m 3. COMM affaire f ▸ it's no concern of yours ça ne te regarde pas ▸ to be concerned about s'inquiéter pour ▸ to be concerned with [be about] traiter de ▸ to concern o.s. with sthg se préoccuper de qqch ▸ as far as I'm concerned en ce qui me concerne.

concerned [kən'sɜ:nd] adj [worried] inquiet(iète).

concerning [kən'sɜ:nɪŋ] prep concernant.

concert ['kɒnsət] n concert m.

concession [kən'seʃn] n [reduced price] tarif m réduit.

concise [kən'saɪs] adj concis(e).

conclude [kən'klu:d] ◆ vt fml conclure. ◆ vi fml [end] se conclure.

conclusion [kən'klu:ʒn] n conclusion f.

concrete ['kɒŋkri:t] ◆ adj 1. [building] en béton 2. [path] cimenté(e) 3. [idea, plan] concret(ète). ◆ n béton m.

concussion [kən'kʌʃn] n commotion f cérébrale.

condensation [ˌkɒndən'seɪʃn] n (U) condensation f.

condensed milk [kən'denst-] n (U) lait m condensé.

condescension [ˌkɒndɪ'senʃn] n condescendance f.

condition [kən'dɪʃn] n 1. [state] état m 2. [proviso] condition f 3. [illness] maladie f ▸ **to be out of condition** ne pas être en forme ▸ **on condition that** à condition que (+ subjunctive). ◆ **conditions** npl [circumstances] conditions fpl ▸ **driving conditions** conditions atmosphériques.

conditioner [kən'dɪʃnə^r] n 1. [for hair] après-shampo(o)ing m inv 2. [for clothes] assouplissant m.

condo ['kɒndəʊ] US inf = **condominium**.

condolence [kən'dəʊləns] n condoléance f.

condom ['kɒndəm] n préservatif m.

condominium [ˌkɒndə'mɪnɪəm] n US 1. [flat] appartement m dans un immeuble en copropriété 2. [block of flats] immeuble m en copropriété.

conduct ◆ vt [kən'dʌkt] 1. [investigation, business] mener 2. MUS diriger. ◆ n ['kɒndʌkt] (U) fml [behaviour] conduite f ▸ **to conduct o.s.** fml se conduire.

conductivity [ˌkɒndʌk'tɪvəti] n conductivité f.

conductor [kən'dʌktə^r] n 1. MUS chef m d'orchestre 2. [on bus] receveur m, -euse f 3. US [on train] chef m de train.

cone [kəʊn] n 1. [shape] cône m 2. [for ice cream] cornet m (biscuit) 3. UK [on roads] cône m de signalisation.

cone-shaped [-ʃeɪpt] adj en forme de cône, conique.

confectioner's [kən'fekʃnəz] n [shop] confiserie f.

confectionery [kən'fekʃnəri] n (U) confiserie f.

Confederate [kən'fedəreɪt] ◆ n sudiste mf (pendant la guerre de Sécession américaine). ◆ adj : **the Confederate flag** drapeau des sudistes américains, considéré aujourd'hui comme un symbole raciste ▸ **the Confederate States** les États Unis confédérés (pendant la guerre de Sécession américaine). ◆ **Confederates** npl : **the Confederates** les Confédérés.

conference ['kɒnfərəns] n conférence f.

confess [kən'fes] vi : **to confess (to)** avouer.

confession [kən'feʃn] n 1. [admission] aveu m 2. RELIG confession f.

confidence ['kɒnfɪdəns] n (U) 1. [selfassurance] confiance f en soi, assurance f 2. [trust] confiance f ▸ **to have confidence in** avoir confiance en.

confidence-building adj [exercise, activity] qui vise à stimuler la confiance en soi.

confident ['kɒnfɪdənt] adj 1. [selfassured] sûr(e) de soi 2. [certain] certain(e).

confidentiality agreement n accord m de confidentialité.

configuration [kən,fɪgə'reɪʃn] n configuration f.

configure [kən'fɪgə] vt configurer.

confined [kən'faɪnd] adj [space] réduit(e).

confirm [kən'fɜːm] vt confirmer.

confirmation [ˌkɒnfə'meɪʃn] n confirmation f.

confiscate ['kɒnfɪskeɪt] vt confisquer.

conflict ◆ n ['kɒnflɪkt] conflit m. ◆ vi [kən'flɪkt] : **to conflict (with)** être en contradiction (avec).

conform [kən'fɔːm] vi se plier à la règle ▸ **to conform to** se conformer à.

confuse [kən'fjuːz] vt [person] dérouter ▸ **to confuse kindness with weakness** confondre la gentillesse avec la faiblesse.

confused [kən'fjuːzd] adj **1.** [person] dérouté(e) **2.** [situation] confus(e).

confusing [kən'fjuːzɪŋ] adj déroutant(e).

confusion [kən'fjuːʒn] n (U) confusion f.

congested [kən'dʒestɪd] adj [street] encombré(e).

congestion [kən'dʒestʃn] n (U) [traffic] encombrements mpl.

congestion charge n UK taxe f anti-embouteillages.

congestion zone n UK zone f du centre et autour du centre de Londres où la circulation est payante.

congrats [kən'græts] excl inf bravo !

congratulate [kən'grætʃuleɪt] vt féliciter ▸ **to congratulate the team on its success** féliciter l'équipe de son succès.

congratulations [kən,grætʃu'leɪʃənz] excl félicitations !

congregate ['kɒŋgrɪgeɪt] vi se rassembler.

Congress ['kɒŋgres] n US le Congrès.

de la Chambre des représentants (435 membres, répartis parmi les États en fonction de leur population, qui votent les lois du budget de l'État fédéral). Toute nouvelle loi doit être approuvée par les deux chambres puisqu'elles ont un pouvoir égal en matière de législation.

congressman ['kɒŋgresmən] (pl -men) n US POL membre m du Congrès.

congresswoman ['kɒŋgres,wʊmən] (pl -women) n US POL membre m (féminin) du Congrès.

conifer ['kɒnɪfəʳ] n conifère m.

conjoined twins [kən'dʒɔɪnd-] npl jumeaux mpl conjoints oʀ siamois.

conjugate ◆ vt ['kɒndʒʊgeɪt] conjuguer. ◆ vi se conjuguer.

conjugation [,kɒndʒʊ'geɪʃn] n GRAM conjugaison f.

conjunction [kən'dʒʌŋkʃn] n GRAM conjonction f.

conjurer ['kʌndʒərəʳ] n prestidigitateur m, -trice f.

connect [kə'nekt] ◆ vt **1.** relier **2.** [telephone, machine] brancher **3.** [caller on phone] mettre en communication. ◆ vi : **to connect with** [train, plane] assurer la correspondance avec ▸ **to connect one event with another** [associate] associer un événement à un autre.

connecting flight [kə'nektɪŋ-] n correspondance f.

connection [kə'nekʃn] n **1.** [link] rapport m **2.** [train, plane] correspondance f **3.** COMPUT branchement m, connexion f ▸ **it's a bad connection** [on phone] la communication est mauvaise ▸ **a loose connection** [in machine] un faux contact ▸ **in connection with** au sujet de.

connectivity [ˌkɒnekˈtɪvɪti] n connectivité f.

conquer [ˈkɒŋkəʳ] vt [country] conquérir.

conscience [ˈkɒnʃəns] n conscience f.

conscientious [ˌkɒnʃɪˈenʃəs] adj consciencieux(ieuse).

conscious [ˈkɒnʃəs] adj 1. [awake] conscient(e) 2. [deliberate] délibéré(e) ▶ **to be conscious of** [aware] être conscient de.

consecrated [ˈkɒnsɪkreɪtɪd] adj RELIG consacré(e).

consent [kənˈsent] n accord m.

consequence [ˈkɒnsɪkwəns] n [result] conséquence f.

consequently [ˈkɒnsɪkwəntli] adv par conséquent.

conservation [ˌkɒnsəˈveɪʃn] n (U) protection f de l'environnement.

conservative [kənˈsɜːvətɪv] adj conservateur(trice). ◆ **Conservative** ◆ adj conservateur(trice). ◆ n conservateur m, -trice f.

conservatory [kənˈsɜːvətri] n [of house] véranda f.

consider [kənˈsɪdəʳ] vt 1. [think about] étudier 2. [take into account] tenir compte de 3. [judge] considérer ▶ **to consider doing sthg** envisager de faire qqch.

considerable [kənˈsɪdrəbl] adj considérable.

considerably [kənˈsɪdrəbli] adv considérablement.

consideration [kənˌsɪdəˈreɪʃn] n 1. (U) [careful thought] attention f 2. [factor] considération f ▶ **to take sthg into consideration** tenir compte de qqch.

considering [kənˈsɪdərɪŋ] prep étant donné.

consignor [kənˈsaɪnəʳ] n expéditeur m, -trice f.

consist [kənˈsɪst] ◆ **consist in** vt insep consister en ▶ **to consist in doing sthg** consister à faire qqch. ◆ **consist of** vt insep se composer de.

consistent [kənˈsɪstənt] adj 1. [coherent] cohérent(e) 2. [worker, performance] régulier(ière).

consolation [ˌkɒnsəˈleɪʃn] n consolation f.

console [ˈkɒnsəʊl] n console f.

consonant [ˈkɒnsənənt] n consonne f.

conspicuous [kənˈspɪkjuəs] adj qui attire l'attention.

constable [ˈkʌnstəbl] n **UK** agent m de police.

constant [ˈkɒnstənt] adj constant(e).

constantly [ˈkɒnstəntli] adv constamment.

constipated [ˈkɒnstɪpeɪtɪd] adj constipé(e).

constitution [ˌkɒnstɪˈtjuːʃn] n constitution f.

constriction [kənˈstrɪkʃn] n [in chest, throat] constriction f.

construct [kənˈstrʌkt] vt construire.

construction [kənˈstrʌkʃn] n construction f ▶ **under construction** en construction.

consul [ˈkɒnsəl] n consul m.

consulate [ˈkɒnsjʊlət] n consulat m.

consult [kənˈsʌlt] vt consulter.

consultant [kənˈsʌltənt] n **UK** [doctor] spécialiste m ou f.

consumable hardware n consommable m.

consume [kən'sjuːm] vt consommer.

consumer [kən'sjuːməʳ] n consommateur m, -trice f.

cont. abbr of **continued**.

contact ['kɒntækt] ◆ n contact m. ◆ vt contacter ▸ **in contact with** en contact avec.

contact lens n verre m de contact, lentille f.

contagious [kən'teɪdʒəs] adj contagieux(ieuse).

contagiousness [kən'teɪdʒəsnɪs] n contagion f.

contain [kən'teɪn] vt contenir.

container [kən'teɪnəʳ] n [box, etc.] récipient m.

contaminate [kən'tæmɪneɪt] vt contaminer.

cont'd written abbr of **continued**.

contemporary [kən'tempərəri] ◆ adj contemporain(e). ◆ n contemporain m, -e f.

contempt [kən'tempt] n [scorn] : **contempt (for)** mépris m (pour).

contend [kən'tend] ◆ **contend with** vt insep faire face à.

content ◆ adj [kən'tent] satisfait(e). ◆ n ['kɒntent] [of vitamins, fibre, etc.] teneur f. ◆ **contents** npl **1.** [things inside] contenu m **2.** [at beginning of book] table f des matières.

contest ◆ n ['kɒntest] **1.** [competition] concours m **2.** [struggle] lutte f. ◆ vt [kən'test] **1.** [election, match] disputer **2.** [decision, victory] contester.

context ['kɒntekst] n contexte m.

context-dependent adj : **to be context-dependent** dépendre du contexte.

continent ['kɒntɪnənt] n continent m ▸ **the Continent** UK l'Europe f continentale.

continental [,kɒntɪ'nentl] adj UK [European] d'Europe continentale.

continental breakfast n petit déjeuner m à la française.

continental quilt n UK couette f.

continual [kən'tɪnjʊəl] adj continuel(elle).

continually [kən'tɪnjʊəli] adv continuellement.

continue [kən'tɪnjuː] ◆ vt **1.** continuer **2.** [start again] poursuivre, reprendre. ◆ vi **1.** continuer **2.** [start again] poursuivre, reprendre ▸ **to continue doing sthg** continuer à faire qqch ▸ **to continue with sthg** poursuivre qqch.

continuing [kən'tɪnjuːɪŋ] adj continu(e).

continuous [kən'tɪnjʊəs] adj **1.** [uninterrupted] continuel(elle) **2.** [unbroken] continu(e).

continuously [kən'tɪnjʊəsli] adv continuellement.

contraception [,kɒntrə'sepʃn] n (U) contraception f.

contraceptive [,kɒntrə'septɪv] n contraceptif m.

contract ◆ n ['kɒntrækt] contrat m. ◆ vt [kən'trækt] fml [illness] contracter.

contractor [kən'træktəʳ] n entrepreneur m.

contradict [,kɒntrə'dɪkt] vt contredire.

contraflow ['kɒntrəfləʊ] n UK système temporaire de circulation à contre-sens sur une autoroute.

contrary ['kɒntrərɪ] n : **on the contrary** au contraire.

contrast ◆ n ['kɒntrɑːst] contraste m. ◆ vt [kən'trɑːst] mettre en contraste ▸ **in contrast to** par contraste avec.

contribute [kən'trɪbjuːt] ◆ vt [help, money] apporter. ◆ vi : **to contribute to** contribuer à.

contribution [,kɒntrɪ'bjuːʃn] n contribution f.

contributor [kən'trɪbjutə^r] n 1. [of money] donateur m, -trice f 2. [to magazine, newspaper] collaborateur m, -trice f.

control [kən'trəʊl] ◆ n 1. (U) [power] contrôle m 2. (U) [over emotions] maîtrise f de soi 3. [operating device] bouton m de réglage. ◆ vt contrôler ▸ **to be in control** contrôler la situation ▸ **out of control** impossible à maîtriser ▸ **everything's under control** tout va bien ▸ **to keep under control** [dog, child] tenir. ◆ **controls** npl 1. [of TV, video] télécommande f 2. [of plane] commandes fpl.

control tower n tour f de contrôle.

controversial [,kɒntrə'vɜːʃl] adj controversé(e).

convenience [kən'viːnjəns] n (U) commodité f ▸ **at your convenience** quand cela vous conviendra.

convenience store n US petit supermarché de quartier.

convenient [kən'viːnjənt] adj 1. [suitable] commode 2. [well-situated] bien situé(e) ▸ **would two thirty be convenient?** est-ce que 14 h 30 vous conviendrait ?

convent ['kɒnvənt] n couvent m.

conventional [kən'venʃənl] adj conventionnel(elle).

conversation [,kɒnvə'seɪʃn] n conversation f.

conversely [kən'vɜːslɪ] adv fml inversement.

conversion [kən'vɜːʃn] n 1. [change] transformation f 2. [of currency] conversion f 3. [to building] aménagement m.

convert [kən'vɜːt] vt 1. [change] transformer 2. [currency, person] convertir ▸ **to convert sthg into** transformer qqch en.

converted [kən'vɜːtɪd] adj [barn, loft] aménagé(e).

convertible [kən'vɜːtəbl] n (voiture) décapotable f.

convey [kən'veɪ] vt 1. fml [transport] transporter 2. [idea, impression] transmettre.

convict ◆ n ['kɒnvɪkt] détenu m, -e f. ◆ vt [kən'vɪkt] : **to convict sb (of)** déclarer qqn coupable (de).

convince [kən'vɪns] vt convaincre, persuader ▸ **to convince sb of one's innocence** convaincre ou persuader qqn que qqch est vrai ▸ **to convince sb to do sthg** convaincre ou persuader qqn de faire qqch.

convoy ['kɒnvɔɪ] n convoi m.

COO n abbr of **chief operating officer**.

cook [kʊk] ◆ n cuisinier m, -ière f. ◆ vt 1. [meal] préparer 2. [food] cuire. ◆ vi 1. [person] faire la cuisine, cuisiner 2. [food] cuire.

cookbook ['kʊk,bʊk] = **cookery book**.

cooker ['kʊkə^r] n UK cuisinière f.

cookery ['kʊkərɪ] n (U) cuisine f.

cookery book n UK livre m de cuisine.

cookie ['kʊkɪ] n 1. US biscuit m 2. COMPUT cookie m, mouchard m.

cooking ['kʊkɪŋ] n (U) cuisine f.

cooking apple n pomme f à cuire.

cooking oil n huile f (alimentaire).

cool [kuːl] ◆ adj 1. [temperature] frais (fraîche). 2. [calm] calme 3. [unfriendly] froid(e) 4. inf [great] génial(e). ◆ vt refroidir. ◆ **cool down** vi 1. [food, liquid] refroidir. 2. [after exercise] se rafraîchir 3. [become calmer] se calmer.

cooler n ᴜs glacière f.

cooperate [kəʊ'ɒpəreɪt] vi coopérer.

cooperation [kəʊ,ɒpə'reɪʃn] n (U) coopération f.

cooperative [kəʊ'ɒpərətɪv] adj coopératif(ive).

coordinates [kəʊ'ɔːdɪnəts] npl coordonnés mpl.

cop [kɒp] n inf flic m.

co-parenting n coparentalité f.

cope [kəʊp] vi se débrouiller ▶ **to cope with** a) [problem] faire face à b) [situation] se sortir de.

copilot [kəʊ,paɪlət] n copilote m.

copper ['kɒpər] n 1. (U) [metal] cuivre m 2. ᴜκ inf [coins] petite monnaie f.

copy ['kɒpɪ] ◆ n 1. copie f 2. [of newspaper, book] exemplaire m. ◆ vt 1. copier 2. [photocopy] photocopier.

copy and paste n copier-coller m inv.

copy-editing n préparation f de copie.

copyright ['kɒpɪraɪt] n copyright m, droit m d'auteur.

cord(uroy) ['kɔːd(ərɔɪ)] n (U) velours m côtelé.

core [kɔːr] n [of fruit] trognon m.

coriander [,kɒrɪ'ændər] n (U) coriandre f.

cork [kɔːk] n [in bottle] bouchon m.

corkscrew ['kɔːkskruː] n tire-bouchon m.

corn [kɔːn] n 1. (U) ᴜκ [crop] céréales fpl 2. (U) ᴜs [maize] maïs m 3. [on foot] cor m.

corn bread n pain m à la farine de maïs.

corn dog n ᴜs saucisse enrobée de pâte à la farine de maïs et frite à l'huile.

corned beef [,kɔːnd-] n (U) cornedbeef m inv.

corner ['kɔːnər] n 1. coin m 2. [bend in road] virage m 3. [in football] corner m ▶ **it's just around the corner** c'est tout près.

corner shop n ᴜκ magasin m de quartier.

cornet ['kɔːnɪt] n ᴜκ [ice-cream cone] cornet m (biscuit).

cornfed ['kɔːnfed] adj ᴜs inf rustre.

cornflakes ['kɔːnfleɪks] npl corn flakes mpl.

corn-on-the-cob n épi m de maïs.

corn rows npl coiffure f tressée à l'africaine.

Cornwall ['kɔːnwɔːl] n Cornouailles f.

corporal ['kɔːpərəl] n caporal m.

corporate ['kɔːpərət] adj [business] de société.

corpse [kɔːps] n cadavre m, corps m.

correct [kə'rekt] ◆ adj 1. [accurate] correct(e), exact(e) 2. [most suitable] bon (bonne). ◆ vt corriger.

correction [kə'rekʃn] n correction f.

correspond [,kɒrɪ'spɒnd] vi ▶ **to correspond (to)** [match] correspondre (à) ▶ **to correspond (with)** [exchange letters] correspondre (avec).

correspondence [ˌkɒrɪˈspɒndəns] n : **correspondence (with)** correspondance f (avec).

corresponding [ˌkɒrɪˈspɒndɪŋ] adj correspondant(e).

corridor [ˈkɒrɪdɔːʳ] n couloir m.

corrugated iron [ˈkɒrəgeɪtɪd-] n (U) tôle f ondulée.

corrupt [kəˈrʌpt] adj 1. [dishonest] corrompu(e) 2. [morally wicked] dépravé(e).

Corsica [ˈkɔːsɪkə] n Corse f.

cosmetics [kɒzˈmetɪks] npl produits mpl de beauté.

cost [kɒst] (pt & pp cost) ♦ n coût m. ♦ vt coûter ▶ how much does it cost? combien est-ce que ça coûte ?

Costa Rica [ˌkɒstəˈriːkə] n Costa Rica m.

Costa Rican [ˌkɒstəˈriːkən] ♦ adj costaricien(enne). ♦ n Costaricien m, -enne f.

costly [ˈkɒstlɪ] adj [expensive] coûteux(euse).

cost of living n coût m de la vie.

costume [ˈkɒstjuːm] n costume m.

cosy UK, **cozy** US [ˈkəʊzɪ] adj 1. [room, house] douillet(ette) 2. [atmosphere] chaleureux(euse).

cot [kɒt] n 1. UK [for baby] lit m d'enfant 2. US [camp bed] lit m de camp.

cottage [ˈkɒtɪdʒ] n petite maison f (à la campagne).

cottage cheese n (U) fromage frais granuleux.

cottage pie n UK hachis m Parmentier.

cotton [ˈkɒtn] ♦ adj en coton. ♦ n (U) 1. [cloth] coton m 2. [thread] fil m de coton.

cotton candy n (U) US barbe f à papa.

cotton wool n (U) UK coton m (hydrophile).

couch [kaʊtʃ] n 1. canapé m 2. [at doctor's] lit m.

couchette [kuːˈʃet] n couchette f.

cough [kɒf] ♦ n toux f. ♦ vi tousser ▶ to have a cough tousser.

cough mixture n UK sirop m pour la toux.

cough syrup n = cough mixture.

could [kʊd] pt → can.

couldn't [ˈkʊdnt] → could not.

could've [ˈkʊdəv] → could have.

council [ˈkaʊnsl] n 1. conseil m 2. [of town] ≃ conseil municipal 3. [of county] ≃ conseil régional.

council estate n UK quartier m de logements sociaux.

council house n UK ≃ HLM m inv ou f inv.

councillor [ˈkaʊnsələʳ] n UK 1. [of town] ≃ conseiller m municipal, conseillère municipale 2. [of county] ≃ conseiller régional, conseillère régionale.

councilor US = councillor.

council tax n UK ≃ impôts mpl locaux.

count [kaʊnt] ♦ vt & vi compter. ♦ n [nobleman] comte m. ♦ **count on** vt insep 1. [rely on] compter sur 2. [expect] s'attendre à.

counter [ˈkaʊntəʳ] n 1. [in shop] comptoir m 2. [in bank] guichet m 3. [in board game] pion m.

counterclockwise [ˌkaʊntəˈklɒkwaɪz] adv US dans le sens inverse des aiguilles d'une montre.

counterfeit ['kaʊntəfɪt] ◆ adj faux (fausse). ◆ n contrefaçon f.

counterfoil ['kaʊntəfɔɪl] n talon m.

counterintuitive [ˌkaʊntərɪn'tjuːɪtɪv] adj qui va contre l'intuition.

counterproposal ['kaʊntəprəˌpəʊzl] n contre-proposition f.

countess ['kaʊntɪs] n comtesse f.

country ['kʌntrɪ] ◆ n 1. pays m 2. [countryside] campagne f. ◆ adj 1. [pub] de campagne 2. [people] de la campagne.

country and western n (U) musique f country.

country folk ['kʌntrɪfəʊk] npl gens mpl de la campagne.

country house n manoir m.

country road n route f de campagne.

countryside ['kʌntrɪsaɪd] n (U) campagne f.

county ['kaʊntɪ] n comté m.

couple ['kʌpl] n couple m ▶ **a couple (of)** a) [two] deux b) [a few] deux ou trois.

coupon ['kuːpɒn] n coupon m.

courage ['kʌrɪdʒ] n (U) courage m.

courgette [kɔː'ʒet] n UK courgette f.

courier ['kʊrɪər] n 1. [for holidaymakers] accompagnateur m, -trice f 2. [for delivering letters] coursier m, -ière f.

course [kɔːs] n 1. [of meal] plat m 2. [at college, of classes] cours mpl 3. [of injections] série f 4. [of river] cours m 5. [of ship, plane] route f 6. [for golf] terrain m ▶ **a course of treatment** un traitement ▶ **of course** bien sûr ▶ **of course not** bien sûr que non ▶ **in the course of** au cours de.

court [kɔːt] n 1. LAW [building, room] tribunal m 2. [for tennis] court m 3. [for basketball, badminton] terrain m 4. [for squash] salle f 5. [of king, queen] cour f.

courteous ['kɜːtjəs] adj courtois(e), poli(e).

courtesy bus ['kɜːtɪsɪ-] n navette f gratuite.

courtesy car n voiture f de courtoisie (voiture mise gratuitement à la disposition du client).

courtesy coach ['kɜːtɪsɪ-] n navette f gratuite.

courtroom ['kɔːtrʊm] n salle f de tribunal.

court shoes npl UK escarpins mpl.

courtyard ['kɔːtjɑːd] n cour f.

cousin ['kʌzn] n cousin m, -e f.

cover ['kʌvər] ◆ n 1. [for furniture, car] housse f 2. [lid] couvercle m 3. [of magazine, blanket, insurance] couverture f. ◆ vt couvrir ▶ **to be covered in** être couvert de ▶ **to cover the body with a blanket** recouvrir le corps d'une couverture ▶ **to take cover** s'abriter. ◆ **cover up** vt sep 1. [put cover on] couvrir 2. [facts, truth] cacher.

cover charge n couvert m.

covered ['kʌvəd] adj couvert(e).

cover note n UK attestation f provisoire d'assurance.

cow [kaʊ] n [animal] vache f.

coward ['kaʊəd] n lâche m ou f.

cowboy ['kaʊbɔɪ] n cow-boy m.

COZ TEXTING written abbr of **because**.

cozy US = **cosy**.

CPU (abbr of central processing unit) abbr of **central processing unit**.

crab [kræb] n crabe m.

crack [kræk] ◆ n 1. [in cup, glass] fêlure f 2. [in wood, wall] fissure f 3. [gap] fente f. ◆ vt 1. [cup, glass] fêler 2. [wood, wall] fissurer 3. [nut, egg] casser 4. *inf* [joke] faire 5. [whip] faire claquer. ◆ vi 1. [cup, glass] se fêler 2. [wood, wall] se fissurer.

cracker ['krækə^r] n 1. [biscuit] biscuit m salé 2. [UK] [for Christmas] *papillote contenant un pétard et une surprise, traditionnelle au moment des fêtes*.

cradle ['kreɪdl] n berceau m.

craft [krɑːft] n 1. [skill] art m 2. [trade] artisanat m 3. [boat: pl inv] embarcation f.

craftsman ['krɑːftsmən] (pl **-men**) n artisan m.

craftsmanship ['krɑːftsmənʃɪp] n (U) 1. [skill] dextérité f, art m.

cram [kræm] vt : **to cram sthg into** entasser qqch dans ▶ **to be crammed with** être bourré de.

cramp [kræmp] n (U) crampe f ▶ **stomach cramps** crampes d'estomac.

cranberry ['krænbəri] n airelle f.

cranberry sauce n (U) sauce f aux airelles.

crane [kreɪn] n [machine] grue f.

crap [kræp] ◆ adj *vulg* de merde, merdique. ◆ n *vulg* merde f ▶ **to have a crap** chier.

crash [kræʃ] ◆ n 1. [accident] accident m 2. COMPUT plantage m 3. [noise] fracas m. ◆ vi 1. [plane] s'écraser 2. [car] avoir un accident 3. COMPUT planter. ◆ vt : **to crash one's car** avoir un accident de voiture. ◆ **crash into** vt insep rentrer dans.

crash course n cours m intensif.

crash helmet n casque m.

crash landing n atterrissage m forcé.

crate [kreɪt] n cageot m.

crawl [krɔːl] ◆ vi 1. [baby, person] marcher à quatre pattes 2. [insect] ramper 3. [traffic] avancer au pas. ◆ n [swimming stroke] crawl m.

crawler lane ['krɔːlə^r-] n [UK] file f pour véhicules lents.

crayfish ['kreɪfɪʃ] (pl inv) n écrevisse f.

crayon ['kreɪɒn] n crayon m de couleur.

craze [kreɪz] n mode f.

crazy ['kreɪzɪ] adj fou (folle) ▶ **to be crazy about** être fou de.

crazy golf n (U) [UK] golf m miniature.

cream [kriːm] ◆ n 1. [food] crème f. ◆ adj [in colour] blanc cassé inv.

cream cake n [UK] gâteau m à la crème.

cream cheese n (U) fromage m frais.

cream sherry n xérès m doux.

cream tea n [UK] goûter se composant de thé et de scones servis avec de la crème et de la confiture.

creamy ['kriːmɪ] adj 1. [food] à la crème 2. [texture] crémeux(euse).

crease [kriːs] n pli m.

creased [kriːst] adj froissé(e).

create [kriː'eɪt] vt 1. créer 2. [interest] susciter.

creative [kriː'eɪtɪv] adj créatif(ive).

creature ['kriːtʃə^r] n être m.

crèche [kreʃ] n [UK] crèche f, garderie f.

cred [kred] n : **to have (street) cred** [UK] *inf* [credibility] être branché or dans le coup ▶ **he wants to get some (street) cred** il veut être branché or dans le coup.

credit ['kredɪt] n 1. (U) [praise] mérite m 2. (U) [money] crédit m 3. [at school, university] unité f de valeur ▶ **to**

be in credit [account] être approvisionné. ◆ **credits** npl [of film] générique m.

credit card n carte f de crédit ▶ **to pay by credit card** payer par carte de crédit ▶ 'all major credit cards accepted' 'on accepte les cartes de crédit'.

credit crunch n crise f du crédit.

credit rating n degré m de solvabilité.

credit score US n = **credit rating**.

creek [kriːk] n 1. [inlet] crique f 2. US [river] ruisseau m.

creep [kriːp] (pt & pp **crept**) ◆ vi [person] se glisser. ◆ n inf [groveller] lèchebottes m inv ou f inv.

cremate [krɪ'meɪt] vt incinérer.

crematorium [ˌkremə'tɔːrɪəm] n crématorium m.

crepe [kreɪp] n [pancake] crêpe f.

crept [krept] pt & pp → **creep**.

cress [kres] n cresson m.

crest [krest] n 1. [of hill, wave] crête f. 2. [emblem] blason m.

crew [kruː] n équipage m.

crew neck n encolure f ras du cou.

crib [krɪb] n lit m d'enfant.

cricket ['krɪkɪt] n 1. (U) [game] cricket m 2. [insect] grillon m.

crime [kraɪm] n 1. [offence] délit m (U) 2. (U) [illegal activity] criminalité f.

criminal ['krɪmɪnl] ◆ adj criminel(elle). ◆ n criminel m, -elle f ▶ **criminal offence** délit.

cripple ['krɪpl] ◆ n infirme m ou f. ◆ vt [subj: disease, accident] estropier.

crisis ['kraɪsɪs] (pl **crises** ['kraɪsiːz]) n crise f.

crisp [krɪsp] adj 1. [bacon, pastry] croustillant(e) 2. [fruit, vegetable] croquant(e). ◆ **crisps** npl US chips fpl.

crispness ['krɪspnɪs] n 1. [of food, paper] craquant m 2. [of clothing, sheets, weather] fraîcheur f 3. [of wine] caractère m vif 4. [of style] précision f.

crispy ['krɪspɪ] adj 1. [bacon, pastry] croustillant(e) 2. [fruit, vegetable] croquant(e).

critic ['krɪtɪk] n critique m ou f.

critical ['krɪtɪkl] adj critique.

criticize ['krɪtɪsaɪz] vt critiquer.

Croatia [krəʊ'eɪʃə] n Croatie f.

crockery ['krɒkərɪ] n (U) vaisselle f.

crocodile ['krɒkədaɪl] n crocodile m.

crocus ['krəʊkəs] (pl **-es**) n crocus m.

crooked ['krʊkɪd] adj [bent, twisted] tordu(e).

crop [krɒp] n 1. [kind of plant] culture f 2. [harvest] récolte f. ◆ **crop up** vi se présenter.

cropped ['krɒpt] adj : **cropped hair** cheveux coupés ras ▶ **cropped trousers** pantacourt m.

cross [krɒs] ◆ adj fâché(e). ◆ vt 1. [road, river, ocean] traverser 2. [arms, legs] croiser 3. US [cheque] barrer. ◆ vi [intersect] se croiser. ◆ n croix f ▶ a **cross between** a) [animals] un croisement entre b) [things] un mélange de. ◆ **cross out** vt sep barrer. ◆ **cross over** vt insep [road] traverser.

crossbar ['krɒsbɑː'] n 1. [of bicycle] barre f 2. [of goal] barre transversale.

cross-Channel ferry n ferry m transmanche.

cross-country (running) n cross m.

crossing ['krɒsɪŋ] n 1. [on road] passage m clouté 2. [sea journey] traversée f.

crossing guard n US employé municipal qui fait traverser les enfants.

cross-platform adj multiplateforme.

cross-reference n renvoi m.

crossroads ['krɒsrəʊdz] (pl inv) n croisement m, carrefour m.

crosstown street n rue f transversale.

crosswalk ['krɒswɔːk] n US passage m clouté.

crossword (puzzle) ['krɒswɜːd-] n mots croisés mpl.

crotch [krɒtʃ] n entrejambe m.

crouton ['kruːtɒn] n croûton m.

crow [krəʊ] n corbeau m.

crowbar ['krəʊbɑːʳ] n pied-de-biche m.

crowd [kraʊd] n 1. foule f 2. [at match] public m.

crowded ['kraʊdɪd] adj 1. [bus] bondé(e) 2. [street] plein(e) de monde.

crown [kraʊn] n 1. couronne f 2. [of head] sommet m.

Crown Jewels npl joyaux mpl de la couronne.

crucial ['kruːʃl] adj crucial(e).

crude [kruːd] adj grossier(ière).

cruel [krʊəl] adj cruel(elle).

cruelty ['krʊəltɪ] n (U) cruauté f.

cruet (set) ['kruːɪt-] n service m à condiments.

cruise [kruːz] ◆ n croisière f. ◆ vi 1. [car] rouler 2. [plane] voler 3. [ship] croiser.

cruiser ['kruːzəʳ] n bateau m de croisière.

cruising ['kruːzɪŋ] n [in boat] croisière f.

crumb [krʌm] n miette f.

crumble ['krʌmbl] ◆ n UK dessert composé d'une couche de fruits cuits recouverts de pâte sablée. ◆ vi 1. [building] s'écrouler 2. [cliff] s'effriter.

crumpet ['krʌmpɪt] n UK petite crêpe épaisse qui se mange souvent chaude et beurrée.

crumpled ['krʌmpld] adj froissé(e) ▸ to be lying in a crumpled heap a) [clothes] être jeté en boule b) [person] être recroquevillé par terre.

crunchy ['krʌntʃɪ] adj croquant(e).

crush [krʌʃ] ◆ n [drink] jus m de fruit. ◆ vt 1. écraser 2. [ice] piler.

crust [krʌst] n croûte f.

crusty ['krʌstɪ] adj croustillant(e).

crutch [krʌtʃ] n 1. [stick] béquille f 2. [between legs] = **crotch**.

cry [kraɪ] ◆ n cri m. ◆ vi 1. pleurer 2. [shout] crier. ◆ **cry out** vi [in pain, horror] pousser un cri.

crystal ['krɪstl] n cristal m.

CU (written abbr of **see you**) TEXTING @+ (à plus).

cub [kʌb] n [animal] petit m.

Cub [kʌb] n ≃ louveteau m.

Cuba ['kjuːbə] n Cuba.

Cuban ['kjuːbən] ◆ adj cubain(e). ◆ n Cubain m, -e f.

cube [kjuːb] n 1. [shape] cube m 2. [of sugar] morceau m.

cubicle ['kjuːbɪkl] n cabine f.

Cub Scout = **Cub**.

cuckoo ['kʊkuː] n coucou m.

cucumber ['kjuːkʌmbəʳ] n concombre m.

cuddle ['kʌdl] n câlin m.

cuddly toy ['kʌdlɪ-] n 🇬🇧 jouet m en peluche.

cue [kjuː] n [in snooker, pool] queue f (de billard).

cuff [kʌf] n **1.** [of sleeve] poignet m **2.** 🇺🇸 [of trousers] revers m.

cuff link n bouton m de manchette.

cuisine [kwɪˈziːn] n cuisine f.

cul-de-sac ['kʌldəsæk] n impasse f.

CUL8R (written abbr of see you later) TEXTING @+ (à plus).

cult [kʌlt] ◆ n RELIG culte m. ◆ adj culte.

cultivate ['kʌltɪveɪt] vt cultiver.

cultivated ['kʌltɪveɪtɪd] adj cultivé(e).

cultural ['kʌltʃərəl] adj culturel(elle).

cultural attaché n attaché m culturel, attachée f culturelle.

culture ['kʌltʃəᵣ] n culture f.

cum [kʌm] prep avec.

cumbersome ['kʌmbəsəm] adj encombrant(e).

cumin ['kjuːmɪn] n (U) cumin m.

cunning ['kʌnɪŋ] adj malin(igne).

cunt [kʌnt] n vulg **1.** [vagina] con m, chatte f **2.** [man] enculé m ; [woman] salope f.

cup [kʌp] n **1.** tasse f **2.** [trophy, competition] coupe f **3.** [of bra] bonnet m.

cupboard ['kʌbəd] n placard m.

cupcake [kʌpkeɪk] n 🇺🇸 [cake] cupcake m (petit gâteau).

curator [kjuəˈreɪtəᵣ] n conservateur m, -trice f.

curb [kɜːb] 🇺🇸 = **kerb**.

curd cheese [ˌkɜːd-] n (U) fromage m blanc battu.

cure [kjuəᵣ] ◆ n remède m. ◆ vt **1.** [illness, person] guérir **2.** [with salt] saler **3.** [with smoke] fumer **4.** [by drying] sécher.

curfew ['kɜːfjuː] n couvre-feu m.

curious ['kjuərɪəs] adj curieux(ieuse).

curl [kɜːl] ◆ n [of hair] boucle f. ◆ vt [hair] friser.

curler ['kɜːləᵣ] n bigoudi m.

curly ['kɜːlɪ] adj frisé(e).

currant ['kʌrənt] n raisin m sec.

currency ['kʌrənsɪ] n **1.** [cash] monnaie f **2.** [foreign] devise f.

current ['kʌrənt] ◆ adj actuel(elle). ◆ n courant m.

current account n 🇬🇧 compte m courant.

current affairs npl l'actualité f.

currently ['kʌrəntlɪ] adv actuellement.

curriculum [kəˈrɪkjələm] n programme m (d'enseignement).

curriculum vitae [-'viːtaɪ] n 🇬🇧 curriculum vitae m inv.

curried ['kʌrɪd] adj au curry.

curry ['kʌrɪ] n curry m.

curry powder n poudre f de curry.

curse [kɜːs] vi jurer.

curse word n 🇺🇸 juron m.

cursor ['kɜːsəᵣ] n curseur m.

curtain ['kɜːtn] n rideau m.

curve [kɜːv] ◆ n courbe f. ◆ vi faire une courbe.

curved [kɜːvd] adj courbe.

cushion ['kʊʃn] n coussin m.

custard ['kʌstəd] n (U) crème f anglaise (épaisse).

custom ['kʌstəm] n [tradition] coutume f ▶ **'thank you for your custom'** 'merci de votre visite'.

customary ['kʌstəmrɪ] adj habituel(elle).

custom-designed adj : **custom-designed vacations** vacances fpl sur mesure.

customer ['kʌstəmər] n [of shop] client m, -e f.

customer care n service m client.

customer loyalty n fidélité f de la clientèle.

customer profile n profil m du client OR du consommateur.

customer services n (U) [department] service m clients.

customs ['kʌstəmz] n douane f ▶ **to go through customs** passer à la douane.

customs duty n (U) droit m de douane.

customs officer n douanier m, -ière f.

cut [kʌt] (pt & pp cut) ◆ n 1. [in skin] coupure f 2. [in cloth] accroc m 3. [reduction] réduction f 4. [piece of meat] morceau m 5. [hairstyle, of clothes] coupe f. ◆ vi couper. ◆ vt 1. couper 2. [reduce] réduire ▶ **to cut one's hand** se couper la main ▶ **to cut and blow-dry** coupe-brushing f ▶ **to cut o.s.** se couper ▶ **to have one's hair cut** se faire couper les cheveux ▶ **to cut the grass** tondre la pelouse ▶ **to cut sthg open** ouvrir qqch. ◆ **cut back** vi : **to cut back (on)** faire des économies (sur). ◆ **cut down** vt sep [tree] abattre ▶ **cut down on** vt insep réduire. ◆ **cut in** vi faire une queue de poisson. ◆ **cut off** vt sep couper ▶ **I've been cut off** [on phone] j'ai été coupé ▶ **to be cut off** [isolated] être isolé. ◆ **cut out** ◆ vt sep [newspaper article, photo] découper. ◆ vi [engine] caler ▶ **to cut out smok-**ing arrêter de fumer ▶ **cut it out!** inf ça suffit ! ◆ **cut up** vt sep couper.

cutback ['kʌtbæk] n : **cutback (in)** réduction f (de).

cute [kjuːt] adj mignon(onne).

cut-glass adj en cristal taillé.

cutlery ['kʌtlərɪ] n (U) couverts mpl.

cutlet ['kʌtlɪt] n 1. [of meat] côtelette f 2. [of nuts, vegetables] croquette f.

cut-price adj à prix réduit.

cutting ['kʌtɪŋ] n UK [from newspaper] coupure f de presse.

cutting-edge adj [technology] de pointe.

CV (abbr of curriculum vitae) n UK CV m.

cwt abbr of **hundredweight**.

cyberbanking ['saɪbə,bæŋkɪŋ] n COMPUT transactions fpl bancaires en ligne.

cyberbullying ['saɪbəbʊlɪŋ] n cyberagression f.

cybercafé ['saɪbə,kæfeɪ] n cybercafé m.

cybercrime ['saɪbəkraɪm] n cybercrime m.

cybernaut ['saɪbə,nɔːt] n cybernaute m ou f.

cyberpet ['saɪbəpet] n animal m virtuel.

cybersex ['saɪbə,seks] n cybersexe m.

cyber shop n boutique f en ligne.

cybershopping ['saɪbəʃɒpɪŋ] n achats mpl en ligne.

cyberspace ['saɪbəspeɪs] n cyberespace m.

cybersquatting ['saɪbəskwɒtɪŋ] n cybersquatting m.

cyberstalking ['saɪbəstɔːkɪŋ] n harcèlement m en ligne.

cybersurfer ['saɪbə,sɜːfər] n cybernaute m ou f.

cycle ['saɪkl] ◆ n 1. [bicycle] vélo m 2. [series] cycle m. ◆ vi aller en vélo.

cycle hire n location f de vélos.

cycle lane n piste f cyclable (sur la route).

cycle path n piste f cyclable.

cycling ['saɪklɪŋ] n (U) cyclisme m ▸ **to go cycling** faire du vélo.

cycling shorts npl cycliste m.

cyclist ['saɪklɪst] n cycliste m ou f.

cylinder ['sɪlɪndər] n 1. [container] bouteille f 2. [in engine] cylindre m.

cynical ['sɪnɪkl] adj cynique.

Cyprus ['saɪprəs] n Chypre.

Czech [tʃek] ◆ adj tchèque. ◆ n 1. [person] Tchèque m ou f 2. [language] tchèque m.

Czechoslovakia [ˌtʃekəslə'vækɪə] n Tchécoslovaquie f.

Czech Republic n : the Czech Republic la République tchèque.

Dd

dab [dæb] vt [wound] tamponner.

dad [dæd] n inf papa m.

daddy ['dædɪ] n inf papa m.

daddy longlegs [-'lɒŋlegz] (pl inv) n faucheux m.

daffodil ['dæfədɪl] n jonquille f.

daft [dɑːft] adj `UK` inf idiot(e).

daily ['deɪlɪ] ◆ adj quotidien(ienne). ◆ adv quotidiennement. ◆ n : **a daily (newspaper)** un quotidien.

dairy ['deərɪ] n 1. [on farm] laiterie f 2. [shop] crémerie f.

dairy product n produit m laitier.

daisy ['deɪzɪ] n pâquerette f.

dally ['dælɪ] (pt & pp -ied) vi [dawdle] lanterner.

dam [dæm] n barrage m.

damage ['dæmɪdʒ] ◆ n (U) 1. dégâts mpl 2. fig [to reputation] tort m. ◆ vt 1. abîmer 2. fig [reputation] nuire à 3. fig [chances] compromettre.

damn [dæm] ◆ excl inf zut ! ◆ adj inf sacré(e) ▸ **I don't give a damn** je m'en fiche pas mal.

damp [dæmp] ◆ adj humide. ◆ n (U) humidité f.

damson ['dæmzn] n petite prune acide.

dance [dɑːns] ◆ n 1. danse f 2. [social event] bal m. ◆ vi danser ▸ **to have a dance** danser.

dance floor n [in club] piste f de danse.

dancer ['dɑːnsər] n danseur m, -euse f.

dancing ['dɑːnsɪŋ] n (U) danse f ▸ **to go dancing** aller danser.

dandelion ['dændɪlaɪən] n pissenlit m.

dander ['dændər] n inf [dated] : **to get one's/sb's dander up** se mettre /mettre qqn en rogne.

dandruff ['dændrʌf] n (U) pellicules fpl.

Dane [deɪn] n Danois m, -e f.

danger ['deɪndʒər] n danger m ▸ **in danger** en danger.

dangerous ['deɪndʒərəs] adj dangereux(euse).

Danish ['deɪnɪʃ] ◆ adj danois(e). ◆ n [language] danois m.

Danish pastry n feuilleté glacé sur le dessus, fourré généralement à la confiture de pommes ou de cerises.

Danube ['dænjuːb] n : **the Danube** le Danube.

dare [deəʳ] vt : **to dare to do sthg** oser faire qqch ▸ **I dare you to dive in** je te défie de plonger ▸ **how dare you!** comment oses-tu !

daring ['deərɪŋ] adj audacieux(ieuse).

dark [dɑːk] ◆ adj **1.** [room, night] sombre **2.** [colour, skin] foncé(e) **3.** [person] brun(e). ◆ n (U) : **after dark** après la tombée de la nuit ▸ **the dark** le noir.

dark chocolate n (U) chocolat m noir.

dark glasses npl lunettes fpl noires.

darkness ['dɑːknɪs] n (U) obscurité f.

darling ['dɑːlɪŋ] n chéri m, -e f.

dart [dɑːt] n fléchette f. ◆ **darts** n [game] fléchettes fpl.

dartboard ['dɑːtbɔːd] n cible f (de jeu de fléchettes).

dash [dæʃ] ◆ n **1.** [of liquid] goutte f **2.** [in writing] tiret m. ◆ vi se précipiter.

dashboard ['dæʃbɔːd] n tableau m de bord.

data ['deɪtə] n (U) données fpl.

database ['deɪtəbeɪs] n base f de données.

data protection n protection f de l'information.

date [deɪt] ◆ n **1.** [day] date f **2.** [meeting] rendez-vous m **3.** US [person] petit ami m, petite amie f **4.** [fruit] datte f. ◆ vt **1.** [cheque, letter] dater **2.** [person] sortir avec. ◆ vi [become unfashionable] dater ▸ **what's the date?** quel jour sommes-nous ? ▸ **to have a date with sb** avoir rendez-vous avec qqn.

datebook ['deɪtbʊk] n US agenda m.

date of birth n date f de naissance.

daughter ['dɔːtəʳ] n fille f.

daughter-in-law n belle-fille f.

dawn [dɔːn] n aube f.

day [deɪ] n **1.** [of week] jour m **2.** [period, working day] journée f ▸ **what day is it today?** quel jour sommes-nous ? ▸ **what a lovely day!** quelle belle journée ! ▸ **to have a day off** avoir un jour de congé ▸ **to have a day out** aller passer une journée quelque part ▸ **by day** [travel] de jour ▸ **the day after tomorrow** après-demain ▸ **the day before** la veille ▸ **the day before yesterday** avant-hier ▸ **the following day** le jour suivant ▸ **have a nice day!** bonne journée !

day care n **1.** [for elderly, disabled] service m d'accueil de jour **2.** [for children] service m de garderie. ◆ **day-care** adj **1.** [for elderly, disabled] d'accueil de jour **2.** [for children] de garderie.

daylight ['deɪlaɪt] n (U) jour m.

day return n UK [railway ticket] aller-retour valable pour une journée.

dayshift ['deɪʃɪft] n : **to be on dayshift** travailler de jour.

daytime ['deɪtaɪm] n (U) journée f.

day-to-day adj [everyday] quotidien(ienne).

day trip n excursion f (d'une journée).

dazzle ['dæzl] vt éblouir.

DC abbr of direct current.

dead [ded] ◆ adj **1.** [person] mort(e) **2.** [telephone line] coupé(e). ◆ adv inf [very] super ▸ **dead in the middle** en plein milieu ▸ **dead on time** pile à l'heure ▸ **it's**

dead ahead c'est droit devant ▸ **'dead slow'** 'roulez au pas'.

dead cat bounce n FIN brève remontée d'un marché en forte baisse.

dead end n [street] impasse f, cul-de-sac m.

deadline ['dedlaɪn] n date f limite.

deadly ['dedlɪ] adj [poison, enemy] mortel(elle).

dead tree edition n inf édition f papier, édition f imprimée.

dead tree media npl inf médias mpl imprimés.

deaf [def] ◆ adj sourd(e). ◆ npl : **the deaf** les sourds mpl.

deal [di:l] (pt & pp **dealt**) ◆ n [agreement] marché m, affaire f. ◆ vt [cards] donner ▸ **a good/bad deal** une bonne / mauvaise affaire ▸ **a great deal of** beaucoup de ▸ **it's a deal!** marché conclu ! ◆ **deal in** vt insep faire le commerce de. ◆ **deal with** vt insep **1.** [handle] s'occuper de **2.** [be about] traiter de.

deal-breaker ['di:lbreɪkəʳ] n élément m rédhibitoire *(pour l'achat d'un produit)*.

dealer ['di:ləʳ] n **1.** COMM marchand m, -e f **2.** [in drugs] dealer m.

dealt [delt] pt & pp → **deal**.

dean [di:n] n doyen m, -enne f d'université.

dear [dɪəʳ] ◆ adj cher (chère). ◆ n : **my dear** [to friend] mon cher b) [to lover] mon chéri ▸ **Dear Sir** cher Monsieur ▸ **Dear Madam** chère Madame ▸ **Dear John** cher John ▸ **oh dear!** mon Dieu !

death [deθ] n mort f.

debate [dɪ'beɪt] ◆ n débat m. ◆ vt [wonder] se demander.

debit ['debɪt] ◆ n débit m. ◆ vt [account] débiter.

debit card n carte f de paiement à débit immédiat.

debt [det] n dette f ▸ **to be in debt** être endetté.

debug [ˌdiː'bʌg] vt déboguer.

Dec. (abbr of December) déc. (décembre).

decade ['dekeɪd] n décennie f.

decaff ['diːkæf] n inf déca m.

decaffeinated [dɪ'kæfɪneɪtɪd] adj décaféiné(e).

decanter [dɪ'kæntəʳ] n carafe f.

decay [dɪ'keɪ] ◆ n (U) **1.** [of building] délabrement m **2.** [of wood] pourrissement m **3.** [of tooth] carie f. ◆ vi [rot] pourrir.

deceive [dɪ'siːv] vt tromper.

decelerate [ˌdiː'seləreɪt] vi ralentir.

December [dɪ'sembəʳ] n décembre m ▸ **at the beginning of December** début décembre ▸ **at the end of December** fin décembre ▸ **during December** en décembre ▸ **every December** tous les ans en décembre ▸ **in December** en décembre ▸ **last December** en décembre (dernier) ▸ **next December** en décembre de l'année prochaine ▸ **this December** en décembre (prochain) ▸ **2 December 2012** [in letters, etc.] le 2 décembre 2012.

decent ['diːsnt] adj **1.** [meal, holiday] vrai(e) **2.** [price, salary] correct(e) **3.** [respectable] décent(e) **4.** [kind] gentil(ille).

decentralization, decentralisation 🇬🇧 [ˌdiːˌsentrəlaɪ'zeɪʃn] n décentralisation f.

deception [dɪ'sepʃn] n [lie, pretence] tromperie f, duperie f.

decide [dɪ'saɪd] ◆ vt décider. ◆ vi (se) décider ▸ **to decide to do sth** décider de faire qqch. ◆ **decide on** vt insep se décider pour.

decimal ['desɪml] adj décimal(e).

decimal point n virgule f.

decipher [dɪ'saɪfər] vt déchiffrer.

decision [dɪ'sɪʒn] n décision f ▸ **to make a decision** prendre une décision.

decisive [dɪ'saɪsɪv] adj 1. [person] décidé(e) 2. [event, factor] décisif(ive).

deck [dek] n 1. [of ship] pont m 2. [of bus] étage m 3. [of cards] jeu m (de cartes).

deckchair ['dektʃeər] n chaise f longue.

-decker ['dekər] suffix : **double-decker bus** bus m à impériale ▸ **double-decker sandwich** sandwich m double.

decking ['dekɪŋ] n terrasse f en bois.

declamatory [dɪ'klæmətrɪ] adj [style] déclamatoire.

declare [dɪ'kleər] vt déclarer ▸ **to declare that** déclarer que ▸ **'nothing to declare'** 'rien à déclarer'.

declension [dɪ'klenʃn] n GRAM déclinaison f.

decline [dɪ'klaɪn] ◆ n déclin m. ◆ vi 1. [get worse] décliner 2. [refuse] refuser.

declutter [dɪ'klʌtər] vt [room, computer, one's life] désencombrer.

decompress [ˌdiːkəm'pres] vt décompresser.

decorate ['dekəreɪt] vt décorer.

decoration [ˌdekə'reɪʃn] n décoration f.

decorator ['dekəreɪtər] n décorateur m, -trice f.

decrease ◆ n ['diːkriːs] diminution f. ◆ vi [dɪ'kriːs] diminuer.

dedicated ['dedɪkeɪtɪd] adj [committed] dévoué(e).

deduce [dɪ'djuːs] vt déduire, conclure.

deduct [dɪ'dʌkt] vt déduire.

deduction [dɪ'dʌkʃn] n déduction f.

deed [diːd] n 1. [action] action f 2. LAW acte m notarié.

deep [diːp] ◆ adj profond(e). ◆ adv profond ▸ **the swimming pool is 2 m deep** la piscine fait 2 m de profondeur.

deep end n [of swimming pool] côté le plus profond.

deep freeze n congélateur m.

deep-fried [-'fraɪd] adj frit(e).

deep-fry vt faire frire.

deep-pan adj [pizza] à pâte épaisse.

Deep South n : **the Deep South** [in the US] l'extrême sud conservateur (Alabama, Floride, Géorgie, Louisiane, Mississippi, Caroline du Sud, partie orientale du Texas).

deep vein thrombosis n thrombose f veineuse profonde.

deer [dɪər] (pl inv) n cerf m.

defeat [dɪ'fiːt] ◆ n défaite f. ◆ vt battre.

defect ['diːfekt] n défaut m.

defective [dɪ'fektɪv] adj défectueux(euse).

defence [dɪ'fens] UK défense f.

defend [dɪ'fend] vt défendre.

defense [dɪ'fens] US = **defence**.

deficiency [dɪ'fɪʃnsɪ] n [lack] manque m.

deficit ['defɪsɪt] n déficit m.

define [dɪ'faɪn] vt définir.

definite ['defɪnɪt] adj 1. [clear] net (nette) 2. [certain] certain(e).

definite article n article m défini.

definitely ['defɪnɪtlɪ] adv [certainly] sans aucun doute ▸ **I'll definitely come** je viens, c'est sûr.

definition [defɪ'nɪʃn] n définition f.

deflate [dɪ'fleɪt] vt [tyre] dégonfler.

deflect [dɪ'flekt] vt [ball] dévier.

defogger [ˌdiː'fɒɡər] n US dispositif m antibuée.

deformed [dɪ'fɔːmd] adj difforme.

defragment [ˌdiː'fræɡmənt] vt défragmenter.

defrost [ˌdiː'frɒst] vt 1. [food] décongeler 2. [fridge] dégivrer 3. US [demist] désembuer.

degree [dɪ'ɡriː] n 1. [unit of measurement] degré m 2. [qualification] ≃ licence f 3. [amount] **: a degree of difficulty** une certaine difficulté ▸ **to have a degree in sthg** ≃ avoir une licence de qqch.

dehydrated [ˌdiːhaɪ'dreɪtɪd] adj déshydraté(e).

de-ice [diː'aɪs] vt dégivrer.

de-icer [diː'aɪsər] n dégivreur m.

dejected [dɪ'dʒektɪd] adj découragé(e).

delay [dɪ'leɪ] ◆ n retard m. ◆ vt retarder. ◆ vi tarder ▸ **without delay** sans délai.

⚠ Délai is a false friend, it means *the time it takes to perform a task, make a delivery*, etc., not "lateness".

delayed [dɪ'leɪd] adj retardé(e).

delegate ◆ n ['delɪɡət] délégué m, -e f. ◆ vt ['delɪɡeɪt] [person] déléguer.

delete [dɪ'liːt] vt effacer, supprimer.

deli ['delɪ] inf n = **delicatessen**.

deliberate [dɪ'lɪbərət] adj [intentional] délibéré(e).

deliberately [dɪ'lɪbərətlɪ] adv [intentionally] délibérément.

delicacy ['delɪkəsɪ] n [food] mets m fin.

delicate ['delɪkət] adj délicat(e).

delicatessen [ˌdelɪkə'tesn] n épicerie f fine.

delicious [dɪ'lɪʃəs] adj délicieux(ieuse).

delight [dɪ'laɪt] ◆ n (U) [feeling] plaisir m. ◆ vt enchanter ▸ **to take (a) delight in doing sthg** prendre plaisir à faire qqch.

delighted [dɪ'laɪtɪd] adj ravi(e).

delightful [dɪ'laɪtfʊl] adj charmant(e).

deliver [dɪ'lɪvər] vt 1. [goods] livrer 2. [letters, newspaper] distribuer 3. [speech, lecture] faire 4. [baby] mettre au monde.

delivery [dɪ'lɪvərɪ] n 1. [of goods] livraison f 2. [of letters] distribution f 3. [birth] accouchement m.

delivery vehicle n véhicule m de livraison.

delude [dɪ'luːd] vt tromper.

de luxe [də'lʌks] adj de luxe.

demand [dɪ'mɑːnd] ◆ n 1. [request] revendication f 2. (U) COMM demande f 3. [requirement] exigence f. ◆ vt exiger ▸ **to demand to do sthg** exiger de faire qqch ▸ **in demand** demandé(e).

⚠ Demander is a false friend, it means *to ask*, not "to demand".

demanding [dɪ'mɑːndɪŋ] adj astreignant(e).

demand-led adj COMM tiré(e) par la demande.

demerara sugar [demə'reərə-] n (U) UK cassonade f.

demist [ˌdiː'mɪst] vt UK désembuer.

demister [ˌdiː'mɪstəʳ] n UK dispositif m antibuée.

democracy [dɪ'mɒkrəsɪ] n démocratie f.

Democrat ['deməkræt] n US démocrate m ou f.

democratic [demə'krætɪk] adj démocratique.

Democratic Party n US : the Democratic Party le Parti démocrate.

demolish [dɪ'mɒlɪʃ] vt démolir.

demonize, demonise ['diːmə,naɪz] vt diaboliser.

demonstrate ['demənstreɪt] ◆ vt **1.** [prove] démontrer **2.** [machine, appliance] faire une démonstration de. ◆ vi manifester.

demonstration [demən'streɪʃn] n **1.** [protest] manifestation f **2.** [proof, of machine] démonstration f.

⚠ **Démonstration** is a false friend, it means **a presentation of a proof** or **of a product**, not a "protest march".

demonstrator ['demənstreɪtəʳ] n **1.** [in march] manifestant m, -e f **2.** [of machine, product] démonstrateur m, -trice f.

demoralized, demoralised UK [dɪ'mɒrəlaɪzd] adj démoralisé(e).

demoralizing, demoralising UK [dɪ'mɒrəlaɪzɪŋ] adj démoralisant(e).

den [den] n [of animal] antre m, tanière f.

denial [dɪ'naɪəl] n démenti m.

denim ['denɪm] n (U) denim m.
◆ **denims** npl jean m.

denim jacket n veste f en jean.

Denmark ['denmɑːk] n le Danemark.

denounce [dɪ'naʊns] vt dénoncer.

dense [dens] adj dense.

density ['densətɪ] n densité f.

dent [dent] n bosse f.

dental ['dentl] adj dentaire.

dental floss [-flɒs] n (U) fil m dentaire.

dental surgeon n chirurgien-dentiste m.

dental surgery n UK [place] cabinet m dentaire.

dentist ['dentɪst] n dentiste m ▶ **to go to the dentist's** aller chez le dentiste.

dentures ['dentʃəz] npl dentier m.

deny [dɪ'naɪ] vt **1.** nier **2.** [refuse] refuser.

deodorant [diː'əʊdərənt] n déodorant m.

deodorizer [diː'əʊdəraɪzəʳ] n [for home] désodorisant m.

depart [dɪ'pɑːt] vi partir.

department [dɪ'pɑːtmənt] n **1.** [of business] service m **2.** [of government] ministère m **3.** [of shop] rayon m **4.** [of school, university] département m.

department store n grand magasin m.

departure [dɪ'pɑːtʃəʳ] n départ m ▶ **'departures'** [at airport] 'départs'.

departure lounge n salle f d'embarquement.

depend [dɪ'pend] vi : **it depends** ça dépend. ◆ **depend on** insep dépendre de ▸ **depending on** selon.

dependable [dɪ'pendəbl] adj fiable.

dependant [dɪ'pendənt] n personne f à charge.

dependency culture n situation d'une société dont les membres ont une mentalité d'assistés.

dependent [dɪ'pendənt] adj [reliant] : **dependent (on)** dépendant(e) (de).

deplorable [dɪ'plɔːrəbl] adj déplorable.

deport [dɪ'pɔːt] vt expulser.

deposit [dɪ'pɒzɪt] ◆ n 1. [in bank, substance] dépôt m 2. [part-payment] acompte m 3. [against damage] caution f 4. [on bottle] consigne f. ◆ vt déposer.

deposit account n UK compte m sur livret.

depressed [dɪ'prest] adj déprimé(e).

depressing [dɪ'presɪŋ] adj déprimant(e).

depression [dɪ'preʃn] n dépression f.

deprive [dɪ'praɪv] vt : **to deprive sb of a right** priver qqn d'un droit.

dept. abbr of **department**.

depth [depθ] n profondeur f ▸ **to be out of one's depth** a) [when swimming] ne pas avoir pied b) [fig] perdre pied ▸ **depth of field** [in photography] profondeur de champ.

deputy [dɪ'pjʊtɪ] adj adjoint(e).

derailleur [dəˈreɪljəʳ] n dérailleur m.

derailment [dɪ'reɪlmənt] n déraillement m.

derelict ['derəlɪkt] adj abandonné(e).

derv [dɜːv] n (U) UK gas-oil m.

descend [dɪ'send] vt & vi descendre.

descendant [dɪ'sendənt] n descendant m, -e f.

descent [dɪ'sent] n descente f.

describe [dɪ'skraɪb] vt décrire.

description [dɪ'skrɪpʃn] n description f.

deseed [ˌdiːˈsiːd] vt [fruit] épépiner.

desert ◆ n ['dezət] désert m. ◆ vt [dɪ'zɜːt] abandonner.

deserted [dɪ'zɜːtɪd] adj désert(e).

deserve [dɪ'zɜːv] vt mériter.

design [dɪ'zaɪn] ◆ n 1. [pattern, art] dessin m 2. [of machine, building] conception f. ◆ vt 1. [building, dress] dessiner 2. [machine] concevoir ▸ **to be designed for** être conçu pour.

Design and Technology n UK SCH technologie f (matière scolaire), techno f inf.

designer [dɪ'zaɪnəʳ] ◆ n 1. [of clothes] couturier m, -ière f 2. [of building] architecte m ou f 3. [of product] designer m. ◆ adj [clothes, sunglasses] de marque.

desirable [dɪ'zaɪərəbl] adj souhaitable.

desire [dɪ'zaɪəʳ] ◆ n désir m. ◆ vt désirer ▸ **it leaves a lot to be desired** ça laisse à désirer.

desk [desk] n 1. [in home, office] bureau m 2. [in school] table f 3. [at airport] comptoir m 4. [at hotel] réception f.

desktop n bureau m.

desktop publishing ['desk,tɒp-] n publication f assistée par ordinateur.

despair [dɪ'speəʳ] n (U) désespoir m.

despatch [dɪ'spætʃ] = **dispatch**.

desperate ['despərət] adj désespéré(e) ▸ **to be desperate for sthg** avoir absolument besoin de qqch.

despicable [dɪ'spɪkəbl] adj méprisable.

despise [dɪ'spaɪz] vt mépriser.

despite [dɪ'spaɪt] prep malgré.

dessert [dɪ'zɜːt] n dessert m.

dessertspoon [dɪ'zɜːtspuːn] n 1. cuillère f à dessert 2. [spoonful] cuillerée f à dessert.

destination [,destɪ'neɪʃn] n destination f.

destroy [dɪ'strɔɪ] vt détruire.

destruction [dɪ'strʌkʃn] n destruction f.

detach [dɪ'tætʃ] vt détacher.

detached house [dɪ'tætʃt-] n maison f individuelle.

detail ['diːteɪl] n (U) détail m ▸ **in detail** en détail. ◆ **details** npl [facts] renseignements mpl.

detailed ['diːteɪld] adj détaillé(e).

detailing [dɪ'teɪlɪŋ] n US [thorough cleaning] nettoyage m complet.

detect [dɪ'tekt] vt détecter.

detective [dɪ'tektɪv] n détective m ▸ a **detective story** une histoire policière.

detention [dɪ'tenʃn] n SCH retenue f.

detergent [dɪ'tɜːdʒənt] n détergent m.

deteriorate [dɪ'tɪərɪəreɪt] vi se détériorer.

determination [dɪ,tɜːmɪ'neɪʃn] n (U) détermination f.

determine [dɪ'tɜːmɪn] vt déterminer.

determined [dɪ'tɜːmɪnd] adj déterminé(e) ▸ **to be determined to do sthg** être déterminé à faire qqch.

deterrent [dɪ'terənt] n moyen m de dissuasion.

detest [dɪ'test] vt détester.

detour ['diː,tʊəʳ] n détour m.

detrain [,diː'treɪn] vi fml descendre (du train).

Dettol® ['detɒl] n solution antiseptique.

deuce [djuːs] n [in tennis] égalité f.

develop [dɪ'veləp] ◆ vt 1. développer 2. [land] exploiter 3. [machine, method] mettre au point 4. [illness, habit] contracter. ◆ vi se développer.

developed [dɪ'veləpt] adj [country] développée(e).

developing country [dɪ'veləpɪŋ-] n pays m en voie de développement.

development [dɪ'veləpmənt] n (U) développement m ▸ **a housing development** US une cité.

device [dɪ'vaɪs] n appareil m.

device-agnostic adj [application] universel(le) (fonctionnant sur n'importe quel type d'ordinateur, de téléphone, etc.).

devil ['devl] n diable m ▸ **what the devil...?** inf que diable... ?

devise [dɪ'vaɪz] vt concevoir.

devolution [,diːvə'luːʃn] n POL décentralisation f.

devote [dɪ'vəʊt] vt : **to devote sthg to sthg** consacrer qqch à qqch.

devoted [dɪ'vəʊtɪd] adj dévoué(e) ▸ **to be devoted to sb** être dévoué à qqn.

dew [djuː] n (U) rosée f.

diabetes [,daɪə'biːtiːz] n (U) diabète m.

diabetic [,daɪə'betɪk] ◆ adj 1. [person] diabétique 2. [chocolate] pour diabétiques. ◆ n diabétique m ou f.

diagnose ['daɪəgnəʊz] vt diagnostiquer.

diagnosis [,daɪəg'nəʊsɪs] (pl -oses) n diagnostic m.

diagonal [daɪ'ægənl] adj diagonal(e).

diagram ['daɪəgræm] n diagramme m.

dial ['daɪəl] ◆ n cadran m. ◆ vt composer.

dialling code ['daɪəlɪŋ-] n UK indicatif m.

dialling tone ['daɪəlɪŋ-] n UK tonalité f.

dial tone US = **dialling tone**.

dial-up n : **dial-up access** accès m commuté ▸ **dial-up connection** connexion f par téléphone ▸ **dial-up modem** modem m téléphonique.

diameter [daɪ'æmɪtə'] n diamètre m.

diamond ['daɪəmənd] n [gem] diamant m. ◆ **diamonds** npl [in cards] carreau m.

diaper ['daɪpə'] n US couche f.

diarrhea US = **diarrhoea**.

diarrhoea [,daɪə'rɪə] n (U) UK diarrhée f.

diary ['daɪərɪ] n 1. [for appointments] agenda m 2. [journal] journal m.

dice [daɪs] (pl inv) n dé m.

diced [daɪst] adj [food] coupé(e) en dés.

dick [dɪk] n 1. vulg [penis] queue f 2. UK vulg [idiot] con m.

dictate [dɪk'teɪt] vt dicter.

dictation [dɪk'teɪʃn] n dictée f.

dictator [dɪk'teɪtə'] n dictateur m.

dictionary ['dɪkʃənrɪ] n dictionnaire m.

did [dɪd] pt → **do**.

didn't ['dɪdnt] → **did not**.

die [daɪ] (pt & pp died, cont dying ['daɪɪŋ]) vi mourir ▸ **to be dying for sthg** inf avoir une envie folle de qqch ▸ **to be dying to do sthg** inf mourir d'envie de faire qqch. ◆ **die away** vi 1. [sound] s'éteindre 2. [wind] tomber. ◆ **die out** vi disparaître.

diesel ['diːzl] n (U) diesel m.

diet ['daɪət] ◆ n 1. [for slimming, health] régime m 2. [food eaten] alimentation f. ◆ vi faire (un) régime. ◆ adj de régime.

diet Coke® n Coca® m inv light.

differ ['dɪfə'] vi [disagree] être en désaccord ▸ **to differ (from)** [be dissimilar] différer (de).

difference ['dɪfrəns] n différence f ▸ **it makes no difference** ça ne change rien ▸ **a difference of opinion** une divergence d'opinion.

different ['dɪfrənt] adj différent(e) ▸ **to be different (from)** être différent (de) ▸ **a different route** un autre itinéraire.

differently ['dɪfrəntlɪ] adv différemment.

difficult ['dɪfɪkəlt] adj difficile.

difficulty ['dɪfɪkəltɪ] n difficulté f.

dig [dɪg] (pt & pp dug) ◆ vt 1. [hole, tunnel] creuser 2. [garden, land] retourner. ◆ vi creuser. ◆ **dig out** vt sep 1. [rescue] dégager 2. [find] dénicher. ◆ **dig up** vt sep [from ground] déterrer.

digest [dɪ'dʒest] vt digérer.

digestion [dɪ'dʒestʃn] n (U) digestion f.

digestive [dɪ'dʒestɪv-] n UK biscuit à la farine complète.

digger ['dɪgə'] n 1. [machine] pelleteuse f 2. inf [Australian] Australien *m*, -enne *f* ; [New Zealander] Néo-Zélandais *m*, -e *f*.

digibox ['dɪdʒɪbɒks] n UK TV décodeur *m* numérique.

digit ['dɪdʒɪt] n **1.** [figure] chiffre *m* **2.** [finger, toe] doigt *m*.

digital ['dɪdʒɪtl] adj numérique.

digital broadcasting n diffusion *f* numérique.

digital camcorder n Caméscope® *m* numérique.

digital camera n appareil *m* photo numérique.

digitally remastered adj remixé en numérique.

digital radio n radio *f* numérique.

digital signature n signature *f* électronique or numérique.

digitise UK, **digitize** US ['dɪdʒɪtaɪz] vt numériser.

digs [dɪgz] npl UK inf piaule *f*.

dill [dɪl] n aneth *m*.

dilute [daɪ'luːt] vt diluer.

dim [dɪm] ◆ adj **1.** [light] faible **2.** [room] sombre ◆. inf [stupid] borné(e). ◆ vt [light] baisser.

dime [daɪm] n US pièce *f* de dix cents.

dimensions [dɪ'menʃnz] npl dimensions *fpl*.

dimple ['dɪmpl] n fossette *f*.

din [dɪn] n (U) vacarme *m*.

dine [daɪn] vi dîner. ◆ **dine out** vi dîner dehors.

diner ['daɪnər] n **1.** US [restaurant] ≃ relais *m* routier **2.** [person] dîneur *m*, -euse *f*.

dinghy ['dɪŋgɪ] n **1.** [with sail] dériveur *m* **2.** [with oars] canot *m*.

dingy ['dɪndʒɪ] adj miteux(euse).

dining car ['daɪnɪŋ-] n wagon-restaurant *m*.

dining hall ['daɪnɪŋ-] n réfectoire *m*.

dining room ['daɪnɪŋ-] n salle *f* à manger.

dinner ['dɪnər] n **1.** [at lunchtime] déjeuner *m* **2.** [in evening] dîner *m* ▶ **to have dinner** a) [at lunchtime] déjeuner b) [in evening] dîner.

dinner jacket n veste *f* de smoking.

dinner party n dîner *m*.

dinner service n service *m* de table.

dinner set n service *m* de table.

dinner suit n smoking *m*.

dinnertime ['dɪnətaɪm] n (U) **1.** [at lunchtime] heure *f* du déjeuner **2.** [in evening] heure *f* du dîner.

dinosaur ['daɪnəsɔːr] n dinosaure *m*.

dip [dɪp] ◆ n **1.** [in road, land] déclivité *f* **2.** [food] mélange crémeux, souvent à base de mayonnaise, dans lequel on trempe des chips ou des légumes crus. ◆ vt [into liquid] tremper. ◆ vi [road, land] descendre ▶ **to have a dip** [swim] se baigner ▶ **to dip one's headlights** UK se mettre en codes.

diploma [dɪ'pləʊmə] n diplôme *m*.

diplomat ['dɪpləmæt] n diplomate *m*.

dipped headlights npl feux *mpl* de croisement.

dipstick ['dɪpstɪk] n jauge *f* (de niveau d'huile).

direct [dɪ'rekt] ◆ adj direct(e). ◆ adv directement. ◆ vt **1.** [aim, control] diriger **2.** [a question] adresser **3.** [film, play, TV programme] mettre en scène ▶ **can you direct me to the railway station?** pourriez-vous m'indiquer le chemin de la gare ?

direct current n courant m continu.

direct debit n 🇬🇧 prélèvement m automatique.

direction [dɪ'rekʃn] n 1. [of movement] direction f ▶ **to ask for directions** demander son chemin. ◆ **directions** npl [instructions] instructions fpl.

directly [dɪ'rektlɪ] adv 1. [exactly] exactement 2. [soon] immédiatement.

director [dɪ'rektəʳ] n 1. [of company] directeur m, -trice f 2. [of film, play, TV programme] metteur m en scène 3. [organizer] organisateur m, -trice f.

directory [dɪ'rektərɪ] n 1. [of telephone numbers] annuaire m 2. COMPUT répertoire m.

directory assistance 🇺🇸 n = **directory enquiries**.

directory enquiries n 🇬🇧 renseignements mpl (téléphoniques).

dirt [dɜːt] n (U) 1. crasse f 2. [earth] terre f.

dirty ['dɜːtɪ] adj 1. sale 2. [joke] cochon(onne).

dirty bomb n bombe f sale.

dis [dɪs] 🇺🇸 inf vt = **diss**.

disability [,dɪsə'bɪlətɪ] n handicap m.

disabled [dɪs'eɪbld] ◆ adj handicapé(e). ◆ npl : **the disabled** les handicapés mpl ▶ '**disabled toilet**' 'toilettes handicapés'.

disadvantage [,dɪsəd'vɑːntɪdʒ] n inconvénient m.

disagree [,dɪsə'griː] vi ne pas être d'accord ▶ **to disagree with sb (about)** ne pas être d'accord avec qqn (sur) ▶ **those mussels disagreed with me** ces moules ne m'ont pas réussi.

disagreement [,dɪsə'griːmənt] n 1. [argument] désaccord m 2. (U) [dissimilarity] différence f.

disappear [,dɪsə'pɪəʳ] vi disparaître.

disappearance [,dɪsə'pɪərəns] n disparition f.

disappoint [,dɪsə'pɔɪnt] vt décevoir.

disappointed [,dɪsə'pɔɪntɪd] adj déçu(e).

disappointing [,dɪsə'pɔɪntɪŋ] adj décevant(e).

disappointment [,dɪsə'pɔɪntmənt] n déception f.

disapprove [,dɪsə'pruːv] vi : **to disapprove of** désapprouver.

disarmament [dɪs'ɑːməmənt] n (U) désarmement m.

disaster [dɪ'zɑːstəʳ] n désastre m.

disastrous [dɪ'zɑːstrəs] adj désastreux(euse).

disc [dɪsk] n 1. 🇬🇧 disque m 2. [CD] CD m ▶ **to slip a disc** se déplacer une vertèbre.

discard [dɪ'skɑːd] vt jeter.

discharge [dɪs'tʃɑːdʒ] vt 1. [prisoner] libérer 2. [patient] laisser sortir 3. [smoke, gas] émettre 4. [liquid] laisser s'écouler.

disciple [dɪ'saɪpl] n disciple m.

discipline ['dɪsɪplɪn] n (U) discipline f.

disc jockey n disc-jockey m.

disclose [dɪs'kləʊz] vt révéler, divulguer.

disco ['dɪskəʊ] n 1. [place] boîte f (de nuit) 2. [event] soirée f dansante (où l'on passe des disques).

discoloured 🇬🇧, **discolored** 🇺🇸 [dɪs'kʌləd] adj 1. décoloré(e) 2. [teeth] jauni(e).

discomfort [dɪs'kʌmfət] n gêne f.

disconnect [,dɪskə'nekt] vt **1.** [device, pipe] débrancher **2.** [telephone, gas supply] couper.

discontinue [,dɪskən'tɪnjuː] vt cesser, interrompre.

discontinued [,dɪskən'tɪnjuːd] adj [product] qui ne se fait plus.

discotheque [,dɪskəʊtek] n **1.** [place] discothèque f **2.** [event] soirée f dansante (où l'on passe des disques).

discount ['dɪskaʊnt] ◆ n remise f. ◆ vt [product] faire une remise sur.

discover [dɪ'skʌvəʳ] vt découvrir.

discovery [dɪ'skʌvərɪ] n découverte f.

discreet [dɪ'skriːt] adj discret(ète).

discrepancy [dɪ'skrepənsɪ] n divergence f.

discriminate [dɪ'skrɪmɪneɪt] vi **: to discriminate against sb** faire de la discrimination envers qqn.

discrimination [dɪ,skrɪmɪ'neɪʃn] n (U) discrimination f.

discuss [dɪ'skʌs] vt discuter de.

discussion [dɪ'skʌʃn] n discussion f.

discussion group n groupe m de discussion.

disease [dɪ'ziːz] n maladie f.

disembark [,dɪsɪm'bɑːk] vi débarquer.

disgrace [dɪs'greɪs] n (U) [shame] honte f ▸ **it's a disgrace!** c'est une honte !

disgraceful [dɪs'greɪsfʊl] adj honteux(euse).

disguise [dɪs'gaɪz] ◆ n déguisement m. ◆ vt déguiser ▸ **in disguise** déguisé.

disgust [dɪs'gʌst] ◆ n (U) dégoût m. ◆ vt dégoûter.

disgusting [dɪs'gʌstɪŋ] adj dégoûtant(e).

dish [dɪʃ] n **1.** plat m **2.** US [plate] assiette f ▸ **to do the dishes** faire la vaisselle ▸ **'dish of the day'** 'plat du jour'. ◆ **dish up** vt sep servir.

dishcloth ['dɪʃklɒθ] n lavette f.

disheveled [dɪ'ʃevəld] US = **dishevelled**.

dishevelled [dɪ'ʃevəld] adj UK **1.** [hair] ébouriffé(e) **2.** [person] débraillé(e).

dishonest [dɪs'ɒnɪst] adj malhonnête.

dish rack n égouttoir m (à vaisselle).

dish towel n US torchon m.

dishwasher ['dɪʃ,wɒʃəʳ] n [machine] lave-vaisselle m inv.

dishwashing liquid n US liquide m vaisselle.

dishwater ['dɪʃ,wɔːtəʳ] n eau f de vaisselle.

disinfect [,dɪsɪn'fekt] vt désinfecter.

disinfectant [,dɪsɪn'fektənt] n désinfectant m.

disintegrate [dɪs'ɪntɪgreɪt] vi se désintégrer.

disk [dɪsk] n **1.** US = **disc 2.** [hard disk] disque m **3.** [floppy disk] disquette f.

disk drive n lecteur m (de disquettes).

disk space n espace m disque.

dislike [dɪs'laɪk] ◆ n (U) aversion f. ◆ vt ne pas aimer ▸ **to take a dislike to sb / sthg** prendre qqn / qqch en grippe.

dislocate ['dɪsləkeɪt] vt **: to dislocate one's shoulder** se déboîter l'épaule.

dismal ['dɪzml] adj **1.** [weather, place] lugubre **2.** [terrible] très mauvais(e).

dismantle [dɪs'mæntl] vt démonter.

dismay [dɪs'meɪ] n (U) consternation f.

dismiss [dɪsˈmɪs] vt 1. [not consider] écarter 2. [from job] congédier 3. [from classroom] laisser sortir.

disobedient [ˌdɪsəˈbiːdjənt] adj désobéissant(e).

disobey [ˌdɪsəˈbeɪ] vt désobéir à.

disorder [dɪsˈɔːdəʳ] n 1. (U) [confusion] désordre m 2. (U) [violence] troubles mpl 3. [illness] trouble m.

disorganization, disorganisation [ˌdɪsˌɔːgənaɪˈzeɪʃn] n désorganisation f.

disorganized [dɪsˈɔːgənaɪzd] adj désorganisé(e).

disorienting [dɪsˈɔːrɪəntɪŋ] US adj déroutant(e).

dispatch [dɪˈspætʃ] vt envoyer.

dispense [dɪˈspens] ♦ **dispense with** vt insep se passer de.

dispenser [dɪˈspensəʳ] n distributeur m.

dispensing chemist [dɪˈspensɪŋ-] n UK pharmacie f.

disperse [dɪˈspɜːs] ♦ vt disperser. ♦ vi se disperser.

display [dɪˈspleɪ] ♦ n 1. [of goods] étalage m 2. [public event] spectacle m 3. [readout] affichage m 4. COMPUT affichage m. ♦ vt 1. [goods] exposer 2. [feeling, quality] faire preuve de 3. [information] afficher ▶ **on display** exposé.

displeased [dɪsˈpliːzd] adj mécontent(e).

disposable [dɪˈspəʊzəbl] adj jetable.

disposable camera n appareil m (jetable).

disposal [dɪˈspəʊzl] n 1. [removal] enlèvement m 2. [availability] **: at sb's disposal** à la disposition de qqn.

dispute [dɪˈspjuːt] ♦ n 1. [argument] dispute f 2. [industrial] conflit m. ♦ vt 1. [debate] débattre (de) 2. [question] contester.

disqualify [ˌdɪsˈkwɒlɪfaɪ] vt disqualifier ▶ **he is disqualified from driving** UK on lui a retiré son permis de conduire.

disregard [ˌdɪsrɪˈgɑːd] vt ne pas tenir compte de, ignorer.

disrupt [dɪsˈrʌpt] vt perturber.

disruption [dɪsˈrʌpʃn] n perturbation f.

diss [dɪs] vt 1. US inf faire semblant de ne pas voir, ignorer 2. (written abbr of **disrespect**) insulter.

dissatisfaction [ˈdɪsˌsætɪsˈfækʃn] n mécontentement m.

dissatisfied [ˌdɪsˈsætɪsfaɪd] adj mécontent(e).

dissertation [ˌdɪsəˈteɪʃn] n 1. thèse f (de doctorat) 2. [at the university] mémoire m.

dissolve [dɪˈzɒlv] ♦ vt dissoudre. ♦ vi se dissoudre.

dissuade [dɪˈsweɪd] vt **: to dissuade sb from doing sthg** dissuader qqn de faire qqch.

distance [ˈdɪstəns] n distance f ▶ **from a distance** de loin ▶ **in the distance** au loin.

distant [ˈdɪstənt] adj 1. lointain(e) 2. [reserved] distant(e).

distilled water [dɪˈstɪld-] n (U) eau f distillée.

distillery [dɪˈstɪlərɪ] n distillerie f.

distinct [dɪˈstɪŋkt] adj 1. [separate] distinct(e) 2. [noticeable] net (nette).

distinction [dɪˈstɪŋkʃn] n 1. [difference] distinction f 2. [mark for work] mention f très bien.

distinctive [dɪ'stɪŋktɪv] adj distinctif(ive).

distinguish [dɪ'stɪŋgwɪʃ] vt distinguer ▸ **to distinguish one thing from another** distinguer une chose d'une autre.

distorted [dɪ'stɔːtɪd] adj déformé(e).

distract [dɪ'strækt] vt distraire.

distraction [dɪ'strækʃn] n distraction f.

distress [dɪ'stres] n (U) 1. [pain] souffrance f 2. [anxiety] angoisse f.

distressing [dɪ'stresɪŋ] adj pénible.

distribute [dɪ'strɪbjuːt] vt 1. [hand out] distribuer 2. [spread evenly] répartir.

distribution [,dɪstrɪ'bjuːʃn] n 1. [gen] distribution f 2. [spreading out] répartition f.

distributor [dɪ'strɪbjʊtəʳ] n distributeur m.

district ['dɪstrɪkt] n 1. région f 2. [of town] quartier m.

district attorney n US ≃ procureur m de la République.

disturb [dɪ'stɜːb] vt 1. [interrupt, move] déranger 2. [worry] inquiéter ▸ **'do not disturb'** 'ne pas déranger'.

disturbance [dɪ'stɜːbəns] n [violence] troubles mpl.

ditch [dɪtʃ] n fossé m.

dithering ['dɪðərɪŋ] n COMPUT tramage m.

ditto ['dɪtəʊ] adv idem.

divan [dɪ'væn] n divan m.

dive [daɪv] US pt -d or **dove**, UK pt -d) ◆ n plongeon m. ◆ vi plonger.

diver ['daɪvəʳ] n plongeur m, -euse f.

diverse [daɪ'vɜːs] adj divers(e).

diversion [daɪ'vɜːʃn] n 1. [of traffic] déviation f 2. [amusement] distraction f.

diversity [daɪ'vɜːsətɪ] n diversité f.

divert [daɪ'vɜːt] vt détourner.

divide [dɪ'vaɪd] vt 1. diviser 2. [share out] partager ▸ **divide up** vt sep 1. diviser 2. [share out] partager.

diving ['daɪvɪŋ] n (U) 1. [from diving-board, rock] plongeon m 2. [under sea] plongée f (sous-marine) ▸ **to go diving** faire de la plongée.

diving board n plongeoir m.

division [dɪ'vɪʒn] n 1. division f 2. COMM service m.

divorce [dɪ'vɔːs] ◆ n divorce m. ◆ vt divorcer de en of any.

divorced [dɪ'vɔːst] adj divorcé(e).

DIY (U) n abbr of **do-it-yourself**.

dizzy ['dɪzɪ] adj : **to feel dizzy** avoir la tête qui tourne.

DJ (abbr of **disc jockey**) n DJ m (disc-jockey).

DNA (abbr of **deoxyribonucleic acid**) n ADN m (acide désoxyribonucléique).

do [duː] (pt did, pp done, pl dos) ◆ aux vb 1. [in negatives] : **don't do that!** ne fais pas ça ! ▸ **she didn't listen** elle n'a pas écouté 2. [in questions] : **did he like it?** est-ce qu'il a aimé ? ▸ **how do you do it?** comment fais-tu ça ? 3. [referring to previous verb] : **I eat more than you do** je mange plus que toi ▸ **you made a mistake** — **no I didn't!** tu t'es trompé — non, ce n'est pas vrai ! ▸ **so do I** moi aussi 4. [in question tags] : **so, you like Scotland, do you?** alors, tu aimes bien l'Écosse ? ▸ **the train leaves at five o'clock, doesn't it?** le train part à cinq heures, n'est-ce pas ? 5. [for emphasis] :

I do like this bedroom j'aime vraiment cette chambre ▸ **do come in!** entrez donc! ◆ vt **1.** [perform] faire ▸ **to do one's homework** faire ses devoirs ▸ **what is she doing?** qu'est-ce qu'elle fait ? ▸ **what can I do for you?** je peux vous aider ? **2.** [clean, brush, etc.] **: to do one's hair** se coiffer ▸ **to do one's make-up** se maquiller ▸ **to do one's teeth** se laver les dents **3.** [cause] faire ▸ **to do damage** faire des dégâts ▸ **the rest will do you good** le repos te fera du bien **4.** [have as job] **: what do you do?** qu'est-ce que vous faites dans la vie ? **5.** [provide, offer] faire ▸ **we do pizzas for under £4** nos pizzas sont à moins de 4 livres **6.** [study] faire **7.** [subj: vehicle] **: the car was doing 50 mph** la voiture faisait du 80 à l'heure **8.** *inf* [visit] faire ▸ **we're doing Scotland next week** on fait l'Écosse la semaine prochaine ◆ vi **1.** [behave, act] faire ▸ **do as I say** fais ce que je te dis **2.** [progress, get on] **: to do well** [business] marcher bien ▸ **I'm not doing very well** ça ne marche pas très bien **3.** [be sufficient] aller, être suffisant ▸ **will £5 do?** 5 livres, ça ira ? **4.** [in phrases] **: how do you do?** a) [greeting] enchanté ! b) [answer] de même ! ▸ **how are you doing?** comment ça va ? ▸ **what has that got to do with it?** qu'est-ce que ça a à voir ?
◆ n [party] fête f, soirée f ▸ **the dos and don'ts** les choses à faire et à ne pas faire

◆ **do out of** vt sep *inf* **: to do sb out of £10** entuber qqn de 10 livres.

◆ **do up** vt sep [coat, shirt] boutonner ; [shoes, laces] attacher ; [zip] remonter ; [decorate] refaire.

◆ **do with** vt insep [need] **: I could do with a drink** un verre ne serait pas de refus.

◆ **do without** vt insep se passer de.

dock [dɒk] ◆ n **1.** [for ships] dock *m* **2.** LAW banc *m* des accusés. ◆ vi arriver à quai.

docking station n station f d'accueil (d'un appareil électronique).

doctor ['dɒktər] n **1.** [of medicine] docteur *m*, médecin *m* **2.** [academic] docteur *m* ▸ **to go to the doctor's** aller chez le docteur oʀ le médecin.

document ['dɒkjumənt] n document *m*.

documentary [ˌdɒkjuˈmentərɪ] n documentaire *m*.

docusoap ['dɒkjuːsəʊp] n docudrame *m* (sous forme de feuilleton).

Dodgems® ['dɒdʒəmz] npl 🇬🇧 autos fpl tamponneuses.

dodgy ['dɒdʒɪ] adj 🇬🇧 *inf* **1.** [plan] douteux(euse) **2.** [machine] pas très fiable.

does (weak form [dəz], strong form [dʌz]) → **do**.

doesn't ['dʌznt] → **does not**.

dog [dɒg] n chien *m*.

dog food n (U) nourriture f pour chien.

doggone ['dɑːgɒn] excl 🇺🇸 *inf* **: doggone (it)!** zut !

doggy bag ['dɒgɪ-] n sachet servant aux clients d'un restaurant à emporter les restes de leur repas. 🇬🇧

dog mess n (U) crottes fpl de chien.

do-it-yourself n (U) bricolage *m*.

dole [dəʊl] n **: to be on the dole** 🇬🇧 être au chômage.

doll [dɒl] n poupée f.

dollar ['dɒlər] n dollar *m*.

Dolomites ['dɒləmaɪts] pl **: the Dolomites** les Dolomites fpl, les Alpes fpl dolomitiques.

dolphin ['dɒlfɪn] n dauphin m.

dome [dəʊm] n dôme m.

domestic [də'mestɪk] adj 1. [of house] ménager(ère) 2. [of family] familial(e) 3. [of country] intérieur(e).

domestic appliance n appareil m ménager.

domestic flight n vol m intérieur.

domestic science n (U) enseignement m ménager.

dominate ['dɒmɪneɪt] vt dominer.

Dominican Republic n : the Dominican Republic la République dominicaine.

dominoes ['dɒmɪnəʊz] n (U) dominos mpl.

donate [də'neɪt] vt donner.

donation [də'neɪʃn] n don m.

done [dʌn] ◆ pp → do. ◆ adj 1. [finished] fini(e) 2. [cooked] cuit(e).

donkey ['dɒŋkɪ] n âne m.

donor ['dəʊnəʳ] n 1. MED donneur m, -euse f 2. [to charity] donateur m, -trice f.

don't [dəʊnt] → do not.

donut ['dəʊnʌt] US = doughnut.

door [dɔːʳ] n 1. porte f 2. [of vehicle] portière f.

doorbell ['dɔːbel] n sonnette f.

doorknob ['dɔːnɒb] n bouton m de porte.

doorman ['dɔːmən] (pl -men) n portier m.

doormat ['dɔːmæt] n paillasson m.

doormen ['dɔːmən] pl → doorman.

doorstep ['dɔːstep] n 1. pas m de la porte 2. UK [piece of bread] tranche f de pain épaisse.

doorway ['dɔːweɪ] n embrasure f de la porte.

dope [dəʊp] n (U) inf 1. [any drug] dope f 2. [marijuana] herbe f.

dork [dɔːk] n US inf [idiot] niais m, -e f ; [studious person] binoclard m, -e f.

dorm US inf n = dormitory.

dormitory ['dɔːmətrɪ] n dortoir m.

Dormobile® ['dɔːməbiːl] n UK camping-car m.

dosage ['dəʊsɪdʒ] n dosage m.

dose [dəʊs] n dose f.

dot [dɒt] n point m ▸ **on the dot** fig (à l'heure) pile.

dotcom ['dɒtkɒm] n dot com f.

dotted line ['dɒtɪd-] n ligne f pointillée.

double ['dʌbl] ◆ adv deux fois. ◆ n 1. double m 2. [alcohol] double dose f. ◆ vt & vi doubler. ◆ adj double ▸ **double three, two, eight** trente-trois, vingt-huit ▸ **double "l"** deux « l » ▸ **to bend sthg double** plier qqch en deux ▸ **a double whisky** un double whisky. ◆ **doubles** n double m.

double bed n grand lit m.

double-breasted [-'brestɪd] adj croisé(e).

double click n double-clic m.

double-click vi double-cliquer.

double cream n (U) UK crème f fraîche épaisse.

double-decker (bus) [-'dekəʳ-] n autobus m à impériale.

double doors npl porte f à deux battants.

double-glazing [-'gleɪzɪŋ] n UK double vitrage m.

double-page spread n [newspaper, typography] double page f.

double room n chambre f double.

double yellow (line) n UK : **to be parked on a double yellow (line)** être en stationnement interdit.

doubt [daʊt] ◆ n doute m. ◆ vt douter de ▸ **I doubt it** j'en doute ▸ **I doubt she'll be there** je doute qu'elle soit là ▸ **in doubt** incertain ▸ **no doubt** sans aucun doute.

doubtful ['daʊtfʊl] adj [uncertain] incertain(e) ▸ **it's doubtful that...** il est peu probable que... (+ subjunctive).

dough [dəʊ] n (U) pâte f.

doughnut ['dəʊnʌt] n beignet m.

dove¹ [dʌv] n [bird] colombe f.

dove² [dəʊv] US pt → **dive**.

Dover ['dəʊvəʳ] n Douvres.

Dover sole n sole f.

down [daʊn] ◆ adv 1. [towards the bottom] vers le bas ▸ **down here** ici en bas ▸ **down there** là en bas ▸ **to fall down** tomber ▸ **to go down** descendre 2. [along] : **I'm going down to the shops** je vais jusqu'aux magasins 3. [downstairs] : **I'll come down later** je descendrai plus tard 4. [southwards] : **we're going down to London** nous descendons à Londres 5. [in writing] **to write sthg down** écrire OR noter qqch
◆ prep 1. [towards the bottom of] : **they ran down the hill** ils ont descendu la colline en courant 2. [along]

le long de ▸ **I was walking down the street** je descendais la r
◆ adj inf [depressed] cafardeux(euse)
◆ n [feathers] duvet m
◆ **downs** npl UK collines fpl.

downhill [ˌdaʊn'hɪl] adv : **to go downhill** descendre.

Downing Street ['daʊnɪŋ-] n Downing Street.

ⓘ **Downing Street**

Le numéro 10 de cette rue de Westminster, à Londres, est la résidence officielle du Premier ministre, où se tiennent les réunions protocolaires du Conseil des ministres et où sont reçus les dignitaires étrangers (l'expression est également utilisée par les médias pour faire référence au gouvernement britannique). Tony Blair est le premier chef d'État à avoir choisi de résider au numéro 11 de la même rue, résidence habituelle du ministre des Finances.

download [ˌdaʊn'ləʊd] vt télécharger.

downloadable [ˌdaʊn'ləʊdəbl] adj COMPUT téléchargeable.

downloading [ˌdaʊn'ləʊdɪŋ] n téléchargement m.

downpour ['daʊnpɔːʳ] n grosse averse f.

Down's syndrome n trisomie f 21.

downstairs [ˌdaʊn'steəz] ◆ adj [room] du bas. ◆ adv en bas ▸ **to go downstairs** descendre.

downstream [ˌdaʊn'striːm] adv en aval.

downtown [ˌdaʊn'taʊn] ◆ adj US 1. [hotel] du centre-ville 2. [train] en direction du centre-ville. ◆ adv US en ville ▸ **downtown New York** US le centre de New York.

down under adv US inf [in Australia] en Australie.

downward-compatible adj COMPUT compatible vers le bas.

downwards ['daʊnwədz] adv vers le bas.

doz. abbr of **dozen**.

doze [dəʊz] vi sommeiller.

dozen ['dʌzn] n douzaine f ▸ **a dozen eggs** une douzaine d'œufs.

dpi abbr of **dots per inch**.

Dr (abbr of **Doctor**) Dr (docteur).

drab [dræb] adj terne.

draft [drɑːft] n 1. [early version] brouillon m 2. [money order] traite f 3. US = **draught**.

draft beer US = **draught beer**.

drafty US = **draughty**.

drag [dræg] ◆ vt [pull along] tirer. ◆ vi [along ground] traîner (par terre) ▸ **what a drag!** inf quelle barbe ! ◆ **drag on** vi s'éterniser.

dragonfly ['drægnflaɪ] n libellule f.

drain [dreɪn] ◆ n 1. [sewer] égout m 2. [in street] bouche f d'égout. ◆ vt 1. [field] drainer 2. [tank] vidanger. ◆ vi [vegetables, washing-up] s'égoutter.

draining board ['dreɪnɪŋ-] n UK égouttoir m.

drainpipe ['dreɪnpaɪp] n tuyau m d'écoulement.

drama ['drɑːmə] n 1. [play] pièce f de théâtre 2. (U) [art] théâtre m 3. (U) [excitement] drame m.

drama queen n inf : **he's a real drama queen** il en fait des tonnes ▸ **don't be such a drama queen** arrête ton cinéma.

dramatic [drə'mætɪk] adj [impressive] spectaculaire.

dramatization, dramatisation UK [,dræmətaɪ'zeɪʃn] n adaptation f pour la télévision /la scène /l'écran.

drank [dræŋk] pt → **drink**.

drapes [dreɪps] npl US rideaux mpl.

drastic ['dræstɪk] adj 1. radical(e) 2. [improvement] spectaculaire.

drastically ['dræstɪklɪ] adv radicalement.

draught [drɑːft] n UK [of air] courant m d'air.

draught beer n UK bière f (à la) pression.

draughts [drɑːfts] n (U) UK dames fpl.

draughty ['drɑːftɪ] adj UK plein(e) de courants d'air.

draw [drɔː] (pt **drew**, pp **drawn**) ◆ vt 1. [with pen, pencil] dessiner 2. [line] tracer 3. [pull] tirer 4. [attract] attirer 5. [conclusion] tirer 6. [comparison] établir. ◆ vi 1. dessiner 2. UK SPORT faire match nul. ◆ n 1. UK SPORT [result] match m nul 2. [lottery] tirage m ▸ **to draw the curtains** a) [open] ouvrir les rideaux b) [close] tirer les rideaux. ◆ **draw out** ◆ vt sep [money] retirer. ◆ **draw up** ◆ vt sep [list, plan] établir. ◆ vi [car, bus] s'arrêter.

drawback ['drɔːbæk] n inconvénient m.

drawer [drɔːʳ] n tiroir m.

drawing ['drɔːɪŋ] n dessin m.

drawing board n planche f à dessin.

drawing pin n UK punaise f.

drawing room n salon m.

drawn [drɔːn] pp → **draw**.

dreadful ['dredfʊl] adj épouvantable.

dreadlocks ['dredlɒks] npl coiffure f rasta.

dreads [dredz] npl = **dreadlocks**.

dream [driːm] ◆ n rêve m. ◆ vt **1.** [when asleep] rêver **2.** [imagine] imaginer. ◆ vi : **to dream (of)** rêver (de) ▶ **a dream house** une maison de rêve.

dress [dres] ◆ n **1.** robe f **2.** (U) [clothes] tenue f. ◆ vt **1.** habiller **2.** [wound] panser **3.** [salad] assaisonner. ◆ vi s'habiller ▶ **to be dressed in** être vêtu de ▶ **to get dressed** s'habiller. ◆ **dress up** vi s'habiller (élégamment).

dress circle n premier balcon m.

dressed ['drest] adj habillé(e) ▶ **to be appropriately dressed** avoir une tenue appropriée ▶ **to be dressed to kill** inf [phrase] avoir un look d'enfer.

dresser ['dresər] n **1.** UK [for crockery] buffet m **2.** US [chest of drawers] commode f.

dressing ['dresɪŋ] n **1.** [for salad] assaisonnement m **2.** [for wound] pansement m.

dressing gown n robe f de chambre.

dressing room n **1.** SPORT vestiaire m **2.** [in theatre] loge f.

dressing table n coiffeuse f.

dressmaker ['dres,meɪkər] n couturier m, -ière f.

dress rehearsal n répétition f générale.

drew [druː] pt → **draw**.

dribble ['drɪbl] vi **1.** [liquid] tomber goutte à goutte **2.** [baby] baver.

drier ['draɪər] = **dryer**.

drift [drɪft] ◆ n [of snow] congère f. ◆ vi **1.** [in wind] s'amonceler **2.** [in water] dériver.

drill [drɪl] ◆ n **1.** [electric tool] perceuse f **2.** [manual tool] chignole f **3.** [of dentist] roulette f. ◆ vt [hole] percer.

drilling ['drɪlɪŋ] n **1.** (U) [in metal, wood] forage m, perçage m **2.** [by dentist] fraisage m.

drilling platform n plate-forme f (de forage).

drilling rig n [on land] derrick m, tour f de forage.

drink [drɪŋk] (pt **drank**, pp **drunk**) ◆ n **1.** boisson f **2.** [alcoholic] verre m. ◆ vt & vi boire ▶ **would you like a drink?** voulez-vous quelque chose à boire ? ▶ **to have a drink** [alcoholic] prendre un verre.

drinkable ['drɪŋkəbl] adj **1.** [safe to drink] potable **2.** [wine] buvable.

drink-driver n UK conducteur m, -trice f ivre.

drinking water ['drɪŋkɪŋ-] n (U) eau f potable.

drip [drɪp] ◆ n **1.** [drop] goutte f **2.** MED goutte-à-goutte m inv. ◆ vi **1.** goutter **2.** [tap] fuir ▶ **to be on a drip** être sous perfusion.

drip-dry adj qui ne se repasse pas.

dripping (wet) ['drɪpɪŋ-] adj trempé(e).

drive [draɪv] (pt **drove**, pp **driven** ['drɪvn]) ◆ n **1.** [journey] trajet m (en voiture) **2.** [in front of house] allée f. ◆ vt **1.** [car, bus, train, passenger] conduire **2.** [operate, power] faire marcher. ◆ vi **1.** [drive car] conduire **2.** [travel in car] aller en voiture ▶ **to go for a drive** faire un tour en voiture ▶ **to drive sb to do sthg** pousser qqn à faire qqch ▶ **to drive sb mad** rendre qqn fou.

drivel ['drɪvl] n (U) bêtises fpl.

driven ['drɪvn] pp → **drive**.

driver ['draɪvə^r] n **1.** conducteur m, -trice f **2.** COMPUT pilote m.

driver's license US = **driving licence**.

driveshaft ['draɪvʃɑːft] n arbre m de transmission.

driveway ['draɪvweɪ] n allée f.

driving instructor n moniteur m, -trice f d'auto-école.

driving lesson n leçon f de conduite.

driving licence ['draɪvɪŋ-] n UK permis m de conduire.

driving test ['draɪvɪŋ-] n examen m du permis de conduire.

drizzle ['drɪzl] n (U) bruine f.

drop [drɒp] ◆ n **1.** [of liquid] goutte f **2.** [distance down] dénivellation f **3.** [decrease] chute f. ◆ vt **1.** [let fall] laisser tomber **2.** [reduce] baisser **3.** [from vehicle] déposer. ◆ vi **1.** [fall] tomber **2.** [decrease] chuter ▸ **to drop a hint** that laisser entendre que ▸ **to drop sb a line** écrire un mot à qqn. ◆ **drop in** vi insep. ◆ **drop off** ◆ vt sep [from vehicle] déposer. ◆ vi **1.** [fall asleep] s'endormir **2.** [fall off] tomber. ◆ **drop out** vi [of college, race] abandonner.

drop-off n **1.** [decrease] baisse f, diminution f **2.** US [descent] à-pic m inv.

drought [draʊt] n sécheresse f.

drove [drəʊv] pt → **drive**.

drown [draʊn] vi se noyer.

drug [drʌg] ◆ n **1.** MED médicament m **2.** [illegal] drogue f. ◆ vt droguer.

drug addict n drogué m, -e f.

druggie ['drʌgi] n inf [addict] toxico mf.

druggist ['drʌgɪst] n US pharmacien m, -ienne f.

drugstore ['drʌgstɔː^r] n US drugstore m.

drum [drʌm] n **1.** MUS tambour m **2.** [container] bidon m.

drummer ['drʌmə^r] n **1.** joueur m, -euse f de tambour **2.** [in band] batteur m, -euse f.

drums [drʌmz] npl MUS batterie f.

drumstick ['drʌmstɪk] n [of chicken] pilon m.

drunk [drʌŋk] ◆ pp → **drink**. ◆ adj saoul(e), soûl(e). ◆ n ivrogne m ou f ▸ **to get drunk** se saouler, se soûler.

dry [draɪ] ◆ adj **1.** sec (sèche) **2.** [day] sans pluie. ◆ vt **1.** [hands, clothes] sécher **2.** [washing-up] essuyer. ◆ vi se sécher ▸ **to dry o.s.** se sécher ▸ **to dry one's hair** se sécher les cheveux. ◆ **dry up** vi **1.** [become dry] s'assécher **2.** [dry the dishes] essuyer la vaisselle.

dry-clean vt nettoyer à sec.

dry cleaner's n pressing m.

dry-cleaning n nettoyage m à sec.

dryer ['draɪə^r] n **1.** [for clothes] séchoir m **2.** [for hair] séchoir m à cheveux, sèche-cheveux m inv.

dry-roasted peanuts [-'rəʊstɪd] npl cacahuètes fpl grillées à sec.

DTP (abbr of desktop publishing) n PAO f (publication assistée par ordinateur).

dual-band adj bibande.

dual carriageway ['djuːəl-] n UK route f à quatre voies.

dual-core processor n processeur m à double cœur.

dual-heritage adj métis(isse).

dub [dʌb] (pt & pp -bed, cont -bing) vt [in foreign language] doubler.

dubbed [dʌbd] adj [film] doublé(e).

dubious ['dju:bjəs] adj [suspect] douteux(euse).

duchess ['dʌtʃis] n duchesse f.

duck [dʌk] ◆ n canard m. ◆ vi se baisser.

dude [dju:d] n US inf [man] gars m, type m.

due [dju:] adj 1. [expected] attendu(e) 2. [money, bill] dû (due) ▸ **the train is due to leave at eight o'clock** le départ du train est prévu pour huit heures ▸ **in due course** en temps voulu ▸ **due to** en raison de.

due diligence n FIN due-diligence f.

duet [dju:'et] n duo m.

duffel bag ['dʌfl-] n sac m marin.

duffel coat ['dʌfl-] n duffel-coat m.

dug [dʌg] pt & pp → **dig**.

duke [dju:k] n duc m.

dull [dʌl] adj 1. [boring] ennuyeux(euse) 2. [not bright] terne 3. [weather] maussade 4. [pain] sourd(e).

dumb [dʌm] adj 1. inf [stupid] idiot(e) 2. [unable to speak] muet(ette).

dummy ['dʌmi] n 1. UK [of baby] tétine f 2. [for clothes] mannequin m.

dump [dʌmp] ◆ n 1. [for rubbish] dépotoir m 2. inf [town] trou m 3. inf [room, flat] taudis m. ◆ vt 1. [drop carelessly] laisser tomber 2. [get rid of] se débarrasser de.

dumpling ['dʌmplɪŋ] n boulette de pâte cuite à la vapeur et servie avec les ragoûts.

dune [dju:n] n dune f.

dungarees [ˌdʌŋgə'ri:z] npl UK [for work] bleu m (de travail) 2. UK [fashion item] salopette f 3. US [jeans] jean m.

dungeon ['dʌndʒən] n cachot m.

duo ['dju:əu] n duo m.

duplicate ['dju:plikət] n double m.

duration [dju'reiʃn] n durée f ▸ **duration of stay** durée du séjour ▸ **for the duration of** pour une durée de.

during ['djuərɪŋ] prep pendant, durant.

dusk [dʌsk] n (U) crépuscule m.

dust [dʌst] ◆ n (U) poussière f. ◆ vt épousseter.

dustbin ['dʌstbɪn] n UK poubelle f.

dustcart ['dʌstkɑ:t] n UK camion m des éboueurs.

duster ['dʌstəʳ] n chiffon m (à poussière).

dustman ['dʌstmən] (pl -men) n UK éboueur m.

dustpan ['dʌstpæn] n pelle f.

dusty ['dʌsti] adj poussiéreux(euse).

Dutch [dʌtʃ] ◆ adj hollandais(e), néerlandais(e). ◆ n (U) [language] néerlandais m. ◆ npl : **the Dutch** les Hollandais mpl.

Dutchman ['dʌtʃmən] (pl -men) n Hollandais m.

Dutchwoman ['dʌtʃˌwumən] (pl -women) n Hollandaise f.

duty ['dju:ti] n 1. [moral obligation] devoir m 2. [tax] droit m ▸ **to be on duty** être de service ▸ **to be off duty** ne pas être de service. ◆ **duties** npl [job] fonctions fpl.

duty chemist's n pharmacie f de garde.

duty-free ◆ adj détaxé(e). ◆ n articles *mpl* détaxés.

duty-free shop n boutique *f* hors taxe.

duty of care n devoir *m* de diligence.

duvet ['du:veɪ] n 🇬🇧 couette *f*.

DVD (*abbr of* Digital Video OR Versatile Disc) n DVD *m*.

DVD burner n graveur *m* de DVD.

DVD player n lecteur *m* de DVD.

DVD-ROM (*abbr of* Digital Video OR Versatile Disc read only memory) n DVD-ROM *m*.

dwarf [dwɔ:f] (*pl* dwarves [dwɔ:vz]) n nain *m*, naine *f*.

dwelling ['dwelɪŋ] n *fml* logement *m*.

dye [daɪ] ◆ n teinture *f*. ◆ vt teindre.

dying ['daɪɪŋ] cont → **die**.

dynamite ['daɪnəmaɪt] n (*U*) dynamite *f*.

dynamo ['daɪnəməʊ] (*pl* -s) n [on bike] dynamo *f*.

dyslexic [dɪs'leksɪk] adj dyslexique.

Ee

E (*abbr of* east) E (*Est*).

E111 n 🇬🇧 formulaire *m* E111.

each [i:tʃ] ◆ adj chaque. ◆ pron chacun *m*, -e *f* ▶ **each one** chacun ▶ **each of them** chacun d'entre eux ▶ **to know each other** se connaître ▶ **one each** un chacun ▶ **one of each** un de chaque.

eager ['i:gəʳ] adj enthousiaste ▶ **to be eager to do sthg** vouloir à tout prix faire qqch.

eagle ['i:gl] n aigle *m*.

ear [ɪəʳ] n 1. oreille *f* 2. [of corn] épi *m*.

earache ['ɪəreɪk] n : **to have earache** avoir mal aux oreilles.

earbashing ['ɪəbæʃɪŋ] n 🇬🇧 *inf* : **to get an earbashing** se faire passer un savon, se faire souffler dans les bronches.

eardrum ['ɪədrʌm] n tympan *m*.

earl [ɜ:l] n comte *m*.

early ['ɜ:lɪ] ◆ adv 1. de bonne heure, tôt 2. [before usual or arranged time] tôt. ◆ adj en avance ▶ **in early June** au début du mois de juin ▶ **at the earliest** au plus tôt ▶ **early on** tôt ▶ **to have an early night** se coucher tôt.

earn [ɜ:n] vt 1. [money] gagner 2. [praise] s'attirer 3. [success] remporter ▶ **to earn a living** gagner sa vie.

earnings ['ɜ:nɪŋz] npl revenus *mpl*.

earphones ['ɪəfəʊnz] npl écouteurs *mpl*.

earplugs ['ɪəplʌgz] npl [wax] boules *fpl* Quiès®.

earrings ['ɪərɪŋz] npl boucles *fpl* d'oreille.

earth [ɜ:θ] ◆ n terre *f*. ◆ vt 🇬🇧 [appliance] relier à la terre ▶ **how on earth...?** comment diable... ?

earthed [ɜ:θt] adj 🇬🇧 [cable] mis(e) à la terre ▶ **earthed conductor** conducteur *m* au sol.

earthenware ['ɜ:θnweəʳ] adj en terre cuite.

earthquake ['ɜ:θkweɪk] n tremblement *m* de terre.

ease [i:z] ◆ n (*U*) facilité *f*. ◆ vt 1. [pain] soulager 2. [problem] arranger ▶ **at ease**

à l'aise ▸ **with ease** facilement. ◆ **ease off** vi [pain, rain] diminuer.

easily ['iːzɪlɪ] adv **1.** facilement **2.** [by far] de loin.

east [iːst] ◆ n est m. ◆ adv **1.** [fly, walk] vers l'est **2.** [be situated] à l'est ▸ **in the east of England** à OR dans l'est de l'Angleterre ▸ **the East** [Asia] l'Orient m.

eastbound ['iːstbaʊnd] adj en direction de l'est.

Easter ['iːstə^r] n Pâques m.

Easter egg n œuf m de Pâques.

eastern ['iːstən] adj oriental(e), est inv. ◆ **Eastern** adj [Asian] oriental(e).

Eastern Europe n l'Europe f de l'Est.

East Germany n (former) **East Germany** (l'ex-)Allemagne f de l'Est.

eastward ['iːstwəd] ◆ adj vers l'est. ◆ adv = **eastwards**.

eastwards ['iːstwədz] adv vers l'est.

easy ['iːzɪ] adj facile ▸ **to take it easy** ne pas s'en faire.

easygoing [ˌiːzɪ'gəʊɪŋ] adj facile à vivre.

eat [iːt] (pt **ate** [UK et, US eɪt], pp **eaten** ['iːtn]) vt & vi manger. ◆ **eat out** vi manger dehors.

eating ['iːtɪŋ] adj [of eating] alimentaire.

eating apple ['iːtɪŋ-] n pomme f à couteau.

ebony ['ebənɪ] n (U) ébène f.

e-book n livre m électronique, e-book m.

e-book reader n liseuse f.

e-business n **1.** [company] cyberentreprise f **2.** (U) [trade] cybercommerce m, commerce m électronique.

EC (abbr of European Community) n CE f (Communauté européenne).

e-card n COMPUT carte f électronique.

e-cash n argent m virtuel OR électronique.

ECB (abbr of European Central Bank) n BCE (Banque centrale européenne) f.

eccentric [ɪk'sentrɪk] adj excentrique.

echo ['ekəʊ] (pl -es) ◆ n écho m. ◆ vi résonner.

eco-friendly adj qui respecte l'environnement.

ecological [ˌiːkə'lɒdʒɪkl] adj écologique.

ecology [ɪ'kɒlədʒɪ] n (U) écologie f.

e-commerce n (U) commerce m électronique, cybercommerce m.

economic [ˌiːkə'nɒmɪk] adj économique. ◆ **economics** n économie f.

economical [ˌiːkə'nɒmɪkl] adj **1.** [car, system] économique **2.** [person] économe.

economize [ɪ'kɒnəmaɪz] vi faire des économies.

economy [ɪ'kɒnəmɪ] n économie f.

economy class n classe f touriste.

economy size adj taille économique inv.

ecoterrorism ['iːkəʊˌterərɪzm] n écoterrorisme m.

ecotourism ['iːkəʊˌtʊərɪzm] n écotourisme m, tourisme m vert.

ecstasy ['ekstəsɪ] n (U) **1.** [great joy] extase f **2.** [drug] ecstasy f.

Ecuador ['ekwədɔː^r] n Équateur m ▸ **in Ecuador** en Équateur.

Ecuadoran [ˌekwə'dɔːrən], **Ecuadorian** [ˌekwə'dɔːrɪən] ◆ n Équatorien m, -enne f. ◆ adj équatorien.

eczema ['eksɪmə] n (U) eczéma m.

edge [edʒ] n 1. bord m 2. [of knife] tranchant m.

edible ['edɪbl] adj comestible.

Edinburgh ['edɪnbrə] n Édimbourg.

Edinburgh Festival n : the Edinburgh Festival le festival d'Édimbourg.

edition [ɪ'dɪʃn] n 1. [of book, newspaper] édition f 2. [of TV programme] diffusion f.

editor ['edɪtə'] n 1. [of newspaper, magazine] rédacteur m, -trice f en chef 2. [of film] monteur m, -euse f.

editorial [,edɪ'tɔːrɪəl] n éditorial m.

educate ['edʒukeɪt] vt instruire.

education [,edʒu'keɪʃn] n (U) éducation f.

edutainment [,edʒu'teɪnmənt] ◆ n 1. [TV programmes] émissions fpl éducatives pour les enfants 2. [software] logiciels mpl ludo-éducatifs. ◆ adj ludo-éducatif(ive).

EEA (abbr of European Economic Area) n EEE m (Espace économique européen).

EEC (abbr of European Economic Community) n CEE f (Communauté économique européenne).

eel [iːl] n anguille f.

effect [ɪ'fekt] n effet m ▸ **to put sthg into effect** mettre qqch en application ▸ **to take effect** prendre effet.

effective [ɪ'fektɪv] adj 1. efficace 2. [law, system] en vigueur.

effectively [ɪ'fektɪvlɪ] adv 1. [successfully] efficacement 2. [in fact] effectivement.

efficient [ɪ'fɪʃnt] adj efficace.

effort ['efət] n (U) effort m ▸ **to make an effort to do sthg** faire un effort pour faire qqch ▸ **it's not worth the effort** ça ne vaut pas la peine.

E-fit® ['iːfɪt] n portrait-robot m électronique.

EFTPOS ['eftpɒs] (abbr of electronic funds transfer at point of sale) n transfert électronique de fonds au point de vente.

e.g. adv p. ex.

egalitarianism [ɪ,gælɪ'teərɪənɪzm] n égalitarisme m.

egg [eg] n œuf m.

egg cup n coquetier m.

egg mayonnaise n œuf m mayonnaise.

eggplant ['egplɑːnt] n US aubergine f.

egg white n blanc m d'œuf.

eggy ['egɪ] adj : **an eggy taste / smell** un goût / une odeur d'œuf ▸ **eggy bread** pain m perdu.

egg yolk n jaune m d'œuf.

ego-surfing n *recherche de son propre nom sur Internet.*

Egypt ['iːdʒɪpt] n l'Égypte f.

eiderdown ['aɪdədaʊn] n UK édredon m.

eight [eɪt] num huit ▸ **to be eight (years old)** avoir huit ans ▸ **it's eight (o'clock)** il est huit heures ▸ **a hundred and eight** cent huit ▸ **eight Hill St** 8 Hill St ▸ **it's minus eight (degrees)** il fait moins huit (degrés).

eighteen [,eɪ'tiːn] num dix-huit ▸ **to be eighteen (years old)** avoir dix-huit ans ▸ **a hundred and eighteen** cent dix-huit ▸ **eighteen Hill St** 18 Hill St ▸ **it's minus eighteen (degrees)** il fait moins dix-huit (degrés).

eighteenth [,eɪ'tiːnθ] ◆ num adj & adv dix-huitième. ◆ num pron dix-huitième m ou f. ◆ num n [fraction] dix-huitième m ▸ **the eighteenth (of September)** le dix-huit (septembre).

eighth [eɪtθ] ◆ num adj & adv huitième. ◆ num pron huitième m ou f. ◆ num n [fraction] huitième m ▸ **the eighth (of September)** le huit (septembre).

eighth grade n US SCH *classe de l'enseignement secondaire correspondant à la quatrième (13-14 ans).*

eightieth ['eɪtɪɪθ] ◆ num adj & adv quatre-vingtième. ◆ num pron quatre-vingtième m ou f. ◆ num n [fraction] quatre-vingtième m.

eighty ['eɪtɪ] num quatre-vingt(s) ▸ **to be eighty (years old)** avoir quatre-vingts ans ▸ **a hundred and eighty** cent quatre-vingts ▸ **eighty Hill St** 80 Hill St ▸ **it's minus eighty (degrees Farenheit)** il fait moins quatre-vingts (degrés Farenheit).

Eire ['eərə] n l'Eire f, l'Irlande f.

Eisteddfod [aɪ'stedfəd] n *festival culturel gallois.*

either ['aɪðəʳ, 'iːðəʳ] ◆ adj : **either book will do** n'importe lequel des deux livres fera l'affaire. ◆ adv : **I can't either** je ne peux pas non plus ▸ **either... or** soit... soit... ou... ou ▸ **on either side** de deux côtés. ◆ pron : **I'll take either (of them)** je prendrai n'importe lequel ▸ **I don't like either (of them)** je n'aime ni l'un ni l'autre.

eject [ɪ'dʒekt] vt [cassette] éjecter.

elaborate [ɪ'læbrət] adj compliqué(e).

elastic [ɪ'læstɪk] n (U) élastique m.

elastic band n UK élastique m.

elbow ['elbəʊ] n [of person] coude m.

elder ['eldəʳ] adj aîné(e).

elderly ['eldəlɪ] ◆ adj âgé(e). ◆ npl : **the elderly** les personnes fpl âgées.

eldest ['eldɪst] adj aîné(e).

elect [ɪ'lekt] vt élire ▸ **to elect to do sthg** fml [choose] choisir de faire qqch.

election [ɪ'lekʃn] n élection f ▸ **to have** OR **hold an election** procéder à une élection.

ⓘ **Elections**

Les élections présidentielles américaines, dont les dates sont fixées par la Constitution, ont lieu tous les quatre ans. Le Président est élu par de grands électeurs, eux-mêmes élus au suffrage universel, et ne peut renouveler plus d'une fois son mandat. Les élections générales britanniques sont organisées tous les cinq ans mais le Premier ministre peut les provoquer à tout moment de la législature. L'abstention est autorisée en Grande-Bretagne comme aux Etats-Unis.

electric [ɪ'lektrɪk] adj électrique.

electrical goods [ɪ'lektrɪkl-] npl appareils mpl électriques.

electric blanket n couverture f chauffante.

electric drill n perceuse f électrique.

electric fence n clôture f électrifiée.

electric hook-up n branchement m électrique.

electrician [ˌɪlek'trɪʃn] n électricien m, -ienne f.

electricity [ˌɪlek'trɪsəti] n (U) électricité f.

electric shock n décharge f électrique.

electroacoustic [ɪˌlektrəʊə'ku:stɪk] adj électroacoustique.

electrocute [ɪ'lektrəkju:t] vt électrocuter.

electrocution [ɪˌlektrə'kju:ʃn] n électrocution f.

electronic [ˌɪlek'trɒnɪk] adj électronique.

electronic mail n messagerie f (électronique).

elegant ['elɪgənt] adj élégant(e).

element ['elɪmənt] n 1. élément m 2. [amount] part f 3. [of fire, kettle] résistance f ▸ **the elements** [weather] les éléments.

elementary [ˌelɪ'mentərɪ] adj élémentaire.

elementary school n US école f primaire.

elephant ['elɪfənt] n éléphant m.

elevator ['elɪveɪtəʳ] n US ascenseur m.

eleven [ɪ'levn] num onze ▸ **to be eleven (years old)** avoir onze ans ▸ **it's eleven (o'clock)** il est onze heures ▸ **a hundred and eleven** cent onze ▸ **eleven Hill St** 11 Hill St ▸ **it's minus eleven (degrees)** il fait moins onze.

eleventh [ɪ'levnθ] ◆ num adj & adv onzième. ◆ num pron onzième m ou f. ◆ num n [fraction] onzième m ▸ **the eleventh (of September)** le onze (septembre).

eleventh grade n US SCH classe de l'enseignement secondaire correspondant à la première (16-17 ans).

eligible ['elɪdʒəbl] adj admissible.

eliminate [ɪ'lɪmɪneɪt] vt éliminer.

Elizabethan [ɪˌlɪzə'bi:θn] adj élisabéthain(e) (deuxième moitié du XVIe siècle).

elm [elm] n orme m.

El Salvador [el'sælvədɔːʳ] n Salvador m ▸ **in El Salvador** au Salvador.

else [els] adv : **I don't want anything else** je ne veux rien d'autre ▸ **anything else?** désirez-vous autre chose ? ▸ **everyone else** tous les autres ▸ **nobody else** personne d'autre ▸ **nothing else** rien d'autre ▸ **somebody else** quelqu'un d'autre ▸ **something else** autre chose ▸ **somewhere else** ailleurs ▸ **what else?** quoi d'autre ? ▸ **what else is there to do?** qu'est-ce qu'il y a d'autre à faire ? ▸ **who else?** qui d'autre ? ▸ **or else** sinon.

elsewhere [els'weəʳ] adv ailleurs.

e-mail ◆ n courriel m, courrier électronique, mail m, e-mail m. ◆ vt : **to e-mail sb** envoyer un e-mail à qqn ▸ **I'll e-mail the details to you** je vous enverrai les détails par e-mail.

e-mail address n adresse f électronique, adresse f e-mail.

e-marketing n e-marketing m.

embankment [ɪm'bæŋkmənt] n 1. [next to river] berge f 2. [next to road, railway] talus m.

embark [ɪm'bɑːk] vi [board ship] embarquer.

embarkation card [ˌembɑː'keɪʃn-] n carte f d'embarquement.

embarrass [ɪm'bærəs] vt embarrasser.

embarrassed [ɪm'bærəst] adj embarrassé(e).

embarrassing [ɪm'bærəsɪŋ] adj embarrassant(e).

embarrassment [ɪm'bærəsmənt] n (U) embarras m.

embassy ['embəsɪ] n ambassade f.

embitter [ɪm'bɪtəʳ] vt [person] remplir d'amertume, aigrir.

emblem ['embləm] n emblème m.

embrace [ɪm'breɪs] vt serrer dans ses bras.

embroidered [ɪm'brɔɪdəd] adj brodé(e).

embroidery [ɪm'brɔɪdərɪ] n (U) broderie f.

emerald ['emərəld] n émeraude f.

emerge [ɪ'mɜːdʒ] vi émerger.

emergency [ɪ'mɜːdʒənsɪ] ◆ n urgence f. ◆ adj d'urgence ▶ **in an emergency** en cas d'urgence.

emergency brake n frein m de secours ; US [handbrake] frein m à main.

emergency exit n sortie f de secours.

emergency landing n atterrissage m forcé.

emergency services npl services mpl d'urgence.

emergency telephone n téléphone m d'urgence.

emerging market n COMM marché m émergent.

emigrate ['emɪgreɪt] vi émigrer.

emissions target n cible f de réduction des émissions.

emit [ɪ'mɪt] vt émettre.

e-money n argent m électronique.

emoticon [ɪ'məʊtɪkɒn] n emoticon m.

emotion [ɪ'məʊʃn] n **1.** (U) [strength of feeling] émotion f **2.** [particular feeling] sentiment m.

emotional [ɪ'məʊʃənl] adj **1.** [situation] émouvant(e) **2.** [person] émotif(ive).

emphasis ['emfəsɪs] n (pl -ases) accent m ▶ **to put the emphasis on sthg** mettre l'accent sur.

emphasize ['emfəsaɪz] vt souligner.

empire ['empaɪəʳ] n empire m.

employ [ɪm'plɔɪ] vt employer.

employed [ɪm'plɔɪd] adj employé(e).

employee [ɪm'plɔɪiː] n employé m, -e f.

employer [ɪm'plɔɪəʳ] n employeur m, -euse f.

employment [ɪm'plɔɪmənt] n (U) emploi m.

employment agency n agence f de placement.

empowerment [ɪm'paʊəmənt] n : **the empowerment of minorities** l'autonomisation des minorités.

empty ['emptɪ] ◆ adj **1.** vide **2.** [threat, promise] vain(e). ◆ vt vider.

EMU (abbr of Economic and Monetary Union) n UEM f (Union Economique et Monétaire).

emulsion (paint) [ɪ'mʌlʃn-] n émulsion f.

enable [ɪ'neɪbl] vt : **to enable sb to do sthg** permettre à qqn de faire qqch.

enabled [ɪ'neɪbəld] adj COMPUT [option] activé(e).

enamel [ɪ'næml] n (U) émail m.

enchanting [ɪn'tʃɑːntɪŋ] adj enchanteur(eresse).

encl. abbr of **enclosed**.

enclose [ɪn'kləʊz] vt 1. [surround] entourer 2. [with letter] joindre ▸ **please find enclosed...** veuillez trouver ci-joint....

enclosed [ɪn'kləʊzd] adj [space] clos(e).

encore ['ɒŋkɔːʳ] excl bis !, une autre !

encounter [ɪn'kaʊntəʳ] vt rencontrer.

encourage [ɪn'kʌrɪdʒ] vt encourager ▸ **to encourage sb to do sthg** encourager qqn à faire qqch.

encouragement [ɪn'kʌrɪdʒmənt] n (U) encouragement m.

encrypt [en'krɪpt] vt 1. COMPUT crypter 2. TV coder.

encryption [en'krɪpʃn] n (U) 1. COMPUT cryptage m 2. TV codage m, encodage m.

encyclopedia [ɪn,saɪklə'piːdjə] n encyclopédie f.

end [end] ◆ n 1. [furthest point] bout m 2. [of book, list, year, holiday] fin f 3. [purpose] but m. ◆ vt 1. [story, evening, holiday] finir, terminer 2. [war, practice] mettre fin à, terminer. ◆ vi finir ▸ **at the end of April** (à la) fin avril ▸ **end to end** [with ends adjacent] bout à bout ▸ **for days on end** (pendant) des journées entières ▸ **from end to end** d'un bout à l'autre ▸ **in the end** finalement ▸ **to come to an end** se terminer ▸ **to put an end to sthg** mettre fin à qqch ▸ **to make ends meet** arriver à joindre les deux bouts. ◆ **end up** vi finir ▸ **to end up doing sthg** finir par faire qqch.

endangered species [ɪn'deɪndʒəd-] n espèce f en voie de disparition.

ending ['endɪŋ] n 1. [of story, film, book] fin f 2. GRAM terminaison f.

endive ['endaɪv] n 1. [curly] frisée f 2. [chicory] endive f.

endless ['endlɪs] adj sans fin.

endocrinology [,endəʊkrɪ'nɒlədʒɪ] n MED endocrinologie f.

end-of-year adj [gen] de fin d'année.

endorse [ɪn'dɔːs] vt [approve] approuver.

endorsement [ɪn'dɔːsmənt] n UK [of driving licence] contravention indiquée sur le permis de conduire.

endurance [ɪn'djʊərəns] n (U) endurance f.

endure [ɪn'djʊəʳ] vt endurer.

enemy ['enɪmɪ] n ennemi m, -e f.

enemy-occupied adj [territory] occupé(e) par l'ennemi.

energy ['enədʒɪ] n (U) énergie f.

energy-saving adj [device] pour économiser l'énergie ▸ **energy-saving bulb** ampoule à économie d'énergie.

enforce [ɪn'fɔːs] vt [law] appliquer.

enforcer [ɪn'fɔːsəʳ] n US agent m de police.

engaged [ɪn'geɪdʒd] adj 1. [to be married] fiancé(e) 2. UK [phone] occupé(e) 3. [toilet] occupé(e) ▸ **to get engaged** se fiancer.

engaged tone n UK tonalité f occupé.

engagement [ɪn'geɪdʒmənt] n 1. [to marry] fiançailles fpl 2. [appointment] rendez-vous m.

engagement ring n bague f de fiançailles.

engine ['endʒɪn] n **1.** [of vehicle] moteur m **2.** [of train] locomotive f.

engineer [,endʒɪ'nɪəʳ] n ingénieur m.

engineering [,endʒɪ'nɪərɪŋ] n (U) ingénierie f.

engineering works npl [on railway line] travaux mpl.

England ['ɪŋɡlənd] n l'Angleterre f.

English ['ɪŋɡlɪʃ] ◆ adj anglais(e). ◆ n (U) [language] anglais m. ◆ npl : **the English** les Anglais mpl.

English breakfast n petit déjeuner anglais traditionnel composé de bacon, d'œufs, de saucisses et de toasts, accompagnés de thé ou de café.

English Channel n : **the English Channel** la Manche.

Englishman ['ɪŋɡlɪʃmən] (pl -men) n Anglais m.

Englishwoman ['ɪŋɡlɪʃ,wʊmən] (pl -women) n Anglaise f.

engrave [ɪn'ɡreɪv] vt graver.

engraving [ɪn'ɡreɪvɪŋ] n gravure f.

enhance [ɪn'hɑːns] vt améliorer.

enhanced [ɪn'hɑːnst] adj amélioré(e).

enjoy [ɪn'dʒɔɪ] vt aimer ▸ **to enjoy doing sthg** aimer faire qqch ▸ **to enjoy o.s.** s'amuser ▸ **enjoy your meal!** bon appétit !

enjoyable [ɪn'dʒɔɪəbl] adj agréable.

enjoyment [ɪn'dʒɔɪmənt] n (U) plaisir m.

enlarged [ɪn'lɑːdʒd] adj [photograph] agrandi(e).

enlargement [ɪn'lɑːdʒmənt] n [of photo] agrandissement m.

enormous [ɪ'nɔːməs] adj énorme.

enough [ɪ'nʌf] ◆ adj assez de. ◆ pron & adv assez ▸ **enough time** assez de

temps ▸ **is that enough?** ça suffit ? ▸ **it's not big enough** ça n'est pas assez gros ▸ **to have had enough (of)** en avoir assez (de).

enquire [ɪn'kwaɪəʳ] vi se renseigner.

enquiry [ɪn'kwaɪərɪ] n [investigation] enquête f ▸ **to make an enquiry** demander un renseignement ▸ **'Enquiries'** 'Renseignements'.

enquiry desk n accueil m.

enrol [ɪn'rəʊl] vi [UK] s'inscrire.

enroll [ɪn'rəʊl] [US] = enrol.

en suite bathroom [ɒn'swiːt-] n salle f de bains particulière.

ensure [ɪn'ʃʊəʳ] vt assurer.

ENT n (abbr of Ear, Nose & Throat) n ORL f (oto-rhino-laryngologiste).

entail [ɪn'teɪl] vt entraîner.

enter ['entəʳ] ◆ vt **1.** entrer dans **2.** [college] entrer à **3.** [competition] s'inscrire à **4.** [on form] inscrire. ◆ vi **1.** entrer **2.** [in competition] s'inscrire.

enter key n touche f entrée.

enterprise ['entəpraɪz] n entreprise f.

entertain [,entə'teɪn] vt [amuse] divertir.

entertainer [,entə'teɪnəʳ] n fantaisiste m ou f.

entertaining [,entə'teɪnɪŋ] adj amusant(e).

entertainment [,entə'teɪnmənt] n (U) divertissement m.

enthusiasm [ɪn'θjuːzɪæzm] n (U) enthousiasme m.

enthusiast [ɪn'θjuːzɪæst] n passionné m, -e f.

enthusiastic [ɪn,θjuːzɪ'æstɪk] adj enthousiaste.

entire [ɪn'taɪəʳ] adj entier(ière).

entirely [ɪnˈtaɪəlɪ] adv entièrement.

entitle [ɪnˈtaɪtl] vt : **to entitle sb to do sthg** autoriser qqn à faire qqch ▸ **this ticket entitles you to a free drink** ce ticket vous donne droit à une consommation gratuite.

entrance [ˈentrəns] n entrée f.

entrance fee n entrée f.

entry [ˈentri] n 1. entrée f 2. [in competition] objet m soumis ▸ **'no entry' a)** [sign on door] 'entrée interdite' **b)** [road sign] 'sens interdit'.

entry-level adj [bottom-of-the-range] d'entrée de gamme.

envelope [ˈenvələʊp] n enveloppe f.

enviably [ˈenvɪəblɪ] adv d'une manière enviable.

envious [ˈenvɪəs] adj envieux(ieuse).

environment [ɪnˈvaɪərənmənt] n milieu m, cadre m ▸ **the environment** l'environnement m.

environmental [ɪnˌvaɪərənˈmentl] adj de l'environnement.

environmentally friendly [ɪnˌvaɪərənˈmentəlɪ-] adj qui préserve l'environnement.

envy [ˈenvɪ] vt envier.

epic [ˈepɪk] n épopée f.

epidemic [ˌepɪˈdemɪk] n épidémie f.

epilepsy [ˈepɪlepsɪ] n épilepsie f.

epileptic [ˌepɪˈleptɪk] adj épileptique ▸ **epileptic fit** crise f d'épilepsie.

episode [ˈepɪsəʊd] n épisode m.

equal [ˈiːkwəl] ◆ adj égal(e). ◆ vt égaler ▸ **to be equal to** être égal à.

equality [ɪˈkwɒlətɪ] n (U) égalité f.

equalize [ˈiːkwəlaɪz] vi égaliser.

equally [ˈiːkwəlɪ] adv 1. [pay, treat] pareil 2. [share] en parts égales 3. [at the same time] en même temps ▸ **they're equally good** ils sont aussi bons ▸ l'un que l'autre.

equation [ɪˈkweɪʒn] n équation f.

equator [ɪˈkweɪtər] n : **the equator** l'équateur m.

equip [ɪˈkwɪp] vt : **to equip troops with new weapons** équiper les troupes de nouvelles armes.

equipment [ɪˈkwɪpmənt] n (U) équipement m.

equipped [ɪˈkwɪpt] adj : **to be equipped with** être équipé(e) de.

equivalent [ɪˈkwɪvələnt] ◆ adj équivalent(e). ◆ n équivalent m.

ER 1. (written abbr of Elizabeth Regina) emblème de la reine Élisabeth **2.** US (abbr of Emergency Room) urgences fpl.

era [ˈɪərə] (pl -s) n ère f, période f.

erase [ɪˈreɪz] vt [letter, word] effacer, gommer.

eraser [ɪˈreɪzər] n gomme f.

e-reader n = **e-book reader**.

erect [ɪˈrekt] ◆ adj [person, posture] droit(e). ◆ vt 1. [tent] monter 2. [monument] élever.

ERM (abbr of Exchange Rate Mechanism) n mécanisme m de change (du SME).

erotic [ɪˈrɒtɪk] adj érotique.

errand [ˈerənd] n course f.

erratic [ɪˈrætɪk] adj irrégulier(ière).

error [ˈerər] n erreur f.

erudition [ˌeruːˈdɪʃn] n érudition f.

escalator [ˈeskəleɪtər] n Escalator® m.

escalope [ɪˈskælɒp] n escalope f panée.

escape [ɪ'skeɪp] ◆ n fuite f. ◆ vi s'échapper ▶ **to escape from** a) [from prison] s'échapper de b) [from danger] échapper à.

escort ◆ n ['eskɔːt] [guard] escorte f. ◆ vt [ɪ'skɔːt] escorter.

e-signature n signature f électronique.

ESOL ['iːsɒl] (abbr of English for Speakers of Other Languages) n [US] SCH anglais m langue seconde.

espadrilles ['espə,drɪlz] npl espadrilles fpl.

especially [ɪ'speʃəlɪ] adv 1. [in particular] surtout 2. [on purpose] exprès 3. [very] particulièrement.

esplanade [,esplə'neɪd] n esplanade f.

essay ['eseɪ] n [at school, university] dissertation f.

essence ['esns] n 1. [nature] essence f 2. CULIN extrait m.

essential [ɪ'senʃl] adj [indispensable] essentiel(ielle). ◆ **essentials** npl : **the essentials** ▶ **the bare essentials** le strict minimum.

essentially [ɪ'senʃəlɪ] adv essentiellement.

establish [ɪ'stæblɪʃ] vt établir.

establishment [ɪ'stæblɪʃmənt] n établissement m.

estate [ɪ'steɪt] n 1. [land in country] propriété f 2. [UK] [for housing] lotissement m 3. [UK] [car] = **estate car**.

estate agent n [UK] agent m immobilier.

estate car n [UK] break m.

estimate ◆ n ['estɪmət] 1. [guess] estimation f 2. [from builder, plumber] devis m. ◆ vt ['estɪmeɪt] estimer.

estuary ['estjʊərɪ] n estuaire m.

etc. (abbr of et cetera) etc.

Ethernet ['iːθərnet] n Ethernet m.

Ethernet cable n câble m Ethernet.

ethic ['eθɪk] n éthique f. ◆ **ethics** (U) [study] éthique f.

ethical ['eθɪkl] adj moral(e).

ethnic ['eθnɪk] adj [traditions, groups] ethnique.

ethnic minority ['eθnɪk-] n minorité f ethnique.

e-ticket n e-billet m.

e-trade n (U) cybercommerce m, commerce m électronique.

EU (abbr of European Union) n UE f (Union Européenne) ▶ **EU policy** la politique de l'Union Européenne.

Eucharist ['juːkərɪst] n Eucharistie f.

euro ['jʊərəʊ] n euro m.

euro area n zone f euro.

eurocent ['jʊərəʊsent] n centime m (d'euro).

Eurocheque ['jʊərəʊ,tʃek] n eurochèque m.

Euroland ['jʊərəʊlænd] n POL euroland m.

Europe ['jʊərəp] n l'Europe f.

European [,jʊərə'pɪən] ◆ adj européen(enne). ◆ n Européen m, -enne f.

European Central Bank n Banque f centrale européenne.

European Commission n Commission f des communautés européennes.

European Community n Communauté f européenne.

European Single Market n Marché m unique européen.

European Union n Union f européenne.

Euro-rebel n POL anti-Européen *m*, -enne *f*.

Eurostar® ['jʊərəʊstɑːˀ] n Eurostar® *m*.

euro zone n zone *f* euro.

evacuate [ɪ'vækjʊeɪt] vt évacuer.

evade [ɪ'veɪd] vt **1.** [person] échapper à **2.** [issue, responsibility] éviter.

evaporated milk [ɪ'væpəreɪtɪd-] n (U) lait *m* condensé (non sucré).

eve [iːv] n **:** on the eve of à la veille de.

even ['iːvn] ◆ adj **1.** [uniform, flat] régulier(ère) **2.** [equal] égal(e) **3.** [number] pair(e). ◆ adv **1.** même **2.** [in comparisons] encore ▶ **even bigger** encore plus grand ▶ **to break even** rentrer dans ses frais ▶ **even so** quand même ▶ **even though** même si.

evening ['iːvnɪŋ] n **1.** soir *m* **2.** [event, period] soirée *f* ▶ **good evening!** bonsoir ! ▶ **in the evening** le soir.

evening classes npl cours *mpl* du soir.

evening dress n **1.** (U) [formal clothes] tenue *f* de soirée **2.** [of woman] robe *f* du soir.

evening meal n repas *m* du soir.

evening wear n (U) = **evening dress**.

event [ɪ'vent] n **1.** événement *m* **2.** SPORT épreuve *f* ▶ **in the event of** *fml* dans l'éventualité de.

eventual [ɪ'ventʃʊəl] adj final(e).

eventually [ɪ'ventʃʊəlɪ] adv finalement.

⚠ **Éventuellement** is a false friend, it means *possibly*, not "eventually".

ever ['evəˀ] adv jamais ▶ **have you ever been to Wales?** êtes-vous déjà allé au pays de Galles ? ▶ **he was ever so angry** [UK] il était vraiment en colère ▶ **for ever** a) [eternally] pour toujours b) [for a long time] un temps fou ▶ **hardly ever** pratiquement jamais ▶ **ever since** a) [since then] depuis b) [starting from] depuis c) [since the time that] depuis que.

evermore [,evə'mɔːˀ] adv [US] toujours.

every ['evrɪ] adj chaque ▶ **every day** tous les jours, chaque jour ▶ **every other day** un jour sur deux ▶ **one in every ten** un sur dix ▶ **we make every effort...** nous faisons tout notre possible... ▶ **every so often** de temps en temps.

everybody ['evrɪ,bɒdɪ] = **everyone**.

everyday ['evrɪdeɪ] adj quotidien(ienne).

everyone ['evrɪwʌn] pron tout le monde.

everyplace ['evrɪ,pleɪs] [US] = **everywhere**.

everything ['evrɪθɪŋ] pron tout.

everywhere ['evrɪweəˀ] adv partout.

evidence ['evɪdəns] n (U) preuve *f*.

evident ['evɪdənt] adj évident(e).

evidently ['evɪdəntlɪ] adv manifestement.

evil ['iːvl] ◆ adj mauvais(e). ◆ n (U) mal *m*.

e-wallet n portefeuille *m* électronique.

ewe [juː] n brebis *f*.

ex [eks] n *inf* [wife, husband, partner] ex *m* ou *f*.

ex- [eks] prefix ex-.

exact [ɪg'zækt] adj exact(e) ▶ **'exact fare ready please'** 'faites l'appoint'.

exactly [ɪgˈzæktlɪ] adv & excl exactement.

exaggerate [ɪgˈzædʒəreɪt] vt & vi exagérer.

exaggeration [ɪgˌzædʒəˈreɪʃn] n exagération f.

exalt [ɪgˈzɔːlt] vt (praise highly) exalter, chanter les louanges de.

exam [ɪgˈzæm] n examen m ▸ **to take an exam** passer un examen.

examination [ɪgˌzæmɪˈneɪʃn] n examen m.

examine [ɪgˈzæmɪn] vt examiner.

example [ɪgˈzɑːmpl] n exemple m ▸ **for example** par exemple.

exceed [ɪkˈsiːd] vt dépasser.

excellent [ˈeksələnt] adj excellent(e).

except [ɪkˈsept] prep & conj sauf, à part ▸ **except for** sauf, à part ▸ **'except for access'** 'sauf riverains' ▸ **'except for loading'** 'sauf livraisons'.

exception [ɪkˈsepʃn] n exception f.

exceptionable [ɪkˈsepʃnəbl] adj (objectionable) offensant(e).

exceptional [ɪkˈsepʃnəl] adj exceptionnel(elle).

excerpt [ˈeksɜːpt] n extrait m.

excess [ɪkˈses] (before n [ˈekses]) ◆ adj excédentaire. ◆ n excès m.

excess baggage n excédent m de bagages.

excess fare n [UK] supplément m.

excessive [ɪkˈsesɪv] adj excessif(ive).

exchange [ɪksˈtʃeɪndʒ] ◆ n 1. (of telephones) central m téléphonique 2. (of students) échange m scolaire. ◆ vt échanger ▸ **to exchange pounds for euros** échanger des livres contre des euros ▸ **to be on an exchange** prendre part à un échange scolaire.

exchangeable [ɪksˈtʃeɪndʒəbl] adj échangeable.

exchange rate n taux m de change.

Exchange Rate Mechanism n mécanisme m de change (du SME).

excises products npl produits mpl taxés.

excite [ɪkˈsaɪt] vt exciter.

excited [ɪkˈsaɪtɪd] adj excité(e).

excitement [ɪkˈsaɪtmənt] n 1. (U) excitation f 2. (exciting thing) animation f.

exciting [ɪkˈsaɪtɪŋ] adj passionnant(e).

exclamation mark [ˌekskləˈmeɪʃn-] n point m d'exclamation.

exclamation point [ˌeksklə-ˈmeɪʃn-] [US] = **exclamation mark**.

exclamatory [ɪkˈsklæmətrɪ] adj exclamatif(ive).

exclude [ɪkˈskluːd] vt exclure.

excluding [ɪkˈskluːdɪŋ] prep sauf, à l'exception de.

exclusive [ɪkˈskluːsɪv] ◆ adj 1. (high-class) chic 2. (sole) exclusif(ive). ◆ n exclusivité f ▸ **exclusive of VAT** TVA non comprise.

exclusive rights n droits mpl exclusifs.

excursion [ɪkˈskɜːʃn] n excursion f.

excuse ◆ n [ɪkˈskjuːs] excuse f. ◆ vt [ɪkˈskjuːz] 1. (forgive) excuser 2. (let off) dispenser ▸ **excuse me!** excusez-moi !

ex-directory adj [UK] sur la liste rouge.

executable [ˈeksɪkjutəbl] adj COMPUT exécutable.

execute [ˈeksɪkjuːt] vt (kill) exécuter.

executive [ɪgˈzekjʊtɪv] ◆ adj [room] pour cadres. ◆ n [person] cadre m.

exempt [ɪgˈzempt] adj : **exempt from** exempt(e) de.

exemption [ɪgˈzempʃn] n exemption f.

exercise [ˈeksəsaɪz] ◆ n exercice m. ◆ vi faire de l'exercice ▶ **to do exercises** faire des exercices.

exercise book n cahier m.

exert [ɪgˈzɜːt] vt exercer.

exfoliant [eksˈfəʊliənt] n exfoliant m.

exhaust [ɪgˈzɔːst] ◆ vt épuiser. ◆ n : **exhaust (pipe)** pot m d'échappement.

exhausted [ɪgˈzɔːstɪd] adj épuisé(e).

exhibit [ɪgˈzɪbɪt] ◆ n [in museum, gallery] objet m exposé. ◆ vt exposer.

exhibition [ˌeksɪˈbɪʃn] n [of art] exposition f.

exist [ɪgˈzɪst] vi exister.

existence [ɪgˈzɪstəns] n existence f ▶ **to be in existence** exister.

existing [ɪgˈzɪstɪŋ] adj existant(e).

exit [ˈeksɪt] ◆ n sortie f. ◆ vi sortir.

exotic [ɪgˈzɒtɪk] adj exotique.

expand [ɪkˈspænd] vi se développer.

expect [ɪkˈspekt] vt **1.** s'attendre à **2.** [await] attendre ▶ **to expect to do sthg** compter faire qqch ▶ **I expect you to get to work on time** [require] j'attends de vous que vous arriviez à l'heure au travail ▶ **to be expecting** [be pregnant] être enceinte.

expectation [ˌekspekˈteɪʃn] n [hope] espoir m, attente f.

expedition [ˌekspɪˈdɪʃn] n expédition f.

expel [ɪkˈspel] vt [from school] renvoyer.

expense [ɪkˈspens] n (U) dépense f ▶ **at the expense of** aux dépens de. ◆ **expenses** npl [of business trip] frais mpl.

expensive [ɪkˈspensɪv] adj cher (chère).

experience [ɪkˈspɪəriəns] ◆ n expérience f. ◆ vt connaître.

experienced [ɪkˈspɪəriənst] adj expérimenté(e).

experiment [ɪkˈsperɪmənt] ◆ n expérience f. ◆ vi expérimenter.

expert [ˈekspɜːt] ◆ adj [advice] d'expert. ◆ n expert m.

expiration date [ˌekspɪˈreɪʃn-] US = **expiry date**.

expire [ɪkˈspaɪəʳ] vi expirer.

expiry date [ɪkˈspaɪərɪ-] UK date f d'expiration.

explain [ɪkˈspleɪn] vt expliquer.

explanation [ˌekspləˈneɪʃn] n explication f.

explicable [ɪkˈsplɪkəbl] adj explicable.

explode [ɪkˈspləʊd] vi exploser.

exploit [ɪkˈsplɔɪt] vt exploiter.

explore [ɪkˈsplɔːʳ] vt [place] explorer.

explosion [ɪkˈspləʊʒn] n explosion f.

explosive [ɪkˈspləʊsɪv] n explosif m.

export ◆ n [ˈekspɔːt] exportation f. ◆ vt [ɪkˈspɔːt] exporter.

exposed [ɪkˈspəʊzd] adj [place] exposé(e).

exposure [ɪkˈspəʊʒəʳ] n **1.** [photograph] pose f **2.** (U) MED exposition f au froid **3.** (U) [to heat, radiation] exposition f.

express [ɪkˈspres] ◆ adj **1.** [letter, delivery] exprès **2.** [train] express. ◆ n [train] express m. ◆ vt exprimer. ◆ adv en exprès.

expression [ɪkˈspreʃn] n expression f.

expresso [ɪkˈspresəʊ] n expresso m.

expressway [ɪkˈspresweɪ] n US autoroute f.

extend [ɪkˈstend] ◆ vt **1.** prolonger **2.** [hand] tendre. ◆ vi s'étendre.

extension [ɪkˈstenʃn] n **1.** [of building] annexe f **2.** [for phone] poste m **3.** [for permit, essay] prolongation f.

extension cable n rallonge f.

extension cord US = **extension lead**.

extension lead n UK rallonge f.

extensive [ɪkˈstensɪv] adj **1.** [damage] important(e) **2.** [area] vaste **3.** [selection] large.

extent [ɪkˈstent] n [of damage, knowledge] étendue f ▶ **to a certain extent** jusqu'à un certain point ▶ **to what extent...?** dans quelle mesure... ?

exterior [ɪkˈstɪərɪəʳ] ◆ adj extérieur(e). ◆ n extérieur m.

external [ɪkˈstɜːnl] adj externe.

extinct [ɪkˈstɪŋkt] adj **1.** [species] disparu(e) **2.** [volcano] éteint(e).

extinction [ɪkˈstɪŋkʃn] n (U) extinction f.

extinguish [ɪkˈstɪŋgwɪʃ] vt éteindre.

extinguisher [ɪkˈstɪŋgwɪʃəʳ] n extincteur m.

extortionate [ɪkˈstɔːʃnət] adj exorbitant(e).

extra [ˈekstrə] ◆ adj supplémentaire. ◆ n **1.** [bonus] plus m **2.** [optional thing] option f. ◆ adv [especially] encore plus ▶ **to pay extra** payer un supplément ▶ **extra charge** supplément m ▶ **extra large** XL. ◆ **extras** npl [in price] suppléments mpl.

extract ◆ n [ˈekstrækt] extrait m. ◆ vt [ɪkˈstrækt] extraire.

extractor fan [ɪkˈstræktə-] n UK ventilateur m.

extranet [ˈekstrənet] n extranet m.

extraordinary [ɪkˈstrɔːdnrɪ] adj extraordinaire.

extravagant [ɪkˈstrævəgənt] adj **1.** [wasteful] dépensier(ière) **2.** [expensive] coûteux(euse).

extra-virgin adj [olive oil] extra vierge.

extreme [ɪkˈstriːm] ◆ adj extrême. ◆ n extrême m.

extremely [ɪkˈstriːmlɪ] adv extrêmement.

extreme sport n sport m extrême.

extrovert [ˈekstrəvɜːt] n extraverti m, -e f.

eye [aɪ] ◆ n **1.** œil m **2.** [of needle] chas m. ◆ vt lorgner ▶ **to keep an eye on** surveiller.

eyebrow [ˈaɪbraʊ] n sourcil m.

eye candy n [woman] belle fille f ; [man] beau mec m.

eye drops npl gouttes fpl pour les yeux.

eyeglasses [ˈaɪglɑːsɪz] npl US fml lunettes fpl.

eyelash [ˈaɪlæʃ] n cil m.

eyelid [ˈaɪlɪd] n paupière f.

eyeliner [ˈaɪˌlaɪnəʳ] n eye-liner m.

eye-opening adj inf révélateur(trice).

eye shadow n fard m à paupières.

eyesight [ˈaɪsaɪt] n (U) vue f.

eye test n examen m des yeux.

eyewitness [ˌaɪˈwɪtnɪs] n témoin m oculaire.

Ff

F *(abbr of* Fahrenheit) F.

fab [fæb] *adj inf* super.

fabric ['fæbrɪk] n tissu *m*.

fabulous ['fæbjʊləs] *adj* fabuleux(euse).

facade [fə'sɑːd] n façade *f*.

face [feɪs] ◆ n 1. visage *m* 2. [expression] mine *f* 3. [of cliff, mountain] face *f* 4. [of clock, watch] cadran *m*. ◆ vt 1. faire face à 2. [facts] regarder en face ▶ **to be faced with** être confronté à. ◆ **face up to** vt insep faire face à.

facecloth ['feɪsklɒθ] n ≃ gant *m* de toilette.

facial ['feɪʃl] n soins *mpl* du visage.

facilitate [fə'sɪlɪteɪt] vt *fml* faciliter.

facilities [fə'sɪlɪtɪz] npl équipements *mpl*.

facsimile [fæk'sɪmɪlɪ] n [fax] fax *m*.

fact [fækt] n fait *m* ▶ **in fact** en fait.

factor ['fæktə'] n 1. facteur *m* 2. [of suntan lotion] indice *m* (de protection) ▶ **factor ten suntan lotion** crème solaire indice dix.

factory ['fæktərɪ] n usine *f*.

faculty ['fækltɪ] n [at university] faculté *f*.

FA Cup n championnat anglais de football dont la finale se joue à Wembley.

fade [feɪd] vi 1. [light, sound] baisser 2. [flower] faner 3. [jeans, wallpaper] se décolorer.

faded ['feɪdɪd] *adj* [jeans] délavé(e).

fag [fæg] n UK *inf* [cigarette] clope *f*.

Fahrenheit ['færənhaɪt] *adj* Fahrenheit *inv*.

fail [feɪl] ◆ vt [exam] rater, échouer à. ◆ vi 1. échouer 2. [engine] tomber en panne ▶ **to fail to do sthg** [not do] ne pas faire qqch.

failing ['feɪlɪŋ] ◆ n défaut *m*. ◆ prep : **failing that** à défaut.

failure ['feɪljə'] n 1. échec *m* 2. [person] raté *m*, -e *f* 3. [act of neglecting] manquement *m* ▶ **failure to comply with the regulations** non-respect de la réglementation.

faint [feɪnt] ◆ vi s'évanouir. ◆ *adj* 1. [sound] faible 2. [colour] pâle 3. [outline] vague ▶ **to feel faint** se sentir mal ▶ **I haven't the faintest idea** je n'en ai pas la moindre idée.

fair [feə'] ◆ n 1. [funfair] fête *f* foraine 2. [trade fair] foire *f*. ◆ *adj* 1. [just] juste 2. [quite good] assez bon (bonne) 3. [skin] clair(e) 4. [person, hair] blond(e) 5. [weather] beau (belle) ▶ **a fair number of** un nombre assez important de ▶ **fair enough!** d'accord !

fairground ['feəgraʊnd] n champ *m* de foire.

fair-haired [-'heəd] *adj* blond(e).

fairly ['feəlɪ] *adv* [quite] assez.

fair trade n commerce *m* équitable.

fairy ['feərɪ] n fée *f*.

fairy tale n conte *m* de fées.

faith [feɪθ] n 1. (U) [confidence] confiance *f* 2. [religious] foi *f*.

faithful ['feɪθʊl] adj **1.** [person] fidèle **2.** [account, translation] exact(e).

faithfully ['feɪθʊlɪ] adv : **Yours faithfully** ≃ veuillez agréer mes salutations distinguées.

faith school n UK SCH école f confessionnelle.

fake [feɪk] ◆ n [painting, etc.] faux m. ◆ vt imiter.

falafel [fə'læfəl] = **felafel**.

falcon ['fɔːlkən] n faucon m.

fall [fɔːl] (pt **fell**, pp **fallen**) ◆ vi **1.** tomber **2.** [decrease] chuter. ◆ n **1.** chute f **2.** US [autumn] automne m ▶ **to fall asleep** s'endormir ▶ **to fall ill** tomber malade ▶ **to fall in love** tomber amoureux. ◆ **falls** npl [waterfall] chutes fpl. ◆ **fall behind** vi [with work, rent] être en retard. ◆ **fall down** vi tomber. ◆ **fall off** vi tomber. ◆ **fall out** vi **1.** [hair, teeth] tomber **2.** [argue] se brouiller. ◆ **fall over** vi tomber. ◆ **fall through** vi échouer.

false [fɔːls] adj faux (fausse).

false alarm n fausse alerte f.

false teeth npl dentier m.

fame [feɪm] n (U) renommée f.

familiar [fə'mɪljər] adj familier(ière) ▶ **to be familiar with** [know] connaître.

familiarize, familiarise UK [fə'mɪljəraɪz] vt : **to familiarize o.s. with sthg** se familiariser avec qqch.

family ['fæmlɪ] ◆ n famille f. ◆ adj **1.** [size] familial(e) **2.** [film] tous publics **3.** [holiday] en famille.

family-friendly adj **1.** [hôtel, camping] qui accueille volontiers les familles **2.** [spectacle] pour toute la famille.

family leave n congé m parental.

family planning n planning m familial.

family planning clinic [-'plænɪŋ-] n centre m de planning familial.

family room n UK **1.** [at hotel] chambre f familiale **2.** [at pub, airport] salle réservée aux familles avec de jeunes enfants.

family-size(d) adj [jar, packet] familial(e).

famine ['fæmɪn] n famine f.

famished ['fæmɪʃt] adj inf affamé(e).

famous ['feɪməs] adj réputé(e).

fan [fæn] n **1.** [held in hand] éventail m **2.** [electric] ventilateur m **3.** [enthusiast] fana m ou f **4.** [supporter] fan m ou f.

fan belt n courroie f de ventilateur.

fancy ['fænsɪ] ◆ adj **1.** [elaborate] recherché(e). ◆ vt UK inf [feel like] avoir envie de ▶ **I fancy him** UK il me plaît ▶ **fancy (that)!** ça alors !

fancy dress n (U) déguisement m.

fan heater n radiateur m soufflant.

fanlight ['fænlaɪt] n imposte f.

fan-shaped adj en éventail.

fantastic [fæn'tæstɪk] adj fantastique.

fantasy ['fæntəsɪ] n [dream] fantasme m.

FAQ [fæk, efər'kjuː] (abbr of frequently asked questions) n COMPUT FAQ f, foire f aux questions.

far [fɑːr] (compar **further** OR **farther**, superl **furthest** OR **farthest**) ◆ adv **1.** loin **2.** [in degree] bien, beaucoup. ◆ adj [end, side] autre ▶ **how far is it to Paris?** à combien sommes-nous de Paris ? ▶ **as far as** [place] jusqu'à ▶ **as far as I'm concerned** en ce qui me concerne ▶ **as far as I know** pour autant que je sache ▶ **far better** beaucoup mieux ▶ **by far** de loin

▶ **so far** [until now] jusqu'ici ▶ **to go too far** [behave unacceptably] aller trop loin.

farce [fɑːs] n [ridiculous situation] farce f.

fare [feəʳ] ◆ n 1. [on bus, train, etc.] tarif m 2. (U) fml [food] nourriture f. ◆ vi se débrouiller.

Far East n : **the Far East** l'Extrême-Orient m.

fare stage n ⟨⟨UK⟩⟩ section f.

farm [fɑːm] n ferme f.

farmer ['fɑːməʳ] n fermier m, -ière f.

farmers' market n marché m de producteurs.

farmhouse ['fɑːmhaʊs] (pl [-haʊzɪz]) n ferme f.

farming ['fɑːmɪŋ] n (U) agriculture f.

farmland ['fɑːmlænd] n (U) terres fpl cultivées.

farmyard ['fɑːmjɑːd] n cour f de ferme.

farsighted [ˌfɑːˈsaɪtɪd] adj 1. [person] prévoyant(e) 2. ⟨⟨US⟩⟩ [longsighted] hypermétrope.

fart [fɑːt] vi vulg péter.

farther ['fɑːðəʳ] compar → **far**.

farthest ['fɑːðəst] superl → **far**.

fascinate ['fæsɪneɪt] vt fasciner.

fascinating ['fæsɪneɪtɪŋ] adj fascinant(e).

fascination [ˌfæsɪˈneɪʃn] n (U) fascination f.

fashion ['fæʃn] n 1. [trend, style] mode f 2. [manner] manière f ▶ **to be in fashion** être à la mode ▶ **to be out of fashion** être démodé.

fashionable ['fæʃnəbl] adj à la mode.

fashionista [ˌfæʃəˈnɪstə] n inf fashionista m.

fashion show n défilé m de mode.

fast [fɑːst] ◆ adv 1. [quickly] vite 2. [securely] solidement. ◆ adj rapide ▶ **to be fast** [clock] avancer ▶ **fast asleep** profondément endormi ▶ **a fast train** un (train) rapide.

fasten ['fɑːsn] vt 1. attacher 2. [coat, door] fermer.

fastener ['fɑːsnəʳ] n 1. [on jewellery] fermoir m 2. [zip] fermeture f Éclair® 3. [press stud] bouton-pression m.

fast food n (U) fast-food m.

fast-paced [-'peɪst] adj [novel, film, TV show] au rythme trépidant.

fat [fæt] ◆ adj 1. [person] gros (grosse) 2. [meat] gras (grasse). ◆ n 1. (U) [on body] graisse f 2. (U) [on meat] gras m 3. [for cooking] matière f grasse 4. [chemical substance] lipide m.

fatal ['feɪtl] adj [accident, disease] mortel(elle).

fate [feɪt] n 1. destin m 2. [result, end] sort m.

fat-free adj sans matières grasses.

father ['fɑːðəʳ] n père m.

Father Christmas n ⟨⟨UK⟩⟩ le père Noël.

father-in-law n beau-père m.

fatten ['fætn] vt engraisser.

fattening ['fætnɪŋ] adj qui fait grossir.

fatty ['fætɪ] adj gras (grasse).

faucet ['fɔːsɪt] n ⟨⟨US⟩⟩ robinet m.

fault [fɔːlt] n 1. (U) [responsibility] faute f 2. [defect] défaut m ▶ **it's your fault** c'est de ta faute.

faulty ['fɔːltɪ] adj défectueux(euse).

favor ['feɪvər] ⟨⟨US⟩⟩ = **favour**.

favorable US = **favourable**.

favorite ['feɪvrɪt] US = **favourite**.

favorites npl COMPUT favoris mpl, signets mpl.

favour ['feɪvəʳ] ◆ n [kind act] faveur f. ◆ vt [prefer] préférer ▶ **to be in favour of** être en faveur de ▶ **to do sb a favour** rendre un service à qqn.

favourable ['feɪvrəbl] adj US favorable.

favourite ['feɪvrɪt] ◆ adj US préféré(e). ◆ n US préféré m, -e f.

fawn [fɔːn] adj fauve.

fax [fæks] ◆ n fax m. ◆ vt 1. [document] faxer 2. [person] envoyer un fax à.

fax machine n fax m, télécopieur m.

fear [fɪəʳ] ◆ n peur f. ◆ vt [be afraid of] avoir peur de ▶ **for fear of** de peur de.

feast [fiːst] n [meal] festin m.

feather ['feðəʳ] n plume f.

feature ['fiːtʃəʳ] ◆ n 1. [characteristic] caractéristique f 2. [of face] trait m 3. [in newspaper] article m de fond 4. [on radio, TV] reportage m. ◆ vt [subj: film] : 'featuring...' 'avec...'.

feature film n long métrage m.

Feb. [feb] (abbr of February) fév. (février).

February ['februərɪ] n février m ▶ **at the beginning of February** début février ▶ **at the end of February** fin février ▶ **during February** en février ▶ **every February** tous les ans en février ▶ **in February** en février ▶ **last February** en février (dernier) ▶ **next February** en février de l'année prochaine ▶ **this February** en février (prochain) ▶ **2 February 2012** [in letters, etc.] le 2 février 2012.

fed [fed] pt & pp → **feed**.

Federal Agent n US agent m fédéral, agente f fédérale.

fed up adj **to be fed up** avoir le cafard ▶ **to be fed up with** en avoir assez de.

fee [fiː] n 1. [to doctor] honoraires mpl 2. [for membership] cotisation f.

feeble ['fiːbəl] adj faible.

feed [fiːd] (pt & pp **fed**) vt 1. nourrir 2. [insert] insérer.

feedback ['fiːdbæk] n (U) [reaction] réactions fpl.

feel [fiːl] (pt & pp **felt**) ◆ vt 1. [touch] toucher 2. [experience] sentir 3. [think] penser. ◆ n [touch] toucher m. ◆ vi se sentir ▶ **it feels cold** il fait froid ▶ **it feels strange** ça fait drôle ▶ **to feel hot/cold** avoir chaud/froid ▶ **to feel like sthg** [fancy] avoir envie de qqch ▶ **to feel up to doing sthg** se sentir le courage de faire qqch.

feeling ['fiːlɪŋ] n 1. [emotion] sentiment m 2. [sensation] sensation f 3. [belief] opinion f ▶ **to hurt sb's feelings** blesser qqn.

feet [fiːt] pl → **foot**.

feigned [feɪnd] adj [surprise, innocence] feint(e).

felafel [fə'læfəl] n CULIN falafel m.

fell [fel] ◆ pt → **fall**. ◆ vt [tree] abattre.

fellow ['feləʊ] ◆ n [man] homme m. ◆ adj : **fellow students** camarades mpl de classe.

felony ['felənɪ] n LAW crime m, forfait m.

felt [felt] ◆ pt & pp → **feel**. ◆ n (U) feutre m.

felt-tip pen n (stylo-)feutre m.

female ['fi:meɪl] ◆ adj **1.** féminin(e) **2.** [animal] femelle f. ◆ n [animal] femelle f.

feminine ['femɪnɪn] adj féminin(e).

feminist ['femɪnɪst] n féministe m ou f.

fence [fens] n barrière f.

fencing ['fensɪŋ] n (U) SPORT escrime f.

fend [fend] vi : **to fend for o.s.** se débrouiller tout seul.

fender ['fendəʳ] n **1.** [for fireplace] pare-feu m inv **2.** US [on car] aile f.

fennel ['fenl] n (U) fenouil m.

fern [fɜːn] n fougère f.

ferocious [fəˈrəʊʃəs] adj féroce.

Ferris wheel ['ferɪs-] n US grande roue f.

ferry ['ferɪ] n ferry m.

fertile ['fɜːtaɪl] adj [land] fertile.

fertilizer ['fɜːtɪlaɪzəʳ] n engrais m.

festering ['festərɪŋ] adj [wound] suppurant(e).

festival ['festəvl] n **1.** [of music, arts, etc.] festival m **2.** [holiday] fête f.

feta cheese ['fetə-] n (U) feta f.

fetch [fetʃ] vt **1.** [object] apporter **2.** [go and get] aller chercher **3.** [be sold for] rapporter.

fete [feɪt] n fête f.

fetus ['fiːtəs] US = **foetus**.

fever ['fiːvəʳ] n fièvre f ▶ **to have a fever** avoir de la fièvre.

feverish ['fiːvərɪʃ] adj fiévreux(euse).

few [fjuː] ◆ adj peu de. ◆ pron peu ▶ **the first few times** les premières fois ▶ **a few** quelques, quelques-uns ▶ **quite a few of them** pas mal d'entre eux.

fewer ['fjuːəʳ] ◆ adj moins de. ◆ pron : **fewer than ten items** moins de dix articles.

fiancé [fɪˈɒnseɪ] n fiancé m.

fiancée [fɪˈɒnseɪ] n fiancée f.

fib [fɪb] n inf bobard m.

fiber ['faɪbəʳ] US = **fibre**.

fiberglass US = **fibreglass**.

fibre ['faɪbəʳ] n UK **1.** fibre f (U) **2.** [in food] fibres fpl.

fibreglass ['faɪbəɡlɑːs] n (U) UK fibre f de verre.

fickle ['fɪkl] adj capricieux(ieuse).

fiction ['fɪkʃn] n fiction f.

fiddle ['fɪdl] ◆ n [violin] violon m. ◆ vi : **to fiddle with sthg** tripoter qqch.

fiddlesticks ['fɪdlstɪks] excl inf [dated] [in disagreement] balivernes fpl.

fidget ['fɪdʒɪt] vi remuer.

field [fiːld] n **1.** champ m **2.** [for sport] terrain m **3.** [subject] domaine m.

field glasses npl jumelles fpl.

field hockey n US hockey m (sur gazon).

field trip n SCH voyage m d'étude.

fierce [fɪəs] adj **1.** féroce **2.** [storm] violent(e) **3.** [heat] torride.

FIFO (abbr of first in first out) n PEPS m (premier entré, premier sorti).

fifteen [fɪfˈtiːn] num adj & n quinze ▶ **to be fifteen (years old)** avoir quinze ans ▶ **a hundred and fifteen** cent quinze ▶ **fifteen Hill St** 15 Hill St ▶ **it's minus fifteen (degrees)** il fait moins quinze (degrés).

fifteenth [ˌfɪfˈtiːnθ] ◆ num adj & adv quinzième. ◆ num pron quinzième m ou f. ◆ num n [fraction] quinzième m

▶ **the fifteenth (of September)** le quinze (septembre).

fifth [fɪfθ] ◆ num adj & adv cinquième. ◆ num pron cinquième *m* ou *f*. ◆ num n [fraction] cinquième *m*. ▶ **the fifth (of September)** le cinq (septembre).

fifth grade n US SCH classe de l'enseignement primaire correspondant au CM2 (9-10 ans).

fiftieth ['fɪftɪəθ] ◆ num adj & adv cinquantième. ◆ num pron cinquantième *m* ou *f*. ◆ num n [fraction] cinquantième *m*.

fifty ['fɪftɪ] num adj & n cinquante ▶ **to be fifty (years old)** avoir cinquante ans ▶ **a hundred and fifty** cent cinquante ▶ **fifty Hill St** 50 Hill St ▶ **it's minus fifty (degrees Fahrenheit)** il fait moins cinquante (degrés Fahrenheit).

fifty-fifty adj moitié-moitié, fifty-fifty.

fig [fɪg] n figue *f*.

fight [faɪt] (*pt & pp* fought) ◆ n 1. bagarre *f* 2. [argument] dispute *f* 3. [struggle] lutte *f*. ◆ vt 1. se battre avec OR contre 2. [combat] combattre. ◆ vi 1. se battre 2. [quarrel] se disputer 3. [struggle] lutter ▶ **to have a fight with sb** se battre avec qqn. ◆ **fight back** vi riposter. ◆ **fight off** vt sep 1. [attacker] repousser 2. [illness] lutter contre.

fighting ['faɪtɪŋ] n (U) 1. bagarre *f* 2. [military] combats *mpl*.

figure [UK 'fɪgəʳ, US 'fɪgjər] n 1. [digit, statistic] chiffre *m* 2. [number] nombre *m* 3. [of person] silhouette *f* 4. [diagram] figure *f*. ◆ **figure out** vt sep comprendre.

file [faɪl] ◆ n 1. dossier *m* 2. COMPUT fichier *m* 3. [tool] lime *f*. ◆ vt 1. [complaint, petition] déposer 2. [nails] limer ▶ **in single file** en file indienne.

file format n format *m* de fichier.

file-sharing n partage *m* de fichiers.

filing cabinet ['faɪlɪŋ-] n classeur *m* (meuble).

Filipino [,fɪlɪ'piːnəʊ] ◆ adj philippin(e). ◆ n (*pl* -s) Philippin *m*, -e *f*.

fill [fɪl] vt 1. remplir 2. [tooth] plomber ▶ **to fill sthg with** remplir qqch de. ◆ **fill in** vt sep [form] remplir. ◆ **fill out** vt sep = fill in. ◆ **fill up** vt sep remplir ▶ **fill her up!** [with petrol] le plein !

filled roll [fɪld-] n petit pain *m* garni.

fillet ['fɪlɪt] n filet *m*.

fillet steak n filet *m* de bœuf.

filling ['fɪlɪŋ] ◆ n 1. [of cake, sandwich] garniture *f* 2. [in tooth] plombage *m*. ◆ adj nourrissant(e).

filling station n station-service *f*.

film [fɪlm] ◆ n 1. [at cinema] film *m* 2. [for camera] pellicule *f*. ◆ vt filmer. ◆ **film over** vi insep s'embuer.

film star n vedette *f* de cinéma.

filter ['fɪltəʳ] n filtre *m*.

filthy ['fɪlθɪ] adj dégoûtant(e).

fin [fɪn] n 1. [of fish] nageoire *f* 2. US [of swimmer] palme *f*.

final ['faɪnl] ◆ adj 1. [last] dernier(ière) 2. [decision, offer] final(e). ◆ n finale *f*.

final cut n [cinema] montage *m* définitif.

finalist ['faɪnəlɪst] n finaliste *m* ou *f*.

finally ['faɪnəlɪ] adv enfin.

finance ◆ n ['faɪnæns] (U) 1. [money] financement *m* 2. [profession] finance *f*. ◆ vt [faɪ'næns] financer. ◆ **finances** npl finances *fpl*.

financial [fɪˈnænʃl] adj financier(ière).

find [faɪnd] (pt & pp found) ◆ vt **1.** trouver **2.** [find out] découvrir. ◆ n trouvaille f ▶ to find the time to do sthg trouver le temps de faire qqch. ◆ **find out** ◆ vt sep [fact, truth] découvrir. ◆ vi : **to find out about sthg a)** [learn] apprendre qqch **b)** [get information] se renseigner sur qqch.

fine [faɪn] ◆ adv **1.** [thinly] fin **2.** [well] très bien. ◆ n amende f. ◆ vt donner une amende à. ◆ adj **1.** [good] excellent(e) **2.** [weather, day] beau (belle) **3.** [satisfactory] bien **4.** [thin] fin(e) ▶ to be fine [in health] aller bien.

fine art n (U) beaux-arts mpl.

finger [ˈfɪŋɡər] n doigt m.

fingerless glove [ˈfɪŋɡələs-] n mitaine f.

fingernail [ˈfɪŋɡəneɪl] n ongle m (de la main).

fingertip [ˈfɪŋɡətɪp] n bout m du doigt.

finish [ˈfɪnɪʃ] ◆ n **1.** fin f **2.** [of race] arrivée f **3.** [on furniture] fini m. ◆ vt finir, terminer. ◆ vi **1.** finir, se terminer **2.** [in race] finir ▶ to finish doing sthg finir de faire qqch. ◆ **finish off** vt sep finir, terminer. ◆ **finish up** vi finir, terminer ▶ to finish up doing sthg finir par faire qqch.

Finland [ˈfɪnlənd] n la Finlande.

Finn [fɪn] n Finlandais m, -e f.

Finnan haddock [ˈfɪnən-] n 𝗦𝗖𝗢𝗧 type de haddock écossais.

Finnish [ˈfɪnɪʃ] ◆ adj finlandais(e). ◆ n (U) [language] finnois m.

fir [fɜːr] n sapin m.

fire [faɪər] ◆ n **1.** feu m **2.** [out of control] incendie m **3.** [device] appareil m de chauffage. ◆ vt **1.** [gun] décharger **2.** [bullet] tirer **3.** [from job] renvoyer ▶ on fire en feu ▶ to catch fire prendre feu ▶ to make a fire faire du feu.

fire alarm n alarme f d'incendie.

fire brigade n 𝗨𝗞 pompiers mpl.

fire department 𝗨𝗦 = fire brigade.

fire engine n voiture f de pompiers.

fire escape n escalier m de secours.

fire exit n issue f de secours.

fire extinguisher n extincteur m.

fire hazard n : to be a fire hazard présenter un risque d'incendie.

fireman [ˈfaɪəmən] (pl -men) n pompier m.

fireplace [ˈfaɪəpleɪs] n cheminée f.

fire regulations npl consignes fpl d'incendie.

fire-retardant adj ignifuge.

fire service = fire brigade.

fire station n caserne f de pompiers.

firewall [ˈfaɪəwɔːl] n pare-feu m, firewall m.

firewood [ˈfaɪəwʊd] n (U) bois m de chauffage.

fireworks [ˈfaɪəwɜːks] npl [rockets, etc.] feux mpl d'artifice.

firework(s) display [ˈfaɪəwɜːk(s)-] n feu m d'artifice.

firm [fɜːm] ◆ adj **1.** ferme **2.** [structure] solide. ◆ n société f.

first [fɜːst] ◆ adj premier(ière). ◆ adv **1.** [in order] en premier **2.** [at the start] premièrement, d'abord **3.** [for the first time] pour la première fois. ◆ pron premier m, -ière f. ◆ n [event] première f ▶ first (gear) première f ▶ first thing (in the morning) à la première heure ▶ for the first time pour la première fois ▶ the

first of January le premier janvier ▶ **at first** au début ▶ **first of all** premièrement, tout d'abord.

first aid n (U) premiers secours mpl.

first-aid kit n trousse f de premiers secours.

first class n (U) **1.** [mail] tarif m normal **2.** [on train, plane, ship] première classe f.

first-class adj **1.** [stamp] au tarif normal **2.** [ticket] de première classe **3.** [very good] excellent(e).

first floor n **1.** `UK` premier étage m **2.** `US` rez-de-chaussée m inv.

first grade n `US` SCH classe de l'école primaire correspondant au CP (5-6 ans).

firstly ['fɜːstlɪ] adv premièrement.

First Minister n [in Scottish Parliament] président m du Parlement écossais.

first name n prénom m.

First Secretary n [in Welsh Assembly] président m de l'Assemblée galloise.

First World War n : **the First World War** `UK` la Première Guerre mondiale.

fish [fɪʃ] (pl inv) ◆ n poisson m. ◆ vi pêcher.

fish and chips n (U) poisson m frit et frites.

fishcake ['fɪʃkeɪk] n croquette f de poisson.

fisherman ['fɪʃəmən] (pl -men) n pêcheur m.

fish farm n établissement m piscicole.

fish fingers npl `UK` bâtonnets mpl de poisson pané.

fishing ['fɪʃɪŋ] n (U) pêche f ▶ **to go fishing** aller à la pêche.

fishing boat n bâteau m de pêche.

fishing rod n canne f à pêche.

fishmonger's ['fɪʃ,mʌŋgəz] n `UK` [shop] poissonnerie f.

fish sticks `US` = **fish fingers**.

fish supper n `SCOT` poisson m frit et frites.

fishy ['fɪʃɪ] adj **1.** [smell, taste] de poisson **2.** [suspicious] louche.

fist [fɪst] n poing m.

fit [fɪt] ◆ adj [healthy] en forme. ◆ vt **1.** [subj: clothes, shoes] aller à **2.** [a lock, kitchen, bath] installer **3.** [insert] insérer. ◆ vi aller. ◆ n **1.** [of coughing, anger] crise f **2.** [epileptic] crise f d'épilepsie ▶ **it's a good fit** [clothes] c'est la bonne taille ▶ **fit to do sthg** [suitable] être bon pour qqch ▶ **fit to eat** comestible ▶ **it doesn't fit a)** [jacket, skirt] ça ne va pas **b)** [object] ça ne rentre pas ▶ **to get fit** se remettre en forme ▶ **to keep fit** garder la forme. ◆ **fit in** ◆ vt sep [find time to do] caser. ◆ vi [belong] s'intégrer.

fitness ['fɪtnɪs] n (U) [health] forme f.

fitted ['fɪtəd] adj **1.** [suited] : **fitted for** or **to** apte à **2.** [tailored shirt, jacket] ajusté(e).

fitted carpet n `UK` moquette f.

fitted sheet n `UK` drap-housse m.

fitting room n ['fɪtɪŋ-] n cabine f d'essayage.

five [faɪv] num cinq ▶ **to be five (years old)** avoir cinq ans ▶ **it's five (o'clock)** il est cinq heures ▶ **a hundred and five** cent cinq ▶ **five Hill St** 5 Hill St ▶ **it's minus five (degrees)** il fait moins cinq.

fiver ['faɪvə'] n `UK` inf **1.** cinq livres fpl **2.** [note] billet m de cinq livres.

fix [fɪks] vt 1. [attach, decide on] fixer 2. [mend] réparer 3. [drink, food] préparer 4. [arrange] arranger. ◆ **fix up** sep : **to fix sb up with a lift home** faire raccompagner qqn chez lui.

fixed price n prix m fixe.

fixture ['fɪkstʃəʳ] n SPORT rencontre f ▸ **fixtures and fittings** équipements mpl.

fizzy ['fɪzɪ] adj pétillant(e).

flag [flæg] n drapeau m.

flake [fleɪk] ◆ n [of snow] flocon m. ◆ vi s'écailler.

flame [fleɪm] n flamme f.

flame-grilled adj CULIN grillé(e) au feu de bois.

flammable ['flæməbl] adj inflammable.

flan [flæn] n tarte f.

flannel ['flænl] n 1. (U) [material] flanelle f 2. 🇬🇧 [for face] ≃ gant m de toilette. ◆ **flannels** npl pantalon m de flanelle.

flap [flæp] ◆ n rabat m. ◆ vt [wings] battre de.

flapjack ['flæpdʒæk] n 1. 🇬🇧 pavé à l'avoine 2. 🇺🇸 crêpe f épaisse.

flare [fleəʳ] n [signal] signal m lumineux.

flared [fleəd] adj 1. [trousers] à pattes d'éléphant 2. [skirt] évasé(e).

flash [flæʃ] ◆ n 1. [of light] éclair m 2. [for camera] flash m. ◆ vi [lamp] clignoter ▸ **a flash of lightning** un éclair ▸ **to flash one's headlights** faire un appel de phares.

flash drive n COMPUT clé f USB.

flashlight ['flæʃlaɪt] n 🇺🇸 lampe f électrique, torche f.

flask [flɑːsk] n 1. [Thermos] Thermos® f 2. [hip flask] flasque f.

flat [flæt] ◆ adj 1. plat(e) 2. [surface] plan(e) 3. [battery] à plat 4. [drink] éventé(e) 5. [rate, fee] fixe. ◆ adv à plat. ◆ n 🇬🇧 [apartment] appartement m ▸ **a flat (tyre)** un pneu à plat ▸ **flat out** a) [run] à fond b) [work] d'arrache-pied.

flatline ['flætlaɪn] vi 🇺🇸 inf [die] mourir.

flat-pack n meuble m en kit.

flat rate n forfait m de base.

flatter ['flætəʳ] vt flatter.

flavor ['fleɪvər] 🇺🇸 = **flavour**.

flavored 🇺🇸 = **flavoured**.

flavoring 🇺🇸 = **flavouring**.

flavour ['fleɪvəʳ] n 1. (U) 🇬🇧 goût m 2. [of ice cream] parfum m.

flavoured ['fleɪvəd] adj 🇬🇧 aromatisé(e) ▸ **lemon-flavoured** citronné.

flavouring ['fleɪvərɪŋ] n 🇬🇧 arôme m.

flaw [flɔː] n défaut m.

flea [fliː] n puce f.

flea market n marché m aux puces.

fleece [fliːs] n 1. [of sheep] toison m 2. (U) [material] fourrure f polaire 3. 🇬🇧 [garment] polaire f, gilet m en polaire.

fleet [fliːt] n flotte f.

Fleet Street n rue de Londres dont le nom est utilisé pour désigner la presse britannique.

ⓘ **Fleet Street**

Cette rue de la City est traditionnellement associée à la presse. Même si aujourd'hui de nombreux journaux sont établis dans d'autres quartiers de Londres, notamment les Docklands, Fleet Street continue à désigner le monde du journalisme.

Flemish ['flemɪʃ] ◆ adj flamand(e). ◆ n (U) [language] flamand m.

flesh [fleʃ] n (U) chair f.

flew [fluː] pt → fly.

flex [fleks] n **UK** cordon m électrique.

flexible ['fleksəbl] adj flexible.

flexitime ['fleksɪtaɪm], **flextime** ['flekstaɪm] **US** n (U) horaire m à la carte OR flexible.

flick [flɪk] vt **1.** [a switch] appuyer sur **2.** [with finger] donner une chiquenaude à. ◆ **flick through** vt insep feuilleter.

flies [flaɪz] npl **UK** [of trousers] braguette f.

flight [flaɪt] n vol m ▶ **a flight (of stairs)** une volée de marches.

flight attendant n **1.** [female] hôtesse f de l'air **2.** [male] steward m.

flimsy ['flɪmzɪ] adj **1.** [object] fragile **2.** [clothes] léger(ère).

fling [flɪŋ] (pt & pp **flung**) vt jeter.

flint [flɪnt] n [of lighter] pierre f.

flip-flop [flɪp-] n [shoe] tong f.

flip phone n téléphone m à clapet.

flirt [flɜːt] vi ▶ **to flirt (with sb)** flirter (avec qqn).

float [fləʊt] ◆ n **1.** [for swimming] planche f **2.** [for fishing] bouchon m **3.** [in procession] char m **4.** **US** [drink] soda avec une boule de glace. ◆ vi flotter.

flock [flɒk] ◆ n **1.** [of sheep] troupeau m **2.** [of birds] vol m. ◆ vi [people] affluer.

flood [flʌd] ◆ n inondation f. ◆ vt inonder. ◆ vi déborder.

floodgate ['flʌdgeɪt] n vanne f, porte f d'écluse.

floodlit ['flʌdlɪt] n projecteur m.

floor [flɔːʳ] n **1.** [of room] plancher m, sol m **2.** [storey] étage m **3.** [of nightclub] piste f.

floorboard ['flɔːbɔːd] n latte f (de plancher).

floor show n spectacle m de cabaret.

flop [flɒp] n inf [failure] fiasco m.

floppy disk ['flɒpɪ-] n disquette f.

floral ['flɔːrəl] adj [pattern] à fleurs.

Florida Keys ['flɒrɪdə-] npl îles au large de la Floride.

florist ['flɒrɪst] n fleuriste mf ▶ **florist's (shop)** magasin m de fleuriste.

florist's ['flɒrɪsts] n [shop] fleuriste m.

flouncy ['flaʊnsɪ] adj [dress, skirt] froufroutant(e).

flour ['flaʊəʳ] n (U) farine f.

flow [fləʊ] ◆ n courant m. ◆ vi couler.

flower ['flaʊəʳ] n fleur f.

flowerbed ['flaʊəbed] n parterre m de fleurs.

flowerpot ['flaʊəpɒt] n pot m de fleurs.

flown [fləʊn] pp → fly.

fl oz abbr of **fluid ounce**.

flu [fluː] n (U) grippe f.

fluent ['fluːənt] adj ▶ **to be fluent in French, to speak fluent French** parler couramment français.

fluff [flʌf] n (U) [on clothes] peluches fpl.

fluid ounce ['fluːɪd-] n = 0,03 litre.

flume [fluːm] n toboggan m.

flung [flʌŋ] pt & pp → fling.

flunk [flʌŋk] vt US inf [exam] rater.

fluorescent [fluəˈresənt] adj fluorescent(e).

flush [flʌʃ] vt : **to flush the toilet** tirer la chasse d'eau.

flute [fluːt] n flûte f.

fly [flaɪ] (pt **flew**, pp **flown**) ◆ n 1. [insect] mouche f 2. [of trousers] braguette f. ◆ vt 1. [plane, helicopter] piloter 2. [airline] voyager avec 3. [transport] transporter (par avion). ◆ vi 1. voler 2. [passenger] voyager en avion 3. [pilot a plane] piloter 4. [flag] flotter.

fly-drive n UK formule f avion plus voiture.

flying [ˈflaɪɪŋ] n (U) voyages mpl en avion.

flyover [ˈflaɪˌəʊvəʳ] n UK saut-de-mouton m.

flypaper [ˈflaɪˌpeɪpəʳ] n (U) papier m tue-mouches.

flysheet [ˈflaɪʃiːt] n auvent m.

FM n FM f.

foal [fəʊl] n poulain m.

foam [fəʊm] n (U) mousse f.

focus [ˈfəʊkəs] ◆ n [of camera] mise f au point. ◆ vi [with camera, binoculars] faire la mise au point ▸ **in focus** net ▸ **out of focus** flou.

foetus UK, **fetus** US [ˈfiːtəs] n fœtus m.

fog [fɒg] n (U) brouillard m.

fogbound [ˈfɒgbaʊnd] adj bloqué(e) par le brouillard.

foggy [ˈfɒgɪ] adj brumeux(euse).

fog lamp UK = **fog light**.

fog light n feu m de brouillard.

foil [fɔɪl] n (U) [thin metal] papier m aluminium.

fold [fəʊld] ◆ n pli m. ◆ vt 1. plier 2. [wrap] envelopper ▸ **to fold one's arms** (se) croiser les bras. ◆ **fold up** vi [chair, bed, bicycle] se plier.

folder [ˈfəʊldəʳ] n 1. chemise f (cartonnée) 2. COMPUT dossier m.

folding [ˈfəʊldɪŋ] adj [table, umbrella] pliant(e).

foliage [ˈfəʊlɪdʒ] n (U) feuillage m.

folk [fəʊk] ◆ npl [people] gens mpl. ◆ n : **folk (music)** (U) folk m. ◆ **folks** npl inf [relatives] famille f.

folklore [ˈfəʊklɔːʳ] n folklore m.

follow [ˈfɒləʊ] vt & vi suivre ▸ **followed by** [in time] suivi par or de ▸ **as follows** comme suit. ◆ **follow on** vi [come later] suivre.

following [ˈfɒləʊɪŋ] ◆ adj suivant(e). ◆ prep après.

follow on call n appel téléphonique permettant d'utiliser la monnaie restant d'un précédent appel.

follow-up n suite f.

fond [fɒnd] adj : **to be fond of** aimer beaucoup.

fondue [ˈfɒnduː] n 1. [with cheese] fondue f (savoyarde) 2. [with meat] fondue bourguignonne.

font [fɒnt] n [printing] police f.

food [fuːd] n 1. (U) nourriture f 2. [type of food] aliment m.

food hall n rayon m alimentation.

food miles npl kilomètres mpl alimentaires.

food mixer n mixer m.

food poisoning [-ˌpɔɪznɪŋ] n (U) intoxication f alimentaire.

food processor [-ˌprəʊsesəʳ] n robot m ménager.

food stamp n US bon m alimentaire (accordé aux personnes sans ressources).

foodstuffs ['fu:dstʌfs] npl denrées fpl alimentaires.

food technology n technologie f alimentaire.

fool [fu:l] ◆ n **1.** [idiot] idiot m, -e f **2.** [pudding] mousse f. ◆ vt tromper.

foolish ['fu:lɪʃ] adj idiot(e), bête.

foot [fut] (pl **feet**) n **1.** pied m **2.** [of animal] patte f **3.** [measurement] = 30,48 cm, pied m ▶ **by foot** à pied ▶ **on foot** à pied.

foot-and-mouth disease n fièvre f aphteuse.

football ['futbɔ:l] n **1.** UK [soccer] football m **2.** US [American football] football m américain **3.** [ball] ballon m de football.

footballer ['futbɔ:lə^r] n UK footballeur m, -euse f.

football field n US terrain m de football américain.

football pitch n UK terrain m de football.

football player = footballer.

footbridge ['futbrɪdʒ] n passerelle f.

foothills ['futhɪlz] npl contreforts mpl.

footnote ['futnəut] n note f de ou en bas de page.

footpath ['futpɑ:θ] (pl [-pɑ:ðz]) n sentier m.

footprint ['futprɪnt] n empreinte f de pas.

footstep ['futstep] n pas m.

footwear ['futweə^r] n (U) chaussures fpl.

for [fɔ:^r] ◆ prep **1.** [expressing purpose, reason, destination] pour ▶ **this book is for you** ce livre est pour toi ▶ **a ticket for Manchester** un billet pour Manchester ▶ **a town famous for its wine** une ville réputée pour son vin ▶ **what did you do that for?** pourquoi as-tu fait ça ? ▶ **what's it for?** ça sert à quoi ? ▶ **to go for a walk** aller se promener ▶ **'for sale'** 'à vendre' **2.** [during] pendant ▶ **I've lived here for ten years** j'habite ici depuis dix ans, ça fait dix ans que j'habite ici ▶ **we talked for hours** on a parlé pendant des heures **3.** [by, before] pour ▶ **I'll do it for tomorrow** je le ferai pour demain **4.** [on the occasion of] pour ▶ **I got socks for Christmas** on m'a offert des chaussettes pour Noël ▶ **what's for dinner?** qu'est-ce qu'il y a pour OR à dîner ? **5.** [on behalf of] pour ▶ **I'd do anything for you** je ferais n'importe quoi pour toi **6.** [with time and space] pour ▶ **there's no room for your suitcase** il n'y a pas de place pour la valise ▶ **it's time for dinner** c'est l'heure du dîner ▶ **have you got time for a drink?** tu as le temps de prendre un verre ? **7.** [expressing distance] pendant, sur ▶ **'road works for 20 miles'** travaux sur 32 kilomètres **8.** [expressing price] : **I bought it for five pounds** je l'ai payé cinq livres **9.** [expressing meaning] : **what's the French for "boy"?** comment dit-on « boy » en français ? **10.** [with regard to] pour ▶ **it's warm for November** il fait chaud pour novembre ▶ **it's easy for you** c'est facile pour toi ▶ **it's too far for us to walk** c'est trop loin pour y aller à pied.

forbid [fə'bɪd] (pt -**bade**, pp -**bidden**) vt interdire, défendre ▶ **I forbid you to go there** je t'interdis d'aller là-bas.

forbidden [fə'bɪdn] adj interdit(e), défendu(e).

force [fɔːs] ♦ n (U) force f. ♦ vt 1. [push] mettre de force 2. [lock, door] forcer ▶ **to force sb to do sthg** forcer qqn à faire qqch ▶ **to force one's way through** se frayer un chemin ▶ **the forces** les forces armées.

ford [fɔːd] n gué m.

forecast ['fɔːkɑːst] n prévision f.

foreclosure [fɔː'kləʊʒəʳ] n forclusion f.

forecourt ['fɔːkɔːt] n devant m.

forefinger ['fɔːˌfɪŋgəʳ] n index m.

foreground ['fɔːgraʊnd] n premier plan m.

forehead ['fɔːhed] n front m.

foreign ['fɒrən] adj 1. étranger(ère) 2. [travel, visit] à l'étranger.

foreign currency n devises fpl (étrangères).

foreigner ['fɒrənəʳ] n étranger m, -ère f.

foreign exchange n (U) change m.

Foreign Office n UK **: the Foreign Office** ≃ le ministère des Affaires étrangères.

Foreign Secretary n UK ministre m des Affaires étrangères.

foreman ['fɔːmən] (pl -men) n [of workers] contremaître m.

foremost ['fɔːməʊst] ♦ adj principal(e) ♦ adv **: first and foremost** tout d'abord.

forename ['fɔːneɪm] n fml prénom m.

foresee [fɔː'siː] (pt -saw, pp -seen) vt prévoir.

forest ['fɒrɪst] n forêt f.

forever [fə'revəʳ] adv 1. [eternally] (pour) toujours 2. [continually] continuellement.

forewarning [ˌfɔː'wɔːnɪŋ] n avertissement m.

foreword ['fɔːwɜːd] n avant-propos m inv.

forgave [fə'geɪv] pt → forgive.

forge [fɔːdʒ] vt [copy] contrefaire.

forgery ['fɔːdʒərɪ] n contrefaçon f.

forget [fə'get] (pt -got, pp -gotten) vt & vi oublier ▶ **to forget about sthg** oublier qqch ▶ **to forget how to do sthg** oublier comment faire qqch ▶ **to forget to do sthg** oublier de faire qqch ▶ **forget it!** laisse tomber !

forgetful [fə'getful] adj distrait(e).

forgive [fə'gɪv] (pt -gave, pp -given) vt pardonner ▶ **to forgive sb for sthg** pardonner qqch à qqn.

forgot [fə'gɒt] pt → forget.

forgotten [fə'gɒtn] pp → forget.

fork [fɔːk] n 1. [for eating with] fourchette f 2. [for gardening] fourche f 3. [of road, path] embranchement m. ♦ **forks** npl [of bike, motorbike] fourche f.

form [fɔːm] ♦ n 1. [type, shape] forme f 2. [piece of paper] formulaire m 3. UK SCH classe f. ♦ vt former. ♦ vi se former ▶ **off form** pas en forme ▶ **on form** en forme ▶ **to form part of** faire partie de.

formal ['fɔːml] adj 1. [occasion] officiel(ielle) 2. [language, word] soutenu(e) 3. [person] solennel(elle) ▶ **formal dress** tenue f de soirée.

formality [fɔː'mælətɪ] n formalité f ▶ **it's just a formality** ça n'est qu'une formalité.

format ['fɔːmæt] n format m.

former ['fɔːməʳ] ◆ **adj 1.** [previous] précédent(e) **2.** [first] premier(ière). ◆ **pron : the former** celui-là (celle-là), le premier (la première).

formerly ['fɔːməli] **adv** autrefois.

formula ['fɔːmjʊlə] (*pl* **-as** *or* **-ae**) **n** formule *f*.

fornication [,fɔːnɪ'keɪʃn] **n** *fml* fornication *f*.

fort [fɔːt] **n** fort *m*.

forthcoming [fɔːθ'kʌmɪŋ] **adj** [future] à venir.

fortieth ['fɔːtɪɪθ] ◆ **num adj & adv** quarantième. ◆ **num pron** quarantième *m ou f*. ◆ **num** *n* [fraction] quarantième *m*.

fortnight ['fɔːtnaɪt] **n** 🇬🇧 quinzaine *f*, quinze jours *mpl*.

fortnightly ['fɔːt,naɪtlɪ] **adv** tous les quinze jours.

fortress ['fɔːtrɪs] **n** forteresse *f*.

fortunate ['fɔːtʃnət] **adj** chanceux(euse).

fortunately ['fɔːtʃnətlɪ] **adv** heureusement.

fortune ['fɔːtʃuːn] **n 1.** [money] fortune *f* **2.** (*U*) [luck] chance *f* ▸ **it costs a fortune** *inf* ça coûte une fortune.

forty ['fɔːtɪ] **num adj & adv** quarante ▸ **to be forty (years old)** avoir quarante ans ▸ **a hundred and forty** cent quarante ▸ **forty Hill St** 40 Hill St ▸ **it's minus forty (degrees Fahrenheit)** il fait moins quarante (degrés Fahrenheit).

forum ['fɔːrəm] **n** forum *m*.

forward ['fɔːwəd] ◆ **adv** en avant. ◆ **n** SPORT avant *m*. ◆ **vt 1.** [letter & COMPUT] faire suivre **2.** [goods] expédier ▸ **to look forward to sthg** attendre qqch

avec impatience ▸ **I'm looking forward to seeing you** il me tarde de vous voir.

forwarding address ['fɔːwədɪŋ-] **n** adresse *f* de réexpédition.

forward slash **n** COMPUT barre *f* oblique.

foster ['fɒstəʳ] **adj** [family] d'accueil.

fought [fɔːt] **pt & pp** → **fight**.

foul [faʊl] ◆ **adj** [unpleasant] infect(e). ◆ **n** faute *f*.

found [faʊnd] ◆ **pt & pp** → **find**. ◆ **vt** fonder.

foundation [faʊn'deɪʃn] **n 1.** [creation, organization] fondation *f* **2.** [basis] fondement *m*, base *f*.

foundation (cream) [faʊn'deɪʃn-] **n** fond de teint *m*.

fountain ['faʊntɪn] **n** fontaine *f*.

fountain pen **n** stylo *m* (à) plume.

four [fɔːʳ] **num** quatre ▸ **to be four (years old)** avoir quatre ans ▸ **it's four (o'clock)** il est quatre heures ▸ **a hundred and four** cent quatre ▸ **four Hill St** 4 Hill St ▸ **it's minus four (degrees)** il fait moins quatre (degrés).

four-letter word **n** mot *m* grossier.

four-star (petrol) **n** (*U*) 🇬🇧 super *m*.

fourteen [,fɔː'tiːn] **num adj & adv** quatorze ▸ **to be fourteen (years old)** avoir quatorze ans ▸ **a hundred and fourteen** cent quatorze ▸ **fourteen Hill St** 14 Hill St ▸ **it's minus fourteen (degrees)** il fait moins quatorze (degrés).

fourteenth [,fɔː'tiːnθ] ◆ **num adj & adv** quatorzième. ◆ **num pron** quatorzième *m ou f*. ◆ **num** *n* [fraction] quatorzième *m* ▸ **the fourteenth (of September)** le quatorze (septembre).

fourth [fɔːθ] ◆ **num adj & adv** quatrième. ◆ **num pron** quatrième *m ou f*

◆ num n [fraction] quatrième *m* ▶ **the fourth (of September)** le quatre (septembre).

fourth grade n 𝕌𝕊 SCH classe de l'école primaire correspondant au CM1 (8-9 ans).

four-wheel drive n quatre-quatre *m inv.*

fowl [faʊl] (*pl inv*) n volaille f.

fox [fɒks] n renard *m.*

foyer ['fɔɪeɪ] n hall *m.*

fraction ['frækʃn] n fraction f.

fracture ['fræktʃər] ◆ n fracture f. ◆ vt fracturer.

fragile ['frædʒaɪl] adj fragile.

fragment ['frægmənt] n fragment *m.*

fragrance ['freɪgrəns] n parfum *m.*

fragrance-free adj non parfumé(e), sans parfum.

frail [freɪl] adj fragile.

frame [freɪm] ◆ n 1. [of window, door] encadrement *m* 2. [of bicycle, bed, for photo] cadre *m* 3. [of glasses] monture f

4. [of tent] armature f. ◆ vt [photo, picture] encadrer.

framework ['freɪmwɜːk] n structure f, cadre *m.*

France [frɑːns] n la France.

frank [fræŋk] adj franc (franche).

frankfurter ['fræŋkfɜːtər] n saucisse f de Francfort.

frankly ['fræŋklɪ] adv franchement.

frantic ['fræntɪk] adj 1. [person] fou (folle) 2. [activity, pace] frénétique.

fraternity [frə'tɜːnətɪ] n 1. [community] confrérie f 2. (U) [friendship] fraternité f.

fraud [frɔːd] n (U) [crime] fraude f.

freak [friːk] ◆ adj insolite. ◆ n *inf* [fanatic] fana *m ou* f.

freckles ['freklz] npl taches *fpl* de rousseur.

free [friː] ◆ adj 1. libre 2. [costing nothing] gratuit(e). ◆ vt [prisoner] libérer. ◆ adv [without paying] gratuitement ▶ **free of charge** gratuitement ▶ **to be free to do sthg** être libre de faire qqch.

freedom ['friːdəm] n (U) liberté f.

freefone ['friːfəʊn] n (U) 𝕌𝕂 ≃ numéro *m* vert.

free-form adj de forme libre.

free gift n cadeau *m.*

free house n 𝕌𝕂 pub non lié à une brasserie particulière.

free kick n coup franc *m.*

freelance ['friːlɑːns] adj indépendant(e), free-lance *inv.*

freely ['friːlɪ] adv librement ▶ **freely available** facile à se procurer.

free period n SCH heure f libre.

freepost ['fri:pəʊst] n (U) UK port m payé.

free-range adj 1. [chicken] fermier(ière) 2. [eggs] de ferme.

free time n (U) temps m libre.

freeway ['fri:weɪ] n US autoroute f.

freeze [fri:z] (pt froze, pp frozen) ◆ vt 1. [food] congeler 2. [prices] geler. ◆ vi geler. ◆ impers vb : **it's freezing** il gèle.

freezer ['fri:zər] n 1. [deep freeze] congélateur m 2. [part of fridge] freezer m.

freezing ['fri:zɪŋ] adj 1. [temperature, water] glacial(e) 2. [person, hands] gelé(e) ▶ **it's freezing** ça gèle.

freezing point n : **below freezing point** au-dessous de zéro.

freight [freɪt] n (U) fret m.

freight train n US train m de marchandises.

French [frentʃ] ◆ adj français(e). ◆ n (U) [language] français m. ◆ npl : **the French** les Français mpl.

French bean n haricot m vert.

French bread n (U) baguette f.

French dressing n (U) 1. [in UK] vinaigrette f 2. [in US] assaisonnement pour salade à base de mayonnaise et de ketchup.

French fries npl frites fpl.

Frenchman ['frentʃmən] (pl -men) n Français m.

French stick n UK baguette f.

French toast n (U) pain m perdu.

French windows npl portefenêtre f.

Frenchwoman ['frentʃ,wʊmən] (pl -women) n Française f.

frenemy ['frenəmɪ] n ennemi qui se fait passer pour un ami ▶ **they're frenemies** ils se détestent cordialement.

frequency ['fri:kwənsɪ] n fréquence f.

frequent ['fri:kwənt] adj fréquent(e).

frequently ['fri:kwəntlɪ] adv fréquemment.

fresh [freʃ] adj 1. [food, flowers, weather] frais (fraîche) 2. [refreshing] rafraîchissant(e) 3. [water] doux (douce) 4. [recent] récent(e) 5. [new] nouveau(elle) ▶ **to get some fresh air** prendre l'air.

fresh cream n (U) crème f fraîche.

freshen ['freʃn] ◆ **freshen up** vi se rafraîchir.

fresh-faced adj [person] au teint frais.

freshly ['freʃlɪ] adv fraîchement.

freshman ['freʃmæn] (pl -men) n SCH étudiant m, -e f (de première année).

fresh orange (juice) n jus m d'orange.

freshwater ['freʃ,wɔːtər] adj d'eau douce.

Fri. (written abbr of Friday) ven. (vendredi).

Friday ['fraɪdɪ] n vendredi m ▶ **it's Friday** on est vendredi ▶ **Friday morning** vendredi matin ▶ **on Friday** vendredi ▶ **on Fridays** le vendredi ▶ **last Friday** vendredi dernier ▶ **this Friday** vendredi ▶ **next Friday** vendredi prochain ▶ **Friday week**, **a week on Friday** UK, **a week from Friday** US vendredi en huit.

fridge [fridʒ] n réfrigérateur m.

fried egg n œuf m sur le plat.

fried rice n (U) riz m cantonais.

friend [frend] n ami m, -e f ▶ **to be friends with sb** être ami avec qqn ▶ **to**

make friends with sb se lier d'amitié avec qqn.

friendly ['frendlɪ] adj aimable ▸ **to be friendly with sb** être ami avec qqn.

friendship ['frendʃɪp] n amitié f.

fries [fraɪz] = **French fries.**

fright [fraɪt] n (U) peur f ▸ **to give sb a fright** faire peur à qqn.

frighten ['fraɪtn] vt faire peur à.

frightened ['fraɪtnd] adj [scared] effrayé(e) ▸ **to be frightened (that)…** [worried] avoir peur que… (+ subjunctive) ▸ **to be frightened of** avoir peur de.

frightening ['fraɪtnɪŋ] adj effrayant(e).

frightful ['fraɪtfʊl] adj [very bad] horrible.

frilly ['frɪlɪ] adj à volants.

fringe [frɪndʒ] n frange f.

frisk [frɪsk] vt fouiller.

fritter ['frɪtər] n beignet m.

fro [frəʊ] adv → **to.**

frock [frɒk] n [dated] robe f.

frog [frɒg] n grenouille f.

from [frɒm] ♦ prep 1. [expressing origin, source] de ▸ **the train from Manchester** le train en provenance de Manchester ▸ **I'm from England** je suis anglais ▸ **I bought it from a supermarket** je l'ai acheté dans un supermarché 2. [expressing removal, deduction] de ▸ **away from home** loin de chez soi ▸ **the policeman took the knife (away) from the man** le policier retira son couteau à l'homme ▸ **10 % will be deducted from the total** 10 % seront retranchés du total 3. [expressing distance] de ▸ **five miles from London** à huit kilomètres de Londres

▸ **it's not far from here** ce n'est pas loin (d'ici) 4. [expressing position] de ▸ **from here you can see the valley** d'ici on voit la vallée 5. [expressing starting time] à partir de ▸ **from next year** à partir de l'année prochaine ▸ **open from nine to five** ouvert de neuf heures à dix-sept heures 6. [expressing change] de ▸ **the price has gone up from £1 to £2** le prix est passé d'une livre à deux livres 7. [expressing range] de ▸ **it could take from two to six months** ça peut prendre de deux à six mois ▸ **tickets are from £10** les billets les moins chers commencent à 10 livres 8. [as a result of] de ▸ **I'm tired from walking** je suis fatigué d'avoir marché 9. [expressing protection] de ▸ **sheltered from the wind** à l'abri du vent 10. [in comparisons] : **different from** différent de.

fromage frais [ˌfrɒmɑːʒˈfreɪ] n (U) fromage m blanc.

front [frʌnt] ♦ adj 1. [row, part] de devant 2. [wheel] avant inv. ♦ n 1. [of dress, queue] devant m 2. [of car, train, plane] avant m 3. [of building] façade f 4. [of weather] front m 5. [by the sea] front m de mer ▸ **in front** au/à[ward forward] devant a) [in vehicle] à l'avant ▸ **in front of** devant.

front door n porte f d'entrée.

frontier [frʌnˈtɪər] n frontière f.

front page n une f.

front seat n siège m avant.

front-wheel drive n traction f avant.

front yard n US jardin m (devant une maison).

frost [frɒst] n 1. (U) [on ground] givre m 2. [cold weather] gelée f.

frost-free adj [refrigerator, freezer] à dégivrage automatique.

frosting ['frɒstɪŋ] n (U) US glaçage m.

frosty ['frɒstɪ] adj [morning, weather] glacial(e).

froth [frɒθ] n (U) **1.** [on beer] mousse f **2.** [on sea] écume f.

frown [fraʊn] ◆ n froncement m de sourcils. ◆ vi froncer les sourcils.

froze [frəʊz] pt → **freeze**.

frozen ['frəʊzn] ◆ pp → **freeze**. ◆ adj **1.** gelé(e) **2.** [food] surgelé(e).

fructose ['frʌktəʊs] n fructose m.

fruit [fruːt] n **1.** (U) [food] fruits mpl **2.** [variety, single fruit] fruit m ▸ **a piece of fruit** un fruit ▸ **fruits of the forest** fruits des bois.

fruit bowl n compotier m.

fruit cake n cake m.

fruiterer ['fruːtərə r] n UK marchand m, -e f de fruits.

fruit juice n jus m de fruit.

fruit machine n UK machine f à sous.

fruit salad n salade f de fruits.

frumpily ['frʌmpɪlɪ] adv : **frumpily dressed** mal fagoté.

frustrating [frʌ'streɪtɪŋ] adj frustrant(e).

frustration [frʌ'streɪʃn] n (U) frustration f.

fry [fraɪ] vt (faire) frire.

frying pan n ['fraɪŋ-] n poêle f (à frire).

ft abbr of **foot**, **feet**.

FTSE ['futsi] (abbr of Financial Times Stock Exchange) n : **the FTSE 100 index** l'index FTSE 100.

fuck all n vulg que dalle.

fudge [fʌdʒ] n (U) caramel m.

fuel [fjʊəl] n **1.** [petrol] carburant m **2.** [coal, gas] combustible m.

fuel pump n pompe f d'alimentation.

fulfil [fʊl'fɪl] vt UK **1.** remplir **2.** [promise] tenir **3.** [instructions] obéir à.

fulfill [fʊl'fɪl] US = **fulfil**.

full [fʊl] ◆ adj **1.** plein(e) **2.** [hotel, train, name] complet(ète) **3.** [maximum] maximum **4.** [week] chargé(e) **5.** [flavour] riche. ◆ adv [directly] en plein ▸ **I'm full (up)** je n'en peux plus ▸ **at full speed** à toute vitesse ▸ **in full a)** [pay] intégralement b) [write] en toutes lettres.

full board n (U) UK pension f complète.

full-cream milk n (U) UK lait m entier.

full-fat adj entier(ère).

full-length adj [skirt, dress] long (longue).

full moon n pleine lune f.

full stop n UK point m.

full-time adj & adv à temps plein.

fully ['fʊlɪ] adv **1.** entièrement **2.** [understand] tout à fait ▸ **fully booked** complet.

fully-equiped adj totalement équipé.

fully-fitted adj [kitchen] intégré(e).

fully-licensed adj habilité à vendre tous types d'alcools.

fumble ['fʌmbl] vi **1.** [search clumsily] farfouiller **2.** [in the dark] tâtonner ▸ **to fumble for sthg** chercher qqch à tâtons.

fumigation [,fjuː:mɪgeɪʃn] n fumigation f.

fun [fʌn] n (U) : **it's good fun** c'est très amusant ▸ **for fun** pour le plaisir ▸ **to**

have fun s'amuser ▸ **to make fun of** se moquer de.

function ['fʌŋkʃn] ◆ n **1.** [role & COMPUT] fonction f **2.** [formal event] réception f. ◆ vi fonctionner.

fund [fʌnd] ◆ n [of money] fonds m. ◆ vt financer. ◆ **funds** npl fonds mpl.

fundamental [ˌfʌndə'mentl] adj fondamental(e).

funeral ['fjuːnərəl] n enterrement m.

funeral parlour UK, **funeral home** US n entreprise f de pompes funèbres.

funfair ['fʌnfeəʳ] n fête f foraine.

fun-filled adj divertissant(e).

fungus ['fʌŋgəs] (pl **-gi** OR **-guses**) n champignon m.

funky ['fʌŋkɪ] adj inf funky inv.

funnel ['fʌnl] n **1.** [for pouring] entonnoir m **2.** [on ship] cheminée f.

funny ['fʌnɪ] adj **1.** [amusing] drôle **2.** [strange] bizarre ▸ **to feel funny** [ill] ne pas être dans son assiette.

fun-packed adj divertissant(e).

fur [fɜːʳ] n fourrure f.

fur coat n manteau m de fourrure.

furious ['fjʊərɪəs] adj furieux(ieuse).

furnished ['fɜːnɪʃt] adj meublé(e).

furnishings ['fɜːnɪʃɪŋz] npl mobilier m.

furniture ['fɜːnɪtʃəʳ] n (U) meubles mpl ▸ **a piece of furniture** un meuble.

furry ['fɜːrɪ] adj **1.** [animal] à fourrure **2.** [toy] en peluche **3.** [material] pelucheux(euse).

further ['fɜːðəʳ] ◆ compar → **far**. ◆ adv **1.** plus loin **2.** [more] plus. ◆ adj [additional] autre ▸ **until further notice** jusqu'à nouvel ordre.

furthermore [ˌfɜːðə'mɔːʳ] adv de plus.

furthest ['fɜːðɪst] ◆ superl → **far**. ◆ adj le plus éloigné (la plus éloignée). ◆ adv le plus loin.

fuse [fjuːz] ◆ n **1.** [of plug] fusible m **2.** [on bomb] détonateur m. ◆ vi : **the plug has fused** les plombs ont sauté.

fuse box n boîte f à fusibles.

fuss [fʌs] n histoires fpl.

fussy ['fʌsɪ] adj [person] difficile.

future ['fjuːtʃəʳ] ◆ n **1.** avenir m **2.** GRAM futur m. ◆ adj futur(e) ▸ **in future** à l'avenir.

future-proof adj COMPUT évolutif(ive).

FYI (abbr of for your information) pi (pour information).

g (abbr of gram) g (gramme).

G7 n le G7.

G8 n le G8.

gable ['geɪbl] n pignon m.

gadget ['gædʒɪt] n gadget m.

Gaelic ['geɪlɪk] n (U) gaélique m.

gag [gæg] n inf [joke] histoire f drôle.

gain [geɪn] ◆ vt **1.** gagner **2.** [weight, speed, confidence] prendre **3.** [subj: clock, watch] avancer de. ◆ vi [benefit] y gagner. ◆ n gain m ▶ **to gain from sthg** profiter de qqch.

gala ['gɑːlə] n [celebration] gala m.

gale [geɪl] n grand vent m.

gallery ['gælərɪ] n 1. [public] musée m 2. [private, at theatre] galerie f.

gallon ['gælən] n 1. **UK** = 4,546 l, gallon m 2. **US** = 3,79 l, gallon.

gallop ['gæləp] vi galoper.

gallstone ['gɔːlstəʊn] n calcul m biliaire.

gamble ['gæmbl] ◆ n coup m de poker. ◆ vi [bet money] jouer.

gambling ['gæmblɪŋ] n (U) jeu m.

game [geɪm] n 1. jeu m 2. [of football, tennis, cricket] match m 3. [of chess, cards, snooker] partie f 4. (U) [wild animals, meat] gibier m. ◆ **games** ◆ n (U) **UK** SCH sport m. ◆ npl [sporting event] jeux mpl.

game port n port m jeu.

gamer ['geɪmər] n [who plays computer games] amateur de jeux vidéo.

games console [geɪmz-] n COMPUT console f de jeux.

game show n jeu m télévisé.

gameware ['geɪmweər] n COMPUT ludiciel m.

gammon ['gæmən] n (U) **UK** jambon cuit, salé ou fumé.

gang [gæŋ] n 1. [of criminals] gang m 2. [of friends] bande f.

gangplank ['gæŋplæŋk] n passerelle f.

gangsta ['gæŋstə] n 1. [music] : **gangsta (rap)** gangsta rap m 2. **US** [gang member] membre d'un gang.

gangster ['gæŋstər] n gangster m.

gangway ['gæŋweɪ] n 1. [for ship] passerelle f 2. **UK** [in bus, aeroplane] couloir m 3. **UK** [in theatre] allée f.

gaol [dʒeɪl] **UK** = **jail**.

gap [gæp] n 1. [space] espace m 2. [crack] interstice m 3. [of time] intervalle m 4. [difference] fossé m.

gap year n [year of interruption volontaire des études, avant l'entrée à l'université.

garage ['gærɑːʒ, 'gærɪdʒ] n 1. garage m 2. [for petrol] station-service f.

garage sale n [gəˈrɑːʒ] n **US** vente d'occasion chez un particulier ; ≃ vide-grenier m.

garbage ['gɑːbɪdʒ] n (U) **US** [refuse] ordures fpl.

garbage bag n **US** sac-poubelle m.

garbage can n **US** poubelle f.

garbage truck n **US** camion-poubelle m.

garden ['gɑːdn] ◆ n jardin m. ◆ vi faire du jardinage. ◆ **gardens** npl [public park] jardin m public.

garden center **US** = **garden centre**.

garden centre n **UK** jardinerie f.

gardener ['gɑːdnər] n jardinier m, -ière f.

gardening ['gɑːdnɪŋ] n (U) jardinage m.

garden peas npl petits pois mpl.

garlic ['gɑːlɪk] n (U) ail m.

garlic bread n (U) pain aillé et beurré servi chaud.

garlic butter n (U) beurre m d'ail.

garment ['gɑːmənt] n fml vêtement m.

garnish ['gɑːnɪʃ] ◆ n 1. [for decoration] garniture f 2. [sauce] sauce servant à relever un plat. ◆ vt garnir.

gas [gæs] n 1. gaz m inv 2. US [petrol] essence f.

gas cooker n UK cuisinière f à gaz.

gas cylinder n bouteille f de gaz.

gas fire n radiateur m à gaz.

gasket ['gæskɪt] n joint m (d'étanchéité).

gas mask n masque m à gaz.

gasoline ['gæsəliːn] n (U) US essence f.

gasp [gɑːsp] vi [in shock] avoir le souffle coupé.

gas pedal n US accélérateur m.

gas-permeable adj : **gas-permeable (contact) lenses** lentilles fpl (de contact) perméables au gaz.

gas refill n recharge f de gaz.

gas station n US station-service f.

gas stove = **gas cooker**.

gas tank n US réservoir m (à essence).

gastropub ['gæstrəʊpʌb] n pub m gastronomique.

gasworks ['gæswɜːks] (pl inv) n usine f à gaz.

gate [geɪt] n 1. [to garden, at airport] porte f 2. [to building] portail m 3. [to field] barrière f.

gâteau ['gætəʊ] (pl -x) n UK gros gâteau à la crème.

gatecrash ['geɪtkræʃ] vi inf [at party] s'inviter, jouer les pique-assiette.

gateway ['geɪtweɪ] n [entrance] portail m.

gather ['gæðəʳ] ◆ vt 1. [belongings] ramasser 2. [information] recueillir 3. [speed] prendre 4. [understand] déduire. ◆ vi se rassembler.

gaudy ['gɔːdɪ] adj voyant(e).

gauge [geɪdʒ] ◆ n 1. jauge f 2. [of railway track] écartement m. ◆ vt [calculate] évaluer.

gauze [gɔːz] n (U) gaze f.

gave [geɪv] pt → **give**.

gay [geɪ] adj [homosexual] homosexuel(elle).

gaze [geɪz] vi : **to gaze at** regarder fixement.

GB (abbr of Great Britain) GB (Grande-Bretagne).

GCSE (abbr of General Certificate of Secondary Education) n examen de fin de premier cycle.

gear [gɪəʳ] n 1. [wheel] roue f dentée 2. [speed] vitesse f 3. (U) [belongings] affaires fpl 4. (U) [equipment] équipement m 5. (U) [clothes] tenue f ▶ in **gear** en prise.

gearbox ['gɪəbɒks] n boîte f de vitesses.

gear lever n UK levier m de vitesse.

gear shift US = **gear lever**.

gear stick US = **gear lever**.

geek [giːk] n inf débile m ou f ▶ a **movie/computer geek** un dingue de cinéma/d'informatique.

geeky ['giːkɪ] adj inf caractéristique de jeunes obsédés par l'informatique ou les sciences et socialement inaptes ▶ **some geeky guy** un type ringard.

geese [giːs] pl n → **goose**.

gel [dʒel] n gel m.

gelatine [ˌdʒelə'tiːn] n (U) gélatine f.

gem [dʒem] n pierre f précieuse.

Gemini ['dʒemɪnaɪ] n Gémeaux mpl.

gender ['dʒendəʳ] n genre m.

gender-specific adj propre à l'un des deux sexes.

general ['dʒenərəl] ◆ adj général(e). ◆ n général m ▶ **in general** en général.

general anaesthetic n UK anesthésie f générale.

general anesthetic US = **general anaesthetic**.

general election n élections fpl législatives.

generally ['dʒenərəlɪ] adv généralement.

general practitioner [-præk'tɪʃənəʳ] n (médecin) généraliste m.

general store n US bazar m.

generate ['dʒenəreɪt] vt 1. [cause] susciter 2. [electricity] produire.

generation [,dʒenə'reɪʃn] n génération f.

generator ['dʒenəreɪtəʳ] n générateur m.

generosity [,dʒenə'rɒsətɪ] n (U) générosité f.

generous ['dʒenərəs] adj généreux(euse).

genetically [dʒɪ'netɪklɪ] adv génétiquement ▶ **genetically modified** génétiquement modifié(e) ▶ **genetically modified organism** organisme m génétiquement modifié.

genetic code n code m génétique.

Geneva [dʒɪ'niːvə] n Genève.

genitals ['dʒenɪtlz] npl parties fpl génitales.

genius ['dʒiːnjəs] n génie m.

gent [dʒent] n UK inf [dated] gentleman m. ◆ **gents** n UK [toilets] toilettes fpl pour hommes.

gentle ['dʒentl] adj 1. doux (douce) 2. [movement, breeze] léger(ère).

gentleman ['dʒentlmən] (pl -men) n 1. monsieur m 2. [with good manners] gentleman m ▶ '**gentlemen**' [men's toilets] 'messieurs'.

gently ['dʒentlɪ] adv [carefully] doucement.

gentrified ['dʒentrɪfaɪd] adj UK [area, street] qui s'est embourgeoisé(e).

gents [dʒents] n UK toilettes fpl pour hommes.

genuine ['dʒenjʊɪn] adj 1. [authentic] authentique 2. [sincere] sincère.

geographical [dʒɪə'græfɪkl] adj géographique.

geography [dʒɪ'ɒgrəfɪ] n (U) géographie f.

geology [dʒɪ'ɒlədʒɪ] n (U) géologie f.

geometry [dʒɪ'ɒmɪtrɪ] n (U) géométrie f.

Georgian ['dʒɔːdʒən] adj [architecture, etc.] georgien(ienne) (du règne des rois George I-IV, 1714-1830).

geothermics [,dʒiːəʊ'θɜːmɪks] n (U) géothermie f.

geranium [dʒɪ'reɪnjəm] n géranium m.

geriatric [,dʒerɪ'ætrɪk] adj 1. MED gériatrique 2. pej [person] décrépit(e) ; [object] vétuste.

germ [dʒɜːm] n 1. [bacterium] germe m, microbe m 2. fig [of idea, plan] embryon m.

German ['dʒɜːmən] ◆ adj allemand(e). ◆ n 1. [person] Allemand m, -e f (U) 2. [language] allemand m.

German measles n (U) rubéole f.

Germany ['dʒɜːmənɪ] n l'Allemagne f.

germproof ['dʒɜːmpruːf] adj résistant(e) aux microbes.

germs [dʒɜːmz] npl germes mpl.

gesture [ˈdʒestʃəʳ] n [movement]
geste m.

get [get] (pt & pp **got**, US pp **gotten**)
◆ vt 1. [obtain] obtenir ; [buy] acheter
▶ **she got a job** elle a trouvé un travail
2. [receive] recevoir ▶ **I got a book for
Christmas** on m'a offert OR j'ai eu un
livre pour Noël 3. [train, plane, bus,
etc.] prendre 4. [fetch] aller chercher
▶ **could you get me the manager?**
a) [in shop] pourriez-vous m'appeler
le directeur ? b) [on phone] pourriez-
vous me passer le directeur ? 5. [illness]
attraper ▶ **I've got a cold** j'ai un rhume
6. [cause to become] **: to get sthg done**
faire faire qqch ▶ **can I get my car repaired here?** est-ce que je peux faire
réparer ma voiture ici ? 7. [ask, tell] **:
I'll get him to call you** je m'assurerai
qu'il t'appelle 8. [move] **: I can't get it
through the door** je n'arrive pas à la
faire passer par la porte 9. [understand]
comprendre, saisir 10. [time, chance]
avoir ▶ **we didn't get the chance to see
everything** nous n'avons pas pu tout
voir 11. [idea, feeling] avoir 12. [phone]
répondre à 13. [in phrases] **: you get
a lot of rain here in winter** il pleut
beaucoup ici en hiver

◆ vi 1. [become] **: to get lost** se perdre
▶ **get lost!** inf fiche le camp ! ▶ **to get
ready** se préparer ▶ **it's getting late** il
se fait tard 2. [into particular state, posi-
tion] **: to get into trouble** s'attirer des
ennuis ▶ **how do you get to Luton from
here?** comment va-t-on à Luton ? ▶ **to
get into the car** monter dans la voiture 3. [arrive] arriver ▶ **when does the
train get here?** à quelle heure arrive le
train ? 4. [in phrases] **to get to do sthg**
avoir l'occasion de faire qqch

◆ **aux vb** : **to get delayed** être retardé
▶ **to get killed** se faire tuer

◆ **get back** vi [return] rentrer.

◆ **get in** vi [arrive] arriver ; [enter] entrer.

◆ **get off** vi [leave train, bus] descendre ;
[depart] partir.

◆ **get on** vi [enter train, bus] monter ;
[in relationship] s'entendre ; [progress] :
how are you getting on? comment
tu t'en sors ?

◆ **get out** vi [of car, bus, train] descendre.

◆ **get through** vi [on phone] obtenir
la communication.

◆ **get up** vi se lever.

get-together n inf réunion f.

G-force n pesanteur f.

ghastly [ˈɡɑːstlɪ] adj inf affreux(euse).

gherkin [ˈɡɜːkɪn] n cornichon m.

ghetto [ˈɡetəʊ] (pl -s OR -es) n ghetto m.

ghetto blaster [ˈɡetəʊˌblɑːstəʳ] n inf
grand radiocassette portatif.

ghost [ɡəʊst] n fantôme m.

ghosting [ˈɡəʊstɪŋ] n TV image f fantôme.

ghostlike [ˈɡəʊstˌlaɪk] adj spectral(e).

giant [ˈdʒaɪənt] ◆ adj géant(e). ◆ n [in
stories] géant m, -e f.

giblets [ˈdʒɪblɪts] npl abats mpl de
volaille.

giddy [ˈɡɪdɪ] adj : **to feel giddy** avoir
la tête qui tourne.

gift [ɡɪft] n 1. cadeau m 2. [talent]
don m.

gift certificate US = **gift token**.

gifted [ˈɡɪftɪd] adj doué(e).

gift shop n boutique f de cadeaux.

gift token UK chèque-cadeau m.

gift voucher UK = **gift token**.

gift wrap n emballage m cadeau.

gig [gɪg] n inf [concert] concert m.

gigabyte ['gaɪgəbaɪt] n COMPUT giga-octet m.

gigantic [dʒaɪ'gæntɪk] adj gigantesque.

giggle ['gɪgl] vi glousser.

gill [dʒɪl] n [measurement] = 0,142 l, quart m de pinte.

gimmick ['gɪmɪk] n astuce f.

gimp [gɪmp] n US inf **1.** pej [person] gogol vulg mf **2.** [object] scoubidou m.

gin [dʒɪn] n gin m ▶ **gin and tonic** gin tonic.

ginger ['dʒɪndʒər] ◆ n (U) gingembre m. ◆ adj [colour] roux (rousse).

ginger ale n boisson gazeuse non alcoolisée au gingembre, souvent utilisée en cocktail.

ginger beer n boisson gazeuse non alcoolisée au gingembre.

gingerbread ['dʒɪndʒəbred] n (U) pain m d'épice.

gipsy ['dʒɪpsɪ] n (U) gitan m, -e f.

giraffe [dʒɪ'rɑːf] n girafe f.

girdle ['gɜːdl] n gaine f.

girl [gɜːl] n fille f.

girlfriend ['gɜːlfrend] n copine f, amie f.

girl guide n UK éclaireuse f.

girl scout US = **girl guide**.

giro ['dʒaɪrəʊ] n (U) UK [system] virement m bancaire.

git [gɪt] n UK vulg connard m, connasse f.

give [gɪv] (pt gave, pp given ['gɪvn]) vt **1.** donner **2.** [a smile, a speech] faire **3.** [a look] jeter **4.** [attention, time] consacrer ▶ **to give sb a sweet** donner un bonbon à qqn ▶ **to give sb a present** offrir un cadeau à qqn ▶ **to give sb a message** transmettre un message à qqn ▶ **to give sthg a push** pousser qqch ▶ **to give sb a kiss** embrasser qqn ▶ **give or take a few days** à quelques jours près ▶ '**give way**' 'cédez le passage'. ◆ **give away** vt sep **1.** [get rid of] donner **2.** [reveal] révéler. ◆ **give back** vt sep rendre. ◆ **give in** vi céder. ◆ **give off** vt insep **1.** [smell] exhaler **2.** [gas] émettre. ◆ **give out** vt sep [distribute] distribuer. ◆ **give up** ◆ vt sep **1.** [cigarettes, chocolate] renoncer à **2.** [seat] laisser. ◆ vi [admit defeat] abandonner ▶ **to give up smoking** arrêter de fumer.

given name n US prénom m.

glacier ['glæsjər] n glacier m.

glad [glæd] adj content(e) ▶ **to be glad to do sthg** faire qqch volontiers OR avec plaisir.

gladly ['glædlɪ] adv [willingly] volontiers, avec plaisir.

glamorous ['glæmərəs] adj **1.** [woman] séduisant(e) **2.** [job, place] prestigieux(ieuse).

glance [glɑːns] ◆ n coup m d'œil. ◆ vi : **to glance at** jeter un coup d'œil à.

gland [glænd] n glande f.

glandular fever ['glændjʊlə-] n (U) UK mononucléose f infectieuse.

glare [gleər] vi **1.** [person] jeter un regard noir **2.** [sun, light] être éblouissant(e).

glass [glɑːs] ◆ n (U) verre m. ◆ adj **1.** en verre **2.** [door] vitré(e). ◆ **glasses** npl lunettes fpl.

glassware [ˈglɑːsweəʳ] n (U) verrerie f.

glen [glen] n SCOT vallée f.

glider [ˈglaɪdəʳ] n planeur m.

glimpse [glɪmps] vt apercevoir.

glitter [ˈglɪtəʳ] vi scintiller.

glitterball [ˈglɪtəbɔːl] n boule f à facettes.

global [ˈgləʊbl] adj [worldwide] mondial(e).

globalization, globalisation UK [ˌgləʊbəlaɪˈzeɪʃn] n mondialisation f.

global market n marché m mondial OR international.

global warming [ˌgləʊblˈwɔːmɪŋ] n (U) réchauffement m de la planète.

globe [gləʊb] n 1. [with map] globe m (terrestre) ▶ **the globe** [Earth] le globe.

gloomy [ˈgluːmɪ] adj 1. [room, day] lugubre 2. [person] triste.

glorious [ˈglɔːrɪəs] adj 1. [weather, sight] splendide 2. [victory, history] glorieux(ieuse).

glory [ˈglɔːrɪ] n (U) gloire f.

gloss [glɒs] n 1. [shine] brillant m, lustre m ▶ **gloss (paint)** peinture f brillante.

glossary [ˈglɒsərɪ] n glossaire m.

glossy [ˈglɒsɪ] adj [magazine] sur papier glacé.

glove [glʌv] n gant m.

glove compartment n boîte f à gants.

glow [gləʊ] ◆ n lueur f. ◆ vi briller.

glucose [ˈgluːkəʊs] n (U) glucose m.

glue [gluː] ◆ n colle f. ◆ vt coller.

glug [glʌg] (pt & pp -ged, cont -ging) inf ◆ n : glug (glug) glouglou m. ◆ vi faire glouglou.

glutes [gluːts] npl inf muscles mpl fessiers.

GM (abbr of genetically modified) adj génétiquement modifié(e).

GMT (abbr of Greenwich Mean Time) n GMT m.

gnat [næt] n moustique m.

gnaw [nɔː] vt ronger.

GNVQ (abbr of general national vocational qualification) n UK diplôme sanctionnant deux années d'études professionnelles à la fin du secondaire ; ≃ baccalauréat m professionnel.

go [gəʊ] (pt went, pp gone, pl goes) ◆ vi 1. [move, travel] aller ▶ **to go for a walk** aller se promener ▶ **to go and do sthg** aller faire qqch ▶ **to go home** rentrer chez soi ▶ **to go to Spain** aller en Espagne ▶ **to go by bus** prendre le bus ▶ **to go swimming** aller nager 2. [leave] partir, s'en aller ▶ **when does the bus go?** quand part le bus ? ▶ **go away!** allez vous-en ! 3. [become] devenir ▶ **she went pale** elle a pâli ▶ **the milk has gone sour** le lait a tourné 4. [expressing future tense] : **to be going to do sthg** aller faire qqch 5. [function] marcher ▶ **the car won't go** la voiture ne veut pas démarrer 6. [stop working] tomber en panne ▶ **the fuse has gone** les plombs ont sauté 7. [break] se casser 8. [time] passer 9. [progress] aller, se passer ▶ **to go well** aller bien, bien se passer 10. [bell, alarm] se déclencher 11. [match] aller bien ensemble ▶ **to go with** aller (bien) avec ▶ **red wine doesn't go with fish** le vin rouge ne va pas bien avec le poisson 12. [be sold] se vendre ▶ **'everything must go'** 'tout doit disparaître' 13. [fit] entrer 14. [lead] aller ▶ **where does this path go?** où va ce chemin ? 15. [belong] aller

16. [in phrases] **: to let go of sthg** [drop] lâcher qqch à **▸ to go** 🇺🇸 [to take away] à emporter **▸ there are two weeks to go** il reste deux semaines

◆ **go** **n 1.** [turn] tour *m* **▸ it's your go** c'est ton tour, c'est à toi **2.** [attempt] coup *m* **▸ to have a go at sthg** essayer qqch **▸ '50p a go'** [for game] '50p la partie'

◆ **go ahead vi** [begin] y aller ; [take place] avoir lieu.

◆ **go around vi** = **revolve** tourner.

◆ **go back vi** [return] retourner.

◆ **go down vi** [decrease] baisser ; [sun] se coucher ; [tyre] se dégonfler.

◆ **go down with vt insep** *inf* [illness] attraper.

◆ **go in vi** entrer.

◆ **go off vi** [alarm, bell] se déclencher ; [food] se gâter ; [milk] tourner ; [light, heating] s'éteindre.

◆ **go on vi** [happen] se passer ; [light, heating] s'allumer ; [continue] **: to go on doing sthg** continuer à faire qqch **▸ go on!** allez !

◆ **go out vi** [leave house] sortir ; [light, fire, cigarette] s'éteindre ; [have relationship] **: to go out with sb** sortir avec qqn **▸ to go out for a meal** dîner dehors.

◆ **go over vt insep** [check] vérifier.

◆ **go round vi** 🇬🇧 = **go around**.

◆ **go through vt insep** [experience] vivre ; [spend] dépenser ; [search] fouiller.

◆ **go up vi** [increase] augmenter.

◆ **go without vt insep** se passer de.

goal [gəʊl] **n 1.** but *m* **2.** [posts] buts *mpl*.

goal-driven adj volontariste.

goalkeeper ['gəʊl,kiːpəʳ] **n** gardien *m* (de but).

goalpost ['gəʊlpəʊst] **n** poteau *m* (de but).

goat [gəʊt] **n** chèvre *f*.

gob [gɒb] **n** 🇬🇧 *inf* [mouth] gueule *f*.

gobby ['gɒbi] **adj** 🇬🇧 *inf* **: to be gobby** être une grande gueule.

go-cart 🇺🇸 = **go-kart**.

god [gɒd] **n** dieu *m*. ◆ **God n** Dieu *m*.

goddammit [,gɒd'dæmɪt] **excl** *vulg* bordel !

goddaughter ['gɒd,dɔːtəʳ] **n** filleule *f*.

godfather ['gɒd,fɑːðəʳ] **n** parrain *m*.

godmother ['gɒd,mʌðəʳ] **n** marraine *f*.

gods [gɒdz] **npl : the gods** 🇬🇧 *inf* [in theatre] le poulailler.

godson ['gɒdsʌn] **n** filleul *m*.

goes [gəʊz] → **go**.

go-getting [-'getɪŋ] **adj** *inf* [person] entreprenant(e).

goggles ['gɒglz] **npl 1.** [for swimming] lunettes *fpl* de natation **2.** [for skiing] lunettes *fpl* de ski.

going ['gəʊɪŋ] **adj** [available] disponible **▸ the going rate** le tarif en vigueur.

going-away adj [party, present] d'adieu.

go-kart [kɑːt] **n** 🇬🇧 kart *m*.

gold [gəʊld] ◆ **n** (*U*) or *m*. ◆ **adj** en or.

goldfish ['gəʊldfɪʃ] (*pl inv*) **n** poisson *m* rouge.

gold-plated [-'pleɪtɪd] **adj** plaqué(e) or.

golf [gɒlf] **n** (*U*) golf *m*.

golf ball n balle *f* de golf.

golf club n club *m* de golf.

golf course n terrain *m* de golf.

golfer ['gɒlfə^r] n joueur m, -euse f
de golf.

gone [gɒn] ♦ pp → **go**. ♦ prep
[past] : **it's gone ten** il est dix heures
passées.

good [gud] (compar **better**, superl
best) ♦ adj **1.** bon (bonne) **2.** [kind]
gentil(ille) **3.** [well-behaved] sage. ♦ n
(U) bien m ▸ **the weather is good** il fait
beau ▸ **to have a good time** s'amuser ▸ **to be good at sthg** être bon en
qqch ▸ **a good ten minutes** dix bonnes
minutes ▸ **in good time** à temps ▸ **to
make good sthg** a) [damage] payer qqch
b) [loss] compenser qqch ▸ **for good**
pour de bon ▸ **for the good of** pour
le bien de ▸ **a walk will do you good**
une promenade te fera du bien ▸ **it's
no good** [there's no point] ça ne sert à
rien ▸ **good afternoon!** bonjour ! ▸ **good
evening!** bonsoir ! ▸ **good morning!**
bonjour ! ▸ **good night!** bonne nuit !
♦ **goods** npl marchandises fpl.

goodbye [,gud'baɪ] excl au revoir !

Good Friday n le Vendredi saint.

good-looking [-'lukɪŋ] adj beau
(belle).

goods train [gudz-] n **UK** train m de
marchandises.

goods vehicle n poids lourd m, véhicule m utilitaire.

goof [gu:f] **US** inf ♦ n [mistake] gaffe f.
♦ vi faire une gaffe. ♦ **goof around**
vi **US** inf déconner.

google ['gu:gl] vt [look up] rechercher
avec Google®.

goose [gu:s] (pl **geese**) n oie f.

gooseberry ['guzbərɪ] n groseille f
à maquereau.

gorge [gɔːdʒ] n gorge f.

gorgeous ['gɔːdʒəs] adj **1.** [good-
looking] magnifique, superbe **2.** [day,
countryside] splendide **3.** [meal] déli-
cieux(ieuse).

gorilla [gə'rɪlə] n gorille m.

gossip ['gɒsɪp] ♦ vi **1.** [about someone]
cancaner **2.** [chat] bavarder. ♦ n (U)
[about someone] commérages mpl ▸ **to
have a gossip** [chat] bavarder.

gossip column n échos mpl.

got [gɒt] pt & pp → **get**.

gotten ['gɒtn] **US** pp → **get**.

goujons ['guːdʒɒnz] npl fines lamelles
de poisson enrobées de pâte à crêpe et
frites.

goulash ['guːlæʃ] n goulasch m.

gourmet ['guəmeɪ] ♦ n gourmet m.
♦ adj [food, restaurant] gastronomique.

govern ['gʌvən] vt **1.** [country] gouverner **2.** [city] administrer.

government ['gʌvnmənt] n gouvernement m.

government-funded adj subven-
tionné(e) par l'État.

governor ['gʌvənə^r] n POL gouver-
neur m.

gown [gaun] n [dress] robe f.

GP abbr of **general practitioner**.

grab [græb] vt **1.** saisir **2.** [person] attraper.

graceful ['greɪsful] adj gra-
cieux(ieuse).

grade [greɪd] n **1.** [quality] qualité f
2. [in exam] note f **3.** **US** [year at school]
année f.

grade crossing n **US** passage m à
niveau.

grade school n **US** école f primaire.

gradient ['greɪdjənt] n pente f.

gradual ['grædʒʊəl] adj gra-
duel(elle), progressif(ive).

gradually ['grædʒʊəlɪ] adv graduelle-
ment, progressivement.

graduate ◆ n ['grædʒʊət] **1.** [from
university] ≃ licencié m, licenciée f. **2.** US
[from high school] ≃ bachelier m, ba-
chelière f. ◆ vi ['grædʒʊeɪt] **1.** [from uni-
versity] ≃ obtenir sa licence **2.** US [from
high school] ≃ obtenir son baccalauréat.

graduate school n US troisième m
cycle d'université.

graduation [,grædʒʊ'eɪʃn] n (U) remise f des diplômes.

graffiti [grə'fiːtɪ] n (U) graffiti mpl.

graham cracker ['greɪəm-] n US biscuit légèrement sucré.

grain [greɪn] n **1.** grain m **2.** (U) [crop]
céréales fpl.

gram [græm] n gramme m.

grammar ['græmər] n (U) grammaire f.

grammar school n [in UK] école secondaire publique, plus sélective et plus
traditionnelle que les autres.

gramme [græm] = **gram**.

gramophone ['græməfəʊn] n [dat-
ed] gramophone m, phonographe m.

gran [græn] n UK inf mamie f.

grand [grænd] ◆ adj [impressive] gran-
diose. ◆ n inf **1.** [£1,000] mille livres fpl
2. [$1,000] mille dollars mpl.

grandad ['grændæd] n inf = **granddad**.

grandchild ['græntʃaɪld] (pl
-children) n **1.** [boy] petit-fils m **2.** [girl]
petite-fille f ▶ **grandchildren** petits-
enfants mpl.

granddad ['grændæd] n inf papi m.

granddaughter ['græn,dɔːtər] n petite-fille f.

grandfather ['grænd,fɑːðər] n grand-
père m.

grandma ['grænmɑː] n inf mamie f.

grandmother ['græn,mʌðər] n
grand-mère f.

grandpa ['grænpɑː] n inf papi m.

grandparents ['græn,peərənts] npl
grands-parents mpl.

grandson ['grænsʌn] n petit-fils m.

granite ['grænɪt] n (U) granit m.

granny ['grænɪ] n inf mamie f.

grant [grɑːnt] ◆ n **1.** POL subvention f **2.** [for university] bourse f. ◆ vt
fml [give] accorder ▶ **to take sthg for
granted** considérer qqch comme un
fait acquis ▶ **he takes her for granted**
il ne se rend pas compte de tout ce
qu'elle fait pour lui.

grape [greɪp] n raisin m.

grapefruit ['greɪpfruːt] n pamplemousse m.

grapefruit juice n jus m de pamplemousse.

graph [grɑːf] n graphique m.

graphical user interface n interface f graphique.

graphics card ['græfɪks-] n carte f
graphique.

graph paper n (U) papier m milli-
métré.

grasp [grɑːsp] vt saisir.

grass [grɑːs] n (U) herbe f ▶ **'keep off
the grass'** 'pelouse interdite'.

grasshopper ['grɑːs,hɒpər] n sauterelle f.

grate [greɪt] n grille f de foyer.

grated ['greɪtɪd] adj râpé(e).

grateful ['greɪtful] adj reconnaissant(e).

grater ['greɪtəʳ] n râpe f.

gratitude ['grætɪtjuːd] n (U) gratitude f.

gratuity [grə'tjuːɪtɪ] n fml pourboire m.

grave¹ [greɪv] ◆ adj 1. [mistake, news] grave 2. [concern] sérieux(ieuse). ◆ n tombe f.

grave² [grɑːv] adj [accent] grave.

gravel ['grævl] n (U) 1. gravier m 2. [smaller] gravillon m.

graveyard ['greɪvjɑːd] n cimetière m.

gravitas ['grævɪtæs] n sérieux m.

gravity ['grævɪtɪ] n (U) gravité f.

gravy ['greɪvɪ] n (U) jus m de viande.

gray [greɪ] US = **grey**.

graze [greɪz] vt [injure] égratigner.

grease [griːs] n (U) graisse f.

greaseproof paper ['griːspruːf-] n (U) papier m sulfurisé.

greasy ['griːsɪ] adj 1. [tools, clothes] graisseux(euse) 2. [food, skin, hair] gras(grasse).

great [greɪt] adj 1. grand(e) 2. [very good] super inv, génial(e) ▸ (**that's**) **great!** (c'est) super OR génial !

Great Britain n la Grande-Bretagne.

Greater London n le Grand Londres.

great-grandfather n arrière-grand-père m.

great-grandmother n arrière-grand-mère f.

greatly ['greɪtlɪ] adv 1. [a lot] beaucoup 2. [very] très.

Greece [griːs] n la Grèce.

greed [griːd] n (U) 1. [for food] gloutonnerie f 2. [for money] avidité f.

greedy ['griːdɪ] adj 1. [for food] glouton(onne) 2. [for money] avide.

Greek [griːk] ◆ adj grec (grecque). ◆ n 1. [person] Grec m, Grecque f (f) 2. [language] grec m.

Greek salad n salade composée de laitue, tomates, concombre, feta et olives noires.

green [griːn] ◆ adj 1. vert(e) 2. [person, product] écolo 3. inf [inexperienced] jeune. ◆ n 1. [colour] vert m 2. [in village] terrain m communal 3. [on golf course] green m ▸ **the Greens** les Verts. ◆ **greens** npl [vegetables] légumes mpl verts.

green beans npl haricots mpl verts.

green card n 1. UK [for car] carte f verte 2. US [work permit] carte f de séjour.

ⓘ **Green card**

Document administratif exigé de la part de tout citoyen étranger désireux de vivre et de travailler aux États-Unis (la « carte verte » n'arbore plus cette couleur aujourd'hui). Son obtention, longue et compliquée, concerne les proches directs des citoyens américains (notamment les époux), les personnes ayant obtenu une offre d'emploi permanent (après parrainage de leur employeur), les réfugiés politiques résidant depuis plus d'un an aux États-Unis et souhaitant changer de statut et les personnes souhaitant investir aux États-Unis.

---

green channel n dans un port ou un aéroport, sortie réservée aux voyageurs n'ayant rien à déclarer.

greengage ['gri:ngeɪdʒ] n reine-claude f.

greengrocer's ['gri:n,grəʊsəz] n UK [shop] magasin m de fruits et de légumes.

greenhouse ['gri:nhaʊs] (pl [-haʊzɪz]) n serre f.

greenhouse effect n effet m de serre.

green light n feu m vert ▸ **to give sb the green light** donner le feu vert à qqn.

green pepper n poivron m vert.

Greens [gri:nz] npl : **the Greens** les écologistes mpl.

green salad n salade f verte.

green shoots npl COMM [signs of recovery] premiers signes mpl de reprise.

green tax n taxe f verte.

Greenwich Mean Time ['grenɪdʒ-] n heure f (du méridien) de Greenwich.

greet [gri:t] vt saluer.

greeting ['gri:tɪŋ] n salut m.

greetings card UK, **greeting card** US n carte f de vœux.

grenade [grə'neɪd] n grenade f.

grew [gru:] pt → **grow**.

grey [greɪ] ◆ adj gris(e). ◆ n gris m ▸ **to go grey** grisonner.

greyhound ['greɪhaʊnd] n lévrier m.

Greyhound® n : **Greyhound buses** réseau d'autocars couvrant tous les États-Unis.

ⓘ **Greyhound**

La célèbre compagnie de cars américaine dessert toutes les régions et villes des États-Unis et est le moyen de transport le plus rentable pour sillonner et découvrir le pays.

grid [grɪd] n **1.** [grating] grille f **2.** [on map, etc.] quadrillage m.

gridlock ['grɪdlɒk] n embouteillage m.

gridlocked ['grɪdlɒkt] adj bloqué(e).

grief [gri:f] n (U) chagrin m ▸ **to come to grief** [person] échouer.

grieve [gri:v] vi être en deuil ▸ **to grieve for** pleurer.

grill [grɪl] ◆ n **1.** [on cooker, over fire] gril m **2.** [part of restaurant] grill m. ◆ vt (faire) griller.

grille [grɪl] n AUT calandre f.

grilled [grɪld] adj grillé(e).

grilling ['grɪlɪŋ] n UK [of food] cuisson f sur le or au gril.

grim [grɪm] adj **1.** [expression] sévère **2.** [place, news] sinistre.

grimace ['grɪməs] n grimace f.

grimy ['graɪmɪ] adj crasseux(euse).

grin [grɪn] ◆ n grand sourire m. ◆ vi faire un grand sourire.

grind [graɪnd] (pt & pp **ground**) vt [pepper, coffee] moudre.

grip [grɪp] ◆ n **1.** [hold] prise f (U) **2.** [of tyres] adhérence f **3.** [handle] poignée f **4.** [bag] sac m de voyage. ◆ vt [hold] saisir ▸ **to have a grip on sthg** avoir qqch bien en mains.

gristle ['grɪsl] n (U) nerfs mpl.

groan [grəʊn] ◆ n [of pain] gémissement m. ◆ vi **1.** [in pain] gémir **2.** [complain] ronchonner.

groceries ['grəʊsərɪz] npl épicerie f.

grocer's ['grəʊsəz] n UK [shop] épicerie f.

grocery ['grəʊsərɪ] n [shop] épicerie f.

grocery shop 🇺🇸, **grocery store** 🇺🇸 n épicerie f.

groin [grɔɪn] n aine f.

groove [gruːv] n rainure f.

groovy ['gruːvɪ] adj inf 1. [excellent] super, génial(e) 2. [fashionable] branché(e).

grope [grəʊp] vi tâtonner ▶ **to grope for sthg** chercher qqch à tâtons.

gross [grəʊs] adj [weight, income] brut(e).

grossly ['grəʊslɪ] adv [extremely] extrêmement.

grotty ['grɒtɪ] adj 🇬🇧 inf minable.

ground [graʊnd] ◆ pt & pp → **grind**. ◆ n 1. (U) [surface of earth] sol m 2. (U) [soil] terre f 3. SPORT terrain m. ◆ adj [coffee] moulu(e). ◆ vt : **to be grounded** a) [plane] être interdit de vol b) 🇺🇸 [electrical connection] être relié à la terre ▶ **on the ground** par terre. ◆ **grounds** npl 1. [of building] terrain m 2. [of coffee] marc m 3. [reason] motif m.

ground beef n 🇺🇸 steak m haché.

grounded ['graʊndɪd] adj : **to be grounded** être privé(e) de sortie.

ground floor n 🇬🇧 rez-de-chaussée m.

groundsheet ['graʊndʃiːt] n 🇬🇧 tapis m de sol.

ground speed ['graʊndspiːd] n [for plane, wind] vitesse f au sol.

ground-to-air adj MIL [missile] sol-air (inv).

group [gruːp] n groupe m.

group leader n [on package tour] accompagnateur m, -trice f ; [for group of children] moniteur m, -trice f.

grouse [graʊs] (pl inv) n [bird] grouse f.

grovel ['grɒvl] vi ramper.

grow [grəʊ] (pt **grew**, pp **grown**) ◆ vi 1. [person, animal] grandir 2. [plant] pousser 3. [increase] augmenter 4. [become] devenir. ◆ vt 1. [plant, crop] cultiver 2. [beard] laisser pousser ▶ **to grow old** vieillir. ◆ **grow up** vi grandir.

growl [graʊl] vi [dog] grogner.

grown [grəʊn] pp → **grow**.

grown-up ◆ adj adulte. ◆ n adulte m ou f, grande personne f.

growth [grəʊθ] n 1. [increase] augmentation f 2. MED grosseur f.

growth area n secteur m en expansion ou en croissance.

grub [grʌb] n (U) inf [food] bouffe f.

grubby ['grʌbɪ] adj inf pas net (nette).

grudge [grʌdʒ] ◆ n : **to bear sb a grudge** en vouloir à qqn. ◆ vt : **she grudges him his success** elle lui envie son succès.

grueling ['gruːəlɪŋ] 🇺🇸 = **gruelling**.

gruelling ['gruːəlɪŋ] adj 🇬🇧 exténuant(e).

gruesome ['gruːsəm] adj macabre.

grumble ['grʌmbl] vi [complain] grommeler.

grumpy ['grʌmpɪ] adj inf grognon(onne).

grunge [grʌndʒ] n 1. inf [dirt] crasse f 2. [music, fashion] grunge m.

grunt [grʌnt] vi 1. [pig] grogner 2. [person] pousser un grognement. ◆ vt grogner.

guarantee [ˌgærən'tiː] ◆ n garantie f. ◆ vt garantir.

guard [gɑːd] ◆ n 1. [of prisoner] gardien m, -ienne f 2. [of politician, palace] garde m 3. 🇬🇧 [on train] chef m de train 4. [protective cover] protection f. ◆ vt [watch over] garder ▸ **to be on one's guard** être sur ses gardes.

Guatemala [ˌgwɑːtəˈmɑːlə] n Guatemala *m* ▸ **in Guatemala** au Guatemala.

Guatemalan [ˌgwɑːtəˈmɑːlən] ◆ adj guatémaltèque. ◆ n Guatémaltèque *mf*.

guess [ges] ◆ vt & vi (essayer de) deviner. ◆ n : **to have a guess at sthg** (essayer de) deviner qqch ▸ **I guess (so)** je suppose (que oui).

guest [gest] n **1.** invité *m*, -e *f* **2.** [in hotel] client *m*, -e *f*.

guesthouse ['gesthaʊs] *(pl* [-haʊzɪz] *)* n pension *f* de famille.

guestroom ['gestrʊm] n chambre *f* d'amis.

guidance ['gaɪdəns] n *(U)* conseils *mpl*.

guide [gaɪd] ◆ n **1.** [for tourists] guide *m ou f* **2.** [guidebook] guide *m* (touristique). ◆ vt conduire. ◆ **Guide** n 🇬🇧 ≃ éclaireuse *f*.

guidebook ['gaɪdbʊk] n guide *m* (touristique).

guide dog n 🇬🇧 chien *m* d'aveugle.

guided tour ['gaɪdɪd-] n visite *f* guidée.

guidelines ['gaɪdlaɪnz] npl lignes *fpl* directrices.

guilt [gɪlt] n *(U)* culpabilité *f*.

guilty ['gɪltɪ] adj coupable.

guinea pig ['gɪnɪ-] n cochon *m* d'Inde.

guitar [gɪ'tɑːʳ] n guitare *f*.

guitarist [gɪ'tɑːrɪst] n guitariste *m ou f*.

gulf [gʌlf] n [of sea] golfe *m*.

Gulf War n : **the Gulf War** la guerre du Golfe.

gull [gʌl] n mouette *f*.

gullible ['gʌləbl] adj crédule.

gulp [gʌlp] n goulée *f*.

gum [gʌm] n **1.** *(U)* [chewing gum] chewing-gum *m* **2.** *(U)* [bubble gum] chewing-gum avec lequel on peut faire des bulles **3.** [adhesive] gomme *f*. ◆ **gums** npl [in mouth] gencives *fpl*.

gun [gʌn] n **1.** [pistol] revolver *m* **2.** [rifle] fusil *m* **3.** [cannon] canon *m*.

gunfire ['gʌnfaɪəʳ] n *(U)* coups *mpl* de feu.

gunshot ['gʌnʃɒt] n coup *m* de feu.

gust [gʌst] n rafale *f*.

gut [gʌt] n *inf* [stomach] estomac *m*. ◆ **guts** npl *inf* **1.** [intestines] boyaux *mpl* **2.** [courage] cran *m*.

gutter ['gʌtəʳ] n **1.** [beside road] rigole *f* **2.** [of house] gouttière *f*.

guy [gaɪ] n *inf* [man] type *m*. ◆ **guys** npl *inf* [people] : **you guys** vous.

Guyana [gaɪ'ænə] n Guyana *m*.

Guy Fawkes Night [-'fɔːks-] n *le* 5 novembre.

ⓘ Guy Fawkes Night

Fête populaire anglaise, célébrée chaque année le 5 novembre, commémorant la Conspiration des poudres de 1605 – un complot dont fit partie le catholique Guy Fawkes – qui visait à assassiner le roi Jacques Ier en faisant exploser le Parlement londonien. Aujourd'hui, les enfants confectionnent de petites effigies de Fawkes (les **guys**) et les font brûler le soir dans d'immenses feux de joie (les **bonfires**), la célébration étant également accompagnée de nombreux feux d'artifice.

---

guy rope n corde *f* de tente.

gym [dʒɪm] n **1.** gymnase m **2.** [school lesson] gym f.

gymnasium [dʒɪmˈneɪzjəm] (pl -iums or -ia) n gymnase m.

gymnast [ˈdʒɪmnæst] n gymnaste m ou f.

gymnastics [dʒɪmˈnæstɪks] n (U) gymnastique f.

gym shoes npl tennis mpl en toile.

gynaecologist [ˌgaɪnəˈkɒlədʒɪst] n UK gynécologue m ou f.

gynecologist US = gynaecologist.

gypsy [ˈdʒɪpsi] = gipsy.

H (abbr of hospital) H (hôpital).

haberdashery [ˈhæbədæʃəri] n UK mercerie f.

habit [ˈhæbɪt] n habitude f.

habitat [ˈhæbɪtæt] n habitat m.

hacksaw [ˈhæksɔː] n scie f à métaux.

had [hæd] pt & pp → have.

haddock [ˈhædək] (pl inv) n églefin m.

hadn't [ˈhædnt] = had not.

haemophiliac [ˌhiːməˈfɪlɪæk] n UK hémophile m.

haemorrhage [ˈhemərɪdʒ] n UK hémorragie f.

haggis [ˈhægɪs] n plat typique écossais consistant en une panse de brebis farcie,

le plus souvent accompagné de pommes de terre et de navets en purée.

haggle [ˈhægl] vi marchander.

hail [heɪl] ◆ n (U) grêle f. ◆ impers vb grêler.

hailstone [ˈheɪlstəʊn] n grêlon m.

hair [heəʳ] n **1.** (U) [on head] cheveux mpl **2.** (U) [on skin] poils mpl **3.** [individual hair on head] cheveu m **4.** [individual hair on skin, of animal] poil m ▶ **to have one's hair cut** se faire couper les cheveux.

hairband [ˈheəbænd] n bandeau m.

hairbrush [ˈheəbrʌʃ] n brosse f à cheveux.

hairclip [ˈheəklɪp] n barrette f.

hair conditioner n après-shampooing m.

haircut [ˈheəkʌt] n [style] coupe f (de cheveux) ▶ **to have a haircut** se faire couper les cheveux.

hairdo [ˈheəduː] (pl -s) n inf coiffure f.

hairdresser [ˈheəˌdresəʳ] n coiffeur m, -euse f ▶ **hairdresser's** [salon] salon m de coiffure ▶ **to go to the hairdresser's** aller chez le coiffeur.

hairdryer [ˈheəˌdraɪəʳ] n sèche-cheveux m inv.

hair gel n (U) gel m coiffant.

hairgrip [ˈheəgrɪp] n UK épingle f à cheveux.

hairnet [ˈheənet] n résille f.

hairpin [ˈheəpɪn] n épingle f à cheveux.

hairpin bend [ˈheəpɪn-] n UK virage m en épingle à cheveux.

hairpin curve US = hairpin bend.

hair remover [-rɪˌmuːvəʳ] n (U) crème f dépilatoire.

hair rollers [-'rəʊləz] npl bigoudis mpl.

hair slide n UK barrette f.

hairspray ['heəspreɪ] n (U) laque f.

hairstyle ['heəstaɪl] n coiffure f.

hairy ['heərɪ] adj poilu(e).

half [UK hɑːf, US hæf] (pl **halves**) ◆ n **1.** moitié f **2.** [of match] mi-temps f inv **3.** UK [half pint] ≃ demi m **4.** [child's ticket] demi-tarif m. ◆ adj à moitié. ◆ adj : **half a day** une demi-journée ▶ **half of them** la moitié d'entre eux ▶ **four and a half** quatre et demi ▶ **half past seven** sept heures et demie ▶ **half as big as** moitié moins grand que ▶ **an hour and a half** une heure et demie ▶ **half an hour** une demi-heure ▶ **half a dozen** une demi-douzaine.

half board n (U) UK demi-pension f.

half-bottle n demi-bouteille f.

half-brother n demi-frère m.

half-day n demi-journée f.

half fare n demi-tarif m.

half portion n demi-portion f.

half-price adj à moitié prix.

half-sister n demi-sœur f.

half term n UK vacances fpl de mi-trimestre.

half time, half-time n (U) mi-temps f inv.

halfway [hɑːf'weɪ] adv **1.** [in space] à mi-chemin **2.** [in time] à la moitié ▶ **halfway through the film** au milieu du film.

halibut ['hælɪbət] (pl inv) n flétan m.

hall [hɔːl] n **1.** [of house] entrée f **2.** [building, large room] salle f **3.** [country house] manoir m.

hallmark ['hɔːlmɑːk] n [on silver, gold] poinçon m.

hallo [hə'ləʊ] UK = **hello**.

hall of residence n UK résidence f universitaire.

Halloween [,hæləʊ'iːn] n Halloween f.

> ⓘ **Halloween**
>
> Aux États-Unis comme au Royaume-Uni, cette fête a lieu le 31 octobre, la veille de la Toussaint. Les enfants se déguisent en sorcières, fantômes, ou autres personnages de l'au-delà, font du porte à porte pour réclamer des friandises ou de l'argent et jouent des tours aux récalcitrants. Aux États-Unis, cette tradition est connue sous le nom de treat or trick. Aujourd'hui, les adultes célèbrent aussi cette fête et organisent des soirées sur le même thème.

hallway ['hɔːlweɪ] n vestibule m.

halt [hɔːlt] ◆ vi s'arrêter. ◆ n : **to come to a halt** s'arrêter.

halve [UK hɑːv, US hæv] vt **1.** [reduce] réduire de moitié **2.** [cut] couper en deux.

halves [UK hɑːvz, US hævz] pl → **half**.

ham [hæm] n (U) [meat] jambon m.

hamburger ['hæmbɜːgər] n **1.** steak m haché **2.** (U) US [mince] viande f hachée.

hamlet ['hæmlɪt] n hameau m.

hammer ['hæmər] ◆ n marteau m. ◆ vt [nail] enfoncer à coups de marteau.

hammock ['hæmək] n hamac m.

hamper ['hæmpər] n panier m.

hamster ['hæmstər] n hamster m.

hamstring ['hæmstrɪŋ] n tendon m du jarret.

hand [hænd] n **1.** main f **2.** [of clock, watch, dial] aiguille f ▶ **to give sb a hand** donner un coup de main à qqn ▶ **to get**

out of hand échapper à tout contrôle ▸ **by hand** à la main ▸ **in hand** [time] devant soi ▸ **on the one hand** d'un côté ▸ **on the other hand** d'un autre côté. ◆ **hand in** vt sep remettre. ◆ **hand out** vt sep distribuer. ◆ **hand over** vt sep [give] remettre.

handbag ['hændbæg] n sac m à main.

hand baggage = **hand luggage.**

handbasin ['hændbeɪsn] n [UK] lavabo m.

handbook ['hændbʊk] n guide m.

handbrake ['hændbreɪk] n [UK] frein m à main.

hand cream n crème f pour les mains.

handcuffs ['hændkʌfs] npl menottes fpl.

handful ['hændfʊl] n poignée f.

handheld PC [hænd'held-] n PC m de poche.

handicap ['hændɪkæp] n handicap m ▸ **handicap accessible** accessible aux handicapés.

handicapped ['hændɪkæpt] ◆ adj handicapé(e). ◆ npl : **the handicapped** les handicapés mpl.

handkerchief ['hæŋkətʃɪf] (pl -chiefs OR -chieves) n mouchoir m.

handle ['hændl] ◆ n 1. [of door, window, suitcase] poignée f 2. [of knife, pan] manche m 3. [of cup] anse f. ◆ vt 1. [touch] manipuler 2. [deal with] s'occuper de 3. [crisis] faire face à ▸ **'handle with care'** 'fragile'.

handlebars ['hændlbɑːz] npl guidon m.

handling ['hændlɪŋ] n 1. maniement m 2. [of order] traitement m.

hand luggage n (U) bagages mpl à main.

handmade [,hænd'meɪd] adj fait à la main.

handout ['hændaʊt] n [leaflet] prospectus m.

handrail ['hændreɪl] n rampe f.

handset ['hændset] n combiné m ▸ **'please replace the handset'** 'raccrochez'.

hands-free [hændz-] adj [phone] mains libres.

hands-free kit n (kit) main libre m.

handshake ['hændʃeɪk] n poignée f de main.

handsome ['hænsəm] adj beau (belle).

handstand ['hændstænd] n équilibre m sur les mains.

handwriting ['hænd,raɪtɪŋ] n (U) écriture f.

handy ['hændɪ] adj 1. [useful] pratique 2. [person] adroit(e) 3. [near] tout près ▸ **to come in handy** inf être utile.

hang¹ [hæŋ] (pt & pp hung OR hanged) ◆ vt 1. [gen] suspendre, accrocher 2. (pt & pp hanged) [execute] pendre. ◆ vi pendre. ◆ **hang about** vi [UK] inf traîner. ◆ **hang around** vi inf = **hang about.** ◆ **hang down** vi pendre. ◆ **hang on** vi inf [wait] attendre. ◆ **hang out** ◆ vt sep [washing] étendre. ◆ vi inf traîner. ◆ **hang up** vi [on phone] raccrocher.

hang² [hæŋ] n : **to get the hang of sthg** inf attraper le coup pour qqch.

hangar ['hæŋər] n hangar m (à avions).

hanger ['hæŋər] n cintre m.

hang gliding n (U) deltaplane m.

hangover ['hæŋ,əʊvər] n gueule f de bois.

hankie ['hæŋkɪ] (*abbr of* handkerchief) n *inf* mouchoir m.

hanky ['hæŋkɪ] n = **hankie**.

happen ['hæpən] vi arriver ▶ **I happened to be there** je me trouvais là par hasard.

happily ['hæpɪlɪ] adv [luckily] heureusement.

happiness ['hæpɪnɪs] n *(U)* bonheur m.

happy ['hæpɪ] adj heureux(euse) ▶ **to be happy about sthg** être content de qqch ▶ **to be happy to do sthg** [willing] être heureux de faire qqch ▶ **to be happy with sthg** être content de qqch.

happy-clappy [-'klæpɪ] adj **UK** *inf & pej* [service, meeting, Christian] exubérant(e).

happy hour n *inf* période, généralement en début de soirée, où les boissons sont moins chères.

harassment ['hærəsmənt] n *(U)* harcèlement m.

harbor ['hɑːbər] **US** = **harbour**.

harbour ['hɑːbər] **UK** port m.

hard [hɑːd] ♦ adj **1.** dur(e) **2.** [winter] rude **3.** [water] calcaire. ♦ adv **1.** [listen] avec attention **2.** [work] dur **3.** [hit, rain] fort ▶ **to try hard** faire de son mieux.

hardback ['hɑːdbæk] n livre m relié.

hardboard ['hɑːdbɔːd] n *(U)* panneau m de fibres.

hard-boiled egg [-bɔɪld-] n œuf m dur.

hardcover ['hɑːdˌkʌvər] n = **hardback**.

hard disk n disque m dur.

hard-hit adj gravement atteint(e) OR touché(e).

hardly ['hɑːdlɪ] adv à peine ▶ **hardly ever** presque jamais.

hardness ['hɑːdnɪs] n [firmness] dureté f.

hardship ['hɑːdʃɪp] n **1.** *(U)* [conditions] épreuves fpl **2.** [difficult circumstance] épreuve f.

hard shoulder n **UK** bande f d'arrêt d'urgence.

hard up adj *inf* fauché(e).

hardware ['hɑːdweər] n *(U)* **1.** [tools, equipment] quincaillerie f **2.** COMPUT hardware m.

hardware shop **UK**, **hardware store** **US** n quincaillerie f.

hardwearing [ˌhɑːd'weərɪŋ] adj **UK** résistant(e).

hardworking [ˌhɑːd'wɜːkɪŋ] adj travailleur(euse).

hare [heər] n lièvre m.

harm [hɑːm] ♦ n *(U)* mal m. ♦ vt **1.** [person] faire du mal à **2.** [chances, reputation] nuire à **3.** [fabric] endommager.

harmful ['hɑːmfʊl] adj nuisible.

harmless ['hɑːmlɪs] adj inoffensif(ive).

harmonica [hɑː'mɒnɪkə] n harmonica m.

harmony ['hɑːmənɪ] n harmonie f.

harness ['hɑːnɪs] n harnais m.

harp [hɑːp] n harpe f.

harsh [hɑːʃ] adj **1.** [severe] rude **2.** [cruel] dur(e) **3.** [sound, voice] discordant(e).

harvest ['hɑːvɪst] n **1.** [time of year, crops] récolte f **2.** [of wheat] moisson f **3.** [of grapes] vendanges fpl.

has (*weak form* [həz], *strong form* [hæz]) → **have**.

hash browns [hæʃ-] npl croquettes fpl de pommes de terre.

hash key n touche f dièse.

hasn't ['hæznt] → has not.

hassle ['hæsl] n inf embêtement m.

hastily ['heɪstɪlɪ] adv sans réfléchir.

hasty ['heɪstɪ] adj hâtif(ive).

hat [hæt] n chapeau m.

hatch [hætʃ] ◆ n [for food] passeplat m inv. ◆ vi [egg] éclore.

hatchback ['hætʃ,bæk] n [car] cinq portes f.

hatchet ['hætʃɪt] n hachette f.

hate [heɪt] ◆ n (U) haine f. ◆ vt détester ▸ **to hate doing sthg** détester faire qqch.

hate crime n délit m de haine.

hatred ['heɪtrɪd] n (U) haine f.

haul [hɔːl] ◆ vt traîner. ◆ n : **a long haul** un long trajet.

haunted ['hɔːntɪd] adj hanté(e).

Havana [hə'vænə] ◆ n [city] La Havane. ◆ n [cigar, tobacco] havane m.

have [hæv] (pt & pp had) ◆ aux vb **1.** [to form perfect tenses] avoir /être ▸ **I have finished** j'ai terminé ▸ **have you been there? — no, I haven't** tu y es allé ? — non ▸ **we had already left** nous étions déjà partis **2.** [must] : **to have (got) to do sthg** devoir faire qqch ▸ **I have to go** je dois y aller, il faut que j'y aille ▸ **do you have to pay?** est-ce que c'est payant ?

◆ vt **1.** [possess] : **to have (got)** avoir ▸ **do you have** OR **have you got a double room?** avez-vous une chambre double ? ▸ **she has (got) brown hair** elle a les cheveux bruns, elle est brune **2.** [experience] avoir ▸ **to have a cold** avoir un rhume, être enrhumé ▸ **we had a great time** on s'est beaucoup amusés **3.** [replacing other verbs] : **to have breakfast** prendre le petit déjeuner ▸ **to have lunch** déjeuner ▸ **to have a drink** boire OR prendre un verre ▸ **to have a shower** prendre une douche ▸ **to have a swim** nager ▸ **to have a walk** faire une promenade **4.** [feel] avoir ▸ **I have no doubt about it** je n'ai aucun doute là-dessus **5.** [cause to be] : **to have sthg done** faire faire qqch ▸ **to have one's hair cut** se faire couper les cheveux **6.** [be treated in a certain way] : **I've had my wallet stolen** on m'a volé mon portefeuille.

haversack ['hævəsæk] n UK sac m à dos.

havoc ['hævək] n (U) chaos m.

hawk [hɔːk] n faucon m.

hawker ['hɔːkəʳ] n démarcheur m, -euse f.

hay [heɪ] n (U) foin m.

hay fever n (U) rhume m des foins.

haystack ['heɪˌstæk] n meule f de foin.

hazard ['hæzəd] n risque m.

hazard lights = **hazard warning lights**.

hazardous ['hæzədəs] adj dangereux(euse).

hazard warning lights npl UK feux mpl de détresse.

haze [heɪz] n brume f.

hazel ['heɪzl] adj noisette inv.

hazelnut ['heɪzl,nʌt] n noisette f.

hazy ['heɪzɪ] adj [misty] brumeux(euse).

HD adj **1.** COMPUT (abbr of high density) HD (haute densité) **2.** (abbr of high definition) HD (haute définition).

HDMI (abbr of high definition multimedia interface) n HDMI m.

HD-ready adj prêt(e) pour la TVHD.

HDTV (abbr of high-definition television) n TVHD f (télévision haute définition).

he [hi:] pron il ▶ **he's tall** il est grand.

head [hed] ◆ n 1. tête f 2. [of page] haut m 3. [of table] bout m 4. [of company, department] chef m 5. ⅢⅩ [head teacher] directeur m (d'école) 6. [of beer] mousse f. ◆ vt 1. [list] être en tête de 2. [organization] être à la tête de. ◆ vi se diriger ▶ **£10 a head** 10 livres par personne ▶ **heads or tails?** pile ou face ? ◆ **head for** vt insep se diriger vers.

headache ['hedeɪk] n [pain] mal de tête f ▶ **to have a headache** avoir mal à la tête.

head band, headband ['hedbænd] n ⅢⅩ bandeau m.

headbang ['hedbæŋ] vi inf secouer violemment la tête en rythme (sur de la heavy metal).

-headed ['hedɪd] adj (in compounds) à tête....

headed notepaper ['hedɪd-] n ⅢⅩ papier m à en-tête.

header and footer n en-tête et pied de page m.

heading ['hedɪŋ] n titre m.

headlamp ['hedlæmp] ⅢⅩ = **headlight**.

headlight ['hedlaɪt] n phare m.

headline ['hedlaɪn] n 1. [in newspaper] gros titre m 2. [on TV, radio] titre m.

headmaster [,hed'mɑːstəʳ] n ⅢⅩ directeur m (d'école).

headmistress [,hed'mɪstrɪs] n ⅢⅩ directrice f (d'école).

head of state n chef m d'État.

headphones ['hedfəʊnz] npl casque m (à écouteurs).

headquarters [,hed'kwɔːtəz] npl siège m.

headrest ['hedrest] n appui-tête m.

headroom ['hedrʊm] n (U) hauteur f.

headscarf ['hedskɑːf] (pl -scarves) n foulard m.

head start n longueur f d'avance.

head teacher n directeur m (d'école).

head-up adj [in aeroplane, car] : **head-up display** affichage m tête haute.

head waiter n maître m d'hôtel.

heal [hi:l] ◆ vt 1. [person] guérir 2. [wound] cicatriser. ◆ vi cicatriser.

health [helθ] n (U) santé f ▶ **to be in good health** être en bonne santé ▶ **to be in poor health** être en mauvaise santé ▶ **your (very) good health!** à la vôtre !

health care n (U) services mpl médicaux.

health center ⅢⅩ = **health centre**.

health centre n ⅢⅩ centre m médico-social.

health club n club m de remise en forme.

health food n produits mpl diététiques.

health food shop n magasin m de produits diététiques.

health insurance n assurance f maladie.

healthy ['helθɪ] adj 1. [person] en bonne santé 2. [skin, food] sain(e).

heap [hi:p] n tas m ▶ **heaps of** a) inf [people, objects] des tas de b) [time, money] plein de.

hear [hɪəʳ] (pt & pp **heard** [hɜːd]) ◆ vt
1. entendre **2.** [news] apprendre. ◆ vi
entendre ▸ **to hear about** sthg entendre
parler de qqch ▸ **to hear from** sb avoir
des nouvelles de qqn ▸ **to have heard
of** avoir entendu parler de.

hearing ['hɪərɪŋ] n **1.** (U) [sense] ouïe f
2. [at court] audience f ▸ **to be hard of
hearing** être dur d'oreille.

hearing aid n audiophone m.

heart [hɑːt] n cœur m ▸ **to know** sthg
(off) by heart savoir OR connaître qqch
par cœur ▸ **to lose heart** perdre courage. ◆ **hearts** npl [in cards] cœur m.

heart attack n crise f cardiaque.

heartbeat ['hɑːtbiːt] n battement m
de cœur.

heartburn ['hɑːtbɜːn] n (U) brûlures fpl d'estomac.

heart condition n : **to have a heart
condition** être cardiaque.

heart disease n maladie f de cœur.

hearth [hɑːθ] n foyer m.

hearty ['hɑːtɪ] adj [meal] co-
pieux(ieuse).

heat [hiːt] n **1.** (U) chaleur f **2.** [of oven]
température f. ◆ **heat up** vt sep réchauffer.

heater ['hiːtəʳ] n **1.** [for room] appareil m de chauffage **2.** [for water]
chauffe-eau m inv.

heath [hiːθ] n lande f.

heather ['heðəʳ] n (U) bruyère f.

heating ['hiːtɪŋ] n (U) chauffage m.

heat wave n canicule f.

heave [hiːv] vt **1.** [push] pousser avec
effort **2.** [pull] tirer avec effort.

Heaven ['hevn] n (U) le paradis.

heavily ['hevɪlɪ] adv **1.** [smoke, drink]
beaucoup **2.** [rain] à verse.

heavy ['hevɪ] adj **1.** lourd(e) **2.** [rain]
battant(e) ▸ **how heavy is it?** ça pèse
combien ? ▸ **to be a heavy smoker** être
un grand fumeur.

heavy cream n US crème f fraîche
épaisse.

heavy goods vehicle n UK poids
lourd m.

heavy industry n (U) industrie f
lourde.

heavy metal n (U) MUS heavy metal m.

Hebrew ['hiːbruː] ◆ adj hébreu, hé-
braïque. ◆ n **1.** [person] Hébreu m, Israélite mf **2.** [language] hébreu m.

Hebrides ['hebrɪdɪz] npl : **the Hebrides** les (îles fpl) Hébrides fpl.

heckle ['hekl] vt interrompre bruyamment.

hectare ['hekteəʳ] n hectare m.

hectic ['hektɪk] adj mouvementé(e).

he'd [hiːd] → **he had**, **he would**.

hedge [hedʒ] n haie f.

hedgehog ['hedʒhɒg] n hérisson m.

heel [hiːl] n talon m.

hefty ['heftɪ] adj **1.** [person] costaud
2. [fine] gros (grosse).

height [haɪt] n **1.** hauteur f **2.** [of per-
son] taille f ▸ **at the height of the season** en pleine saison ▸ **what height is
it?** ça fait quelle hauteur ?

heir [eəʳ] n héritier m.

heiress ['eərɪs] n héritière f.

held [held] pt & pp → **hold**.

helicopter ['helɪkɒptəʳ] n hélicoptère m.

hell [hel] n (U) enfer m.

he'll [hiːl] → **he will**.

hello [hə'ləʊ] excl **1.** [as greeting] bonjour ! **2.** [on phone] allô ! **3.** [to attract attention] ohé !

hell-raiser n inf fouteur m, -euse f de merde.

helmet ['helmɪt] n casque m.

help [help] ◆ n (U) aide f. ◆ vt aider. ◆ vi être utile. ◆ excl à l'aide !, au secours ! **I can't help it** je ne peux pas m'en empêcher **let me help you (to) carry that** je vais vous aider à porter cela **help yourself (to some more)** (res)servez-vous **can I help you?** [in shop] je peux vous aider ? ◆ **help out** vi aider.

help button n COMPUT case f d'aide.

help desk n service m d'assistance technique, help-desk m.

helper ['helpər] n **1.** [assistant] aide m ou f **2.** US [cleaning woman] femme f de ménage **3.** US [cleaning man] agent m d'entretien.

helpful ['helpfʊl] adj **1.** [person] serviable **2.** [useful] utile.

helping ['helpɪŋ] n portion f.

helpless ['helplɪs] adj impuissant(e).

helpline ['helplaɪn] n ligne f d'assistance téléphonique.

help menu n COMPUT menu m d'aide.

hem [hem] n ourlet m.

hemophiliac US = **haemophiliac**.

hemorrhage US = **haemorrhage**.

hen [hen] n poule f.

hen night, hen party n inf [gen] soirée entre copines.

hepatitis [ˌhepə'taɪtɪs] n (U) hépatite f.

her [hɜːʳ] ◆ adj son, sa f, ses pl. ◆ pron **1.** la **2.** [after prep] elle **I know her** je

la connais **it's her** c'est elle **send it to her** envoie-le lui **tell her** dis-(le) lui **he's worse than her** il est pire qu'elle.

herb [hɜːb] n herbe f **herbs** fines herbes fpl.

herbal [UK 'hɜːbl, US 'ɜːrbl] adj à base de plantes.

herbal tea ['hɜːbl-] n tisane f.

herd [hɜːd] n troupeau m.

here [hɪəʳ] adv ici **here's your book** voici ton livre **here you are** voilà.

herein [ˌhɪər'ɪn] adv fml **1.** [in this respect] en ceci, en cela **2.** LAW [in this document] ci-inclus.

heritage ['herɪtɪdʒ] n (U) patrimoine m.

heritage centre n UK ecomusée m.

hernia ['hɜːnjə] n hernie f.

hero ['hɪərəʊ] (pl -es) n héros m.

heroin ['herəʊɪn] n (U) héroïne f.

heroine ['herəʊɪn] n héroïne f.

heron ['herən] n héron m.

herring ['herɪŋ] n hareng m.

hers [hɜːz] pron le sien (la sienne) **these shoes are hers** ces chaussures sont à elle **a friend of hers** un ami à elle.

herself [hɜː'self] pron **1.** [reflexive] se **2.** [after prep] elle **she did it herself** elle l'a fait elle-même.

he's [hiːz] → **he is, he has**.

hesitant ['hezɪtənt] adj hésitant(e).

hesitate ['hezɪteɪt] vi hésiter.

hesitation [ˌhezɪ'teɪʃn] n hésitation f.

heterosexual [ˌhetərəʊ'sekʃʊəl] ◆ adj hétérosexuel(elle). ◆ n hétérosexuel m, -elle f.

heterosexuality [ˌhetərəˌsekʃuˈælətɪ] n hétérosexualité f.

hey [heɪ] excl inf hé !

HGV UK abbr of **heavy goods vehicle**.

hi [haɪ] excl inf salut !

hiccup ['hɪkʌp], **hiccough** ◆ n hoquet m. ◆ vi hoqueter ▸ **to have (the) hiccups** avoir le hoquet.

hide [haɪd] (pt **hid** [hɪd], pp **hidden** ['hɪdn]) ◆ vt cacher. ◆ vi se cacher. ◆ n [of animal] peau f.

hideous ['hɪdɪəs] adj 1. [ugly] hideux(euse) 2. [unpleasant] atroce.

hi-fi ['haɪfaɪ] n chaîne f (hi-fi).

high [haɪ] ◆ adj 1. haut(e) 2. [number, temperature, standard] élevé(e) 3. [speed] grand(e) 4. [risk] important(e) 5. [winds] fort(e) 6. [good] bon (bonne) 7. [sound, voice] aigu(ë) 8. inf [from drugs] défoncé(e). ◆ n [weather front] anticyclone m. ◆ adv ▸ **how high is it?** ça fait combien de haut ? ▸ **it's 10 metres high** ça fait 10 mètres de haut or de hauteur.

high chair n chaise f haute.

high-class adj de luxe.

high-definition adj (à) haute définition.

Higher ['haɪəʳ] n examen de fin d'études secondaires en Écosse.

higher education n enseignement m supérieur.

high-fibre adj [food, diet] riche en fibres.

high heels npl talons mpl hauts.

high jump n saut m en hauteur.

Highland Games ['haɪlənd-] npl jeux mpl écossais.

Highlands ['haɪləndz] npl : **the Highlands** les Highlands fpl (région montagneuse du nord de l'Écosse).

highlight ['haɪlaɪt] ◆ n [best part] temps m fort. ◆ vt [emphasize] mettre en relief. ◆ **highlights** npl 1. [of football match, etc.] temps mpl forts 2. [in hair] mèches fpl.

highly ['haɪlɪ] adv 1. [extremely] extrêmement 2. [very well] très bien ▸ **to think highly of sb** penser du bien de qqn.

high-pitched [-'pɪtʃt] adj aigu(ë).

high-rise adj : **high-rise block of flats** tour f.

high-rise building n tour f (d'habitation).

high school n établissement d'enseignement secondaire.

high season n (U) haute saison f.

high-speed train n (train) rapide m.

high street n UK rue f principale.

high-tech [-'tek] adj [method, industry] de pointe.

high tide n (U) marée f haute.

highway ['haɪweɪ] n 1. US [between towns] autoroute f 2. UK [any main road] route f.

Highway Code n UK code m de la route.

hijack ['haɪdʒæk] vt détourner.

hijacker ['haɪdʒækəʳ] n [of plane] pirate m de l'air.

hike [haɪk] ◆ n randonnée f. ◆ vi faire une randonnée.

hiker ['haɪkəʳ] n randonneur m, -euse f.

hiking ['haɪkɪŋ] n (U) : **to go hiking** faire de la randonnée.

hiking boots npl chaussures mpl de randonnée.

hilarious [hɪˈleərɪəs] adj hilarant(e).

hill [hɪl] n colline f.

hillside [ˈhɪlsaɪd] n coteau m.

hillwalker [ˈhɪlˌwɔːkəʳ] n UK randonneur m, -euse f.

hillwalking [ˈhɪlwɔːkɪŋ] n (U) randonnée f.

hilly [ˈhɪlɪ] adj vallonné(e).

him [hɪm] pron n 1. le 2. [after prep] lui ▶ **I know him** je le connais ▶ **it's him** c'est lui ▶ **send it to him** envoie-le lui ▶ **tell him** dis-(le) lui ▶ **she's worse than him** elle est pire que lui.

himself [hɪmˈself] pron 1. [reflexive] se 2. [after prep] lui ▶ **he did it himself** il l'a fait lui-même.

hinder [ˈhɪndəʳ] vt gêner.

Hindu [ˈhɪnduː] (pl -s) ◆ adj hindou(e). ◆ n [person] hindou m, -e f.

hinge [hɪndʒ] n 1. charnière f 2. [of door] gond m.

hint [hɪnt] ◆ n 1. [indirect suggestion] allusion f 2. [piece of advice] conseil m 3. [slight amount] soupçon m. ◆ vi : **to hint at sthg** faire allusion à qqch.

hip [hɪp] n hanche f.

hippopotamus [ˌhɪpəˈpɒtəməs] n hippopotame m.

hippy [ˈhɪpɪ] n hippie m ou f.

hire [ˈhaɪəʳ] vt louer ▶ **for hire a)** [boats] à louer b) [taxi] libre. ◆ **hire out** vt sep louer.

hire car n UK voiture f de location.

hired help [ˈhaɪəd-] n [for housework] aide f ménagère.

hire purchase n (U) UK achat m à crédit.

hi-res [ˈhaɪrez] (abbr of high-resolution) adj inf COMPUT (à) haute résolution.

his [hɪz] ◆ adj son, sa f, ses pl. ◆ pron le sien (la sienne) ▶ **these shoes are his** ces chaussures sont à lui ▶ **a friend of his** un ami à lui.

his and hers adj : **his and hers towels** des serviettes brodées « lui » et « elle ».

hissy fit [ˈhɪsɪ-] n inf : **to have a hissy fit** piquer une crise.

historic [hɪˈstɒrɪk] adj 1. [day, occasion, meeting, etc.] historique 2. [of time past] passé ▶ **historic building** monument m historique.

historical [hɪˈstɒrɪkəl] adj historique.

history [ˈhɪstərɪ] n 1. (U) histoire f 2. [record] antécédents mpl.

hit [hɪt] (pt & pp hit) ◆ vt 1. frapper 2. [collide with] heurter 3. [bang] cogner 4. [a target] atteindre. ◆ n 1. [record, play, film] succès m 2. COMPUT visite f (d'un site Internet) ▶ **to hit one's head** se cogner la tête ▶ **to hit the target** toucher la cible.

hit-and-run adj [accident] avec délit de fuite.

hitch [hɪtʃ] ◆ n [problem] problème m. ◆ vi faire du stop. ◆ vt : **to hitch a lift** se faire prendre en stop.

hitchhike [ˈhɪtʃhaɪk] vi faire du stop.

hitchhiker [ˈhɪtʃhaɪkəʳ] n autostoppeur m, -euse f.

hive [haɪv] n [of bees] ruche f.

HIV-positive adj séropositif(ive).

hoarding [ˈhɔːdɪŋ] n UK [for adverts] panneau m publicitaire.

hoarse [hɔːs] adj enroué(e).

hoax [həʊks] n canular m.

hob [hɒb] n UK plaque f (chauffante).

hobby ['hɒbɪ] n passe-temps m inv.

hock [hɒk] n [wine] vin blanc sec allemand.

hockey ['hɒkɪ] n (U) **1.** UK [on grass] hockey m sur gazon (U) **2.** US [ice hockey] hockey m (sur glace).

hoe [həʊ] n binette f.

Hogmanay ['hɒgmæneɪ] n la Saint-Sylvestre en Écosse.

ⓘ **Hogmanay**

Nom donné au Nouvel An écossais, dont la principale coutume est le **first-footing** (première foulée), qui consiste à rendre visite à ses amis et voisins à l'issue des douze coups de minuit pour leur souhaiter la bonne année. Chacun se présente avec un petit cadeau, un shortbread ou du whisky, puis les festivités se poursuivent en privé ou dans des pubs.

hold [həʊld] (pt & pp **held**) ◆ vt **1.** tenir **2.** [organize] organiser **3.** [contain] contenir **4.** [possess] avoir. ◆ vi **1.** [weather, offer] se maintenir **2.** [on telephone] patienter. ◆ n **1.** [grip] prise f **2.** [of ship, aircraft] cale f ▸ to hold sb prisoner retenir qqn prisonnier ▸ hold the line, please ne quittez pas, je vous prie. ◆ **hold back** vt sep **1.** [restrain] retenir **2.** [keep secret] cacher **3.** [contain]. ◆ **hold on** vi [wait] patienter ▸ to hold on to sthg [grip] s'accrocher à qqch. ◆ **hold out** vt sep [hand] tendre. ◆ **hold up** vt sep [delay] retarder.

holdall ['həʊldɔːl] n UK fourre-tout m inv.

holder ['həʊldər] n [of passport, licence] titulaire m ou f.

holdup ['həʊldʌp] n [delay] retard m.

hole [həʊl] n trou m.

holiday ['hɒlɪdeɪ] ◆ n **1.** UK [period of time] vacances fpl **2.** [day] jour m férié. ◆ vi UK passer les vacances ▸ to be on holiday être en vacances ▸ to go on holiday partir en vacances.

ⓘ **Holidays**

Les jours saints ne sont pas des fêtes nationales en Angleterre, à l'exception du Vendredi saint et du jour de Noël, mais le 1er de l'An, la Saint-Patrick (Irlande du Nord), le lundi de Pâques, le 1er mai, les congés de printemps et d'été et le lendemain de Noël (**Boxing Day**) sont des jours fériés. Aux États-Unis, la plupart des congés sont dédiés à des personnages célèbres (Martin Luther King, Christophe Colomb, les présidents Lincoln et Washington), aux victimes de guerre (**Memorial Day** le dernier lundi de mai, **Veterans' Day**, le 11 novembre), ou bien commémorent la fête nationale (**Independence Day**), la fête du travail (**Labor Day**) ou **Thanksgiving**.

holidaymaker ['hɒlɪdɪˌmeɪkər] n UK vacancier m, -ière f.

holiday pay n (U) UK congés mpl payés.

Holland ['hɒlənd] n la Hollande.

hollow ['hɒləʊ] adj creux (creuse).

holly ['hɒlɪ] n (U) houx m.

Hollywood ['hɒlɪwʊd] n Hollywood m.

holy ['həʊlɪ] adj saint(e).

home [həʊm] ◆ n **1.** maison f **2.** [own country] pays m natal **3.** [own town] ville f natale **4.** [for old people] maison f de retraite. ◆ adv **1.** à la maison, chez soi. ◆ adj **1.** [not foreign] national(e) **2.** [cooking, life] familial(e) ▸ at home [in one's house] à la maison, chez soi

▶ **to make o.s. at home** faire comme chez soi ▶ **to go home** rentrer chez soi ▶ **home address** adresse f personnelle ▶ **home number** numéro m personnel.

home economics n (U) économie f domestique.

home help n UK aide f ménagère.

homeless ['həʊmlɪs] npl : **the homeless** les sans-abri mpl.

homemade [ˌhəʊm'meɪd] adj [food] fait à la maison.

Home Office n UK : **the Home Office** ≃ le ministère de l'Intérieur.

homeopathic [ˌhəʊmɪəʊ'pæθɪk] adj homéopathique.

homeschooling ['həʊmˌskuːlɪŋ] n US SCH instruction f à la maison.

Home Secretary n ministre de l'Intérieur britannique.

homesick ['həʊmsɪk] adj qui a le mal du pays.

homeware n (U) objets mpl pour la maison.

homework ['həʊmwɜːk] n (U) devoirs mpl.

homeworking ['həʊmˌwɜːkɪŋ] n travail m à domicile.

homonym ['hɒmənɪm] n homonyme m.

homosexual [ˌhɒmə'sekʃʊəl] ◆ adj homosexuel(elle). ◆ n homosexuel m, -elle f.

honcho ['hɒntʃəʊ] n US inf [boss] chef m.

Honduran [hɒn'djʊərən] ◆ n Hondurien m, -enne f. ◆ adj hondurien.

Honduras [hɒn'djʊərəs] n Honduras m ▶ **in Honduras** au Honduras.

honest ['ɒnɪst] adj honnête.

honestly ['ɒnɪstlɪ] adv honnêtement.

honey ['hʌnɪ] n (U) miel m.

honeymoon ['hʌnɪmuːn] n lune f de miel.

honeysuckle ['hʌnɪˌsʌkl] n chèvrefeuille m.

honor ['ɒnər] US = **honour**.

honorable US = **honourable**.

honour ['ɒnər] n (U) UK honneur m.

honourable ['ɒnrəbl] adj UK honorable.

hood [hʊd] n **1.** [of jacket, coat] capuche f **2.** [on convertible car] capote f **3.** US [car bonnet] capot m.

hoodie ['hʊdɪ] n inf **1.** [top] sweat-shirt m à capuche **2.** UK [person] jeune qui porte un sweat-shirt à capuche.

hoof [huːf] n sabot m.

hook [hʊk] n **1.** crochet m **2.** [for fishing] hameçon m ▶ **off the hook** [telephone] décroché.

hooligan ['huːlɪgən] n vandale m.

hoop [huːp] n cerceau m.

hoot [huːt] vi [driver] klaxonner.

Hoover® ['huːvər] n aspirateur m.

hop [hɒp] vi sauter.

hope [həʊp] ◆ n espoir m. ◆ vt espérer ▶ **to hope for** sthg espérer qqch ▶ **to hope to do** sthg espérer faire qqch ▶ **I hope so** je l'espère.

hopeful ['həʊpful] adj [optimistic] plein d'espoir.

hopefully ['həʊpfəlɪ] adv [with luck] avec un peu de chance.

hopeless ['həʊplɪs] adj **1.** inf [useless] nul (nulle) **2.** [without any hope] désespéré(e).

hops [hɒps] npl houblon m.

horizon [həˈraɪzn] n horizon m.

horizontal [ˌhɒrɪˈzɒntl] adj horizontal(e).

horn [hɔːn] n **1.** [of car] Klaxon® m **2.** [on animal] corne f.

horoscope [ˈhɒrəskəʊp] n horoscope m.

horrible [ˈhɒrəbl] adj horrible.

horrid [ˈhɒrɪd] adj affreux(euse).

horrific [hɒˈrɪfɪk] adj horrible.

horrified [ˈhɒrɪfaɪd] adj horrifié(e).

hors d'œuvre n hors-d'œuvre m inv.

horse [hɔːs] n cheval m.

horseback [ˈhɔːsbæk] n : **on horseback** à cheval.

horseback riding US = **horse riding**.

horse chestnut n marron m d'Inde.

horse-drawn carriage n voiture f à chevaux.

horsepower [ˈhɔːsˌpaʊəʳ] n (U) cheval-vapeur m.

horse racing n (U) courses fpl (de chevaux).

horseradish [ˈhɔːsˌrædɪʃ] n [plant] raifort m.

horseradish (sauce) [ˈhɔːsˌrædɪʃ-] n (U) sauce piquante au raifort accompagnant traditionnellement le rosbif.

horse riding n (U) UK équitation f.

horseshoe [ˈhɔːsʃuː] n fer m à cheval.

hose [həʊz] n tuyau m.

hosepipe [ˈhəʊzpaɪp] n tuyau m.

hosiery [ˈhəʊzɪərɪ] n (U) bonneterie f.

hospitable [hɒˈspɪtəbl] adj accueillant(e).

hospital [ˈhɒspɪtl] n hôpital m ▸ **in hospital** UK, **in the hospital** US à l'hôpital.

hospitality [ˌhɒspɪˈtælətɪ] n (U) hospitalité f.

host [həʊst] n **1.** [of party, event] hôte m (qui reçoit). **2.** [of show, TV programme] animateur m, -trice f.

hostage [ˈhɒstɪdʒ] n otage m.

hostage-taking n prise f d'otages.

hostel [ˈhɒstl] n [youth hostel] auberge f de jeunesse.

hostess [ˈhəʊstes] n hôtesse f.

host family n famille f d'accueil.

hostile [UK ˈhɒstaɪl, US ˈhɒstl] adj hostile.

hostile takeover bid n OPA f hostile.

hostility [hɒˈstɪlətɪ] n (U) hostilité f.

hosting [ˈhəʊstɪŋ] n COMPUT [of web site] hébergement m.

host name n COMPUT nom m d'hôte.

hot [hɒt] adj **1.** chaud(e) **2.** [spicy] épicé(e) ▸ **to be hot** [person] avoir chaud ▸ **it's hot** [weather] il fait chaud.

hot chocolate n chocolat m chaud.

hot-cross bun n petite brioche aux raisins aux épices que l'on mange à Pâques.

hot dog n hot dog m.

hotel [həʊˈtel] n hôtel m ▸ **three /four-star hotel** hôtel trois /quatre étoiles.

hot line n ligne directe ouverte vingt-quatre heures sur vingt-quatre.

hotlist [ˈhɒtlɪst] n COMPUT hotlist f.

hotplate [ˈhɒtpleɪt] n plaque f chauffante.

hotpot [ˈhɒtpɒt] n UK ragoût de viande garni de pommes de terre en lamelles.

hotspot [ˈhɒtspɒt] n [dangerous area] point m chaud OR névralgique.

hot ticket n *inf* : **to be a hot ticket** être très populaire.

hot-water bottle n bouillotte f.

hour ['aʊər] n heure f ▸ **I've been waiting for hours** ça fait des heures que j'attends.

hourly ['aʊəlɪ] ◆ adv toutes les heures. ◆ adj : **hourly flights** un vol toutes les heures.

house ◆ n [haʊs] (pl ['haʊzɪz]) **1.** maison f **2.** SCH *au sein d'un lycée, groupe d'élèves affrontant d'autres « houses », notamment dans des compétitions sportives* **3.** (U) MUS = house music. ◆ vt [haʊz] [person] loger.

household ['haʊshəʊld] n ménage m.

housekeeping ['haʊsˌkiːpɪŋ] n (U) ménage m.

house music n (U) house music f.

House of Commons n UK Chambre f des communes.

House of Lords n UK Chambre f des lords.

House of Representatives n US : **the House of Representatives** la Chambre des représentants.

house-sitter n *personne qui garde une maison en l'absence de ses occupants.*

Houses of Parliament npl Parlement m britannique.

ⓘ Houses of Parliament

Le Parlement britannique du palais de Westminster se compose de la Chambre des communes et de la Chambre des lords. La première, qui compte 659 membres élus au suffrage universel direct pour cinq ans, détient l'essentiel des pouvoirs législatifs. La seconde est la plus haute instance judiciaire du royaume (à

l'exception de l'Écosse qui possède son propre système) et se compose de « pairs héréditaires », ayant hérité de leur titre, de « pairs à vie », nommés par la reine, et d'évêques ; elle dispose d'un droit de veto suspensif en cas de conflit sur le vote d'une loi et peut retarder l'adoption d'un texte budgétaire.

housewife ['haʊswaɪf] (pl **-wives**) n femme f au foyer.

house wine n ≃ vin m en pichet.

housework ['haʊswɜːk] n (U) ménage m.

housing ['haʊzɪŋ] n (U) logement m.

housing development n US ensemble m immobilier.

housing estate n UK cité f.

housing project US = **housing estate**.

hovercraft ['hɒvəkrɑːft] n hovercraft m.

hoverport ['hɒvəpɔːt] n hoverport m.

how [haʊ] ◆ adv **1.** [asking about way or manner] comment ▸ **how do you get there?** comment y va-t-on ? ▸ **tell me how to do it** dis-moi comment faire **2.** [asking about health, quality] comment ▸ **how are you?** comment allez-vous ? ▸ **how are you doing?** comment ça va ? ▸ **how are things?** comment ça va ? ▸ **how do you do?** enchanté (de faire votre connaissance) ▸ **how is your room?** comment est ta chambre ? **3.** [asking about degree, amount] : **how far is it?** c'est loin ? ▸ **how long have you been waiting?** ça fait combien de temps que vous attendez ? ▸ **how many...?** combien de... ? ▸ **how much is it?** combien est-ce que ça coûte ? ▸ **how old are you?** quel âge as-tu ?

→

4. [in phrases] **: how about a drink?** si on prenait un verre ? ▶ **how lovely!** que c'est joli !

however [haʊˈevəʳ] adv cependant ▶ **however hard I try** malgré tous mes efforts.

howl [haʊl] vi hurler.

HP [UK] inf abbr of **hire purchase**.

HQ (abbr of **headquarters**) n QG (Quartier Général) m.

HR (abbr of **human resources**) n RH (ressources humaines) f.

hub airport [hʌb-] n aéroport m important.

hubcap [ˈhʌbkæp] n enjoliveur m.

hug [hʌg] ◆ vt serrer dans ses bras. ◆ n : **to give sb a hug** serrer qqn dans ses bras.

huge [hjuːdʒ] adj énorme.

hull [hʌl] n coque f.

hum [hʌm] vi **1.** [machine] vrombir **2.** [bee] bourdonner **3.** [person] chantonner.

human [ˈhjuːmən] ◆ adj humain(e). ◆ n : **human (being)** (être) humain m.

humanities [hjuːˈmænətiz] npl lettres fpl et sciences humaines.

humanize, humanise [ˈhjuːmənaɪz] vt humaniser.

human race n : **the human race** la race humaine.

human rights npl droits mpl de l'homme.

human trafficking n trafic m or traite f d'êtres humains.

humble [ˈhʌmbl] adj humble.

humbling [ˈhʌmblɪŋ] adj [experience] qui rend humble.

humid [ˈhjuːmɪd] adj humide.

humidity [hjuːˈmɪdətɪ] n (U) humidité f.

humiliating [hjuːˈmɪlɪeɪtɪŋ] adj humiliant(e).

humiliation [hjuːˌmɪlɪˈeɪʃn] n humiliation f.

hummus [ˈhʊməs] n (U) houmous m.

humor [ˈhjuːmər] [US] = **humour**.

humorous [ˈhjuːmərəs] adj humoristique.

humour [ˈhjuːməʳ] n (U) [UK] humour m ▶ **a sense of humour** le sens de l'humour.

hump [hʌmp] n bosse f.

humpbacked bridge [ˈhʌmpbækt-] n [UK] pont m en dos d'âne.

hunch [hʌntʃ] n intuition f.

hundred [ˈhʌndrəd] num adj & n cent ▶ **a hundred** cent ▶ **a hundred and six** cent six ▶ **to be a hundred (years old)** avoir cent ans ▶ **a hundred Hill St** 100 Hill St ▶ **it's minus a hundred (degrees Fahrenheit)** il fait moins cent.

hundredth [ˈhʌndrətθ] ◆ num adj & adv centième. ◆ num pron centième m ou f. ◆ num n [fraction] centième m.

hundredweight [ˈhʌndrədweɪt] n **1.** [in UK] = 50,8 kg **2.** [in US] = 45,4 kg.

hung [hʌŋ] pt & pp → **hang**.

Hungarian [hʌŋˈɡeərɪən] ◆ adj hongrois(e). ◆ n **1.** [person] Hongrois m, -e f (U) **2.** [language] hongrois m.

Hungary [ˈhʌŋɡərɪ] n la Hongrie.

hunger [ˈhʌŋɡəʳ] n (U) faim f.

hungry [ˈhʌŋɡrɪ] adj : **to be hungry** avoir faim.

hunt [hʌnt] ◆ n [UK] [for foxes] chasse f au renard. ◆ vt & vi chasser ▶ **to hunt**

(for sthg) [search] chercher partout (qqch).

hunting ['hʌntɪŋ] n (U) **1.** [for wild animals] chasse f **2.** UK [for foxes] chasse f au renard.

hurdle ['hɜːdl] n in SPORT haie f.

hurl [hɜːl] vt lancer violemment.

hurling ['hɜːlɪŋ] n in SPORT jeu irlandais voisin du hockey sur gazon.

hurricane ['hʌrɪkən] n ouragan m.

hurry ['hʌrɪ] ◆ vt [person] presser. ◆ vi se dépêcher. ◆ n : **to be in a hurry** être pressé ▶ **to do sthg in a hurry** faire qqch à la hâte. ◆ **hurry up** vi se dépêcher.

hurt [hɜːt] (pt & pp hurt) ◆ vt **1.** faire mal à **2.** [emotionally] blesser. ◆ vi faire mal ▶ **to hurt o.s.** se faire mal ▶ **my head hurts** j'ai mal à la tête ▶ **to hurt one's leg** se blesser à la jambe.

husband ['hʌzbənd] n mari m.

hustle ['hʌsl] n : **hustle and bustle** (U) agitation f.

hustler ['hʌslə'] n inf [swindler] arnaqueur m, -euse f.

hut [hʌt] n hutte f.

hyacinth ['haɪəsɪnθ] n jacinthe f.

hydrangea [haɪ'dreɪndʒə] n hortensia m.

hydrofoil ['haɪdrəfɔɪl] n hydrofoil m.

hydrogenated [haɪ'drɒdʒɪneɪtɪd] adj hydrogéné(e).

hygiene ['haɪdʒiːn] n (U) hygiène f.

hygienic [haɪ'dʒiːnɪk] adj hygiénique.

hymn [hɪm] n hymne m.

hyperbola [haɪ'pɜːbələ] n [in mathematics] hyperbole f.

hyperlink ['haɪpəlɪŋk] n lien m hypertexte.

hypermarket ['haɪpə,mɑːkɪt] n hypermarché m.

hypermedia ['haɪpəmiːdɪə] npl hypermédia mpl.

hypertext ['haɪpətekst] n hypertexte m.

hyphen ['haɪfn] n trait m d'union.

hypnotherapist [,hɪpnəʊ'θerəpɪst] n hypnothérapeute mf.

hypocrite ['hɪpəkrɪt] n hypocrite m ou f.

hypodermic [,haɪpə'dɜːmɪk] adj hypodermique.

hypodermic needle [,haɪpə'dɜːmɪk-] n aiguille f hypodermique.

hysterical [hɪs'terɪkl] adj **1.** [person] hystérique **2.** inf [very funny] tordant(e).

I [aɪ] pron **1.** je, j' **2.** [stressed] moi ▶ **my friend and I** mon ami et moi.

IAP (abbr of Internet Adress Provider) n FAI m (fournisseur d'accès à Internet).

IBS n abbr of **irritable bowel syndrome**.

ice [aɪs] n (U) **1.** glace f **2.** [on road] verglas m.

iceberg ['aɪsbɜːg] n iceberg m.

iceberg lettuce n laitue f iceberg.

icebox ['aɪsbɒks] n US [fridge] réfrigérateur m.

ice-cold adj glacé(e).

ice cream n crème f glacée, glace f.

ice cube n glaçon m.

ice hockey n (U) hockey m sur glace.

Iceland ['aɪslənd] n l'Islande f.

ice lolly n UK sucette f glacée.

ice rink n patinoire f.

ice skates npl patins mpl à glace.

ice-skating n (U) patinage m (sur glace) ▶ **to go ice-skating** faire du patinage.

icicle ['aɪsɪkl] n glaçon m.

icing ['aɪsɪŋ] n (U) glaçage m.

icing sugar n (U) UK sucre m glace.

icon ['aɪkɒn] n icône f.

icy ['aɪsɪ] adj 1. (covered with ice) recouvert(e) de glace 2. [road] verglacé(e) 3. [very cold] glacé(e).

ID (U) abbr of **identification**.

I'd [aɪd] → **I would, I had**.

ID card n carte f d'identité.

IDD code n international et indicatif du pays.

idea [aɪ'dɪə] n idée f ▶ **I've no idea** je n'en ai aucune idée.

ideal [aɪ'dɪəl] ◆ adj idéal(e). ◆ n idéal m.

ideally [aɪ'dɪəlɪ] adv 1. idéalement 2. [in an ideal situation] dans l'idéal.

identical [aɪ'dentɪkl] adj identique.

identification [aɪ,dentɪfɪ'keɪʃn] n (U) [document] pièce f d'identité.

identify [aɪ'dentɪfaɪ] vt identifier.

identity [aɪ'dentətɪ] n (U) identité f.

identity card n carte f d'identité.

identity theft n vol m d'identité.

idiom ['ɪdɪəm] n expression f idiomatique.

idiot ['ɪdɪət] n idiot m, -e f.

idle ['aɪdl] ◆ adj 1. [lazy] paresseux(euse) 2. [not working] désœuvré(e). ◆ vi [engine] tourner au ralenti.

idol ['aɪdl] n [person] idole f.

idyllic [ɪ'dɪlɪk] adj idyllique.

i.e. (abbr of id est) c.-à-d. (c'est-à-dire).

if [ɪf] conj si ▶ **if I were you** si j'étais toi ▶ **if not** [otherwise] sinon.

IFA (abbr of independent financial adviser) n conseiller m financier indépendant, conseillère f financière indépendante.

ignition [ɪg'nɪʃn] n AUT allumage m.

ignorant ['ɪgnərənt] adj 1. ignorant(e) 2. pej [stupid] idiot(e) ▶ **to be ignorant of** ignorer.

ignore [ɪg'nɔːʳ] vt ignorer.

ill [ɪl] adj 1. malade 2. [bad] mauvais(e) ▶ **ill luck** malchance f.

I'll [aɪl] → **I will, I shall**.

illegal [ɪ'liːgl] adj illégal(e).

illegible [ɪ'ledʒəbl] adj illisible.

illegitimate [,ɪlɪ'dʒɪtɪmət] adj illégitime.

ill-fitting adj [garment, lid, window] mal ajusté(e).

ill-humoured, ill-humored US adj caractériel(elle).

ill-intentioned [-ɪn'tenʃənd] adj malintentionné(e).

illiterate [ɪ'lɪtərət] adj illettré(e) ▶ **to be illiterate** être analphabète.

ill-kempt [-kempt] adj [person, appearance, etc.] négligé(e).

ill-matched adj mal assorti(e).

illness ['ɪlnɪs] n maladie f.

illuminate [ɪ'lu:mɪneɪt] vt illuminer.

illusion [ɪ'lu:ʒn] n illusion f.

illustration [ˌɪlə'streɪʃn] n illustration f.

I'm [aɪm] → **I am**.

image ['ɪmɪdʒ] n image f.

imaginary [ɪ'mædʒɪnrɪ] adj imaginaire.

imagination [ɪˌmædʒɪ'neɪʃn] n (U) imagination f.

imagine [ɪ'mædʒɪn] vt imaginer.

imitate ['ɪmɪteɪt] vt imiter.

imitation [ˌɪmɪ'teɪʃn] ◆ n imitation f.
◆ adj : **imitation leather** Skaï® m.

immaculate [ɪ'mækjʊlət] adj impeccable.

immature [ˌɪmə'tjʊəʳ] adj immature.

immediate [ɪ'mi:djət] adj immédiat(e).

immediately [ɪ'mi:djətlɪ] ◆ adv [at once] immédiatement. ◆ conj [UK] dès que.

immense [ɪ'mens] adj immense.

immersion heater [ɪ'mɜ:ʃn-] n chauffe-eau m inv électrique.

immigrant ['ɪmɪgrənt] n immigré m, -e f.

immigrate ['ɪmɪgreɪt] vi immigrer.

immigration [ˌɪmɪ'greɪʃn] n (U) immigration f.

imminent ['ɪmɪnənt] adj imminent(e).

immune [ɪ'mju:n] adj : **to be immune to** MED être immunisé(e) contre.

immune system n système m immunitaire.

immunity [ɪ'mju:nətɪ] n (U) MED immunité f.

immunize ['ɪmju:naɪz] vt immuniser.

impact ['ɪmpækt] n impact m.

impair [ɪm'peəʳ] vt affaiblir.

impatient [ɪm'peɪʃnt] adj impatient(e)
▸ **to be impatient to do sthg** être impatient de faire qqch.

imperative [ɪm'perətɪv] n GRAM impératif m.

imperfect [ɪm'pɜ:fɪkt] n GRAM imparfait m.

impersonate [ɪm'pɜ:səneɪt] vt [for amusement] imiter.

impertinent [ɪm'pɜ:tɪnənt] adj impertinent(e).

implausibly [ɪm'plɔ:zəblɪ] adv invraisemblablement.

implement ◆ n ['ɪmplɪmənt] outil m.
◆ vt ['ɪmplɪment] mettre en œuvre.

implication [ˌɪmplɪ'keɪʃn] n implication f.

imply [ɪm'plaɪ] vt sous-entendre.

impolite [ˌɪmpə'laɪt] adj impoli(e).

import ◆ n ['ɪmpɔ:t] importation f.
◆ vt [ɪm'pɔ:t] importer.

importance [ɪm'pɔ:tns] n (U) importance f.

important [ɪm'pɔ:tnt] adj important(e).

impose [ɪm'pəʊz] vt imposer ▸ **to impose sthg on** imposer qqch à.

impossible [ɪm'pɒsəbl] adj impossible.

impractical [ɪm'præktɪkl] adj irréaliste.

imprecision [ˌɪmprɪ'sɪʒn] n imprécision f.

impress [ɪm'pres] vt impressionner.

impression [ɪm'preʃn] n impression f.

impressive [ɪmˈpresɪv] adj impressionnant(e).

improbability [ɪmˌprɒbəˈbɪlətɪ] (pl -ies) n [of event] improbabilité f.

improbable [ɪmˈprɒbəbl] adj improbable.

improper [ɪmˈprɒpə^r] adj 1. [incorrect] mauvais(e) 2. [illegal] abusif(ive) 3. [rude] déplacé(e).

improve [ɪmˈpruːv] ◆ vt améliorer. ◆ vi s'améliorer. ◆ **improve on** vt insep améliorer.

improvement [ɪmˈpruːvmənt] n amélioration f.

improvise [ˈɪmprəvaɪz] vi improviser.

impulse [ˈɪmpʌls] n impulsion f ▶ **on impulse** sur un coup de tête.

impulsive [ɪmˈpʌlsɪv] adj impulsif(ive).

in [ɪn] ◆ prep 1. [expressing place, position] dans ▶ **it comes in a box** c'est présenté dans une boîte ▶ **in the street** dans la rue ▶ **in hospital** UK, **in the hospital** US à l'hôpital ▶ **in Scotland** en Écosse ▶ **in Sheffield** à Sheffield ▶ **in the rain** sous la pluie ▶ **in the middle** au milieu 2. [participating in] dans ▶ **who's in the play?** qui joue dans la pièce ? 3. [expressing arrangement] : **in a row / circle** en rang / cercle ▶ **they come in packs of three** ils sont vendus par paquets de trois 4. [during] : **in April** en avril ▶ **in summer** en été ▶ **in the morning** le matin ▶ **ten o'clock in the morning** dix heures du matin ▶ **in 2012** en 2012 5. [within] en ▶ **she did it in ten minutes** elle l'a fait en dix minutes 6. [after] dans ▶ **it'll be ready in an hour** ce sera prêt dans une heure 7. [expressing means] : **to write in ink** écrire à l'encre ▶ **in writing**

par écrit ▶ **they were talking in English** ils parlaient (en) anglais 8. [wearing] en 9. [expressing state] en ▶ **in ruins** en ruine ▶ **in a hurry** pressé ▶ **to be in pain** souffrir 10. [with regard to] ▶ **a rise in prices** une hausse des prix ▶ **to be 50 metres in length** faire 50 mètres de long 11. [with numbers] : **one in ten** un sur dix 12. [expressing age] : **she's in her twenties** elle a une vingtaine d'années 13. [with colours] : **it comes in green or blue** nous l'avons en vert ou en bleu 14. [with superlatives] : **the best in the world** le meilleur du monde ◆ adv 1. [inside] dedans ▶ **you can go in now** vous pouvez entrer maintenant 2. [at home, work] là ▶ **she's not in** elle n'est pas là 3. [train, bus, plane] : **the train's not in yet** le train n'est pas encore arrivé 4. [tide] : **the tide is in** la marée est haute ◆ adj inf [fashionable] à la mode.

inability [ˌɪnəˈbɪlətɪ] n : **inability to do sthg** incapacité f à faire qqch.

inaccessible [ˌɪnækˈsesəbl] adj inaccessible.

inaccurate [ɪnˈækjʊrət] adj inexact(e).

inadequate [ɪnˈædɪkwət] adj [insufficient] insuffisant(e).

inappropriate [ˌɪnəˈprəʊprɪət] adj inapproprié(e).

inauguration [ɪˌnɔːɡjʊˈreɪʃn] n inauguration f.

inbox [ˈɪnbɒks] n COMPUT boîte f de réception.

Inc. [ɪŋk] (abbr of incorporated) US ≃ SARL (société à responsabilité limitée).

incapable [ɪnˈkeɪpəbl] adj : **to be incapable of doing sthg** être incapable de faire qqch.

incense [ˈɪnsens] n (U) encens m.

incentive [ɪn'sentɪv] n motivation f.

inch [ɪntʃ] n = 2,5 cm, pouce m.

incident ['ɪnsɪdənt] n incident m.

incidentally [ˌɪnsɪ'dentəlɪ] adv à propos.

incline ['ɪnklaɪn] n pente f.

inclined [ɪn'klaɪnd] adj incliné(e) ▸ **to be inclined to do sthg** avoir tendance à faire qqch.

include [ɪn'kluːd] vt inclure.

included [ɪn'kluːdɪd] adj [in price] compris(e) ▸ **to be included in sthg** être compris dans qqch.

including [ɪn'kluːdɪŋ] prep y compris.

inclusive [ɪn'kluːsɪv] adj : **from the 8th to the 16th inclusive** du 8 au 16 inclus ▸ **inclusive of VAT** TVA comprise.

income ['ɪŋkʌm] n revenu m.

income support n UK allocation supplémentaire pour les faibles revenus.

income tax n impôt m sur le revenu.

incoming ['ɪnˌkʌmɪŋ] adj **1.** [train, plane] à l'arrivée **2.** [phone call] de l'extérieur.

incompetent [ɪn'kɒmpɪtənt] adj incompétent(e).

incomplete [ˌɪnkəm'pliːt] adj incomplet(ète).

incongruity [ˌɪnkɒŋ'gruːətɪ] (pl -**ies**) n [strangeness, discordancy] incongruité f.

incongruously [ɪn'kɒŋgruəslɪ] adv : **the incongruously named Palace Hotel** le Palace Hôtel, le mal nommé.

inconsiderate [ˌɪnkən'sɪdərət] adj qui manque de prévenance.

inconsistent [ˌɪnkən'sɪstənt] adj incohérent(e).

incontinent [ɪn'kɒntɪnənt] adj incontinent(e).

inconvenient [ˌɪnkən'viːnjənt] adj **1.** [place] mal situé(e) **2.** [time] : **it's inconvenient** ça tombe mal.

incorporate [ɪn'kɔːpəreɪt] vt incorporer.

incorrect [ˌɪnkə'rekt] adj incorrect(e).

increase ◆ n ['ɪnkriːs] augmentation f. ◆ vt & vi [ɪn'kriːs] augmenter ▸ **an increase in sthg** une augmentation de qqch.

increasingly [ɪn'kriːsɪŋlɪ] adv de plus en plus.

incredible [ɪn'kredəbl] adj incroyable.

incredibly [ɪn'kredəblɪ] adv [very] incroyablement.

incremental [ˌɪnkrɪ'mentl] adj [increasing] croissant(e).

incur [ɪn'kɜːr] vt **1.** [expenses] engager **2.** [fine] recevoir.

indecisive [ˌɪndɪ'saɪsɪv] adj indécis(e).

indeed [ɪn'diːd] adv **1.** [for emphasis] en effet **2.** [certainly] certainement ▸ **very big indeed** vraiment très grand.

indefinite [ɪn'defɪnɪt] adj **1.** [time, number] indéterminé(e) **2.** [answer, opinion] vague.

indefinitely [ɪn'defɪnətlɪ] adv [closed, delayed] indéfiniment.

independence [ˌɪndɪ'pendəns] n (U) indépendance f.

Independence Day n fête de l'indépendance américaine, le 4 juillet.

independent [ˌɪndɪ'pendənt] adj indépendant(e).

independently [ˌɪndɪ'pendəntlɪ] adv indépendamment.

independent school n UK école f privée.

index ['ɪndeks] n 1. [of book] index m
2. [in library] fichier m.

index finger n index m.

India ['ɪndjə] n l'Inde f.

Indian ['ɪndjən] ◆ adj indien(ienne).
◆ n Indien m, -ienne f ▸ **an Indian restaurant** un restaurant indien.

Indian Ocean n l'océan m Indien.

indicate ['ɪndɪkeɪt] ◆ vi UK AUT
mettre son clignotant. ◆ vt indiquer.

indicator ['ɪndɪkeɪtə'] n UK AUT clignotant m.

indifferent [ɪn'dɪfrənt] adj indiffé-
rent(e).

indigenous [ɪn'dɪdʒɪnəs] adj indigène.

indigestion [ˌɪndɪ'dʒestʃn] n (U) indigestion f.

indigo ['ɪndɪgəʊ] adj indigo inv.

indirect [ˌɪndɪ'rekt] adj indirect(e).

indiscernible [ˌɪndɪ'sɜːnəbl] adj in-
discernable.

individual [ˌɪndɪ'vɪdʒʊəl] ◆ adj indi-
viduel(elle). ◆ n individu m.

individually [ˌɪndɪ'vɪdʒʊəlɪ] adv indi-
viduellement.

Indonesia [ˌɪndə'niːzjə] n l'Indonésie f.

indoor ['ɪndɔː'] adj 1. [swimming pool]
couvert(e) 2. [sports] en salle.

indoors [ˌɪn'dɔːz] adv à l'intérieur.

indulge [ɪn'dʌldʒ] vi : **to indulge in**
se permettre.

industrial [ɪn'dʌstrɪəl] adj indus-
triel(ielle).

industrial estate n UK zone f industrielle.

industrial park US = **industrial estate**.

industry ['ɪndəstrɪ] n industrie f.

inedible [ɪn'edɪbl] adj 1. [unpleas-
ant] immangeable 2. [unsafe] non comestible.

inefficient [ˌɪnɪ'fɪʃnt] adj inefficace.

inequality [ˌɪnɪ'kwɒlətɪ] n inégalité f.

inevitable [ɪn'evɪtəbl] adj inévitable.

inevitably [ɪn'evɪtəblɪ] adv inévita-
blement.

inexpensive [ˌɪnɪk'spensɪv] adj bon
marché inv.

inexpressible [ˌɪnɪk'spresəbl] adj in-
dicible.

infamous ['ɪnfəməs] adj notoire.

infant ['ɪnfənt] n 1. [baby] nourrisson m 2. [young child] jeune enfant m.

infant school n UK maternelle f (de
5 à 7 ans).

infatuated [ɪn'fætjʊeɪtɪd] adj : **to be
infatuated with** être entiché(e) de.

infect [ɪn'fekt] vt MED infecter.

infected [ɪn'fektɪd] adj infecté(e).

infectious [ɪn'fekʃəs] adj infec-
tieux(ieuse).

inferior [ɪn'fɪərɪə'] adj inférieur(e).

infinite ['ɪnfɪnət] adj infini(e).

infinitely ['ɪnfɪnətlɪ] adv infiniment.

infinitive [ɪn'fɪnɪtɪv] n infinitif m.

infinity [ɪn'fɪnətɪ] n (U) infini m.

infirmary [ɪn'fɜːmərɪ] n [hospital] hôpital m.

inflamed [ɪn'fleɪmd] adj MED en-
flammé(e).

inflammation [ˌɪnflə'meɪʃn] n MED
inflammation f.

inflatable [ɪn'fleɪtəbl] adj gonflable.

inflate [ɪn'fleɪt] vt gonfler.

inflation [ɪn'fleɪʃn] n (U) [of prices] inflation f.

inflict [ɪn'flɪkt] **vt** infliger.

in-flight **adj** en vol.

influence ['ɪnflʊəns] ◆ **vt** influencer. ◆ **n** : **influence (on)** influence *f* (sur).

inform [ɪn'fɔːm] **vt** informer.

informal [ɪn'fɔːml] **adj** [occasion, dress] simple.

information [ˌɪnfə'meɪʃn] **n** (U) informations *fpl*, renseignements *mpl* ▸ **a piece of information** une information.

information desk **n** bureau *m* des renseignements.

information highway **n** autoroute *f* de l'information.

information office **n** bureau *m* des renseignements.

information superhighway = **information highway**.

information system **n** système *m* d'information.

information technology **n** informatique *f*.

informative [ɪn'fɔːmətɪv] **adj** instructif(ive).

infrared [ˌɪnfrə'red] **n** infrarouge *m*.

infrequent [ɪn'friːkwənt] **adj** peu fréquent(e).

infuriating [ɪn'fjʊərɪeɪtɪŋ] **adj** exaspérant(e).

ingenious [ɪn'dʒiːnjəs] **adj** ingénieux(ieuse).

ingredient [ɪn'griːdjənt] **n** ingrédient *m*.

inhabit [ɪn'hæbɪt] **vt** habiter.

inhabitant [ɪn'hæbɪtənt] **n** habitant *m*, -e *f*.

inhale [ɪn'heɪl] **vi** inspirer.

inhaler [ɪn'heɪləʳ] **n** inhalateur *m*.

inherit [ɪn'herɪt] **vt** hériter (de).

inhibition [ˌɪnhɪ'bɪʃn] **n** inhibition *f*.

initial [ɪ'nɪʃl] ◆ **adj** initial(e). ◆ **vt** parapher. ◆ **initials** **npl** initiales *fpl*.

initialization [ɪˌnɪʃəlaɪ'zeɪʃn] **n** initialisation *f*.

initialize [ɪ'nɪʃəlaɪz] **vt** initialiser.

initially [ɪ'nɪʃəlɪ] **adv** initialement.

initiative [ɪ'nɪʃətɪv] **n** (U) initiative *f*.

injection [ɪn'dʒekʃn] **n** injection *f*.

injure ['ɪndʒəʳ] **vt** blesser ▸ **to injure one's arm** se blesser au bras ▸ **to injure o.s.** se blesser.

injured ['ɪndʒəd] **adj** blessé(e).

injury ['ɪndʒərɪ] **n** blessure *f*.

ink [ɪŋk] **n** encre *f*.

inkjet [ɪŋkdʒet] **adj** à jet d'encre.

inland ◆ **adj** ['ɪnlənd] intérieur(e). ◆ **adv** [ɪn'lænd] vers l'intérieur des terres.

Inland Revenue **n** 🇬🇧 ≃ fisc *m*.

in-laws **npl** *inf* [parents-in-law] beaux-parents *mpl* ; [others] belle-famille *f*.

inn [ɪn] **n** auberge *f*.

inner ['ɪnəʳ] **adj** intérieur(e).

inner city **n** *quartiers proches du centre, généralement synonymes de problèmes sociaux.*

inner tube **n** chambre *f* à air.

innkeeper ['ɪnˌkiːpəʳ] **n** aubergiste *mf*.

innocence ['ɪnəsəns] **n** (U) innocence *f*.

innocent ['ɪnəsənt] **adj** innocent(e).

innovate ['ɪnəveɪt] **vi** & **vt** innover.

inoculate ['ɪnɒkjʊleɪt] **vt** vacciner ▸ **to inoculate sb against smallpox** vacciner qqn contre la variole.

inoculation [I,nɒkjʊ'leɪʃn] n vaccination f.

in-patient n malade hospitalisé m, malade hospitalisée f.

input ['ɪnpʊt] vt COMPUT entrer.

inquire [ɪn'kwaɪər] = **enquire**.

inquiry [ɪn'kwaɪərɪ] = **enquiry**.

insane [ɪn'seɪn] adj fou (folle).

insect ['ɪnsekt] n insecte m.

insect repellent [-rə'pelənt] n produit m anti-insectes.

insensitive [ɪn'sensətɪv] adj insensible.

insert [ɪn'sɜːt] vt introduire, insérer.

insertion [ɪn'sɜːʃn] n insertion f.

inside [ɪn'saɪd] ◆ prep à l'intérieur de, dans. ◆ adv à l'intérieur. ◆ adj [internal] intérieur(e). ◆ n : **the inside** a) [interior] l'intérieur m b) AUT [in UK] la gauche c) AUT [in Europe, US] la droite ▸ **to go inside** entrer ▸ **inside out** [clothes] à l'envers.

inside lane n 1. AUT [in UK] voie f de gauche 2. AUT [in Europe, US] voie f de droite.

inside leg n UK hauteur f à l'entrejambe.

insight ['ɪnsaɪt] n [glimpse] aperçu m.

insignificant [,ɪnsɪg'nɪfɪkənt] adj insignifiant(e).

insinuate [ɪn'sɪnjʊeɪt] vt insinuer.

insist [ɪn'sɪst] vi insister ▸ **to insist on doing sthg** tenir à faire qqch.

insole ['ɪnsəʊl] n semelle f intérieure.

insolent ['ɪnsələnt] adj insolent(e).

insomnia [ɪn'sɒmnɪə] n (U) insomnie f.

inspect [ɪn'spekt] vt 1. [object] inspecter 2. [ticket, passport] contrôler.

inspection [ɪn'spekʃn] n 1. [of object] inspection f 2. [of ticket, passport] contrôle m.

inspector [ɪn'spektər] n 1. [on bus, train] contrôleur m, -euse f 2. [in police force] inspecteur m, -trice f.

inspiration [,ɪnspə'reɪʃn] n (U) inspiration f.

inspire [ɪn'spaɪər] vt inspirer ▸ **to inspire sb to do sthg** pousser or encourager qqn à faire qqch.

instal [ɪn'stɔːl] US = **install**.

install [ɪn'stɔːl] vt installer.

installation [,ɪnstə'leɪʃn] n installation f.

installment [ɪn'stɔːlmənt] US = **instalment**.

instalment [ɪn'stɔːlmənt] n UK 1. [payment] acompte m 2. [episode] épisode m.

instance ['ɪnstəns] n exemple m ▸ **for instance** par exemple.

instant ['ɪnstənt] ◆ adj 1. [results, success] immédiat(e) 2. [food] instantané(e). ◆ n [moment] instant m.

instant access adj [bank account] à accès immédiat.

instant coffee n café m instantané or soluble.

instant messaging n messagerie f instantanée.

instead [ɪn'sted] adv plutôt ▸ **instead of** au lieu de ▸ **instead of sb** à la place de qqn.

instep ['ɪnstep] n cou-de-pied m.

instinct ['ɪnstɪŋkt] n instinct m.

institute ['ɪnstɪtjuːt] n institut m.

institution [,ɪnstɪ'tjuːʃn] n institution f.

instruct [ɪn'strʌkt] vt 1. [tell, order] : **to instruct sb to do sthg** charger qqn de faire qqch 2. [teach] instruire ▸ **to instruct sb in sthg** enseigner qqch à qqn.

instructions [ɪn'strʌkʃnz] npl [for use] mode m d'emploi.

instructor [ɪn'strʌktə^r] n moniteur m, -trice f.

instrument ['ɪnstrʊmənt] n instrument m.

insufficient [,ɪnsə'fɪʃnt] adj insuffisant(e).

insulate ['ɪnsjʊleɪt] vt [loft, cable] isoler ; [hot water tank] calorifuger.

insulating tape ['ɪnsjʊleɪtɪŋ-] n (U) UK chatterton m.

insulation [,ɪnsjʊ'leɪʃn] n (U) [material] isolant m.

insulin ['ɪnsjʊlɪn] n (U) insuline f.

insult ◆ n ['ɪnsʌlt] insulte f. ◆ vt [ɪn'sʌlt] insulter.

insurance [ɪn'ʃʊərəns] n (U) assurance f.

insurance certificate n attestation f d'assurance.

insurance company n compagnie f d'assurance.

insurance policy n police f d'assurance.

insure [ɪn'ʃʊə^r] vt assurer.

insured [ɪn'ʃʊəd] adj : **to be insured** être assuré(e).

intact [ɪn'tækt] adj intact(e).

integer ['ɪntɪdʒə^r] n [in mathematics] (nombre m) entier m.

intel ['ɪntel] n US renseignements mpl militaires.

intellectual [,ɪntə'lektjʊəl] ◆ adj intellectuel(elle). ◆ n intellectuel m, -elle f.

intelligence [ɪn'telɪdʒəns] n (U) intelligence f.

intelligent [ɪn'telɪdʒənt] adj intelligent(e).

intend [ɪn'tend] vt : **to intend to do sthg** avoir l'intention de faire qqch ▸ **to be intended to do sthg** être destiné à faire qqch.

intense [ɪn'tens] adj intense.

intensity [ɪn'tensətɪ] n (U) intensité f.

intensive [ɪn'tensɪv] adj intensif(ive).

intensive care n (U) réanimation f.

intensive care unit n service m de réanimation, unité f de soins intensifs.

intent [ɪn'tent] adj : **to be intent on doing sthg** être déterminé(e) à faire qqch.

intention [ɪn'tenʃn] n intention f.

intentional [ɪn'tenʃənl] adj intentionnel(elle).

intentionally [ɪn'tenʃənlɪ] adv intentionnellement.

interactive [,ɪntər'æktɪv] adj interactif.

interactive whiteboard n tableau m blanc interactif.

interchange ['ɪntətʃeɪndʒ] n [on motorway] échangeur m.

Intercity® [,ɪntə'sɪtɪ] n système de trains rapides reliant les grandes villes en Grande-Bretagne.

intercom ['ɪntəkɒm] n Interphone® m.

interest ['ɪntrəst] ◆ n 1. intérêt m 2. [pastime] centre m d'intérêt. ◆ vt intéresser ▸ **to take an interest in sthg** s'intéresser à qqch.

interested ['ɪntrəstɪd] adj intéressé(e) ▶ **to be interested in sthg** être intéressé par qqch.

interesting ['ɪntrəstɪŋ] adj intéressant(e).

interest rate n taux m d'intérêt.

interface [,ɪntə'feɪs] n interface f.

interfere [,ɪntə'fɪər] vi [meddle] se mêler des affaires d'autrui ▶ **to interfere with sthg** [damage] toucher à qqch.

interference [,ɪntə'fɪərəns] n (U) [on TV, radio] parasites mpl.

interior [ɪn'tɪərɪər] ◆ adj intérieur(e). ◆ n intérieur m.

intermediate [,ɪntə'miːdjət] adj intermédiaire.

intermission [,ɪntə'mɪʃn] n [at cinema, theatre] entracte m.

intern ['ɪntɜːn] n US [gen] stagiaire mf.

internal [ɪn'tɜːnl] adj 1. [not foreign] intérieur(e) 2. [on the inside] interne.

internal flight n vol m intérieur.

Internal Revenue Service n US : **the Internal Revenue Service** ≃ le fisc.

international [,ɪntə'næʃənl] adj international(e).

international flight n vol m international.

International Standards Organization n Organisation f internationale de normalisation.

Internet, internet ['ɪntənet] n internet.

Internet address n adresse f Internet.

Internet café, internet café n cybercafé m.

Internet economy n nétéconomie f.

Internet Presence Provider n fournisseur d'accès à Internet proposant l'hébergement de sites Web.

Internet Service Provider n fournisseur m d'accès.

Internet user n internaute mf.

interpret [ɪn'tɜːprɪt] vi servir d'interprète.

interpreter [ɪn'tɜːprɪtər] n interprète m ou f.

interrogate [ɪn'terəgeɪt] vt interroger.

interrupt [,ɪntə'rʌpt] vt interrompre.

intersection [,ɪntə'sekʃn] n [of roads] carrefour m, intersection f.

interstate ['ɪntəsteɪt] n US autoroute f.

interval ['ɪntəvl] n 1. intervalle m 2. UK [at cinema, theatre] entracte m.

intervene [,ɪntə'viːn] vi 1. [person] intervenir 2. [event] avoir lieu.

interview ['ɪntəvjuː] ◆ n 1. [on TV, in magazine] interview f 2. [for job] entretien m. ◆ vt 1. [on TV, in magazine] interviewer 2. [for job] faire passer un entretien à.

interviewer ['ɪntəvjuːər] n [on TV, in magazine] intervieweur m, -euse f.

intestine [ɪn'testɪn] n intestin m.

intimate ['ɪntɪmət] adj intime.

intimidate [ɪn'tɪmɪdeɪt] vt intimider.

into ['ɪntʊ] prep 1. [inside] dans 2. [against] dans, contre 3. [concerning] sur ▶ **4 into 20 goes 5 (times)** 20 divisé par 4 égale 5 ▶ **to translate into French** traduire en français ▶ **to change into sthg** se transformer en qqch ▶ **to be into sthg** inf [like] être un fan de qqch.

intolerable [ɪn'tɒlrəbl] adj intolérable.

intranet, Intranet ['ɪntrənet] n intranet m.

intransitive [ɪn'trænzətɪv] adj intransitif(ive).

intricate ['ɪntrɪkət] adj compliqué(e).

intriguing [ɪn'triːgɪŋ] adj fascinant(e).

introduce [ˌɪntrə'djuːs] vt présenter ▸ **I'd like to introduce you to Fred** j'aimerais vous présenter Fred.

introduction [ˌɪntrə'dʌkʃn] n **1.** [to book, programme] introduction f **2.** [to person] présentation f.

introverted ['ɪntrəvɜːtɪd] adj introverti(e).

intrude [ɪn'truːd] vi faire intrusion.

intruder [ɪn'truːdə?] n intrus m, -e f.

intuition [ˌɪntjuː'ɪʃn] n intuition f.

invade [ɪn'veɪd] vt envahir.

invalid ◆ adj [ɪn'vælɪd] [ticket, cheque] non valable. ◆ n ['ɪnvəlɪd] invalide m ou f.

invaluable [ɪn'væljʊəbl] adj inestimable.

invariably [ɪn'veərɪəblɪ] adv invariablement.

invasion [ɪn'veɪʒn] n invasion f.

invent [ɪn'vent] vt inventer.

invention [ɪn'venʃn] n invention f.

inventory ['ɪnventrɪ] n **1.** [list] inventaire m **2.** US [stock] stock m.

inverted commas [ɪn'vɜːtɪd-] npl UK guillemets mpl.

invest [ɪn'vest] ◆ vt investir. ◆ vi : **to invest in sthg** investir dans qqch.

investigate [ɪn'vestɪgeɪt] vt enquêter sur.

investigation [ɪnˌvestɪ'geɪʃn] n enquête f.

investment [ɪn'vestmənt] n [of money] investissement m.

invigorate [ɪn'vɪgəreɪt] vt revigorer.

invisible [ɪn'vɪzɪbl] adj invisible.

invitation [ˌɪnvɪ'teɪʃn] n invitation f.

invite [ɪn'vaɪt] vt inviter ▸ **to invite sb to do sthg** [ask] inviter qqn à faire qqch ▸ **to invite sb round** inviter qqn chez soi.

inviting [ɪn'vaɪtɪŋ] adj attrayant(e), agréable.

invoice ['ɪnvɔɪs] n facture f.

invoicing ['ɪnvɔɪsɪŋ] n COMM [of goods, etc.] facturation f.

involve [ɪn'vɒlv] vt [entail] impliquer ▸ **what does it involve?** en quoi est-ce que cela consiste ? ▸ **to be involved in a scheme** prendre part à un projet ▸ **to be involved in an accident** être impliqué dans un accident.

involved [ɪn'vɒlvd] adj : **what's involved?** qu'est-ce que cela implique ?

involvement [ɪn'vɒlvmənt] n [participation] : **involvement (in)** participation f (à).

inward ['ɪnwəd] ◆ adj [towards the inside] vers l'intérieur. ◆ adv US = **inwards**.

inwards ['ɪnwədz] adv vers l'intérieur.

IOU (abbr of I owe you) n reconnaissance f de dette.

IP (abbr of Internet Protocol) n : **IP address** adresse f IP.

IP address n adresse IP f.

iPod® ['aɪpɒd] n iPod® m.

IQ (abbr of Intelligence Quotient) n QI m (quotient intellectuel).

Iran [ɪ'rɑːn] n l'Iran m.

Iranian [ɪ'reɪnjən] ◆ adj iranien(enne). ◆ n Iranien m, -enne f.

Iraq [ɪ'rɑːk] n l'Iraq m.

Iraqi [ɪ'rɑːkɪ] ◆ adj iraquien(enne), ira-kien(enne). ◆ n Iraquien m, -enne f, Ira-kien m, -enne f.

IRC (abbr of Internet Relay Chat) n IRC m (dialogue en temps réel).

Ireland ['aɪələnd] n l'Irlande f.

iris ['aɪrɪs] (pl -es) n [flower] iris m.

Irish ['aɪrɪʃ] ◆ adj irlandais(e). ◆ n [language] irlandais m. ◆ npl : the Irish les Irlandais mpl.

Irish coffee n irish-coffee m.

Irishman ['aɪrɪʃmən] (pl -men) n irlandais m.

Irish stew n ragoût de mouton aux pommes de terre et aux oignons.

Irishwoman ['aɪrɪʃˌwʊmən] (pl -wom-en) n Irlandaise f.

iron ['aɪən] ◆ n 1. (U) fer m 2. [for clothes] fer m à repasser. ◆ vt repasser.

ironic [aɪ'rɒnɪk] adj ironique.

ironing board ['aɪənɪŋ-] n planche f à repasser.

ironmonger's ['aɪənˌmʌŋgəz] n UK quincaillier m.

iron-willed adj à la volonté de fer.

irony ['aɪrənɪ] n ironie f.

irreconcilably [ɪˌrekən'saɪləblɪ] adv : they are irreconcilably different ils sont radicalement différents ▸ they are irrec-oncilably divided il y a entre eux des divisions irréconciliables.

irrefutably [ˌɪrɪ'fjuːtəblɪ] adv irréfu-tablement.

irrelevant [ɪ'reləvənt] adj hors de propos.

irresistible [ˌɪrɪ'zɪstəbl] adj irrésis-tible.

irrespective [ˌɪrɪ'spektɪv] ◆ irre-spective of prep indépendamment de.

irresponsible [ˌɪrɪ'spɒnsəbl] adj ir-responsable.

irrigation [ˌɪrɪ'geɪʃn] n (U) irrigation f.

irritable ['ɪrɪtəbl] adj irritable.

irritable bowel syndrome n syn-drome m du côlon irritable.

irritate ['ɪrɪteɪt] vt irriter.

irritating ['ɪrɪteɪtɪŋ] adj irritant(e).

IRS (abbr of Internal Revenue Service) n US ≃ fisc m.

is [ɪz] → **be**.

ISA (abbr of individual savings account) n UK plan m d'épargne défiscalisé.

Islam ['ɪzlɑːm] n (U) l'islam m.

Islamic [ɪz'læmɪk] adj islamique.

Islamophobia [ɪzˌlæmə'fəʊbɪə] n is-lamophobie f.

Islamophobic [ɪzˌlæmə'fəʊbɪk] adj islamophobe.

island ['aɪlənd] n 1. île f 2. [in road] refuge m.

isle [aɪl] n île f.

isn't ['ɪznt] → **is not**.

ISO (abbr of International Organization for Standardization) n ISO f.

isolated ['aɪsəleɪtɪd] adj isolé(e).

ISP n abbr of Internet Service Provider.

Israel ['ɪzreɪəl] n Israël m.

Israeli [ɪz'reɪlɪ] ◆ adj israélien(enne). ◆ n Israélien m, -enne f.

issue ['ɪʃuː] ◆ n 1. [problem, subject] problème m 2. [of newspaper, mag-azine] numéro m. ◆ vt 1. [statement] faire 2. [passport, document] délivrer 3. [stamps, bank notes] émettre.

issuing ['ɪʃʊɪŋ] adj FIN [company] émetteur.

It [ɪt] ◆ pron **1.** [referring to specific thing: subject] il (elle) ; [direct object] le (la), l' ; [indirect object] lui ▸ **it's big** il est grand ▸ **she missed it** elle l'a manqué ▸ **give it to me** donne-le-moi ▸ **tell me about it** parlez-m'en ▸ **we went to it** nous y sommes allés **2.** [nonspecific] ce, c' ▸ **it's nice here** c'est joli ici ▸ **it's me** c'est moi ▸ **who is it?** qui est-ce ? **3.** [used impersonally] : **it's hot** il fait chaud ▸ **it's six o'clock** il est six heures ▸ **it's Sunday** nous sommes dimanche.

Italian [ɪ'tæljən] ◆ adj italien(ienne). ◆ n **1.** [person] Italien m, -ienne f **2.** [language] italien m ▸ **an Italian restaurant** un restaurant italien.

Italy ['ɪtəlɪ] n l'Italie f.

itch [ɪtʃ] vi : **my arm itches** mon bras me démange.

itchy ['ɪtʃɪ] adj qui démange.

it'd ['ɪtəd] → **it would, it had.**

item ['aɪtəm] n **1.** [object] article m, objet m **2.** [of news, on agenda] question f, point m ▸ **a news item** une information.

itemized bill ['aɪtəmaɪzd-] n facture f détaillée.

it-girl n inf jeune femme fortement médiatisée ▸ **she's the it-girl** c'est la fille dont on parle.

itinerary [aɪ'tɪnərərɪ] n itinéraire m.

it'll [ɪtl] → **it will.**

its [ɪts] adj son (sa), ses, pl.

it's [ɪts] → **it is, it has.**

itself [ɪt'self] pron **1.** [reflexive] se **2.** [after prep] lui (elle) ▸ **the house itself is fine** la maison elle-même n'a rien.

I've [aɪv] → **I have.**

ivory ['aɪvərɪ] n (U) ivoire m.

ivy ['aɪvɪ] n (U) lierre m.

ⓘ Ivy League

Expression désignant les huit universités privées les plus prestigieuses de la côte est des États-Unis : en tête, Harvard, puis Yale, Princeton, Columbia, Dartmouth, Cornell, Brown et Pennsylvanie. Particulièrement sélectives, synonymes d'excellence académique et d'élitisme, elles accueillent des étudiants, des professeurs et des chercheurs brillants.

Jj

jab [dʒæb] n UK inf [injection] piqûre f.

jack [dʒæk] n **1.** [for car] cric m **2.** [playing card] valet m.

jacket ['dʒækɪt] n **1.** [garment] veste f **2.** [of book] jaquette f **3.** US [of record] pochette f **4.** [of potato] peau f.

jacket potato n UK pomme de terre f en robe des champs.

jackknife ['dʒæknaɪf] n (pl jackknives [-naɪvz]) couteau m de poche.

jack-knife vi se mettre en travers de la route.

Jacuzzi® [dʒə'kuːzɪ] n Jacuzzi® m.

jade [dʒeɪd] n (U) jade m.

jail [dʒeɪl] n prison f.

jam [dʒæm] ◆ n **1.** [food] confiture f **2.** [of traffic] embouteillage m **3.** inf [difficult situation] pétrin m. ◆ vt [pack tightly] entasser. ◆ vi [get stuck] se coincer ▶ **the roads are jammed** les routes sont bouchées.

Jamaica [dʒəˈmeɪkə] n Jamaïque f.

jam-packed [-ˈpækt] adj inf bourré(e) à craquer.

Jan. [dʒæn] (abbr of January) janv. (janvier).

janitor [ˈdʒænɪtər] n US SCOT concierge m ou f.

January [ˈdʒænjʊərɪ] n janvier m ▶ **at the beginning of January** début janvier ▶ **at the end of January** fin janvier ▶ **during January** en janvier ▶ **every January** tous les ans en janvier ▶ **in January** en janvier ▶ **last January** en janvier (dernier) ▶ **next January** en janvier de l'année prochaine ▶ **this January** en janvier (prochain) ▶ **2 January 2012** [in letters, etc.] le 2 janvier 2012.

Japan [dʒəˈpæn] n le Japon.

Japanese [ˌdʒæpəˈniːz] ◆ adj japonais(e). ◆ n [language] japonais m. ◆ npl : **the Japanese** les Japonais mpl.

jar [dʒɑːr] n pot m.

javelin [ˈdʒævlɪn] n javelot m.

jaw [dʒɔː] n mâchoire f.

jazz [dʒæz] n (U) jazz m.

jealous [ˈdʒeləs] adj jaloux(ouse).

jeans [dʒiːnz] npl jean m.

Jeep® [dʒiːp] n Jeep® f.

jeez [dʒiːz] excl US nid purée !

Jello® [ˈdʒeləʊ] n US gelée f.

jelly [ˈdʒelɪ] n UK gelée f.

jellyfish [ˈdʒelɪfɪʃ] (pl inv) n méduse f.

jeopardize [ˈdʒepədaɪz] vt mettre en danger.

jerk [dʒɜːk] n **1.** [movement] secousse f **2.** inf [idiot] abruti m, -e f.

jersey [ˈdʒɜːzɪ] (pl -s) n UK [garment] pull m.

jet [dʒet] n **1.** jet m **2.** [for gas] brûleur m.

jetfoil [ˈdʒetfɔɪl] n hydroglisseur m.

jet lag n décalage m horaire.

jet-ski n scooter m des mers.

jetty [ˈdʒetɪ] n jetée f.

Jew [dʒuː] n Juif m, -ive f.

jewel [ˈdʒuːəl] n joyau m, pierre f précieuse. ◆ **jewels** npl [jewellery] bijoux mpl.

jeweler's [ˈdʒuːələz] US = **jeweller's**.

jeweller's [ˈdʒuːələz] n UK bijouterie f.

jewellery [ˈdʒuːəlrɪ] n (U) UK bijoux mpl.

jewelry [ˈdʒuːəlrɪ] US = **jewellery**.

Jewish [ˈdʒuːɪʃ] adj juif(ive).

jigsaw (puzzle) [ˈdʒɪgsɔː-] n puzzle m.

jingle [ˈdʒɪŋgl] n [of advert] jingle m.

JIT (abbr of just in time) adj juste à temps, JAT.

job [dʒɒb] n **1.** [regular work] emploi m **2.** [task, function] travail m ▶ **to lose one's job** perdre son travail.

job centre n UK agence f pour l'emploi.

job-share ◆ n partage m du travail. ◆ vi partager le travail.

jockey [ˈdʒɒkɪ] (pl -s) n jockey m.

jog [dʒɒg] ◆ vt pousser. ◆ vi courir, faire du jogging. ◆ n : **to go for a jog** faire du jogging.

jogging ['dʒɒgɪŋ] n *(U)* jogging *m* ▶ **to go jogging** faire du jogging.

join [dʒɔɪn] vt 1. [club, organization] adhérer à 2. [fasten together] joindre 3. [other people] rejoindre 4. [connect] relier 5. [participate in] participer à ▶ **to join a queue** faire la queue. ◆ **join in** ◆ vt insep participer à. ◆ vi participer.

joint [dʒɔɪnt] ◆ adj commun(e). ◆ n 1. [of body] articulation *f* 2. [of meat] rôti *m* 3. [in structure] joint *m*.

joke [dʒəʊk] ◆ n plaisanterie *f*. ◆ vi plaisanter.

joker ['dʒəʊkəʳ] n [playing card] joker *m*.

jolly ['dʒɒlɪ] ◆ adj [cheerful] gai(e). ◆ adv 🇬🇧 *inf* [very] drôlement.

jolt [dʒəʊlt] n secousse *f*.

jot [dʒɒt] ◆ **jot down** vt sep noter.

journal ['dʒɜːnl] n 1. [professional magazine] revue *f* 2. [diary] journal *m* (intime).

journalist ['dʒɜːnəlɪst] n journaliste *m ou f*.

journey ['dʒɜːnɪ] (pl -s) n voyage *m*.

joy [dʒɔɪ] n *(U)* joie *f*.

joypad ['dʒɔɪpæd] n [of video game] boîtier de commandes de jeu vidéo.

joyrider ['dʒɔɪraɪdəʳ] n personne qui vole une voiture pour aller faire un tour.

joystick ['dʒɔɪstɪk] n [of video game] manette *f* (de jeux).

JPEG ['dʒeɪˌpeg] (abbr of joint picture expert group) n COMPUT (format *m*) JPEG *m*.

judge [dʒʌdʒ] ◆ n juge *m*. ◆ vt 1. [competition] arbitrer 2. [evaluate] juger.

judg(e)ment ['dʒʌdʒmənt] n jugement *m*.

judo ['dʒuːdəʊ] n *(U)* judo *m*.

jug [dʒʌg] n 1. [for water] carafe *f* 2. [for milk] pot *m*.

juggernaut ['dʒʌgənɔːt] n 🇬🇧 poids *m* lourd.

juggle ['dʒʌgl] vi jongler.

juice [dʒuːs] n jus *m* ▶ (fruit) juice jus *m* de fruit.

juicy ['dʒuːsɪ] adj [food] juteux(euse).

jukebox ['dʒuːkbɒks] n juke-box *m inv*.

Jul. (abbr of July) juill. (juillet).

July [dʒuːˈlaɪ] n juillet *m* ▶ **at the beginning of July** début juillet ▶ **at the end of July** fin juillet ▶ **during July** en juillet ▶ **every July** tous les ans en juillet ▶ **in July** en juillet ▶ **last July** en juillet (dernier) ▶ **next July** en juillet de l'année prochaine ▶ **this July** en juillet (prochain) ▶ **2 July 2012** [in letters, etc.] le 2 juillet 2012.

jumble sale ['dʒʌmbl-] n 🇬🇧 vente *f* de charité.

jumbo ['dʒʌmbəʊ] adj *inf* [big] énorme.

jumbo jet n jumbo-jet *m*.

jump [dʒʌmp] ◆ n 1. bond *m* 2. COMPUT saut *m*. ◆ vi 1. sauter 2. [with fright] sursauter 3. [increase] faire un bond. ◆ vt 🇺🇸 [train, bus] prendre sans payer ▶ **to jump the queue** 🇬🇧 ne pas attendre son tour.

jumper ['dʒʌmpəʳ] n 1. 🇬🇧 [pullover] pull-over *m* 2. 🇺🇸 [dress] robe *f* chasuble.

jumper cables 🇺🇸 npl = **jump leads**.

jump leads npl 🇬🇧 câbles *mpl* de démarrage.

Jun. abbr of June.

junction ['dʒʌŋk∫n] n embranchement *m*.

June [dʒuːn] n juin *m* ▶ **at the beginning of June** début juin ▶ **at the end**

of June fin juin ▸ **during June** en juin ▸ **every June** tous les ans en juin ▸ **in June** en juin ▸ **last June** en juin (dernier) ▸ **next June** en juin de l'année prochaine ▸ **this June** en juin (prochain) ▸ **2 June 2012** [in letters, etc.] le 2 juin 2012.

June beetle, June bug n hanneton *m*.

jungle ['dʒʌŋgl] n jungle *f*.

junior ['dʒuːnjə] ◆ adj **1.** [of lower rank] subalterne **2.** [after name] junior. ◆ n [younger person] cadet *m*, -ette *f* ▸ **to be sb's junior** être plus jeune que qqn.

junior high school n <img id="US" /> collège *m* d'enseignement secondaire.

junior school n <img id="UK" /> école *f* primaire.

junk [dʒʌŋk] n (U) inf [unwanted things] bric-à-brac *m inv*.

junk e-mail, junkmail n spams *mpl*, pourriels *mpl*.

junk food n (U) inf cochonneries *fpl*.

junkie ['dʒʌŋki] n inf drogué *m*, -e *f*.

junk shop n magasin *m* de brocante.

jury ['dʒʊərɪ] n jury *m*.

just [dʒʌst] adj & adv juste ▸ **I'm just coming** j'arrive tout de suite ▸ **we were just leaving** nous étions sur le point de partir ▸ **to be just about to do sthg** être sur le point de faire qqch ▸ **to have just done sthg** venir de faire qqch ▸ **just as good (as)** tout aussi bien (que) ▸ **just about** [almost] pratiquement, presque ▸ **only just** tout juste ▸ **just a minute!** une minute !

justice ['dʒʌstɪs] n (U) justice *f*.

justify ['dʒʌstɪfaɪ] vt justifier.

jut [dʒʌt] ◆ **jut out** vi faire saillie.

juvenile ['dʒuːvənaɪl] adj **1.** [young] juvénile **2.** [childish] enfantin(e).

K k

kalashnikov [kə'læʃnɪkɒv] n kalachnikov *f*.

kangaroo [ˌkæŋgə'ruː] n kangourou *m*.

karaoke [ˌkærɪ'əʊkɪ] n karaoke *m*.

karate [kə'rɑːtɪ] n (U) karaté *m*.

kebab [kɪ'bæb] n <img id="UK" /> ▸ **(shish) kebab** brochette *f* de viande ▸ **(doner) kebab** ≃ sandwich *m* grec (lamelle de mouton servie en tranches fines dans du pita, avec salade et sauce).

keel [kiːl] n quille *f*.

keen [kiːn] adj **1.** [enthusiastic] passionné(e) **2.** [hearing] fin(e) **3.** [eyesight] perçant(e) ▸ **to be keen on** <img id="UK" /> aimer beaucoup ▸ **to be keen to do sthg** <img id="UK" /> tenir à faire qqch.

keep [kiːp] (pt & pp kept) ◆ vt **1.** garder **2.** [promise, record, diary] tenir **3.** [delay] retarder. ◆ vi **1.** [food] se conserver **2.** [remain] rester ▸ **to keep (on) doing sthg** a [continuously] continuer à faire qqch b [repeatedly] ne pas arrêter de faire qqch ▸ **to keep someone waiting** faire attendre qqn ▸ **to keep sb from doing sthg** empêcher qqn de faire qqch ▸ **keep back!** n'approchez pas ! ▸ **to keep (off)** ne pas s'approcher (de) ▸ **'keep in lane!'** conservez votre file ▸ **to keep left** 'serrez à gauche' ▸ **'keep off the grass!'** 'pelouse interdite' ▸ **'keep out!'** 'entrée interdite'

‣**'keep your distance!'** 'gardez vos distances'. ◆ **keep up** vi sep **1.** [maintain] maintenir **2.** [continue] continuer. ◆ vi : **to keep up (with)** suivre.

keep-fit n (U) UK gymnastique f.

kennel ['kenl] n niche f.

kept [kept] pt & pp → **keep**.

kerb [kɜ:b] n UK bordure f du trottoir.

kerosene ['kerəsi:n] n (U) US kérosène m.

ketchup ['ketʃəp] n (U) ketchup m.

kettle ['ketl] n bouilloire f ‣ **to put the kettle on** UK mettre la bouilloire à chauffer.

key [ki:] ◆ n **1.** clé f, clef f **2.** [of piano, typewriter & COMPUT] touche f **3.** [of map] légende f. ◆ adj clé, clef.

keyboard ['ki:bɔ:d] n clavier m.

keyboard shortcut n raccourci m clavier.

keyhole ['ki:həʊl] n serrure f.

keypad ['ki:pæd] n pavé m numérique.

key ring n porte-clefs m inv, porte-clés m inv.

Key Stage ['ki:steɪdʒ] n UK SCH une des cinq étapes-clés du parcours scolaire en Grande-Bretagne.

kg (abbr of kilogram) kg (kilogramme).

kick [kɪk] ◆ n [of foot] coup m de pied. ◆ vt **1.** [ball] donner un coup de pied dans **2.** [person] donner un coup de pied à.

kickoff ['kɪkɒf] n coup m d'envoi.

kid [kɪd] ◆ n inf gamin m, -e f. ◆ vi [joke] blaguer.

kidnap ['kɪdnæp] vt kidnapper.

kidnaper ['kɪdnæpər] US = **kidnapper**.

kidnapper ['kɪdnæpər] n UK kidnappeur m, -euse f.

kidney ['kɪdnɪ] (pl -s) n **1.** [organ] rein m **2.** [food] rognon m.

kidney bean n haricot m rouge.

kill [kɪl] vt tuer ‣ **my feet are killing me!** mes pieds me font souffrir le martyre !

killer ['kɪlər] n tueur m, -euse f.

kilo ['ki:ləʊ] (pl -s) n kilo m.

kilogram ['kɪləˌgræm] n kilogramme m.

kilometer US = **kilometre**.

kilometre ['kɪləˌmi:tər] n UK kilomètre m.

kilt [kɪlt] n kilt m.

kind [kaɪnd] ◆ adj gentil(ille). ◆ n genre m ‣ **kind of** inf plutôt.

kindergarten ['kɪndəˌgɑ:tn] n jardin m d'enfants.

kindly ['kaɪndlɪ] adv : **would you kindly...?** auriez-vous l'amabilité de... ?

kindness ['kaɪndnɪs] n (U) gentillesse f.

king [kɪŋ] n roi m.

kingfisher ['kɪŋˌfɪʃər] n martin-pêcheur m.

king prawn n gamba f.

king-size bed n ≃ lit m de plus de 160 cm.

kiosk ['ki:ɒsk] n **1.** [for newspapers, etc.] kiosque m **2.** UK [phone box] cabine f (téléphonique).

kipper ['kɪpər] n hareng m saur.

kirby grip ['kɜ:bɪ-] n UK pince f à cheveux.

kiss [kɪs] ◆ n baiser m. ◆ vt embrasser.

kiss of life n bouche-à-bouche m inv.

kit [kɪt] n **1.** [set] trousse f **2.** (U) UK [clothes] tenue f **3.** [for assembly] kit m.

kitchen ['kɪtʃɪn] n cuisine f.

kitchen unit n élément m (de cuisine).

kite [kaɪt] n [toy] cerf-volant m.

kitesurfing ['kaɪtsɜːfɪŋ] n kitesurf m.

kitten ['kɪtn] n chaton m.

kitten heel n petit talon m.

kitty ['kɪtɪ] n [of money] cagnotte f.

kiwi fruit ['kiːwiː] n kiwi m.

Kleenex® ['kliːneks] n Kleenex® m.

km (abbr of **kilometre**) km (kilomètre).

km/h (abbr of **kilometres per hour**) km/h (kilomètre par heure).

knack [næk] n : **to have the knack of doing sthg** avoir le chic pour faire qqch.

knackered ['nækəd] adj UK inf crevé(e).

knapsack ['næpsæk] n sac m à dos.

knee [niː] n genou m.

kneecap ['niːkæp] n rotule f.

kneel [niːl] (pt & pp knelt [nelt]) vi **1.** [be on one's knees] être à genoux **2.** [go down on one's knees] s'agenouiller.

knew [njuː] pt → **know**.

knickers ['nɪkəz] npl UK [underwear] culotte f.

knife [naɪf] (pl knives) n couteau m.

knife crime n attaques fpl à l'arme blanche.

knight [naɪt] n **1.** [in history] chevalier m **2.** [in chess] cavalier m.

knit [nɪt] vt tricoter.

knitted ['nɪtɪd] adj tricoté(e).

knitting ['nɪtɪŋ] n (U) tricot m.

knitting needle n aiguille f à tricoter.

knitwear ['nɪtweə^r] n (U) lainages mpl.

knives [naɪvz] pl → **knife**.

knob [nɒb] n bouton m.

knock [nɒk] ♦ n [at door] coup m. ♦ vt [hit] cogner. ♦ vi [at door, etc.] frapper. ♦ **knock down** vt sep **1.** UK [pedestrian] renverser **2.** [building] démolir **3.** [price] baisser. ♦ **knock out** vt sep **1.** [make unconscious] assommer **2.** [of competition] éliminer. ♦ **knock over** vt sep UK renverser.

knocker ['nɒkə^r] n [on door] heurtoir m.

knot [nɒt] n nœud m.

know [nəʊ] (pt knew, pp known) vt **1.** savoir **2.** [person, place] connaître ♦ **to get to know sb** faire connaissance avec qqn ♦ **to know about sthg** a) [understand] s'y connaître en qqch b) [have heard] être au courant de qqch ♦ **to know how to do sthg** savoir (comment) faire qqch ♦ **to know of** connaître ♦ **to be known as** être appelé ♦ **to let sb know sthg** informer qqn de qqch ♦ **you know** [for emphasis] tu sais.

know-how n savoir-faire m, technique f.

knowledge ['nɒlɪdʒ] n (U) connaissance f ♦ **to my knowledge** pour autant que je sache.

knowledgeable ['nɒlɪdʒəbl] adj bien informé(e).

known [nəʊn] pp → **know**.

knuckle ['nʌkl] n **1.** [of hand] articulation f du doigt **2.** [of pork] jarret m.

Koran [kɒ'rɑːn] n : **the Koran** le Coran.

Korea [kə'rɪə] n Corée f.

kosher ['kəʊʃəʳ] adj **1.** [meat] kasher (inv) **2.** inf [reputable] O.K. (inv), réglo (inv).

Kosovar [kɒsəvɑːʳ] n kosovar m ou f.

Kosovo [kɒsəvəʊ] n Kosovo m.

kph (written abbr of kilometres per hour) km/h (kilomètre par heure).

l (abbr of litre) l.

L (abbr of learner) en Grande-Bretagne, lettre apposée à l'arrière d'une voiture et signalant que le conducteur est en conduite accompagnée.

lab [læb] n inf labo m.

label ['leɪbl] n étiquette f.

labor ['leɪbəʳ] US = **labour**.

laboratory [US lə'brɒrətɔːrɪ, US 'læbrə-tɔːrɪ] n laboratoire m.

laboratory-tested adj testé(e) en laboratoire.

Labor Day n fête du travail américaine (premier lundi de septembre).

ⓘ **Labor Day**

Jour férié américain institution-nalisé en 1894, la « fête du Travail » (l'équivalent du 1ᵉʳ mai en France) est célébrée chaque année le premier lundi de septembre en l'honneur de tous les salariés. Ce jour de congé marque à la fois la fin de l'été – les

stations balnéaires étant particulière-ment fréquentées durant ce dernier long week-end – ainsi que la rent-rée scolaire — la plupart des écoles rouvrant leurs portes la semaine suivante.

laborer US = **labourer**.

labor-saving US = **labour-saving**.

labour ['leɪbəʳ] n (U) UK travail m ▸ **in labour** MED en travail.

labourer ['leɪbərəʳ] n UK ouvrier m, -ière f.

Labour Party n UK parti m travail-liste.

labour-saving adj UK qui fait ga-gner du temps.

lace [leɪs] n **1.** (U) [material] dentelle f **2.** [for shoe] lacet m.

lace-ups npl chaussures fpl à lacets.

lack [læk] ◆ n manque m. ◆ vt man-quer de. ◆ vi : **to be lacking** faire dé-faut.

lacquer ['lækəʳ] n (U) laque f.

lad [læd] n UK inf [boy] gars m.

ladder ['lædəʳ] n **1.** échelle f **2.** UK [in tights] maille f filée.

laddish ['lædɪʃ] adj UK macho.

ladies ['leɪdɪz] UK, **ladies(') room** US n toilettes fpl (pour dames).

ladieswear ['leɪdɪzˌweəʳ] n (U) fml vê-tements mpl pour femme.

ladle ['leɪdl] n louche f.

lady ['leɪdɪ] n dame f.

ladybird ['leɪdɪbɜːd] n UK coccinelle f.

ladybug US = **ladybird**.

lag [læg] vi traîner ▸ **to lag behind** traîner.

lager ['lɑːgəʳ] n bière f blonde.

lagoon [lə'guːn] n lagune f.

laid [leɪd] pt & pp → **lay**.

lain [leɪn] pp → **lie**.

lake [leɪk] n lac m.

Lake District n : the Lake District la région des lacs (au nord-ouest de l'Angleterre).

lamb [læm] n agneau m.

lamb chop n côtelette f d'agneau.

lame [leɪm] adj boiteux(euse).

lamp [læmp] n 1. lampe f 2. [in street] réverbère m.

lamppost ['læmppəʊst] n réverbère m.

lampshade ['læmpʃeɪd] n abat-jour m inv.

land [lænd] ◆ n 1. (U) terre f 2. [nation] pays m. ◆ vi 1. atterrir 2. [passengers] débarquer.

landing ['lændɪŋ] n 1. [of plane] atterrissage m 2. [on stairs] palier m.

landing card n carte f de débarquement.

landlady ['lænd,leɪdɪ] n 1. [of house] propriétaire f 2. UK [of pub] patronne f.

land line n (téléphone m) fixe m.

landlord ['lændlɔːd] n 1. [of house] propriétaire m 2. UK [of pub] patron m.

landmark ['lændmɑːk] n point m de repère.

landscape ['lændskeɪp] n paysage m.

landslide ['lændslaɪd] n glissement m de terrain.

lane [leɪn] n 1. [in town] ruelle f 2. [in country] chemin m 3. [on road, motorway] file f, voie f ▶ 'get in lane' panneau indiquant aux automobilistes de se placer dans la file appropriée.

langoustine ['læŋɡəstiːn] n langoustine f.

language ['læŋɡwɪdʒ] n 1. [of a people, country] langue f 2. [system, words] langage m ▶ bad language gros mots.

lantern ['læntən] n lanterne f.

Lanzarote [,lænzə'rɒtɪ] n Lanzarote ▶ in Lanzarote à Lanzarote.

lap [læp] n 1. [of person] genoux mpl 2. [of race] tour m (de piste).

lap dancing n lap dance f (danse érotique exécutée sur les genoux des clients).

lapel [lə'pel] n revers m.

lapse [læps] vi 1. [passport] être périmé(e) 2. [membership] prendre fin.

laptop (computer) ['læptɒp-] n (ordinateur m) portable m.

lard [lɑːd] n (U) saindoux m.

larder ['lɑːdəʳ] n UK garde-manger m inv.

large [lɑːdʒ] adj 1. grand(e) 2. [person, problem, sum] gros (grosse).

largely ['lɑːdʒlɪ] adv en grande partie.

large-scale adj à grande échelle.

lark [lɑːk] n alouette f.

laryngitis [,lærɪn'dʒaɪtɪs] n (U) laryngite f.

lasagna [lə'zænjə] n = **lasagne**.

lasagne [lə'zænjə] n (U) lasagne(s) fpl.

laser ['leɪzəʳ] n laser m.

lass [læs] n UK inf [girl] nana f.

last [lɑːst] ◆ adj dernier(ière). ◆ adv 1. [most recently] en dernier, la dernière fois 2. [at the end] en dernier. ◆ pron : the last to come le dernier arrivé ▶ the last but one l'avant-dernier ▶ the day before last avant-hier ▶ last year l'année dernière ▶ **the last year** la dernière année ▶ **at last** enfin.

lastly ['lɑ:stlɪ] adv enfin.

last-minute adj de dernière minute.

last name n nom m de famille.

latch [lætʃ] n loquet m ▶ **the door is on the latch** la porte n'est pas fermée à clef.

late [leɪt] ◆ adj **1.** [not on time] en retard **2.** [after usual time] tardif(ive). ◆ adv **1.** [not on time] en retard **2.** [after usual time] tard ▶ **in the late afternoon** en fin d'après-midi ▶ **in late June** fin juin ▶ **my late wife** feue ma femme.

lately ['leɪtlɪ] adv dernièrement.

late-night adj [chemist, supermarket] ouvert(e) tard.

late payment n retard m de paiement.

later ['leɪtə'] ◆ adj [train] qui part plus tard. ◆ adv : **later (on)** plus tard, ensuite ▶ **at a later date** plus tard.

latest ['leɪtɪst] adj : **the latest** [in series] le plus récent (la plus récente) ▶ **the latest fashion** la dernière mode ▶ **at the latest** au plus tard.

lather ['lɑːðə'] n mousse f.

Latin ['lætɪn] n (U) [language] latin m.

Latin America n l'Amérique f latine.

Latin American ◆ adj latino-américain(e). ◆ n Latino-Américain m, -e f.

latitude ['lætɪtjuːd] n latitude f.

latte ['læteɪ] n café m au lait.

latter ['lætə'] n : **the latter** ce dernier (cette dernière), celui-ci (celle-ci).

laugh [lɑːf] ◆ n rire m. ◆ vi rire ▶ **to have a laugh** UK inf [have fun] s'éclater, rigoler. ◆ **laugh at** vt insep se moquer de.

laughter ['lɑːftə'] n (U) rires mpl.

launch [lɔːntʃ] vt **1.** [boat] mettre à la mer **2.** [new product] lancer.

laund(e)rette, Launderette® [lɔːn'dret] n laverie f automatique.

Laundromat® ['lɔːndrəmæt] US n = **launderette**.

laundry ['lɔːndrɪ] n **1.** (U) [washing] lessive f **2.** [shop] blanchisserie f.

lavatory ['lævətrɪ] n toilettes fpl.

lavender ['lævəndə'] n (U) lavande f.

lavish ['lævɪʃ] adj **1.** [meal] abondant(e) **2.** [decoration] somptueux(euse).

law [lɔː] n **1.** loi f **2.** (U) [study] droit m ▶ **to be against the law** être illégal.

lawn [lɔːn] n pelouse f, gazon m.

lawnmower ['lɔːn,məʊə'] n tondeuse f (à gazon).

lawyer ['lɔːjə'] n **1.** [in court] avocat m, -e f **2.** [solicitor] notaire m.

laxative ['læksətɪv] n laxatif m.

lay [leɪ] (pt & pp laid) ◆ pt → **lie**. ◆ vt **1.** [place] mettre, poser **2.** [egg] pondre ▶ **to lay the table** UK mettre la table. ◆ **lay off** vt sep [worker] licencier. ◆ **lay on** vt sep UK **1.** [transport, entertainment] organiser **2.** [food] fournir. ◆ **lay out** vt sep [display] disposer.

lay-by (pl **lay-bys**) n UK aire f de stationnement.

layer ['leɪə'] n couche f.

layman ['leɪmən] (pl -**men**) n profane m.

layout ['leɪaʊt] n [of building, streets] disposition f.

lazy ['leɪzɪ] adj paresseux(euse).

lb abbr of **pound**.

L-driver UK n abbr of **learner driver**.

lead¹ [liːd] (*pt & pp* led) ◆ vt 1. [take] conduire 2. [team, company] diriger 3. [race, demonstration] être en tête de. ◆ vi 1. [be the winning] mener. ◆ n 1. [III] [for dog] laisse f 2. [III] [cable] cordon m ▶ to lead sb to do sthg amener qqn à faire qqch ▶ to lead to mener à ▶ to lead the way montrer le chemin ▶ to be in the lead [in race, match] être en tête.

lead² [led] ◆ n 1. (U) [metal] plomb m 2. [for pencil] mine f. ◆ adj en plomb.

leaded gas [III] = **leaded petrol**.

leaded petrol ['ledɪd] n (U) [III] essence f au plomb.

leader ['liːdər] n 1. [person in charge] chef m 2. [in race] premier m, -ière f.

leadership ['liːdəʃɪp] n (U) [position] direction f.

lead-free ['ledfriː] adj sans plomb.

leading ['liːdɪŋ] adj [most important] principal(e).

lead singer [liːd-] n chanteur m, -euse f.

leaf [liːf] (*pl* leaves) n feuille f.

leaflet ['liːflɪt] n dépliant m.

leafy ['liːfɪ] (*compar* -ier, *superl* -iest) adj [suburb] verdoyant(e).

league [liːg] n ligue f.

leak [liːk] ◆ n fuite f. ◆ vi fuir.

lean [liːn] (*pt & pp* leant [lent] or -ed) ◆ adj 1. [meat] maigre 2. [person, animal] mince. ◆ vi 1. [person] se pencher 2. [object] être penché. ◆ vt : to lean a ladder against a wall appuyer une échelle contre un mur ▶ to lean on s'appuyer sur ▶ to lean forward se pencher en avant ▶ to lean over se pencher.

leap [liːp] (*pt & pp* leapt [lept] or -ed) vi [jump] sauter, bondir.

leap year n année f bissextile.

learn [lɜːn] (*pt & pp* learnt or -ed) vt apprendre ▶ to learn (how) to do sthg apprendre à faire qqch ▶ to learn about sthg apprendre qqch.

learner ['lɜːnər] n débutant m, -e f.

learner (driver) ['lɜːnə²⁻] n conducteur m débutant, conductrice débutante f (qui n'a pas encore son permis).

learnt [lɜːnt] *pt & pp* → **learn**.

lease [liːs] ◆ n bail m. ◆ vt louer ▶ to lease a house from sb louer une maison à qqn (à un propriétaire) ▶ to lease a house to sb louer une maison à qqn (à un locataire).

leash [liːʃ] n [III] laisse f.

least [liːst] ◆ adv [with verb] le moins. ◆ adj le moins de. ◆ pron : (the) least le moins ▶ at least au moins ▶ the least expensive le moins cher (la moins chère).

leather ['leðər] n (U) cuir m. ◆ **leathers** npl [of motorcyclist] tenue f de motard.

leave [liːv] (*pt & pp* left) ◆ vt 1. laisser 2. [place, person, job] quitter. ◆ vi partir. ◆ n (U) [time off work] congé m ▶ to leave a message laisser un message. → **left** ◆ **leave behind** vt sep laisser. ◆ **leave out** vt sep omettre.

leaves [liːvz] *pl* → **leaf**.

Lebanon ['lebənən] n le Liban.

lecture ['lektʃər] n 1. [at university] cours m (magistral) 2. [at conference] exposé m.

lecture hall n [III] = **lecture theatre**.

lecturer ['lektʃərə²⁻] n conférencier m, -ière f.

lecture theatre n [III] amphithéâtre m.

led [led] *pt & pp* → **lead**.

ledge [ledʒ] n rebord m.

leek [liːk] n poireau m.

left [left] ◆ pt & pp → **leave**. ◆ adj [not right] gauche. ◆ adv à gauche. ◆ n gauche f ▸ **on the left** [direction] à gauche ▸ **there are none left** il n'en reste plus.

left click n clic m gauche.

left-hand adj **1.** [lane] de gauche **2.** [side] gauche.

left-hand drive n conduite f à gauche.

left-handed [-'hændɪd] adj [person] gaucher(ère).

left luggage n **1.** (U) UK [cases] bagages mpl en consigne **2.** [office] consigne f ▸ **the left luggage lockers** la consigne automatique.

left-luggage locker n UK consigne f automatique.

left-luggage office n UK consigne f.

leftovers [leftəʊvəz] npl restes mpl.

left-wing adj de gauche.

leg [leg] n **1.** [of person, trousers] jambe f **2.** [of animal] patte f **3.** [of table, chair] pied m ▸ **leg of lamb** gigot m d'agneau.

legal [ˈliːgl] adj **1.** [procedure, language] juridique **2.** [lawful] légal(e).

legal aid n (U) assistance f judiciaire.

legal costs npl frais mpl de procédure.

legal fees npl frais mpl de procédure.

legal holiday n US jour m férié, fête f légale.

legalize [ˈliːgəlaɪz] vt légaliser.

legal system n système m judiciaire.

legend [ledʒənd] n légende f.

leggings [ˈlegɪŋz] npl caleçon m.

legible [ˈledʒɪbl] adj lisible.

legislation [ˌledʒɪsˈleɪʃn] n (U) législation f.

legitimate [lɪˈdʒɪtɪmət] adj légitime.

leisure [UK ˈleʒəʳ, US ˈliːʒər] n (U) loisir m.

leisure centre n UK centre m de loisirs.

leisure pool n piscine avec toboggans, vagues, etc.

lemon [ˈlemən] n citron m.

lemonade [ˌleməˈneɪd] n limonade f.

lemon curd [-kɜːd] n (U) UK crème f au citron.

lemon juice n (U) jus m de citron.

lemon meringue pie n tarte f au citron meringuée.

lemon sole n limande-sole f.

lemon tea n thé m au citron.

lend [lend] (pt & pp **lent**) vt prêter ▸ **can you lend me some money?** peux-tu me prêter de l'argent?

length [leŋθ] n **1.** longueur f **2.** [in time] durée f.

lengthen [ˈleŋθən] vt allonger.

lengthy [ˈleŋθɪ] adj très long (longue).

lens [lenz] n **1.** [of camera] objectif m **2.** [of glasses] verre m **3.** [contact lens] lentille f.

lent [lent] pt & pp → **lend**.

Lent [lent] n (U) le carême.

lentils [ˈlentɪz] npl lentilles fpl.

Leo [ˈliːəʊ] n Lion m.

leopard [ˈlepəd] n léopard m.

leopard-skin adj léopard inv.

leotard [ˈliːətɑːd] n justaucorps m.

leper [ˈlepəʳ] n lépreux m, -euse f.

leprosy ['leprəsı] n lèpre f.

lesbian ['lezbıən] ◆ adj lesbien(ienne). ◆ n lesbienne f.

less [les] ◆ adj moins de. ◆ adv & prep moins ▶ **less than 20** moins de 20.

less-developed country n pays m moins développé.

lessen ['lesn] vi [gen] diminuer ; [pain] s'atténuer.

lesson ['lesn] n [class] leçon f.

less-than sign n signe m inférieur à.

let [let] (pt & pp **let**) vt **1.** [allow] laisser **2.** UK [rent out] louer ▶ **to let sb do sthg** laisser qqn faire qqch ▶ **to let go of sthg** lâcher qqch ▶ **let me have the newspaper** donne-moi le journal ▶ **I'll let you know my decision** je vous ferai connaître ma décision ▶ **let's go!** allons-y ! ▶ **'to let'** [for rent] 'à louer'. ◆ **let in** vt sep [allow to enter] faire entrer. ◆ **let off** vt sep [excuse] : **will you let me off the washing up?** tu veux bien me dispenser de faire la vaisselle ? ▶ **can you let me off at the station?** pouvez-vous me déposer à la gare ? ◆ **let out** vt sep [allow to go out] laisser sortir.

letdown ['letdaʊn] n inf déception f.

lethargic [lə'θɑ:dʒık] adj léthargique.

letter ['letər] n lettre f.

letterbox ['letəbɒks] n UK boîte f à OR aux lettres.

letter carrier n US facteur m, -trice f.

lettuce ['letıs] n laitue f.

leukaemia [lu:'ki:mıə] n leucémie f.

leukemia [lu:'ki:mıə] US = **leukaemia**.

level ['levl] ◆ adj **1.** [horizontal] horizontal(e) **2.** [flat] plat(e). ◆ n niveau m ▶ **to be level with** être au même niveau que.

level crossing n UK passage m à niveau.

lever [UK 'li:vər, US 'levər] n levier m.

leverage [UK 'li:vərıdʒ, US 'levərıdʒ] n (U) **1.** [force] prise sur **2.** fig [influence] influence f.

lever arch file n classeur m à levier.

liability [,laıə'bılətı] n responsabilité f.

liable ['laıəbl] adj : **to be liable to do sthg** [likely] risquer de faire qqch ▶ **to be liable for sthg** [responsible] être responsable de qqch.

liaise [lı'eız] vi : **to liaise with** assurer la liaison avec.

liar ['laıər] n menteur m, -euse f.

Lib Dem [-dem] n abbr of **Liberal Democrat**.

liberal ['lıbərəl] adj libéral(e).

Liberal Democrat n adhérent du principal parti centriste britannique.

Liberal Democrat Party n parti centriste britannique.

liberate ['lıbəreıt] vt libérer.

liberty ['lıbətı] n (U) liberté f.

Libra ['li:brə] n Balance f.

librarian [laı'breərıən] n bibliothécaire m ou f.

library ['laıbrərı] n bibliothèque f.

Libya ['lıbıə] n la Libye.

lice [laıs] npl poux mpl.

licence ['laısəns] ◆ n UK **1.** [official document] permis m, autorisation f **2.** [for television] redevance f. ◆ vt US = **license**.

license ['laısəns] ◆ vt autoriser. ◆ n US = **licence**.

licensed ['laɪsənst] adj UK [restaurant, bar] autorisé(e) à vendre des boissons alcoolisées.

license plate n US plaque f d'immatriculation.

licensing hours ['laɪsənsɪŋ-] npl UK heures d'ouverture des pubs.

lick [lɪk] vt lécher.

licorice ['lɪkərɪs] US = liquorice.

lid [lɪd] n couvercle m.

lie [laɪ] ◆ n mensonge m. ◆ vi **1.** (pt & pp lied, cont lying) [tell lie] mentir **2.** (pt lay, pp lain, cont lying) [be horizontal] être allongé **3.** [be down] s'allonger **4.** (pt lay, pp lain, cont lying) [be situated] se trouver ▸ **to tell lies** mentir, dire des mensonges ▸ **to lie about sthg** mentir sur qqch. ◆ **lie down** vi [on bed, floor] s'allonger.

lie-in n UK **: to have a lie-in** faire la grasse matinée.

lieutenant [UK lef'tenənt, US luː'tenənt] n lieutenant m.

life [laɪf] (pl lives) n vie f.

life assurance n (U) UK assurance-vie f.

life belt n bouée f de sauvetage.

lifeboat ['laɪfbəʊt] n canot m de sauvetage.

lifeguard ['laɪfɡɑːd] n maître m nageur.

life insurance n assurance-vie f.

life jacket n gilet m de sauvetage.

lifelike ['laɪflaɪk] adj ressemblant(e).

life preserver [-prɪ'zɜːvər] n US **1.** [life belt] bouée f de sauvetage **2.** [life jacket] gilet m de sauvetage.

life raft n canot m (pneumatique) de sauvetage.

life-saving adj **: life-saving apparatus** appareils mpl de sauvetage ▸ **life-saving vaccine** vaccin m qui sauve la vie.

life-size adj grandeur nature inv.

lifespan ['laɪfspæn] n espérance f de vie.

lifestyle ['laɪfstaɪl] n mode m de vie.

lifetime ['laɪftaɪm] n vie f ▸ **in my lifetime** de mon vivant.

lift [lɪft] ◆ n UK [elevator] ascenseur m. ◆ vt [raise] soulever. ◆ vi se lever ▸ **to give sb a lift** emmener qqn (en voiture) ▸ **to lift one's head** lever la tête. ◆ **lift up** vt sep soulever.

lifting ['lɪftɪŋ] n **1.** [of weight] levage m **2.** [of blockade, embargo, etc.] levée f ▸ **I can't do any heavy lifting** je ne peux pas porter de charges lourdes.

light [laɪt] (pt & pp lit or -ed) ◆ adj **1.** léger(ère) **2.** [not dark] clair(e) **3.** [traffic] fluide. ◆ n **1.** (U) lumière f **2.** [of car, bike] feu m **3.** [headlight] phare m **4.** [cigarette] (cigarette) légère f. ◆ vt **1.** [fire, cigarette] allumer **2.** [room, stage] éclairer ▸ **have you got a light?** [for cigarette] avez-vous du feu ? ▸ **to set light to sthg** mettre le feu à qqch. ◆ **lights** npl [traffic lights] feu m (de signalisation). ◆ **light up** ◆ vt sep [house, road] éclairer. ◆ vi inf [light a cigarette] allumer une cigarette.

light bulb n ampoule f.

lighter ['laɪtər] n [for cigarettes] briquet m.

light-hearted [-'hɑːtɪd] adj gai(e).

lighthouse ['laɪthaʊs] (pl [-haʊzɪz]) n phare m.

lighting ['laɪtɪŋ] n (U) éclairage m.

light meter n posemètre m.

lightning ['laɪtnɪŋ] n (U) foudre f ▸ **flash of lightning** éclair m.

lightweight ['laɪtweɪt] adj (clothes, object) léger(ère).

like [laɪk] ◆ vt aimer. ◆ prep comme ▸ **it's not like him** ça ne lui ressemble pas ▸ **to like doing sthg** aimer faire qqch ▸ **what's it like?** c'est comment ? ▸ **he looks like his father** il ressemble à son père ▸ **I'd like to sit down** j'aimerais m'asseoir ▸ **I'd like a double room** je voudrais une chambre double.

likelihood ['laɪklɪhʊd] n (U) probabilité f.

likely ['laɪklɪ] adj probable.

likeness ['laɪknɪs] n ressemblance f.

likewise ['laɪkwaɪz] adv de même.

lilac ['laɪlək] adj lilas.

Lilo ® ['laɪləʊ] (pl -s) n UK matelas m pneumatique.

lily ['lɪlɪ] n lis m.

lily of the valley n muguet m.

limb [lɪm] n membre m.

lime [laɪm] n [fruit] citron m vert ▸ **lime (juice)** jus m de citron vert.

limestone ['laɪmstəʊn] n (U) calcaire m.

limit ['lɪmɪt] ◆ n limite f. ◆ vt limiter ▸ **the city limits** le perimètre urbain.

limited ['lɪmɪtɪd] adj **1.** [restricted] limité(e) **2.** UK [in company name] ≃ SARL.

limp [lɪmp] ◆ adj mou (molle). ◆ vi boiter.

line [laɪn] ◆ n **1.** ligne f **2.** [row] rangée f **3.** [of vehicles, people] file f **4.** US [queue] queue f **5.** [of poem, song] vers m **6.** [rope, string] corde f **7.** [railway track] voie f **8.** [of business, work] domaine m **9.** [type of product]

gamme f. ◆ vt [coat, drawers] doubler ▸ **in line** [aligned] aligné ▸ **it's a bad line** [on phone] la communication est mauvaise ▸ **the line is engaged** la ligne est occupée ▸ **to drop sb a line** inf écrire un mot à qqn ▸ **to stand in line** US faire la queue. ◆ **line up** ◆ vt sep [arrange] aligner. ◆ vi s'aligner.

lined [laɪnd] adj [paper] réglé(e).

linen ['lɪnɪn] n (U) **1.** [cloth] lin m **2.** [tablecloths, sheets] linge m (de maison).

liner ['laɪnəʳ] n [ship] paquebot m.

linesman ['laɪnzmən] (pl -men) n juge m de touche.

linger ['lɪŋɡəʳ] vi s'attarder.

lingerie ['lænʒərɪ] n (U) lingerie f.

lining ['laɪnɪŋ] n **1.** [of coat, jacket] doublure f **2.** [of brake] garniture f.

link [lɪŋk] ◆ n [connection] lien m. ◆ vt relier ▸ **rail link** liaison f ferroviaire ▸ **road link** liaison routière.

lino ['laɪnəʊ] n (U) UK lino m.

linseed ['lɪnsiːd] n graine f de lin.

lint [lɪnt] n (U) US [fluff] peluches fpl.

lion ['laɪən] n lion m.

lioness ['laɪənes] n lionne f.

lip [lɪp] n lèvre f.

lip salve [-sælv] n (U) pommade f pour les lèvres.

lipstick ['lɪpstɪk] n (U) rouge m à lèvres.

liqueur [lɪˈkjʊəʳ] n liqueur f.

liquid ['lɪkwɪd] n liquide m.

liquidizer, liquidiser ['lɪkwɪd-aɪzəʳ] n UK mixer m.

liquor ['lɪkəʳ] n (U) US alcool m.

liquorice ['lɪkərɪs] n (U) réglisse f.

liquor store n [US] magasin m de vins et d'alcools.

lisp [lɪsp] n : **to have a lisp** zézayer.

list [lɪst] ◆ n liste f. ◆ vt faire la liste de.

listen ['lɪsn] vi : **to listen (to)** écouter.

listener ['lɪsnər] n [to radio] auditeur m, -trice f.

lit [lɪt] pt & pp → **light**.

liter ['liːtər] [US] = **litre**.

literally ['lɪtərəlɪ] adv littéralement.

literary ['lɪtərərɪ] adj littéraire.

literature ['lɪtrətʃər] n (U) 1. littérature f 2. [printed information] documentation f.

litmus ['lɪtməs] n tournesol m.

litre ['liːtər] n [UK] litre m.

litter ['lɪtər] n (U) [rubbish] détritus mpl.

litterbin, litter bin ['lɪtəbɪn] n [UK] poubelle f.

little ['lɪtl] ◆ adj 1. petit(e) 2. [not much] peu de. ◆ pron & adv peu ▸ **as little as possible** aussi peu que possible ▸ **little by little** petit à petit, peu à peu ▸ **a little** un peu.

little finger n petit doigt m.

live[1] [lɪv] vi 1. [have home] habiter 2. [be alive, survive] vivre ▸ **I live in Luton** j'habite (à) Luton ▸ **to live with sb** vivre avec qqn. ◆ **live together** vi vivre ensemble.

live[2] [laɪv] ◆ adj 1. [alive] vivant(e) 2. [performance] live inv 3. [programme] en direct 4. [wire] sous tension. ◆ adv en direct.

lively ['laɪvlɪ] adj 1. [person] vif (vive) 2. [place, atmosphere] animé(e).

liver ['lɪvər] n foie m.

lives [laɪvz] pl → **life**.

living ['lɪvɪŋ] ◆ adj vivant(e). ◆ n : **to earn a living** gagner sa vie ▸ **what do you do for a living?** que faites-vous dans la vie ?

living room n salle f de séjour.

lizard ['lɪzəd] n lézard m.

load [ləʊd] ◆ n chargement m. ◆ vt charger ▸ **loads of** inf des tonnes de.

loading bay n ['ləʊdɪŋ-] n aire f de chargement.

loaf [ləʊf] (pl loaves) n : **a loaf (of bread)** un pain.

loan [ləʊn] ◆ n 1. [money given] prêt m 2. [money borrowed] emprunt m. ◆ vt prêter.

loathe [ləʊð] vt détester.

loaves [ləʊvz] pl → **loaf**.

lobby ['lɒbɪ] n [hall] hall m.

lobster ['lɒbstər] n (U) homard m.

local ['ləʊkl] ◆ adj local(e). ◆ n 1. [UK] inf [pub] bistrot m du coin 2. [US] inf [train] omnibus m 3. [US] inf [bus] bus m local ▸ **the locals** les gens mpl du coin.

local anaesthetic n (U) [UK] anesthésie f locale.

local anesthetic [US] = **local anaesthetic**.

local authority n [UK] autorités fpl locales.

local call n communication f locale.

local government n (U) l'administration f locale.

local network n réseau m local.

locate [[UK] ləʊˈkeɪt, [US] ˈləʊkeɪt] vt [find] localiser ▸ **to be located** se situer.

location [ləʊˈkeɪʃn] n emplacement m.

loch [lɒk] n SCOT lac m.

lock [lɒk] ◆ n 1. [on door, drawer] serrure f 2. [for bike] antivol m 3. [on canal] écluse f. ◆ vt 1. [door, window, car] verrouiller, fermer à clef 2. [keep safely] enfermer. ◆ vi [become stuck] se bloquer. ◆ lock in vt sep enfermer. ◆ lock out vt sep enfermer dehors. ◆ lock up ◆ vt sep [imprison] enfermer. ◆ vi fermer à clef.

lockdown [ˈlɒkdaʊn] n [in prison, hospital] confinement m.

locker [ˈlɒkər] n casier m.

locker room n vestiaire m.

locket [ˈlɒkɪt] n médaillon m.

locksmith [ˈlɒksmɪθ] n serrurier m, -ière f.

locomotive [ˌləʊkəˈməʊtɪv] n locomotive f.

locum [ˈləʊkəm] n [doctor] remplaçant m, -e f.

locust [ˈləʊkəst] n criquet m.

lodge [lɒdʒ] ◆ n [in mountains] chalet m. ◆ vi 1. [stay] loger 2. [get stuck] se loger.

lodger [ˈlɒdʒər] n UK locataire m ou f.

lodging [ˈlɒdʒɪŋ] n → board. ◆ lodgings npl chambre f meublée.

lodgings [ˈlɒdʒɪŋz] npl chambre f meublée.

loft [lɒft] n grenier m.

log [lɒg] n [piece of wood] bûche f. ◆ **log on** vi COMPUT ouvrir une session. ◆ **log off** vi COMPUT fermer une session, déconnecter.

logbook [ˈlɒgbʊk] n 1. [of ship] journal m de bord ; [of plane] carnet m de vol 2. UK [of car] ≃ carte f grise.

logic [ˈlɒdʒɪk] n (U) logique f.

logical [ˈlɒdʒɪkl] adj logique.

login [lɒgɪn] n login m.

log-in name n identifiant m.

logo [ˈləʊgəʊ] (pl -s) n logo m.

loin [lɔɪn] n (U) filet m.

loiter [ˈlɔɪtər] vi traîner.

LOL 1. TEXTING (written abbr of laughing out loud) LOL, MDR (mort de rire) 2. TEXTING (written abbr of lots of love) grosses bises.

lollipop [ˈlɒlɪpɒp] n sucette f.

lollipop lady n UK dame qui fait traverser la rue aux enfants à la sortie des écoles.

lollipop man n UK monsieur qui fait traverser la rue aux enfants à la sortie des écoles.

lolly [ˈlɒlɪ] n UK 1. inf [lollipop] sucette f 2. [ice lolly] Esquimau® m.

London [ˈlʌndən] n Londres.

Londoner [ˈlʌndənər] n Londonien m, -ienne f.

lonely [ˈləʊnlɪ] adj 1. [person] solitaire 2. [place] isolé(e).

long [lɒŋ] ◆ adj long (longue). ◆ adv longtemps ▸ **will you be long?** en as-tu pour longtemps ? ▸ **it's 2 metres long** cela fait 2 mètres de long ▸ **it's two hours long** ça dure deux heures ▸ **how long is it?** a) [in length] ça fait combien de long ? b) [journey, film] ça dure combien ? ▸ **a long time** longtemps ▸ **all day long** toute la journée ▸ **as long as** du moment que, tant que ▸ **for long** longtemps ▸ **no longer** ne... plus ▸ **I can't wait any longer** je ne peux plus attendre ▸ **so long!** inf salut ! ◆ **long for** vt insep attendre avec impatience.

long-distance adj [phone call] interurbain(e).

long-distance call n communication f interurbaine.

long drink n long drink m.

long-grain rice n riz m long.

long-haul adj long-courrier.

longitude ['lɒndʒɪtjuːd] n longitude f.

long jump n saut m en longueur.

long-life adj UK 1. [milk, fruit juice] longue conservation inv 2. [battery] longue durée inv.

longsighted [,lɒŋ'saɪtɪd] adj UK hypermétrope.

long-term adj à long terme.

long view n prévisions fpl à long terme.

long wave n (U) grandes ondes fpl.

longwearing [,lɒŋ'weərɪŋ] adj US résistant(e).

loo [luː] (pl -s) n UK inf cabinets mpl.

look [luk] ◆ n 1. [glance] regard m 2. [appearance] apparence f, air m. ◆ vi 1. regarder 2. [seem] avoir l'air ▶ to look onto [building, room] donner sur ▶ to have a look regarder ▶ (good) looks beauté f ▶ I'm just looking [in shop] je regarde ▶ look out! attention ! ◆ look after vt insep s'occuper de. ◆ look around = look round. ◆ vt insep faire le tour de. ◆ vi regarder. ◆ look at vt insep regarder. ◆ look for vt insep chercher. ◆ look forward to vt insep attendre avec impatience. ◆ look onto vt insep [building, room] donner sur. ◆ look out vi prendre garde, faire attention ▶ look out! attention ! ◆ look out for vt insep essayer de repérer. ◆ look round vt insep & vi UK = look

around. ◆ look up vt sep [in dictionary, phone book] chercher.

lookup ['lukʌp] n COMPUT recherche f.

loom [luːm] n métier m à tisser.

loony ['luːnɪ] n inf cinglé m, -e f.

loop [luːp] n boucle f.

loose [luːs] adj 1. [joint, screw] lâche 2. [tooth] qui bouge 3. [sheets of paper] volant(e) 4. [sweets] en vrac 5. [clothes] ample ▶ to let sb/sthg loose lâcher qqn/qqch.

loosen ['luːsn] vt desserrer.

lop(-)sided [-'saɪdɪd] adj 1. [gen] de travers 2. [table] bancal(e).

lord [lɔːd] n lord m.

lorry ['lɒrɪ] n UK camion m.

lorry driver n UK camionneur m.

lose [luːz] (pt & pp lost) ◆ vt 1. perdre 2. [subj: watch, clock] retarder de. ◆ vi perdre ▶ to lose weight perdre du poids.

loser ['luːzər] n [in contest] perdant m, -e f.

loss [lɒs] n perte f.

loss-making adj UK COMM qui tourne à perte.

lost [lɒst] ◆ pt & pp → lose. ◆ adj perdu(e) ▶ to get lost [lose way] se perdre.

lost-and-found n US (bureau m des) objets mpl trouvés.

lost-and-found office US = lost property office.

lost property n (U) UK objets mpl trouvés.

lost property office n UK bureau m des objets trouvés.

lot [lɒt] n 1. [group] paquet m 2. [at auction] lot m 3. US [car park] parking *m* ▶ **the lot** [everything] tout ▶ **a lot (of)** beaucoup (de) ▶ **lots (of)** beaucoup (de).

lotion ['ləʊʃn] n lotion *f*.

lottery ['lɒtəri] n loterie *f*.

lottery ticket ['lɒtərɪtɪkɪt] n billet *m* de loterie.

loud [laʊd] adj **1.** [voice, music, noise] fort(e) **2.** [colour, clothes] voyant(e).

loudspeaker [ˌlaʊd'spiːkəʳ] n haut-parleur *m*.

lounge [laʊndʒ] n **1.** [in house] salon *m* **2.** [at airport] salle *f* d'attente.

lounge bar n 🇬🇧 salon dans un pub, plus confortable et plus cher que le « public bar ».

lousy ['laʊzi] adj inf [poor-quality] minable.

lout [laʊt] n brute *f*.

love [lʌv] ◆ n (U) **1.** amour *m* **2.** [in tennis] zéro *m*. ◆ vt **1.** aimer **2.** [sport, food, film, etc.] aimer beaucoup ▶ **to love at first sight** coup de foudre ▶ **to be in love (with)** être amoureux (se) ▶ **to love doing sthg** adorer faire qqch ▶ **(with) love from** [in letter] affectueusement.

love affair n liaison *f*.

love handles npl inf poignées *fpl* d'amour.

lovely ['lʌvli] adj **1.** [very beautiful] adorable **2.** [very nice] très agréable.

lover ['lʌvəʳ] n **1.** [sexual partner] amant *m*, maîtresse *f* **2.** [enthusiast] amoureux *m*, -euse *f*.

loving ['lʌvɪŋ] adj aimant(e).

low [ləʊ] ◆ adj **1.** bas (basse) **2.** [level, speed, income] faible **3.** [standard, quality, opinion] mauvais(e) **4.** [depressed] déprimé(e). ◆ n [area of

low pressure] dépression *f* ▶ **we're low on petrol** nous sommes à court d'essence.

low-alcohol adj à faible teneur en alcool.

low-calorie adj basses calories.

low-cut adj décolleté(e).

low-density housing n zones *fpl* d'habitation peu peuplées.

low-energy adj à basse consommation ▶ **low-energy light bulb** ampoule basse consommation.

lower ['ləʊəʳ] ◆ adj inférieur(e). ◆ vt abaisser, baisser.

lower sixth n 🇬🇧 ≃ première *f*.

low-fat adj [crisps, yoghurt] allégé(e).

low-income adj à faibles revenus.

low-interest adj FIN [credit, loan] à taux réduit.

low-maintenance adj qui ne demande pas beaucoup d'entretien.

low-octane fuel n carburant *m* à faible indice d'octane.

low-resolution adj à basse résolution.

low tide n marée *f* basse.

low-voltage adj à faible voltage.

loyal ['lɔɪəl] adj loyal(e).

loyalty ['lɔɪəltɪ] n (U) loyauté *f*.

loyalty card n carte *f* de fidélité.

lozenge ['lɒzɪndʒ] n [sweet] pastille *f*.

LP n 33 tours *m*.

L-plate n 🇬🇧 plaque signalant que le conducteur du véhicule est en conduite accompagnée.

Ltd (abbr of limited) UK ≃ SARL (société à responsabilité limitée).

lubricate ['lu:brɪkeɪt] vt lubrifier.

luck [lʌk] n (U) chance f ▸ **bad luck** malchance f ▸ **good luck!** bonne chance ! ▸ **with luck** avec un peu de chance.

luckily ['lʌkɪlɪ] adv heureusement.

lucky ['lʌkɪ] adj 1. [person] chanceux(euse) 2. [event, situation, escape] heureux(euse) 3. [number, colour] porte-bonheur inv ▸ **to be lucky** avoir de la chance.

ludicrous ['lu:dɪkrəs] adj ridicule.

lug [lʌɡ] vt inf traîner.

luggage ['lʌɡɪdʒ] n (U) bagages mpl.

luggage allowance n poids m maximal autorisé.

luggage compartment n compartiment m à bagages.

luggage locker n casier m de consigne automatique.

luggage rack n [on train] filet m à bagages.

lukewarm ['lu:kwɔ:m] adj tiède.

lull [lʌl] n 1. [in storm] accalmie f 2. [in conversation] pause f.

lullaby ['lʌləbaɪ] n berceuse f.

lumbago [lʌm'beɪɡəʊ] n (U) lumbago m.

lumber ['lʌmbər] n (U) US [timber] bois m.

luminescent [,lu:mɪ'nesənt] adj luminescent(e).

luminous ['lu:mɪnəs] adj lumineux(euse).

lump [lʌmp] n 1. [of mud, butter] motte f 2. [of sugar, coal] morceau m 3. [on body] bosse f 4. MED grosseur f.

lump sum n somme f globale.

lumpy ['lʌmpɪ] adj 1. [sauce] grumeleux(euse) 2. [mattress] défoncé(e).

lunatic ['lu:nətɪk] n fou m, folle f.

lunch [lʌntʃ] n déjeuner m ▸ **to have lunch** déjeuner.

luncheon ['lʌntʃən] n fml déjeuner m.

luncheon meat n (U) sorte de mortadelle.

lunch hour n heure f du déjeuner.

lunchtime ['lʌntʃtaɪm] n (U) heure f du déjeuner.

lung [lʌŋ] n poumon m.

lunge [lʌndʒ] vi : **to lunge at** se précipiter sur.

lurch [lɜ:tʃ] vi 1. [person] tituber 2. [car] faire une embardée.

lure [ljʊər] vt attirer.

lurk [lɜ:k] vi [person] se cacher.

lurker [lɜ:kər] n [on Internet] personne qui suit les chats dans un forum sans y participer.

lush [lʌʃ] adj luxuriant(e).

lust [lʌst] n (U) désir m.

Luxembourg ['lʌksəmbɜ:ɡ] n le Luxembourg.

luxurious [lʌɡ'ʒʊərɪəs] adj luxueux(euse).

luxury ['lʌkʃərɪ] ◆ adj de luxe. ◆ n luxe m.

luxury hotel n palace m.

lying ['laɪɪŋ] cont → lie.

lying-in n MED couches fpl.

lyrics ['lɪrɪks] npl paroles fpl.

m 1. (abbr of **metre**) m (mètre) **2.** abbr of **mile**.

M 1. UK (abbr of **motorway**) ≃ A (autoroute) **2.** (abbr of **medium**) M (medium).

MA (abbr of **Master of Arts**) n (titulaire d'une) maîtrise de lettres.

mac [mæk] n UK inf [coat] imper m.

macaque [məˈkɑːk] n macaque m.

macaroni [ˌmækəˈrəʊnɪ] n (U) macaronis mpl.

macaroni and cheese US = **macaroni cheese**.

macaroni cheese n (U) UK macaronis mpl au gratin.

Macedonia [ˌmæsɪˈdəʊnjə] n Macédoine f ▸ **in Macedonia** en Macédoine.

machine [məˈʃiːn] n machine f.

machinegun [məˈʃiːngʌn] n mitrailleuse f.

machinery [məˈʃiːnərɪ] n (U) machinerie f.

machine-washable adj lavable en machine.

mackerel [ˈmækrəl] (pl inv) n maquereau m.

mackintosh [ˈmækɪntɒʃ] n UK imperméable m.

macro [ˈmækrəʊ] n macro f.

mad [mæd] adj **1.** fou (folle) **2.** [angry] furieux(ieuse) ▸ **to be mad about** inf être fou de ▸ **like mad** comme un fou.

Madam [ˈmædəm] n [form of address] Madame.

mad cow disease n inf maladie f de la vache folle.

made [meɪd] pt & pp → **make**.

madeira [məˈdɪərə] n (U) madère m.

made-to-measure adj sur mesure inv.

madness [ˈmædnɪs] n (U) folie f.

Madrid [məˈdrɪd] n Madrid.

magazine [ˌmægəˈziːn] n magazine m, revue f.

maggot [ˈmægət] n asticot m.

magic [ˈmædʒɪk] n (U) magie f.

magician [məˈdʒɪʃn] n [conjurer] magicien m, -ienne f.

magistrate [ˈmædʒɪstreɪt] n magistrat m.

magnet [ˈmægnɪt] n aimant m.

magnetic [mægˈnetɪk] adj magnétique.

magnificent [mægˈnɪfɪsənt] adj **1.** [very good] excellent(e) **2.** [very beautiful] magnifique.

magnifying glass [ˈmægnɪfaɪɪŋ-] n loupe f.

mahogany [məˈhɒgənɪ] n (U) acajou m.

maid [meɪd] n domestique f.

maiden name [ˈmeɪdn-] n nom m de jeune fille.

mail [meɪl] ♦ n (U) **1.** [letters] courrier m **2.** [system] poste f. ♦ vt US **1.** [parcel, goods] envoyer par la poste **2.** [letter] poster.

mailbox ['meɪlbɒks] n US boîte f aux or à lettres.

mailing list n liste f d'adresses.

mailman ['meɪlmən] (pl -men) n US facteur m.

mail order n (U) vente f par correspondance.

mail server n serveur m mail.

main [meɪn] adj principal(e).

main course n plat m principal.

main deck n [on ship] pont m principal.

mainland ['meɪnlənd] n : **the mainland** le continent.

main line n [of railway] grande ligne f.

mainly ['meɪnlɪ] adv principalement.

main road n grande route f.

mains [meɪnz] npl : **the mains** UK le secteur.

mains power cable n (cable m d') alimentation f.

main street n US rue f principale.

maintain [meɪn'teɪn] vt 1. [keep] maintenir 2. [car, house] entretenir.

maintenance ['meɪntənəns] n (U) 1. [of car, machine] entretien m 2. [money] pension f alimentaire.

maisonette [ˌmeɪzə'net] n UK duplex m.

maize [meɪz] n (U) UK maïs m.

major ['meɪdʒəʳ] ◆ adj 1. [important] majeur(e) 2. [most important] principal(e). ◆ n MIL commandant m. ◆ vi : **to major in** se spécialiser en.

majority [mə'dʒɒrətɪ] n majorité f.

major road n route f principale.

make [meɪk] (pt & pp made) ◆ vt 1. [produce] faire ; [manufacture] fabriquer ▸ **to be made of** être en ▸ **to make lunch/supper** préparer le déjeuner/le dîner ▸ **made in Japan** fabriqué en Japon 2. [perform, do] faire ; [decision] prendre ▸ **to make a mistake** faire une erreur, se tromper ▸ **to make a phone call** passer un coup de fil 3. [cause to be] rendre ▸ **to make sthg better** améliorer qqch ▸ **to make sb happy** rendre qqn heureux 4. [cause to do, force] faire ▸ **to make sb do sthg** faire faire qqch à qqn ▸ **it made her laugh** ça l'a fait rire 5. [amount to, total] faire ▸ **that makes £5** ça fait 5 livres 6. [calculate] ▸ **I make it £4** d'après mes calculs, ça fait 4 livres ▸ **I make it seven o'clock** il est sept heures (à ma montre) 7. [money] gagner ; [profit] faire 8. inf [arrive in time for] : **we didn't make the 10 o'clock train** nous n'avons pas réussi à avoir le train de 10 heures 9. [friend, enemy] se faire 10. [have qualities for] faire ▸ **this would make a lovely bedroom** ça ferait une très jolie chambre 11. [bed] faire 12. [in phrases] : **to make do** se débrouiller ▸ **to make good** [damage] compenser ▸ **to make it a)** [arrive in time] arriver à temps **b)** [be able to go] se libérer

◆ **n** [of product] marque f

◆ **make out** vt sep [cheque, receipt] établir ; [see, hear] distinguer.

◆ **make up** vt sep [invent] inventer ; [comprise] composer, constituer ; [difference] apporter.

◆ **make up for** vt insep compenser.

makeover ['meɪkəʊvəʳ] n transformation f.

makeshift ['meɪkʃɪft] adj de fortune.

make-up n (U) [cosmetics] maquillage m.

malaria [mə'leərɪə] n (U) malaria f.

Malaysia [mə'leɪzɪə] n la Malaysia.

male [meɪl] ◆ adj mâle. ◆ n mâle m.

malfunction [mæl'fʌŋkʃn] vi fml mal fonctionner.

malignant [mə'lɪgnənt] adj [disease, tumour] malin(igne).

malingering [mə'lɪŋgərɪŋ] n simulation f (de maladie).

mall [mɔːl] n [shopping centre] centre m commercial.

mallet ['mælɪt] n maillet m.

malnutrition [,mælnjuː'trɪʃn] n malnutrition f.

malt [mɔːlt] n (U) malt m.

Malta ['mɔːltə] n Malte f.

Maltese [,mɔːl'tiːz] ◆ adj maltais(e). ◆ n (pl inv) 1. [person] Maltais m, -e f 2. [language] maltais m.

maltreat [,mæl'triːt] vt maltraiter.

malt whiskey US = **malt whisky**.

malt whisky n UK whisky m au malt.

malware ['mælweəʳ] n logiciels mpl malveillants.

mammal ['mæml] n mammifère m.

mammy ['mæmɪ] (pl -ies) n inf [mother] maman f.

man [mæn] (pl men) ◆ n homme m. ◆ vt [phones, office] assurer la permanence de.

manage ['mænɪdʒ] ◆ vt 1. [company, business] diriger 2. [task] arriver à faire. ◆ vi [cope] y arriver, se débrouiller ▸ **can you manage Friday?** est-ce que vendredi vous irait ? ▸ **to manage to do sthg** réussir à faire qqch.

management ['mænɪdʒmənt] n (U) direction f.

manager ['mænɪdʒəʳ] n 1. [of business, bank, shop] directeur m, -trice f 2. [of sports team] manager m.

manageress [,mænɪdʒə'res] n [of business, bank, shop] directrice f.

managing director ['mænɪdʒɪŋ-] n directeur m général, directrice générale f.

mandarin ['mændərɪn] n mandarine f.

mane [meɪn] n crinière f.

maneuver [mə'nuːvəʳ] US = **manoeuvre**.

mangetout [,mɒnʒ'tuː] n UK mangetout m inv.

mangle ['mæŋgl] vt déchiqueter.

mango ['mæŋgəʊ] (pl -es OR -s) n mangue f.

Manhattan [mæn'hætən] n Manhattan m.

manhole ['mænhəʊl] n regard m.

maniac ['meɪnɪæk] n inf fou m, folle f.

manicure ['mænɪkjʊəʳ] n soins mpl des mains.

manifold ['mænɪfəʊld] n AUT tubulure f.

manipulate [mə'nɪpjʊleɪt] vt manipuler.

mankind [,mæn'kaɪnd] n (U) hommes mpl, humanité f.

manky ['mæŋkɪ] (compar -ier, superl -iest) adj UK vulg [dirty] miteux(euse).

manly ['mænlɪ] adj viril(e).

man-made adj [synthetic] synthétique.

manner ['mænəʳ] n [way] manière f. ◆ **manners** npl manières fpl.

manoeuvre [mə'nuːvəʳ] ◆ n UK manœuvre f. ◆ vt UK manœuvrer.

manor ['mænə^r] n manoir m.

mansion ['mænʃn] n manoir m.

manslaughter ['mæn,slɔːtə^r] n homicide m involontaire.

mantelpiece ['mæntlpiːs] n cheminée f.

manual ['mænjʊəl] ◆ adj manuel(elle). ◆ n [book] manuel m.

manufacture [,mænjʊ'fæktʃə^r] ◆ n (U) fabrication f. ◆ vt fabriquer.

manufacturer [,mænjʊ'fæktʃərə^r] n fabricant m, -e f.

manure [mə'njʊə^r] n (U) fumier m.

many ['menɪ] (compar **more**, superl **most**) ◆ adj beaucoup de. ◆ pron beaucoup ▸ **there aren't as many people this year** il n'y a pas autant de gens cette année ▸ **I don't have many** je n'en ai pas beaucoup ▸ **how many?** combien ? ▸ **how many beds are there?** combien y a-t-il de lits ? ▸ **so many** tant de ▸ **too many** trop de ▸ **there are too many people** il y a trop de monde.

map [mæp] n carte f ▸ **ordnance survey map** carte d'état-major.

maple syrup n sirop m d'érable.

Mar. abbr of **March**.

marathon ['mærəθn] n marathon m.

marble ['mɑːbl] n **1.** (U) [stone] marbre m **2.** [glass ball] bille f.

march [mɑːtʃ] ◆ n [demonstration] marche f. ◆ vi [walk quickly] marcher d'un pas vif.

March [mɑːtʃ] n mars m ▸ **at the beginning of March** début mars ▸ **at the end of March** fin mars ▸ **during March** en mars ▸ **every March** tous les ans en mars ▸ **in March** en mars ▸ **last March** en mars (dernier) ▸ **next March** en mars de l'année prochaine ▸ **this March** en mars

(prochain) ▸ **2 March 2012** [in letters, etc.] le 2 mars 2012.

mare [meə^r] n jument f.

margarine [,mɑːdʒə'riːn] n (U) margarine f.

margin ['mɑːdʒɪn] n marge f.

marina [mə'riːnə] n marina f.

marinate ['mærɪneɪt] vt & vi mariner.

marinated ['mærɪneɪtɪd] adj mariné(e).

marine [mə'riːn] adj marin(e).

marital status ['mærɪtl-] n (U) situation f de famille.

maritime ['mærɪtaɪm] adj maritime.

marjoram ['mɑːdʒərəm] n marjolaine f.

mark [mɑːk] ◆ n **1.** marque f **2.** SCH note f. ◆ vt **1.** marquer **2.** [correct] noter ▸ **(gas) mark five** UK thermostat cinq.

marker ['mɑːkə^r] n **1.** [sign] repère m **2.** [pen] marqueur m.

marker pen ['mɑːkə-] n marqueur m.

market ['mɑːkɪt] n marché m.

market conditions n conditions fpl du marché.

market-driven adj orienté(e) marché.

market economy n économie f de marché ou libérale.

marketing ['mɑːkɪtɪŋ] n (U) marketing m.

marketing campaign n campagne f marketing.

marketing department n département m marketing.

market intelligence n **1.** [knowledge] connaissance f du marché **2.** [data] données fpl marché.

marketplace ['mɑːkɪtpleɪs] n [place] place f du marché.

market survey n étude f de marché.

market trader n marchand m, -e f.

markings ['mɑːkɪŋz] npl 1. [on road] signalisation f horizontale 2. [on animal, flower] taches fpl.

marmalade ['mɑːməleɪd] n (U) confiture f d'oranges.

marquee [mɑːˈkiː] n grande tente f.

marriage ['mærɪdʒ] n mariage m.

marriage certificate n acte m OR certificat m de mariage.

married ['mærɪd] adj marié(e) ▶ **to get married** se marier.

marrow ['mærəʊ] n 1. UK [vegetable] courge f.

marry ['mærɪ] ◆ vt épouser. ◆ vi se marier.

marsh [mɑːʃ] n marais m.

martial arts [,mɑːʃl-] npl arts mpl martiaux.

marvellous ['mɑːvələs] adj UK merveilleux(euse).

marvelous ['mɑːvələs] US = **marvellous**.

marzipan ['mɑːzɪpæn] n (U) pâte f d'amandes.

mascara [mæsˈkɑːrə] n (U) mascara m.

masculine ['mæskjʊlɪn] adj masculin(e).

mash [mæʃ] vt UK inf faire une purée de.

mashed potatoes [mæʃt-] npl purée f (de pommes de terre).

mask [mɑːsk] n masque m.

masonry ['meɪsnrɪ] n (U) maçonnerie f.

mass [mæs] n 1. [large amount] masse f 2. RELIG messe f ▶ **masses (of)** inf [lots] des tonnes (de).

massacre ['mæsəkəʳ] n massacre m.

massage [UK 'mæsɑːʒ, US məˈsɑːʒ] ◆ n massage m. ◆ vt masser.

masseur [mæˈsɜːʳ] n masseur m.

masseuse [mæˈsɜːz] n masseuse f.

massive ['mæsɪv] adj massif(ive).

mass mailing n envoi m en nombre, publipostage m.

mass-produced adj fabriqué(e) en série.

mast [mɑːst] n mât m.

master ['mɑːstəʳ] ◆ n maître m. ◆ vt [skill, language] maîtriser.

masterpiece ['mɑːstəpiːs] n chef-d'œuvre m.

mat [mæt] n 1. [small rug] carpette f 2. [on table] set m de table.

match [mætʃ] ◆ n 1. [for lighting] allumette f 2. [game] match m. ◆ vt 1. [in colour, design] aller avec 2. [be the same as] correspondre à 3. [be as good as] égaler. ◆ vi [in colour, design] aller ensemble.

matchbox ['mætʃbɒks] n boîte f d'allumettes.

match-fixing [UK] : **they were accused of match-fixing** on les a accusés d'avoir truqué le match.

matching ['mætʃɪŋ] adj assorti(e).

mate [meɪt] ◆ n UK inf 1. [friend] pote m 2. [form of address] mon vieux. ◆ vi s'accoupler.

material [məˈtɪərɪəl] n 1. matériau m (U) 2. [cloth] tissu m. ◆ **materials** npl [equipment] matériel m.

maternity [məˈtɜːnətɪ] n maternité f.

maternity leave [məˈtɜːnəti-] n (U) congé m de maternité.

maternity ward [məˈtɜːnəti-] n maternité f.

math [mæθ] (U) US = **maths**.

mathematics [ˌmæθəˈmætɪks] n (U) mathématiques fpl.

maths [mæθs] n (U) UK maths fpl.

matinée [ˈmætɪneɪ] n matinée f.

matt UK, **matte** US [mæt] adj mat(e).

matte [mæt] adj mat(e).

matter [ˈmætər] ◆ n 1. [issue, situation] affaire f 2. (U) [physical material] matière f ▶ it doesn't matter ça ne fait rien ▶ no matter what happens quoi qu'il arrive ▶ there's something the matter with my car ma voiture a quelque chose qui cloche ▶ what's the matter? qu'est-ce qui se passe ? ▶ as a matter of course naturellement ▶ as a matter of fact en fait.

mattress [ˈmætrɪs] n matelas m.

mature [məˈtjʊər] adj 1. [person, behaviour] mûr(e) 2. [cheese] fait(e) 3. [wine] arrivé(e) à maturité.

mature student UK [at university] étudiant qui a commencé ses études sur le tard.

maul [mɔːl] vt mutiler.

mauve [məʊv] adj mauve.

max [mæks] adv inf maximum. ◆ **max out** vt sep US : I maxed out my credit card j'ai atteint la limite sur ma carte de crédit.

max. [mæks] (abbr of maximum) max.

maximum [ˈmæksɪməm] ◆ adj maximum. ◆ n maximum m.

maximum headroom n hauteur f maximale.

maximum load n charge f limite.

may [meɪ] ◆ aux vb 1. [expressing possibility] : it may be done as follows on peut procéder comme suit ▶ it may rain il se peut qu'il pleuve ▶ they may have got lost ils se sont peut-être perdus 2. [expressing permission] pouvoir ▶ may I smoke? est-ce que je peux fumer ? ▶ you may sit, if you wish vous pouvez vous asseoir, si vous voulez 3. [when conceding a point] : it may be a long walk, but it's worth it ça fait peut-être loin à pied, mais ça vaut le coup.

May [meɪ] n mai m ▶ at the beginning of May début mai ▶ at the end of May fin mai ▶ during May en mai ▶ every May tous les ans en mai ▶ in May en mai ▶ last May en mai (dernier) ▶ next May en mai de l'année prochaine ▶ this May en mai (prochain) ▶ 2 May 2012 [in letters, etc.] le 2 mai 2012.

maybe [ˈmeɪbiː] adv peut-être.

May Day n le Premier mai.

mayonnaise [ˌmeɪəˈneɪz] n (U) mayonnaise f.

mayor [meər] n maire m.

mayoress [ˈmeərɪs] n 1. [female mayor] femme f maire 2. [mayor's wife] femme f du maire.

maze [meɪz] n labyrinthe m.

MD n UK abbr of **managing director**.

MDF (abbr of medium-density fibreboard) n médium m, aggloméré m.

me [miː] pron 1. me 2. [after prep] moi ▶ she knows me elle me connaît ▶ it's me c'est moi ▶ send it to me envoie-le-moi ▶ tell me dis-moi ▶ he's worse than me il est pire que moi.

meadow [ˈmedəʊ] n pré m.

meal [miːl] n repas m.

mealtime ['miːltaɪm] n heure f du repas.

mean [miːn] (pt & pp **meant**) ◆ adj **1.** [miserly, unkind] mesquin(e). ◆ vt **1.** [signify, matter] signifier **2.** [intend, subj: word] vouloir dire ▸ **I don't mean it** je ne le pense pas vraiment ▸ **to mean to do sthg** avoir l'intention de faire qqch ▸ **to be meant to do sthg** être censé faire qqch ▸ **it's meant to be good** il paraît que c'est bon.

meaning ['miːnɪŋ] n [of word, phrase] sens m.

meaningless ['miːnɪŋlɪs] adj qui n'a aucun sens.

means [miːnz] (pl inv) ◆ n moyen m. ◆ npl [money] moyens mpl ▸ **by all means!** bien sûr ! ▸ **by means of** au moyen de.

meant [ment] pt & pp → **mean**.

meantime ['miːn,taɪm] ◆ **in the meantime** adv pendant ce temps, entre-temps.

meanwhile ['miːn,waɪl] adv **1.** [at the same time] pendant ce temps **2.** [in the time between] en attendant.

measles ['miːzlz] n (U) rougeole f.

measure ['meʒər] ◆ vt mesurer. ◆ n **1.** mesure f **2.** [of alcohol] dose f ▸ **the room measures 10 m²** la pièce fait 10 m².

measurement ['meʒəmənt] n mesure f. ◆ **measurements** npl [of person] mensurations fpl.

meat [miːt] n viande f ▸ **red meat** viande rouge ▸ **white meat** viande blanche.

meatball ['miːtbɔːl] n boulette f de viande.

Mecca ['mekə] n La Mecque.

mechanic [mɪ'kænɪk] n mécanicien m, -ienne f.

mechanical [mɪ'kænɪkl] adj [device] mécanique.

mechanism ['mekənɪzm] n mécanisme m.

medal ['medl] n médaille f.

media ['miːdjə] n or npl : **the media** les médias mpl.

media centre 🇬🇧, **media center** 🇺🇸 n centre m multimédia.

media player n lecteur m multimédia.

Medicaid ['medɪkeɪd] n 🇺🇸 assistance médicale aux personnes sans ressources.

ⓘ Medicaid / Medicare

En 1965, deux programmes d'assurances santé sont instaurés aux États-Unis : le Medicaid, une aide médicale entièrement subventionnée par le gouvernement, destinée aux plus démunis (enfants, invalides et personnes âgées), et le Medicare, une « sécurité sociale » américaine destinée aux assurés de plus de 65 ans, financée par leurs cotisations et leurs primes mensuelles, même s'ils doivent aujourd'hui compléter eux-mêmes de près de 30 % leurs frais médicaux.

---

medical ['medɪkl] ◆ adj médical(e). ◆ n visite f médicale.

medical certificate n certificat m médical.

Medicare ['medɪkeər] n 🇺🇸 programme fédéral d'assistance médicale pour personnes âgées.

medicated ['medɪkeɪtɪd] adj traitant(e).

medication [,medɪ'keɪʃn] n *(U)* médicaments *mpl*.

medicine ['medsɪn] n **1.** [substance] médicament *m* **2.** *(U)* [science] médecine *f*.

medicine cabinet n armoire *f* à pharmacie.

medieval [,medɪ'iːvl] adj médiéval(e).

mediocre [,miːdɪ'əʊkə^r] adj médiocre.

Mediterranean [,medɪtə'reɪnjən] n **:** the Mediterranean [region] les pays *mpl* méditerranéens ▸ the Mediterranean (Sea) la (mer) Méditerranée.

medium ['miːdjəm] adj **1.** moyen (enne) **2.** [wine] demi-sec **3.** CULIN à point ▸ **medium rare** rosé.

medium-dry adj demi-sec.

medium-sized [-saɪzd] adj de taille moyenne.

medley ['medlɪ] n **: medley of seafood** plateau *m* de fruits de mer.

meet [miːt] *(pt & pp* met*)* ◆ vt **1.** rencontrer **2.** [by arrangement] retrouver **3.** [go to collect] aller chercher **4.** [need, requirement] répondre à **5.** [cost, expenses] prendre en charge. ◆ vi **1.** se rencontrer **2.** [by arrangement] se retrouver **3.** [intersect] se croiser. ◆ **meet up** vi se retrouver. ◆ **meet with** vt insep **1.** [problems, resistance] rencontrer **2.** US [by arrangement] retrouver.

meeting ['miːtɪŋ] n [for business] réunion *f*.

meeting place n lieu *m* de réunion.

meeting point n [at airport, station] point *m* rencontre.

megabucks ['megəbʌks] n *inf* un fric fou.

megabyte ['megəbaɪt] n COMPUT méga-octet *m*.

megapixel ['megəpɪksl] n mégapixel *m*.

megastore ['megəstɔː^r] n (très) grand magasin *m*.

melody ['melədɪ] n mélodie *f*.

melon ['melən] n melon *m*.

melt [melt] vi fondre.

member ['membə^r] n membre *m*.

Member of Congress [-'kɒŋgres] n membre *m* du Congrès.

Member of Parliament n ≃ député *m*.

Member of the Scottish Parliament n membre *m* du Parlement écossais.

membership ['membəʃɪp] n **1.** *(U)* adhésion *f* **2.** [members] membres *mpl*.

membership card n carte *f* d'adhésion.

memo ['meməʊ] *(pl* -s*)* n note *f* de service.

memorial [mɪ'mɔːrɪəl] n mémorial *m*.

memorize ['meməraɪz] vt mémoriser.

memory ['memərɪ] n **1.** mémoire *f* **2.** [thing remembered] souvenir *m*.

memory card n carte *f* mémoire.

memory module n barrette *f* (de mémoire).

memory stick n carte *f* mémoire.

men [men] pl → **man**.

menacing ['menəsɪŋ] adj menaçant(e).

mend [mend] vt réparer.

meningitis [,menɪn'dʒaɪtɪs] n *(U)* méningite *f*.

menopause ['menəpɔːz] n ménopause *f*.

men's room n [US] toilettes *fpl* (pour hommes).

menstruate ['menstrʊeɪt] vi avoir ses règles.

menstruation [,menstrʊ'eɪʃn] n MED menstruation f.

menswear ['menzweə^r] n *(U)* vêtements *mpl* pour hommes.

mental ['mentl] adj mental(e).

mental hospital n hôpital *m* psychiatrique.

mentally handicapped ['mentəlɪ-] ◆ adj handicapé(e) mental(e). ◆ npl : **the mentally handicapped** les handicapés *mpl* mentaux.

mentally ill ['mentəlɪ-] adj malade *(mentalement)*.

mention ['menʃn] vt mentionner ▸ **don't mention it!** de rien !

menu ['menjuː] n menu *m* ▸ **children's menu** menu enfant.

merchandise ['mɜːtʃəndaɪz] n *(U)* marchandises *fpl*.

merchant marine [,mɜːtʃənt-mə'riːn] [US] = **merchant navy**.

merchant navy [,mɜːtʃənt-] [UK] marine *f* marchande.

mercury ['mɜːkjʊrɪ] n *(U)* mercure *m*.

mercy ['mɜːsɪ] n *(U)* pitié f.

mere [mɪə^r] adj simple ▸ **it costs a mere £5** ça ne coûte que 5 livres.

merely ['mɪəlɪ] adv seulement.

merge [mɜːdʒ] vi [rivers, roads] se rejoindre ▸ **'merge'** [US] panneau indiquant aux automobilistes débouchant d'une bretelle d'accès qu'ils doivent rejoindre la file de droite.

merger ['mɜːdʒə^r] n fusion f.

meringue [mə'ræŋ] n **1.** [egg white] meringue f **2.** [cake] petit gâteau meringué.

merit ['merɪt] n **1.** *(U)* mérite *m* **2.** [in exam] ≃ mention f bien.

merry ['merɪ] adj gai(e) ▸ **Merry Christmas!** joyeux Noël !

merry-go-round n manège *m*.

mess [mes] n **1.** [untidiness] désordre *m* **2.** [difficult situation] pétrin *m* ▸ **in a mess** [untidy] en désordre. ◆ **mess about** vi inf **= mess around.** ◆ **mess around** vi inf **1.** [have fun] s'amuser **2.** [behave foolishly] faire l'imbécile ▸ **to mess around with sthg** [interfere] tripoter qqch. ◆ **mess up** vt sep inf [ruin, spoil] ficher en l'air.

message ['mesɪdʒ] n message *m*.

messaging ['mesɪdʒɪŋ] n COMPUT messagerie f.

messenger ['mesɪndʒə^r] n messager *m*, -ère f.

Messrs, Messrs. ['mesəz] *(abbr of messieurs)* MM.

messy ['mesɪ] adj en désordre.

met [met] pt & pp → **meet.**

metal ['metl] ◆ adj en métal. ◆ n métal *m*.

metalwork ['metəlwɜːk] n *(U)* [craft] ferronnerie f.

meter ['miːtə^r] n **1.** [device] compteur *m* **2.** [US] = **metre.**

method ['meθəd] n méthode f.

methodical [mɪ'θɒdɪkl] adj méthodique.

meticulous [mɪ'tɪkjʊləs] adj méticuleux(euse).

metre ['miːtə^r] n [UK] mètre *m*.

metric ['metrɪk] adj métrique.

metrosexual [,metrə'sekʃʊəl]
◆ n métrosexuel m. ◆ adj métro-
sexuel(elle).

mews [mjuːz] (pl inv) n UK ruelle bor-
dée d'anciennes écuries, souvent trans-
formées en appartements de standing.

Mexican ['meksɪkn] ◆ adj mexi-
cain(e). ◆ n Mexicain m, -e f.

Mexico ['meksɪkəʊ] n le Mexique.

mg (abbr of milligram) mg (milligramme).

miaow [miːˈaʊ] vi UK miauler.

mice [maɪs] pl → **mouse**.

microchip ['maɪkrəʊtʃɪp] n puce f.

microphone ['maɪkrəfəʊn] n microphone m, micro m.

microscope ['maɪkrəskəʊp] n microscope m.

microwave (oven) ['maɪkrəweɪv-] n
four m à micro-ondes, micro-ondes m
inv.

midday [,mɪd'deɪ] n (U) midi m.

middle ['mɪdl] ◆ n milieu m. ◆ adj
[central] du milieu ▸ **in the middle of
the road** au milieu de la route ▸ **in the
middle of April** à la mi-avril ▸ **to be in
the middle of doing sthg** être en train
de faire qqch.

middle-aged adj d'âge moyen ▸ **a
middle-aged woman** une dame d'un
certain âge.

Middle Ages npl : **the Middle Ages**
le Moyen Âge.

middle-class adj bourgeois(e).

Middle East n : **the Middle East** le
Moyen-Orient.

middle name n deuxième prénom m.

middle school n [in UK] école pour enfants de 8 à 13 ans.

midge [mɪdʒ] n moucheron m.

midget ['mɪdʒɪt] n nain m, naine f.

Midlands ['mɪdləndz] npl : **the Midlands** les comtés du centre de l'Angleterre.

midnight ['mɪdnaɪt] n (U) **1.** [twelve
o'clock] minuit m. **2.** [middle of the night]
milieu m de la nuit.

midsummer ['mɪd'sʌmər] n (U) : **in
midsummer** en plein été.

midway [,mɪd'weɪ] adv **1.** [in space] à
mi-chemin **2.** [in time] au milieu.

midweek ◆ adj ['mɪdwiːk] de milieu
de semaine. ◆ adv [mɪd'wiːk] en milieu de semaine.

midwife ['mɪdwaɪf] (pl -wives) n sage-
femme f.

midwinter ['mɪd'wɪntər] n (U) : **in
midwinter** en plein hiver.

might¹ [maɪt] n (U) force f.

might² [maɪt] ◆ aux vb **1.** [expressing
possibility] : **they might still come** il
se peut encore qu'ils viennent ▸ **they
might have been killed** ils seraient
peut-être morts **2.** fml [expressing per-
mission] pouvoir ▸ **might I have a few
words?** puis-je vous parler un instant ?
3. [when conceding a point] : **it might
be expensive, but it's good quality**
c'est peut-être cher, mais c'est de la
bonne qualité **4.** [would] : **I hoped you
might come too** j'espérais que vous
viendriez aussi.

mighty ['maɪtɪ] adj UK [powerful] puis-
sant(e).

migraine ['miːgreɪn, 'maɪgreɪn] n migraine f.

mild [maɪld] ◆ adj **1.** doux (douce)
2. [pain, illness] léger(ère). ◆ n (U) UK
[beer] bière moins riche en houblon et
plus foncée que la « bitter ».

mile [maɪl] n = 1,609 km, mile m ▸ **it's miles away** c'est à des kilomètres.

mileage ['maɪlɪdʒ] n (U) ≃ kilométrage m.

mileometer [maɪ'lɒmɪtə^r] n UK ≃ compteur m (kilométrique).

military ['mɪlɪtrɪ] adj militaire.

milk [mɪlk] ◆ n (U) lait m. ◆ vt [cow] traire.

milk chocolate n (U) chocolat m au lait.

milkman ['mɪlkmən] (pl -men) n laitier m.

milk shake n milk-shake m.

milky ['mɪlkɪ] adj [tea, coffee] avec beaucoup de lait.

mill [mɪl] n 1. [factory] moulin m 2. [factory] usine f.

millennium [mɪ'lenɪəm] (pl millennia [mɪ'lenɪə]) n millénaire m.

milligram ['mɪlɪɡræm] n milligramme m.

milliliter US = millilitre.

millilitre ['mɪlɪˌliːtə^r] n UK millilitre m.

millimeter US = millimetre.

millimetre ['mɪlɪˌmiːtə^r] n UK millimètre m.

million ['mɪljən] n million m ▸ **millions of** fig des millions de.

millionaire [ˌmɪljə'neə^r] n millionnaire m ou f.

mime [maɪm] vi faire du mime.

min. [mɪn] 1. (abbr of minute) min., mn 2. (abbr of minimum) min.

mince [mɪns] n (U) UK viande f hachée.

mincemeat ['mɪnsmiːt] n 1. (U) [sweet filling] mélange de fruits secs et d'épices utilisé en pâtisserie 2. [mince] viande f hachée.

mince pie n tartelette de Noël, fourrée avec un mélange de fruits secs et d'épices.

mind [maɪnd] ◆ n 1. esprit m 2. [memory] mémoire f. ◆ vt 1. [be careful of] faire attention à 2. [look after] garder. ◆ vi : **I don't mind** ça m'est égal ▸ **it slipped my mind** ça m'est sorti de l'esprit ▸ **to my mind** à mon avis ▸ **to bear sthg in mind** garder qqch en tête ▸ **to change one's mind** changer d'avis ▸ **to have sthg in mind** avoir qqch en tête ▸ **to have sthg on one's mind** être préoccupé par qqch ▸ **to make one's mind up** se décider ▸ **do you mind waiting?** est-ce que ça vous gêne d'attendre ? ▸ **do you mind if...?** est-ce que ça vous dérange si... ? ▸ **I wouldn't mind a drink** je boirais bien quelque chose ▸ **'mind the gap!'** UK [on underground] annonce indiquant aux usagers du métro de faire attention à l'espace entre le quai et la rame ▸ **never mind!** [don't worry] ça ne fait rien !

mind-numbing [-nʌmɪŋ] adj abrutissant(e).

mine¹ [maɪn] pron le mien (la mienne) ▸ **these shoes are mine** ces chaussures sont à moi ▸ **a friend of mine** un ami à moi.

mine² [maɪn] n [bomb, for coal, etc.] mine f.

miner ['maɪnə^r] n mineur m.

mineral ['mɪnərəl] n minéral m.

mineral water n eau f minérale.

minestrone [ˌmɪnɪ'strəʊnɪ] n (U) minestrone m.

mingle ['mɪŋɡl] vi se mélanger.

miniature ['mɪnətʃə^r] ◆ adj miniature. ◆ n [bottle] bouteille f miniature.

minibar ['mɪnɪbɑːʳ] n minibar m.

mini-break n mini-séjour m.

minibus ['mɪnɪbʌs] (pl -es) n minibus m.

minicab ['mɪnɪkæb] n UK radio-taxi m.

minicam ['mɪnɪkæm] n caméra f de télévision miniature.

minidisk ['mɪnɪdɪsk] n minidisque m.

minigolf ['mɪnɪgɒlf] n minigolf m.

minimal ['mɪnɪml] adj minimal(e).

minimize ['mɪnɪmaɪz] vt réduire.

minimum ['mɪnɪməm] ◆ adj minimum. ◆ n minimum m.

minimum charge n tarif m minimum.

minimum payment n paiement m minimum.

mini-roundabout [mɪnɪ'raʊndəbaʊt] n UK petit rond-point m.

miniskirt ['mɪnɪskɜːt] n minijupe f.

minister ['mɪnɪstəʳ] n 1. [in government] ministre m 2. [in church] pasteur m.

ministry ['mɪnɪstrɪ] n [of government] ministère m.

minor ['maɪnəʳ] ◆ adj mineur(e). ◆ n fml mineur m, -e f.

minority [maɪ'nɒrətɪ] n minorité f.

minor road n route f secondaire.

mint [mɪnt] n 1. [sweet] bonbon m à la menthe 2. (U) [plant] menthe f.

minus ['maɪnəs] prep moins ▶ it's minus 10 (degrees C) il fait moins 10 (degrés Celsius).

minuscule ['mɪnəskjuːl] adj minuscule.

minute¹ ['mɪnɪt] n minute f ▶ any minute d'une minute à l'autre ▶ just a minute! (une) minute !

minute² [maɪ'njuːt] adj minuscule.

minute steak [ˌmɪnɪt-] n entrecôte f minute.

miracle ['mɪrəkl] n miracle m.

miraculous [mɪ'rækjʊləs] adj miraculeux(euse).

mirror ['mɪrəʳ] n 1. miroir m, glace f 2. [on car] rétroviseur m.

misbehave [ˌmɪsbɪ'heɪv] vi [person] se conduire mal.

miscarriage [ˌmɪs'kærɪdʒ] n fausse couche f.

miscellaneous [ˌmɪsə'leɪnjəs] adj divers(es).

mischievous ['mɪstʃɪvəs] adj espiègle.

misconduct [ˌmɪs'kɒndʌkt] n (U) mauvaise conduite f.

miser ['maɪzəʳ] n avare m ou f.

miserable ['mɪzrəbl] adj 1. [unhappy] malheureux(euse) 2. [place, news] sinistre 3. [weather] épouvantable 4. [amount] misérable.

miserly ['maɪzəlɪ] adj avare.

misery ['mɪzərɪ] n (U) 1. [unhappiness] malheur m 2. [poor conditions] misère f.

misery guts n inf rabat-joie m.

misfire [ˌmɪs'faɪəʳ] vi [car] avoir des ratés.

misfortune [mɪs'fɔːtʃuːn] n (U) [bad luck] malchance f.

mishap ['mɪshæp] n mésaventure f.

misjudge [ˌmɪs'dʒʌdʒ] vt mal juger.

mislay [ˌmɪs'leɪ] (pt & pp -laid) vt égarer.

mislead [ˌmɪs'liːd] (pt & pp -led) vt tromper.

misogynistic [mɪˈsɒdʒɪnɪstɪk], **misogynous** [mɪˈsɒdʒɪnəs] adj misogyne.

miss [mɪs] ◆ vt 1. rater 2. [regret absence of] regretter. ◆ vi manquer son but ▶ **I miss him** il me manque. ◆ **miss out** ◆ vt sep 1. ⓤⓀ [by accident] oublier 2. ⓤⓈ [deliberately] omettre. ◆ vi insep rater quelque chose.

Miss [mɪs] n Mademoiselle.

missile [ⓤⓀ 'mɪsaɪl, ⓤⓈ 'mɪsl] n 1. [weapon] missile m 2. [thing thrown] projectile m.

missing ['mɪsɪŋ] adj [lost] manquant(e) ▶ **there are two missing** il en manque deux.

missing person n personne f disparue.

mission ['mɪʃn] n mission f.

missionary ['mɪʃənrɪ] n missionnaire m ou f.

mist [mɪst] n brume f.

mistake [mɪˈsteɪk] (pt -took, pp -taken) ◆ n erreur f. ◆ vt [misunderstand] mal comprendre ▶ **by mistake** par erreur ▶ **to make a mistake** faire une erreur ▶ **I mistook him for his brother** je l'ai pris pour son frère.

Mister ['mɪstər] n Monsieur.

mistletoe ['mɪsltəʊ] n gui m.

mistook [mɪˈstʊk] pt → **mistake**.

mistress ['mɪstrɪs] n maîtresse f.

mistrust [,mɪsˈtrʌst] vt se méfier de.

misty ['mɪstɪ] adj brumeux(euse).

misunderstand [,mɪsʌndəˈstænd] (pt & pp -stood) vt & vi mal comprendre.

misunderstanding
[,mɪsʌndəˈstændɪŋ] n 1. [misinterpretation] malentendu m 2. [quarrel] discussion f.

misuse [,mɪsˈjuːs] n (U) usage m abusif.

mitten ['mɪtn] n 1. moufle f 2. [without fingers] mitaine f.

mix [mɪks] ◆ vt 1. mélanger 2. [drink] préparer. ◆ n [for cake, sauce] préparation f ▶ **to mix the butter with the flour** mélanger le beurre avec la farine. ◆ **mix up** vt sep 1. [confuse] confondre 2. [put into disorder] mélanger.

mixed [mɪkst] adj [school] mixte.

mixed grill n ⓤⓀ mixed grill m.

mixed salad n salade f mixte.

mixed vegetables npl légumes mpl variés.

mixer ['mɪksər] n 1. [for food] mixe(u)r m 2. [drink] boisson accompagnant les alcools dans la préparation des cocktails.

mixture ['mɪkstʃər] n mélange m.

mix-up n inf confusion f.

ml (abbr of millilitre) ml (millilitre).

mm (abbr of millimetre) mm (millimètre).

MMR [,emem'ɑːr] (abbr of measles, mumps & rubella) n MED ROR m (rougeole-oreillons-rubéole).

moan [məʊn] vi 1. [in pain, grief] gémir 2. inf [complain] rouspéter.

moat [məʊt] n douves fpl.

mobile ['məʊbaɪl] ◆ adj mobile. ◆ n ⓤⓀ téléphone m mobile.

mobile home n auto-caravane f.

mobile phone n ⓤⓀ téléphone m mobile.

mobile phone mast n ⓤⓀ antenne-relais f.

mobility [məˈbɪlətɪ] n mobilité f.

mock [mɒk] ◆ adj faux (fausse). ◆ vt se moquer de. ◆ n ⓤⓀ [exam] examen m blanc.

mod cons [,mɒd-] (abbr of **modern conveniences**) npl UK inf : **all mod cons** tout confort.

mode [məʊd] n mode m.

model ['mɒdl] n **1.** modèle m **2.** [small copy] modèle m réduit **3.** [fashion model] mannequin m.

modem ['məʊdem] n modem m.

moderate ['mɒdərət] adj modéré(e).

modern ['mɒdən] adj moderne.

modernized ['mɒdənaɪzd] adj modernisé(e).

modern languages npl langues fpl vivantes.

modest ['mɒdɪst] adj modeste.

modify ['mɒdɪfaɪ] vt modifier.

mohair ['məʊheəʳ] n (U) mohair m.

moist [mɔɪst] adj **1.** moite **2.** [cake] moelleux(euse).

moisture ['mɔɪstʃəʳ] n (U) humidité f.

moisturizer ['mɔɪstʃəraɪzəʳ] n crème f hydratante.

mojo ['məʊdʒəʊ] n US inf [energy] peps m.

molar ['məʊləʳ] n molaire f.

mold [məʊld] US = **mould**.

moldy US = **mouldy**.

mole [məʊl] n **1.** [animal] taupe f **2.** [spot] grain m de beauté.

molest [mə'lest] vt **1.** [child] abuser de **2.** [woman] agresser.

mom [mɒm] n US inf maman f.

moment ['məʊmənt] n moment m ▸ **at the moment** en ce moment ▸ **for the moment** pour le moment.

momentarily ['məʊməntərɪlɪ] adv **1.** [for a short time] momentanément **2.** US [soon] très bientôt.

momma ['mɒmə], **mommy** ['mɒmɪ] n US inf maman f.

Mon. abbr of **Monday**.

monarchy ['mɒnəkɪ] n : **the monarchy** [royal family] la famille royale.

monastery ['mɒnəstrɪ] n monastère m.

Monday ['mʌndɪ] n lundi m ▸ **it's Monday** c'est lundi ▸ **Monday morning** lundi matin ▸ **on Monday** lundi ▸ **on Mondays** le lundi ▸ **last Monday** lundi dernier ▸ **this Monday** lundi ▸ **next Monday** lundi prochain ▸ **Monday week** UK, **a week on Monday** UK, **a week from Monday** US lundi en huit.

money ['mʌnɪ] n (U) argent m.

money back offer n offre f de remboursement.

money belt n ceinture f portefeuille.

money order n mandat m.

moneys, monies ['mʌnɪz] npl LAW [sums] sommes fpl (d'argent).

mongrel ['mʌŋgrəl] n bâtard m.

monitor ['mɒnɪtəʳ] ◆ n [computer screen] moniteur m. ◆ vt [check, observe] contrôler.

monk [mʌŋk] n moine m.

monkey ['mʌŋkɪ] (pl **monkeys**) n singe m.

monkey bars n US cage f d'écureuil.

monkfish ['mʌŋkfɪʃ] n (U) lotte f.

monopoly [mə'nɒpəlɪ] n monopole m.

monorail ['mɒnəʊreɪl] n monorail m.

monosodium glutamate [,mɒnə-'səʊdjəm'glu:təmeɪt] n glutamate m (de sodium).

monotonous [mə'nɒtənəs] adj monotone.

monsoon [mɒn'su:n] n mousson f.

monster ['mɒnstə^r] n monstre m.

month [mʌnθ] n mois m ▸ **every month** tous les mois ▸ **in a month's time** dans un mois.

monthly ['mʌnθlɪ] ◆ adj mensuel(elle). ◆ adv tous les mois.

monument ['mɒnjʊmənt] n monument m.

moo [muː] ◆ n (pl -s) meuglement m. ◆ vi meugler.

mood [muːd] n humeur f ▸ **to be in a (bad) mood** être de mauvaise humeur ▸ **to be in a good mood** être de bonne humeur.

moody ['muːdɪ] adj 1. [bad-tempered] de mauvaise humeur 2. [changeable] lunatique.

moon [muːn] n lune f.

moonlight ['muːnlaɪt] n (U) clair m de lune.

moor [mɔː^r] ◆ n UK lande f. ◆ vt amarrer.

moose [muːs] (pl inv) n original m.

mop [mɒp] ◆ n [for floor] balai m à franges. ◆ vt [floor] laver. ◆ **mop up** vt sep [clean up] éponger.

moped ['məʊped] n Mobylette® f.

moral ['mɒrəl] ◆ adj moral(e). ◆ n [lesson] morale f.

morality [mə'rælɪtɪ] n (U) moralité f.

more [mɔː^r] ◆ adj 1. [a larger amount of] plus de, davantage de ▸ **there are more tourists than usual** il y a plus de touristes que d'habitude 2. [additional] encore de ▸ **are there any more cakes?** est-ce qu'il y a encore des gâteaux ? ▸ **I'd like two more bottles** je voudrais deux autres bouteilles ▸ **there's no more wine** il n'y a plus de vin 3. [in

phrases] **: more and more** de plus en plus de

◆ adv 1. [in comparatives] plus ▸ **it's more difficult than before** c'est plus difficile qu'avant ▸ **speak more clearly** parlez plus clairement 2. [to a greater degree] plus ▸ **we ought to go to the cinema more** nous devrions aller plus souvent au cinéma 3. [in phrases] **: not... any more** ne... plus ▸ **I don't go there any more** je n'y vais plus ▸ **once more** encore une fois, une fois de plus ▸ **more or less** plus ou moins ▸ **we'd be more than happy to help** nous serions enchantés de vous aider

◆ pron 1. [a larger amount] plus, davantage ▸ **I've got more than you** j'en ai plus que toi ▸ **more than 20 types of pizza** plus de 20 sortes de pizza ▸ [an additional amount] encore ▸ **is there any more?** est-ce qu'il y en a encore ? ▸ **there's no more** il n'y en a plus.

moreish ['mɔːrɪʃ] adj UK inf appétissant(e).

moreover [mɔː'rəʊvə^r] adv fml de plus.

morning ['mɔːnɪŋ] n 1. matin m 2. [period] matinée f ▸ **two o'clock in the morning** deux heures du matin ▸ **good morning!** bonjour ! ▸ **in the morning** a) [early in the day] le matin b) [tomorrow morning] demain matin.

morning-after pill n pilule f du lendemain.

morning sickness n (U) nausées fpl matinales.

Moroccan [mə'rɒkən] ◆ adj marocain(e). ◆ n Marocain m, -e f.

Morocco [mə'rɒkəʊ] n le Maroc.

moron ['mɔːrɒn] n inf [idiot] abruti m, -e f.

morph [mɔːf] vi se transformer.

morphine ['mɔːfiːn] n morphine f.

morphing ['mɔːfɪŋ] n COMPUT morphing m.

morris dancing ['mɒrɪs-] n (U) danse folklorique anglaise.

Morse (code) [mɔːs-] n morse m.

mortgage ['mɔːgɪdʒ] n prêt m immobilier.

mortgage lender n prêteur m hypothécaire.

mosaic [mə'zeɪɪk] n mosaïque f.

mosey ['məʊzɪ] vi US inf [amble] marcher d'un pas tranquille.

Moslem ['mɒzləm] = **Muslim**.

mosque [mɒsk] n mosquée f.

mosquito [mə'skiːtəʊ] (pl -es) n moustique m.

mosquito net n moustiquaire f.

moss [mɒs] n (U) mousse f.

most [məʊst] ◆ adj 1. [the majority of] la plupart de ▶ **most people agree** la plupart des gens sont d'accord 2. [the largest amount of] le plus de ▶ **I drank (the) most beer** c'est moi qui ai bu le plus de bière
◆ adv 1. [in superlatives] le plus (la plus) ▶ **the most expensive hotel in town** l'hôtel le plus cher de la ville 2. [to the greatest degree] le plus ▶ **I like this one most** c'est celui-ci que j'aime le plus 3. fml [very] très ▶ **they were most welcoming** ils étaient très accueillants
◆ pron 1. [the majority] la plupart ▶ **most of the villages** la plupart des villages ▶ **most of the journey** la plus grande partie du voyage 2. [the largest amount] le plus ▶ **she earns (the) most** c'est elle qui gagne le plus 3. [in phrases] : **at most** au plus, au maximum

▶ **to make the most of sthg** profiter de qqch au maximum.

mostly ['məʊstlɪ] adv principalement.

MOT [test] n UK [test] ≃ contrôle m technique (annuel).

motel [məʊ'tel] n motel m.

moth [mɒθ] n 1. papillon m de nuit 2. [in clothes] mite f.

mother ['mʌðəʳ] n mère f.

motherboard ['mʌðəbɔːd] n carte f mère.

mother-in-law n belle-mère f.

mother-of-pearl n (U) nacre f.

Mother's Day n fête f des Mères.

mother tongue n langue f maternelle.

motif [məʊ'tiːf] n motif m.

motion ['məʊʃn] ◆ n mouvement m.
◆ vi : **to motion to sb** faire signe à qqn.

motionless ['məʊʃənlɪs] adj immobile.

motivate ['məʊtɪveɪt] vt motiver.

motive ['məʊtɪv] n motif m.

motor ['məʊtəʳ] n moteur m.

Motorail® ['məʊtəreɪl] n train m autocouchette(s).

motorbike ['məʊtəbaɪk] n UK moto f.

motorboat ['məʊtəbəʊt] n canot m à moteur.

motorcar ['məʊtəkɑːʳ] n UK automobile f.

motorcycle ['məʊtəsaɪkl] n motocyclette f.

motorcyclist ['məʊtəsaɪklɪst] n motocycliste m ou f.

motor home n camping-car m.

motorist ['məʊtərɪst] n automobiliste m ou f.

motormouth ['məʊtə,maʊθ] n *vulg* : he's a bit of a motormouth c'est un véritable moulin à paroles.

motor racing n (U) course f automobile.

motorway ['məʊtəweɪ] n UK autoroute f.

motto ['mɒtəʊ] (pl -s) n devise f.

mould [məʊld] ◆ n UK **1.** [shape] moule m **2.** (U) [substance] moisissure f. ◆ vt UK mouler.

mouldy ['məʊldɪ] adj UK moisi(e).

mound [maʊnd] n **1.** [hill] butte f **2.** [pile] tas m.

mount [maʊnt] ◆ n **1.** [for photo] support m **2.** [mountain] mont m. ◆ vt monter. ◆ vi [increase] augmenter.

mountain ['maʊntɪn] n montagne f.

mountain bike n VTT m.

mountaineer [,maʊntɪ'nɪəʳ] n alpiniste m ou f.

mountaineering [,maʊntɪ'nɪərɪŋ] n (U) : to go mountaineering faire de l'alpinisme.

mountainous ['maʊntɪnəs] adj montagneux(euse).

Mount Rushmore [-'rʌʃmɔːʳ] n le mont Rushmore.

mourning ['mɔːnɪŋ] n (U) : to be in mourning être en deuil.

mouse [maʊs] (pl mice) n souris f.

mouse mat n UK tapis m (de) souris.

mouse pad n US tapis m (de) souris.

mouse pointer n pointeur m (de la souris).

moussaka [muː'sɑːkə] n moussaka f.

mousse [muːs] n mousse f.

moustache [mə'stɑːʃ] n UK moustache f.

mouth [maʊθ] n **1.** bouche f **2.** [of animal] gueule f **3.** [of cave, tunnel] entrée f **4.** [of river] embouchure f.

mouthful ['maʊθfʊl] n **1.** [of food] bouchée f **2.** [of drink] gorgée f.

mouthorgan ['maʊθ,ɔːgən] n harmonica m.

mouthpiece ['maʊθpiːs] n **1.** [of telephone] microphone m **2.** [of musical instrument] embouchure f.

mouthwash ['maʊθwɒʃ] n bain m de bouche.

move [muːv] ◆ n **1.** [change of house] déménagement m **2.** [movement] mouvement m **3.** [in games] coup m **4.** [turn to play] tour m **5.** [course of action] démarche f. ◆ vt **1.** [shift] déplacer **2.** [arm, head] bouger **3.** [emotionally] émouvoir. ◆ vi **1.** [shift] bouger **2.** [person] se déplacer ▶ to move (house) déménager ▶ to make a move [leave] partir, y aller. ◆ **move along** vi se déplacer. ◆ **move in** vi [to house] emménager. ◆ **move off** vi [train, car] partir. ◆ **move out** vi [from house] déménager. ◆ **move over** vi se pousser. ◆ **move up** vi se pousser.

movement ['muːvmənt] n mouvement m.

movie ['muːvɪ] n film m.

movie theater n US cinéma m.

moving ['muːvɪŋ] adj [emotionally] émouvant(e).

mow [məʊ] vt : to mow the lawn tondre la pelouse.

mozzarella [,mɒtsə'relə] n (U) mozzarelle f.

MP (abbr of Member of Parliament) n UK ≃ député m.

MP3 [ˌempiːˈθriː] (abbr of moving picture experts group audio layer 3) n COMPUT MP3 m.

MP4 (abbr of moving picture experts group audio layer 4) n COMPUT MP4.

mpg (abbr of miles per gallon) n miles mpl au gallon.

mph (abbr of miles per hour) miles mpl à l'heure.

MP3 player n lecteur m (de) MP3.

Mr (written abbr of Mister) M. (Monsieur).

MRI (abbr of magnetic resonance imaging) n IRM f (imagerie par résonnance magnétique).

Mrs [ˈmɪsɪz] Mme (Madame).

MRSA [ˌemɑːresˈeɪ] (abbr of methicillin resistant Staphylococcus aureus) n SARM m.

Ms [mɪz] titre que les femmes peuvent utiliser au lieu de madame ou mademoiselle pour éviter la distinction entre femmes mariées et célibataires.

MSc (abbr of Master of Science) n (titulaire d'une) maîtrise de sciences.

MSP UK n written abbr of **Member of the Scottish Parliament**.

much [mʌtʃ] (compar **more**, superl **most**) ◆ adj beaucoup de ▸ **I haven't got much money** je n'ai pas beaucoup d'argent ▸ **as much food as you can eat** autant de nourriture que tu peux en avaler ▸ **how much time is left?** combien de temps reste-t-il ? ▸ **they have so much money** ils ont tant d'argent ▸ **we have too much work** nous avons trop de travail

◆ adv **1.** [to a great extent] beaucoup, bien ▸ **it's much better** c'est bien OR beaucoup mieux ▸ **I like it very much** j'aime beaucoup ça ▸ **it's**

not much good inf ce n'est pas terrible ▸ **thank you very much** merci beaucoup **2.** [often] beaucoup, souvent ▸ **we don't go there much** nous n'y allons pas souvent

◆ pron beaucoup ▸ **I haven't got much** je n'en ai pas beaucoup ▸ **as much as you like** autant que tu voudras ▸ **how much is it?** c'est combien ?

much-loved adj bien-aimé(e).

muck [mʌk] n (U) [dirt] boue f. ◆ **muck about** vi UK inf **1.** [have fun] s'amuser **2.** [behave foolishly] faire l'imbécile. ◆ **muck up** vt sep inf saloper.

mud [mʌd] n (U) boue f.

muddle [ˈmʌdl] n **: to be in a muddle a)** [confused] ne plus s'y retrouver **b)** [in a mess] être en désordre.

muddy [ˈmʌdɪ] adj boueux(euse).

mud flap US n = mudguard.

mudguard [ˈmʌdɡɑːd] n garde-boue m inv.

muesli [ˈmjuːzlɪ] n (U) muesli m.

muffin [ˈmʌfɪn] n **1.** UK [roll] petit pain rond **2.** [cake] muffin m (sorte de grosse madeleine ronde).

muffler [ˈmʌflər] n US [silencer] silencieux m.

mug [mʌɡ] ◆ n [cup] grande tasse f. ◆ vt [attack] agresser.

mugger [ˈmʌɡər] n agresseur m.

mugging [ˈmʌɡɪŋ] n agression f.

muggy [ˈmʌɡɪ] adj lourd(e).

mule [mjuːl] n mule f.

multicast [ˈmʌltɪkɑːst], **multicasting** [ˈmʌltɪkɑːstɪŋ] n multicasting m.

multicoloured, multicolored US [ˈmʌltɪˌkʌləd] adj multicolore.

multifunction [,mʌltɪ'fʌŋkʃən] adj multifonction(s).

multiplatform [,mʌltɪ'plætfɔːm] adj multiplateforme.

multiple ['mʌltɪpl] adj multiple.

multiple-choice examination ['mʌltɪpl ˌtʃɔɪs ɪgˌzæmɪ'neɪʃn] n [at the university & SCH] QCM m, questionnaire m à choix multiple.

multiple sclerosis [-sklɪ'rəʊsɪs] n sclérose f en plaques.

multiplex ['mʌltɪpleks] n [cinema] complexe m multisalles.

multiplex cinema ['mʌltɪpleks-] n cinéma m multisalles.

multiplication [,mʌltɪplɪ'keɪʃn] n (U) multiplication f.

multiply ['mʌltɪplaɪ] ◆ vt multiplier. ◆ vi se multiplier.

multi-region adj multizone.

multi-speed adj à plusieurs vitesses.

multistorey, multistory US [,mʌltɪ'stɔːrɪ] adj à étages.

multistorey (car park) [,mʌltɪ'stɔːrɪ-] n UK parking m à plusieurs niveaux.

multi-talented adj aux talents multiples.

multivitamin [UK 'mʌltɪvɪtəmɪn, US 'mʌltɪvaɪtəmɪn] n multivitamine f.

mum [mʌm] n UK inf maman f.

mummy ['mʌmɪ] n UK inf [mother] maman f.

mumps [mʌmps] n (U) oreillons mpl.

munch [mʌntʃ] vt mâcher.

municipal [mjuː'nɪsɪpl] adj municipal(e).

mural ['mjuərəl] n peinture f murale.

murder ['mɜːdəʳ] ◆ n meurtre m. ◆ vt assassiner.

murderer ['mɜːdərəʳ] n meurtrier m, -ière f.

muscle ['mʌsl] n muscle m.

muscle strain n MED élongation f.

museum [mjuː'ziːəm] n musée m.

mushroom ['mʌʃrom] n champignon m.

music ['mjuːzɪk] n (U) musique f.

musical ['mjuːzɪkl] ◆ adj 1. musical(e) 2. [person] musicien(ienne). ◆ n comédie f musicale.

musical instrument n instrument m de musique.

musician [mjuː'zɪʃn] n musicien m, -ienne f.

Muslim ['mʊzlɪm] ◆ adj musulman(e). ◆ n musulman m, -e f.

mussels ['mʌslz] npl moules fpl.

must [mʌst] ◆ aux vb devoir. ◆ n inf: it's a must c'est un must ▶ I must go je dois y aller, il faut que j'y aille ▶ the room must be vacated by ten la chambre doit être libérée avant dix heures ▶ you must have seen it tu l'as sûrement vu ▶ you must see that film il faut que tu voies ce film ▶ you must be joking! tu plaisantes !

mustache ['mʌstæʃ] US = **moustache**.

mustard ['mʌstəd] n (U) moutarde f.

must-have n incontournable m.

mustn't ['mʌsənt] → **must not**.

must-see n : that film is a must-see c'est un film à ne pas manquer.

mutter ['mʌtəʳ] vt marmonner.

mutton ['mʌtn] n (U) mouton m.

mutual ['mju:tʃʊəl] adj 1. [feeling] mutuel(elle) 2. [friend, interest] commun(e).

muzzle ['mʌzl] n [for dog] muselière f.

my [mai] adj mon (ma), mes pl.

myself [mai'self] pron 1. [reflexive] me 2. [after prep] moi ▶ I washed myself je me suis lavé ▶ I did it myself je l'ai fait moi-même.

mysterious [mi'stiəriəs] adj mystérieux(ieuse).

mystery ['mistəri] n mystère m.

myth [miθ] n mythe m.

N (abbr of North) N (Nord).

n/a, N/A (written abbr of not applicable) s.o. (sans objet).

nag [næg] vt harceler.

nail [neil] ◆ n 1. [of finger, toe] ongle m 2. [metal] clou m. ◆ vt [fasten] clouer.

nail-biter n fig [situation] situation f au suspense insoutenable.

nailbrush ['neilbrʌʃ] n brosse f à ongles.

nail enamel US n = **nail polish**.

nail file n lime f à ongles.

nail polish n vernis m à ongles.

nail polish remover n dissolvant m.

nail scissors npl ciseaux mpl à ongles.

nail varnish n (U) UK vernis m à ongles.

nail varnish remover [-rə'mu:və^r] n (U) UK dissolvant m.

naive [nar'i:v] adj naïf(ive).

naked ['neikid] adj [person] nu(e).

name [neim] ◆ n nom m. ◆ vt 1. nommer 2. [date, price] fixer ▶ first name prénom m ▶ last name nom de famille ▶ what's your name? comment vous appelez-vous ? ▶ my name is... je m'appelle….

name-dropper n : she's an awful name-dropper à la croire, elle connaît tout le monde.

namely ['neimli] adv c'est-à-dire.

nan bread [næn-] n pain indien en forme de grande galette ovale, servi tiède.

nanny ['næni] n 1. [childminder] nurse f 2. UK inf [grandmother] mamie f.

nap [næp] n : to have a nap faire un petit somme.

napkin ['næpkin] n serviette f (de table).

nappy ['næpi] n UK couche f.

nappy liner n UK protège-couches m inv.

narcodollars ['nɑ:kəʊ,dɒlɑz] npl narcodollars mpl.

narcosis [nɑ:'kəʊsis] n narcose f.

narcotic [nɑ:'kɒtik] n stupéfiant m.

narrow ['nærəʊ] ◆ adj étroit(e). ◆ vi se rétrécir.

narrow-minded [-'maindid] adj borné(e).

nasty ['nɑ:sti] adj méchant(e), mauvais(e).

nation ['neiʃn] n nation f.

national ['næʃənl] ◆ adj national(e).
◆ n [person] ressortissant m, -e f.

national anthem n hymne m national.

National Health Service n 🇬🇧
≃ Sécurité f sociale.

> ⓘ **National Health Service**
>
> Depuis 1948, en Grande-Bretagne, le **National Health Service** anglais, dont la principale vocation est de répondre aux besoins de chacun quels que soient ses moyens financiers, dispense des soins médicaux à tout citoyen britannique. Les consultations médicales et les soins hospitaliers sont gratuits pour les enfants et les personnes âgées ; les assurés n'entrant pas dans cette catégorie doivent simplement s'acquitter d'une contribution personnelle pour les ordonnances et les consultations de spécialistes (dentistes, opticiens, etc.).

National Insurance n (U) 🇬🇧 cotisations fpl sociales.

> ⓘ **National Insurance**
>
> L'Assurance nationale anglaise est basée sur un système de cotisations obligatoires à la fois pour les employés et les employeurs, dont le montant est proportionnel aux revenus annuels. Pour pouvoir travailler légalement au Royaume-Uni, il est indispensable d'avoir un numéro d'immatriculation individuel (l'équivalent français du numéro de Sécurité sociale), qui donne droit aux allocations, aux remboursements des frais de santé et aux cotisations pour les pensions de retraite.

nationality [,næʃə'nælətɪ] n nationalité f.

National Lottery n Loto m britannique.

national park n parc m national.

> ⓘ **National Park**
>
> Les parcs nationaux aux Etats-Unis sont de grands espaces naturels ouverts au public et protégés pour conserver l'intégrité du paysage, de la faune et de la flore qu'ils abritent. Les plus connus sont Bryce, Grand Canyon, Yellowstone, Yosemite et Death Valley. On peut y faire de la randonnée et même du camping.

national press n presse f nationale.

National Trust n 🇬🇧 **: the National Trust** organisme non gouvernemental assurant la conservation de certains sites et monuments historiques.

nationwide ['neɪʃənwaɪd] adj national(e).

native ['neɪtɪv] ◆ adj local(e). ◆ n natif m, -ive f ▸ **to be a native speaker of English** être anglophone ▸ **my native country** mon pays natal.

Native American n Indien m, -enne f d'Amérique, Amérindien m, -enne f.

> ⓘ **Native American**
>
> Ce terme désigne les premiers habitants des États-Unis avant la colonisation par opposition aux américains d'origine européenne. On parle également d'**American Indians** (ou indiens d'Amérique) car Christophe Colomb pensait avoir accosté en Inde après avoir rencontré ces autochtones lors de la découverte de l'Amérique. Longtemps confinées dans des zones spécifiques, leurs différentes communautés font désormais partie intégrante de la société américaine.

native speaker n locuteur m natif, locutrice f native.

NATO ['neɪtəʊ] n OTAN f.

natural ['nætʃrəl] adj naturel(elle).

natural gas n (U) gaz m naturel.

naturalized, naturalised US ['nætʃrəlaɪzd] adj [person] naturalisé(e).

naturally ['nætʃrəlɪ] adv [of course] naturellement.

natural yoghurt n yaourt m nature.

nature ['neɪtʃər] n nature f.

nature reserve n réserve f naturelle.

naughty ['nɔːtɪ] adj [child] vilain(e).

nausea ['nɔːzɪə] n (U) nausée f.

navel ['neɪvl] n nombril m.

navigate ['nævɪgeɪt] vi 1. naviguer 2. [in car] lire la carte.

navy ['neɪvɪ] ◆ n marine f. ◆ adj : **navy (blue)** (bleu) marine inv.

NB (abbr of nota bene) NB.

near [nɪər] ◆ adv près. ◆ adj proche. ◆ prep : **near (to)** près de ▶ **in the near future** dans un proche avenir.

nearby [nɪə'baɪ] ◆ adv tout près, à proximité. ◆ adj proche.

nearly ['nɪəlɪ] adv presque ▶ **I nearly fell over** j'ai failli tomber.

nearside ['nɪəsaɪd] n UK [right-hand drive] côté m gauche ; [left-hand drive] côté droit.

nearsighted [,nɪə'saɪtɪd] adj US myope.

neat [niːt] adj 1. [room] rangé(e) 2. [writing, work] soigné(e) 3. [whisky, etc.] pur(e).

neatly ['niːtlɪ] adv soigneusement.

necessarily [,nesə'serɪlɪ, UK 'nesəsrəlɪ] adv : **not necessarily** pas forcément.

necessary ['nesəsrɪ] adj nécessaire ▶ **it is necessary to do sthg** il faut faire qqch.

necessity [nɪ'sesətɪ] n nécessité f. ◆ **necessities** npl strict minimum m.

neck [nek] n 1. cou m 2. [of garment] encolure f.

necklace ['neklɪs] n collier m.

necktie ['nektaɪ] n US fml cravate f.

nectarine ['nektərɪn] n nectarine f.

need [niːd] ◆ n besoin m. ◆ vt avoir besoin de ▶ **to need to do sthg** avoir besoin de faire qqch ▶ **we need to be back by ten** il faut que nous soyons rentrés pour dix heures.

needle ['niːdl] n 1. aiguille f 2. [for record player] pointe f.

needlework ['niːdlwɜːk] n couture f.

needn't ['niːdənt] → **need not**.

needy ['niːdɪ] adj dans le besoin.

negative ['negətɪv] ◆ adj négatif(ive). ◆ n 1. [in photography] négatif m 2. GRAM négation f.

neglect [nɪ'glekt] vt négliger.

negligence ['neglɪdʒəns] n (U) négligence f.

negotiations [nɪ,gəʊʃɪ'eɪʃnz] npl négociations fpl.

negro ['niːgrəʊ] (pl -es) n nègre m, négresse f.

neighbor US = **neighbour**.

neighborhood US = **neighbourhood**.

neighboring US = **neighbouring**.

neighbour ['neɪbər] n US voisin m, -e f.

neighbourhood ['neɪbəhʊd] n UK voisinage m.

neighbouring ['neɪbərɪŋ] adj UK voisin(e).

neither ['naɪðə'] ◆ adj : **neither bag is big enough** aucun des deux sacs n'est assez grand. ◆ pron : **neither of us** aucun de nous deux. ◆ conj : **neither do I** moi non plus ▸ **neither... nor...** ni... ni...

neon light ['niːɒn-] n néon m.

nephew ['nefjuː] n neveu m.

nerve [nɜːv] n **1.** nerf m **2.** (U) [courage] cran m ▸ **what a nerve!** quel culot !

nervous ['nɜːvəs] adj nerveux(euse).

nervous breakdown n dépression f nerveuse.

nest [nest] n nid m.

nested ['nestɪd] adj [typography & COMPUT] imbriqué(e).

net [net] ◆ n filet m. ◆ adj net (nette) ▸ **the Net** la Toile.

netball ['netbɔːl] n (U) sport féminin proche du basket-ball.

Netherlands ['neðələndz] npl : **the Netherlands** les Pays-Bas mpl.

netiquette ['netɪket] n nétiquette f.

net surfer n internaute m ou f.

nettle ['netl] n ortie f.

network ['netwɜːk] n réseau m.

neurotic [,njʊə'rɒtɪk] adj névrosé(e).

neurotoxin ['njʊərəʊ,tɒksɪn] n neurotoxine f.

neutral ['njuːtrəl] ◆ adj neutre. ◆ n AUT : **in neutral** au point mort.

never ['nevə'] adv (ne...) jamais ▸ **she's never late** elle n'est jamais en retard ▸ **never mind!** ça ne fait rien !

never-never adj inf : **never-never land** pays m de cocagne.

nevertheless [,nevəðə'les] adv cependant, pourtant.

new [njuː] adj **1.** nouveau(elle) **2.** [brand new] neuf (neuve).

New Age traveller n UK voyageur m New Age.

newborn ['njuːbɔːn] adj nouveau-né(e).

new-build adj neuf (neuve).

new-look adj new-look (inv).

newly ['njuːlɪ] adv récemment.

new media npl : **the new media** les nouveaux médias.

new potatoes npl pommes de terre fpl nouvelles.

news [njuːz] n **1.** [information] nouvelle f, nouvelles fpl **2.** [on TV, radio] informations fpl ▸ **a piece of news** une nouvelle.

newsagent ['njuːzˌeɪdʒənt] n UK marchand m de journaux.

newspaper ['njuːzˌpeɪpə'] n journal m.

newsstand ['njuːzstænd] n kiosque m à journaux.

New Year n le nouvel an ▸ **Happy New Year!** bonne année !

New Year's Day n le jour de l'an.

New Year's Eve n la Saint-Sylvestre.

New York n **1.** [city] : **New York (City)** New York **2.** [state] : **New York (State)** l'État m de New York.

New Zealand [-'ziːlənd] n la Nouvelle-Zélande.

next [nekst] ◆ adj **1.** prochain(e) **2.** [room, house] d'à côté. ◆ adv **1.** [then] ensuite, après **2.** [on next occasion] la prochaine fois ▸ **when does the next bus leave?** quand part le prochain bus ? ▸ **the**

week after next dans deux semaines ▸ **the next week** la semaine suivante ▸ **next to** [by the side of] à côté de.

next door adv à côté.

next of kin [-kɪn] n plus proche parent m.

NHS [🇬🇧] abbr of **National Health Service**.

nib [nɪb] n plume f.

nibble ['nɪbl] vt grignoter.

Nicaragua [ˌnɪkə'rægjuə] n Nicaragua m.

Nicaraguan [ˌnɪkə'rægjuən] ◆ adj nicaraguayen(enne). ◆ n Nicaraguayen m, -enne f.

nice [naɪs] adj **1.** [pleasant] bon (bonne) **2.** [pretty] joli(e) **3.** [kind] gentil(ille) ▸ **to have a nice time** se plaire ▸ **nice to see you!** (je suis) content de te voir !

nickel ['nɪkl] n **1.** (U) [metal] nickel m **2.** [🇺🇸] [coin] pièce f de cinq cents.

nickname ['nɪkneɪm] n surnom m.

niece [niːs] n nièce f.

night [naɪt] n **1.** nuit f **2.** [evening] soir m ▸ **at night a)** la nuit **b)** [in evening] le soir.

nightclub ['naɪtklʌb] n boîte f (de nuit).

nightdress ['naɪtdres] n chemise f de nuit.

nightgown ['naɪtgaʊn] n chemise f de nuit.

nightie ['naɪtɪ] n inf chemise f de nuit.

nightlife ['naɪtlaɪf] n vie f nocturne.

nightly ['naɪtlɪ] adv **1.** toutes les nuits **2.** [every evening] tous les soirs.

nightmare ['naɪtmeəʳ] n cauchemar m.

night safe n [🇬🇧] coffre m de nuit.

night school n cours mpl du soir.

nightshift ['naɪtʃɪft] n : **to be on nightshift** travailler de nuit.

nil [nɪl] n zéro m.

Nile [naɪl] n : **the Nile** le Nil.

nine [naɪn] num adj & n neuf ▸ **to be nine (years old)** avoir neuf ans ▸ **it's nine (o'clock)** il est neuf heures ▸ **a hundred and nine** cent neuf ▸ **nine Hill St** 9 Hill St ▸ **it's minus nine (degrees)** il fait moins neuf.

911 [ˌnaɪn'wʌn'wʌn] numéro de téléphone des urgences dans certains États des États-Unis.

nineteen [ˌnaɪn'tiːn] num adj & n dix-neuf ▸ **to be nineteen (years old)** avoir dix-neuf ans ▸ **a hundred and nineteen** cent dix-neuf ▸ **nineteen Hill St** 19 Hill St ▸ **it's minus nineteen (degrees)** il fait moins dix-neuf (degrés) ▸ **nineteen ninety-five** mille neuf cent quatre-vingt-quinze.

nineteenth [ˌnaɪn'tiːnθ] ◆ num pron dix-neuvième m ou f. ◆ num n [fraction] dix-neuvième m ▸ **the nineteenth (of September)** le dix-neuf (septembre).

ninetieth ['naɪntɪəθ] ◆ num pron quatre-vingt-dixième m ou f. ◆ num n [fraction] quatre-vingt-dixième m.

ninety ['naɪntɪ] num adj & n quatre-vingt-dix ▸ **to be ninety (years old)** avoir quatre-vingt-dix ans ▸ **a hundred and ninety** cent quatre-vingt-dix ▸ **ninety Hill St** 90 Hill St ▸ **it's minus ninety (degrees)** il fait moins quatre-vingt-dix (degrés).

ninth [naɪnθ] ◆ num pron neuvième m ou f. ◆ num n [fraction] neuvième m ▸ **the ninth (of September)** le neuf (septembre).

ninth grade n US SCH classe de l'enseignement secondaire correspondant à la troisième (13-14 ans).

nip [nɪp] vt [pinch] pincer.

nipple ['nɪpl] n **1.** mamelon m **2.** US [of bottle] tétine f.

nitrogen ['naɪtrədʒən] n (U) azote m.

no [nəʊ] ◆ adv non. ◆ adj pas de, aucun(e) ▶ **I've got no money left** je n'ai plus d'argent.

noble ['nəʊbl] adj noble.

nobody ['nəʊbədɪ] pron personne ▶ **there's nobody in** il n'y a personne.

no-brainer [nəʊ'breɪnəʳ] n US inf décision facile ▶ **it's a no-brainer!** la solution est claire !

nod [nɒd] vi [in agreement] faire signe que oui.

no-fault adj US LAW : **no-fault divorce** divorce m par consentement mutuel ▶ **no-fault insurance** assurance f à remboursement automatique.

noise [nɔɪz] n bruit m.

noisy ['nɔɪzɪ] adj bruyant(e).

nominate ['nɒmɪneɪt] vt nommer.

nonalcoholic [,nɒnælkə'hɒlɪk] adj non alcoolisé(e).

none [nʌn] pron aucun m, -e f ▶ **none of us** aucun d'entre nous.

nonetheless [,nʌnðə'les] adv néanmoins.

nonfiction [,nɒn'fɪkʃn] n (U) ouvrages mpl non romanesques.

non-iron adj : 'non-iron' 'repassage interdit'.

non-polluting [nɒnpə'luːtɪŋ] adj non polluant(e), propre.

nonsense ['nɒnsəns] n (U) bêtises fpl.

nonsmoker [,nɒn'sməʊkəʳ] n non-fumeur m, -euse f.

nonstick [,nɒn'stɪk] adj [saucepan] antiadhésif(ive).

nonstop [,nɒn'stɒp] ◆ adj **1.** [flight] direct **2.** [talking, arguing] continuel(elle). ◆ adv **1.** [fly, travel] sans escale **2.** [rain] sans arrêt.

nonverbal [nɒnvɜːbl] adj non verbal(e).

noodles ['nuːdlz] npl nouilles fpl.

noon [nuːn] n (U) midi m.

no one, no-one = **nobody**.

nor [nɔːʳ] conj ni ▶ **nor do I** moi non plus.

normal ['nɔːml] adj normal(e).

normally ['nɔːməlɪ] adv normalement.

north [nɔːθ] ◆ n nord m. ◆ adv **1.** [fly, walk] vers le nord **2.** [be situated] au nord ▶ **in the north of England** au nord dans le nord de l'Angleterre.

North Africa n Afrique f du Nord.

North African ◆ n Nord-Africain m, -e f. ◆ adj nord-africain(e), d'Afrique du Nord.

North America n l'Amérique f du Nord.

North American adj nord-américain(e), d'Amérique du Nord.

northbound ['nɔːθbaʊnd] adj en direction du nord.

northeast [,nɔːθ'iːst] n nord-est m.

northeastern [,nɔːθ'iːstən] adj nord-est (inv), du nord-est.

northern ['nɔːðən] adj du nord.

Northern Ireland n l'Irlande f du Nord.

North Korea n Corée f du Nord.

North Pole n pôle m Nord.

North Sea n mer f du Nord.

northward [ˈnɔːθwəd] ◆ adj au nord.
◆ adv = **northwards**.

northwards [ˈnɔːθwədz] adv vers le nord.

northwest [ˌnɔːθˈwest] n nord-ouest m.

northwestern [ˌnɔːθˈwestən] adj nord-ouest (inv), du nord-ouest.

Norway [ˈnɔːweɪ] n la Norvège.

Norwegian [nɔːˈwiːdʒən] ◆ adj norvégien(ienne). ◆ n **1.** [person] Norvégien m, -ienne f **2.** [language] norvégien m.

nose [nəʊz] n nez m.

nosebleed [ˈnəʊzbliːd] n : **to have a nosebleed** saigner du nez.

nose stud n piercing m OR boucle f de nez.

no-show n [for flight, journey] passager qui ne se présente pas à l'embarquement ; [for show] spectateur m qui a réservé sa place et qui n'assiste pas au spectacle.

no smoking area n zone f non-fumeurs.

nostril [ˈnɒstrəl] n narine f.

no-strings adj [relationship] sans lendemain.

nosy [ˈnəʊzɪ] adj (trop) curieux(ieuse).

not [nɒt] adv ne ... pas ▶ **she's not there** elle n'est pas là ▶ **not yet** pas encore ▶ **not at all** a) [pleased, interested] pas du tout b) [in reply to thanks] je vous en prie.

notably [ˈnəʊtəblɪ] adv [in particular] notamment.

note [nəʊt] ◆ n **1.** [message] mot m **2.** [in music, comment] note f **3.** UK [bank note] billet m. ◆ vt **1.** [notice] remarquer **2.** [write down] noter ▶ **to take notes** prendre des notes.

notebook [ˈnəʊtbʊk] n calepin m, carnet m.

noted [ˈnəʊtɪd] adj célèbre, réputé(e).

notepaper [ˈnəʊtpeɪpəʳ] n (U) papier m à lettres.

not-for-profit adj US à but non lucratif.

nothing [ˈnʌθɪŋ] pron rien ▶ **he did nothing** il n'a rien fait ▶ **nothing new / interesting** rien de nouveau /d'intéressant ▶ **for nothing** pour rien.

notice [ˈnəʊtɪs] ◆ vt remarquer. ◆ n avis m ▶ **to take notice of** faire OR prêter attention à ▶ **to hand in one's notice** donner sa démission.

noticeable [ˈnəʊtɪsəbl] adj perceptible.

notice board n UK panneau m d'affichage.

notify [ˈnəʊtɪfaɪ] vt : **to notify sb (of sthg)** avertir OR aviser qqn (de qqch).

notion [ˈnəʊʃn] n notion f.

notorious [nəʊˈtɔːrɪəs] adj notoire.

nougat [ˈnuːɡɑː] n (U) nougat m.

nought [nɔːt] n zéro m.

noun [naʊn] n nom m.

nourishment [ˈnʌrɪʃmənt] n (U) nourriture f.

Nov. (abbr of November) nov. (novembre).

novel [ˈnɒvl] ◆ n roman m. ◆ adj original(e).

novelist [ˈnɒvəlɪst] n romancier m, -ière f.

November [nəˈvembəʳ] n novembre m ▶ **at the beginning of November** début novembre ▶ **at the end of November** fin novembre ▶ **during November** en novembre ▶ **every November** tous les ans en novembre ▸ **in November** en novembre ▸ **last November** en novembre (dernier) ▸ **next November** en novembre de l'année prochaine ▸ **this November** en novembre (prochain) ▸ **2 November 2012** [in letters, etc.] le 2 novembre 2012.

now [naʊ] ◆ adv [at this time] maintenant. ◆ conj : **now (that)** maintenant que ▸ **just now** en ce moment ▸ **right now a)** [at the moment] en ce moment **b)** [immediately] tout de suite ▸ **by now** déjà, maintenant ▸ **from now on** dorénavant, à partir de maintenant.

nowadays ['naʊədeɪz] adv de nos jours.

nowhere ['nəʊweəʳ] adv nulle part.

nozzle ['nɒzl] n embout m.

NQT (abbr of newly qualified teacher) n [UK] jeune enseignant m, -e f (qui a eu son diplôme récemment).

nuclear ['njuːklɪəʳ] adj **1.** nucléaire **2.** [bomb] atomique.

nude [njuːd] adj nu(e).

nudge [nʌdʒ] vt pousser du coude.

nuisance ['njuːsns] n : **it's a real nuisance!** c'est vraiment embêtant ! ▸ **he's such a nuisance!** il est vraiment casse-pieds !

numb [nʌm] adj engourdi(e).

number ['nʌmbəʳ] ◆ n **1.** [numeral] chiffre m **2.** [of telephone, house] numéro m **3.** [quantity] nombre m. ◆ vt numéroter.

numberplate ['nʌmbəpleɪt] n [UK] plaque f d'immatriculation.

number portability n [telephone] portage m OR conservation f du numéro.

number shop n [US] ≃ kiosque m de loterie.

Number Ten n la résidence officielle du Premier ministre britannique.

numeral ['njuːmərəl] n chiffre m.

numeric keypad n pavé m numérique.

numerous ['njuːmərəs] adj nombreux(euses).

nun [nʌn] n religieuse f.

nunnery ['nʌnərɪ] (pl -ies) n couvent m OR monastère m (de femmes).

nurse [nɜːs] ◆ n infirmier m, -ère f. ◆ vt [look after] soigner ▸ **male nurse** infirmier m.

nursery ['nɜːsərɪ] n **1.** [in hospital] nursery f **2.** [in house] chambre f de bébé **3.** [for plants] pépinière f **4.** SCH : **nursery (school)** (école f) maternelle f.

nursery slope n [UK] piste f pour débutants ; ≃ piste verte.

nursing ['nɜːsɪŋ] n (U) métier m d'infirmier.

nursing home n **1.** [for old people] maison f de retraite privée **2.** [UK] [for childbirth] maternité f privée.

nut [nʌt] n **1.** [to eat] fruit m sec (noix, noisette, etc.) **2.** [of metal] écrou m.

nutcrackers ['nʌt,krækəz] npl casse-noix m inv.

nutmeg ['nʌtmeg] n (U) noix f de muscade.

nutritious [njuːˈtrɪʃəs] adj nourrissant(e).

NVQ (abbr of National Vocational Qualification) n [UK] examen sanctionnant une formation professionnelle.

nylon ['naɪlɒn] ◆ n (U) Nylon® m. ◆ adj en Nylon®.

NYPD [,enwaɪpiːˈdiː] (abbr of New York Police Department) n police f new-yorkaise.

O n [zero] zéro m.

O' [ə] abbr of **of**.

oak [əʊk] ◆ n chêne m. ◆ adj en chêne.

OAP UK abbr of **old age pensioner**.

oar [ɔːʳ] n rame f.

oatcake ['əʊtkeɪk] n galette f d'avoine.

oath [əʊθ] n [promise] serment m.

oatmeal ['əʊtmiːl] n (U) flocons mpl d'avoine.

oats [əʊts] npl avoine f.

obedient [ə'biːdjənt] adj obéissant(e).

obey [ə'beɪ] vt obéir à.

object ◆ n ['ɒbdʒɪkt] **1.** [thing] objet m **2.** [purpose] but m **3.** GRAM complément m d'objet. ◆ vi [əb'dʒekt] **: to object (to)** protester (contre).

objectify [əb'dʒektɪfaɪ] vt objectiver.

objection [əb'dʒekʃn] n objection f.

objective [əb'dʒektɪv] n objectif m.

obligation [ˌɒblɪ'geɪʃn] n obligation f.

obligatory [ə'blɪgətrɪ] adj obligatoire.

oblige [ə'blaɪdʒ] vt **: to oblige sb to do sthg** obliger qqn à faire qqch.

oblique [ə'bliːk] adj oblique.

oblong ['ɒblɒŋ] ◆ adj rectangulaire. ◆ n rectangle m.

obnoxious [əb'nɒkʃəs] adj **1.** [person] odieux(ieuse) **2.** [smell] infect(e).

oboe ['əʊbəʊ] n hautbois m.

obscene [əb'siːn] adj obscène.

obscure [əb'skjʊəʳ] adj obscur(e).

observant [əb'zɜːvnt] adj observateur(trice).

observation [ˌɒbzə'veɪʃn] n (U) observation f.

observatory [əb'zɜːvətrɪ] n observatoire m.

observe [əb'zɜːv] vt [watch, see] observer.

obsessed [əb'sest] adj obsédé(e).

obsession [əb'seʃn] n obsession f.

obsessive-compulsive adj obsessionnel-compulsif (obsessionnelle-compulsive).

obsolete ['ɒbsəliːt] adj obsolète.

obstacle ['ɒbstəkl] n obstacle m.

obstinate ['ɒbstənət] adj obstiné(e).

obstruct [əb'strʌkt] vt obstruer.

obstruction [əb'strʌkʃn] n obstacle m.

obtain [əb'teɪn] vt obtenir.

obtainable [əb'teɪnəbl] adj que l'on peut obtenir.

obvious ['ɒbvɪəs] adj évident(e).

obviously ['ɒbvɪəslɪ] adv **1.** [of course] évidemment **2.** [clearly] manifestement.

occasion [ə'keɪʒn] n **1.** [instance, opportunity] occasion f **2.** [important event] événement m.

occasional [ə'keɪʒənl] adj occasionnel(elle).

occasionally [ə'keɪʒnəlɪ] adv occasionnellement.

occupant ['ɒkjupənt] n occupant m, -e f.

occupation [,ɒkju'peɪʃn] n 1. [job] profession f 2. [pastime] occupation f.

occupied ['ɒkjupaɪd] adj [toilet] occupé(e).

occupy ['ɒkjupaɪ] vt occuper.

occur [ə'kɜːʳ] vi 1. [happen] arriver, avoir lieu 2. [exist] exister.

occurrence [ə'kʌrəns] n événement m.

OCD (abbr of obsessive-compulsive disorder) n TOC m (trouble obsessionnel-compulsif).

ocean ['əuʃn] n océan m ▶ **the ocean** US [sea] la mer.

o'clock [ə'klɒk] adv : **three o'clock** trois heures.

Oct. (abbr of October) oct. (octobre).

October [ɒk'təubəʳ] n octobre m ▶ **at the beginning of October** début octobre ▶ **at the end of October** fin octobre ▶ **during October** en octobre ▶ **every October** tous les ans en octobre ▶ **in October** en octobre ▶ **last October** en octobre (dernier) ▶ **next October** en octobre de l'année prochaine ▶ **this October** en octobre (prochain) ▶ **2 October 2012** [in letters, etc.] le 2 octobre 2012.

octopus ['ɒktəpəs] n pieuvre f.

odd [ɒd] adj 1. [strange] étrange, bizarre 2. [number] impair(e) 3. [not matching] dépareillé(e) ▶ **I have the odd cigarette** je fume de temps en temps ▶ **60 odd miles** environ 60 miles ▶ **some odd bits of paper** quelques bouts de papier ▶ **odd jobs** petits boulots mpl.

odds [ɒdz] npl 1. [in betting] cote f 2. [chances] chances fpl ▶ **odds and ends** objets mpl divers.

odor ['əudəʳ] US = odour.

odour ['əudəʳ] UK odeur f.

of [ɒv] ◆ prep 1. [gen] de ▶ **the handle of the door** la poignée de la porte ▶ **a group of schoolchildren** un groupe d'écoliers ▶ **a love of art** la passion de l'art 2. [expressing amount] de ▶ **a piece of cake** un morceau de gâteau ▶ **a fall of 20 %** une baisse de 20 % ▶ **a town of 50,000 people** une ville de 50 000 habitants 3. [made from] en ▶ **a house of stone** une maison en pierre ▶ **it's made of wood** c'est en bois 4. [referring to time] : **the summer of 1969** l'été 1969 ▶ **the 26th of August** le 26 août 5. [indicating cause] de ▶ **he died of cancer** il est mort d'un cancer 6. [on the part of] : **that's very kind of you** c'est très aimable à vous OR de votre part 7. US [in telling the time] : **it's ten of four** il est quatre heures moins dix.

off [ɒf] ◆ adv 1. [away] : **to drive off** démarrer ▶ **to get off** [from bus, train, plane] descendre ▶ **we're off to Austria next week** nous partons pour l'Autriche la semaine prochaine 2. [expressing removal] : **to cut a piece off** couper un morceau ▶ **to take the lid off** ôter le couvercle 3. [so as to stop working] : **to turn the TV off** éteindre la télévision ▶ **to turn the tap off** fermer le robinet ▶ **to turn the engine off** couper le moteur 4. [expressing distance or time away] : **it's 10 miles off** c'est à 16 kilomètres ▶ **it's two months off** c'est dans deux mois ▶ **it's a long way off** c'est loin 5. [not at work] en congé ▶ **I'm taking a week off** je prends une semaine de congé ◆ prep 1. [away from] de ▶ **to get off the bus** descendre du bus ▶ **off the coast** au large de la côte ▶ **just off the**

main road tout près de la grand-route **2.** [indicating removal] de ▸ **take the lid off the jar** enlève le couvercle du pot ▸ **they've taken £20 off the price** ils ont retranché 20 livres du prix normal **3.** [absent from] **: to be off work** ne pas travailler **4.** *inf* [from] à ▸ **I bought it off her** je le lui ai acheté **5.** *inf* [no longer liking] **: I'm off my food** je n'ai pas d'appétit
◆ adj **1.** 🇬🇧 [meat, cheese] avarié(e) ; [milk] tourné(e) ; [beer] éventé(e) **2.** [not working] éteint(e) ; [engine] coupé(e) **3.** [cancelled] annulé(e) **4.** [not available] pas disponible ▸ **the soup's off** il n'y a plus de soupe.

off-air adj hors-antenne.

offence [əˈfens] n 🇬🇧 [crime] délit m ▸ **to cause sb offence** [upset] offenser qqn.

offend [əˈfend] vt [upset] offenser.

offender [əˈfendə^r] n [criminal] délinquant m, -e f.

offense [əˈfens] 🇺🇸 = **offence**.

offensive [əˈfensɪv] adj **1.** [language, behaviour] choquant(e) **2.** [person] très déplaisant(e).

offer [ˈɒfə^r] ◆ n offre f. ◆ vt offrir ▸ **on offer** [at reduced price] en promotion ▸ **to offer to do sthg** offrir ou proposer de faire qqch ▸ **he offered her a drink** il lui a offert un verre.

office [ˈɒfɪs] n [room] bureau m.

office automation ◆ adj bureautique. ◆ n bureautique f.

office block n 🇬🇧 immeuble m de bureaux.

office equipment n bureautique f.

office hours npl heures fpl de bureau.

officer [ˈɒfɪsə^r] n **1.** [MIL] officier m **2.** [policeman] agent m.

official [əˈfɪʃl] ◆ adj officiel(ielle). ◆ n fonctionnaire m ou f.

officially [əˈfɪʃəlɪ] adv officiellement.

off-licence n 🇬🇧 magasin autorisé à vendre des boissons alcoolisées à emporter.

off-line adj COMPUT [website] hors ligne.

off-peak adj [train, ticket] ≃ de période bleue.

off-road adj [driving] hors route *(inv)* ▸ **off-road vehicle** véhicule m tout-terrain.

off sales npl 🇬🇧 vente à emporter de boissons alcoolisées.

off-season n basse saison f.

offshore [ˈɒfʃɔːr] adj [breeze] de terre.

off side n **1.** [for right-hand drive] côté m droit **2.** [for left-hand drive] côté gauche.

off-the-peg 🇬🇧, **off-the-rack** 🇺🇸 adj de prêt-à-porter.

off-the-shelf adj [goods] disponible dans le commerce.

often [ˈɒfn, ˈɒftn] adv souvent ▸ **how often do you go to the cinema?** tu vas souvent au cinéma ? ▸ **how often do the buses run?** quelle est la fréquence des bus ? ▸ **every so often** de temps en temps.

oh [əʊ] excl oh !

oil [ɔɪl] n **1.** huile f **2.** [fuel] pétrole m **3.** [for heating] mazout m.

oilcan [ˈɔɪlkæn] n burette f (d'huile).

oil filter n filtre m à huile.

oil rig n plate-forme f pétrolière.

oily ['ɔɪlɪ] adj 1. [cloth, hands] graisseux(euse) 2. [food] gras (grasse).

ointment ['ɔɪntmənt] n pommade f.

OK [,əʊ'keɪ] ◆ adj inf (of average quality) pas mal inv. ◆ adv 1. inf [expressing agreement] d'accord 2. [satisfactorily, well] bien ▸ is everything OK? est-ce que tout va bien? ▸ are you OK? ça va?

okay [,əʊ'keɪ] = OK.

old [əʊld] adj 1. vieux (vieille) 2. [former] ancien(ienne) ▸ how old are you? quel âge as-tu? ▸ I'm 36 years old j'ai 36 ans ▸ to get old vieillir.

old age n vieillesse f.

old age pensioner n 🇬🇧 retraité m, -e f.

old-fashioned [-'fæʃnd] adj [outmoded] démodé(e), passé(e) de mode.

old people's home n maison f de retraite.

O level n 🇬🇧 examen actuellement remplacé par le « GCSE » ; ≃ DNP m (Diplôme National du Brevet).

olive ['ɒlɪv] n olive f.

olive oil n huile f d'olive.

Olympic Games [ə'lɪmpɪk-] npl jeux mpl Olympiques.

omelette ['ɒmlɪt] n omelette f ▸ mushroom omelette omelette aux champignons.

OMG (written abbr of oh my God) oh mon Dieu.

ominous ['ɒmɪnəs] adj inquiétant(e).

omit [ə'mɪt] vt omettre.

on [ɒn] ◆ prep 1. [expressing position, location] sur ▸ it's on the table il est sur la table ▸ on my right à or sur ma droite ▸ on the right à droite ▸ we stayed on a farm nous avons séjourné dans une ferme ▸ a hotel on the boulevard Saint-Michel un hôtel sur le boulevard Saint-Michel ▸ the exhaust on the car l'échappement de la voiture 2. [with forms of transport] : on the train/plane dans le train/l'avion ▸ to get on a bus monter dans un bus 3. [expressing means, method] : on foot à pied ▸ on TV/the radio à la télé/la radio ▸ on the piano au piano 4. [using] : it runs on unleaded petrol elle marche à l'essence sans plomb ▸ to be on medication être sous traitement 5. [about] sur ▸ a book on Germany un livre sur l'Allemagne 6. [expressing time] : on arrival à mon/leur arrivée ▸ on Tuesday mardi ▸ on 25th August le 25 août 7. [with regard to] to spend time on sthg consacrer du temps à qqch ▸ the effect on Britain l'effet sur la Grande-Bretagne 8. [describing activity, state] en ▸ on holiday en vacances ▸ on offer en réclame ▸ on sale en vente 9. [in phrases] : do you have any money on you? inf tu as de l'argent sur toi? ▸ the drinks are on me c'est ma tournée

◆ adv 1. [in place, covering] : to have a coat on porter un manteau ▸ to put the lid on mets le couvercle ▸ to put one's clothes on s'habiller, mettre ses vêtements 2. [film, play, programme] : the news is on il y a les informations à la télé ▸ what's on at the cinema? qu'est-ce qui passe au cinéma? 3. [with transport] : to get on monter 4. [functioning] : to turn the TV on allumer la télévision ▸ to turn the tap on ouvrir le robinet ▸ to turn the engine on mettre le moteur en marche 5. [taking place] : how long is the festival on? combien de temps dure le festival? 6. [further forward] : to drive on continuer à rouler

7. [in phrases] : **to have a lot on** être très occupé
♦ adj [TV, radio, light] allumé(e) ; [tap] ouvert(e) ; jadis. [engine] en marche.

on-air adj & adv TV & RADIO à l'antenne.

on-camera adj & adv TV à l'image.

once [wʌns] ♦ adv **1.** [one time] une fois **2.** [in the past] jadis. ♦ conj une fois que, dès que ▸ **at once** a) [immediately] immédiatement b) [at the same time] en même temps ▸ **for once** pour une fois ▸ **once more** une fois de plus.

oncoming ['ɒnˌkʌmɪŋ] adj [traffic] venant en sens inverse.

one [wʌn] ♦ num [the number 1] un. ♦ adj [only] seul(e). ♦ pron **1.** [object, person] un (une) **2.** fml [you] on ▸ **thirty-one** trente et un ▸ **one fifth** un cinquième ▸ **I like that one** j'aime bien celui-là ▸ **I'll take this one** je prends celui-ci ▸ **which one?** lequel ? ▸ **the one I told you about** celui dont je t'ai parlé ▸ **one of my friends** un de mes amis ▸ **one day** [in past, future] un jour ▸ **to be one (year old)** avoir un an ▸ **it's one (o'clock)** il est une heure ▸ **a hundred and one** cent un ▸ **one Hill St** 1 Hill St ▸ **it's minus one (degree)** il fait moins un (degrés).

one-armed bandit n inf machine f à sous.

one-hit wonder n groupe ou chanteur qui n'a eu qu'un seul tube.

one-off adj UK inf [offer, event, product] unique.

one-piece (swimsuit) n maillot m de bain une pièce.

oneself [wʌn'self] pron **1.** [reflexive] se **2.** [after prep] soi ▸ **to wash oneself** se laver.

one-up adj : **we're one-up on our competitors** nous avons pris l'avantage sur nos concurrents.

one-way adj **1.** [street] à sens unique **2.** [ticket] aller inv.

ongoing ['ɒnˌgəʊɪŋ] adj en cours.

onion ['ʌnjən] n oignon m.

onion bhaji [-'bɑːdʒɪ] n beignet m à l'oignon (spécialité indienne généralement servie en hors-d'œuvre).

onion rings npl rondelles d'oignon en beignets.

online ['ɒnlaɪn] adj & adv COMPUT en ligne.

online banking n (U) banque f en ligne.

online community n communauté f en ligne.

online retailer n détaillant m en ligne.

online shopping n (U) achats mpl par ou sur Internet.

only ['əʊnlɪ] ♦ adj seul(e). ♦ adv seulement, ne... que ▸ **an only child** un enfant unique ▸ **the only one** le seul (la seule) ▸ **I only want one** je n'en veux qu'un ▸ **we've only just arrived** nous venons juste d'arriver ▸ **there's only just enough** il y en a tout juste assez ▸ **not only not seulement** ▸ **'members only'** 'réservé aux membres'.

onto ['ɒntuː] prep [with verbs of movement] sur ▸ **to get onto sb** [telephone] contacter qqn.

on-trend adj dans le vent.

onward ['ɒnwəd] ♦ adv = **onwards**. ♦ adj : **the onward journey** la fin du parcours.

onwards ['ɒnwədz] adv [forwards] en avant ▸ **from now onwards** à partir de maintenant, dorénavant ▸ **from Octo-ber onwards** à partir d'octobre.

oomph [ʊmf] n *inf* [energy] punch m *inv.*

oops [ʊps, uːps] excl *inf* houp !, hop là !

opal ['əʊpl] n opale f.

opaque [əʊ'peɪk] adj opaque.

open ['əʊpn] ◆ adj **1.** ouvert(e) **2.** [space] dégagé(e) **3.** [honest] franc (franche). ◆ vt **1.** [door, window, lock] s'ouvrir **2.** [shop, office, bank] ouvrir **3.** [start] commencer ▸ **are you open at the weekend?** [shop] êtes-vous ouverts le week-end ? ▸ **wide open** grand ouvert ▸ **in the open (air)** en plein air. ◆ **open onto** vt insep donner sur. ◆ **open up** vi ouvrir.

open-air adj en plein air.

opening ['əʊpnɪŋ] n **1.** [gap] ouverture f **2.** [beginning] début m **3.** [opportunity] occasion f.

opening hours npl heures fpl d'ouverture.

opening time n 🇬🇧 [of pub] heure f d'ouverture.

open-minded [-'maɪndɪd] adj tolérant(e).

open-plan adj paysagé(e).

open sandwich n 🇬🇧 canapé m.

open-toe, open-toed [-təʊd] adj [shoe] ouvert(e).

open-top adj décapotable.

Open University n 🇬🇧 : **the Open University** centre m national d'enseignement à distance.

opera ['ɒpərə] n opéra m.

opera house n opéra m.

operate ['ɒpəreɪt] ◆ vt [machine] faire fonctionner. ◆ vi [work] fonctionner ▸ **to operate on sb** opérer qqn.

operating room ['ɒpəreɪtɪŋ-] 🇺🇸 = **operating theatre**.

operating theatre ['ɒpəreɪtɪŋ-] n 🇬🇧 salle f d'opération.

operation [,ɒpə'reɪʃn] n opération f ▸ **to be in operation** [law, system] être appliqué ▸ **to have an operation** se faire opérer.

operator ['ɒpəreɪtər] n [on phone] opérateur m, -trice f.

opinion [ə'pɪnjən] n opinion f ▸ **in my opinion** à mon avis.

opponent [ə'pəʊnənt] n adversaire m ou f.

opportunity [,ɒpə'tjuːnətɪ] n occasion f.

oppose [ə'pəʊz] vt s'opposer à.

opposed [ə'pəʊzd] adj : **to be opposed to sthg** être opposé(e) à qqch.

opposite ['ɒpəzɪt] ◆ adj **1.** opposé(e) **2.** [building] d'en face. ◆ prep en face de. ◆ n : **the opposite (of)** le contraire (de).

opposition [,ɒpə'zɪʃn] n (U) **1.** [objections] opposition f **2.** SPORT adversaire m ou f.

opt [ɒpt] vt : **to opt to do sthg** choisir de faire qqch.

optical media npl supports mpl optiques.

optical mouse n souris f optique.

optical zoom n zoom m optique.

optician [ɒp'tɪʃn] n **1.** [who sells glasses] opticien m, -enne f **2.** [ophthalmologist] ophtalmologiste mf.

optician's [ɒp'tɪʃns] n [shop] opticien m.

optimist ['ɒptɪmɪst] n optimiste m ou f.

optimistic [ˌɒptɪ'mɪstɪk] adj optimiste.

option ['ɒpʃn] n 1. [alternative] choix m 2. [optional extra] option f.

optional ['ɒpʃənl] adj optionnel(elle).

opt-out n POL [of school, hospital] décision de choisir l'autonomie vis-à-vis des pouvoirs publics.

or [ɔːʳ] conj 1. ou 2. [after negative] ni ▸ I can't read or write je ne sais ni lire ni écrire.

oral ['ɔːrəl] ◆ adj oral(e). ◆ n [exam] oral m.

orange ['ɒrɪndʒ] ◆ adj orange inv. ◆ n 1. [fruit] orange f 2. [colour] orange m.

orange juice n jus m d'orange.

orange squash n UK orangeade f.

orbit ['ɔːbɪt] n orbite f.

orbital (motorway) ['ɔːbɪtl-] n UK rocade f.

orchard ['ɔːtʃəd] n verger m.

orchestra ['ɔːkɪstrə] n orchestre m.

ordeal [ɔː'diːl] n épreuve f.

order ['ɔːdəʳ] ◆ n 1. (U) ordre m 2. [in restaurant, for goods] commande f. ◆ vt 1. [command] ordonner 2. [food, taxi, goods] commander. ◆ vi [in restaurant] commander ▸ in order to do sthg de façon à or afin de faire qqch ▸ out of order [not working] en panne ▸ in working order en état de marche ▸ to order sb to do sthg ordonner à qqn de faire qqch.

order form n bon m de commande.

ordinary ['ɔːdənrɪ] adj ordinaire.

ore [ɔːʳ] n minerai m.

oregano [UK ˌɒrɪ'gɑːnəʊ, US ə'regənəʊ] n (U) origan m.

organ ['ɔːgən] n 1. MUS orgue m 2. [in body] organe m.

organ grinder n joueur m, -euse f d'orgue de Barbarie.

organic [ɔː'gænɪk] adj [food] biologique.

organization [ˌɔːgənaɪ'zeɪʃn] n organisation f.

organize ['ɔːgənaɪz] vt organiser.

organizer ['ɔːgənaɪzəʳ] n 1. [person] organisateur m, -trice f 2. [diary] organiseur m.

orient ['ɔːrɪənt] = **orientate**.

oriental [ˌɔːrɪ'entl] adj oriental(e).

orientate ['ɔːrɪənteɪt] vt UK : to orientate o.s. s'orienter.

origin ['ɒrɪdʒɪn] n origine f.

original [ə'rɪdʒənl] adj 1. [first] d'origine 2. [novel] original(e).

originally [ə'rɪdʒənəlɪ] adv [formerly] à l'origine.

originate [ə'rɪdʒəneɪt] vi : to originate from venir de.

ornament ['ɔːnəmənt] n [object] bibelot m.

ornamental [ˌɔːnə'mentl] adj décoratif(ive).

ornate [ɔː'neɪt] adj orné(e).

orphan ['ɔːfn] n orphelin m, -e f.

orthodox ['ɔːθədɒks] adj orthodoxe.

Oscar-winning adj : an Oscar-winning picture un film primé aux oscars.

ostentatious [ˌɒsten'teɪʃəs] adj ostentatoire.

ostrich ['ɒstrɪtʃ] n autruche f.

other ['ʌðəʳ] ◆ adj autre. ◆ pron autre m ou f. ◆ adv : other than à part ▸ the other (one) l'autre ▸ the other day l'autre jour ▸ **one after the other** l'un après l'autre.

otherwise [ˈʌðəwaɪz] adv **1.** [or else] autrement, sinon **2.** [apart from that] à part ça **3.** [differently] autrement.

otter [ˈɒtəʳ] n loutre f.

ouch [aʊtʃ] excl aïe !, ouïe !

ought [ɔːt] aux vb devoir ▸ **you ought to have gone** tu aurais dû y aller ▸ **you ought to see a doctor** tu devrais voir un médecin ▸ **the car ought to be ready by Friday** la voiture devrait être prête vendredi.

ounce [aʊns] n [unit of measurement] = 28,35 g, once f.

our [aʊəʳ] adj notre, nos pl.

ours [ˈaʊəz] pron le nôtre (la nôtre) ▸ **this is ours** c'est à nous ▸ **a friend of ours** un ami à nous.

ourselves [aʊəˈselvz] pron [reflexive, after prep] nous ▸ **we did it ourselves** nous l'avons fait nous-mêmes.

out [aʊt] ◆ adj [light, cigarette] éteint(e)
◆ adv **1.** [outside] dehors ▸ **to get out (of)** sortir (de) ▸ **to go out (of)** sortir (de) ▸ **it's cold out** il fait froid dehors **2.** [not at home, work] dehors ▸ **to be out** être sorti ▸ **to go out** sortir **3.** [so as to be extinguished] : **to turn the light out** éteindre la lumière ▸ **put your cigarette out** éteignez votre cigarette **4.** [expressing removal] : **to fall out** tomber ▸ **he took his wallet out (of his pocket)** il sortit son portefeuille (de sa poche) ▸ **to take money out (of an account)** retirer de l'argent (d'un compte) **5.** [outwards] : **to stick out** dépasser **6.** [expressing distribution] : **to hand exercise books out** distribuer des cahiers **7.** [wrong] faux (fausse) ▸ **the bill's £10**

out il y a une erreur de 10 livres dans l'addition **8.** [in phrases] : **stay out of the sun** évitez le soleil ▸ **made out of wood** en bois ▸ **five out of ten women** cinq femmes sur dix ▸ **I'm out of cigarettes** je n'ai plus de cigarettes.

outback [ˈaʊtbæk] n : **the outback** l'arrière-pays m (en Australie).

outboard (motor) [ˈaʊtbɔːd-] n moteur m hors-bord.

outbox [ˈaʊtbɒks] n [for e-mail] boîte f de départ.

outbreak [ˈaʊtbreɪk] n [of disease] épidémie f.

outburst [ˈaʊtbɜːst] n explosion f.

outcome [ˈaʊtkʌm] n résultat m.

outcrop [ˈaʊtkrɒp] n affleurement m.

outdated [ˌaʊtˈdeɪtɪd] adj démodé(e).

outdo [ˌaʊtˈduː] vt surpasser.

outdoor [ˈaʊtdɔːʳ] adj **1.** [swimming pool] en plein air **2.** [activities] de plein air.

outdoors [aʊtˈdɔːz] adv en plein air, dehors ▸ **to go outdoors** sortir.

outer [ˈaʊtəʳ] adj extérieur(e).

outer space n (U) l'espace m.

outfit [ˈaʊtfɪt] n [clothes] tenue f.

outing [ˈaʊtɪŋ] n excursion f.

outlet [ˈaʊtlet] n [pipe] sortie f ▸ **'no outlet'** 𝖴𝖲 'voie sans issue'.

outline [ˈaʊtlaɪn] n **1.** [shape] contour m **2.** [description] grandes lignes fpl.

outlook [ˈaʊtlʊk] n **1.** [for future] perspective f **2.** [of weather] prévision f **3.** [attitude] conception f.

out-of-date adj **1.** [old-fashioned] démodé(e) **2.** [passport, licence] périmé(e).

out-of-doors UK ◆ adv = **outdoors**.
◆ adj = **outdoor**.

out-of-hand adj US inf [extraordinary] géant(e).

out-of-sync adj désynchronisé(e).

out-of-town adj [shopping centre, retail park] situé(e) à la périphérie d'une ville.

outpatient ['aʊt,peɪʃnt] n malade mf en consultation externe.

outpatients' (department) ['aʊt-,peɪʃnts-] n service m des consultations externes.

output ['aʊtpʊt] n 1. [of factory] production f 2. COMPUT [printout] sortie f papier.

output device n périphérique m.

outrage ['aʊtreɪdʒ] n atrocité f.

outrageous [aʊt'reɪdʒəs] adj scandaleux(euse).

outreach vt [,aʊt'riːtʃ] [exceed] dépasser.

outright [,aʊt'raɪt] adv 1. [tell, deny] franchement 2. [own] complètement.

outside ◆ adv [,aʊt'saɪd] dehors.
◆ prep ['aʊtsaɪd] 1. en dehors de 2. [door] de l'autre côté de 3. [in front of] devant. ◆ adj ['aʊtsaɪd] extérieur(e).
◆ n ['aʊtsaɪd] : **the outside** a) [of building, car, container] l'extérieur m b) AUT [in UK] la droite c) AUT [in Europe, US] la gauche ▸ **an outside line** une ligne extérieure ▸ **outside of** US en dehors de.

outside lane n 1. AUT [in UK] voie f de droite 2. AUT [in Europe, US] voie f de gauche.

outsize ['aʊtsaɪz] adj [clothes] grande taille inv.

outskirts ['aʊtskɜːts] npl [of town] périphérie f, banlieue f.

outsource ['aʊtsɔːs] vt COMM sous-traiter, externaliser.

outsourcing ['aʊtsɔːsɪŋ] n externalisation f, sous-traitance f.

outstanding [,aʊt'stændɪŋ] adj 1. [remarkable] remarquable 2. [problem] à régler 3. [debt] impayé(e).

outward ['aʊtwəd] adj 1. [journey] aller inv 2. [external] extérieur(e).

outwards ['aʊtwədz] adv vers l'extérieur.

oval ['əʊvl] adj ovale.

ovary ['əʊvəri] n ovaire m.

ovation [əʊ'veɪʃn] n ovation f.

oven ['ʌvn] n four m.

oven glove n UK gant m de cuisine.

ovenproof ['ʌvnpruːf] adj qui va au four.

oven-ready adj prêt(e) à mettre au four.

over ['əʊvəʳ] ◆ prep 1. [above] au-dessus de ▸ **a bridge over the river** un pont sur la rivière 2. [across] par-dessus ▸ **to walk over sthg** traverser qqch (à pied) ▸ **it's just over the road** c'est juste de l'autre côté de la route ▸ **a view over the square** une vue sur la place 3. [covering] sur ▸ **put a plaster over the wound** mettez un pansement sur la plaie 4. [more than] plus de ▸ **it cost over £1,000** ça a coûté plus de 1 000 livres 5. [during] pendant ▸ **over the past two years** ces deux dernières années 6. [with regard to] sur ▸ **an argument over the price** une dispute au sujet du prix

◆ adv 1. [downwards] : **to fall over** tomber ▸ **to lean over** se pencher 2. [referring to position, movement] : **to fly over to Canada** aller au Canada en avion ▸ **over here** ici ▸ **over there** là-bas **3.** [round to other side] **: to turn the paper over** retourner le papier **4.** [more] **: children aged 12 and over** les enfants de 12 ans et plus *or* au-dessus **5.** [remaining] **: how many are there (left) over?** combien en reste-t-il ? **6.** [to one's house] chez soi ▸ **to come over** venir à la maison ▸ **to invite sb over for dinner** inviter qqn à dîner (chez soi) **7.** [in phrases] **: all over** [finished] fini(e), terminé(e) ▸ **all over the world / country** dans le monde / pays entier ◆ adj [finished] **: to be over** être fini(e), être terminé(e).

overall ◆ adv [,əʊvə'ɔːl] [in general] en général. ◆ n ['əʊvərɔːl] **1.** ⬛ [coat] blouse f **2.** ⬛ [boiler suit] bleu m de travail ▸ **how much does it cost overall?** combien est-ce que ça coûte en tout ? ◆ **overalls** npl **1.** ⬛ [boiler suit] bleu m de travail **2.** ⬛ [dungarees] salopette f.

overboard ['əʊvəbɔːd] adv par-dessus bord.

overbooked [,əʊvə'bʊkt] adj surréservé(e).

overcame [,əʊvə'keɪm] pt → **overcome**.

overcast [,əʊvə'kɑːst] adj couvert(e).

overcharge [,əʊvə'tʃɑːdʒ] vt [customer] faire payer trop cher à.

overcoat ['əʊvəkəʊt] n pardessus m.

overcome [,əʊvə'kʌm] (pt -came, pp -come) vt vaincre.

overcooked [,əʊvə'kʊkt] adj trop cuit(e).

overcritical [,əʊvə'krɪtɪkəl] adj trop critique.

overcrowded [,əʊvə'kraʊdɪd] adj bondé(e).

overdo [,əʊvə'duː] (pt -did, pp -done) vt [exaggerate] exagérer ▸ **to overdo it** se surmener.

overdone [,əʊvə'dʌn] ◆ pp → **overdo.** ◆ adj [food] trop cuit(e).

overdose ['əʊvədəʊs] n overdose f.

overdraft ['əʊvədrɑːft] n découvert m.

overdrawn ['əʊvədrɔːn] = **overdraft.**

overdue [,əʊvə'djuː] adj en retard.

over easy adj ⬛ [egg] cuit(e) des deux côtés.

overexposed [,əʊvərɪk'spəʊzd] adj [photograph] surexposé(e).

overfish [,əʊvə'fɪʃ] vt [fishing ground] surexploiter.

overfishing [,əʊvəⁿfɪʃɪŋ] n surpêche f.

overflow ◆ vi [,əʊvə'fləʊ] déborder. ◆ n ['əʊvəfləʊ] [pipe] trop-plein m.

overgrown [,əʊvə'grəʊn] adj [garden, path] envahi(e) par les mauvaises herbes.

overhaul [,əʊvə'hɔːl] n révision f.

overhead ◆ adj ['əʊvəhed] aérien(ienne). ◆ adv [,əʊvə'hed] au-dessus.

overhead comparment n = **overhead locker.**

overhead locker n [on plane] compartiment m à bagages.

overhear [,əʊvə'hɪəʳ] (pt & pp -heard) vt entendre par hasard.

overheat [,əʊvə'hiːt] vi surchauffer.

overland ['əʊvəlænd] adv par voie de terre.

overlap [,əʊvə'læp] vi se chevaucher.

overlapping [,əʊvə'læpɪŋ] adj **1.** [tiles, planks, etc.] qui se chevauchent **2.** [responsibilities] qui se recoupent.

overleaf [,əʊvə'liːf] adv au verso, au dos.

overload [,əuvə'ləud] vt surcharger.

overlook ◆ vt [,əuvə'luk] **1.** [subj: building, room] donner sur **2.** [miss] oublier. ◆ n ['əuvəluk] **:** (scenic) overlook US point m de vue.

overnight ◆ adv [,əuvə'naɪt] **1.** [during the night] pendant la nuit **2.** [until next day] jusqu'au matin. ◆ adj ['əuvənaɪt] [train, journey] de nuit.

overnight bag n sac m de voyage.

overoptimistic [,əuvə,ɒptɪ'mɪstɪk] adj excessivement OR par trop optimiste.

overpass ['əuvəpɑːs] n US saut-de-mouton m.

overpowering [,əuvə'pauərɪŋ] adj **1.** [heat] accablant(e) **2.** [smell] suffocant(e).

oversaw [,əuvə'sɔː] pt → **oversee**.

overseas ◆ adv [,əuvə'siːz] à l'étranger. ◆ adj [,əuvə'siːz] **1.** étranger(ère) **2.** [holiday] à l'étranger.

oversee [,əuvə'siː] (pt -saw, pp -seen) vt [supervise] superviser.

overshoot [,əuvə'ʃuːt] (pt & pp -shot) vt [turning, motorway exit] manquer.

oversight ['əuvəsaɪt] n oubli m.

oversized(d) [,əuvə'saɪz(d)] adj [very big] énorme, démesuré(e).

oversleep [,əuvə'sliːp] (pt & pp -slept) vi ne pas se réveiller à temps.

overtake [,əuvə'teɪk] (pt -took, pp -taken) vt & vi UK doubler ▸ 'no overtaking' UK 'dépassement interdit'.

overtime ['əuvətaɪm] n (U) heures fpl supplémentaires.

overtook [,əuvə'tuk] pt → **overtake**.

overture ['əuvə,tjuə] n ouverture f.

overturn [,əuvə'tɜːn] vi se retourner.

overweight [,əuvə'weɪt] adj trop gros (grosse).

overwhelm [,əuvə'welm] vt **1.** [with joy] combler **2.** [with sadness] accabler.

owe [əu] vt devoir ▸ you owe me £50 tu me dois 50 £ ▸ owing to en raison de.

owl [aul] n chouette f.

own [əun] ◆ adj propre. ◆ vt avoir, posséder. ◆ pron **:** a room of my own une chambre pour moi tout seul ▸ on my own (tout) seul ▸ to get one's own back prendre sa revanche. ◆ own up vi **:** to own up (to sthg) avouer (qqch).

owner ['əunər] n propriétaire m ou f.

ownership ['əunəʃɪp] n (U) propriété f.

ox [ɒks] (pl oxen ['ɒksən]) n bœuf m.

Oxbridge ['ɒksbrɪdʒ] n désignation collective des universités d'Oxford et de Cambridge.

oxtail soup ['ɒksteɪl-] n (U) soupe f à la queue de bœuf.

oxygen ['ɒksɪdʒən] n (U) oxygène m.

oyster ['ɔɪstər] n huître f.

oz abbr of **ounce**.

ozone ['əuzəun] n ozone m.

ozone-friendly ['əuzəun-] adj qui préserve la couche d'ozone.

Pp

p 1. (abbr of page) p. **2.** abbr of **penny, pence.**

pace [peɪs] **n 1.** [speed] vitesse f, allure f **2.** [step] pas m.

pacemaker ['peɪsˌmeɪkəʳ] n [for heart] pacemaker m.

Pacific [pə'sɪfɪk] n : **the Pacific (Ocean)** le Pacifique, l'océan Pacifique m.

pacifier ['pæsɪfaɪəʳ] n US [for baby] tétine f.

pacifist ['pæsɪfɪst] n pacifiste m ou f.

pack [pæk] ◆ n **1.** [packet] paquet m **2.** UK [of cards] paquet, jeu m **3.** [rucksack] sac m à dos. ◆ vt **1.** [packet] **2.** [suitcase, bag] faire. ◆ vi [for journey] faire ses valises ▶ **a pack of lies** un tissu de mensonges ▶ **they packed all their possessions into the van** ils ont entassé toutes leurs affaires dans la camionnette ▶ **to pack one's bags** faire ses valises. ◆ **pack away** vt sep [tidy up] ranger. ◆ **pack up** vi **1.** [pack suitcase] faire sa valise **2.** [tidy up] ranger **3.** UK inf [machine, car] tomber en rade.

package ['pækɪdʒ] ◆ n **1.** [parcel] paquet m **2.** COMPUT progiciel m. ◆ vt emballer.

package holiday n UK voyage m organisé OR à prix forfaitaire.

package tour n voyage m organisé.

packaging ['pækɪdʒɪŋ] n (U) [material] emballage m.

packed [pækt] adj [crowded] bondé(e).

packed lunch n UK panier-repas m.

packet ['pækɪt] n paquet m ▶ **it cost a packet** UK inf ça a coûté un paquet.

packing ['pækɪŋ] n (U) [material] emballage m ▶ **to do one's packing** [for journey] faire ses valises.

pad [pæd] n **1.** [of paper] bloc m **2.** [of cloth, cotton wool] tampon m ▶ **knee pad** genouillère f.

padded ['pædɪd] adj [jacket, seat] rembourré(e).

padded envelope n enveloppe f matelassée.

paddle ['pædl] ◆ n [pole] pagaie f. ◆ vi **1.** UK [wade] barboter **2.** [in canoe] pagayer.

paddling pool ['pædlɪŋ-] n UK pataugeoire f.

paddock ['pædək] n [at racecourse] paddock m.

padlock ['pædlɒk] n cadenas m.

page [peɪdʒ] ◆ n page f. ◆ vt [call] appeler (par haut-parleur) ▶ **'paging Mr Hill'** 'on demande M. Hill'.

page break n saut m de page.

pager ['peɪdʒəʳ] n récepteur m de poche.

page-turner n inf livre m captivant.

paid [peɪd] ◆ pt & pp → **pay.** ◆ adj [holiday, work] payé(e).

pain [peɪn] n douleur f ▶ **to be in pain** [physical] souffrir ▶ **he's such a pain!** inf il est vraiment pénible ! ◆ **pains** npl [trouble] peine f.

painful ['peɪnfʊl] adj douloureux(euse) ▸ **my leg is painful** j'ai mal à la jambe.

painkiller ['peɪnˌkɪləʳ] n analgésique m.

painless ['peɪnlɪs] adj indolore.

pain relief n soulagement m.

paint [peɪnt] ◆ n (U) peinture f. ◆ vt & vi peindre ▸ **to paint one's nails** se mettre du vernis à ongles. ◆ **paints** npl [tubes, pots, etc.] couleurs fpl.

paintball ['peɪntbɔːl] n paintball m.

paintbrush ['peɪntbrʌʃ] n pinceau m.

painter ['peɪntəʳ] n peintre m.

painting ['peɪntɪŋ] n peinture f.

pair [peəʳ] n [of two things] paire f ▸ **in pairs** par deux ▸ **a pair of pliers** une pince ▸ **a pair of scissors** une paire de ciseaux ▸ **a pair of shorts** un short ▸ **a pair of tights** un collant ▸ **a pair of trousers** un pantalon.

pajamas [pə'dʒɑːməz] US = **pyjamas**.

Pakistan [UK ˌpɑːkɪ'stɑːn, US ˌpækɪ'stæn] n le Pakistan.

Pakistani [UK ˌpɑːkɪ'stɑːnɪ, US ˌpækɪ'stænɪ] ◆ adj pakistanais(e). ◆ n [person] Pakistanais m, -e f.

pakora [pə'kɔːrə] npl petits beignets de légumes épicés (spécialité indienne généralement servie en hors-d'œuvre avec une sauce elle-même épicée).

pal [pæl] n inf pote m.

palace ['pælɪs] n palais m.

palatable ['pælətəbl] adj [food, drink] bon (bonne).

palate ['pælət] n palais m.

pale [peɪl] adj pâle.

pale ale n bière f blonde légère.

Palestine ['pæləstaɪn] n Palestine f.

Palestinian [ˌpælə'stɪnɪən] ◆ adj palestinien(enne). ◆ n Palestinien m, -enne f.

palm [pɑːm] n [of hand] paume f ▸ **palm (tree)** palmier m.

palpitations [ˌpælpɪ'teɪʃnz] npl palpitations fpl.

pamphlet ['pæmflɪt] n brochure f.

pan [pæn] n **1.** [saucepan] casserole f **2.** [frying pan] poêle f.

Panama ['pænəmɑː] n Panama m.

Panamanian [ˌpænə'meɪnjən] ◆ adj panaméen(enne). ◆ n Panaméen m, -enne f.

pancake ['pænkeɪk] n crêpe f.

pancake roll n UK rouleau m de printemps.

panda ['pændə] n panda m.

panda car n UK voiture f de patrouille.

pane [peɪn] n **1.** [large] vitre f **2.** [small] carreau m.

panel ['pænl] n **1.** [of wood] panneau m **2.** [group of experts] comité m **3.** [on TV, radio] invités mpl.

paneling ['pænəlɪŋ] US = **panelling**.

panelling ['pænəlɪŋ] n (U) UK lambris m.

panic ['pænɪk] (pt & pp -ked, cont -king) ◆ n panique f. ◆ vi paniquer.

panic selling n ventes fpl de panique.

panniers ['pænɪəz] npl [for bicycle] sacoches fpl.

panoramic [ˌpænə'ræmɪk] adj panoramique.

pant [pænt] vi haleter.

panties ['pæntɪz] npl inf culotte f.

pantomime ['pæntəmaɪm] n 🇬🇧 *spectacle de Noël.*

pantry ['pæntrɪ] n garde-manger *m inv.*

pants [pænts] npl 1. 🇬🇧 [underwear] slip *m* 2. 🇺🇸 [trousers] pantalon *m.*

panty hose ['pæntɪ-], **pantyhose** ['pæntɪhəʊz] npl 🇺🇸 collant *m.*

papadum ['pæpədəm] n *galette indienne très fine et croustillante.*

paper ['peɪpə˧] ◆ n 1. (U) [material] papier *m* 2. [newspaper] journal *m* 3. [exam] épreuve *f.* ◆ adj 1. en papier 2. [cup, plate] en carton. ◆ vt tapisser ▶ **a piece of paper** a) [sheet] une feuille de papier b) [scrap] un bout de papier. ◆ **papers** npl [documents] papiers *mpl.*

paperback ['peɪpəbæk] n livre *m* de poche.

paper bag n sac *m* en papier.

paperboy ['peɪpəbɔɪ] n livreur *m* de journaux.

paper clip n trombone *m.*

papergirl ['peɪpəgɜːl] n livreuse *f* de journaux.

paper handkerchief n mouchoir *m* en papier.

paper shop n 🇬🇧 marchand *m* de journaux.

paperweight ['peɪpəweɪt] n presse-papiers *m inv.*

paprika ['pæprɪkə] n (U) paprika *m.*

papyrus [pə'paɪərəs] n (pl **papyruses** OR **papyri** [-raɪ]) n papyrus *m.*

par [pɑː˧] n [in golf] par *m.*

paracetamol [,pærə'siːtəmɒl] n 🇬🇧 paracétamol *m.*

parachute ['pærəʃuːt] n parachute *m.*

parade [pə'reɪd] n 1. [procession] parade *f* 2. 🇬🇧 [of shops] rangée *f* de magasins.

paradise ['pærədaɪs] n paradis *m.*

paraffin ['pærəfɪn] n (U) paraffine *f.*

paraglider ['pærəglaɪdə˧] n 1. [person] parapentiste *mf* 2. [parachute] parapente *m.*

paragraph ['pærəgrɑːf] n paragraphe *m.*

Paraguay ['pærəgwaɪ] n Paraguay *m.*

Paraguayan [,pærə'gwaɪən] ◆ adj paraguayen(enne). ◆ n Paraguayen *m,* -enne *f.*

parallel ['pærəlel] adj : **parallel (to)** parallèle (à).

Paralympics [,pærə'lɪmpɪks] npl : **the Paralympics** les jeux *mpl* Paralympiques.

paralysed ['pærəlaɪzd] adj 🇬🇧 paralysé(e).

paralyzed ['pærəlaɪzd] 🇺🇸 = **paralysed**.

paramedic [,pærə'medɪk] n aide-soignant *m,* -e *f.*

paranoid ['pærənɔɪd] adj paranoïaque.

parasite ['pærəsaɪt] n parasite *m.*

parasol ['pærəsɒl] n 1. [above table, on beach] parasol *m* 2. [hand-held] ombrelle *f.*

parcel ['pɑːsl] n 🇬🇧 paquet *m.*

parcel post n (U) : **to send sthg by parcel post** envoyer qqch par colis postal.

pardon ['pɑːdn] excl : **pardon?** pardon ? ▶ **pardon (me)!** pardon !, excusez-moi ! ▶ **I beg your pardon!** [apologizing] je vous demande pardon ! ▶ **I**

beg your pardon? [asking for repetition] je vous demande pardon ?

pared-down ['peəd-] adj [style, design] dépouillé(e).

parent ['peərənt] n **1.** [father] père m **2.** [mother] mère f ▸ **parents** parents mpl.

Paris ['pærɪs] n Paris.

parish ['pærɪʃ] n **1.** [of church] paroisse f **2.** [village area] commune f.

park [pɑːk] ◆ n parc m. ◆ vt [vehicle] garer. ◆ vi se garer.

park and ride n système de contrôle de la circulation qui consiste à se garer à l'extérieur des grandes villes, puis à utiliser des navettes pour aller au centre.

parking ['pɑːkɪŋ] n (U) stationnement m ▸ **'no parking'** 'stationnement interdit', 'défense de stationner'.

parking brake n US frein m à main.

parking lot n US parking m.

parking meter n parcmètre m.

parking space n place f de parking.

parking ticket n contravention f (pour stationnement interdit).

parkway ['pɑːkweɪ] n US voie principale dont le terre-plein central est planté d'arbres, de fleurs, etc.

parliament ['pɑːləmənt] n parlement m.

Parmesan (cheese) [pɑːmɪ'zæn-] n (U) parmesan m.

parrot ['pærət] n perroquet m.

parsley ['pɑːslɪ] n (U) persil m.

parsnip ['pɑːsnɪp] n panais m.

parson ['pɑːsn] n pasteur m.

part [pɑːt] ◆ n **1.** partie f **2.** [of machine, car] pièce f **3.** [in play, film] rôle m **4.** US [in hair] raie f. ◆ adv [partly] en

partie. ◆ vi [couple] se séparer ▸ **in this part of France** dans cette partie de la France ▸ **to form part of sthg** faire partie de qqch ▸ **to play a part in sthg** jouer un rôle dans qqch ▸ **to take part in sthg** prendre part à qqch ▸ **for my part** pour ma part ▸ **for the most part** dans l'ensemble ▸ **in these parts** dans cette région.

partial ['pɑːʃl] adj partiel(ielle) ▸ **to be partial to sthg** avoir un faible pour qqch.

participant [pɑː'tɪsɪpənt] n participant m, -e f.

participate [pɑː'tɪsɪpeɪt] vi : **to participate (in)** participer (à).

particular [pə'tɪkjʊləʳ] adj **1.** particulier(ière) **2.** [fussy] difficile ▸ **in particular** en particulier ▸ **nothing in particular** rien de particulier. ◆ **particulars** npl [details] coordonnées fpl.

particularly [pə'tɪkjʊləlɪ] adv particulièrement.

parting ['pɑːtɪŋ] n UK [in hair] raie f.

partition [pɑː'tɪʃn] n [wall] cloison f.

partly ['pɑːtlɪ] adv en partie.

partner ['pɑːtnəʳ] n **1.** [husband, wife] conjoint m, -e f **2.** [lover] compagnon m, compagne f **3.** [in game, dance] partenaire m ou f **4.** COMM associé m, -e f.

partnership ['pɑːtnəʃɪp] n association f.

partridge ['pɑːtrɪdʒ] n perdrix f.

part-time adj & adv à temps partiel.

party ['pɑːtɪ] n **1.** [for fun] fête f **2.** POL parti m **3.** [group of people] groupe m ▸ **to have a party** organiser une fête.

partying ['pɑːtɪŋ] n inf : **to be a great one for partying** adorer faire la fête.

pass [pɑːs] ◆ vt **1.** passer **2.** [move past] passer devant **3.** [person in street] croiser **4.** [test, exam] réussir **5.** [overtake] dépasser, doubler **6.** [law] voter. ◆ vi **1.** passer **2.** [overtake] dépasser, doubler **3.** [in test, exam] réussir. ◆ n **1.** [document] laissez-passer m inv **2.** [in mountain] col m **3.** [in exam] mention f passable **4.** SPORT passe f ▸ **please pass me the salt** passe-moi le sel, s'il te plaît. ◆ **pass away** vi [euphemism] s'éteindre. ◆ **pass by** ◆ vt insep [building, window, etc.] passer devant. ◆ vi passer. ◆ **pass on** vt sep [message] faire passer. ◆ **pass out** vi [faint] s'évanouir. ◆ **pass through** vt ▸ **to pass through the security check** passer le contrôle de sécurité. ◆ **pass up** vt sep [opportunity] laisser passer.

⚠ Passer un examen means **to take an exam**, not "to pass an exam".

passable ['pɑːsəbl] adj **1.** [road] praticable **2.** [satisfactory] passable.

passage ['pæsɪdʒ] n **1.** passage m **2.** [sea journey] traversée f.

passageway ['pæsɪdʒweɪ] n passage m.

passenger ['pæsɪndʒər] n passager m, -ère f.

passerby [,pɑːsə'baɪ] n passant m, -e f.

passing place ['pɑːsɪŋ-] n aire f de croisement.

passion ['pæʃn] n passion f.

passionate ['pæʃənət] adj passionné(e).

passion fruit n fruit m de la passion.

passive ['pæsɪv] n GRAM passif m.

passive-aggressive adj MED passif-agressif (passive-aggressive).

passport ['pɑːspɔːt] n passeport m.

passport control n (U) contrôle m des passeports.

passport photo n photo f d'identité.

password ['pɑːswɜːd] n mot m de passe.

password-protected adj COMPUT protégé(e) par mot de passe.

past [pɑːst] ◆ adj **1.** [earlier, finished] passé(e) **2.** [last] dernier(ière) **3.** [former] ancien(ienne). ◆ prep **1.** [further than] après **2.** [in front of] devant. ◆ n [former time] passé m. ◆ adv : **to go past** passer devant ▸ **the past (tense)** GRAM passé m ▸ **the past month** le mois dernier ▸ **the past few days** ces derniers jours ▸ **twenty past four** quatre heures vingt ▸ **she walked past the window** elle est passée devant la fenêtre ▸ **in the past** autrefois.

pasta ['pæstə] n (U) pâtes fpl.

paste [peɪst] ◆ n **1.** [spread] pâte f **2.** [glue] colle f. ◆ vt coller.

pastel ['pæstl] n pastel m.

pasteurized ['pɑːstʃəraɪzd] adj pasteurisé(e).

pastille ['pæstɪl] n pastille f.

pastime ['pɑːstaɪm] n passe-temps m inv.

pastrami [pə'strɑːmɪ] n pastrami m.

pastry ['peɪstrɪ] n **1.** (U) [for pie] pâte f **2.** [cake] pâtisserie f.

pasture ['pɑːstʃər] n pâturage m.

pasty ['pæstɪ] n UK friand m.

pat [pæt] vt tapoter.

patch [pætʃ] n **1.** [for clothes] pièce f **2.** [of colour, damp] tache f **3.** MED & COMPUT patch m **4.** [for skin] pansement m **5.** [for eye] bandeau m ▸ **a bad patch** fig une mauvaise passe.

pâté ['pætei] n pâté m.

patent [UK 'peitənt, US 'pætənt] n brevet m.

path [pɑːθ] n 1. [in country] sentier m 2. [in garden, park] allée f.

pathetic [pə'θetik] adj pej [useless] minable.

patience f ['peiʃns] n 1. [quality] patience f 2. UK [card game] patience f, réussite f.

patient ['peiʃnt] ◆ adj patient(e). ◆ n patient m, -e f.

patio ['pætiəʊ] n patio m.

patriotic [UK ,pætri'ɒtik, US ,peitri'ɒtik] adj 1. [person] patriote 2. [song] patriotique.

patrol [pə'trəʊl] ◆ vt patrouiller dans. ◆ n [group] patrouille f.

patrol car n voiture f de patrouille.

patron ['peitrən] n fml [customer] client m, -e f ▶ 'patrons only' 'réservé aux clients'.

patronizing [UK 'pætrənaizɪŋ, US 'peitrənaizɪŋ] adj condescendant(e).

pattern ['pætn] n 1. dessin m 2. [for sewing] patron m.

patterned ['pætənd] adj à motifs.

pause [pɔːz] ◆ n pause f. ◆ vi faire une pause.

pavement ['peivmənt] n 1. UK [beside road] trottoir m 2. US [roadway] chaussée f.

pavilion [pə'viljən] n pavillon m.

paving stone ['peivɪŋ-] n pavé m.

pavlova [pæv'ləʊvə] n vacherin m.

paw [pɔː] n patte f.

pawn [pɔːn] ◆ vt mettre en gage. ◆ n [in chess] pion m.

pay [pei] (pt & pp **paid**) ◆ vt & vi payer. ◆ n [salary] paie f ▶ I paid £30 for these shoes j'ai payé ces chaussures 30 livres ▶ have you paid the waiter for the drinks? tu as réglé les boissons au serveur ? ▶ to pay money into an account verser de l'argent sur un compte ▶ to pay attention (to) faire attention (à) ▶ to pay sb a visit rendre visite à qqn ▶ to pay by credit card payer or régler par carte de crédit. ◆ **pay back** vt sep rembourser. ◆ **pay in** vt insep [purchase] payer. ◆ **pay in** vt sep [cheque, money] déposer sur un compte. ◆ **pay out** vt sep [money] verser. ◆ **pay up** vi payer.

payable ['peiəbl] adj payable ▶ **payable to** [cheque] à l'ordre de.

pay channel n chaîne f payante.

payment ['peimənt] n paiement m.

pay-per-view n TV système de télévision à la carte or à la séance. ◆ adj à la carte, à la séance.

payphone ['peifəʊn] n téléphone m public.

pay television, pay TV n télévison f à la carte or à la séance.

PC ◆ n 1. (abbr of personal computer) PC m 2. UK abbr of **police constable**. ◆ adj abbr of **politically correct**.

PC-compatible adj COMPUT compatible PC.

PDA (abbr of Personal Digital Assistant) n PDA m.

PDF (abbr of Portable Document Format) n PDF m.

PE (abbr of physical education) n (U) EPS (éducation physique et sportive) f.

pea [piː] n petit pois m.

peace [piːs] n (U) 1. [no anxiety] tranquillité f 2. [no war] paix f ▶ **to leave sb**

in peace laisser qqn tranquille ▸ **peace and quiet** tranquillité.

peaceful ['pi:sful] adj **1.** [place, day] tranquille **2.** [demonstration] pacifique.

peach [pi:tʃ] n pêche f.

peach melba [-'melbə] n pêche f Melba.

peacock ['pi:kɒk] n paon m.

peak [pi:k] n **1.** [of mountain] sommet m **2.** [of hat] visière f **3.** fig [highest point] point m culminant.

peak hours npl **1.** [of traffic] heures fpl de pointe **2.** [for telephone, electricity] période f de pointe.

peak rate n tarif m normal.

peanut ['pi:nʌt] n cacah(o)uète f.

peanut butter n (U) beurre m de cacah(o)uète.

pear [peə'] n poire f.

pearl [pɜːl] n perle f.

peasant ['peznt] n paysan m, -anne f.

pebble ['pebl] n galet m.

pecan pie ['pi:kæn-] n tarte f aux noix de pécan.

peck [pek] vi picorer.

peculiar [pɪ'kju:ljə'] adj [strange] bizarre ▸ **to be peculiar to** [exclusive] être propre à.

peculiarity [pɪ,kju:lɪ'ærətɪ] n [special feature] particularité f.

pedal ['pedl] ◆ n pédale f. ◆ vi pédaler.

pedal bin n [UK] poubelle f à pédale.

pedalo ['pedələʊ] n [UK] pédalo m.

pedestrian [pɪ'destrɪən] n piéton m.

pedestrian crossing n [UK] passage m clouté, passage m (pour) piétons.

pedestrianized [pɪ'destrɪənaɪzd] adj piétonnier(ière).

pedestrian precinct n [UK] zone f piétonnière.

pedestrian zone [US] = **pedestrian precinct**

pee [pi:] ◆ vi inf faire pipi. ◆ n : **to have a pee** inf faire pipi.

peel [pi:l] ◆ n (U) **1.** [of banana] peau f **2.** [of apple, onion] pelure f **3.** [of orange, lemon] écorce f. ◆ vt [fruit, vegetables] éplucher, peler. ◆ vi **1.** [paint] s'écailler **2.** [skin] peler.

peep [pi:p] n : **to have a peep** jeter un coup d'œil.

peer [pɪə'] vi regarder attentivement.

peer-to-peer adj peer-to-peer.

peg [peg] n **1.** [for tent] piquet m **2.** [hook] patère f **3.** [UK] [for washing] pince f à linge.

pelican crossing ['pelɪkən-] n [UK] passage clouté où l'arrêt des véhicules peut être commandé par les piétons en appuyant sur un bouton.

pelvis ['pelvɪs] n bassin m.

pen [pen] n **1.** [ballpoint pen] stylo m (à) bille **2.** [fountain pen] stylo m (à) plume **3.** [for animals] enclos m.

penalty ['penltɪ] n **1.** [fine] amende f **2.** [in football] penalty m.

pence [pens] npl pence mpl ▸ **it costs 20 pence** ça coûte 20 pence.

pencil ['pensl] n crayon m.

pencil case n trousse f.

pencil sharpener n taille-crayon m.

pendant ['pendənt] n [on necklace] pendentif m.

pending ['pendɪŋ] prep fml en attendant.

penetrate ['penɪtreɪt] vt pénétrer dans.

penfriend ['penfrend] n 🇬🇧 correspondant m, -e f.

penguin ['peŋgwɪn] n pingouin m.

penicillin [ˌpenɪ'sɪlɪn] n (U) pénicilline f.

peninsula [pə'nɪnsjʊlə] n péninsule f.

penis ['piːnɪs] n pénis m.

penknife ['pennaɪf] (pl -knives) n canif m.

penny ['penɪ] (pl pennies) n **1.** [in UK] penny m **2.** [in US] cent m.

pen pal n inf correspondant m, -e f (épistolaire).

pension ['penʃn] n **1.** [for retired people] retraite f **2.** [for disabled people] pension f.

pensioner ['penʃənər] n retraité m, -e f.

penthouse ['penthaʊs] (pl [-haʊzɪz]) n appartement de luxe au dernier étage d'un immeuble.

penultimate [pe'nʌltɪmət] adj avant-dernier(ière).

people ['piːpl] ◆ npl **1.** personnes fpl **2.** [in general] gens mpl ▶ **the people** [citizens] la population ▶ **French people** les Français mpl.

people carrier n 🇬🇧 monospace m.

pepper ['pepər] n **1.** (U) [spice] poivre m **2.** [sweet vegetable] poivron m **3.** [hot vegetable] piment m.

peppercorn ['pepəkɔːn] n grain m de poivre.

peppermint ['pepəmɪnt] ◆ adj à la menthe. ◆ n [sweet] bonbon m à la menthe.

pepper pot 🇬🇧, **pepper shaker** 🇺🇸, **pepperbox** ['pepəbɒks] 🇺🇸 n poivrier m, poivrière f.

pepper steak n steak m au poivre.

Pepsi® ['pepsɪ] n Pepsi® m.

per [pɜːr] prep par ▶ **80p per kilo** 80 pence le kilo ▶ **per person** par personne ▶ **three times per week** trois fois par semaine ▶ **£20 per night** 20 livres la nuit.

perceive [pə'siːv] vt percevoir.

per cent adv pour cent.

percentage [pə'sentɪdʒ] n pourcentage m.

perch [pɜːtʃ] n perchoir m.

percolator ['pɜːkəleɪtər] n cafetière f à pression.

perfect ◆ adj ['pɜːfɪkt] parfait(e). ◆ vt [pə'fekt] perfectionner. ◆ n ['pɜːfɪkt] : **the perfect (tense)** le parfait.

perfection [pə'fekʃn] n : **to do sthg to perfection** faire qqch à la perfection.

perfectly ['pɜːfɪktlɪ] adv parfaitement.

perform [pə'fɔːm] ◆ vt **1.** [task, operation] exécuter **2.** [play] jouer **3.** [concert] donner. ◆ vi **1.** [actor, band] jouer **2.** [singer] chanter.

performance [pə'fɔːməns] n **1.** [of play] représentation f **2.** [of film] séance f **3.** [by actor, musician] interprétation f **4.** [of car] performances fpl.

performance-enhancing drug n produit m dopant.

performer [pə'fɔːmər] n artiste m ou f.

perfume ['pɜːfjuːm] n parfum m.

perhaps [pə'hæps] adv peut-être.

perimeter [pə'rɪmɪtər] n périmètre m.

period ['pɪərɪəd] ◆ n **1.** [of time] période f **2.** SCH heure f **3.** [menstruation] règles *fpl* **4.** [of history] époque *f* **5.** US [full stop] point *m*. ◆ adj [costume, furniture] d'époque ▸ **sunny periods** éclaircies *fpl*.

periodic [ˌpɪərɪˈɒdɪk] adj périodique.

periodical [ˌpɪərɪˈɒdɪkl] ◆ adj = **periodic**. ◆ n [magazine] périodique *m*.

period pains npl règles *fpl* douloureuses.

periphery [pəˈrɪfərɪ] n périphérie *f*.

perishable [ˈperɪʃəbl] adj périssable.

perk [pɜːk] n avantage *m* en nature.

perm [pɜːm] ◆ n permanente *f*. ◆ vt : **to have one's hair permed** se faire faire une permanente.

permalink [ˈpɜːməlɪŋk] n COMPUT lien *m* permanent.

permanent [ˈpɜːmənənt] adj permanent(e).

permanent address n adresse *f* permanente.

permanently [ˈpɜːmənəntlɪ] adv en permanence.

permissible [pəˈmɪsəbl] adj *fml* autorisé(e).

permission [pəˈmɪʃn] n *(U)* permission *f*, autorisation *f*.

permit ◆ vt [pəˈmɪt] [allow] permettre, autoriser. ◆ n [ˈpɜːmɪt] permis *m* ▸ **to permit sb to do sthg** permettre à qqn de faire qqch, autoriser qqn à faire qqch ▸ **'permit holders only'** panneau ou inscription sur la chaussée indiquant qu'un parking n'est accessible que sur permis spécial.

perpendicular [ˌpɜːpənˈdɪkjʊləʳ] adj perpendiculaire.

persevere [ˌpɜːsɪˈvɪəʳ] vi persévérer.

Persian [ˈpɜːʃn] adj **1.** [modern times] persan(e) **2.** [in history] perse.

persist [pəˈsɪst] vi persister ▸ **to persist in doing sthg** persister à faire qqch.

persistent [pəˈsɪstənt] adj **1.** persistant(e) **2.** [person] obstiné(e).

person [ˈpɜːsn] *(pl* people) n personne *f* ▸ **she's an interesting person** c'est quelqu'un d'intéressant ▸ **in person** en personne.

personal [ˈpɜːsənl] adj **1.** personnel(le) **2.** [life] privé(e) **3.** [rude] désobligeant(e) **4.** [question] indiscret(ète) ▸ **a personal friend** un ami intime.

personal assistant n secrétaire *m* particulier, secrétaire particulière *f*.

personal belongings npl objets *mpl* personnels.

personal computer n PC *m*.

personality [ˌpɜːsəˈnælətɪ] n personnalité *f*.

personalize [ˈpɜːsənəlaɪz] vt personnaliser.

personally [ˈpɜːsnəlɪ] adv personnellement.

personal property n *(U)* objets *mpl* personnels.

personal stereo n baladeur *m*, Walkman® *m*.

personal trainer n coach *m* personnel.

personnel [ˌpɜːsəˈnel] npl personnel *m*.

perspective [pəˈspektɪv] n **1.** [of drawing] perspective *f* **2.** [opinion] point *m* de vue.

Perspex® [ˈpɜːspeks] n UK ≃ Plexiglas® *m*.

perspiration [ˌpɜːspəˈreɪʃn] n *(U)* transpiration *f*.

persuade [pəˈsweɪd] vt : **to persuade sb (to do sthg)** persuader qqn (de faire qqch) ▸ **to persuade sb that...** persuader qqn que....

persuasive [pə'sweɪsɪv] adj persuasif(ive).

Peru [pə'ruː] n Pérou m.

Peruvian [pə'ruːvjən] ◆ adj péruvien(enne). ◆ n [person] Péruvien m, -enne f.

pervert ['pɜːvɜːt] n pervers m, -e f.

pessimist ['pesɪmɪst] n pessimiste m ou f.

pessimistic [ˌpesɪ'mɪstɪk] adj pessimiste.

pest [pest] n **1.** [insect, animal] nuisible m **2.** inf [person] casse-pieds m inv ou f inv.

pester ['pestəʳ] vt harceler.

pesticide ['pestɪsaɪd] n pesticide m.

pesto ['pestəʊ], **pesto sauce** n pesto m.

pet [pet] n animal m (domestique) ▸ **the teacher's pet** le chouchou du professeur.

petal ['petl] n pétale m.

pet food n (U) nourriture f pour animaux (domestiques).

petition [pɪ'tɪʃn] n [letter] pétition f.

petrified ['petrɪfaɪd] adj [frightened] pétrifié(e) de peur.

petrol ['petrəl] n (U) UK essence f.

petrol can n UK bidon m à essence.

petrol cap n UK bouchon m du réservoir d'essence.

petrol gauge n UK jauge f à essence.

petrol pump n UK pompe f à essence.

petrol station n UK station-service f.

petrol tank n UK réservoir m d'essence.

pet shop n animalerie f.

petticoat ['petɪkəʊt] n jupon m.

petty ['petɪ] adj pej [person, rule] mesquin(e).

petty cash n (U) caisse f des dépenses courantes.

pew [pjuː] n banc m (d'église).

pewter ['pjuːtəʳ] adj en étain.

PG (abbr of parental guidance) sigle indiquant qu'un film peut être vu par des enfants sous contrôle de leurs parents.

pharmacist ['fɑːməsɪst] n pharmacien m, -ienne f.

pharmacy ['fɑːməsɪ] n [shop] pharmacie f.

phase [feɪz] n phase f.

PhD n doctorat m de troisième cycle.

pheasant ['feznt] n faisan m.

phenomena [fɪ'nɒmɪnə] pl → **phenomenon.**

phenomenal [fɪ'nɒmɪnl] adj phénoménal(e).

phenomenon [fɪ'nɒmɪnən] (pl -mena) n phénomène m.

Philippines ['fɪlɪpiːnz] npl : **the Philippines** les Philippines fpl.

philosophy [fɪ'lɒsəfɪ] n philosophie f.

phishing ['fɪʃɪŋ] n COMPUT phishing m.

phlegm [flem] n (U) glaire f.

phone [fəʊn] ◆ n téléphone m. ◆ vt téléphoner à. ◆ vi téléphoner ▸ **to be on the phone a)** [talking] être au téléphone **b)** [connected] avoir le téléphone. ◆ **phone in** vt téléphoner. ◆ **phone up** ◆ vt sep téléphoner à. ◆ vi téléphoner.

phone book n annuaire m (téléphonique).

phone booth n cabine f téléphonique.

phone box [UK] cabine f téléphonique.

phone call n coup m de téléphone.

phonecard ['fəʊnkɑːd] n Télécarte® f.

phone number n numéro m de téléphone.

phoney, phony ['fəʊnɪ] adj inf [passport, address] bidon (inv).

photo ['fəʊtəʊ] n photo f ▶ **to take a photo of the family** prendre la famille en photo.

photo album n album m (de) photos.

photocopier [,fəʊtəʊ'kɒpɪəʳ] n photocopieuse f.

photocopy ['fəʊtəʊ,kɒpɪ] ◆ n photocopie f. ◆ vt photocopier.

photo frame n cadre m photo.

photograph ['fəʊtəgrɑːf] ◆ n photographie f. ◆ vt photographier.

⚠ **Photographe** is a false friend, it means **photographer**, not "photograph".

photographer [fə'tɒgrəfəʳ] n photographe m ou f.

photography [fə'tɒgrəfɪ] n (U) photographie f.

phrase [freɪz] n expression f.

phrasebook ['freɪzbʊk] n guide m de conversation.

physical ['fɪzɪkl] ◆ adj physique. ◆ n visite f médicale.

physical education n (U) éducation f physique.

physically handicapped ['fɪzɪklɪ-] adj handicapé(e) physique.

physician [fɪ'zɪʃn] n fml médecin m.

physics ['fɪzɪks] n (U) physique f.

physiotherapy [,fɪzɪəʊ'θerəpɪ] n (U) kinésithérapie f.

pianist ['pɪənɪst] n pianiste m ou f.

piano [pɪ'ænəʊ] (pl -s) n piano m.

pick [pɪk] ◆ vt 1. [select] choisir 2. [fruit, flowers] cueillir. ◆ n [pickaxe] pioche f ▶ **to pick a fight** chercher la bagarre ▶ **to pick one's nose** se mettre les doigts dans le nez ▶ **to take one's pick** faire son choix. ◆ **pick on** vt insep s'en prendre à. ◆ **pick out** vt sep 1. [select] choisir 2. [see] repérer. ◆ **pick up** ◆ vt sep 1. [fallen object] ramasser 2. [fallen person] relever 3. [collect] passer prendre 4. [skill, language] apprendre 5. [hitchhiker] prendre 6. [collect in car] aller chercher 7. inf [woman, man] draguer. ◆ vi [improve] reprendre.

pickax [US] = pickaxe.

pickaxe ['pɪkæks] n [UK] pioche f.

pickle ['pɪkl] n 1. (U) [UK] [food] pickles mpl 2. [US] [gherkin] cornichon m.

pickled onion ['pɪkld-] n oignon m au vinaigre.

pickpocket ['pɪk,pɒkɪt] n pickpocket m.

pick-up (truck) n camionnette f.

picnic ['pɪknɪk] n pique-nique m.

picnic area n aire f de pique-nique.

picture ['pɪktʃəʳ] n 1. [painting] tableau m 2. [drawing] dessin m 3. [photograph] photo f 4. [in book, on TV] image f 5. [film] film m. ◆ **pictures** npl : **the pictures** [UK] le cinéma.

picture frame n cadre m photo.

picturesque [ˌpɪktʃəˈresk] adj pittoresque.

pie [paɪ] n 1. [savoury] tourte f 2. [sweet] tarte f.

piece [piːs] n 1. morceau m 2. [component, in chess] pièce f ▶ **a piece of furniture** un meuble ▶ **a 20p piece** une pièce de 20 pence ▶ **a piece of advice** un conseil ▶ **to fall to pieces** tomber en morceaux ▶ **in one piece** a) [intact] intact b) [unharmed] sain et sauf.

pier [pɪəʳ] n jetée f.

pierce [pɪəs] vt percer ▶ **to have one's ears pierced** se faire percer les oreilles.

pig [pɪg] n 1. cochon m, porc m 2. inf [greedy person] goinfre m ou f.

pigeon [ˈpɪdʒɪn] n pigeon m.

pigeonhole [ˈpɪdʒɪnhəʊl] n casier m.

pigskin [ˈpɪgskɪn] adj peau f de porc.

pigsty [ˈpɪgstaɪ], **pigpen** [ˈpɪgpen] US n porcherie f.

pigtail [ˈpɪgteɪl] n natte f.

pike [paɪk] n [fish] brochet m.

pilau rice [ˈpɪləʊ-] n (U) riz m pilaf.

pilchard [ˈpɪltʃəd] n pilchard m.

pile [paɪl] ◆ n 1. [heap] tas m 2. [neat stack] pile f. ◆ vt 1. entasser 2. [neatly] empiler ▶ **piles of** inf [a lot] des tas de. ◆ **pile on** ◆ vi insep inf [onto bus, train] s'entasser, monter en s'entassant. ◆ **pile up** ◆ vt sep 1. entasser 2. [neatly] empiler. ◆ vi [accumulate] s'entasser.

piles [paɪlz] npl MED hémorroïdes fpl.

pileup [ˈpaɪlʌp] n carambolage m.

pill [pɪl] n pilule f.

pillar [ˈpɪləʳ] n pilier m.

pillar box n US boîte f aux lettres.

pillion [ˈpɪljən] n : **to ride pillion** monter derrière.

pillow [ˈpɪləʊ] n 1. [for bed] oreiller m 2. US [on chair, sofa] coussin m.

pillowcase [ˈpɪləʊkeɪs] n taie f d'oreiller.

pilot [ˈpaɪlət] n pilote m.

pilot light n veilleuse f.

pimple [ˈpɪmpl] n bouton m.

pin [pɪn] ◆ n 1. [for sewing] épingle f 2. [drawing pin] punaise f 3. [safety pin] épingle f de nourrice 4. US [brooch] broche f 5. US [badge] badge m. ◆ vt épingler ▶ **a two-pin plug** une prise à deux fiches ▶ **to have pins and needles** avoir des fourmis.

pinafore [ˈpɪnəfɔːʳ] n US 1. [apron] tablier m 2. [dress] robe f chasuble.

pinball [ˈpɪnbɔːl] n (U) flipper m.

pincers [ˈpɪnsəz] npl [tool] tenailles fpl.

pinch [pɪntʃ] ◆ vt 1. [squeeze] pincer 2. US inf [steal] piquer. ◆ n [of salt] pincée f.

pine [paɪn] ◆ n pin m. ◆ adj en pin.

pineapple [ˈpaɪnæpl] n ananas m.

pink [pɪŋk] ◆ adj rose. ◆ n rose m.

pinkie [ˈpɪŋkɪ] n inf petit doigt m.

PIN (number) n code m confidentiel, code m PIN.

pinpoint [ˈpɪnpɔɪnt] vt [cause, problem] définir, mettre le doigt sur.

pint [paɪnt] n 1. [in UK] = 0,568 l ; ≃ demi-litre m 2. [in US] = 0,473 l ; ≃ demi-litre m ▶ **a pint (of beer)** US un verre de bière de 0,568 l.

pip [pɪp] n US pépin m.

pipe [paɪp] n 1. [for smoking] pipe f 2. [for gas, water] tuyau m.

pipe cleaner n cure-pipe m.

pipeline ['paɪplaɪn] n 1. [for gas] gazoduc m 2. [for oil] oléoduc m.

pipe tobacco n (U) tabac m pour pipe.

pirate ['paɪrət] n pirate m.

Pisces ['paɪsiːz] n Poissons mpl.

piss [pɪs] ◆ vi vulg pisser. ◆ n : to have a piss vulg pisser ▶ it's pissing down vulg il pleut comme vache qui pisse.

pissed [pɪst] adj 1. ∪Ⓚ vulg [drunk] bourré(e) 2. ∪Ⓢvulg [angry] en rogne.

pissed off adj vulg : to be pissed off en avoir ras le bol.

pistachio [pɪˈstɑːʃɪəʊ] ◆ n pistache f. ◆ adj [flavour] à la pistache.

pistol ['pɪstl] n pistolet m.

piston ['pɪstən] n piston m.

pit [pɪt] n 1. [hole] trou m 2. [coalmine] mine f 3. [for orchestra] fosse f 4. ∪Ⓢ [in fruit] noyau m.

pita (bread) ∪Ⓢ = pitta (bread).

pitch [pɪtʃ] ◆ n ∪Ⓚ SPORT terrain m. ◆ vt [throw] jeter ▶ to pitch a tent monter une tente.

pitcher ['pɪtʃər] n 1. ∪Ⓢ [large jug] cruche f 2. ∪Ⓢ [small jug] pot m.

pitfall ['pɪtfɔːl] n piège m.

pith [pɪθ] n (U) [of orange] peau f blanche.

pitta (bread) ['pɪtə-] n ∪Ⓚ [pain m] pita m.

pitted ['pɪtɪd] adj [olives] dénoyauté(e).

pity ['pɪtɪ] n (U) [compassion] pitié f ▶ to have pity on sb avoir pitié de qqn ▶ it's a pity (that)... c'est dommage que... ▶ what a pity! quel dommage !

pivot ['pɪvət] n pivot m.

pixel ['pɪksl] n pixel m.

pixelate ['pɪksəleɪt], **pixelize** ['pɪksəlaɪz] ∪Ⓢ vt pixelliser.

pixelation ['pɪksəleɪʃn] n pixellisation f.

pixelated, pixelated ['pɪksəleɪtɪd] ∪Ⓢ adj COMPUT [image] pixellisé(e).

pizza ['piːtsə] n pizza f.

pizzeria [ˌpiːtsəˈriːə] n pizzeria f.

Pl. (abbr of Place) Pl.

placard ['plækɑːd] n placard m.

place [pleɪs] ◆ n 1. [location] endroit m 2. [house] maison f 3. [flat] appartement m 4. [seat, position, in race, list] place f 5. [at table] couvert m. ◆ vt 1. [put] placer 2. [an order] passer ▶ at my place [house, flat] chez moi ▶ in the first place premièrement ▶ to take place avoir lieu ▶ to take sb's place [replace] prendre la place de qqn ▶ all over the place partout ▶ in place of au lieu de ▶ to place a bet parier.

place mat n set m (de table).

placement ['pleɪsmənt] n ∪Ⓚ [work experience] stage m (en entreprise).

place of birth n lieu m de naissance.

plague [pleɪg] n peste f.

plaice [pleɪs] n carrelet m.

plain [pleɪn] ◆ adj 1. [not decorated] uni(e) 2. [simple] simple 3. [yoghurt] nature inv 4. [clear] clair(e) 5. [paper] non réglé(e) 6. pej [not attractive] quelconque. ◆ n plaine f.

plain chocolate n (U) ∪Ⓚ chocolat m à croquer.

plainly ['pleɪnlɪ] adv 1. [obviously] manifestement 2. [distinctly] clairement.

plain text n COMPUT texte m seul.

plait [plæt] ◆ n ∪Ⓚ natte f. ◆ vt ∪Ⓚ tresser.

plan [plæn] ◆ n 1. plan m, projet m 2. [drawing] plan. ◆ vt [organize] organiser ▶ **have you any plans for tonight?** as-tu quelque chose de prévu pour ce soir ? ▶ **according to plan** comme prévu ▶ **to plan to do sthg, to plan on doing sthg** avoir l'intention de faire qqch.

plane [pleɪn] n 1. [aeroplane] avion m 2. [tool] rabot m.

planet ['plænɪt] n planète f.

plank [plæŋk] n planche f.

planned [plænd] adj 1. [crime] prémédité(e) 2. [economy] planifié(e).

plant [plɑ:nt] ◆ n 1. plante f 2. [factory] usine f. ◆ vt planter ▶ **heavy plant crossing** 'sortie d'engins'.

plantation [plæn'teɪʃn] n plantation f.

plaque [plɑ:k] n 1. [plate] plaque f (1) 2. [on teeth] plaque f dentaire.

plasma screen n écran m (à) plasma.

plasma TV n télévision f (à) plasma.

plaster ['plɑ:stə'] n 1. UK [for cut] pansement m 2. (U) [for walls] plâtre m ▶ **in plaster** [arm, leg] dans le plâtre.

plaster cast n plâtre m.

plastic ['plæstɪk] ◆ n (U) plastique m. ◆ adj en plastique.

plastic bag n sac m (en) plastique.

Plasticine® ['plæstɪsi:n] n (U) UK pâte à modeler.

plate [pleɪt] n 1. assiette f 2. [for serving food] plat m 3. [of metal, glass] plaque f.

plateau ['plætəʊ] n plateau m.

plate-glass adj fait(e) d'une seule vitre.

platform ['plætfɔ:m] n 1. [at railway station] quai m 2. [raised structure] plateforme f.

platinum ['plætɪnəm] n (U) platine m.

platter ['plætə'] n [of food] plateau m.

play [pleɪ] ◆ n 1. [in theatre] pièce f (de théâtre) 2. [on TV] dramatique f 3. [button on CD, tape recorder] bouton m de mise en marche. ◆ vt 1. [sport, game] jouer à 2. [musical instrument] jouer de 3. [piece of music, role] jouer 4. [opponent] jouer contre 5. [CD, tape, record] passer. ◆ vi jouer. ◆ **play about** vi insep [have fun: children] jouer, s'amuser. ◆ **play about with** vt insep jouer avec. ◆ **play back** vt sep repasser. ◆ **play out** vt sep [enact a scene] jouer. ◆ **play up** vi [machine, car] faire des siennes.

player ['pleɪə'] n joueur m, -euse f ▶ **piano player** pianiste m ou f.

playful ['pleɪfʊl] adj joueur(euse).

playground ['pleɪgraʊnd] n 1. [in school] cour f de récréation 2. [in park, etc.] aire f de jeux.

playgroup ['pleɪgru:p] n UK jardin m d'enfants.

playing card ['pleɪɪŋ-] n carte f à jouer.

playing field ['pleɪɪŋ-] n terrain m de sport.

playroom ['pleɪrʊm] n salle f de jeux.

playschool ['pleɪsku:l] UK = **playgroup**.

playtime ['pleɪtaɪm] n récréation f.

playwright ['pleɪraɪt] n auteur m dramatique.

PLC, plc (abbr of public limited company) UK ≃ SARL (société à responsabilité limitée).

pleasant ['pleznt] adj agréable.

please [pli:z] ◆ adv s'il te /vous plaît. ◆ vt faire plaisir à ▶ **'please shut the**

door 'veuillez fermer la porte' ▶ **whatever you please** ce que vous voulez ▶ **yes please!** oui, s'il te / vous plaît !

pleased [pliːzd] adj content(e) ▶ **to be pleased with** être content de ▶ **pleased to meet you!** enchanté(e) !

pleasure ['pleʒəʳ] n (U) plaisir m ▶ **with pleasure** avec plaisir, volontiers ▶ **it's a pleasure!** je vous en prie !

pleat [pliːt] n pli m.

pleated ['pliːtɪd] adj plissé(e).

pledge [pledʒ] n 1. promesse f, serment m 2. [token] gage m.

plentiful ['plentɪful] adj abondant(e).

plenty ['plentɪ] pron : **there's plenty** il y en a largement assez ▶ **plenty of** beaucoup de.

pliers ['plaɪəz] npl pince f.

plimsoll ['plɪmsəl] n UK tennis m (chaussure).

plonk [plɒŋk] n UK inf [wine] pinard m.

plot [plɒt] n 1. [scheme] complot m 2. [of story, film, play] intrigue f 3. [of land] parcelle f de terrain.

plough [plaʊ] ◆ n UK charrue f. ◆ vt UK labourer.

ploughman's (lunch) ['plaʊmənz-] n UK assiette composée de fromage et de pickles accompagnés de pain, généralement servie dans les pubs.

plow [plaʊ] US = **plough**.

ploy [plɔɪ] n ruse f.

pluck [plʌk] vt 1. [eyebrows] épiler 2. [chicken] plumer.

plug [plʌg] n 1. [electrical] prise f (de courant) 2. [for bath, sink] bonde f. ◆ **plug in** vt sep brancher.

plug-and-play adj COMPUT plug-and-play.

plughole ['plʌghəʊl] n UK bonde f.

plug-in n plug-in m.

plum [plʌm] n prune f.

plumber ['plʌməʳ] n plombier m.

plumbing ['plʌmɪŋ] n (U) [pipes] plomberie f.

plump [plʌmp] adj dodu(e).

plum tomato n olivette f.

plunge [plʌndʒ] vi 1. [fall, dive] plonger 2. [decrease] dégringoler.

plunge pool n petite piscine f.

plunger ['plʌndʒəʳ] n [for unblocking pipe] débouchoir m à ventouse.

pluperfect (tense) [ˌpluːˈpɜːfɪkt-] n : **the pluperfect tense** le plus-que-parfait.

plural ['plʊərəl] n pluriel m ▶ **in the plural** au pluriel.

plus [plʌs] ◆ prep plus. ◆ adj : **30 plus** 30 ou plus.

plush [plʌʃ] adj luxueux(euse).

pluto [pluːˈtəʊ] vt US dévaluer (qqn ou qqch).

Pluto ['pluːtəʊ] n [planet] Pluton f.

plywood ['plaɪwʊd] n (U) contreplaqué m.

p.m. (abbr of post meridiem) : **3 p.m.** 15 h.

PMS (abbr of premenstrual syndrome) = **PMT**.

PMT (abbr of premenstrual tension) n (U) UK syndrome m prémenstruel.

pneumatic drill [njuːˈmætɪk-] n UK marteau m piqueur.

pneumonia [njuːˈməʊnjə] n (U) pneumonie f.

poached egg [pəʊtʃt-] n œuf m poché.

poached salmon [pəʊtʃt-] n (U) saumon m poché.

poacher [ˈpəʊtʃəʳ] n braconnier m.

PO Box (abbr of Post Office Box) n BP (boîte postale) f.

pocket [ˈpɒkɪt] ◆ n 1. poche f 2. [on car door] vide-poche m. ◆ adj [camera, calculator] de poche.

pocketbook [ˈpɒkɪtbʊk] n 1. [notebook] carnet m 2. US [handbag] sac m à main.

pocket money n (U) UK argent m de poche.

podcast [ˈpɒdkɑːst] n COMPUT podcast m.

podiatrist [pəˈdaɪətrɪst] n US pédicure m ou f.

poem [ˈpəʊɪm] n poème m.

poet [ˈpəʊɪt] n poète m.

poetry [ˈpəʊɪtrɪ] n (U) poésie f.

point [pɔɪnt] ◆ n 1. point m 2. [tip] pointe f 3. [place] endroit m 4. [moment] moment m 5. [purpose] but m 6. UK [for plug] prise f. ◆ vi : **to point to a)** [with finger] montrer du doigt **b)** [arrow, sign] pointer vers ▸ **five point seven** cinq virgule sept ▸ **what's the point?** à quoi bon ? ▸ **there's no point** ça ne sert à rien ▸ **to be on the point of doing sthg** être sur le point de faire qqch. ◆ **points** npl UK [on railway] aiguillage m. ◆ **point out** vt sep 1. [object, person] montrer 2. [fact, mistake] signaler.

point-and-click n pointer-cliquer m.

pointed [ˈpɔɪntɪd] adj [in shape] pointu(e).

pointless [ˈpɔɪntlɪs] adj inutile.

point of view n point m de vue.

poison [ˈpɔɪzn] ◆ n poison m. ◆ vt empoisonner.

poisoning [ˈpɔɪznɪŋ] n (U) empoisonnement m.

poisonous [ˈpɔɪznəs] adj 1. [food, gas, substance] toxique 2. [snake, spider] venimeux(euse) 3. [plant, mushroom] vénéneux(euse).

poke [pəʊk] vt pousser.

poker [ˈpəʊkəʳ] n (U) [card game] poker m.

Poland [ˈpəʊlənd] n la Pologne.

polar bear [ˈpəʊlə-] n ours m blanc OR polaire.

Polaroid® [ˈpəʊlərɔɪd] n Polaroid® m.

pole [pəʊl] n poteau m.

Pole [pəʊl] n [person] Polonais m, -e f.

pole dancing n danse f de poteau.

police [pəˈliːs] npl : **the police** la police.

police car n voiture f de police.

police constable n UK agent m de police.

police department n US service m de police.

police force n police f.

policeman [pəˈliːsmən] (pl -men) n policier m.

police officer n policier m.

police station n poste m de police, commissariat m.

policewoman [pəˈliːsˌwʊmən] (pl -women) n femme f policier.

policy [ˈpɒləsɪ] n 1. [approach, attitude] politique f 2. [for insurance] police f.

policy(-)holder [ˈpɒləsɪˌhəʊldəʳ] n assuré m, -e f.

polio [ˈpəʊlɪəʊ] n (U) polio f.

polish ['pɒlɪʃ] ◆ n **1.** (U) [for shoes] cirage m **2.** [for floor, furniture] cire f. ◆ vt cirer.

Polish ['pəʊlɪʃ] ◆ adj polonais(e). ◆ n [language] polonais m. ◆ npl : **the Polish** les Polonais mpl.

polite [pə'laɪt] adj poli(e).

political [pə'lɪtɪkl] adj politique.

politically correct [pə,lɪtɪklɪ-] adj politiquement correct(e).

politician [,pɒlɪ'tɪʃn] n homme m politique, femme f politique.

politics ['pɒlətɪks] n (U) politique f.

poll [pəʊl] n [survey] sondage m ▸ **the polls** [election] les élections.

pollen ['pɒlən] n (U) pollen m.

Poll Tax n UK [formerly] ≃ impôts mpl locaux.

pollute [pə'luːt] vt polluer.

pollution [pə'luːʃn] n (U) pollution f.

polo neck ['pəʊləʊ-] n UK [jumper] pull m à col roulé.

polyester [,pɒlɪ'estəʳ] n (U) polyester m.

polystyrene [,pɒlɪ'staɪriːn] n (U) polystyrène m.

polytechnic [,pɒlɪ'teknɪk] n en Grande-Bretagne, établissement supérieur ; depuis 1993, la plupart ont acquis le statut d'université.

polythene ['pɒlɪθiːn] UK, **polyethylene** [,pɒlɪ'eθɪliːn] US n polyéthylène m.

polythene bag ['pɒlɪθiːn-] n UK sac m (en) plastique.

pomegranate ['pɒmɪ,grænɪt] n grenade f.

pompous ['pɒmpəs] adj prétentieux(ieuse).

pond [pɒnd] n **1.** mare f **2.** [in park] bassin m.

pontoon [pɒn'tuːn] n **1.** UK [card game] vingt-et-un m inv.

pony ['pəʊnɪ] n poney m.

ponytail ['pəʊnɪteɪl] n queue-de-cheval f.

pony-trekking [-,trekɪŋ] n (U) UK randonnée f à dos de poney.

poo [puː] n & vi inf = **pooh**.

poodle ['puːdl] n caniche m.

pooh [puː] UK inf ◆ excl [with disgust] pouah, berk ; [with disdain] peuh. ◆ n [baby talk] caca m. ◆ vi [baby talk] faire caca.

pool [puːl] n **1.** [for swimming] piscine f **2.** [of water, blood, milk] flaque f **3.** [small pond] mare f **4.** (U) [game] billard m américain. ◆ **pools** npl UK : **the pools** ≃ le loto sportif.

poor [pɔːʳ] ◆ adj **1.** pauvre **2.** [bad] mauvais(e). ◆ npl : **the poor** les pauvres mpl.

poorly ['pɔːlɪ] ◆ adj UK [ill] malade. ◆ adv mal.

pop [pɒp] ◆ n (U) [music] pop f. ◆ vt inf [put] mettre. ◆ vi [balloon] éclater ▸ **my ears popped** mes oreilles se sont débouchées. ◆ **pop in** vi UK [visit] faire un saut.

popadum ['pɒpədəm] n poppadum m.

popcorn ['pɒpkɔːn] n (U) pop-corn m inv.

Pope [pəʊp] n : **the Pope** le pape.

pop group n groupe m pop.

poplar (tree) ['pɒpləʳ-] n peuplier m.

pop music n (U) pop f.

poppadom, poppadum ['pɒpədəm] n = **popadum**.

popper ['pɒpə^r] n 🇬🇧 bouton-pression m.

poppy ['pɒpɪ] n coquelicot m.

Popsicle® ['pɒpsɪkl] n 🇺🇸 sucette f glacée.

pop socks npl mi-bas mpl.

pop star n pop star f.

popular ['pɒpjʊlə^r] adj populaire.

popularity [,pɒpjʊ'lærətɪ] n (U) popularité f.

populated ['pɒpjʊleɪtɪd] adj peuplé(e).

population [,pɒpjʊ'leɪʃn] n population f.

populous ['pɒpjʊləs] adj populeux(euse).

pop-up ◆ adj 1. [toaster] automatique 2. [book] dont les images se déplient. ◆ n COMPUT pop-up m.

porcelain ['pɔːsəlɪn] n (U) porcelaine f.

porch [pɔːtʃ] n 1. 🇬🇧 [entrance] porche m 2. 🇺🇸 [outside house] véranda f.

pork [pɔːk] n (U) porc m.

pork chop n côte f de porc.

pork pie n 🇬🇧 petit pâté de porc en croûte.

porky ['pɔːkɪ] (compar **-ier**, superl **-iest**) adj inf & pej [fat] gros (grosse).

pornographic [,pɔːnə'græfɪk] adj pornographique.

porridge ['pɒrɪdʒ] n (U) 🇬🇧 porridge m.

port [pɔːt] n 1. port m 2. [drink] porto m.

portable ['pɔːtəbl] adj portable.

portal ['pɔːtl] n portail m.

portentous [pɔː'tentəs] adj 1. [ominous sign] de mauvais présage OR augure 2. [momentous event] capital(e).

porter ['pɔːtə^r] n 1. [at hotel, museum] portier m 2. [at station, airport] porteur m.

porthole ['pɔːthəʊl] n hublot m.

portion ['pɔːʃn] n portion f.

portrait ['pɔːtreɪt] n portrait m.

Portugal ['pɔːtjʊgl] n le Portugal.

Portuguese [,pɔːtjʊ'giːz] ◆ adj portugais(e). ◆ n [language] portugais m. ◆ npl : **the Portuguese** les Portugais mpl.

POS (abbr of **point of sale**) n PDV m (point de vente).

pose [pəʊz] ◆ vt 1. [problem] poser 2. [threat] représenter. ◆ vi [for photo] poser.

posh [pɒʃ] adj inf chic.

position [pə'zɪʃn] n 1. position f 2. [place, situation, job] situation f ▶ '**position closed**' [in bank, post office, etc.] 'guichet fermé'.

positioning [pə'zɪʃnɪŋ] n [of product] positionnement m.

positive ['pɒzətɪv] adj 1. positif(ive) 2. [certain, sure] certain(e).

possess [pə'zes] vt posséder.

possession [pə'zeʃn] n possession f.

possessive [pə'zesɪv] adj possessif(ive).

possibility [,pɒsə'bɪlətɪ] n possibilité f.

possible ['pɒsəbl] adj possible ▶ **it's possible that we may be late** il se peut que nous soyons en retard ▶ **would it be possible...?** serait-il possible … ? ▶ **as much as possible** autant que possible ▶ **if possible** si possible.

possibly ['pɒsəblɪ] adv [perhaps] peut-être.

post [pəʊst] ◆ n 1. (U) UK [system] poste f 2. (U) UK [letters and parcels, delivery] courrier m 3. [pole] poteau m 4. fml [job] poste m. ◆ vt 1. UK [letter, parcel] poster 2. COMPUT [message, question, advertisement] envoyer sur Internet ▸ **by post** UK par la poste.

postage ['pəʊstɪdʒ] n (U) affranchissement m ▸ **postage and packing** UK frais de port et d'emballage ▸ **postage paid** port payé.

postage stamp n fml timbreposte m.

postal order ['pəʊstl-] n UK mandat m postal.

postbox ['pəʊstbɒks] n UK boîte f aux OR à lettres.

postcard ['pəʊstkɑːd] n carte f postale.

postcode ['pəʊstkəʊd] n UK code m postal.

poster ['pəʊstə'] n 1. poster m 2. [for advertising] affiche f.

poste restante [,pəʊstres'tɑːnt] n (U) UK poste f restante.

post-free adv UK en port payé.

postgraduate [,pəʊst'grædʒʊət] n étudiant m, -e f de troisième cycle.

Post-it (note)® n Post-it® m.

postman ['pəʊstmən] (pl -men) n UK facteur m.

postmark ['pəʊstmɑːk] n cachet m de la poste.

post office n [building] bureau m de poste ▸ **the Post Office** UK la poste.

postpone [,pəʊst'pəʊn] vt reporter.

posture ['pɒstʃə'] n posture f.

postwoman ['pəʊst,wʊmən] (pl -women) n UK factrice f.

pot [pɒt] n 1. [for cooking] marmite f 2. [for jam, paint] pot m 3. [for coffee] cafetière f 4. [for tea] théière f 5. (U) inf [cannabis] herbe f ▸ **a pot of tea for two** du thé pour deux personnes.

potato [pə'teɪtəʊ] (pl -es) n pomme f de terre.

potato chip n 1. UK [French fry] (pomme f) frite f 2. US [crisp] (pomme f) chips f.

potato salad n (U) salade f de pommes de terre.

potbelly ['pɒt,belɪ] (pl -ies) n 1. [stomach] ventre m, bedon m 2. US [stove] poêle m.

potential [pə'tenʃl] ◆ adj potentiel(ielle). ◆ n (U) possibilités fpl.

pothole ['pɒthəʊl] n [in road] nid-depoule m.

pot plant n UK plante f d'appartement.

pot scrubber [-'skrʌbə'] n UK tampon m à récurer.

potted ['pɒtɪd] adj 1. [meat, fish] en terrine 2. [plant] en pot.

pottery ['pɒtərɪ] n (U) 1. [clay objects] poteries fpl 2. [craft] poterie f.

potty ['pɒtɪ] n pot m (de chambre).

pouch [paʊtʃ] n [for money] bourse f.

poultry ['pəʊltrɪ] n ♦ npl (U) [meat, animals] volaille f.

pound [paʊnd] ◆ n 1. [unit of money] livre f 2. [unit of weight] ≃ livre f = 453,6 grammes. ◆ vi [heart] battre fort.

pour [pɔː'] ◆ vt verser. ◆ vi [flow] couler à flot ▸ **it's pouring (with rain)** il pleut à verse. ◆ **pour out** vt sep [drink] verser.

POV written abbr of **point of view**.

poverty ['pɒvətɪ] n (U) pauvreté f.

powder ['paʊdəʳ] n poudre f.

powdered milk n lait m en poudre.

power ['paʊəʳ] ◆ n (U) 1. pouvoir m 2. [strength, force] puissance f 3. [energy] énergie f 4. [electricity] courant m. ◆ vt faire marcher ▸ **to be in power** être au pouvoir.

power cut n [UK] coupure f de courant.

power failure n [US] panne f de courant.

powerful ['paʊəfʊl] adj puissant(e).

power plant n [factory] centrale f électrique.

power point n [UK] prise f de courant.

power station n [UK] centrale f électrique.

power steering n (U) direction f assistée.

practical ['præktɪkl] adj pratique.

practically ['præktɪklɪ] adv pratiquement.

practice ['præktɪs] ◆ n 1. (U) [training] entraînement m 2. [of doctor] cabinet m 3. [of lawyer] étude f 4. [regular activity, custom] pratique f. ◆ vt [US] = **practise** ▸ **to be out of practice** manquer d'entraînement.

practise ['præktɪs] ◆ vt [UK] 1. [sport, technique] s'entraîner à 2. [music] s'exercer à. ◆ vi 1. [train] s'entraîner 2. [musician] s'exercer 3. [doctor, lawyer] exercer. ◆ n [US] = **practice**.

praise [preɪz] ◆ n (U) éloge m. ◆ vt louer.

pram [præm] n [UK] landau m.

prank [præŋk] n farce f.

prawn [prɔːn] n crevette f (rose).

prawn cocktail n hors-d'œuvre froid à base de crevettes et de mayonnaise au ketchup.

prawn cracker n beignet de crevette.

prawn crackers npl chips fpl aux crevettes.

pray [preɪ] vi prier ▸ **to pray for good weather** prier pour qu'il fasse beau.

prayer [preəʳ] n prière f.

precarious [prɪˈkeərɪəs] adj précaire.

precaution [prɪˈkɔːʃn] n précaution f.

precede [prɪˈsiːd] vt fml précéder.

preceding [prɪˈsiːdɪŋ] adj précédent(e).

precinct ['priːsɪŋkt] n 1. [UK] [for shopping] quartier m 2. [US] [area of town] circonscription f administrative.

precious ['preʃəs] adj précieux(ieuse).

precious stone n pierre f précieuse.

precipice ['presɪpɪs] n précipice m.

precise [prɪˈsaɪs] adj précis(e).

precisely [prɪˈsaɪslɪ] adv précisément.

predecessor ['priːdɪsesəʳ] n prédécesseur m.

predicament [prɪˈdɪkəmənt] n situation f difficile.

predict [prɪˈdɪkt] vt prédire.

predictable [prɪˈdɪktəbl] adj prévisible.

prediction [prɪˈdɪkʃn] n prédiction f.

predictive text(ing) [prɪˈdɪktɪv-] n COMPUT écriture f prédictive, T9 m.

preface ['prefɪs] n préface f.

prefect ['priːfekt] n [UK] [at school] élève choisi parmi les plus âgés pour prendre en charge la discipline.

prefer [prɪˈfɜːʳ] vt : **to prefer sthg (to)** préférer qqch (à) ▸ **to prefer to do sthg** préférer faire qqch.

preferable [ˈprefrəbl] adj préférable ▸ **to be preferable (to)** être préférable (à).

preferably [ˈprefrəblɪ] adv de préférence.

preference [ˈprefərəns] n préférence f ▸ **to have a preference for sthg** avoir une préférence pour qqch.

prefix [ˈpriːfɪks] n préfixe m.

pregnancy [ˈpregnənsɪ] n grossesse f.

pregnant [ˈpregnənt] adj enceinte.

pre-installed [ˌpriːɪnˈstɔːld] adj [software] préinstallé(e).

prejudice [ˈpredʒʊdɪs] n (U) préjugé m ▸ **to have a prejudice against sb /sthg** avoir un préjugé contre qqn /qqch.

prejudiced [ˈpredʒʊdɪst] adj plein(e) de préjugés ▸ **to be prejudiced against** avoir contre.

preliminary [prɪˈlɪmɪnərɪ] adj préliminaire.

premature [ˈpremətjʊəʳ] adj prématuré(e).

premier [ˈpremjəʳ] ◆ adj le plus prestigieux (la plus prestigieuse) ◆ n UK Premier ministre m.

premiere [ˈpremɪeəʳ] n première f.

premises [ˈpremɪsɪz] npl locaux mpl ▸ **on the premises** dans les locaux.

premium [ˈpriːmjəm] n [for insurance] prime f.

premium-quality adj [meat] de première qualité.

preoccupied [priːˈɒkjʊpaɪd] adj préoccupé(e).

pre-owned adj d'occasion.

prepacked [ˌpriːˈpækt] adj préemballé(e).

prepaid [ˈpriːpeɪd] adj [envelope] prétimbré(e).

preparation [ˌprepəˈreɪʃn] n (U) préparation f. ◆ **preparations** npl [arrangements] préparatifs mpl.

preparatory school [prɪˈpærətrɪ-] n **1.** [in UK] école f primaire privée **2.** [in US] école privée qui prépare à l'enseignement supérieur.

prepare [prɪˈpeəʳ] ◆ vt préparer. ◆ vi se préparer.

prepared [prɪˈpeəd] adj prêt(e) ▸ **to be prepared to do sthg** être prêt à faire qqch.

preposition [ˌprepəˈzɪʃn] n préposition f.

prep school [prep-] = **preparatory school.**

preschool [ˌpriːˈskuːl] ◆ adj préscolaire. ◆ n US école f maternelle.

prescribe [prɪˈskraɪb] vt prescrire.

prescription [prɪˈskrɪpʃn] n **1.** [paper] ordonnance f **2.** [medicine] médicaments mpl.

presence [ˈprezns] n (U) présence f ▸ **in sb's presence** en présence de qqn.

present ◆ adj [ˈpreznt] **1.** [in attendance] présent(e) **2.** [current] actuel(elle). ◆ n [ˈpreznt] [gift] cadeau m. ◆ vt [prɪˈzent] **1.** présenter **2.** [give] remettre **3.** [problem] poser ▸ **the present (tense)** GRAM le présent ▸ **at present** actuellement ▸ **the present** le présent ▸ **may I present you to the mayor?** permettez-moi de vous présenter au maire.

presentable [prɪˈzentəbl] adj présentable.

presentation [ˌprezn'teɪʃn] **n 1.** présentation f **2.** [ceremony] remise f.

presenter [prɪ'zentər] n 🇬🇧 présentateur m, -trice f.

presently ['prezntlɪ] **adv 1.** [soon] bientôt **2.** [now] actuellement.

preservation [ˌprezə'veɪʃn] **n** (U) conservation f.

preservative [prɪ'zɜːvətɪv] n conservateur m.

preserve [prɪ'zɜːv] ◆ **n 1.** [jam] confiture f **2.** [vegetables] pickles mpl. ◆ **vt 1.** conserver **2.** [peace, dignity] préserver.

president ['prezɪdənt] n président m.

President's Day n jour férié aux États-Unis, le troisième lundi de février, en l'honneur des anniversaires des présidents Washington et Lincoln.

press [pres] ◆ **vt 1.** [push] presser, appuyer sur **2.** [iron] repasser. ◆ **n : the press** la presse ▸ **to press a key** appuyer sur une touche ▸ **to press sb to do sthg** presser qqn de faire qqch.

press conference n conférence f de presse.

press-stud n 🇬🇧 bouton-pression m.

press-up n 🇬🇧 pompe f.

pressure ['preʃər] **n** (U) pression f.

pressure cooker n Cocotte-Minute® f.

prestigious [pre'stɪdʒəs] **adj** prestigieux(ieuse).

presumably [prɪ'zjuːməblɪ] **adv** vraisemblablement.

presume [prɪ'zjuːm] **vt** [assume] supposer.

pretend [prɪ'tend] **vt : to pretend to do sthg** faire semblant de faire qqch.

pretentious [prɪ'tenʃəs] **adj** prétentieux(ieuse).

pretty ['prɪtɪ] ◆ **adj** [attractive] joli(e). ◆ **adv** inf **1.** [quite] assez **2.** [very] très.

prevent [prɪ'vent] **vt** empêcher ▸ **they prevented him from leaving** ils l'ont empêché de partir.

prevention [prɪ'venʃn] **n** (U) prévention f.

preview ['priːvjuː] **n 1.** [of film] avant-première f **2.** [short description] aperçu m.

previous ['priːvjəs] **adj 1.** [earlier] antérieur(e) **2.** [preceding] précédent(e).

previously ['priːvjəslɪ] **adv** auparavant.

price [praɪs] ◆ **n** prix m. ◆ **vt : to be priced at** coûter.

price increase n hausse f or augmentation f des prix.

priceless ['praɪslɪs] **adj 1.** [expensive] hors de prix **2.** [valuable] inestimable.

price list n tarif m.

pricey ['praɪsɪ] **adj** inf chérot inv.

pricing ['praɪsɪŋ] **n** fixation f du prix.

prick [prɪk] **vt** piquer.

prickly ['prɪklɪ] **adj** [plant, bush] épineux(euse).

prickly heat n (U) boutons mpl de chaleur.

pride [praɪd] ◆ **n 1.** (U) [satisfaction] fierté f **2.** [self-respect, arrogance] orgueil m. ◆ **vt : to pride o.s. on sthg** être fier de qqch.

priest [priːst] n prêtre m.

primarily ['praɪmərɪlɪ] **adv** principalement.

primary carer, primary caregiver n personne qui s'occupe d'un proche dépendant.

primary school ['praɪmərɪ-] n école f primaire.

prime [praɪm] adj 1. [chief] principal(e) 2. [beef, cut] de premier choix ▸ **prime quality** qualité supérieure.

prime minister n Premier ministre m.

primitive ['prɪmɪtɪv] adj primitif(ive).

primrose ['prɪmrəʊz] n primevère f.

prince [prɪns] n prince m.

Prince of Wales n Prince m de Galles.

princess [prɪn'ses] n princesse f.

principal ['prɪnsəpl] ◆ adj principal(e). ◆ n 1. [UK] [of school] directeur m, -trice f 2. [US] [of university] doyen m, -enne f.

principle ['prɪnsəpl] n principe m ▸ **in principle** en principe.

print [prɪnt] ◆ n 1. (U) [words] caractères mpl 2. [photo] tirage m 3. [of painting] reproduction f 4. [mark] empreinte f. ◆ vt 1. [book, newspaper] imprimer 2. [publish] publier 3. [write] écrire (en caractères d'imprimerie) 4. [photo] tirer ▸ **out of print** épuisé. ◆ **print out** vt sep imprimer.

printed matter ['prɪntɪd-] n (U) imprimés mpl.

printer ['prɪntər] n 1. [machine] imprimante f 2. [person] imprimeur m.

printout ['prɪntaʊt] n sortie f papier.

print preview n aperçu m avant impression.

prior ['praɪər] adj [previous] précédent(e) ▸ **prior to** fml avant.

priority [praɪ'ɒrətɪ] n priorité f ▸ **to have priority over** avoir la priorité sur.

prison ['prɪzn] n prison f.

prisoner ['prɪznər] n prisonnier m, -ière f.

prisoner of war n prisonnier m de guerre.

prison officer n gardien m de prison.

privacy [UK 'prɪvəsɪ, US 'praɪəsɪ] n (U) intimité f.

private ['praɪvɪt] ◆ adj 1. privé(e) 2. [bathroom, lesson] particulier(ière) 3. [confidential] confidentiel(ielle) 4. [place] tranquille. ◆ n MIL (simple) soldat m ▸ **in private** en privé.

private health care n (U) assurance-maladie f privée.

private property n (U) propriété f privée.

private school n école f privée.

privilege ['prɪvɪlɪdʒ] n privilège m ▸ **it's a privilege!** c'est un honneur !

prize [praɪz] n prix m.

prize-giving [-ɡɪvɪŋ] n [UK] remise f des prix.

PRM (written abbr of Persons with Reduced Mobility) PMR (personne à mobilité réduite).

pro [prəʊ] (pl -s) n inf [professional] pro m ou f. ◆ **pros** npl : **the pros and cons** le pour et le contre.

probability [ˌprɒbə'bɪlətɪ] n probabilité f.

probable ['prɒbəbl] adj probable.

probably ['prɒbəblɪ] adv probablement.

probation officer [prə'beɪʃn-] n ≃ agent m de probation.

problem ['prɒbləm] n problème m
▶ **no problem!** inf pas de problème !

procedure [prə'siːdʒəʳ] n procédure f.

proceed [prə'siːd] vi fml **1.** [continue] continuer **2.** [act] procéder **3.** [advance] avancer ▶ **'proceed with caution'** 'ralentir'.

proceeds ['prəʊsiːdz] npl recette f.

process ['prəʊses] n **1.** [series of events] processus m **2.** [method] procédé m ▶ **to be in the process of doing sthg** être en train de faire qqch.

processed cheese ['prəʊsest-] n **1.** [for spreading] fromage m à tartiner **2.** [in slices] fromage en tranches.

procession [prə'seʃn] n procession f.

prod [prɒd] vt [poke] pousser.

produce ◆ vt [prə'djuːs] **1.** produire **2.** [cause] provoquer. ◆ n ['prɒdjuːs] (U) produits mpl (alimentaires).

producer [prə'djuːsəʳ] n producteur m, -trice f.

product ['prɒdʌkt] n produit m.

production [prə'dʌkʃn] n production f.

productivity [ˌprɒdʌk'tɪvətɪ] n (U) productivité f.

product placement n [cinema & TV] placement m de produits.

product range n gamme f de produits.

product testing n essais mpl de produits.

profession [prə'feʃn] n profession f.

professional [prə'feʃənl] ◆ adj professionnel(elle). ◆ n professionnel m, -elle f.

professor [prə'fesəʳ] n **1.** [in UK] professeur m (d'université) **2.** [in US] ≃ maître m de conférences.

profile ['prəʊfaɪl] n **1.** [silhouette, outline] profil m **2.** [description] portrait m.

profit ['prɒfɪt] ◆ n profit m. ◆ vi : **to profit (from)** profiter (de).

profitable ['prɒfɪtəbl] adj profitable.

profiteroles [prə'fɪtərəʊlz] npl profiteroles fpl.

profound [prə'faʊnd] adj profond(e).

program ['prəʊgræm] ◆ n **1.** COMPUT programme m **2.** US = **programme**. ◆ vt COMPUT programmer.

programme ['prəʊgræm] n US **1.** [of events, booklet] programme m **2.** [on TV, radio] émission f.

progress ◆ n ['prəʊgres] (U) **1.** [improvement] progrès m **2.** [forward movement] progression f. ◆ vi [prə'gres] **1.** [work, talks, student] progresser **2.** [day, meeting] avancer ▶ **to make progress a)** [improve] faire des progrès b) [in journey] avancer ▶ **in progress** en progrès.

progressive [prə'gresɪv] adj [forward-looking] progressiste.

prohibit [prə'hɪbɪt] vt interdire ▶ **'smoking strictly prohibited'** 'défense absolue de fumer'.

project ['prɒdʒekt] n projet m.

projector [prə'dʒektəʳ] n projecteur m.

prolong [prə'lɒŋ] vt prolonger.

prom [prɒm] n US [dance] bal m (d'étudiants).

promenade [ˌprɒmə'nɑːd] n [by the sea] promenade f.

prominent ['prɒmɪnənt] adj **1.** [person] important(e) **2.** [teeth, chin] proéminent(e).

promise ['prɒmɪs] ◆ n promesse f. ◆ vt & vi promettre ▸ **to show promise** promettre ▸ **I promise (that) I'll come** je promets que je viendrai ▸ **you promised me a lift home** tu as promis de me raccompagner ▸ **to promise to do sthg** promettre de faire qqch.

promising ['prɒmɪsɪŋ] adj prometteur(euse).

promote [prə'məʊt] vt promouvoir.

promotion [prə'məʊʃn] n promotion f.

prompt [prɒmpt] ◆ adj rapide. ◆ adv : **at six o'clock prompt** à six heures pile.

prone [prəʊn] adj : **to be prone to sthg** être sujet à qqch ▸ **to be prone to do sthg** avoir tendance à faire qqch.

prong [prɒŋ] n [of fork] dent f.

pronoun ['prəʊnaʊn] n pronom m.

pronounce [prə'naʊns] vt prononcer.

pronto ['prɒntəʊ] adv inf illico.

pronunciation [prə,nʌnsɪ'eɪʃn] n prononciation f.

proof [pruːf] n (U) [evidence] preuve f ▸ **12 % proof** 12 degrés ▸ **proof of origin** certificat d'origine.

prop [prɒp] ◆ vt sep soutenir.

propeller [prə'pelər] n hélice f.

proper ['prɒpər] adj **1.** [suitable] adéquat(e) **2.** [correct] bon (bonne) **3.** [behaviour] correct(e).

properly ['prɒpəlɪ] adv correctement.

property ['prɒpətɪ] n (U) propriété f.

property ladder n : **to get a foot on the property ladder** devenir propriétaire.

proportion [prə'pɔːʃn] n **1.** [part, amount] partie f **2.** [ratio, in art] proportion f.

proposal [prə'pəʊzl] n proposition f.

propose [prə'pəʊz] ◆ vt proposer. ◆ vi : **to propose to sb** demander qqn en mariage.

proposition [,prɒpə'zɪʃn] n proposition f.

proprietor [prə'praɪətər] n fml propriétaire f.

prose [prəʊz] n **1.** (U) [not poetry] prose f **2.** SCH thème m.

prosecute ['prɒsɪkjuːt] vt poursuivre (en justice).

prosecution [,prɒsɪ'kjuːʃn] n LAW [charge] accusation f.

prospect ['prɒspekt] n [possibility] possibilité f ▸ **I don't relish the prospect** cette perspective ne m'enchante guère. ◆ **prospects** npl [for the future] perspectives fpl.

prospectus [prə'spektəs] (pl -es) n prospectus m.

prosperous ['prɒspərəs] adj prospère.

prostitute ['prɒstɪtjuːt] n prostitué m, -e f.

protect [prə'tekt] vt protéger ▸ **to protect sb from harm** mettre qqn à l'abri du danger ▸ **a plan to protect the country against attack** un plan pour protéger le pays contre des attentats.

protection [prə'tekʃn] n (U) protection f.

protection factor n [of suntan lotion] indice m de protection.

protective [prə'tektɪv] **adj** protecteur(trice).

protein ['prəʊti:n] **n** protéines *fpl*.

protest ◆ n ['prəʊtest] **1.** [complaint] protestation *f* **2.** [demonstration] manifestation *f*. **◆ vt** [prə'test] US [protest against] protester contre. **◆ vi : to protest (against)** protester (contre).

Protestant ['prɒtɪstənt] **n** protestant *m*, -e *f*.

protester [prə'testə'] **n** manifestant *m*, -e *f*.

protractor [prə'træktə'] **n** rapporteur *m*.

protrude [prə'tru:d] **vi** dépasser.

proud [praʊd] **adj** fier (fière) **▶ to be proud of** être fier de.

prove [pru:v] (*pp* **-d** OR **proven** [pru:vn]) **vt 1.** prouver **2.** [turn out to be] se révéler.

proverb ['prɒvɜ:b] **n** proverbe *m*.

provide [prə'vaɪd] **vt** fournir **▶ to provide sb with information** fournir des informations à qqn. **◆ provide for vt insep** [person] subvenir aux besoins de.

provided (that) [prə'vaɪdɪd-] **conj** pourvu que.

providing (that) [prə'vaɪdɪŋ-] = **provided (that)**.

province ['prɒvɪns] **n** province *f*.

provisional [prə'vɪʒənl] **adj** provisoire.

provisions [prə'vɪʒnz] **npl** provisions *fpl*.

provocative [prə'vɒkətɪv] **adj** provocant(e).

provoke [prə'vəʊk] **vt** provoquer.

prowl [praʊl] **vi** rôder.

prune [pru:n] **◆ n** pruneau *m*. **◆ vt** [tree, bush] tailler.

PS (*abbr of* **postscript**) PS (*postscriptum*).

psychiatrist [saɪ'kaɪətrɪst] **n** psychiatre *m* ou *f*.

psychic ['saɪkɪk] **adj** doué(e) de seconde vue.

psychological [,saɪkə'lɒdʒɪkl] **adj** psychologique.

psychologist [saɪ'kɒlədʒɪst] **n** psychologue *m* ou *f*.

psychology [saɪ'kɒlədʒɪ] **n** *(U)* psychologie *f*.

psychotherapist [,saɪkəʊ'θerəpɪst] **n** psychothérapeute *m* ou *f*.

pt *abbr of* **pint**.

PTO (*abbr of* **please turn over**) TSVP (*tournez s'il vous plaît*).

pub [pʌb] **n** UK pub *m*.

ⓘ Pub

Anciennement appelés **public houses** (maisons publiques), ces bars britanniques, grands foyers de la vie sociale, accueillent une clientèle qui veut prendre un verre, écouter un concert, jouer aux fléchettes ou au billard. On y sert de la bière locale (la **real ale**, une bière pression brassée selon des méthodes traditionnelles), des bières étrangères, de nombreuses boissons alcoolisées ou non, accompagnées de petits en-cas. Aujourd'hui, les nouveaux **gastropubs** proposent des repas complets.

puberty ['pju:bətɪ] **n** *(U)* puberté *f*.

pubes ['pju:bi:z] (*pl inv*) **n 1.** [region] pubis *m* **2.** [hair] poils *mpl* pubiens **3.** [bones] (os *m* du) pubis *m*.

public ['pʌblɪk] ◆ adj public(ique). ◆ n : **the public** le public ▸ **in public** en public.

publican ['pʌblɪkən] n [UK] patron m, -onne f de pub.

publication [,pʌblɪ'keɪʃn] n publication f.

public bar n [UK] bar m (salle moins confortable et moins chère que le « lounge bar » ou le « saloon bar »).

public convenience n [UK] toilettes fpl publiques.

public footpath n [UK] sentier m public.

public holiday n jour m férié.

public house n [UK] fml pub m.

publicity [pʌb'lɪsɪtɪ] n (U) publicité f.

public relations n (U) relations fpl publiques.

public school n 1. [in UK] école f privée 2. [in US] école f publique.

ⓘ Public school

Au Royaume-Uni, les écoles privées (appelées public schools, même si elles ne bénéficient d'aucune subvention gouvernementale) offrent une alternative aux parents fortunés souhaitant inscrire leurs enfants dans ces institutions élitistes réputées pour leur excellent niveau. Mixtes ou non, la plupart de ces établissements accueillent traditionnellement des pensionnaires et proposent également des programmes adaptés aux élèves en difficulté.

public telephone n téléphone m public.

public transport n (U) [UK] transports mpl en commun.

public transportation [US] = **public transport**.

publish ['pʌblɪʃ] vt publier.

publisher ['pʌblɪʃər] n 1. [person] éditeur m, -trice f 2. [company] maison f d'édition.

publishing ['pʌblɪʃɪŋ] n (U) [industry] édition f.

pub lunch n [UK] repas de midi servi dans un pub.

pudding ['pudɪŋ] n 1. [sweet dish] pudding m 2. [UK] [course] dessert m.

puddle ['pʌdl] n flaque f.

Puerto Rico [,pwɜːtəʊ'riːkəʊ] n Porto Rico, Puerto Rico.

puff [pʌf] ◆ vi [breathe heavily] souffler. ◆ n [of air, smoke] bouffée f ▸ **to puff at** [cigarette, pipe] tirer sur.

Puffa jacket® ['pʌfə-] n blouson m de rappeur.

puff pastry n (U) pâte f à choux.

pull [pul] ◆ vt 1. tirer 2. [trigger] appuyer sur. ◆ vi tirer. ◆ n : **to give sthg a pull** tirer sur qqch ▸ **'pull'** [on door] 'tirez' ▸ **to pull a face** faire une grimace ▸ **to pull a muscle** se froisser un muscle. ◆ **pull apart** vt sep 1. [book] mettre en pièces 2. [machine] démonter. ◆ **pull down** vt sep 1. [blind] baisser 2. [demolish] démolir. ◆ **pull in** vi 1. [train] entrer en gare 2. [car] se ranger. ◆ **pull out** ◆ vt sep [tooth, cork, plug] enlever. ◆ vi 1. [train] partir 2. [car] déboîter 3. [withdraw] se retirer. ◆ **pull over** vi [car] se ranger. ◆ **pull up** ◆ vt sep [socks, trousers, sleeve] remonter. ◆ vi [stop] s'arrêter.

pull-down menu n menu m déroulant.

pulley ['pulɪ] (pl -s) n poulie f.

pull-out n [US] [beside road] aire f de stationnement.

pullover ['pʊl,əʊvə[r]] n pull(-over) m.

pulpit ['pʊlpɪt] n chaire f.

pulse [pʌls] n MED pouls m.

pump [pʌmp] n pompe f. ◆ **pumps** npl [UK] [sports shoes] tennis mpl. ◆ **pump up** vt sep gonfler.

pumped [pʌmpt] adj [US] inf excité(e).

pumpkin ['pʌmpkɪn] n potiron m.

pun [pʌn] n jeu m de mots.

punch [pʌntʃ] ◆ n 1. [blow] coup m de poing 2. (U) [drink] punch m. ◆ vt 1. [hit] donner un coup de poing à 2. [ticket] poinçonner.

Punch and Judy show [-'dʒuːdɪ-] n ≃ guignol m.

punctual ['pʌŋktʃʊəl] adj ponctuel(elle).

punctuation [,pʌŋktʃʊ'eɪʃn] n (U) ponctuation f.

puncture ['pʌŋktʃə[r]] ◆ n crevaison f. ◆ vt crever.

punish ['pʌnɪʃ] vt punir ▶ **to punish sb for a crime** punir qqn pour un crime.

punishment ['pʌnɪʃmənt] n punition f.

punk [pʌŋk] n 1. [person] punk m ou f 2. (U) [music] punk m.

punnet ['pʌnɪt] n [UK] barquette f.

pup [pʌp] n [young dog] chiot m.

pupil ['pjuːpl] n 1. [student] élève m ou f 2. [of eye] pupille f.

puppet ['pʌpɪt] n marionnette f.

puppy ['pʌpɪ] n chiot m.

purchase ['pɜːtʃəs] ◆ vt fml acheter. ◆ n fml achat m.

pure [pjʊə[r]] adj pur(e).

puree ['pjʊəreɪ] n purée f.

purely ['pjʊəlɪ] adv purement.

purity ['pjʊərətɪ] n (U) pureté f.

purple ['pɜːpl] adj violet(ette).

purpose ['pɜːpəs] n 1. [reason] motif m 2. [use] usage m ▶ **on purpose** exprès.

purr [pɜː[r]] vi ronronner.

purse [pɜːs] n 1. [UK] [for money] portemonnaie m inv 2. [US] [handbag] sac m à main.

pursuant [pə'sjuːənt] adj fml : **pursuant to a)** [following] suivant à b) [in accordance with] conformément à.

pursue [pə'sjuː] vt poursuivre.

pus [pʌs] n (U) pus m.

push [pʊʃ] ◆ vt 1. [shove] pousser 2. [button] appuyer sur, presser 3. [product] promouvoir. ◆ vi pousser. ◆ n : **to give a car a push** pousser une voiture ▶ **'push'** [on door] 'poussez' ▶ **to push sb into doing sthg** pousser qqn à faire qqch. ◆ **push in** vi [UK] [in queue] se faufiler. ◆ **push off** vi inf [go away] dégager.

push-button telephone n téléphone m à touches.

pushchair ['pʊʃtʃeə[r]] n [UK] poussette f.

pushed [pʊʃt] adj inf : **to be pushed (for time)** être pressé(e).

pusher ['pʊʃə[r]] n [drug slang] dealer m.

push technology n COMPUT technologie f du push de données.

push-ups npl [US] pompes fpl.

put [pʊt] (pt & pp put) ◆ vt 1. [place] poser, mettre ▶ **to put a child to bed** mettre un enfant au lit ▶ **to put money into an account** mettre de l'argent sur un compte 2. [responsibility] rejeter 3. [express] exprimer 4. [write] mettre, écrire 5. [a question] poser 6. [estimate] estimer

◆ **put aside** vt sep [money] mettre de côté.

→

◆ **put away** vt sep [tidy up] ranger.

◆ **put back** vt sep 1. [replace] remettre 2. [postpone] repousser 3. [clock, watch] retarder.

◆ **put down** vt sep 1. [on floor, table] poser 2. [passenger] déposer 3. [animal] piquer 4. [deposit] verser.

◆ **put forward** vt sep avancer.

◆ **put in** vt sep 1. [insert] introduire 2. [install] installer 3. [in container, bags] mettre dedans.

◆ **put off** vt sep 1. [postpone] reporter 2. [distract] distraire 3. [repel] dégoûter 4. [passenger] déposer.

◆ **put on** vt sep 1. [clothes, make-up, CD] mettre 2. [weight] prendre ▶ **to put on weight** grossir 3. [television, light, radio] allumer ▶ **to put the kettle on** UK mettre la bouilloire à chauffer 4. [play, show] monter.

◆ **put out** vt sep 1. [cigarette, fire, light] éteindre 2. [publish] publier 3. [arm, leg] étendre 4. [hand] tendre 5. [inconvenience] déranger ▶ **to put one's back out** se déplacer une vertèbre.

◆ **put together** vt sep 1. [assemble] monter 2. [combine] réunir.

◆ **put up** vt sep 1. [building] construire 2. [statue] ériger 3. [erect] monter ▶ **to put up a tent** monter une tente 4. [umbrella] ouvrir 5. [a notice] afficher 6. [price, rate] augmenter 7. [provide with accommodation] loger. ◆ vi [in hotel] descendre.

◆ **put up with** vt insep supporter.

putt [pʌt] ◆ n putt m.

putter ['pʌtə'] n [club] putter m.

putting ['pʌtɪŋ] n SPORT putting m.

putting green ['pʌtɪŋ-] n green m.

putty ['pʌtɪ] n (U) mastic m.

puzzle ['pʌzl] ◆ n 1. [game] casse-tête m inv 2. [jigsaw] puzzle m 3. [mystery] énigme f. ◆ vt rendre perplexe.

puzzling ['pʌzlɪŋ] adj déconcertant(e).

pyjamas [pə'dʒɑːməz] npl UK pyjama m.

pylon ['paɪlən] n pylône m.

pyramid ['pɪrəmɪd] n pyramide f.

Pyrenees [ˌpɪrə'niːz] npl : **the Pyrenees** les Pyrénées fpl.

Pyrex® ['paɪreks] n (U) Pyrex® m.

quad bike n [moto f] quad m.

quadruple [kwɒ'druːpl] ◆ adj quadruple. ◆ vt & vi quadrupler.

quail [kweɪl] n (U) caille f.

quail's eggs npl œufs mpl de caille.

quaint [kweɪnt] adj pittoresque.

qualification [ˌkwɒlɪfɪ'keɪʃn] n 1. [diploma] diplôme m 2. [ability] qualification f.

qualified ['kwɒlɪfaɪd] adj qualifié(e).

qualify ['kwɒlɪfaɪ] vi 1. [for competition] se qualifier 2. [pass exam] obtenir un diplôme.

quality ['kwɒlətɪ] ◆ n qualité f. ◆ adj de qualité.

qualm [kwɑːm] n 1. [scruple] scrupule m 2. [pang of nausea] haut-le-cœur m inv.

quarantine ['kwɒrəntiːn] n (U) quarantaine f.

quarrel ['kwɒrəl] ◆ n dispute f. ◆ vi se disputer.

quarry ['kwɒrɪ] n carrière f.

quart [kwɔːt] n **1.** [in UK] = 1,136 litres ; ≃ litre m **2.** [in US] = 0,946 litre ; ≃ litre.

quarter ['kwɔːtər] n **1.** [fraction] quart m **2.** US [coin] pièce f de 25 cents **3.** UK [4 ounces] = 0,1134 kg ; ≃ quart **4.** [three months] trimestre m **5.** [part of town] quartier m ▸ (a) quarter to five UK cinq heures moins le quart ▸ (a) quarter of five US cinq heures moins cinq ▸ (a) quarter past five UK cinq heures et quart ▸ (a) quarter after five US cinq heures et quart ▸ (a) quarter of an hour un quart d'heure.

quarterpounder [ˌkwɔːtəˈpaʊndər] n gros hamburger m.

quartet [kwɔːˈtet] n [group] quatuor m.

quartz [kwɔːts] adj [watch] à quartz.

quay [kiː] n quai m.

queasy ['kwiːzɪ] adj inf : **to feel queasy** avoir mal au cœur.

queen [kwiːn] n **1.** reine f **2.** [in cards] dame f.

queer [kwɪər] adj **1.** [strange] bizarre **2.** inf [ill] patraque **3.** inf & pej [homosexual] homo.

quench [kwentʃ] vt : **to quench one's thirst** étancher sa soif.

query ['kwɪərɪ] n **1.** question f **2.** COMPUT requête f.

question ['kwestʃn] ◆ n question f. ◆ vt [person] interroger ▸ **it's out of the question** c'est hors de question.

question mark n point m d'interrogation.

questionnaire [ˌkwestʃəˈneər] n questionnaire m.

queue [kjuː] ◆ n UK queue f. ◆ vi UK faire la queue. ◆ **queue up** vi UK faire la queue.

quiche [kiːʃ] n quiche f.

quick [kwɪk] ◆ adj rapide. ◆ adv rapidement, vite.

quickfire ['kwɪkfaɪər] adj : **he directed quickfire questions at me** il m'a mitraillé de questions ▸ **a series of quickfire questions** un feu roulant de questions.

quickie ['kwɪkɪ] n inf [gen] truc m vite fait.

quickie divorce n divorce m rapide.

quickly ['kwɪklɪ] adv rapidement, vite.

quicksand ['kwɪksænd] n sables mpl mouvants.

quid [kwɪd] (pl inv) n UK inf [pound] livre f.

quiet ['kwaɪət] ◆ adj **1.** silencieux(ieuse) **2.** [calm, peaceful] tranquille. ◆ n (U) calme m ▸ **in a quiet voice** à voix basse ▸ **keep quiet!** chut !, taisez-vous ! ▸ **to keep quiet** [not say anything] se taire ▸ **to keep quiet about sthg** ne pas parler de qqch.

quieten ['kwaɪətn] ◆ **quieten down** vi se calmer.

quietly ['kwaɪətlɪ] adv **1.** silencieusement **2.** [calmly] tranquillement.

quilt [kwɪlt] n **1.** UK [duvet] couette f **2.** [eiderdown] édredon m.

quince [kwɪns] n coing m.

quirk [kwɜːk] n bizarrerie f.

quit [kwɪt] (pt & pp quit) ◆ vi **1.** [resign] démissionner **2.** [give up] abandonner. ◆ vt [school, job] quitter ▸ **to quit doing sthg** arrêter de faire qqch.

quite [kwaɪt] adv 1. [fairly] assez 2. [completely] tout à fait ▸ **not quite** pas tout à fait ▸ **quite a lot (of)** pas mal (de).

quits [kwɪts] adj inf : **to be quits (with sb)** être quitte (envers qqn).

quiz [kwɪz] (pl -**zes**) n jeu m (basé sur des questions de culture générale).

quota ['kwəʊtə] n quota m.

quotation [kwəʊ'teɪʃn] n 1. [phrase] citation f 2. [estimate] devis m.

quotation marks npl guillemets mpl.

quote [kwəʊt] ◆ vt 1. [phrase, writer] citer 2. [price] indiquer. ◆ n 1. [phrase] citation f 2. [estimate] devis m.

Rr

rabbi ['ræbaɪ] n rabbin m.

rabbit ['ræbɪt] n lapin m.

rabies ['reɪbiːz] n (U) rage f.

RAC (abbr of Royal Automobile Club) n UK ≃ ACF m (Automobile Club de France).

rac(c)oon [rə'kuːn] n raton m laveur, chat m sauvage QUÉBEC.

race [reɪs] ◆ n 1. [competition] course f 2. [ethnic group] race f. ◆ vi 1. [compete] faire la course 2. [go fast] aller à toute vitesse 3. [engine] s'emballer. ◆ vt faire la course avec.

racecourse ['reɪskɔːs] n UK champ m de courses.

racehorse ['reɪshɔːs] n cheval m de course.

racetrack ['reɪstræk] n US [for horses] champ m de courses.

racial ['reɪʃl] adj racial(e).

racing ['reɪsɪŋ] n (U) : **(horse) racing** courses fpl (de chevaux).

racing car n voiture f de course.

racism ['reɪsɪzm] n (U) racisme m.

racist ['reɪsɪst] n raciste m ou f.

rack [ræk] n 1. [for bottles] casier m 2. [for coats] portemanteau m 3. [for plates] égouttoir m 4. [on car] galerie f 5. [on train] filet m à bagages ▸ **(luggage) rack** a) [on car] galerie f b) [on bike] porte-bagages m inv ▸ **rack of lamb** carré m d'agneau.

racket ['rækɪt] n 1. raquette f 2. inf [noise] raffut m.

racquet ['rækɪt] n raquette f.

radar ['reɪdɑːʳ] n radar m.

radiation [ˌreɪdɪ'eɪʃn] n (U) radiations fpl.

radiator ['reɪdɪeɪtəʳ] n radiateur m.

radical ['rædɪkl] adj radical(e).

radii ['reɪdɪaɪ] pl → **radius**.

radio ['reɪdɪəʊ] (pl -**s**) ◆ n radio f. ◆ vt [person] appeler par radio ▸ **on the radio** à la radio.

radioactive [ˌreɪdɪəʊ'æktɪv] adj radioactif(ive).

radio alarm(clock) n radio(-)réveil m.

radish ['rædɪʃ] n radis m.

radius ['reɪdɪəs] (pl **radii**) n rayon m.

RAF UK n abbr of **Royal Air Force**.

raffle ['ræfl] n tombola f.

raft [rɑːft] n **1.** [of wood] radeau m **2.** [inflatable] canot m pneumatique.

rafter [ˈrɑːftəʳ] n chevron m.

rag [ræg] n [old cloth] chiffon m.

rage [reɪdʒ] n rage f.

ragtop [ˈrægtɒp] n US inf AUT décapotable f.

raid [reɪd] ◆ n **1.** [attack] raid m **2.** [by police] descente f **3.** [robbery] hold-up m inv. ◆ vt **1.** [subj: police] faire une descente dans **2.** [subj: thieves] faire un hold-up dans.

rail [reɪl] ◆ n **1.** [bar] barre f **2.** [for curtain] tringle f **3.** [on stairs] rampe f **4.** [for train, tram] rail m. ◆ adj **1.** [transport, network] ferroviaire **2.** [travel] en train ▸ **by rail** en train.

railcard [ˈreɪlkɑːd] n UK carte f de réduction des chemins de fer pour jeunes et retraités.

railings [ˈreɪlɪŋz] npl grille f.

railroad [ˈreɪlrəʊd] US = **railway**.

railway [ˈreɪlweɪ] n UK **1.** [system] chemin m de fer **2.** [route] ligne f de chemin de fer ; [track] voie f ferrée.

railway line n UK **1.** [route] ligne f de chemin de fer **2.** [track] voie f ferrée.

railway station n UK gare f.

rain [reɪn] ◆ n (U) pluie f. ◆ impers vb pleuvoir ▸ **it's raining** il pleut.

rainbow [ˈreɪnbəʊ] n arc-en-ciel m.

raincoat [ˈreɪnkəʊt] n imperméable m.

raindrop [ˈreɪndrɒp] n goutte f de pluie.

rainfall [ˈreɪnfɔːl] n (U) précipitations fpl.

rainforest [ˈreɪnˌfɒrɪst] n forêt f pluviale.

rainy [ˈreɪnɪ] adj pluvieux(ieuse).

raise [reɪz] ◆ vt **1.** [lift] lever **2.** [increase] augmenter **3.** [money] collecter **4.** [child, animals] élever **5.** [question, subject] soulever. ◆ n US [pay increase] augmentation f.

raisin [ˈreɪzn] n raisin m sec.

rake [reɪk] n râteau m.

rally [ˈrælɪ] n **1.** [public meeting] rassemblement m **2.** [motor race] rallye m **3.** [in tennis, badminton, squash] échange m.

ram [ræm] ◆ n [sheep] bélier m. ◆ vt percuter.

Ramadan [ˌræməˈdæn] n Ramadan m.

ramble [ˈræmbl] n randonnée f.

ramp [ræmp] n **1.** [slope] rampe f **2.** [in road] ralentisseur m **3.** US [to freeway] bretelle f d'accès ▸ **'ramp'** UK [bump] panneau annonçant une dénivellation due à des travaux.

ramparts [ˈræmpɑːts] npl remparts mpl.

ran [ræn] pt → **run**.

ranch [rɑːntʃ] n ranch m.

ranch dressing n US sauce mayonnaise liquide légèrement épicée.

rancid [ˈrænsɪd] adj rance.

random [ˈrændəm] ◆ adj [choice, number] aléatoire. ◆ n : **at random** au hasard.

rang [ræŋ] pt → **ring**.

range [reɪndʒ] ◆ n **1.** [of radio, telescope] portée f **2.** [of prices, temperatures, ages] éventail m **3.** [of goods, services] gamme f **4.** [of hills, mountains] chaîne f **5.** [for shooting] champ m de tir **6.** US [cooker] fourneau m. ◆ vi [vary] varier.

ranger [ˈreɪndʒəʳ] n [of park, forest] garde m forestier.

rank [ræŋk] ♦ n grade m. ♦ adj [smell, taste] ignoble.

ransom ['rænsəm] n rançon f.

rap [ræp] n (U) [music] rap m.

rape [reɪp] ♦ n viol m. ♦ vt violer.

rapid ['ræpɪd] adj rapide. ♦ **rapids** npl rapides mpl.

rapidly ['ræpɪdlɪ] adv rapidement.

rapist ['reɪpɪst] n violeur m.

rare [reəᵊ] adj 1. rare 2. [meat] saignant(e).

rarely ['reəlɪ] adv rarement.

rash [ræʃ] ♦ n éruption f cutanée. ♦ adj imprudent(e).

rasher ['ræʃəᵊ] n tranche f.

raspberry ['rɑːzbərɪ] n framboise f.

rat [ræt] n rat m.

ratatouille [ˌrætəˈtuːɪ] n ratatouille f.

rate [reɪt] ♦ n 1. [level] taux m 2. [charge] tarif m 3. [speed & COMPUT] vitesse f, débit m. ♦ vt 1. [consider] considérer 2. [deserve] mériter ♦ **rate of exchange** taux de change ♦ **at any rate** en tout cas ♦ **at this rate** à ce rythme-là.

rather ['rɑːðəᵊ] adv plutôt ♦ **I'd rather stay in** je préférerais ne pas sortir ♦ **I'd rather not** j'aimerais mieux pas ♦ **would you rather...?** préférerais-tu...? ♦ **rather a lot of** pas mal de ♦ **rather than** plutôt que.

rating ['reɪtɪŋ] n [of popularity] cote f.

ratio ['reɪʃɪəʊ] (pl -s) n rapport m.

ration ['ræʃn] n [share] ration f. ♦ **rations** npl [food] vivres mpl.

rational ['ræʃnl] adj rationnel(elle).

rattle ['rætl] ♦ n [of baby] hochet m. ♦ vi faire du bruit.

rave [reɪv] n 🇬🇧 rave f.

raven ['reɪvn] n corbeau m.

ravioli [ˌrævɪˈəʊlɪ] n (U) ravioli(s) mpl.

raw [rɔː] adj 1. cru(e) 2. [sugar] non raffiné(e) 3. [silk] sauvage.

raw material n matière f première.

ray [reɪ] n rayon m.

razor ['reɪzəᵊ] n rasoir m.

razor blade n lame f de rasoir.

Rd (abbr of Road) Rte (route).

RDA n abbr of **recommended daily allowance**.

re [riː] prep concernant.

RE (abbr of religious education) n (U) instruction f religieuse.

reach [riːtʃ] ♦ vt 1. atteindre 2. [contact] joindre 3. [agreement, decision] parvenir à. ♦ n : **out of reach** hors de portée ♦ **within reach of the beach** à proximité de la plage. ♦ **reach out** vi : **to reach out (for)** tendre le bras (vers).

react [rɪˈækt] vi réagir.

reaction [rɪˈækʃn] n réaction f.

read [riːd] (pt & pp read [red]) ♦ vt 1. lire 2. [subj: sign, note] dire 3. [subj: meter, gauge] indiquer. ♦ vi lire ♦ **to read about sthg** apprendre qqch dans les journaux. ♦ **read out** vt sep lire à haute voix.

reader ['riːdəᵊ] n lecteur m, -trice f.

readies ['redɪz] npl 🇬🇧 inf [cash] fric m.

readily ['redɪlɪ] adv 1. [willingly] volontiers 2. [easily] facilement.

readiness ['redɪnɪs] n 1. [preparedness] état m de préparation 2. [willingness] empressement m ♦ **to be in readiness** être prêt ou préparé.

reading ['riːdɪŋ] n 1. (U) [of books, papers] lecture f 2. [of meter, gauge] données fpl.

reading light n liseuse f.

reading matter n (U) lecture f.

ready ['redɪ] adj prêt(e) **‣ to be ready for sthg** [prepared] être prêt pour qqch **‣ to be ready to do sthg** être prêt à faire qqch **‣ to get ready** se préparer **‣ to get sthg ready** préparer qqch.

ready cash n (U) liquide m.

ready-cooked [-kʊkt] adj précuit(e).

ready-to-wear adj de prêt à porter.

real ['rɪəl] ◆ adj 1. vrai(e) 2. [world] réel(elle). ◆ adv US inf vraiment, très.

real ale UK bière rousse de fabrication traditionnelle, fermentée en fûts.

real estate n US immobilier m.

realistic [,rɪə'lɪstɪk] adj réaliste.

reality [rɪ'ælətɪ] n (U) réalité f **‣ in reality** en réalité.

reality TV n (U) télévision / TV f réalité.

realize ['rɪəlaɪz] vt 1. [become aware of] se rendre compte de 2. [know] savoir 3. [ambition, goal] réaliser.

really ['rɪəlɪ] adv vraiment **‣ not really** pas vraiment.

realtor ['rɪəltər] n US agent m immobilier.

rear [rɪər] ◆ adj arrière inv. ◆ n [back] arrière m.

rearrange [,rɪə'reɪndʒ] vt 1. [room, furniture] réarranger 2. [meeting] déplacer.

rearview mirror ['rɪəvjuː-] n rétroviseur m.

rear-wheel drive n traction f arrière.

reason ['riːzn] n raison f **‣ for some reason** pour une raison ou pour une autre.

reasonable ['riːznəbl] adj raisonnable.

reasonably ['riːznəblɪ] adv [quite] assez.

reasoning ['riːznɪŋ] n (U) raisonnement m.

reassure [,riːə'ʃɔːr] vt rassurer.

reassuring [,riːə'ʃɔːrɪŋ] adj rassurant(e).

rebate ['riːbeɪt] n rabais m.

rebel ◆ n ['rebl] rebelle m ou f. ◆ vi [rɪ'bel] se rebeller.

rebooting [riː'buːtɪŋ] n réinitialisation f.

rebound [rɪ'baʊnd] vi [ball, etc.] rebondir.

rebuild [,riː'bɪld] (pt & pp rebuilt [,riː'bɪlt]) vt reconstruire.

rebuke [rɪ'bjuːk] vt réprimander.

recall [rɪ'kɔːl] vt [remember] se souvenir de.

receipt [rɪ'siːt] n reçu m **‣ on receipt of** à réception de.

receive [rɪ'siːv] vt recevoir.

receiver [rɪ'siːvər] n [of phone] combiné m.

recent ['riːsnt] adj récent(e).

recently ['riːsntlɪ] adv récemment.

receptacle [rɪ'septəkl] n fml récipient m.

reception [rɪ'sepʃn] n 1. (U) réception f 2. [welcome] accueil m.

reception desk n réception f.

receptionist [rɪ'sepʃənɪst] n réceptionniste m ou f.

recess ['riːses] n 1. [in wall] renfoncement m (U) 2. US SCH récréation f.

recession [rɪ'seʃn] n récession f.

recharge [,riː'tʃɑːdʒ] vt recharger.

recipe ['resɪpɪ] n recette f.

recipient [rɪˈsɪpɪənt] n 1. [of letter] destinataire mf 2. [of cheque] bénéficiaire mf.

recite [rɪˈsaɪt] vt 1. [poem] réciter 2. [list] énumérer.

reckless [ˈreklɪs] adj imprudent(e).

reckon [ˈrekn] vt inf [think] penser.
◆ **reckon on** vt insep compter sur.
◆ **reckon with** vt insep [expect] s'attendre à.

reclaim [rɪˈkleɪm] vt [baggage] récupérer.

recliner [rɪˈklaɪnəʳ] n 1. [for sunbathing] chaise f longue 2. [armchair] fauteuil m à dossier inclinable.

reclining seat [rɪˈklaɪnɪŋ-] n siège m inclinable.

recognition [ˌrekəgˈnɪʃn] n (U) reconnaissance f.

recognize [ˈrekəgnaɪz] vt reconnaître.

recollect [ˌrekəˈlekt] vt se rappeler.

recommend [ˌrekəˈmend] vt recommander ▸ **to recommend sb to do sthg** recommander à qqn de faire qqch.

recommendation [ˌrekəmenˈdeɪʃn] n recommandation f.

recommended daily allowance n [food] apport m journalier recommandé.

reconquest [ˌriːˈkɒŋkwest] n reconquête f.

reconsider [ˌriːkənˈsɪdəʳ] vt reconsidérer.

reconstruct [ˌriːkənˈstrʌkt] vt reconstruire.

record ◆ n [ˈrekɔːd] 1. MUS disque m 2. [best performance, highest level] record m 3. [account] rapport m. ◆ vt [rɪˈkɔːd] enregistrer. ◆ **records** npl 1. [of government, police, hospital] archives fpl

2. [register] registre m ▸ **public records office** archives fpl nationales.

recorded delivery [rɪˈkɔːdɪd-] n (U) 🇬🇧 ▸ **to send sthg (by) recorded delivery** envoyer qqch en recommandé.

recorder [rɪˈkɔːdəʳ] n 1. [tape recorder] magnétophone m 2. [instrument] flûte f à bec.

recording [rɪˈkɔːdɪŋ] n enregistrement m.

record player n tourne-disque m.

record shop n disquaire m.

recover [rɪˈkʌvəʳ] vt & vi récupérer.

recovery [rɪˈkʌvərɪ] n [from illness] guérison f.

recovery vehicle n 🇬🇧 dépanneuse f.

recreation [ˌrekrɪˈeɪʃn] n (U) récréation f.

recreational vehicle 🇺🇸 = RV.

recreation ground n 🇬🇧 terrain m de jeux.

recruit [rɪˈkruːt] ◆ n recrue f. ◆ vt recruter.

rectangle [ˈrektæŋgl] n rectangle m.

rectangular [rekˈtæŋgjʊləʳ] adj rectangulaire.

recyclable [ˌriːˈsaɪkləbl] adj recyclable.

recycle [ˌriːˈsaɪkl] vt recycler.

recycle bin n COMPUT poubelle f, corbeille f.

red [red] ◆ adj 1. rouge 2. [hair] roux (rousse). ◆ n [colour] rouge m ▸ **in the red** [bank account] à découvert.

red cabbage n chou m rouge.

Red Cross n Croix-Rouge f.

redcurrant [ˈredkʌrənt] n groseille f.

redecorate [,ri:'dekəreɪt] vt refaire.

redhead ['redhed] n rouquin m, -e f.

red-hot adj [metal] chauffé(e) à blanc.

redial ['di:daɪəl] vi recomposer le numéro.

redirect [,ri:dɪ'rekt] vt **1.** [letter] réexpédier **2.** [traffic, plane] dérouter.

red pepper n poivron m rouge.

reduce [rɪ'dju:s] ◆ vt **1.** réduire **2.** [make cheaper] solder. ◆ vi US [slim] maigrir.

reduced price [rɪ'dju:st-] n prix m réduit.

reduction [rɪ'dʌkʃn] n réduction f.

redundancy [rɪ'dʌndənsɪ] n UK licenciement m.

redundant [rɪ'dʌndənt] adj UK : **to be made redundant** être licencié(e).

red wine n vin m rouge.

reed [ri:d] n [plant] roseau m.

reef [ri:f] n écueil m.

reek [ri:k] vi puer.

reel [ri:l] n **1.** [of thread] bobine f **2.** [on fishing rod] moulinet m.

refectory [rɪ'fektərɪ] n réfectoire m.

refer [rɪ'fɜ:r] ◆ **refer to** vt insep **1.** faire référence à **2.** [consult] se référer à.

referee [,refə'ri:] n SPORT arbitre m.

reference ['refrəns] ◆ n **1.** [mention] allusion f **2.** [letter for job] référence f. ◆ adj [book] de référence ▸ **with reference to** suite à.

referendum [,refə'rendəm] n référendum m.

refill ◆ n ['ri:fɪl] **1.** [for pen] recharge f **2.** inf [drink] autre verre m. ◆ vt [,ri:'fɪl] remplir.

refinery [rɪ'faɪnərɪ] n raffinerie f.

reflect [rɪ'flekt] vt & vi réfléchir.

reflection [rɪ'flekʃn] n [image] reflet m.

reflector [rɪ'flektər] n réflecteur m.

reflex ['ri:fleks] n réflexe m.

reflexive [rɪ'fleksɪv] adj réfléchi(e).

reflexologist [rɪ:flek'sɒlədʒɪst] n réflexologiste mf, réflexologue mf.

reform [rɪ'fɔ:m] ◆ n réforme f. ◆ vt réformer.

refresh [rɪ'freʃ] vt rafraîchir.

refreshing [rɪ'freʃɪŋ] adj **1.** rafraîchissant(e) **2.** [change] agréable.

refreshments [rɪ'freʃmənts] npl rafraîchissements mpl.

refrigerator [rɪ'frɪdʒəreɪtər] n réfrigérateur m.

refuel [,ri:'fjʊəl] ◆ vt ravitailler. ◆ vi se ravitailler en carburant.

refugee [,refjʊ'dʒi:] n réfugié m, -e f.

refund ◆ n ['ri:fʌnd] remboursement m. ◆ vt [rɪ'fʌnd] rembourser.

refundable [rɪ'fʌndəbl] adj remboursable.

refurbish [,ri:'fɜ:bɪʃ] vt remettre à neuf, rénover.

refusal [rɪ'fju:zl] n refus m.

refuse[1] [rɪ'fju:z] vt & vi refuser ▸ **to refuse to do sthg** refuser de faire qqch.

refuse[2] ['refju:s] n (U) fml ordures fpl.

refuse collection ['refju:s-] n fml ramassage m des ordures.

regard [rɪ'gɑːd] ◆ vt [consider] considérer. ◆ n : **with regard to** concernant ▸ **as regards** en ce qui concerne. ◆ **regards** npl [in greetings] amitiés fpl

▶ **give them my regards** transmettez-leur mes amitiés.

regarding [rɪ'gɑːdɪŋ] prep concernant.

regardless [rɪ'gɑːdlɪs] adv quand même ▶ **regardless of** sans tenir compte de.

regenerate [rɪ'dʒenəreɪt] vt 1. [economy, project] relancer 2. [district, urban area] réhabiliter.

reggae ['regeɪ] n (U) reggae m.

regiment ['redʒɪmənt] n régiment m.

region ['riːdʒən] n région f ▶ **in the region of** environ.

regional ['riːdʒənl] adj régional(e).

register ['redʒɪstər] ◆ n [official list] registre m. ◆ vt 1. [record officially] enregistrer 2. [subj: machine, gauge] indiquer. ◆ vi 1. [at hotel] se présenter à la réception 2. [put one's name down] s'inscrire.

registered ['redʒɪstəd] adj [letter, parcel] recommandé(e).

registration [,redʒɪ'streɪʃn] n (U) [for course, at conference] inscription f.

registration (number) n [of car] numéro m d'immatriculation.

registry office ['redʒɪstrɪ-] n `UK` bureau m de l'état civil.

regret [rɪ'gret] ◆ n regret m. ◆ vt regretter ▶ **to regret doing sthg** regretter d'avoir fait qqch ▶ **we regret any inconvenience caused** nous vous prions de nous excuser pour la gêne occasionnée.

regrettable [rɪ'gretəbl] adj regrettable.

regular ['regjʊlər] ◆ adj 1. régulier(ière) 2. [normal, in size] normal(e). ◆ n [customer] habitué m, -e f.

regularly ['regjʊləlɪ] adv régulièrement.

regulate ['regjʊleɪt] vt régler.

regulation [,regjʊ'leɪʃn] n [rule] réglementation f.

rehearsal [rɪ'hɜːsl] n répétition f.

rehearse [rɪ'hɜːs] vt répéter.

reign [reɪn] ◆ n règne m. ◆ vi [monarch] régner.

reimburse [,riːɪm'bɜːs] vt fml rembourser.

reindeer ['reɪn,dɪər] (pl inv) n renne m.

reinforce [,riːɪn'fɔːs] vt renforcer.

reinforcements [,riːɪn'fɔːsmənts] npl renforts mpl.

reins [reɪnz] npl 1. [for horse] rênes mpl 2. `UK` [for child] harnais m.

reinsert [,riːɪn'sɜːt] vt réinsérer.

reinvent [,riːɪn'vent] vt réinventer.

reject [rɪ'dʒekt] vt 1. [proposal, request] rejeter 2. [applicant, coin] refuser.

rejection [rɪ'dʒekʃn] n 1. [of proposal, request] rejet m 2. [of applicant] refus m.

rejoin [,riː'dʒɔɪn] vt [motorway] rejoindre.

relapse [rɪ'læps] n rechute f.

relate [rɪ'leɪt] ◆ vt [connect] lier. ◆ vi ▶ **to relate to** a) [be connected with] être lié à b) [concern] concerner.

related [rɪ'leɪtɪd] adj 1. [of same family] apparenté(e) 2. [connected] lié(e).

relation [rɪ'leɪʃn] n 1. [member of family] parent m, -e f 2. [connection] lien m, rapport m ▶ **in relation to** au sujet de. ◆ **relations** npl rapports mpl.

relationship [rɪ'leɪʃnʃɪp] n 1. relations fpl 2. [connection] relation f.

relative ['relətɪv] ◆ adj relatif(ive). ◆ n parent m, -e f.

relatively ['relətɪvlɪ] adv relativement.

relax [rɪ'læks] vi se détendre.

relaxation [,riːlæk'seɪʃn] n (U) détente f.

relaxed [rɪ'lækst] adj détendu(e).

relaxing [rɪ'læksɪŋ] adj reposant(e).

relay ['riːleɪ] n [race] relais m.

release [rɪ'liːs] ◆ vt **1.** [set free] relâcher **2.** [let go of] lâcher **3.** [record, film] sortir **4.** [brake, catch] desserrer. ◆ n [record, film] nouveauté f ▶ **a new release** [film] une nouvelle sortie.

relegate ['relɪgeɪt] vt ▶ **to be relegated** SPORT être relégué à la division inférieure.

relevant ['reləvənt] adj **1.** [connected] en rapport **2.** [important] important(e) **3.** [appropriate] approprié(e).

reliable [rɪ'laɪəbl] adj [person, machine] fiable.

relic ['relɪk] n relique f.

relief [rɪ'liːf] n (U) **1.** [gladness] soulagement m **2.** [aid] assistance f.

relief road n UK itinéraire m de délestage.

relieve [rɪ'liːv] vt [pain, headache] soulager.

relieved [rɪ'liːvd] adj soulagé(e).

religion [rɪ'lɪdʒn] n religion f.

religious [rɪ'lɪdʒəs] adj religieux(ieuse).

relish ['relɪʃ] n [sauce] condiment m.

reluctant [rɪ'lʌktənt] adj réticent(e).

rely [rɪ'laɪ] ◆ **rely on** vt insep **1.** [trust] compter sur **2.** [depend on] dépendre de.

remain [rɪ'meɪn] vi rester. ◆ **remains** npl restes mpl.

remainder [rɪ'meɪndəʳ] n reste m.

remaining [rɪ'meɪnɪŋ] adj restant(e) ▶ **to be remaining** rester.

remark [rɪ'mɑːk] ◆ n remarque f. ◆ vt faire remarquer.

remarkable [rɪ'mɑːkəbl] adj remarquable.

remedy ['remədɪ] n remède m.

remember [rɪ'membəʳ] ◆ vt **1.** se rappeler, se souvenir de **2.** [not forget] ne pas oublier. ◆ vi se souvenir ▶ **to remember doing sthg** se rappeler avoir fait qqch ▶ **to remember to do sthg** penser à faire qqch.

Remembrance Day, Remembrance Sunday UK n l'Armistice m.

remind [rɪ'maɪnd] vt ▶ **to remind sb of sthg** rappeler qqch à qqn ▶ **to remind sb to do sthg** rappeler à qqn de faire qqch.

reminder [rɪ'maɪndəʳ] n rappel m.

remittance [rɪ'mɪtns] n fml versement m.

remix ◆ vt [,riː'mɪks] [song, recording] remixer. ◆ n [riːmɪks] remix m.

remnant ['remnənt] n reste m.

remote [rɪ'məʊt] adj **1.** [isolated] éloigné(e) **2.** [chance] faible.

remote control n télécommande f.

removal [rɪ'muːvl] n enlèvement m.

removal van n UK camion m de déménagement.

remove [rɪ'muːv] vt enlever.

rename [,riː'neɪm] vt renommer.

renew [rɪ'njuː] vt **1.** [licence, membership] renouveler **2.** [library book] prolonger l'emprunt de.

renovate ['renəveɪt] vt rénover.

renowned [rɪ'naʊnd] adj renommé(e).

rent [rent] ◆ n loyer m. ◆ vt louer.

rental ['rentl] n location f.

repaginate [ˌriː'pædʒɪneɪt] vt repaginer.

repaid [riː'peɪd] pt & pp → **repay**.

repair [rɪ'peəʳ] ◆ vt réparer. ◆ n : **in good repair** en bon état. ◆ **repairs** npl réparations mpl.

repair kit n [for bicycle] trousse f à outils.

repay [riː'peɪ] (pt & pp repaid) vt 1. [money] rembourser 2. [favour, kindness] rendre.

repayment [riː'peɪmənt] n remboursement m.

repayment mortgage n prêt logement m.

repeat [rɪ'piːt] ◆ vt répéter. ◆ n [on TV, radio] rediffusion f.

repetition [ˌrepɪ'tɪʃn] n répétition f.

repetitive [rɪ'petɪtɪv] adj répétitif(ive).

replace [rɪ'pleɪs] vt 1. remplacer 2. [put back] replacer.

replacement [rɪ'pleɪsmənt] n remplacement m.

replay [rɪ'pleɪ] n 1. [rematch] match m rejoué 2. [on TV] ralenti m.

reply [rɪ'plaɪ] ◆ n réponse f. ◆ vt & vi répondre.

repopulate [ˌriː'pɒpjʊleɪt] vt repeupler.

report [rɪ'pɔːt] ◆ n 1. [account] rapport m 2. [in newspaper, on TV, radio] reportage m 3. UK SCH bulletin m. ◆ vt 1. [announce] annoncer 2. [theft, disappearance] signaler 3. [person] dénon-

cer. ◆ vi 1. [give account] faire un rapport 2. [for newspaper, TV, radio] faire un reportage ▶ **to report to sb** [go to] se présenter à qqn.

report card n US SCOT bulletin m scolaire.

reporter [rɪ'pɔːtəʳ] n reporter m.

repositioning [ˌrepə'zɪʃnɪŋ] n [of brand, product] repositionnement m.

represent [ˌreprɪ'zent] vt représenter.

representative [ˌreprɪ'zentətɪv] n représentant m, -e f.

repress [rɪ'pres] vt réprimer.

reprieve [rɪ'priːv] n [delay] sursis m.

reprimand ['reprɪmɑːnd] vt réprimander.

reproach [rɪ'prəʊtʃ] vt : **to reproach sb for sthg** reprocher qqch à qqn.

reproduction [ˌriːprə'dʌkʃn] n reproduction f.

reptile ['reptaɪl] n reptile m.

republic [rɪ'pʌblɪk] n république f.

Republican [rɪ'pʌblɪkən] ◆ n républicain m, -e f. ◆ adj républicain(e).

repulsive [rɪ'pʌlsɪv] adj repoussant(e).

reputable ['repjʊtəbl] adj qui a une bonne réputation.

reputation [ˌrepjʊ'teɪʃn] n réputation f.

reputedly [rɪ'pjuːtɪdlɪ] adv à ce qu'on dit.

request [rɪ'kwest] ◆ n demande f. ◆ vt demander ▶ **to request sb to do sthg** demander à qqn de faire qqch ▶ **available on request** disponible sur demande.

request stop n UK arrêt m facultatif.

require [rɪ'kwaɪəʳ] vt 1. [subj: person] avoir besoin de 2. [subj: situation] exiger

▸ **to be required to do sthg** être tenu de faire qqch.

requirement [rɪ'kwaɪəmənt] n besoin m.

rerun ◆ n ['riːrʌn] [of TV programme] rediffusion f. ◆ vt [ˌriː'rʌn] (pt -ran, pp -run) [race] réorganiser.

resat [ˌriː'sæt] pt & pp → **resit**.

rescue ['reskjuː] vt secourir.

research [rɪ'sɜːtʃ] n (U) 1. [scientific] recherche f 2. [studying] recherches fpl.

resemblance [rɪ'zembləns] n ressemblance f.

resemble [rɪ'zembl] vt ressembler à.

resent [rɪ'zent] vt ne pas apprécier.

reservation [ˌrezə'veɪʃn] n 1. [booking] réservation f 2. [doubt] réserve f ▸ **to make a reservation** réserver.

reserve [rɪ'zɜːv] ◆ n 1. SPORT remplaçant m, -e f 2. UK [for wildlife] réserve f. ◆ vt réserver.

reserved [rɪ'zɜːvd] adj réservé(e).

reservoir ['rezəvwɑːr] n réservoir m.

reset [ˌriː'set] (pt & pp reset) vt 1. [meter, device] remettre à zéro 2. [watch] remettre à l'heure.

reside [rɪ'zaɪd] vi fml [live] résider.

residence ['rezɪdəns] n fml résidence f ▸ **place of residence** domicile m.

residence permit n permis m de séjour.

resident ['rezɪdənt] n 1. [of country] résident m, -e f 2. [of hotel] pensionnaire m ou f 3. [of area, house] habitant m, -e f ▸ **'residents only'** [for parking] 'réservé aux résidents'.

residential [ˌrezɪ'denʃl] adj [area] résidentiel(ielle).

residue ['rezɪdjuː] n restes mpl.

resign [rɪ'zaɪn] ◆ vi démissionner. ◆ vt : **to resign o.s. to sthg** se résigner à qqch.

resignation [ˌrezɪg'neɪʃn] n [from job] démission f.

resilient [rɪ'zɪliənt] adj résistant(e).

resist [rɪ'zɪst] vt résister à ▸ **I can't resist cream cakes** je ne peux pas résister aux gâteaux à la crème ▸ **to resist doing sthg** résister à l'envie de faire qqch.

resistance [rɪ'zɪstəns] n (U) résistance f.

resit [ˌriː'sɪt] (pt & pp resat) vt UK [exam] repasser.

resize [ˌriː'saɪz] vt redimensionner.

resolution [ˌrezə'luːʃn] n résolution f.

resolve [rɪ'zɒlv] vt résoudre.

resort [rɪ'zɔːt] n [for holidays] station f ▸ **as a last resort** en dernier recours. ◆ **resort to** vt insep recourir à ▸ **to resort to doing sthg** en venir à faire qqch.

resource [rɪ'sɔːs] n ressource f.

resourceful [rɪ'sɔːsful] adj ingénieux(ieuse).

resources [rɪ'sɔːsɪz] npl ressources fpl.

respect [rɪ'spekt] ◆ n 1. (U) respect m 2. [aspect] égard m. ◆ vt respecter ▸ **in some respects** à certains égards ▸ **with respect to** en ce qui concerne.

respectable [rɪ'spektəbl] adj respectable.

respective [rɪ'spektɪv] adj respectif(ive).

respond [rɪ'spɒnd] vi répondre.

response [rɪ'spɒns] n réponse f.

responsibility [rɪˌspɒnsə'bɪlətɪ] n responsabilité f.

responsible [rɪ'spɒnsəbl] adj responsable ▸ **to be responsible for** [accountable] être responsable de.

rest [rest] ◆ n **1.** (U) [relaxation] repos m **2.** [support] appui m. ◆ vi [relax] se reposer ▸ **the rest** [remainder] le restant, le reste ▸ **to have a rest** se reposer ▸ **to rest against** reposer contre.

restaurant ['restərɒnt] n restaurant m.

restaurant car n ⊞ wagon-restaurant m.

restful ['restfʊl] adj reposant(e).

restless ['restlɪs] adj **1.** [bored, impatient] impatient(e) **2.** [fidgety] agité(e).

restore [rɪ'stɔːʳ] vt restaurer.

restrain [rɪ'streɪn] vt retenir.

restrict [rɪ'strɪkt] vt restreindre.

restricted [rɪ'strɪktɪd] adj restreint(e).

restriction [rɪ'strɪkʃn] n limitation f.

rest room n ⊞ toilettes fpl.

result [rɪ'zʌlt] ◆ n résultat m. ◆ vi : **to result in** aboutir à ▸ **as a result of** à cause de.

resume [rɪ'zjuːm] vi reprendre.

⚠ Résumer is a false friend, it means **to sum up**, not "to resume".

résumé ['rezjuːmeɪ] n **1.** [summary] résumé m **2.** ⊞ [curriculum vitae] curriculum vitae m inv.

retail ['riːteɪl] ◆ n (U) détail m. ◆ vt [sell] vendre au détail. ◆ vi : **to retail at** se vendre à.

retailer ['riːteɪləʳ] n détaillant m, -e f.

retail park n ⊞ centre m commercial.

retail price n prix m de détail.

retail therapy n : **to do some retail therapy** inf faire du shopping pour se remonter le moral.

retain [rɪ'teɪn] vt fml conserver.

retaliate [rɪ'tælɪeɪt] vi riposter.

retire [rɪ'taɪəʳ] vi [stop working] prendre sa retraite.

retired [rɪ'taɪəd] adj retraité(e).

retirement [rɪ'taɪəmənt] n retraite f.

retreat [rɪ'triːt] ◆ vi se retirer. ◆ n [place] retraite f.

retrieve [rɪ'triːv] vt récupérer.

return [rɪ'tɜːn] ◆ n **1.** retour m **2.** ⊞ [ticket] aller-retour m. ◆ vt **1.** [put back] remettre **2.** [give back] rendre **3.** [ball, serve] renvoyer. ◆ vi **1.** return [go back] retourner **2.** [give back] de retour ▸ **the police returned the wallet to its owner** [give back] la police rendit le portefeuille à son propriétaire ▸ **by return of post** ⊞ par retour du courrier ▸ **many happy returns!** bon anniversaire ! ▸ **in return (for)** en échange (de).

return flight n vol m retour.

return ticket n ⊞ billet m aller-retour.

reunification [,riːjuːnɪfɪ'keɪʃn] n réunification f.

reunite [,riːjuː'naɪt] vt réunir.

revamp [,riː'væmp] vt inf rénover.

reveal [rɪ'viːl] vt révéler.

revelation [,revə'leɪʃn] n révélation f.

revenge [rɪ'vendʒ] n (U) vengeance f.

revenue ['revənjuː] n revenu m.

reverse [rɪ'vɜːs] ◆ adj inverse. ◆ n **1.** (U) AUT marche f arrière **2.** [of document] verso m **3.** [of coin] revers m. ◆ vt **1.** [car] mettre en marche arrière **2.** [decision] annuler. ◆ vi [car, driver] faire marche arrière ▶ **the reverse** [opposite] l'inverse ▶ **in reverse order** en ordre inverse ▶ **to reverse the charges** [UK] téléphoner en PCV.

reverse-charge call n [UK] appel m en PCV.

revert [rɪ'vɜːt] vi : **to revert to** retourner à.

review [rɪ'vjuː] ◆ n **1.** [of book, record, film] critique f **2.** [examination] examen m. ◆ vt [US] [for exam] réviser.

revise [rɪ'vaɪz] vt & vi réviser.

revision [rɪ'vɪʒn] n (U) [UK] [for exam] révision f.

revive [rɪ'vaɪv] vt **1.** [person] ranimer **2.** [economy, custom] relancer.

revolt [rɪ'vəʊlt] n révolte f.

revolting [rɪ'vəʊltɪŋ] adj dégoûtant(e).

revolution [ˌrevə'luːʃn] n révolution f.

revolutionary [ˌrevə'luːʃnərɪ] adj révolutionnaire.

revolver [rɪ'vɒlvəʳ] n revolver m.

revolving door [rɪ'vɒlvɪŋ-] n porte f à tambour.

revue [rɪ'vjuː] n revue f.

reward [rɪ'wɔːd] ◆ n récompense f. ◆ vt récompenser.

rewind [ˌriː'waɪnd] (pt & pp rewound) vt rembobiner.

rewritable [ˌriː'raɪtəbl] adj reinscriptible.

rheumatism [ˈruːmətɪzm] n (U) rhumatisme m.

Rhine [raɪn] n : **the (River) Rhine** le Rhin.

rhinoceros [raɪ'nɒsərəs] (pl -es) n rhinocéros m.

rhubarb [ˈruːbɑːb] n (U) rhubarbe f.

rhyme [raɪm] ◆ n [poem] poème m. ◆ vi rimer.

rhythm [ˈrɪðm] n rythme m.

rib [rɪb] n côte f.

ribbon [ˈrɪbən] n ruban m.

Ribena® [raɪ'biːnə] n sirop m de cassis.

rice [raɪs] n (U) riz m.

rice pudding n (U) riz m au lait.

rich [rɪtʃ] ◆ adj riche. ◆ npl : **the rich** les riches mpl ▶ **to be rich in sthg** être riche en qqch.

ricotta cheese [rɪ'kɒtə-] n (U) ricotta f.

rid [rɪd] vt : **to get rid of** se débarrasser de.

ridden [ˈrɪdn] pp → ride.

riddle [ˈrɪdl] n **1.** [puzzle] devinette f **2.** [mystery] énigme f.

ride [raɪd] (pt rode, pp ridden) ◆ n promenade f. ◆ vt [horse] monter. ◆ vi **1.** [on bike] aller en OR à vélo **2.** [on horse] aller à cheval **3.** [on bus] aller en bus ▶ **can you ride a bike?** est-ce que tu sais faire du vélo ? ▶ **to ride horses** monter à cheval ▶ **can you ride (a horse)?** est-ce que tu sais monter (à cheval) ? ▶ **to go for a ride** [in car] faire un tour en voiture.

rider [ˈraɪdəʳ] n **1.** [on horse] cavalier m, -ière f **2.** [on bike] cycliste m ou f **3.** [on motorbike] motard m, -e f.

ridge [rɪdʒ] n **1.** [of mountain] crête f **2.** [raised surface] arête f.

ridiculous [rɪ'dɪkjʊləs] adj ridicule.

riding [ˈraɪdɪŋ] n (U) équitation f.

riding school n école f d'équitation.

rifle [ˈraɪfl] n carabine f.

rig [rɪg] ◆ n 1. [oil rig at sea] plate-forme f pétrolière 2. [on land] derrick m. ◆ vt [fix] truquer.

right [raɪt] ◆ adj 1. [correct] bon (bonne) ▶ **to be right** avoir raison ▶ **to be right to do sthg** avoir raison de faire qqch ▶ **have you got the right time?** avez-vous l'heure exacte ? ▶ **is this the right way?** est-ce que c'est la bonne route ? ▶ **that's right!** c'est exact ! 2. [fair] juste ▶ **that's not right!** ce n'est pas juste ! 3. [on the right] droit(e) ▶ **the right side of the road** le côté droit de la route ◆ n 1. [side] : **the right** la droite 2. [entitlement] droit m ▶ **to have the right to do sthg** avoir le droit de faire qqch ◆ adv 1. [towards the right] à droite ▶ **the party is moving further right** le parti est en train de virer plus à droite 2. [correctly] bien, comme il faut ▶ **am I pronouncing it right?** est-ce que je le prononce bien ? 3. [for emphasis] : **right down/up** tout en bas/en haut ▶ **right here** ici même ▶ **right at the top** tout en haut ▶ **right back** je reviens tout de suite ▶ **right away** immédiatement ◆ **rights** npl droits mpl.

right angle n angle m droit.

right click n clic m droit.

right-click vt COMPUT cliquer avec le bouton droit de la souris.

right-hand adj 1. [side] droit(e) 2. [lane] de droite.

right-hand drive n conduite f à droite.

right-handed [-ˈhændɪd] adj 1. [person] droitier(ière) 2. [implement] pour droitiers.

rightly [ˈraɪtlɪ] adv 1. [correctly] correctement 2. [justly] à juste titre.

right of access n droit m d'accès.

right of way n 1. (U) AUT priorité f 2. [path] chemin m public.

right-wing adj de droite.

rigid [ˈrɪdʒɪd] adj rigide.

rim [rɪm] n 1. [of cup] bord m 2. [of glasses] monture f 3. [of wheel] jante f.

rind [raɪnd] n 1. [of fruit] peau f 2. [of bacon] couenne f 3. [of cheese] croûte f.

ring [rɪŋ] (pt **rang**, pp **rung**) ◆ n 1. [for finger, curtain] anneau m 2. [with gem] bague f 3. [circle] cercle m 4. [sound] sonnerie f 5. [on cooker] brûleur m 6. [electric] plaque f 7. [for boxing] ring m 8. [in circus] piste f. ◆ vt 1. UK [make phone call to] appeler 2. [church bell] sonner. ◆ vi 1. [bell, telephone] sonner 2. UK [make phone call] appeler ▶ **to give sb a ring** UK [phone call] appeler qqn ▶ **to ring the bell** [of house, office] sonner. ◆ **ring back** vt sep & vi UK rappeler. ◆ **ring off** vi UK raccrocher. ◆ **ring up** vt sep & vi UK appeler.

ringing tone [ˈrɪŋɪŋ-] n sonnerie f.

ring road n UK boulevard m périphérique.

ringtone [ˈrɪŋtəʊn] n sonnerie f.

rink [rɪŋk] n patinoire f.

rinse [rɪns] vt rincer. ◆ **rinse out** vt sep rincer.

riot [ˈraɪət] n émeute f.

rip [rɪp] ◆ n déchirure f. ◆ vt déchirer. ◆ vi se déchirer. ◆ **rip off** vt sep inf [person] arnaquer. ◆ **rip up** vt sep déchirer.

ripe [raɪp] adj 1. mûr(e) 2. [cheese] à point.

ripen [ˈraɪpn] vi mûrir.

rip-off n inf arnaque f.

ripped [rɪpt] adj US inf **: to be ripped, to have a ripped body** être super musclé(e).

rise [raɪz] (pt **rose**, pp **risen** ['rɪzn]) ◆ vi **1.** [move upwards] s'élever **2.** [sun, moon, stand up] se lever **3.** [increase] augmenter. ◆ n **1.** [increase] augmentation **2.** UK [pay increase] augmentation (de salaire) **3.** [slope] montée f, côte f.

risk [rɪsk] ◆ n risque m. ◆ vt risquer ▸ **to take a risk** prendre un risque ▸ **at your own risk** à vos risques et périls ▸ **to risk doing sthg** prendre le risque de faire qqch ▸ **to risk it** tenter le coup.

risky ['rɪskɪ] adj risqué(e).

risotto [rɪ'zɒtəʊ] (pl **-s**) n risotto m.

ritual ['rɪtʃʊəl] n rituel m.

rival ['raɪvl] ◆ adj rival(e). ◆ n rival m, -e f.

river ['rɪvər] n **1.** rivière f **2.** [flowing into sea] fleuve m.

river bank n berge f.

riverside ['rɪvəsaɪd] n berge f.

Riviera [,rɪvɪ'eərə] n **: the (French) Riviera** la Côte d'Azur.

roach [rəʊtʃ] n US [cockroach] cafard m.

road [rəʊd] n **1.** route f **2.** [in town] rue f ▸ **by road** par la route.

roadblock ['rəʊdblɒk] n barrage m routier.

road book n guide m routier.

road map n carte f routière.

road safety n (U) sécurité f routière.

roadside ['rəʊdsaɪd] n **: the roadside** le bord de la route.

road sign n panneau m routier.

road tax n UK ≃ vignette f.

road trip ['rəʊdtrɪp] n US [short] promenade f en voiture ; [longer] voyage m en voiture.

roadway ['rəʊdweɪ] n chaussée f.

roadwork ['rəʊdwɜːk] (U) US = **roadworks**.

roadworks ['rəʊdwɜːks] npl UK travaux mpl.

roam [rəʊm] vi errer.

roaming ['rəʊmɪŋ] n **1.** [vagrancy] vagabondage m **2.** [telecommunications] itinérance f.

roar [rɔːr] ◆ n **1.** [of aeroplane] grondement m **2.** [of crowd] hurlements mpl. ◆ vi **1.** [lion] rugir **2.** [person] hurler.

roast [rəʊst] ◆ n rôti m. ◆ vt faire rôtir. ◆ adj rôti(e) ▸ **roast beef** rosbif m ▸ **roast chicken** poulet m rôti ▸ **roast lamb** rôti d'agneau ▸ **roast pork** rôti de porc ▸ **roast potatoes** pommes de terre fpl au four.

rob [rɒb] vt **1.** [house, bank] cambrioler **2.** [person] voler ▸ **they robbed him of his wallet** ils lui ont volé son portefeuille.

robber ['rɒbər] n voleur m, -euse f.

robbery ['rɒbərɪ] n vol m.

robe [rəʊb] n US [bathrobe] peignoir m.

robin ['rɒbɪn] n rouge-gorge m.

robot ['rəʊbɒt] n robot m.

rock [rɒk] ◆ n **1.** [boulder] rocher m **2.** US [stone] pierre f **3.** (U) [substance] roche f **4.** (U) [music] rock m **5.** UK [sweet] sucre m d'orge. ◆ vt [baby, boat] bercer ▸ **'falling rocks'** 'chute de pierres' ▸ **on the rocks** [drink] avec (des) glaçons.

rock climbing n (U) varappe f ▸ **to go rock climbing** faire de la varappe.

rocket ['rɒkɪt] n **1.** [missile] roquette f **2.** [space rocket, firework] fusée f.

rocking chair ['rɒkɪŋ-] n rocking-chair m.

rock 'n' roll [,rɒkən'rəʊl] n (U) rock m.

rock star n rock star f.

rocky ['rɒkɪ] adj rocheux(euse).

rod [rɒd] n **1.** [pole] barre f **2.** [for fishing] canne f.

rode [rəʊd] pt → **ride**.

rodent ['rəʊdənt] n rongeur m.

roe [rəʊ] n (U) œufs mpl de poisson.

role [rəʊl] n rôle m.

roll [rəʊl] ◆ n **1.** [of bread] petit pain m **2.** [of film, paper] rouleau m. ◆ vi rouler. ◆ vt **1.** faire rouler m **2.** [cigarette] rouler ▶ **to roll the dice** lancer les dés. ◆ **roll out** vi insep sortir ▶ **to roll out of bed** [person] sortir du lit. ◆ **roll over** vi se retourner. ◆ **roll up** vt sep **1.** [map, carpet] rouler **2.** [sleeves, trousers] remonter.

Rollerblades® ['rəʊləbleɪd] npl rollers mpl, patins mpl en ligne.

rollerblading ['rəʊləbleɪdɪŋ] n (U) roller m ▶ **to go rollerblading** faire du roller.

roller coaster ['rəʊlə,kəʊstə'] n montagnes fpl russes.

roller skate ['rəʊlə-] n patin m à roulettes.

roller skates npl patins mpl à roulettes.

roller-skating ['rəʊlə-] n (U) patin m à roulettes ▶ **to go roller-skating** faire du patin à roulettes.

rolling pin ['rəʊlɪŋ-] n rouleau m à pâtisserie.

ROM [rɒm] (abbr of read only memory) n ROM f.

Roman ['rəʊmən] ◆ adj romain(e). ◆ n Romain m, -e f.

Roman Catholic n catholique m ou f.

romance [rəʊ'mæns] n **1.** (U) [love] amour m **2.** [love affair] liaison f **3.** [novel] roman m d'amour.

Romania [ruː'meɪnjə] n la Roumanie.

romantic [rəʊ'mæntɪk] adj romantique.

Rome [rəʊm] n Rome.

romper suit ['rɒmpə-] n 🇬🇧 barboteuse f.

roof [ruːf] n **1.** toit m **2.** [of cave, tunnel] plafond m.

roof rack n 🇬🇧 galerie f.

rooftop ['ruːftɒp] n toit m.

room [ruːm, rʊm] n **1.** [in building] pièce f **2.** [larger] salle f **3.** [bedroom, in hotel] chambre f **4.** (U) [space] place f ▶ **a room with a view** une chambre avec vue.

roomie ['ruːmɪ] n 🇺🇸 inf colocataire mf.

roommate ['ruːmmeɪt] n **1.** [sharing room] camarade mf de chambre **2.** 🇺🇸 [sharing house, flat] colocataire mf.

room number n numéro m de chambre.

room service n (U) service m dans les chambres.

room temperature n (U) température f ambiante.

roomy ['ruːmɪ] adj spacieux(ieuse).

root [ruːt] n racine f.

rope [rəʊp] ◆ n corde f. ◆ vt attacher avec une corde.

rose [rəʊz] ◆ pt → **rise**. ◆ n [flower] rose f.

rosé ['rəʊzeɪ] n rosé m.

rosemary ['rəʊzmərɪ] n (U) romarin m.

rot [rɒt] vi pourrir.

rota ['rəʊtə] n roulement m.

rotate [rəʊ'teɪt] vt tourner.

rotten ['rɒtn] adj pourri(e) ▶ **I feel rotten** [ill] je ne me sens pas bien du tout.

rouge [ruːʒ] n (U) rouge m (à joues).

rough [rʌf] ◆ adj 1. [surface, skin, cloth] rugueux(euse) 2. [road, ground] accidenté(e) 3. [sea, crossing] agité(e) 4. [person] dur(e) 5. [approximate] approximatif(ive) 6. [conditions] rude 7. [area, town] mal fréquenté(e) 8. [wine] ordinaire. ◆ n [on golf course] rough m ▶ **to have a rough time** en baver.

roughly ['rʌflɪ] adv 1. [approximately] à peu près 2. [push, handle] rudement.

roulade [ruː'lɑːd] n roulade f.

roulette [ruː'let] n (U) roulette f.

round¹ [raʊnd] adj rond(e).

round² [raʊnd] ◆ n 1. [of drinks] tournée f 2. UK [of sandwiches] ensemble de sandwiches au pain de mie 3. [of toast] tranche f 4. [of competition] manche f 5. [in golf] partie f ; [in boxing] round m 6. [of policeman, postman, milkman] tournée f

◆ adv UK 1. [in a circle] : **to go round** tourner ▶ **to spin round** pivoter 2. [surrounding] : **all (the way) round** tout autour 3. [near] : **round about** aux alentours 4. [to someone's house] : **to ask some friends round** inviter des amis (chez soi) ▶ **we went round to her place** nous sommes allés chez

elle 5. [continuously] : **all year round** toute l'année

◆ prep UK 1. [surrounding, circling] autour de ▶ **we walked round the lake** nous avons fait le tour du lac à pied ▶ **to go round the corner** tourner au coin 2. [visiting] : **to go round a museum** visiter un musée ▶ **to show guests round the house** faire visiter la maison à des invités 3. [approximately] environ ▶ **round (about) 100** environ 100 ▶ **round ten o'clock** vers dix heures 4. [near] aux alentours de ▶ **round here** par ici 5. [in phrases] : **it's just round the corner** [nearby] c'est tout près ▶ **round the clock** 24 heures sur 24

◆ **round off** vt sep [meal, day] terminer.

roundabout ['raʊndəbaʊt] n UK 1. [in road] rond-point m 2. [in playground] tourniquet m 3. [at fairground] manège m.

rounders ['raʊndəz] n (U) UK sport proche du base-ball, pratiqué par les enfants.

round trip n aller-retour m.

route [ruːt, US raʊt] ◆ n 1. [way] route f 2. [of bus, train, plane] trajet m. ◆ vt [change course of] détourner.

router ['ruːtə, US 'raʊtər] n routeur m.

routine [ruː'tiːn] ◆ n 1. [usual behaviour] habitudes fpl 2. pej [drudgery] routine f. ◆ adj de routine.

row¹ [rəʊ] ◆ n rangée f. ◆ vt [boat] faire avancer à la rame. ◆ vi ramer ▶ **in a row** [in succession] à la file, de suite.

row² [raʊ] n 1. [argument] dispute f 2. inf [noise] raffut m ▶ **to have a row** se disputer.

rowboat ['rəʊbəʊt] US = **rowing boat**.

rowdy ['raʊdɪ] adj chahuteur(euse).

rowing ['rəʊɪŋ] n (U) aviron m.

rowing boat n [UK] canot m à rames.

royal ['rɔɪəl] adj royal(e).

Royal Air Force n : the Royal Air Force l'armée f de l'air britannique.

royal family n famille f royale.

royalty ['rɔɪəltɪ] n famille f royale.

rpm (abbr of revolutions per minute) npl tr/min. (tours par minute).

RRP (abbr of recommended retail price) prix m conseillé.

rub [rʌb] vt & vi frotter ▸ to rub one's eyes/arm se frotter les yeux/le bras ▸ my shoes are rubbing mes chaussures me font mal. ◆ **rub in** vt sep (lotion, oil) faire pénétrer en frottant. ◆ **rub out** vt sep effacer.

rubber ['rʌbə^r] ◆ adj en caoutchouc. ◆ n 1. (U) [material] caoutchouc m 2. [UK] [eraser] gomme f 3. [US] inf [condom] capote f.

rubber band n élastique m.

rubber gloves npl gants mpl en caoutchouc.

rubber ring n bouée f.

rubbish ['rʌbɪʃ] n (U) [UK] 1. [refuse] ordures fpl 2. inf [worthless thing] camelote f 3. inf [nonsense] idioties fpl.

rubbish bin n [UK] poubelle f.

rubbish dump n [UK] décharge f.

rubbish tip = rubbish dump.

rubble ['rʌbl] n (U) décombres mpl.

ruby ['ru:bɪ] n rubis m.

rucksack ['rʌksæk] n sac m à dos.

rudder ['rʌdə^r] n gouvernail m.

rude [ru:d] adj 1. grossier(ière) 2. [picture] obscène.

⚠ Rude is a false friend, it means **rough**, **harsh** or **tough**, not "rude".

rug [rʌg] n 1. carpette f 2. [UK] [blanket] couverture f.

rugby ['rʌgbɪ] n (U) rugby m.

rugrat ['rʌgræt] n [US] inf [child] mioche mf.

ruin ['ru:ɪn] vt gâcher. ◆ **ruins** npl [of building] ruines fpl.

ruined ['ru:ɪnd] adj 1. [building] en ruines 2. [meal, holiday] gâché(e) 3. [clothes] abîmé(e).

rule [ru:l] ◆ n règle f. ◆ vt [country] diriger ▸ to be the rule [normal] être la règle ▸ against the rules contre les règles ▸ as a rule en règle générale. ◆ **rule out** vt sep exclure.

ruler ['ru:lə^r] n 1. [of country] dirigeant m, -e f 2. [for measuring] règle f.

rum [rʌm] n rhum m.

rumor ['ru:mər] [US] = rumour.

rumour ['ru:mə^r] n [UK] rumeur f.

rump steak [,rʌmp-] n rumsteck m.

run [rʌn] (pt ran, pp run) ◆ vi 1. [on foot] courir 2. [train, bus] circuler ▸ the bus runs every hour il y a un bus toutes les heures ▸ the train is running an hour late le train a une heure de retard 3. [operate] marcher, fonctionner ▸ to run on diesel marcher au diesel 4. [liquid, tap, nose] couler 5. [river] couler ▸ to run through [river, road] traverser ▸ the path runs along the coast le sentier longe la côte 6. [play] se jouer ▸ 'now running at the Palladium' 'actuellement au Palladium' 7. [colour, dye, clothes] déteindre

◆ vt 1. [on foot] courir 2. [compete in] : to run a race participer à une course 3. [business, hotel] gérer 4. [bus, train] : they run a shuttle bus service ils assurent une navette 5. [take in car] conduire ▸ I'll run you home je vais te ramener (en voiture) **6.** [bath, water] faire couler

◆ n **1.** [on foot] course f ▶ **to go for a run** courir **2.** [in car] tour m ▶ **to go for a run** aller faire un tour (en voiture) **3.** [for skiing] piste f **4.** US [in tights] maille f filée **5.** [in phrases] **: in the long run** à la longue

◆ **run away** vi s'enfuir.

◆ **run down** ◆ vt sep [run over] écraser ; [criticize] critiquer. ◆ vi [battery] se décharger.

◆ **run into** vt insep [meet] tomber sur ; [hit] rentrer dans ; [problem, difficulty] se heurter à.

◆ **run out** vi [supply] s'épuiser.

◆ **run out of** vt insep manquer de.

◆ **run over** vt sep [hit] écraser.

runaway ['rʌnəweɪ] n fugitif m, -ive f.

rundown ['rʌndaʊn] n [report] bref résumé m. ◆ **run-down** adj **1.** [building] délabré(e) **2.** [person] épuisé(e).

rung [rʌŋ] ◆ pp → **ring**. ◆ n [of ladder] barreau m.

runner ['rʌnər] n **1.** [person] coureur m, -euse f **2.** [for door, drawer] glissière f **3.** [for sledge] patin m.

runner bean n haricot m à rames.

runner-up (pl **runners-up**) n second m, -e f.

running ['rʌnɪŋ] ◆ n (U) **1.** SPORT course f **2.** [management] gestion f. ◆ adj **: three days running** trois jours d'affilée OR de suite ▶ **to go running** courir.

running order n ordre m de passage.

running water n (U) eau f courante.

runny ['rʌnɪ] adj **1.** [omelette] baveux(euse) **2.** [sauce] liquide **3.** [nose, eye] qui coule.

runway ['rʌnweɪ] n piste f.

rural ['rʊərəl] adj rural(e).

rush [rʌʃ] ◆ n **1.** [hurry] précipitation f **2.** [of crowd] ruée f. ◆ vi se précipiter. ◆ vt **1.** [meal, work] expédier **2.** [goods] envoyer d'urgence **3.** [injured person] transporter d'urgence ▶ **to be in a rush** être pressé ▶ **there's no rush!** rien ne presse ! ▶ **don't rush me!** ne me bouscule pas !

rush hour n heure f de pointe.

Russia ['rʌʃə] n la Russie.

Russian ['rʌʃn] ◆ adj russe. ◆ n **1.** [person] Russe m ou f **2.** [language] russe m.

rust [rʌst] ◆ n rouille f. ◆ vi rouiller.

rustic ['rʌstɪk] adj rustique.

rustle ['rʌsl] vi bruire.

rustproof ['rʌstpruːf] adj inoxydable.

rusty ['rʌstɪ] adj rouillé(e).

RV (abbr of **recreational vehicle**) n US mobile home m.

rye [raɪ] n (U) seigle m.

rye bread n (U) pain m de seigle.

Ss

S 1. [direction] (abbr of **south,**) S (Sud) **2.** [vêtements] (abbr of **small**) S.

Sabbath ['sæbəθ] n **: the Sabbath** le sabbat.

saccharin(e) ['sækərɪn] n (U) saccharine f.

sachet ['sæʃeɪ] n sachet m.

sack [sæk] ◆ n [bag] sac m. ◆ vt UK inf virer ▸ **to get the sack** UK inf se faire virer.

sacrifice ['sækrɪfaɪs] n sacrifice m.

sad [sæd] adj triste.

saddle ['sædl] n selle f.

saddlebag ['sædlbæg] n sacoche f.

sadly ['sædlɪ] adv 1. [unfortunately] malheureusement 2. [unhappily] tristement.

sadness ['sædnɪs] n (U) tristesse f.

s.a.e. (abbr of stamped addressed envelope) n UK enveloppe timbrée avec adresse pour la réponse.

safari park [sə'fɑːrɪ-] n parc m animalier.

safe [seɪf] ◆ adj 1. [activity, sport] sans danger 2. [vehicle, structure] sûr(e) 3. [after accident] sain et sauf (saine et sauve) 4. [in safe place] en sécurité. ◆ n [for money, valuables] coffre-fort m ▸ **a safe place** un endroit sûr ▸ **(have a) safe journey!** (fais /faites) bon voyage ! ▸ **safe and sound** sain et sauf.

safe-deposit box US = **safety-deposit box**.

safely ['seɪflɪ] adv 1. [not dangerously] sans danger 2. [arrive] sans encombre 3. [out of harm's way] en lieu sûr.

safe sex n sexe m sans risques, S.S.R. m.

safety ['seɪftɪ] n (U) sécurité f.

safety belt n ceinture f de sécurité.

safety-deposit box UK coffre m.

safety pin n épingle f de nourrice.

sag [sæg] vi s'affaisser.

sage [seɪdʒ] n (U) [herb] sauge f.

Sagittarius [,sædʒɪ'teərɪəs] n Sagittaire m.

said [sed] pt & pp → **say**.

sail [seɪl] ◆ n voile f. ◆ vi 1. naviguer 2. [depart] prendre la mer. ◆ vt : **to sail a boat** piloter un bateau ▸ **to set sail** prendre la mer.

sailboat ['seɪlbəʊt] US = **sailing boat**.

sailing ['seɪlɪŋ] n 1. (U) voile f 2. [departure] départ m ▸ **to go sailing** faire de la voile.

sailing boat n UK voilier m.

sailor ['seɪlər] n marin m.

saint [seɪnt] n saint m, -e f.

Saint Patrick's Day [-'pætrɪks-] n la Saint-Patrick.

> ⓘ **St Patrick's Day**
>
> La fête de la Saint-Patrick, patron des Irlandais, est célébrée annuellement le 17 mars en Irlande et dans les communautés irlandaises américaines et britanniques. Elle commémore la mort en 461 de cet évêque atypique qui utilisait le symbole du trèfle à trois feuilles dans ses prêches pour expliquer le mystère de la Sainte Trinité. Lors des grandes parades organisées pour l'occasion, les Irlandais s'habillent en vert (couleur nationale) et dégustent la célèbre bière brune Guinness, en s'adonnant aux danses et chants folkloriques.

sake [seɪk] n : **for my /their sake** pour moi /eux ▸ **for God's sake!** bon sang !

salad ['sæləd] n salade f.

salad bar n 1. dans un restaurant, buffet de salades en self-service 2. [restaurant] restaurant spécialisé dans les salades.

salad bowl n saladier m.

salad cream n (U) UK mayonnaise liquide utilisée en assaisonnement pour salades.

salad dressing n vinaigrette f.

salami [sə'lɑːmɪ] n salami m.

salary ['sælərɪ] n salaire m.

sale [seɪl] n **1.** [selling] vente f **2.** [at reduced prices] soldes mpl ▶ **on sale** en vente ▶ **'for sale'** 'à vendre' ▶ **sales** npl COMM ventes fpl ▶ **the sales** [at reduced prices] les soldes.

sales assistant ['seɪlz-] n vendeur m, -euse f.

salesclerk ['seɪlzklɜːrk] US = **sales assistant**.

salesman ['seɪlzmən] (pl -men) n **1.** [in shop] vendeur m **2.** [rep] représentant m.

sales rep(resentative) n représentant m, -e f.

sales slip n US [receipt] ticket m de caisse.

sales tax n taxe f à l'achat.

saleswoman ['seɪlz,wʊmən] (pl -women) n **1.** [in shop] vendeuse f **2.** [rep] représentante f.

saliva [sə'laɪvə] n (U) salive f.

salmon ['sæmən] (pl inv) n saumon m.

salon ['sælɒn] n [hairdresser's] salon m de coiffure.

saloon [sə'luːn] n **1.** UK [car] berline f **2.** US [bar] saloon m ▶ **saloon (bar)** UK salon m (salle de pub, généralement plus confortable et plus chère que le « public bar »).

salopettes [,sælə'pets] npl combinaison f de ski.

salt [sɔːlt, sɒlt] n (U) sel m.

saltcellar ['sɔːlt,selər] n UK salière f.

salted peanuts ['sɔːltɪd-] npl cacahuètes fpl salées.

salt shaker [-,ʃeɪkər] US = **saltcellar**.

saltwater ['sɔːlt,wɔːtər] ◆ n eau f de mer. ◆ adj de mer.

salty ['sɔːltɪ] adj salé(e).

salute [sə'luːt] ◆ n salut m. ◆ vi saluer.

Salvation Army n : the Salvation Army l'Armée f du Salut.

same [seɪm] ◆ adj même. ◆ pron : the same a) [unchanged] le même (la même) b) [in comparisons] la même chose, pareil ▶ **they dress the same** ils s'habillent de la même façon ▶ **I'll have the same as her** je prendrai la même chose qu'elle ▶ **you've got the same book as me** tu as le même livre que moi ▶ **it's all the same to me** ça m'est égal.

same-sex adj entre personnes du même sexe.

samosa [sə'məʊsə] n sorte de beignet triangulaire garni de légumes et/ou de viande épicés (spécialité indienne).

sample ['sɑːmpl] ◆ n échantillon m. ◆ vt [food, drink] goûter.

sanctions ['sæŋkʃnz] npl POL sanctions fpl.

sanctuary ['sæŋktʃʊərɪ] n [for birds, animals] réserve f.

sand [sænd] ◆ n (U) sable m. ◆ vt [wood] poncer. ◆ **sands** npl [beach] plage f.

sandal ['sændl] n sandale f.

sandcastle ['sænd,kɑːsl] n château m de sable.

sandpaper ['sænd,peɪpər] n (U) papier m de verre.

sandpit ['sændpɪt] UK, **sandbox** ['sændbɒks] US n bac m à sable.

sandwich ['sænwɪdʒ] n sandwich m.

sandwich bar n UK ≃ snack(-bar) m.

sandy ['sændi] adj 1. [beach] de sable 2. [hair] blond(e).

sang [sæŋ] pt → **sing**.

sanitary ['sænitri] adj 1. sanitaire 2. [hygienic] hygiénique.

sanitary napkin US = **sanitary towel**.

sanitary towel n UK serviette f hygiénique.

sank [sæŋk] pt → **sink**.

Santa (Claus) ['sæntə(,klɔːz)] n le père Noël.

sapphire ['sæfaɪəʳ] n saphir m.

sarcastic [sɑːˈkæstɪk] adj sarcastique.

sardine [sɑːˈdiːn] n sardine f.

Sardinia [sɑːˈdɪnjə] n Sardaigne f.

SARS ['sɑːz] (abbr of severe acute respiratory syndrome) n SRAS m (syndrome respiratoire aigu sévère).

SASE n US (abbr of self-addressed stamped envelope) enveloppe timbrée avec adresse pour la réponse.

sat [sæt] pt & pp → **sit**.

Sat. (abbr of Saturday) sam. (samedi).

satchel ['sætʃəl] n cartable m.

satellite ['sætəlaɪt] n satellite m.

satellite dish n antenne f parabolique.

satellite TV n télé f par satellite.

satin ['sætɪn] n (U) satin m.

satisfaction [,sætɪsˈfækʃn] n (U) satisfaction f.

satisfactory [,sætɪsˈfæktərɪ] adj satisfaisant(e).

satisfied ['sætɪsfaɪd] adj satisfait(e).

satisfy ['sætɪsfaɪ] vt satisfaire.

satnav ['sætnæv] n GPS m.

satsuma [,sæt'suːmə] n UK mandarine f.

saturate ['sætʃəreɪt] vt tremper.

Saturday ['sætədɪ] n samedi m ▸ it's Saturday on est samedi ▸ Saturday morning samedi matin ▸ on Saturday samedi ▸ on Saturdays le samedi ▸ last Saturday samedi dernier ▸ this Saturday samedi ▸ next Saturday samedi prochain ▸ Saturday week UK, a week on Saturday UK, a week from Saturday US samedi en huit.

Saturday girl n UK vendeuse f (travaillant le samedi).

sauce [sɔːs] n sauce f.

saucepan ['sɔːspən] n casserole f.

saucer ['sɔːsəʳ] n soucoupe f.

Saudi Arabia [,saʊdɪəˈreɪbjə] n l'Arabie f Saoudite.

sauna ['sɔːnə] n sauna m.

sausage ['sɒsɪdʒ] n saucisse f.

sausage roll n UK friand m à la saucisse.

sauté [UK 'səʊteɪ, US səʊˈteɪ] adj sauté(e).

savage ['sævɪdʒ] adj féroce.

save [seɪv] ◆ vt 1. [rescue] sauver 2. [money] économiser 3. [time, space] gagner 4. [reserve] garder 5. SPORT arrêter 6. COMPUT sauvegarder. ◆ n SPORT arrêt m. ◆ **save up** vi économiser ▸ to save up for a holiday économiser pour des vacances.

saver ['seɪvəʳ] n UK [ticket] billet m à tarif réduit.

savings ['seɪvɪŋz] npl économies fpl.

savings account n US compte m d'épargne.

savings and loan association n US société d'investissements et de prêts immobiliers.

savings bank n caisse f d'épargne.

savory ['seɪvərɪ] US = **savoury**.

savoury ['seɪvərɪ] adj UK [not sweet] salé(e).

saw[1] [sɔː] pt → **see**.

saw[2] [sɔː] (UK pt -ed, pp sawn, US pt & pp -ed) ◆ n [tool] scie f. ◆ vt scier.

sawdust ['sɔːdʌst] n (U) sciure f.

sawn [sɔːn] pp → **saw**.

saxophone ['sæksəfəʊn] n saxophone m.

say [seɪ] (pt & pp **said**) ◆ vt 1. dire 2. [subj: clock, sign, meter] indiquer. ◆ n : to have a say in sthg avoir son mot à dire dans qqch ▶ could you say that again? tu pourrais répéter ça ? ▶ say we met at nine? disons qu'on se retrouve à neuf heures ? ▶ what did you say? qu'avez-vous dit ?

saying ['seɪɪŋ] n dicton m.

scab [skæb] n croûte f.

scaffolding ['skæfəldɪŋ] n (U) échafaudage m.

scald [skɔːld] vt ébouillanter.

scale [skeɪl] n 1. échelle f 2. MUS gamme f 3. [of fish, snake] écaille f 4. (U) [in kettle] tartre m. ◆ **scales** npl [for weighing] balance f.

scallion ['skæljən] n US oignon m blanc.

scallop ['skɒləp] n coquille f Saint-Jacques.

scalp [skælp] n cuir m chevelu.

scampi ['skæmpɪ] n (U) UK scampi mpl.

scan [skæn] ◆ vt 1. [consult quickly] parcourir 2. COMPUT scanner. ◆ n MED & COMPUT scanner m, scanneur m.

scandal ['skændl] n 1. [disgrace] scandale m 2. [gossip] ragots mpl.

Scandinavia [ˌskændɪ'neɪvjə] n la Scandinavie.

Scandinavian [ˌskændɪ'neɪvjən] ◆ adj scandinave. ◆ n [person] Scandinave mf.

scar [skɑːʳ] n cicatrice f.

scarce ['skeəs] adj rare.

scarcely ['skeəslɪ] adv [hardly] à peine.

scare [skeəʳ] vt effrayer.

scarecrow ['skeəkrəʊ] n épouvantail m.

scared [skeəd] adj effrayé(e) ▶ to be scared (of) avoir peur (de).

scare story n histoire f pour faire peur.

scarf ['skɑːf] (pl **scarves**) n 1. écharpe f 2. [silk, cotton] foulard m.

scarlet ['skɑːlət] adj écarlate.

scarves [skɑːvz] pl → **scarf**.

scary ['skeərɪ] adj inf effrayant(e).

scatter ['skætəʳ] ◆ vt éparpiller. ◆ vi s'éparpiller.

scatterbrain ['skætəbreɪn] n tête f de linotte.

scene [siːn] n 1. [in play, film, book] scène f 2. [of crime, accident] lieux mpl 3. [view] vue f ▶ **the music scene** le monde de la musique ▶ **to make a scene** faire une scène.

scenery ['siːnərɪ] n (U) 1. [countryside] paysage m 2. [in theatre] décor m.

scenic ['siːnɪk] adj pittoresque.

scent [sent] n 1. odeur f 2. [perfume] parfum m.

sceptical ['skeptɪkl] adj UK sceptique.

schedule [UK 'ʃedjuːl, US 'skedʒʊl] ◆ n 1. [of work, things to do] planning m 2. US [timetable] horaire m 3. [of prices] barème m. ◆ vt [plan] planifier ▸ according to schedule comme prévu ▸ behind schedule en retard ▸ on schedule a) [at expected time] à l'heure (prévue) b) [on expected day] à la date prévue, en retard.

scheduled flight [UK 'ʃedjuːld-, US 'skedʒʊld-] n vol m régulier.

scheduling [UK 'ʃedjuːlɪŋ, US 'skedʒuːlɪŋ] n TV & RADIO programmation f.

scheme [skiːm] ◆ n 1. [plan] plan m 2. pej [dishonest plan] combine f. ◆ vt [plan] planifier. ◆ adj [age, holiday, report] scolaire ▸ at school à l'école.

scholarship ['skɒləʃɪp] n [award] bourse f d'études.

school [skuːl] ◆ n 1. école f 2. [university department] faculté f 3. US inf [university] université f.

(i) School year

En Grande-Bretagne, l'année scolaire du système public varie suivant les régions mais se divise généralement en trois parties : de début septembre aux fêtes de Noël, du Nouvel An à la mi-avril et de fin avril à juillet. Les élèves ont six semaines de congés d'été et de deux semaines pour Noël et Pâques. Aux États-Unis, l'année comprend deux semestres : les élèves ont une semaine de congés entre Noël et le jour de l'An, ainsi qu'une semaine à Pâques, avant d'achever l'année scolaire la troisième semaine de juin.

schoolbag ['skuːlbæg] n cartable m.

schoolbook ['skuːlbʊk] n manuel m scolaire.

schoolboy ['skuːlbɔɪ] n écolier m.

school bus n car m de ramassage scolaire.

schoolchild ['skuːltʃaɪld] (pl -children) n élève m ou f.

schoolgirl ['skuːlgɜːl] n écolière f.

schoolmaster ['skuːl,mɑːstə²] n maître m d'école, instituteur m.

schoolmistress ['skuːl,mɪstrɪs] n maîtresse f d'école, institutrice f.

school run n UK : to do the school run emmener les enfants à l'école.

schoolteacher ['skuːl,tiːtʃə²] n 1. [primary] instituteur m, -trice f 2. [secondary] professeur m.

school uniform n uniforme m scolaire.

schtum [ʃtʊm] adj UK inf : to keep schtum ne pas piper mot.

science ['saɪəns] n 1. science f 2. (U) SCH sciences fpl.

science fiction n (U) science-fiction f.

scientific [,saɪən'tɪfɪk] adj scientifique.

scientist ['saɪəntɪst] n scientifique m ou f.

sci-fi [,saɪ'faɪ] (abbr of science fiction) n inf science-fiction f, S.F. f.

scissors ['sɪzəz] npl : (a pair of) scissors (une paire de) ciseaux mpl.

scold [skəʊld] vt gronder.

scone [skɒn] n petit gâteau rond, souvent aux raisins secs, que l'on mange avec du beurre et de la confiture.

scoop [skuːp] n 1. [for ice cream] cuillère f à glace 2. [of ice cream] boule f 3. [in media] scoop m.

scooter ['skuːtəʳ] n [motor vehicle] scooter m.

scope [skəʊp] n (U) 1. [possibility] possibilités fpl 2. [range] étendue f. ◆ **scope out** vt sep US [look at] observer.

scorch [skɔːtʃ] vt brûler.

score [skɔːʳ] ◆ n score m. ◆ vt 1. SPORT marquer 2. [in test] obtenir. ◆ vi SPORT marquer ▶ **what's the score?** où en est le jeu ?

scorn [skɔːn] n (U) mépris m.

Scorpio ['skɔːpɪəʊ] n Scorpion m.

scorpion ['skɔːpjən] n scorpion m.

Scot [skɒt] n Écossais m, -e f.

scotch [skɒtʃ] n scotch m.

Scotch broth n (U) potage à base de mouton, de légumes et d'orge.

Scotch tape® n (U) US Scotch® m.

Scotland ['skɒtlənd] n l'Écosse f.

Scotsman ['skɒtsmən] (pl **-men**) n Écossais m.

Scotswoman ['skɒtswʊmən] (pl **-women**) n Écossaise f.

Scottish ['skɒtɪʃ] adj écossais(e).

Scottish Parliament n Parlement m écossais.

ⓘ **Scottish Parliament**

C'est, depuis l'Acte d'union de 1707, le premier Parlement écossais : il voit le jour après la décentralisation approuvée par referendum en 1998. Il bénéficie d'un pouvoir législatif autonome dans des domaines tels que l'éducation, la santé ou les prisons, et compte 129 membres élus au suffrage universel direct, les MSPs. Il siège près du palais de Holyrood au centre de la capitale, Édimbourg.

scout [skaʊt] n [boy scout] scout m.

scowl [skaʊl] vi se renfrogner.

scrambled eggs [,skræmbld-] npl œufs mpl brouillés.

scrap [skræp] n 1. [of paper, cloth] bout m 2. (U) [old metal] ferraille f.

scrapbook ['skræpbʊk] n album m (pour coupures de journaux, collages, etc.).

scrape [skreɪp] vt 1. [rub] gratter 2. [scratch] érafler.

scrap paper n (U) UK brouillon m.

scratch [skrætʃ] ◆ n éraflure f. ◆ vt 1. érafler 2. [rub] gratter ▶ **to be up to scratch** être à la hauteur ▶ **to start from scratch** partir de zéro.

scratch paper US = **scrap paper**.

scream [skriːm] ◆ n cri m perçant. ◆ vi [person] hurler.

screen [skriːn] ◆ n 1. écran m 2. [hall in cinema] salle f. ◆ vt 1. [film] projeter 2. [TV programme] diffuser.

screening ['skriːnɪŋ] n 1. [of film] projection f 2. COMPUT filtrage m.

screenshot ['skriːnʃɒt] n capture f d'écran.

screen wash n (U) liquide m lave-glace.

screw [skruː] ◆ n vis f. ◆ vt visser.

screwdriver ['skruːˌdraɪvəʳ] n tournevis m.

scribble ['skrɪbl] vi gribouiller.

script [skrɪpt] n [of play, film] script m.

scroll [skrəʊl] vi faire défiler.

scroll bar n barre f de défilement.

scroller mouse n souris f à molette.

scrolling ['skrəʊlɪŋ] n défilement m.

scrub [skrʌb] vt brosser.

scruffy ['skrʌfɪ] adj peu soigné(e).

scrum [skrʌm] (pt & pp -med, cont -ming) ♦ n [in rugby] mêlée f. ♦ vi former une mêlée.

scrumpy ['skrʌmpɪ] n (U) cidre à fort degré d'alcool typique du sud-ouest de l'Angleterre.

scrunchie, scrunchy ['skrʌntʃɪ] n chouchou m.

scuba ['skuːbə] n scaphandre m autonome.

scuba diving ['skuːbə-] n (U) plongée f (sous-marine).

sculptor ['skʌlptə^r] n sculpteur m.

sculpture ['skʌlptʃə^r] n sculpture f.

scum [skʌm] n (U) **1.** [froth] écume f, mousse f **2.** inf & pej [people] racaille f.

sea [siː] ♦ n mer f ▸ **by sea** par mer ▸ **by the sea** au bord de la mer.

seafood ['siːfuːd] n (U) poissons mpl et crustacés.

seafront ['siːfrʌnt] n front m de mer.

seagull ['siːgʌl] n mouette f.

seal [siːl] ♦ n **1.** [animal] phoque m **2.** [on bottle, container] joint m d'étanchéité **3.** [official mark] cachet m. ♦ vt **1.** [envelope] cacheter **2.** [container] fermer.

seam [siːm] n [in clothes] couture f.

seamless ['siːmlɪs] adj **1.** sans couture **2.** fig homogène.

search [sɜːtʃ] ♦ n recherche f. ♦ vt fouiller, rechercher. ♦ vi : **to search for** chercher ▸ **to search someone** fouiller qqn.

searchable ['sɜːtʃəbəl] adj interrogeable.

search engine n COMPUT moteur m de recherche.

seashell ['siːʃel] n coquillage m.

seashore ['siːʃɔː^r] n rivage m.

seasick ['siːsɪk] adj : **to be seasick** avoir le mal de mer.

seaside ['siːsaɪd] n : **the seaside** le bord de mer.

seaside resort n station f balnéaire.

season ['siːzn] ♦ n **1.** saison f. ♦ vt [food] assaisonner ▸ **in season a)** [fruit, vegetables] de saison **b)** [holiday] en saison haute ▸ **out of season** hors saison.

seasonal ['siːzənl] adj saisonnier(ère).

seasoning ['siːznɪŋ] n (U) assaisonnement m.

season ticket n abonnement m.

seat [siːt] ♦ n **1.** siège m **2.** [in theatre, cinema] fauteuil m **3.** [ticket, place] place f. ♦ vt [subj: building, vehicle] contenir ▸ **'please wait to be seated'** 'veuillez patienter et attendre que l'on vous installe'.

seat belt n ceinture f de sécurité.

seating ['siːtɪŋ] n (U) [capacity] sièges mpl, places fpl (assises).

seat-of-the-pants adj inf : **the project has been a bit of a seat-of-the-pants operation** le projet a été mené au pif.

seaweed ['siːwiːd] n (U) algues fpl.

secluded [sɪ'kluːdɪd] adj retiré(e).

second ['sekənd] ♦ n seconde f. ♦ num second(e), deuxième ▸ **second gear** seconde f ▸ **the second (of September)** le deux (septembre). ▸ **seconds** npl **1.** [goods] articles mpl de second choix **2.** inf [of food] rab m.

secondary ['sekəndrɪ] adj secondaire.

secondary school ['sekəndrɪ-] n école secondaire comprenant collège et lycée.

second-class adj 1. [ticket] de seconde (classe) 2. [stamp] tarif lent 3. [inferior] de qualité inférieure.

second grade n US SCH classe de l'enseignement primaire correspondant au CE1 (6-7 ans).

second-hand adj d'occasion.

second-rate ['sekənd-] adj pej de deuxième ordre.

Second World War n : the Second World War UK la Seconde Guerre mondiale.

secret ['siːkrɪt] ◆ adj secret(ète). ◆ n secret m.

secretary [UK 'sekrətrɪ, US 'sekrəˌterɪ] n secrétaire m ou f.

Secretary of State n 1. US ministre m des Affaires étrangères 2. UK ministre m.

section ['sekʃn] n section f.

sector ['sektər] n secteur m.

secure [sɪ'kjʊər] ◆ adj 1. [safe] en sécurité 2. [place, building] sûr(e) 3. [firmly fixed] qui tient bien 4. [free from worry] sécurisé(e). ◆ vt 1. [fix] attacher 2. fml [obtain] obtenir.

security [sɪ'kjʊərətɪ] n (U) sécurité f.

security check(point) n contrôle m de sécurité.

security guard n garde m.

sedan [sɪ'dæn] n US berline f.

sedative ['sedətɪv] n sédatif m.

seduce [sɪ'djuːs] vt séduire.

see [siː] (pt saw, pp seen) ◆ vt 1. voir 2. [accompany] raccompagner. ◆ vi voir ▶ **I see** [understand] je vois ▶ **to see**

if one can do sthg voir si on peut faire qqch ▶ **to see to sthg** a) [deal with] s'occuper de qqch b) [repair] réparer qqch ▶ **see you later!** à plus tard ! ▶ **see you (soon)!** à bientôt ! ▶ **see p 14** voir p. 14.
◆ **see off** vt sep [say goodbye to] dire au revoir à.

seed [siːd] n graine f.

seedy ['siːdɪ] adj miteux(euse).

seeing (as) ['siːɪŋ-] conj vu que.

seek [siːk] (pt & pp sought) vt fml 1. [look for] rechercher 2. [request] demander.

seem [siːm] ◆ vi sembler. ◆ impers vb : **it seems (that)...** il semble que... ▶ **she seems nice** elle a l'air sympathique.

seen [siːn] pp → **see**.

seesaw ['siːsɔː] n bascule f.

segment ['segmənt] n [of fruit] quartier m.

seize [siːz] vt saisir. ◆ **seize up** vi 1. [machine] se gripper 2. [leg] s'ankyloser 3. [back] se bloquer.

seldom ['seldəm] adv rarement.

select [sɪ'lekt] ◆ vt sélectionner, choisir. ◆ adj sélect(e).

selection [sɪ'lekʃn] n choix m.

self [self] (pl selves [selvz]) n [psychology] : **the self** le moi.

self-appraisal n auto-évaluation f.

self-assertiveness n affirmation f de soi.

self-assessment n [gen] auto-évaluation f.

self-assured [ˌselfə'ʃʊəd] adj sûr(e) de soi.

self-belief n confiance f en soi.

self-catering [,self'keɪtərɪŋ] adj 🇬🇧 [flat] indépendant(e) *(avec cuisine)* ▶ **a self-catering holiday** 🇬🇧 des vacances *fpl* en location.

self-confidence n confiance *f* en soi, assurance *f*.

self-confident [,self-] adj sûr(e) de soi.

self-conscious [,self-] adj mal à l'aise.

self-contained [,selfkən'teɪnd] adj [flat] indépendant(e).

self-defence [,self-] n (U) 🇬🇧 autodéfense *f*.

self-defense 🇺🇸 = **self-defence**.

self-delusion n illusion *f* ▶ **it is nothing but self-delusion** elle se fait des illusions.

self-employed [,self-] adj indépendant(e).

self-employment n travail *m* en indépendant.

self-harm ◆ n automutilation *f*. ◆ vi s'automutiler.

selfish ['selfɪʃ] adj égoïste.

self-loathing n dégoût *m* de soi-même.

self-motivated adj capable de prendre des initiatives.

self-motivation n motivation *f*.

self-obsessed adj obsédé(e) par soi-même.

self-protection n autoprotection *f*.

self-publicist n : **he is an accomplished self-publicist** il sait soigner sa publicité.

self-raising flour [,self'reɪzɪŋ-] n (U) 🇬🇧 farine *f* à gâteaux.

self-reliance n indépendance *f*.

self-respect n respect *m* de soi.

self-rising flour [,self'raɪzɪŋ-] 🇺🇸 = **self-raising flour**.

self-satisfaction n contentement *m* de soi.

self-serve 🇺🇸 adj = **self-service**.

self-service [,self-] adj en libre-service.

sell [sel] (*pt & pp* **sold**) ◆ vt vendre. ◆ vi se vendre ▶ **it sells for £20** ça se vend 20 livres ▶ **he sold me the car for £2,000** il m'a vendu la voiture pour 2 000 livres.

sell-by date n 🇬🇧 date *f* limite de vente.

seller ['selər] n [person] vendeur *m*, -euse *f*.

Sellotape® ['seləteɪp] n (U) 🇬🇧 ≃ Scotch® *m*.

semester [sɪ'mestər] n semestre *m*.

semicircle [,semɪ,sɜːkl] n demi-cercle *m*.

semicolon [,semɪ'kəʊlən] n point-virgule *m*.

semidetached [,semɪdɪ'tætʃt] adj [houses] jumeaux(elles).

semifinal [,semɪ'faɪnl] n demi-finale *f*.

seminar ['semɪnɑːr] n séminaire *m*.

semi-skimmed [-skɪmd] adj [milk] demi-écrémé.

semolina [,semə'liːnə] n (U) semoule *f*.

send [send] (*pt & pp* **sent**) vt envoyer ▶ **to send a letter to sb** envoyer une lettre à qqn. ◆ **send back** vt sep renvoyer. ◆ **send off** ◆ vt sep **1.** [letter, parcel] expédier **2.** 🇬🇧 SPORT expulser. ◆ vi : **to send off for sthg** commander qqch par correspondance.

sender ['sendər] n expéditeur *m*, -trice *f*.

senile ['siːnaɪl] adj sénile.

senior ['si:njə'] ◆ adj 1. [high-ranking] haut placé(e) 2. [higher-ranking] plus haut placé(e). ◆ n 1. UK SCH grand m, -e f 2. US SCH = élève m ou f de terminale.

senior citizen n personne f âgée.

senior high school n US = lycée m.

sensation [sen'seɪʃn] n sensation f ▸ to cause a sensation faire sensation.

sensational [sen'seɪʃənl] adj sensationnel(elle).

sense [sens] ◆ n 1. sens m 2. (U) [common sense] bon sens 3. (U) [usefulness] utilité f. ◆ vt sentir ▸ there's no sense in waiting ça ne sert à rien d'attendre ▸ to make sense avoir un sens ▸ sense of direction sens de l'orientation ▸ sense of humour sens de l'humour.

sensible ['sensəbl] adj 1. [person] sensé(e) 2. [clothes, shoes] pratique.

⚠ Sensible is a false friend, it means *sensitive* not "wise" or "prudent".

sensitive ['sensɪtɪv] adj sensible.

sent [sent] pt → **send**.

sentence ['sentəns] ◆ n 1. GRAM phrase f 2. [for crime] sentence f. ◆ vt condamner.

sentimental [ˌsentɪ'mentl] adj sentimental(e).

Sep. (abbr of September) sept. (septembre).

separate ◆ adj ['seprət] 1. séparé(e) 2. [different] distinct(e). ◆ vt ['sepəreɪt] séparer. ◆ vi se séparer. ◆ **separates** npl coordonnés mpl.

separately ['seprətlɪ] adv séparément.

separation [ˌsepə'reɪʃn] n séparation f.

Sept. (abbr of September) sept (septembre).

September [sep'tembə'] n septembre m ▸ at the beginning of September début septembre ▸ at the end of September fin septembre ▸ during September en septembre ▸ every September tous les ans en septembre ▸ in September en septembre ▸ last September en septembre (dernier) ▸ next September en septembre de l'année prochaine ▸ this September en septembre (prochain) ▸ 2 September 2012 [in letters, etc.] le 2 septembre 2012.

septic ['septɪk] adj infecté(e).

septic tank n fosse f septique.

sequel ['si:kwəl] n [to book, film] suite f.

sequence ['si:kwəns] n 1. [series] suite f 2. [order] ordre m.

sequin ['si:kwɪn] n paillette f.

Serbia ['sɜːbjə] n Serbie f.

sergeant ['sɑːdʒənt] n 1. [in police force] brigadier m 2. [in army] sergent m.

serial ['sɪərɪəl] n feuilleton m.

serial port n port m série.

series ['sɪəriːz] (pl inv) n série f.

serious ['sɪərɪəs] adj 1. sérieux(ieuse) 2. [illness, injury] grave.

seriously ['sɪərɪəslɪ] adv 1. sérieusement 2. [wounded, damaged] gravement.

sermon ['sɜːmən] n sermon m.

servant ['sɜːvənt] n domestique m ou f.

serve [sɜːv] ◆ vt & vi servir. ◆ n SPORT service m ▸ to serve as [be used for] servir de ▸ the town is served by two airports la ville est desservie par deux aéroports ▶ **it serves you right** (c'est) bien fait pour toi ▶ **'serves two'** [on packaging, menu] 'pour deux personnes'.

server ['sɜːvəʳ] n serveur m.

service ['sɜːvɪs] ◆ n **1.** service m **2.** [of car] révision f. ◆ vt [car] réviser ▶ **to be of service to sb** fml être utile à qqn ▶ **'out of service'** 'hors service' ▶ **'service included'** 'service compris' ▶ **'service not included'** 'service non compris'. ◆ **services** npl [on motorway] aire f de service.

service area n UK aire f de service.

service charge n service m.

service department n atelier m de réparation.

service provider n COMPUT fournisseur m d'accès, provider m.

service station n station-service f.

serviette [,sɜːvɪ'et] n UK serviette f (de table).

serving ['sɜːvɪŋ] n [helping] part f.

serving spoon n cuillère f de service.

sesame seeds ['sesəmɪ-] npl graines fpl de sésame.

session ['seʃn] n séance f.

set [set] (pt & pp set) ◆ adj **1.** [price, time] fixe ▶ **a set lunch** un menu **2.** [text, book] au programme **3.** [situated] situé(e)
◆ n **1.** [of keys, tools] jeu m ▶ **a chess set** un jeu d'échecs **2.** [TV] : **a (TV) set** un poste (de télé), une télé **3.** [in tennis] set m **4.** SCH groupe m de niveau **5.** [of play] décor m **6.** [at hairdresser's] : **a shampoo and set** un shampo(o)ing et mise en plis
◆ vt **1.** [put] poser ▶ **to set the table** mettre la table OR le couvert **2.** [cause to be] : **to set a machine going** mettre

une machine en marche ▶ **to set fire to sthg** mettre le feu à qqch **3.** [clock, alarm, controls] régler ▶ **set the alarm for 7 a.m.** mets le réveil à (sonner pour) 7 h **4.** [price, time] fixer **5.** [a record] établir **6.** [homework, essay] donner **7.** [play, film, story] : **to be set** se passer, se dérouler
◆ vi **1.** [sun] se coucher **2.** [glue, jelly] prendre

◆ **set down** vt sep UK [passengers] déposer.

◆ **set off** ◆ vt sep [alarm] déclencher. ◆ vi [on journey] se mettre en route.

◆ **set out** ◆ vt sep [arrange] disposer. ◆ vi [on journey] se mettre en route.

◆ **set up** vt sep [barrier] mettre en place ; [equipment] installer.

set meal n menu m.

set menu n menu m.

settee [se'tiː] n UK canapé m.

setting ['setɪŋ] n **1.** [on machine] réglage m **2.** [surroundings] décor m.

settle ['setl] ◆ vt **1.** régler **2.** [stomach, nerves] calmer. ◆ vi **1.** [start to live] s'installer **2.** [come to rest] se poser **3.** [sediment, dust] se déposer. ◆ **settle down** vi **1.** [calm down] se calmer **2.** [sit comfortably] s'installer. ◆ **settle up** vi [pay bill] régler.

settlement ['setlmənt] n **1.** [agreement] accord m **2.** [place] colonie f.

set-top box n boîtier m électronique.

seven ['sevn] num adj & n sept ▶ **to be seven (years old)** avoir sept ans ▶ **it's seven (o'clock)** il est sept heures ▶ **a hundred and seven** cent sept ▶ **seven Hill St** 7 Hill St ▶ **it's minus seven (degrees)** il fait moins sept (degrés).

seventeen [,sevn'tiːn] num adj & n dix-sept ▶ **to be seventeen (years old)**

avoir dix-sept ans ▸ **a hundred and seventeen** cent dix-sept ▸ **seventeen Hill St** 17 Hill St ▸ **it's minus seventeen (degrees)** il fait moins dix-sept (degrés).

seventeenth [,sevn'ti:nθ] ◆ **num** adj & adv dix-septième. ◆ **num pron** dix-septième m ou f. ◆ **num** n [fraction] dix-septième m ▸ **the seventeenth (of September)** le dix-sept (septembre).

seventh ['sevnθ] ◆ **num** adj & adv septième. ◆ **num pron** septième m ou f. ◆ **num** n [fraction] septième m ▸ **the seventh (of September)** le sept (septembre).

seventh grade n [US] SCH classe de l'enseignement secondaire correspondant à la cinquième (11-12 ans).

seventieth ['sevntjəθ] ◆ **num** adj & adv soixante-dixième. ◆ **num pron** soixante-dixième m ou f. ◆ **num** n [fraction] soixante-dixième m.

seventy ['sevntɪ] **num** adj & n soixante-dix ▸ **to be seventy (years old)** avoir soixante-dix ans ▸ **a hundred and seventy** cent soixante-dix ▸ **seventy Hill St** 70 Hill St ▸ **it's minus seventy (degrees)** il fait moins soixante-dix (degrés).

several ['sevrəl] adj & pron plusieurs.

severe [sɪ'vɪə^r] adj **1.** [conditions, illness] grave **2.** [person, punishment] sévère **3.** [pain] aigu(uë).

sew [səʊ] (pp **sewn**) vt & vi coudre.

sewage ['su:ɪdʒ] n (U) eaux fpl usées.

sewer ['suə^r] n égout m.

sewing ['səʊɪŋ] n (U) couture f.

sewing machine n machine f à coudre.

sewn [səʊn] pp → **sew**.

sex [seks] n **1.** [gender] sexe m **2.** (U) [sexual intercourse] rapports mpl sexuels ▸ **to have sex with sb** coucher avec qqn.

sexist ['seksɪst] n sexiste m ou f.

sexting ['sekstɪŋ] n [US] envoi de SMS à caractère sexuel.

sexual ['sekʃʊəl] adj sexuel(elle).

sexy ['seksɪ] adj sexy inv.

shabby ['ʃæbɪ] adj **1.** [clothes, room] miteux(euse) **2.** [person] pauvrement vêtu(e).

shade [ʃeɪd] ◆ n **1.** (U) [shadow] ombre f **2.** [lampshade] abat-jour m inv **3.** [of colour] teinte f. ◆ vt [protect] abriter. ◆ **shades** npl inf [sunglasses] lunettes fpl noires or de soleil.

shadow ['ʃædəʊ] n ombre f.

shadow cabinet n [UK] cabinet m fantôme (composé des parlementaires du principal parti de l'opposition).

shady ['ʃeɪdɪ] adj **1.** [place] ombragé(e) **2.** inf [person, deal] louche.

shaft [ʃɑ:ft] n **1.** [of machine] axe m **2.** [of lift] cage f.

shake [ʃeɪk] (pt **shook**, pp **shaken** ['ʃeɪkn]) ◆ vt secouer. ◆ vi trembler ▸ **to shake hands (with sb)** échanger une poignée de mains (avec qqn) ▸ **to shake one's head** secouer la tête.

shaky ['ʃeɪkɪ] adj [building, table] branlant(e) ; [argument, start] incertain(e).

shall (weak form [ʃəl], strong form [ʃæl]) ◆ **aux vb 1.** [expressing future] : **I shall be ready soon** je serai bientôt prêt **2.** [in questions] : **shall I buy some wine?** j'achète du vin ? ▸ **shall we listen to the radio?** si on écoutait la radio ? ▸ **where shall we go?** où est-ce qu'on va ? **3.** fml [expressing order] : **payment**
→

shall be made within a week le paiement devra être effectué sous huitaine.

shallot [ʃəˈlɒt] n échalote f.

shallow [ˈʃæləʊ] adj peu profond(e).

shallow end n [of swimming pool] côté le moins profond.

shambles [ˈʃæmblz] n désordre m.

shambolic [ʃæmˈbɒlɪk] adj UK désordonné(e).

shame [ʃeɪm] n (U) honte f ▶ **it's a shame** c'est dommage ▶ **what a shame!** quel dommage !

shampoo [ʃæmˈpuː] (pl -s) n shampo(o)ing m.

shandy [ˈʃændɪ] n panaché m.

shan't [ʃɑːnt] → **shall not**.

shanty [ˈʃæntɪ] (pl -ies) n 1. [shack] baraque f, cabane f 2. [song] chanson f de marins.

shape [ʃeɪp] n forme f ▶ **to be in good shape** être en forme ▶ **to be in bad shape** ne pas être en forme.

share [ʃeəʳ] ♦ n 1. [part] part f 2. [in company] action f. ♦ vt partager. ♦ **share out** vt sep partager.

shark [ʃɑːk] n requin m.

sharp [ʃɑːp] ♦ adj 1. [knife, razor] aiguisé(e) 2. [pointed] pointu(e) 3. [clear] net (nette) 4. [quick, intelligent] vif (vive) 5. [rise, change, bend] brusque 6. [painful] aigu(uë) 7. [food, taste] acide. ♦ adv : **at ten o'clock sharp** à dix heures pile.

sharpen [ˈʃɑːpn] vt 1. [pencil] tailler 2. [knife] aiguiser.

shatter [ˈʃætəʳ] ♦ vt [break] briser. ♦ vi se fracasser.

shattered [ˈʃætəd] adj UK inf [tired] crevé(e).

shave [ʃeɪv] ♦ vt raser. ♦ vi se raser. ♦ n : **to have a shave** se raser ▶ **to shave one's legs** se raser les jambes.

shaver [ˈʃeɪvəʳ] n rasoir m électrique.

shaver point n UK prise f pour rasoirs.

shaving brush [ˈʃeɪvɪŋ-] n blaireau m.

shaving cream [ˈʃeɪvɪŋ-] n crème f à raser.

shaving foam [ˈʃeɪvɪŋ-] n mousse f à raser.

shawl [ʃɔːl] n châle m.

she [ʃiː] pron elle ▶ **she's tall** elle est grande.

sheaf [ʃiːf] (pl **sheaves**) n [of paper, notes] liasse f.

shear [ʃɪəʳ] (pt -ed, pp -ed or **shorn**) vt [sheep] tondre. ♦ **shears** npl [for garden] sécateur m, cisaille f. ♦ **shear off** ♦ vt sep [branch] couper. ♦ vi se détacher.

shears [ʃɪəz] npl sécateur m.

sheaves [ʃiːvz] pl → **sheaf**.

shed [ʃed] (pt & pp **shed**) ♦ n remise f. ♦ vt [tears, blood] verser.

she'd (weak form [ʃɪd], strong form [ʃiːd]) → **she had, she would**.

sheep [ʃiːp] (pl inv) n mouton m.

sheepdog [ˈʃiːpdɒg] n chien m de berger.

sheepskin [ˈʃiːpskɪn] adj en peau de mouton.

sheer [ʃɪəʳ] adj 1. [pure, utter] pur(e) 2. [cliff] abrupt(e) 3. [stockings] fin(e).

sheet [ʃiːt] n 1. [for bed] drap m 2. [of paper] feuille f 3. [of glass, metal, wood] plaque f.

shelf [ʃelf] (pl **shelves**) n 1. étagère f 2. [in shop] rayon m.

shell [ʃel] n **1.** [of egg, nut] coquille f **2.** [on beach] coquillage m **3.** [of animal] carapace f **4.** [bomb] obus m.

she'll [ʃiːl] → she will, she shall.

shellfish [ˈʃelfɪʃ] n (U) [food] fruits mpl de mer.

shell suit n UK survêtement m (en synthétique froissé).

shelter [ˈʃeltər] ◆ n abri m. ◆ vt abriter. ◆ vi s'abriter ▸ **to take shelter** s'abriter.

sheltered [ˈʃeltəd] adj abrité(e).

shelves [ʃelvz] pl → shelf.

shepherd [ˈʃepəd] n berger m.

shepherd's pie [ˈʃepədz-] n ≃ hachis m Parmentier.

sheriff [ˈʃerɪf] n [in US] shérif m.

sherry [ˈʃerɪ] n xérès m.

she's [ʃiːz] → she is, she has.

shield [ʃiːld] ◆ n bouclier m. ◆ vt protéger.

shift [ʃɪft] ◆ n **1.** [change] changement m **2.** [period of work] équipe f. ◆ vt déplacer. ◆ vi **1.** [move] se déplacer **2.** [change] changer.

shift key n touche f majuscule.

shin [ʃɪn] n tibia m.

shindig [ˈʃɪndɪg] n inf [party] (grande) fête f.

shine [ʃaɪn] (pt & pp shone) ◆ vi briller. ◆ vt **1.** [shoes] astiquer **2.** [torch] braquer.

shiny [ˈʃaɪnɪ] adj brillant(e).

ship [ʃɪp] n **1.** bateau m **2.** [larger] navire m ▸ **by ship** par bateau.

shipping [ˈʃɪpɪŋ] n (U) [transport] transport m.

shipwreck [ˈʃɪprek] n **1.** [accident] naufrage m **2.** [wrecked ship] épave f.

shirt [ʃɜːt] n chemise f.

shit [ʃɪt] n (U) vulg merde f.

shitty [ˈʃɪtɪ] (compar -ier, superl -iest) adj vulg **1.** [worthless] merdique **2.** [mean] dégueulasse.

shiver [ˈʃɪvər] vi frissonner.

shock [ʃɒk] ◆ n choc m. ◆ vt **1.** [surprise] stupéfier **2.** [horrify] choquer ▸ **to be in shock** MED être en état de choc.

shock absorber [-əb,zɔːbər] n amortisseur m.

shock-horror adj inf [story, headline] à sensation.

shocking [ˈʃɒkɪŋ] adj [very bad] épouvantable.

shoe [ʃuː] n chaussure f.

shoelace [ˈʃuːleɪs] n lacet m.

shoe polish n (U) cirage m.

shoe repairer's [-rɪ,peərəz] n cordonnerie f.

shoe shop n magasin m de chaussures.

shone [ʃɒn] pt & pp → shine.

shook [ʃʊk] pt → shake.

shoot [ʃuːt] (pt & pp shot) ◆ vt **1.** [kill] tuer **2.** [injure] blesser **3.** [gun] tirer un coup de **4.** [arrow] décocher **5.** [film] tourner. ◆ n [of plant] pousse f. ◆ vi tirer ▸ **to shoot past** passer en trombe.

shoot-em-up n jeu m vidéo violent.

shop [ʃɒp] ◆ n **1.** magasin m **2.** [small] boutique f. ◆ vi faire les courses.

shop assistant n UK vendeur m, -euse f.

shop floor n atelier m.

shopkeeper ['ʃɒp,kiːpə'] n commerçant m, -e f.

shoplifter ['ʃɒp,lɪftə'] n voleur m, -euse f à l'étalage.

shoplifting ['ʃɒp,lɪftɪŋ] n (U) vol m à l'étalage.

shopper ['ʃɒpə'] n acheteur m, -euse f.

shopping ['ʃɒpɪŋ] n (U) **1.** [activity] courses fpl **2.** [purchases] achats mpl ▶ **to do the shopping** faire les courses ▶ **to go shopping** aller faire des courses.

shopping bag n sac m à provisions.

shopping basket n panier m à provisions.

shopping cart US = **shopping trolley**.

shopping center US = **shopping centre**.

shopping centre UK centre m commercial.

shopping channel n TV chaîne f de télé-achat.

shopping list n liste f des courses.

shopping mall n centre m commercial.

shopping trolley n chariot m.

shop steward n délégué m syndical, déléguée syndicale f.

shop window n UK vitrine f.

shore [ʃɔː'] n rivage m ▶ **on shore** à terre.

short [ʃɔːt] ◆ adj **1.** court(e) **2.** [not tall] petit(e). ◆ adv [cut] court. ◆ n **1.** UK [drink] alcool m fort **2.** [film] court-métrage m ▶ **to be short of time** manquer de temps ▶ **to be short of breath** être hors d'haleine ▶ **Liz is short for Elizabeth** Liz est un diminutif de Elizabeth ▶ **in short** (en) bref. ◆ **shorts** npl

1. [short trousers] short m **2.** US [underpants] caleçon m.

shortage ['ʃɔːtɪdʒ] n manque m.

shortbread ['ʃɔːtbred] n (U) ≃ sablé m au beurre.

short-circuit vi se mettre en court-circuit.

shortcrust pastry ['ʃɔːtkrʌst-] n UK pâte f brisée.

short cut n raccourci m.

shorten ['ʃɔːtn] vt **1.** [in time] écourter **2.** [in length] raccourcir.

shorthand ['ʃɔːthænd] n (U) sténographie f.

shortly ['ʃɔːtlɪ] adv [soon] bientôt ▶ **shortly before** peu avant.

shortsighted [,ʃɔːt'saɪtɪd] adj myope.

short-sleeved [-,sliːvd] adj à manches courtes.

short-stay car park n UK parking m courte durée.

short story n nouvelle f.

short-term adj [effects, solution] à court terme ; [problem] de courte durée.

short wave n (U) ondes fpl courtes.

shot [ʃɒt] ◆ pt & pp → **shoot**. ◆ n **1.** [of gun] coup m de feu **2.** [in football] tir m **3.** [in tennis, golf, etc.] coup m **4.** [photo] photo f **5.** [in film] plan m **6.** inf [attempt] essai m **7.** [drink] petit verre m.

shotgun ['ʃɒtgʌn] n fusil m de chasse.

should [ʃud] ◆ aux vb **1.** [expressing desirability] : **we should leave now** nous devrions or il faudrait partir maintenant **2.** [asking for advice] : **should I go too?** est-ce que je dois y aller aussi ? **3.** [expressing probability] : **she should**

be home soon elle devrait être bientôt rentrée **4.** (ought to) : **they should have won the match** ils auraient dû gagner le match **5.** fml [in conditionals] : **should you need anything, call reception** si vous avez besoin de quoi que ce soit, appelez la réception **6.** fml [expressing wish] : **I should like to come with you** j'aimerais bien venir avec vous.

shoulder ['ʃəʊldər] n **1.** épaule f **2.** US [of road] bande f d'arrêt d'urgence.

shoulder pad n épaulette f.

shouldn't ['ʃʊdnt] → should not.

should've ['ʃʊdəv] → should have.

shout [ʃaʊt] ◆ n cri m. ◆ vt & vi crier. ◆ **shout out** vt sep crier.

shove [ʃʌv] vt **1.** [push] pousser **2.** [put carelessly] flanquer.

shovel ['ʃʌvl] n pelle f.

show [ʃəʊ] (pp **-ed** or **shown**) ◆ n **1.** [on TV, radio] émission f **2.** [at theatre] spectacle m **3.** [exhibition] exposition f. ◆ vt **1.** montrer **2.** [accompany] accompagner **3.** [film, TV programme] passer. ◆ vi **1.** [be visible] se voir **2.** [film] passer, être à l'affiche ▸ **I showed my ticket to the inspector** j'ai montré mon ticket au contrôleur ▸ **to show sb how to do sthg** montrer à qqn comment faire qqch. ◆ **show off** vi faire l'intéressant. ◆ **show up** vi **1.** [come along] arriver **2.** [be visible] se voir.

showcase ['ʃəʊkeɪs] n vitrine f.

shower ['ʃaʊər] ◆ n **1.** [for washing] douche f **2.** [of rain] averse f. ◆ vi prendre une douche ▸ **to take a shower, to have a shower** US prendre une douche.

shower curtain n rideau m de douche.

shower gel n gel m douche.

shower unit n cabine f de douche.

showing ['ʃəʊɪŋ] n [of film] séance f.

shown [ʃəʊn] pp → show.

showroom ['ʃəʊrʊm] n salle f d'exposition.

show-stopping adj sensationnel(elle).

shrank [ʃræŋk] pt → shrink.

shrimp [ʃrɪmp] n crevette f.

shrine [ʃraɪn] n lieu m saint.

shrink [ʃrɪŋk] (pt **shrank**, pp **shrunk**) ◆ n inf [psychoanalyst] psy m ou f. ◆ vi [clothes] rapetisser.

shrink-wrapped adj emballé(e) sous film plastique.

shrivelled ['ʃrɪvəld] adj ratatiné(e).

shrub [ʃrʌb] n arbuste m.

shrug [ʃrʌg] ◆ n haussement m d'épaules. ◆ vi hausser les épaules.

shrunk [ʃrʌŋk] pp → shrink.

shtum = schtum.

shuffle ['ʃʌfl] ◆ vt [cards] battre. ◆ vi [cards] battre les cartes.

shut [ʃʌt] (pt & pp **shut**) ◆ adj fermé(e). ◆ vt fermer. ◆ vi **1.** [door, mouth, eyes] se fermer **2.** [shop, restaurant] fermer. ◆ **shut down** vt sep fermer. ◆ **shut up** vi inf [stop talking] la fermer.

shutter ['ʃʌtər] n **1.** [on window] volet m **2.** [on camera] obturateur m.

shuttle ['ʃʌtl] n navette f.

shuttlecock ['ʃʌtlkɒk] n UK volant m.

shy [ʃaɪ] adj timide.

Sicily ['sɪsɪlɪ] n Sicile f.

sick [sɪk] adj malade ▸ **to be sick** [vomit] vomir ▸ **to feel sick** avoir mal au cœur ▸ **to be sick of** [fed up with] en avoir assez de.

sick bag n *sachet mis à la disposition des passagers malades sur les avions et les bateaux.*

sickie ['sɪkɪ] n 🇬🇧 🇦🇺🇸🇹🇷 *inf* **: to pull a sickie** se faire porter pâle *(lorsqu'on est bien portant).*

sickness ['sɪknɪs] n maladie f.

sick pay n *(U)* indemnité f de maladie.

side [saɪd] ◆ n **1.** côté m **2.** [of hill] versant m **3.** [of road, river, pitch] bord m **4.** [of tape, record] face f **5.** [team] camp m **6.** 🇬🇧 [TV channel] chaîne f **7.** [page of writing] page f. ◆ adj [door, pocket] latéral(e) ▶ **at the side of** a) à côté de b) [river, road] au bord de ▶ **on the other side** de l'autre côté ▶ **on the side** à côté ▶ **on this side** de ce côté ▶ **side by side** côte à côte.

sideboard ['saɪdbɔːd] n buffet m.

sidecar ['saɪdkɑːʳ] n side-car m.

side dish n garniture f.

side effect n effet m secondaire.

sidelight ['saɪdlaɪt] n 🇬🇧 [of car] feu m de position.

side order n portion f.

side salad n *salade servie en garniture.*

side street n petite rue f.

sidewalk ['saɪdwɔːk] n 🇺🇸 trottoir m.

sideways ['saɪdweɪz] adv de côté.

sieve [sɪv] n **1.** passoire f **2.** [for flour] tamis m.

sift [sɪft] vt [flour, sand] tamiser.

sigh [saɪ] ◆ n soupir m. ◆ vi soupirer.

sight [saɪt] n **1.** *(U)* [eyesight] vision f, vue f **2.** [thing seen] spectacle m ▶ **at first sight** à première vue ▶ **to catch sight of** apercevoir ▶ **in sight** en vue ▶ **to lose sight of** perdre de vue ▶ **out**

of sight hors de vue. ◆ **sights** npl [of city, country] attractions fpl touristiques.

sight-read [-riːd] *(pt & pp* **sight-read** [-red]*)* vi & vt MUS déchiffrer.

sightseeing ['saɪtˌsiːɪŋ] n *(U)* **: to go sightseeing** faire du tourisme.

sign [saɪn] ◆ n **1.** [next to road, in shop, station] panneau m **2.** [symbol, indication] signe m **3.** [signal] signal m. ◆ vt & vi signer ▶ **there's no sign of her** il n'y a aucune trace d'elle. ◆ **sign in** vi [at hotel, club] signer le registre. ◆ **sign off** vi **insep 1.** RADIO & TV terminer l'émission **2.** [in letter] **: I'll sign off now** je vais conclure ici.

signal ['sɪɡnl] ◆ n **1.** signal m **2.** 🇺🇸 [traffic lights] feux mpl de signalisation. ◆ vi **1.** [in car] mettre son clignotant **2.** [on bike] tendre le bras.

signature ['sɪɡnətʃəʳ] n signature f.

significant [sɪɡ'nɪfɪkənt] adj significatif(ive).

signify ['sɪɡnɪfaɪ] vt signifier, indiquer.

sign language n langage m des signes.

signpost ['saɪnpəʊst] n poteau m indicateur.

Sikh [siːk] n Sikh m ou f.

silence ['saɪləns] n silence m.

silencer ['saɪlənsəʳ] n 🇬🇧 AUT silencieux m.

silent ['saɪlənt] adj silencieux(ieuse).

silicon ['sɪlɪkən] n silicium m.

Silicon Valley n Silicon Valley f.

silk [sɪlk] n soie f.

sill [sɪl] n rebord m.

silly ['sɪlɪ] adj idiot(e).

silver ['sɪlvəʳ] ◆ n *(U)* **1.** argent m **2.** [coins] monnaie f. ◆ adj en argent.

silver foil, silver paper n *(U)* 🇬🇧 papier *m* aluminium.

silver-plated [-'pleɪtɪd] adj plaqué(e) argent.

silver surfer n *inf* internaute *mf* senior.

SIM card n carte *f* SIM.

similar ['sɪmɪləʳ] adj similaire ▸ **to be similar to** être semblable à.

similarity [,sɪmɪ'lærətɪ] n similitude *f*.

similarly [,sɪmɪləlɪ] adv de la même manière, pareillement.

simmer ['sɪməʳ] vi mijoter.

simple ['sɪmpl] adj simple.

simplify ['sɪmplɪfaɪ] vt simplifier.

simply ['sɪmplɪ] adv simplement.

simulate ['sɪmjʊleɪt] vt simuler.

simultaneous [🇬🇧 ,sɪməl'teɪnjəs, 🇺🇸 ,saɪməl'teɪnjəs] adj simultané(e).

simultaneously [🇬🇧 ,sɪməl'teɪnjəslɪ, 🇺🇸 ,saɪməl'teɪnjəslɪ] adv simultanément.

sin [sɪn] ◆ n péché m. ◆ vi pécher.

since [sɪns] ◆ adv & prep depuis. ◆ conj 1. [in time] depuis que 2. [as] puisque ▸ **since we've been here** depuis que nous sommes ici ▸ **ever since then** depuis lors ▸ **ever since he found out** depuis qu'il a appris.

sincere [sɪn'sɪəʳ] adj sincère.

sincerely [sɪn'sɪəlɪ] adv sincèrement ▸ **Yours sincerely** veuillez agréer, Monsieur /Madame, mes sentiments les meilleurs.

sing [sɪŋ] (*pt* sang, *pp* sung) vt & vi chanter.

singer ['sɪŋəʳ] n chanteur m, -euse f.

single ['sɪŋgl] ◆ adj 1. [just one] seul(e) 2. [not married] célibataire. ◆ n 1. 🇬🇧 [ticket] aller *m* simple 2. [CD] single *m* ▸ **every single** chaque. ◆ **singles** ◆ n SPORT simple m. ◆ adj [bar, club] pour célibataires.

single bed n petit lit *m*, lit *m* à une place.

single cream n *(U)* 🇬🇧 crème *f* fraîche liquide.

single currency n monnaie *f* unique.

single parent n père *m* OR mère *m* célibataire.

single room n chambre *f* simple.

single track road n route *f* très étroite.

singular ['sɪŋgjʊləʳ] n singulier *m* ▸ **in the singular** au singulier.

sinister ['sɪnɪstəʳ] adj sinistre.

sink [sɪŋk] (*pt* sank, *pp* sunk) ◆ n 1. [in kitchen] évier *m* 2. [washbasin] lavabo *m*. ◆ vi 1. [in water] couler 2. [decrease] décroître.

sink unit n bloc-évier *m*.

sinuses ['saɪnəsɪz] npl sinus *mpl*.

sinusitis [,saɪnə'saɪtɪs] n *(U)* sinusite *f*.

sip [sɪp] ◆ n petite gorgée *f*. ◆ vt siroter.

siphon ['saɪfn] ◆ n siphon *m*. ◆ vt siphonner.

sir [sɜːʳ] n Monsieur ▸ **Dear Sir** Cher Monsieur ▸ **Sir Richard Blair** 🇬🇧 sir Richard Blair.

siren ['saɪərən] n sirène *f*.

sirloin steak [,sɜːlɔɪn-] n bifteck *m* d'aloyau.

sister ['sɪstəʳ] n 1. sœur *f* 2. 🇬🇧 [nurse] infirmière *f* en chef.

sister-in-law n belle-sœur *f*.

sit [sɪt] (*pt* & *pp* sat) ◆ vi 1. s'asseoir 2. [be situated] être situé. ◆ vt 1. asseoir **2.** [UK] [exam] passer ◆ **to be sitting** être assis. ◆ **sit down** vi s'asseoir ◆ **to be sitting down** être assis. ◆ **sit up** vi **1.** [after lying down] se redresser **2.** [stay up late] veiller.

sitcom ['sɪtkɒm] n *inf* sitcom *m ou f.*

site [saɪt] n **1.** site *m* **2.** [building site] chantier *m.*

sitting ['sɪtɪŋ] n **1.** [of meal] service *m* **2.** [of court, parliament] séance *f.*

sitting room ['sɪtɪŋ-] n [UK] salon *m.*

situated ['sɪtjʊeɪtɪd] adj **: to be situated** être situé(e).

situation [,sɪtjʊ'eɪʃn] n situation *f* ▶ **'situations vacant'** [UK] 'offres d'emploi'.

six [sɪks] num adj & n six ▶ **to be six** (years old) avoir six ans ▶ **it's six** (o'clock) il est six heures ▶ **a hundred and six** cent six ▶ **six Hill St** 6 Hill St ▶ **it's minus six** (degrees) il fait moins six (degrés).

sixteen [sɪks'tiːn] num adj & n seize ▶ **to be sixteen** (years old) avoir seize ans ▶ **a hundred and sixteen** cent seize ▶ **sixteen Hill St** 16 Hill St ▶ **it's minus sixteen** (degrees) il fait moins seize (degrés).

sixteenth [sɪks'tiːnθ] ◆ num adj & adv seizième. ◆ num pron seizième *m ou f.* ◆ num n [fraction] seizième *m* ▶ **the sixteenth** (of September) le seize (septembre).

sixth [sɪksθ] ◆ num adj & adv sixième. ◆ num pron sixième *m ou f.* ◆ num n [fraction] sixième *m* ▶ **the sixth** (of September) le six (septembre).

sixth form n [UK] ≃ terminale *f.*

sixth-form college n [UK] *établissement préparant aux « A levels ».*

sixth grade n [US] SCH *classe du primaire pour les 10-11 ans.*

sixtieth ['sɪkstɪəθ] ◆ num adj & adv soixantième. ◆ num pron soixantième *m ou f.* ◆ num n [fraction] soixantième *m.*

sixty ['sɪkstɪ] num adj & n soixante ▶ **to be sixty** (years old) avoir soixante ans ▶ **a hundred and sixty** cent soixante ▶ **sixty Hill St** 60 Hill St ▶ **it's minus sixty** (degrees) il fait moins soixante (degrés).

size [saɪz] n **1.** taille *f* **2.** [of shoes] pointure *f* ▶ **what size do you take?** quelle taille / pointure faites-vous ? ▶ **what size is this?** c'est quelle taille ?

sizeable ['saɪzəbl] adj assez important(e).

skanky ['skæŋkɪ] adj [US] *inf* moche.

skate [skeɪt] ◆ n **1.** patin *m* **2.** [fish] raie *f.* ◆ vi patiner.

skateboard ['skeɪtbɔːd] n skateboard *m.*

skater ['skeɪtər] n patineur *m,* -euse *f.*

skating ['skeɪtɪŋ] n *(U)* **: to go skating** a) [ice-skating] faire du patin (à glace) b) [roller-skating] faire du patin (à roulettes).

skeleton ['skelɪtn] n squelette *m.*

skeptical ['skeptɪkl] [US] = **sceptical.**

sketch [sketʃ] ◆ n **1.** [drawing] croquis *m* **2.** [humorous] sketch *m.* ◆ vt dessiner.

skewer ['skjuːər] n brochette *f.*

ski [skiː] *(pt & pp* skied, *cont* skiing) ◆ n ski *m.* ◆ vi skier.

ski boots npl chaussures *fpl* de ski.

skid [skɪd] ◆ n dérapage *m.* ◆ vi déraper.

skier ['skiːər] n skieur *m,* -ieuse *f.*

skiing ['skiːɪŋ] n (U) ski m ▸ **to go skiing** faire du ski ▸ **to go on a skiing holiday** partir aux sports d'hiver.

skilful ['skɪlfʊl] adj 🇬🇧 adroit(e).

ski lift n remonte-pente m.

skill [skɪl] n **1.** (U) [ability] adresse f **2.** [technique] technique f.

skilled [skɪld] adj **1.** [worker, job] qualifié(e) **2.** [driver, chef] expérimenté(e).

skillful ['skɪlfʊl] 🇺🇸 = **skilful**.

skimmed milk ['skɪmd-] n (U) lait m écrémé.

skim milk n = **skimmed milk**.

skin [skɪn] n peau f.

skin freshener [-,freʃnər] n (U) lotion f rafraîchissante.

skinny ['skɪnɪ] adj maigre.

skip [skɪp] ◆ vi **1.** [with rope] sauter à la corde **2.** [jump] sauter. ◆ vt [omit] sauter. ◆ n 🇬🇧 [container] benne f.

ski pants npl fuseau m, pantalon m de ski.

ski pass n forfait m.

ski pole n bâton m de ski.

skipping rope ['skɪpɪŋ-] n 🇬🇧 corde f à sauter.

skirt [skɜːt] n jupe f.

ski slope n piste f de ski.

ski tow n téléski m.

skittles ['skɪtlz] n 🇬🇧 quilles fpl.

skull [skʌl] n crâne m.

skunk [skʌŋk] n [animal] mouffette f.

sky [skaɪ] n ciel m.

skylight ['skaɪlaɪt] n lucarne f.

skyscraper ['skaɪ,skreɪpər] n gratte-ciel m inv.

slab [slæb] n dalle f.

slack [slæk] adj **1.** [rope] lâche **2.** [careless] négligent(e) **3.** [not busy] calme.

slacker ['slækər] n inf fainéant m, -e f.

slacks [slæks] npl pantalon m.

slam [slæm] vt & vi claquer.

slander ['slɑːndər] n (U) calomnie f.

slang [slæŋ] n argot m.

slant [slɑːnt] ◆ n inclinaison f. ◆ vi pencher.

slap [slæp] ◆ n [smack] claque f. ◆ vt [person on face] gifler.

slaphead ['slæphed] n vulg chauve m, crâne m d'œuf.

slapper ['slæpər] n 🇬🇧 vulg salope f.

slash [slæʃ] ◆ vt **1.** [cut] entailler **2.** fig [prices] casser. ◆ n [written symbol] barre f oblique.

slate [sleɪt] n ardoise f.

slatternly ['slætənlɪ] adj mal soigné(e).

slaughter ['slɔːtər] vt **1.** [animal] abattre **2.** [people] massacrer **3.** fig [defeat] battre à plates coutures.

slave [sleɪv] n esclave m ou f.

sleazebag ['sliːzbæg], **sleazeball** ['sliːzbɔːl] n inf [despicable person] raclure f.

sled [sled] 🇺🇸 = **sledge**.

sledge [sledʒ] n 🇬🇧 **1.** [for fun, sport] luge f **2.** [for transport] traîneau m.

sleep [sliːp] (pt & pp **slept**) ◆ n **1.** (U) sommeil m **2.** [nap] somme m. ◆ vi dormir. ▸ **the house sleeps six** la maison permet de coucher six personnes ▸ **did you sleep well?** as-tu bien dormi ? ▸ **I couldn't get to sleep** je n'arrivais pas à m'endormir ▸ **to go to sleep** s'endormir ▸ **to sleep with sb** coucher avec qqn.

sleeper ['sli:pə^r] n 1. [train] train-couchettes m 2. [sleeping car] wagon-lit m 3. 🇬🇧 [on railway track] traverse f 4. 🇬🇧 [earring] clou m.

sleeping bag ['sli:pɪŋ-] n sac m de couchage.

sleeping car ['sli:pɪŋ-] n wagon-lit m.

sleeping pill ['sli:pɪŋ-] n somnifère m.

sleeping policeman ['sli:pɪŋ-] n 🇬🇧 ralentisseur m.

sleep mode n COMPUT mode m veille.

sleepy ['sli:pɪ] adj : **to be sleepy** avoir sommeil.

sleet [sli:t] ◆ n (U) neige f fondue. ◆ impers vb : **it's sleeting** il tombe de la neige fondue.

sleeve [sli:v] n 1. manche f 2. [of record] pochette f.

sleeveless ['sli:vlɪs] adj sans manches.

slender ['slendə^r] adj [thin] mince.

slept [slept] pt & pp → sleep.

slice [slaɪs] ◆ n 1. [of bread, meat] tranche f 2. [of cake, pizza] part f. ◆ vt 1. [bread, meat] couper en tranches 2. [cake] découper 3. [vegetables] couper en rondelles.

sliced bread [,slaɪst-] n (U) pain m en tranches.

slide [slaɪd] (pt & pp **slid** [slɪd]) ◆ n 1. [in playground] toboggan m 2. [of photograph] diapositive f 3. 🇬🇧 [hair slide] barrette f. ◆ vi [slip] glisser.

sliding door [,slaɪdɪŋ-] n porte f coulissante.

slight [slaɪt] adj léger(ère) ▸ **the slightest** le moindre ▸ **not in the slightest** pas le moins du monde.

slightly ['slaɪtlɪ] adv légèrement ▸ **I know him slightly** je le connais un peu.

slim [slɪm] ◆ adj mince. ◆ vi maigrir.

slimeball ['slaɪmbɔ:l] 🇺🇸 vulg n = **sleazebag**.

slimming ['slɪmɪŋ] n (U) amaigrissement m.

sling [slɪŋ] (pt & pp **slung**) ◆ n écharpe f. ◆ vt inf [throw] balancer ▸ **to have one's arm in a sling** avoir le bras en écharpe.

slip [slɪp] ◆ vi glisser. ◆ n 1. [mistake] erreur f 2. [form] coupon m 3. [petticoat] jupon m 4. [from shoulders] combinaison f. ◆ **slip up** vi [make a mistake] faire une erreur.

slipped disc 🇬🇧, **slipped disk** 🇺🇸 [,slɪpt-] n hernie f discale.

slipper ['slɪpə^r] n chausson m.

slippery ['slɪpərɪ] adj glissant(e) ▸ **slippery surface** surface glissante.

slippy ['slɪpɪ] (compar -ier, superl -iest) adj [slippery] glissant(e).

slip road n 🇬🇧 bretelle f d'accès.

slit [slɪt] n fente f.

slob [slɒb] n inf 1. [dirty] crado m ou f 2. [lazy] flemmard m, -e f.

slogan ['sləʊgən] n slogan m.

slo-mo ['sləʊməʊ] n inf ralenti m.

slope [sləʊp] ◆ n 1. [incline] pente f 2. [hill] côte f 3. [for skiing] piste f. ◆ vi être en pente.

sloping ['sləʊpɪŋ] adj en pente.

slot [slɒt] n 1. [for coin] fente f 2. [groove] rainure f.

slot machine n 1. 🇬🇧 [vending machine] distributeur m 2. [for gambling] machine f à sous.

Slovakia [slə'vækɪə] n la Slovaquie.

Slovenia [slə'vi:nɪə] n Slovénie f ▸ **in Slovenia** en Slovénie.

slow [sləʊ] ◆ adv lentement. ◆ adj **1.** lent(e) **2.** [business] calme **3.** [clock, watch] : **to be slow** retarder ▶ **a slow train** un omnibus ▶ **'slow'** [sign on road] 'ralentir'. ◆ **slow down** vt sep & vi ralentir.

slow-burning adj [fuse, fuel] à combustion lente.

slow-cook vt mitonner, mijoter.

slowly ['sləʊlɪ] adv lentement.

slug [slʌg] n [animal] limace f.

slum [slʌm] n [building] taudis m. ◆ **slums** npl [district] quartiers mpl défavorisés.

slung [slʌŋ] pt & pp → **sling**.

slush [slʌʃ] n neige f fondue.

slushy ['slʌʃɪ] (compar **-ier**, superl **-iest**) adj **1.** [snow] fondu(e) **2.** [path] couvert(e) de neige fondue.

sly [slaɪ] adj **1.** [cunning] malin(igne) **2.** [deceitful] sournois(e).

smack [smæk] ◆ n **1.** [slap] claque f. ◆ vt donner une claque à.

small [smɔːl] adj petit(e).

small ads [-ædz] npl ⅧK petites annonces fpl.

small change n (U) petite monnaie f.

smallpox ['smɔːlpɒks] n (U) variole f.

smart [smɑːt] adj **1.** ⅧK [elegant] élégant(e) **2.** [clever] intelligent(e) **3.** ⅧK [posh] chic.

smart card n carte f à puce.

smarty-pants (pl inv) n inf : **you're a real smarty-pants,** aren't you? tu crois vraiment tout savoir, hein !

smash [smæʃ] ◆ n **1.** SPORT smash m **2.** inf [car crash] accident m. ◆ vt [plate, window] fracasser. ◆ vi [plate, vase, etc.] se fracasser.

smashing ['smæʃɪŋ] adj ⅧK inf génial(e).

smattering ['smætərɪŋ] n : **to have a smattering of German** connaître quelques mots d'allemand.

smear test ['smɪə-] n ⅧK frottis m.

smell [smel] (pt & pp **-ed** OR **smelt**) ◆ n odeur f. ◆ vt sentir. ◆ vi **1.** [have odour] sentir **2.** [have bad odour] puer ▶ **it smells of lavender/burning** ça sent la lavande/le brûlé.

smelly ['smelɪ] adj qui pue.

smelt [smelt] pt & pp → **smell**.

smile [smaɪl] ◆ n sourire m. ◆ vi sourire.

smiley ['smaɪlɪ] n smiley m.

smoke [sməʊk] ◆ n (U) fumée f. ◆ vt & vi fumer ▶ **to have a smoke** fumer une cigarette.

smoke alarm n détecteur m de fumée.

smoked [sməʊkt] adj fumé(e).

smoked salmon n (U) saumon m fumé.

smoker ['sməʊkər] n fumeur m, -euse f.

smoking ['sməʊkɪŋ] n (U) : **'no smoking'** 'défense de fumer'.

smoking area n zone f fumeurs.

smoking compartment n compartiment m fumeurs.

smoky ['sməʊkɪ] adj [room] enfumé(e).

smooth [smuːð] adj **1.** [surface, skin, road] lisse **2.** [takeoff, landing] en douceur **3.** [life] calme **4.** [journey] sans incidents **5.** [mixture, liquid] onctueux(euse) **6.** [wine, beer] moelleux(euse) **7.** pej [suave] doucereux(euse). ◆ **smooth down** vt sep lisser.

smoothie ['smu:ðɪ] n CULIN smoothie m (boisson glacée aux fruits).

smother ['smʌðəʳ] vt (cover) couvrir.

SMS [ˌesem'es] (abbr of **short message service**) n sms m, texto m, mini-message m.

smudge [smʌdʒ] n tache f.

smuggle ['smʌgl] vt passer clandestinement.

snack [snæk] n casse-croûte m inv.

snack bar n snack-bar m.

snail [sneɪl] n escargot m.

snake [sneɪk] n [animal] serpent m.

snakebite ['sneɪkbaɪt] n 1. [literally] morsure f de serpent 2. [drink] mélange de cidre et de bière blonde.

snakeskin ['sneɪkskɪn] n [animal] peau m de serpent ‣ **snakeskin shoes** chaussures en (peau de) serpent.

snap [snæp] ◆ vt [break] casser net. ◆ vi 1. [break] se casser net. ◆ n 1. UK inf [photo] photo f 2. [card game] ≃ bataille f.

snare [sneəʳ] n [trap] piège m.

snatch [snætʃ] vt 1. [grab] saisir 2. [steal] voler.

sneakers ['sni:kəz] npl US tennis mpl.

sneakily ['sni:kɪlɪ] adv [slyly] sournoisement.

sneeze [sni:z] ◆ n éternuement m. ◆ vi éternuer.

sneezing ['sni:zɪŋ] n éternuement m.

sniff [snɪf] vt & vi renifler.

sniffer dog ['snɪfəʳ-] n UK chien m renifleur.

snip [snɪp] vt couper.

snob [snɒb] n snob m ou f.

snog [snɒg] vi UK inf s'embrasser.

snooker ['snu:kəʳ] n sorte de billard joué avec 22 boules.

snooze [snu:z] n petit somme m.

snore [snɔːʳ] vi ronfler.

snorkel ['snɔːkl] n tuba m.

snorkelling UK, **snorkeling** US ['snɔːklɪŋ] n : **to go snorkelling** faire du snorkelling.

snout [snaʊt] n museau m.

snow [snəʊ] ◆ n (U) neige f. ◆ impers vb : **it's snowing** il neige.

snowball ['snəʊbɔːl] n boule f de neige.

snowboard ['snəʊˌbɔːd] n surf m des neiges, surf m des neiges.

snowboarding ['snəʊˌbɔːdɪŋ] n (U) surf m des neiges.

snowdrift ['snəʊdrɪft] n congère f.

snowflake ['snəʊfleɪk] n flocon m de neige.

snowman ['snəʊmæn] (pl -men) n bonhomme m de neige.

snowplough ['snəʊplaʊ] n UK chasse-neige m inv.

snowplow US = **snowplough**.

snowstorm ['snəʊstɔːm] n tempête f de neige.

snug [snʌg] adj 1. [person] au chaud 2. [place] douillet(ette).

so [səʊ] ◆ adv 1. [emphasizing degree] si, tellement ‣ **it's so difficult (that...)** c'est si difficile (que)... 2. [referring back] : **I don't think so** je ne crois pas ‣ **I'm afraid so** j'en ai bien peur ‣ **if so** si c'est le cas 3. [also] : **so do I** moi aussi 4. [in this way] comme ça, ainsi 5. [expressing agreement] : **so there is** en effet 6. [in phrases] : **or so** environ

▶ **so as** afin de, pour (*+ infinitive*) ▶ **so that** afin OR pour que (*+ subjunctive*) ◆ conj **1.** [therefore] donc, alors ▶ **it might rain, so take an umbrella** il se pourrait qu'il pleuve, alors prends un parapluie **2.** [summarizing] alors ▶ **so what have you been up to?** alors, qu'est-ce que tu deviens ? **3.** [in phrases] **: so what?** et alors ?, et après ? ▶ **so there!** inf na !

soak [səʊk] ◆ vt **1.** [leave in water] faire tremper **2.** [make very wet] tremper. ◆ vi **: to soak through sthg** s'infiltrer dans qqch. ◆ **soak up** vt sep absorber.

soaked [səʊkt] adj trempé(e).

soaking [ˈsəʊkɪŋ] adj [very wet] trempé(e).

so-and-so n inf [to replace a name] **: Mr so-and-so** Monsieur Untel.

soap [səʊp] n savon m.

soap opera n soap opera m.

soap powder n lessive f en poudre.

sob [sɒb] ◆ n sanglot m. ◆ vi sangloter.

sober [ˈsəʊbər] adj [not drunk] à jeun.

so-called [-kɔːld] adj [misleadingly named] soi-disant (inv).

soccer [ˈsɒkər] n (U) football m.

sociable [ˈsəʊʃəbl] adj sociable.

social [ˈsəʊʃl] adj social(e).

social club n club m.

socialist [ˈsəʊʃəlɪst] ◆ adj socialiste. ◆ n socialiste m ou f.

socialize, socialise UK [ˈsəʊʃəlaɪz] vi fréquenter des gens.

social life n vie f sociale.

social network [ˈsəʊʃl] n réseau m social.

social networking n réseautage m social.

social security n (U) aide f sociale.

social security number US numéro m de sécurité sociale.

social services npl services mpl sociaux.

social welfare n protection f sociale.

social worker n assistant m social, assistante sociale f.

society [səˈsaɪətɪ] n société f.

sociology [ˌsəʊsɪˈɒlədʒɪ] n (U) sociologie f.

sock [sɒk] n chaussette f.

socket [ˈsɒkɪt] n **1.** [for plug] prise f **2.** [for light bulb] douille f.

sod [sɒd] n UK vulg con m, conne f.

soda [ˈsəʊdə] n **1.** (U) [soda water] eau f de Seltz (U) **2.** US [fizzy drink] soda m.

soda water n (U) eau f de Seltz.

sodomy [ˈsɒdəmɪ] n sodomie f.

sofa [ˈsəʊfə] n sofa m, canapé m.

sofa bed n canapé-lit m.

soft [sɒft] adj **1.** [bed, food] mou (molle) **2.** [skin, fabric, voice] doux (douce) **3.** [touch, sound] léger(ère).

soft-centre n [chocolate] chocolat m fourré.

soft cheese n fromage m à pâte molle.

soft drink n boisson f non alcoolisée.

softie [ˈsɒftɪ] n inf **1.** [weak] mauviette f **2.** [softhearted] sentimental m, -e f.

software [ˈsɒftweər] n (U) logiciel m.

software developer n développeur m.

soil [sɔɪl] n (U) [earth] sol m.

solarium [sə'leərɪəm] n solarium m.

solar panel ['səʊlə-] n panneau m solaire.

solar power n énergie f solaire.

solar system n système m solaire.

sold [səʊld] pt & pp → **sell**.

soldier ['səʊldʒə^r] n soldat m.

sold out adj 1. [product] épuisé(e) 2. [concert, play] complet(ète).

sole [səʊl] ◆ adj 1. [only] unique 2. [exclusive] exclusif(ive). ◆ n 1. [of shoe] semelle f 2. [of foot] plante f 3. [fish: pl inv] sole f.

solemn ['sɒləm] adj solennel(elle).

solicitor [sə'lɪsɪtə^r] n UK notaire m.

solid ['sɒlɪd] adj 1. [not soft, not hollow] plein(e) 2. [gold, silver, oak] massif(ive) ▸ **three hours solid** trois heures d'affilée.

solo ['səʊləʊ] (pl -s) n solo m ▸ **'solo m/cs'** [traffic sign] signalisation sur chaussée indiquant qu'un parking est réservé aux deux-roues.

soluble ['sɒljʊbl] adj soluble.

solution [sə'luːʃn] n solution f.

solve [sɒlv] vt résoudre.

some [sʌm] ◆ adj 1. [certain amount of] : **some meat** de la viande ▸ **some milk** du lait ▸ **some money** de l'argent ▸ **I had some difficulty getting here** j'ai eu quelque mal à arriver jusqu'ici 2. [certain number of] des ▸ **some sweets** des bonbons ▸ **I've known him for some years** je le connais depuis pas mal d'années 3. [not all] certains (certaines) ▸ **some jobs are better paid than others** certains emplois sont mieux payés que d'autres 4. [in imprecise statements] quelconque ▸ **she**

married some Italian elle a épousé un Italien quelconque.
◆ pron 1. [certain amount] : **can I have some?** je peux en prendre ? ▸ **some of the money** une partie de l'argent 2. [certain number] certains (certaines) ▸ **some (of them) left early** quelques-uns (d'entre eux) sont partis tôt
◆ adv [approximately] environ ▸ **there were some 7,000 people there** il y avait environ 7 000 personnes.

somebody ['sʌmbədɪ] = **someone**.

somehow ['sʌmhaʊ] adv 1. [some way or other] d'une manière ou d'une autre 2. [for some reason] pour une raison ou pour une autre.

someone ['sʌmwʌn] pron quelqu'un.

someplace ['sʌmpleɪs] US = **somewhere**.

somersault ['sʌməsɔːlt] n saut m périlleux.

something ['sʌmθɪŋ] pron quelque chose ▸ **it's really something!** c'est vraiment quelque chose ! ▸ **or something** inf ou quelque chose comme ça ▸ **something like** [approximately] quelque chose comme.

sometime ['sʌmtaɪm] adv : **sometime in May** en mai.

sometimes ['sʌmtaɪmz] adv quelquefois, parfois.

somewhat ['sʌmwɒt] adv quelque peu.

somewhere ['sʌmweə^r] adv 1. [quelque part 2. [approximately] environ.

son [sʌn] n fils m.

song [sɒŋ] n chanson f.

songbird ['sɒŋbɜːd] n oiseau m chanteur.

son-in-law n gendre m.

soon [su:n] adv 1. bientôt 2. [early] tôt ▸ **how soon can you do it?** pour quand pouvez-vous le faire ? ▸ **as soon as I know** dès que je le saurai ▸ **as soon as possible** dès que possible ▸ **soon after** peu après ▸ **sooner or later** tôt ou tard.

soot [sut] n (U) suie f.

soothe [su:ð] vt calmer.

sophisticated [sə'fɪstɪkeɪtɪd] adj sophistiqué(e).

sophomore ['sɒfəmɔːʳ] n US [in high school, university] étudiant m, -e f de deuxième année.

sorbet ['sɔːbeɪ] n sorbet m.

sore [sɔːʳ] ◆ adj 1. [painful] douloureux(euse) 2. US inf [angry] fâché(e). ◆ n plaie f ▸ **to have a sore throat** avoir mal à la gorge.

sorry ['sɒrɪ] adj désolé(e) ▸ **I'm sorry!** désolé ! ▸ **I'm sorry I'm late** je suis désolé d'être en retard ▸ **sorry?** [asking for repetition] pardon ? ▸ **to feel sorry for sb** plaindre qqn ▸ **to be sorry about sthg** être désolé de qqch.

sort [sɔːt] ◆ n sorte f. ◆ vt trier ▸ **sort of** plutôt. ◆ **sort out** vt sep 1. [classify] trier 2. [resolve] résoudre.

sorted [sɔːtɪd] UK inf ◆ adj : **to be sorted** a) [psychologically] être bien dans ses baskets b) [have everything one needs] être paré(e). ◆ excl super !

so-so ◆ adj inf quelconque. ◆ adv inf couci-couça.

soufflé ['suːfleɪ] n soufflé m.

sought [sɔːt] pt & pp → **seek**.

soul [səʊl] n 1. [spirit] âme f (U) 2. [music] soul f.

sound [saʊnd] ◆ n 1. bruit m 2. [volume] son m. ◆ vi 1. [alarm, bell] retentir 2. [seem to be] avoir l'air, sembler.
◆ adj 1. [in good condition] solide 2. [reliable] valable. ◆ vt : **to sound one's horn** klaxonner ▸ **the engine sounds odd** le moteur fait un drôle de bruit ▸ **you sound cheerful** tu as l'air content ▸ **to sound like a)** [make a noise like] ressembler à b) [seem to be] sembler être.

soundcard ['saʊndkɑːd] n COMPUT carte f son.

soundproof ['saʊndpruːf] adj insonorisé(e).

soup [suːp] n soupe f.

soup spoon n cuillère f à soupe.

sour ['saʊəʳ] adj aigre ▸ **to go sour** tourner.

source [sɔːs] n source f.

sour cream n (U) crème f aigre.

south [saʊθ] ◆ n sud m. ◆ adj du sud. ◆ adv 1. [fly, walk] vers le sud 2. [be situated] au sud ▸ **in the south of England** dans le sud de l'Angleterre.

South Africa n l'Afrique f du Sud.

South America n l'Amérique f du Sud.

South American adj sud-américain, d'Amérique du Sud.

southbound ['saʊθbaʊnd] adj en direction du sud.

southeast [,saʊθ'iːst] n sud-est m.

southeastern [,saʊθ'iːstən] adj du sud-est, au sud-est.

southern ['sʌðən] adj méridional(e), du sud.

South Korea n Corée f du Sud.

South Pole n pôle m Sud.

southward ['saʊθwəd] ◆ adj au sud, du sud. ◆ adv = **southwards**.

southwards ['saʊθwədz] adv vers le sud.

southwest [ˌsaʊθ'west] n sud-ouest m.

southwestern [ˌsaʊθ'westən] adj au sud-ouest, du sud-ouest.

souvenir [ˌsuːvə'nɪəʳ] n souvenir m (objet).

Soviet Union [ˌsəʊvɪət-] n : the **Soviet Union** l'Union f soviétique.

sow¹ [səʊ] (pp **sown** [səʊn]) vt [seeds] semer.

sow² [saʊ] n [pig] truie f.

soy [ˌsɔɪ] n = **soy sauce**.

soya ['sɔɪə] n (U) soja m.

soya bean n graine f de soja.

soy sauce [ˌsɔɪ-] n (U) sauce f au soja.

spa [spɑː] n station f thermale.

space [speɪs] ♦ n **1.** (U) [room, empty place] place f **2.** [gap, in astronomy, etc.] espace m **3.** [period] intervalle m. ♦ vt espacer.

space bar n barre f d'espace(ment).

spaced-out adj vulg shooté(e).

spaceship ['speɪsʃɪp] n vaisseau m spatial.

space shuttle n navette f spatiale.

spacious ['speɪʃəs] adj spacieux(ieuse).

spade [speɪd] n [tool] pelle f. ♦ **spades** npl [in cards] pique m.

spaghetti [spə'getɪ] n (U) spaghetti(s) mpl.

Spain [speɪn] n l'Espagne f.

spam [spæm] n spam m.

span [spæn] ♦ pt → **spin**. ♦ n [of time] durée f.

Spaniard ['spænjəd] n Espagnol m, -e f.

spaniel ['spænjəl] n épagneul m.

Spanish ['spænɪʃ] ♦ adj espagnol(e). ♦ n [language] espagnol m.

Spanish-American adj **1.** [in the US] hispanique **2.** [in Latin America] hispano-américain.

spank [spæŋk] vt donner une fessée à.

spanner ['spænəʳ] n UK clef f.

spare [speəʳ] ♦ adj **1.** [kept in reserve] de réserve **2.** [clothes] de rechange **3.** [not in use] disponible. ♦ n **1.** [spare part] pièce f de rechange **2.** [spare wheel] roue f de secours. ♦ vt **: I can spare you half an hour** je peux vous accorder une demi-heure ▶ **can you spare me £5?** tu n'aurais pas 5 livres (à me donner) ? ▶ **spare tire** US or **tyre** UK roue de secours ▶ **with ten minutes to spare** avec dix minutes d'avance.

spare part n pièce f de rechange.

spare ribs npl travers m de porc.

spare room n chambre f d'amis.

spare time n (U) temps m libre.

spare wheel n roue f de secours.

spark [spɑːk] n étincelle f.

sparkling ['spɑːklɪŋ] adj [mineral water, soft drink] pétillant(e).

sparkling wine n mousseux m.

spark plug n bougie f.

sparrow ['spærəʊ] n moineau m.

spat [spæt] pt & pp → **spit**.

speak [spiːk] (pt **spoke**, pp **spoken**) ♦ vt **1.** [language] parler **2.** [say] dire. ♦ vi parler ▶ **who's speaking?** [on phone] qui est à l'appareil ? ▶ **can I speak to Sarah?** — **speaking!** [on phone] pourrais-je parler à Sarah ? — c'est elle-même ! ▶ **speak to the boss about the problem** parlez de ce problème au responsable. ♦ **speak up** vi [more loudly] parler plus fort.

speaker ['spiːkəʳ] n **1.** [in public] orateur m, -trice f **2.** [loudspeaker] haut-parleur m **3.** [of stereo] enceinte f ▶ **an English speaker** un anglophone.

spear [spɪəʳ] n lance f.

special ['speʃl] ◆ adj spécial(e). ◆ n [dish] spécialité f ▶ **'today's special'** 'plat du jour'.

special delivery n service postal garantissant la distribution du courrier sous 24 heures.

special effects npl effets mpl spéciaux.

specialist ['speʃəlɪst] n [doctor] spécialiste m ou f.

speciality [,speʃɪ'ælətɪ] n UK spécialité f.

specialization, specialisation UK [,speʃəlaɪ'zeɪʃn] n spécialisation f.

specialize ['speʃəlaɪz] vi : **to specialize (in)** se spécialiser (en).

specialized, specialised UK ['speʃəlaɪzd] adj spécialisé(e).

specially ['speʃəlɪ] adv spécialement.

special needs [-niːdz] npl UK : **special needs children** enfants ayant des difficultés scolaires.

special offer n offre f spéciale.

special school n établissement m scolaire spécialisé.

specialty ['speʃltɪ] US = speciality.

species ['spiːʃiːz] n espèce f.

specific [spə'sɪfɪk] adj **1.** [particular] spécifique **2.** [exact] précis(e).

specification [,spesɪfɪ'keɪʃn] n stipulation f. ◆ **specifications** npl TECH caractéristiques fpl techniques.

specifications [,spesɪfɪ'keɪʃnz] npl [of machine, building, etc.] cahier m des charges.

specify ['spesɪfaɪ] vt préciser, spécifier.

specimen ['spesɪmən] n **1.** MED échantillon m **2.** [example] spécimen m.

specs [speks] npl inf lunettes fpl.

spectacle ['spektəkl] n spectacle m.

spectacles ['spektəklz] npl fml lunettes fpl.

spectacular [spek'tækjuləʳ] adj spectaculaire.

spectator [spek'teɪtəʳ] n spectateur m, -trice f.

sped [sped] pt & pp → speed.

speech [spiːtʃ] n **1.** (U) [ability to speak] parole f **2.** (U) [manner of speaking] élocution f **3.** [talk] discours m.

speech impediment [-ɪm,pedɪmənt] n défaut m d'élocution.

speed [spiːd] (pt & pp **-ed** OR sped) ◆ n vitesse f. ◆ vi **1.** [move quickly] aller à toute vitesse **2.** [drive too fast] faire un excès de vitesse ▶ **'reduce speed now'** 'ralentir'. ◆ **speed up** vi accélérer.

speedboat ['spiːdbəʊt] n hors-bord m inv.

speed bump n dos-d'âne m inv.

speed camera n radar m.

speed dating n rencontre organisée entre plusieurs partenaires potentiels ayant quelques minutes pour décider s'ils veulent se revoir.

speeding ['spiːdɪŋ] n (U) excès m de vitesse.

speed limit n limite f de vitesse.

speedometer [spɪ'dɒmɪtəʳ] n compteur m (de vitesse).

spell [spel] UK *pt & pp* -ed OR **spelt**, US *pt & pp* -ed) ◆ vt 1. [word, name] orthographier 2. [out loud] épeler 3. [subj: letters] donner. ◆ n 1. [period] période f 2. [magic] sort m ▸ **how do you spell that?** comment ça s'écrit ? ▸ **sunny spells** éclaircies fpl.

spell-check ◆ vt [text, file, document] vérifier l'orthographe de. ◆ n vérification f orthographique.

spell-checker [-ʧekə^r] n correcteur m OR vérificateur m orthographique.

spelling ['spelɪŋ] n orthographe f.

spelt [spelt] UK *pt & pp* → **spell**.

spend [spend] (*pt & pp* **spent** [spent]) vt 1. [money] dépenser 2. [time] passer.

SPF (*abbr of* **sun protection factor**) indice m de protection solaire.

sphere [sfɪə^r] n sphère f.

spice [spaɪs] ◆ n épice f. ◆ vt épicer.

spicy ['spaɪsɪ] adj épicé(e).

spider ['spaɪdə^r] n araignée f.

spider's web n toile f d'araignée.

spike [spaɪk] n pointe f.

spill [spɪl] (UK *pt & pp* -ed OR **spilt**, US *pt & pp* -ed) ◆ vt renverser. ◆ vi se renverser.

spin [spɪn] (*pt* **span** OR **spun**, *pp* **spun**) ◆ vt 1. [wheel] faire tourner 2. [washing] essorer. ◆ n (U) [on ball] effet m ▸ **to go for a spin** *inf* [in car] faire un tour.

spinach ['spɪnɪʤ] n (U) épinards mpl.

spinal cord ['spaɪnl-] n moelle f épinière.

spin-dryer n UK essoreuse f.

spine [spaɪn] n 1. [of back] colonne f vertébrale 2. [of book] dos m.

spinster ['spɪnstə^r] n célibataire f.

spiral ['spaɪərəl] n spirale f.

spiral staircase n escalier m en colimaçon.

spire [spaɪə^r] n flèche f.

spirit ['spɪrɪt] n 1. [soul, mood] esprit m 2. (U) [energy] entrain m 3. (U) [courage] courage m. ◆ **spirits** npl [alcohol] spiritueux mpl.

spit [spɪt] (UK *pt & pp* **spat**, US *pt & pp* **spit**) ◆ vi 1. [person] cracher 2. [fire, food] grésiller. ◆ n 1. (U) [saliva] crachat m 2. [for cooking] broche f. ◆ impers vb : **it's spitting** UK il pleuvine.

spite [spaɪt] ◆ **in spite of** prep en dépit de, malgré.

spiteful ['spaɪtfʊl] adj malveillant(e).

splash [splæʃ] ◆ n [sound] plouf m. ◆ vt éclabousser.

splendid ['splendɪd] adj 1. [beautiful] splendide 2. [very good] excellent(e).

splint [splɪnt] n attelle f.

splinter ['splɪntə^r] n 1. [of wood] écharde f 2. [of glass] éclat m.

split [splɪt] (*pt & pp* **split**) ◆ n 1. [tear] déchirure f 2. [crack, in skirt] fente f. ◆ vt 1. [wood, stone] fendre 2. [tear] déchirer 3. [bill, cost, profits, work] partager. ◆ vi 1. [wood, stone] se fendre 2. [tear] se déchirer. ◆ **split up** vi [group, couple] se séparer.

spoil [spɔɪl] (*pt & pp* -ed OR **spoilt**) vt 1. [ruin] gâcher 2. [child] gâter.

spoke [spəʊk] ◆ *pt* → **speak**. ◆ n [of wheel] rayon m.

spoken ['spəʊkn] pp → **speak**.

spokesman ['spəʊksmən] (*pl* -men) n porte-parole m inv.

spokeswoman ['spəʊks,wʊmən] (*pl* -women) n porte-parole m inv.

sponge [spʌndʒ] n [for cleaning, washing] éponge f.

sponge bag n 🇬🇧 trousse f de toilette.

sponge cake n génoise f.

sponsor ['sponsəʳ] n [of event, TV programme] sponsor m.

sponsored walk [,sponsəd-] n marche destinée à rassembler des fonds.

spontaneous [spɒn'teɪnjəs] adj spontané(e).

spoon [spuːn] n cuillère f.

spoonful ['spuːnfʊl] n cuillerée f.

sport [spɔːt] n sport m.

sport jacket 🇺🇸 = **sports jacket**.

sports car [spɔːts-] n voiture f de sport.

sports centre [spɔːts-] n 🇬🇧 centre m sportif.

sports jacket [spɔːts-] n 🇬🇧 veste f de sport.

sportsman ['spɔːtsmən] (pl -men) n sportif m.

sports shop [spɔːts-] n magasin m de sport.

sportswear ['spɔːtsweəʳ] n (U) vêtements mpl de sport.

sportswoman ['spɔːts,wʊmən] (pl -women) n sportive f.

spot [spɒt] ◆ n 1. [dot] tache f 2. 🇬🇧 [on skin] bouton m 3. [place] endroit m. ◆ vt repérer ▶ **on the spot** a) [at once] immédiatement b) [at the scene] sur place.

spotless ['spɒtlɪs] adj impeccable.

spotlight ['spɒtlaɪt] n spot m.

spotty ['spɒtɪ] adj 🇬🇧 boutonneux(euse).

spouse [spaʊs] n fml époux m, épouse f.

spout [spaʊt] n bec m (verseur).

sprain [spreɪn] vt fouler ▶ **to sprain one's wrist** se fouler le poignet.

sprang [spræŋ] pt → **spring**.

spray [spreɪ] ◆ n 1. [for aerosol, perfume] vaporisateur m 2. [droplets] gouttelettes fpl. ◆ vt 1. [surface] asperger 2. [car] peindre à la bombe 3. [crops] pulvériser 4. [paint, water, etc.] vaporiser.

spread [spred] (pt & pp **spread**) ◆ vt 1. étaler 2. [legs, fingers, arms] écarter 3. [news, disease] propager. ◆ vi se propager. ◆ n [food] pâte f à tartiner. ◆ **spread out** vi [disperse] se disperser.

spreadsheet ['spredʃiːt] n tableur m.

spring [sprɪŋ] (pt **sprang**, pp **sprung**) ◆ n 1. [season] printemps m 2. [coil] ressort m 3. [in ground] source f. ◆ vi [leap] sauter ▶ **in (the) spring** au printemps.

springboard ['sprɪŋbɔːd] n tremplin m.

spring-cleaning [-'kliːnɪŋ] n (U) 🇬🇧 nettoyage m de printemps.

spring onion n 🇬🇧 oignon m blanc.

spring roll n 🇬🇧 rouleau m de printemps.

sprinkle ['sprɪŋkl] vt ▶ **to sprinkle sthg with sugar** saupoudrer qqch de sucre ▶ **to sprinkle sthg with water** asperger qqch d'eau.

sprinkler ['sprɪŋkləʳ] n 1. [for fire] sprinkler m 2. [for grass] arroseur m.

sprint [sprɪnt] ◆ n [race] sprint m. ◆ vi [run fast] sprinter.

Sprinter® ['sprɪntəʳ] n 🇬🇧 [train] train couvrant de faibles distances.

sprout [spraʊt] n 🇬🇧 [vegetable] chou m de Bruxelles.

spruce [spruːs] n épicéa m.

sprung [sprʌŋ] ◆ pp → **spring**. ◆ adj [mattress] à ressorts.

spud [spʌd] n **UK** inf patate f.

spun [spʌn] pt & pp → **spin**.

spur [spɜːʳ] n [for horse rider] éperon m ▸ **on the spur of the moment** sur un coup de tête.

spurt [spɜːt] vi jaillir.

spy [spaɪ] n espion m, -ionne f.

spyware [spaɪweəʳ] n spyware m.

squall [skwɔːl] n bourrasque f.

squalor [skwɒləʳ] n (U) conditions fpl sordides.

square [skweəʳ] ◆ adj [in shape] carré(e). ◆ n 1. [shape] carré m 2. [in town] place f 3. [on chessboard] case f ▸ **2 square metres** 2 mètres carrés ▸ **it's 2 metres square** ça fait 2 mètres sur 2 ▸ **we're (all) square now** [not owing money] nous sommes quittes maintenant.

squash [skwɒʃ] ◆ n 1. (U) [game] squash m 2. **UK** [orange drink] orangeade f 3. [lemon drink] citronnade f 4. **US** [vegetable] courge f. ◆ vt écraser.

squat [skwɒt] ◆ adj trapu(e). ◆ vi [crouch] s'accroupir.

squeak [skwiːk] vi couiner.

squeeze [skwiːz] vt presser.
◆ **squeeze in** vi se caser.

squid [skwɪd] n (U) calamar m.

squint [skwɪnt] ◆ vi plisser les yeux. ◆ n : **to have a squint** loucher.

squirrel [**UK** ˈskwɪrəl, **US** ˈskwɜːrəl] n écureuil m.

squirt [skwɜːt] vi gicler.

Sri Lanka [ˌsriːˈlæŋkə] n Sri Lanka m.

SSN n abbr of **social security number**.

St 1. (abbr of Street) r (rue) **2.** (abbr of Saint) St (Ste) (Saint, Sainte).

stab [stæb] vt poignarder.

stable [ˈsteɪbl] ◆ adj stable. ◆ n écurie f.

stack [stæk] n [pile] tas m ▸ **stacks of** inf [lots] des tas de.

stackable [ˈstækəbl] adj empilable.

stadium [ˈsteɪdjəm] n stade m.

staff [stɑːf] n [workers] personnel m.

stage [steɪdʒ] n **1.** [phase] stade m **2.** [in theatre] scène f.

⚠ Stage is a false friend, it means a **training course** or **internship**, not a "stage".

stagger [ˈstægəʳ] ◆ vt [arrange in stages] échelonner. ◆ vi tituber.

stagnant [ˈstægnənt] adj stagnant(e).

stag night, stag party n [before wedding day] enterrement m de vie de garçon.

stain [steɪn] ◆ n tache f. ◆ vt tacher.

stained glass (window) [ˌsteɪnd-] n vitrail m.

stainless steel [ˌsteɪnlɪs-] n acier m inoxydable.

staircase [ˈsteəkeɪs] n escalier m.

stairs [steəz] npl escaliers mpl, escalier m.

stairway [ˈsteəweɪ] n escalier m.

stairwell [ˈsteəwel] n cage f d'escalier.

stake [steɪk] n **1.** [share] intérêt m **2.** [in gambling] mise f, enjeu m **3.** [post] poteau m ▸ **at stake** en jeu.

stakeholder [ˈsteɪkˌhəʊldəʳ] n partie f prenante.

stakeholder pension n épargne-retraite par capitalisation.

stale [steɪl] adj rassis(e).

stalk [stɔ:k] n 1. [of flower, plant] tige f 2. [of fruit, leaf] queue f.

stalker ['stɔ:kər] n harceleur m, -euse f (qui suit sa victime obsessionnellement).

stall [stɔ:l] ◆ n 1. [in market] étal m 2. [at exhibition] stand m. ◆ vi [car, engine] caler. ◆ **stalls** npl UK [in theatre] orchestre m.

stallion ['stæljən] n étalon m.

stamina ['stæmɪnə] n (U) résistance f.

stammer ['stæmər] vi bégayer.

stamp [stæmp] ◆ n 1. [for letter] timbre m 2. [in passport, on document] cachet m. ◆ vt [passport, document] tamponner. ◆ vi : **to stamp on sthg** marcher sur qqch.

stamp-collecting [-kə,lektɪŋ] n (U) philatélie f.

stamped addressed envelope ['stæmptə,drest-] n enveloppe f affranchie pour la réponse.

stamping ground ['stæmpɪŋ-] n inf lieu m favori.

stamp machine n distributeur m de timbres.

stand [stænd] (pt & pp stood) ◆ vi 1. [be on feet] se tenir debout 2. [be situated] se trouver 3. [get to one's feet] se lever. ◆ vt 1. [place] poser 2. [bear] supporter. ◆ n 1. [stall] stand m 2. [for umbrellas] porte-parapluies m inv 3. [for coats] portemanteau m 4. [at sports stadium] tribune f 5. [for bike, motorbike] béquille f ▸ **to be standing** être debout ▸ **to stand sb a drink** offrir un verre à qqn ▸ **'no standing'** US AUT 'arrêt interdit'. ◆ **stand back** vi reculer. ◆ **stand for** vt insep 1. [mean] représenter 2. [tolerate] supporter. ◆ **stand in** vi : **to stand in for** remplacer qqn. ◆ **stand out** vi se détacher. ◆ **stand**

up ◆ vi 1. [be on feet] être debout 2. [get to one's feet] se lever. ◆ vt sep inf [boyfriend, girlfriend, etc.] poser un lapin à. ◆ **stand up for** vt insep défendre.

standalone ['stændələʊn] adj COMPUT [system] autonome.

standard ['stændəd] ◆ adj [normal] standard, normal(e). ◆ n 1. [level] niveau m 2. [point of comparison] norme f ▸ **up to standard** de bonne qualité. ◆ **standards** npl [principles] principes mpl.

standard-class adj UK [on train] au tarif normal.

standardization, standardisation UK [,stændədaɪ'zeɪʃn] n 1. [gen] standardisation f 2. [of dimensions, terms] normalisation f.

standby ['stændbaɪ] adj [ticket] standby inv.

standing charges n [on bill] frais mpl d'abonnement.

standing room n (U) places fpl debout.

stank [stæŋk] pt → stink.

staple ['steɪpl] n [for paper] agrafe f.

stapler ['steɪplər] n agrafeuse f.

star [stɑːr] ◆ n 1. étoile f 2. [famous person] star f. ◆ vt [subj: film, play, etc.] : **'starring…'** 'avec…'. ◆ **stars** npl UK inf [horoscope] horoscope m.

starboard ['stɑːbəd] adj de tribord.

starch [stɑːtʃ] n (U) amidon m.

stare [steər] vi : **to stare (at)** regarder fixement.

starfish ['stɑːfɪʃ] (pl inv) n étoile f de mer.

stargaze ['stɑːgeɪz] vi [watch] observer les étoiles.

starling ['stɑːlɪŋ] n étourneau m.

Stars and Stripes n : the Stars and Stripes la bannière étoilée.

Nom officiel donné au drapeau américain, également surnommé **Star-Spangled Banner** (bannière étoilée). Sa conception graphique se compose de treize lignes horizontales rouges et blanches, représentant les anciennes colonies britanniques, et d'un rectangle bleu situé dans le coin supérieur gauche, composé de cinquante étoiles blanches symbolisant les États d'Amérique. Les Américains sont très fiers de leur drapeau et il n'est pas rare de voir ce dernier flotter sur les voitures ou façades des maisons américaines, même en dehors des jours de célébrations nationales.

start [stɑːt] ◆ n 1. début m 2. [starting place] départ m. ◆ vt 1. commencer 2. [car, engine] faire démarrer 3. [business, club] monter. ◆ vi 1. commencer 2. [car, engine] démarrer 3. [begin journey] partir ▸ prices start at OR from £5 les premiers prix sont à 5 livres ▸ to start doing sthg OR to do sthg commencer à faire qqch ▸ to start with a) [in the first place] d'abord b) [when ordering meal] en entrée. ◆ start out vi [on journey] partir ▸ to start out as débuter comme. ◆ start up vt sep 1. [car, engine] mettre en marche 2. [business, shop] monter.

starter ['stɑːtə ʳ] n 1. UK [of meal] entrée f 2. [of car] démarreur m ▸ for starters [in meal] en entrée.

starter motor n démarreur m.

starting ['stɑːtɪŋ] ◆ n commencement m. ◆ adj initial.

starting point ['stɑːtɪŋ-] n point m de départ.

startle ['stɑːtl] vt faire sursauter.

start menu n menu m de démarrage.

start-up n (U) 1. [launch] création f (d'entreprise) 2. [new company] start-up f ▸ start-up costs frais mpl de création d'une entreprise.

starvation [stɑː'veɪʃn] n (U) faim f.

starve [stɑːv] vi [have no food] être affamé ▸ I'm starving! je meurs de faim !

state [steɪt] ◆ n état m. ◆ vt 1. [declare] déclarer 2. [specify] indiquer ▸ the State l'État ▸ the States inf les États-Unis mpl.

Expression désignant les deux systèmes d'écoles secondaires britanniques financés par l'État, qui diffèrent en Écosse et au Pays de Galles. De cinq à onze ans, les écoliers fréquentent les écoles primaires, puis les **comprehensive schools**, établissements généraux qui dispensent la même éducation pour tous. Dès onze ans, les élèves peuvent passer un examen pour intégrer une **grammar school**, institution plus traditionnelle et plus sélective qui a pour vocation de préparer aux études supérieures.

statement ['steɪtmənt] n 1. [declaration] déclaration f 2. [from bank] relevé m (de compte).

state pension n pension f de l'État.

state school n école f publique.

statesman ['steɪtsmən] (pl -men) n homme m d'État.

static ['stætɪk] n (U) [on radio, TV] parasites mpl.

station ['steɪʃn] n **1.** [for trains] gare f **2.** [for underground, on radio] station f **3.** [for buses] gare f routière.

stationary ['steɪʃnərɪ] adj à l'arrêt.

stationer's ['steɪʃnəz] n UK [shop] papeterie f.

stationery ['steɪʃnərɪ] n (U) papeterie f.

station master n chef m de gare.

station wagon n US break m.

statistics [stə'tɪstɪks] npl statistiques fpl.

statue ['stætʃuː] n statue f.

Statue of Liberty n : the Statue of Liberty la Statue de la Liberté.

ⓘ **Statue of Liberty**

En 1886, le gouvernement français offre une œuvre du sculpteur Frédéric-Auguste Bartholdi aux États-Unis : la « statue de la Liberté », effigie d'une femme drapée brandissant une torche et portant un recueil de lois, symbole du rêve américain pour tout immigrant pénétrant dans le port de New York. Aujourd'hui, des milliers de touristes empruntent le ferry pour Liberty Island et gravissent les 354 marches conduisant à la couronne qui surplombe cette statue gigantesque, monument national.

---

status ['steɪtəs] n (U) **1.** statut m **2.** [prestige] prestige m.

stay [steɪ] ◆ n [time spent] séjour m. ◆ vi **1.** [remain] rester **2.** [as guest, in hotel] séjourner **3.** SCOT [reside] habiter ▸ to stay the night passer la nuit. ◆ **stay away** vi **1.** [not attend] ne pas aller **2.** [not go near] ne pas s'approcher. ◆ **stay in** vi ne pas sortir. ◆ **stay out**

vi [from home] rester dehors. ◆ **stay up** vi veiller.

STD code n UK indicatif m.

steady ['stedɪ] ◆ adj **1.** stable **2.** [gradual] régulier(ière). ◆ vt stabiliser.

steak [steɪk] n **1.** steak m **2.** [of fish] darne f.

steak and kidney pie UK tourte à la viande de bœuf et aux rognons.

steakhouse ['steɪkhaʊs] (pl [-haʊzɪz]) n grill m.

steal [stiːl] (pt stole, pp stolen) vt voler ▸ to steal sthg from sb voler qqch à qqn.

steam [stiːm] ◆ n (U) vapeur f. ◆ vt [food] faire cuire à la vapeur.

steamboat ['stiːmbəʊt] n bateau m à vapeur.

steam engine n locomotive f à vapeur.

steam iron n fer m à vapeur.

steel [stiːl] ◆ n (U) acier m. ◆ adj en acier.

steep [stiːp] adj **1.** [hill, path] raide **2.** [increase, drop] fort(e) ▸ steep slope pente raide.

steeple ['stiːpl] n clocher m.

steer ['stɪər] vt [car, boat] manœuvrer.

steering ['stɪərɪŋ] n (U) direction f.

steering wheel n volant m.

stem [stem] n **1.** [of plant] tige f **2.** [of glass] pied m.

step [step] ◆ n **1.** [of stairs, of stepladder] marche f **2.** [of train] marchepied m **3.** [pace] pas m **4.** [measure] mesure f **5.** [stage] étape f. ◆ vi : to step on sthg marcher sur qqch ▸ 'mind the step' 'attention à la marche'. ◆ **steps** npl [stairs] escalier m, escaliers mpl.

◆ **step aside** vi [move aside] s'écarter. ◆ **step back** vi [move back] reculer.
step aerobics n (U) step m.

stepbrother ['step,brʌðəʳ] n demi-frère m.

stepdaughter ['step,dɔːtəʳ] n belle-fille f.

stepfather ['step,fɑːðəʳ] n beau-père m.

stepladder ['step,lædəʳ] n escabeau m.

stepmother ['step,mʌðəʳ] n belle-mère f.

stepsister ['step,sistəʳ] n demi-sœur f.

stepson ['stepsʌn] n beau-fils m.

stereo ['steriəu] (pl -s) ◆ adj stéréo inv. ◆ n 1. [hi-fi] chaîne f stéréo 2. (U) [stereo sound] stéréo f.

sterile ['sterail] adj stérile.

sterilization, sterilisation UK [,steralai'zeiʃn] n stérilisation f.

sterilize ['steralaiz] vt stériliser.

sterilized, sterilised UK ['steralaizd] adj [milk] stérilisé(e).

sterling ['stɜːliŋ] ◆ adj [pound] sterling inv. ◆ n (U) livres fpl sterling.

sterling silver n (U) argent m fin.

stern [stɜːn] ◆ adj [strict] sévère. ◆ n [of boat] poupe f.

stew [stjuː] n ragoût m.

steward ['stjuəd] n 1. [on plane, ship] steward m 2. [at public event] membre m du service d'ordre.

stewardess ['stjuədis] n hôtesse f de l'air.

stewed [stjuːd] adj [fruit] cuit(e) ▶ **stewed fruit** compote de fruit.

STI (abbr of sexually transmitted infection) n MED IST f (infection sexuellement transmissible).

stick [stik] (pt & pp **stuck**) ◆ n 1. bâton m 2. [for sport] crosse f 3. [of celery] branche f 4. [walking stick] canne f. ◆ vt 1. [glue] coller 2. [push, insert] mettre 3. inf [put] mettre. ◆ vi 1. coller 2. [jam] se coincer. ◆ **stick out** vi ressortir. ◆ **stick to** vt insep 1. [decision] s'en tenir à 2. [promise] tenir. ◆ **stick up** ◆ vt sep [poster, notice] afficher. ◆ vi dépasser. ◆ **stick up for** vt insep inf défendre.

sticker ['stikəʳ] n autocollant m.

sticking plaster ['stikiŋ-] UK sparadrap m.

stick shift n US [car] voiture f à vitesses manuelles.

sticky ['stiki] adj 1. [substance, hands, sweets] poisseux(euse) 2. [label, tape] adhésif(ive) 3. [weather] humide.

stiff [stif] ◆ adj 1. [cardboard, material] rigide 2. [brush, door, lock] dur(e) 3. [neck, back] raide. ◆ adv ▶ **to be bored stiff** inf s'ennuyer à mourir ▶ **to feel stiff** avoir des courbatures.

stigmata [stig'mɑːtə] npl RELIG stigmates mpl.

stile [stail] n échalier m.

stiletto [sti'letəu] n 1. [heel] talon m aiguille 2. [knife] stylet m. ◆ **stilettos** npl (chaussures fpl à) talons mpl aiguilles.

still [stil] ◆ adv 1. [up to now, then] toujours, encore 2. [possibly, with comparisons] encore 3. [despite that] pourtant. ◆ adj 1. [motionless] immobile 2. [quiet, calm] calme 3. [not fizzy] non gazeux(euse) 4. UK [water] plat(e) ▶ **we've still got ten minutes** il nous reste encore dix minutes ▸ **still more** encore plus ▸ **to stand still** ne pas bouger.

stilt [stɪlt] n **1.** [for walking] échasse f **2.** [in architecture] pilotis m.

Stilton ['stɪltn] n (U) stilton m (fromage bleu à saveur forte).

stimulate ['stɪmjʊleɪt] vt stimuler.

sting [stɪŋ] (pt & pp **stung**) vt & vi piquer ▸ **my eyes are stinging** ça me pique les yeux.

stingy ['stɪndʒɪ] adj inf radin(e).

stink [stɪŋk] (pt **stank** OR **stunk**, pp **stunk**) vi puer.

stipulate ['stɪpjʊleɪt] vt stipuler.

stir [stɜːʳ] vt remuer.

stir-fry ◆ n sauté m. ◆ vt faire sauter.

stirrup ['stɪrəp] n étrier m.

stitch [stɪtʃ] n **1.** [in sewing] point m **2.** [in knitting] maille f ▸ **to have a stitch** [stomach pain] avoir un point de côté. ◆ **stitches** npl [for wound] points mpl de suture.

stock [stɒk] ◆ n **1.** [of shop, supply] stock m **2.** FIN valeurs fpl **3.** [in cooking] bouillon m. ◆ vt [have in stock] avoir en stock ▸ **in stock** en stock ▸ **out of stock** épuisé.

stock cube n bouillon m cube.

Stock Exchange n Bourse f.

stocking ['stɒkɪŋ] n bas m.

stock market n Bourse f.

stodge [stɒdʒ] n (U) UK inf [food] aliments mpl bourratifs.

stodgy ['stɒdʒɪ] adj [food] lourd(e).

stoked [stəʊkd] adj US inf : **to be stoked about sthg** [excited] être tout excité(e) à cause de qqch.

stole [stəʊl] pt → **steal**.

stolen ['stəʊln] pp → **steal**.

stomach ['stʌmək] n **1.** [organ] estomac m **2.** [belly] ventre m.

stomachache ['stʌməkeɪk] n mal m au ventre.

stomach upset [-'ʌpset] n embarras m gastrique.

stomping ground ['stɒmpɪŋ-] = **stamping ground**.

stone [stəʊn] ◆ n **1.** pierre f **2.** [in fruit] noyau m **3.** [measurement : pl inv] = 6,350 kg. ◆ adj de OR en pierre.

stonewashed ['stəʊnwɒʃt] adj délavé(e).

stood [stʊd] pt & pp → **stand**.

stool [stuːl] n [for sitting on] tabouret m.

stop [stɒp] ◆ n arrêt m. ◆ vt arrêter. ◆ vi **1.** s'arrêter **2.** [stay] rester ▸ **to stop doing sthg** arrêter de faire qqch ▸ **to stop sb from doing sthg** empêcher qqn de faire qqch ▸ **to stop sthg from happening** empêcher qqch d'arriver ▸ **to put a stop to sthg** mettre un terme à qqch ▸ **'stop'** [road sign] 'stop' ▸ **'stopping at...'** [train] 'dessert les gares de...'. ◆ **stop off** vi s'arrêter.

stop-and-search n fouilles fpl dans la rue.

stopover ['stɒp,əʊvəʳ] n halte f.

stopper ['stɒpəʳ] n bouchon m.

stopwatch ['stɒpwɒtʃ] n chronomètre m.

storage ['stɔːrɪdʒ] n (U) rangement m.

storage room n [small] cagibi m ; [larger] débarras m.

store [stɔːʳ] ◆ n **1.** [shop] magasin m **2.** [supply] réserve f. ◆ vt **1.** entreposer, stocker **2.** COMPUT : **to store (under)** enregistrer (sous).

storehouse [ˈstɔːhaʊs] *(pl* [-haʊzɪz]*)* n entrepôt *m*.

storekeeper [ˈstɔːˌkiːpər] n US commerçant *m*, -e *f*.

storeroom [ˈstɔːrʊm] n 1. [in house] débarras *m* 2. [in shop] réserve *f*.

storey [ˈstɔːrɪ] *(pl* -s) n UK étage *m*.

stork [stɔːk] n cigogne *f*.

storm [stɔːm] n orage *m*.

stormy [ˈstɔːmɪ] adj [weather] orageux(euse).

story [ˈstɔːrɪ] n 1. histoire *f* 2. [news item] article *m* 3. US = storey.

storytelling [ˈstɔːrɪˌtelɪŋ] n [art] art *m* de conter.

stout [staʊt] ◆ adj [fat] corpulent(e). ◆ n [drink] stout *m (bière brune)*.

stove [stəʊv] n cuisinière *f*.

straight [streɪt] ◆ adj 1. droit(e) 2. [hair] raide 3. [consecutive] consécutif(ive) 4. [drink] sec (sèche). ◆ adv 1. droit 2. [without delay] tout de suite ▶ **straight ahead** droit devant ▶ **straight away** immédiatement.

straight-faced adj qui garde son sérieux, impassible.

straightforward [ˌstreɪtˈfɔːwəd] adj [easy] facile.

strain [streɪn] ◆ n 1. [force] force *f* 2. [nervous stress] stress *m* 3. [tension] tension *f* 4. [injury] foulure *f*. ◆ vt 1. [eyes] fatiguer 2. [food, tea] passer ▶ **to strain one's back** se faire un tour de reins.

strainer [ˈstreɪnər] n passoire *f*.

strait [streɪt] n détroit *m*.

strange [streɪndʒ] adj 1. [unusual] étrange 2. [unfamiliar] inconnu(e).

stranger [ˈstreɪndʒər] n 1. [unfamiliar person] inconnu *m*, -e *f* 2. [person from different place] étranger *m*, -ère *f*.

strangle [ˈstræŋgl] vt étrangler.

strap [stræp] n 1. [of bag] bandoulière *f* 2. [of watch] bracelet *m* 3. [of dress] bretelle *f* 4. [of camera] courroie *f*.

strapless [ˈstræplɪs] adj sans bretelles.

strategy [ˈstrætɪdʒɪ] n stratégie *f*.

straw [strɔː] n paille *f*.

strawberry [ˈstrɔːbərɪ] n fraise *f*.

stray [streɪ] ◆ adj [animal] errant(e). ◆ vi errer.

streak [striːk] n 1. [of paint, mud] traînée *f* 2. [period] période *f* ▶ **to have a streak of bad luck** essuyer une série de revers ▶ **to be enjoying a lucky streak** être en veine.

streaker [ˈstriːkər] n streaker *mf (personne nue qui traverse un lieu public en courant)*.

stream [striːm] n 1. [river] ruisseau *m* 2. [of traffic, people, blood] flot *m*.

streaming [ˈstriːmɪŋ] n 1. UK SCH répartition *f* en classes de niveau 2. COMPUT streaming *m*.

street [striːt] n rue *f*.

streetcar [ˈstriːtkɑːr] n US tramway *m*.

street light n réverbère *m*.

street map n plan *m*.

street plan n plan *m* de ville.

strength [streŋθ] n 1. (U) force *f* 2. (U) [of structure] solidité *f* 3. (U) [influence] puissance *f* 4. [strong point] point *m* fort.

strengthen [ˈstreŋθn] vt renforcer.

stress [stres] ◆ n **1.** [tension] stress m **2.** [on word, syllable] accent m. ◆ vt **1.** [emphasize] souligner **2.** [word, syllable] accentuer.

stress-buster n inf éliminateur m de stress.

stress-related adj dû (due) au stress.

stretch [stretʃ] ◆ n **1.** [of land, water] étendue f **2.** [of time] période f. ◆ vt étirer. ◆ vi **1.** [land, sea] s'étendre **2.** [person, animal] s'étirer ▶ **to stretch one's legs** fig se dégourdir les jambes. ◆ **stretch out** ◆ vt sep [hand] tendre. ◆ vi [lie down] s'étendre.

stretcher [stretʃə'] n civière f.

strict [strɪkt] adj strict(e).

strictly ['strɪktlɪ] adv strictement ▶ **strictly speaking** à proprement parler.

stride [straɪd] n enjambée f.

strike [straɪk] (pt & pp **struck**) ◆ n [of employees] grève f. ◆ vt **1.** fml [hit] frapper **2.** fml [collide with] percuter **3.** [a match] gratter. ◆ vi **1.** [refuse to work] faire grève **2.** [happen suddenly] frapper ▶ **the clock struck eight** la pendule sonna huit heures.

striking ['straɪkɪŋ] adj **1.** [noticeable] frappant(e) **2.** [attractive] d'une beauté frappante.

string [strɪŋ] n **1.** (U) ficelle f **2.** [of pearls, beads] collier m **3.** [of musical instrument, tennis racket] corde f **4.** [series] suite f ▶ **a piece of string** un bout de ficelle.

string bean n haricot m vert.

strip [strɪp] ◆ n bande f. ◆ vt **1.** [paint] décaper **2.** [wallpaper] décoller. ◆ vi [undress] se déshabiller.

stripe [straɪp] n rayure f.

striped [straɪpt] adj rayé(e).

strip-search vt fouiller (en déshabillant).

strip show n strip-tease m.

stroke [strəʊk] ◆ n **1.** MED attaque f **2.** [in tennis, golf] coup m **3.** [swimming style] nage f. ◆ vt caresser ▶ **a stroke of luck** un coup de chance.

stroll [strəʊl] n petite promenade f.

stroller ['strəʊlə'] n US [pushchair] poussette f.

strong [strɒŋ] adj **1.** fort(e) **2.** [structure, bridge, chair] solide **3.** [influential] puissant(e) **4.** [effect, incentive] puissant(e).

struck [strʌk] pt & pp → **strike**.

structure ['strʌktʃə'] n **1.** structure f **2.** [building] construction f.

struggle ['strʌgl] ◆ vi **1.** [fight] lutter **2.** [in order to get free] se débattre. ◆ n : **to have a struggle to do sthg** avoir du mal à faire qqch ▶ **to struggle to do sthg** s'efforcer de faire qqch.

stub [stʌb] n **1.** [of cigarette] mégot m **2.** [of cheque, ticket] talon m.

stubble ['stʌbl] n (U) [on face] barbe f de plusieurs jours.

stubborn ['stʌbən] adj [person] têtu(e).

stuck [stʌk] ◆ pt & pp → **stick**. ◆ adj bloqué(e).

stud [stʌd] n **1.** [on boots] crampon m **2.** [fastener] bouton-pression m **3.** [earring] clou m.

student ['stjuːdnt] n **1.** [at university, college] étudiant m, -e f **2.** [at school] élève m ou f.

student card n carte f d'étudiant.

students' union [ˌstjuːdnts-] n UK [place] bureau m des étudiants.

student union = **students' union**.

studio ['stjuːdɪəʊ] (*pl* **-s**) n studio *m*.

studio apartment US **= studio flat**.

studio flat n UK studio *m*.

study ['stʌdɪ] ◆ n **1.** (*U*) étude *f* **2.** [room] bureau *m*. ◆ vt & vi étudier.

stuff [stʌf] ◆ n (*U*) inf **1.** [substance] truc *m* **2.** [things, possessions] affaires *fpl*. ◆ vt **1.** [put roughly] fourrer **2.** [fill] bourrer.

stuffed [stʌft] adj **1.** [food] farci(e) **2.** inf [full up] gavé(e) **3.** [dead animal] empaillé(e).

stuffed shirt n prétentieux *m*, -euse *f*.

stuffing ['stʌfɪŋ] n (*U*) **1.** [food] farce *f* **2.** [of pillow, cushion] rembourrage *m*.

stuffy ['stʌfɪ] adj [room, atmosphere] étouffant(e).

stumble ['stʌmbl] vi trébucher.

stump [stʌmp] n [of tree] souche *f*.

stumpy ['stʌmpɪ] (*compar* **-ier**, *superl* **-iest**) adj [person] courtaud(e).

stun [stʌn] vt stupéfier.

stung [stʌŋ] pt & pp → **sting**.

stunk [stʌŋk] pt & pp → **stink**.

stunning ['stʌnɪŋ] adj **1.** [very beautiful] superbe **2.** [very surprising] stupéfiant(e).

stupid ['stjuːpɪd] adj **1.** [foolish] stupide **2.** inf [annoying] fichu(e).

stupidity [stjuːˈpɪdətɪ] n (*U*) bêtise *f*.

sturdy ['stɜːdɪ] adj solide.

stutter ['stʌtə r] vi bégayer.

sty [staɪ] n porcherie *f*.

style [staɪl] ◆ n **1.** style *m* **2.** [design] modèle *m*. ◆ vt [hair] coiffer.

style sheet n feuille *f* de style.

stylish ['staɪlɪʃ] adj élégant(e).

stylist ['staɪlɪst] n [hairdresser] coiffeur *m*, -euse *f*.

sub [sʌb] n inf **1.** [substitute] remplaçant *m*, -e *f* **2.** UK [subscription] cotisation *f*.

subdirectory ['sʌbdaɪˌrektərɪ] n sous-répertoire *m*.

subdued [səbˈdjuːd] adj **1.** [person] abattu(e) **2.** [lighting, colour] doux (douce).

subfolder ['sʌbˌfəʊldə r] n COMPUT sous-dossier *m*.

subject ◆ n ['sʌbdʒekt] **1.** sujet *m* **2.** [at school, university] matière *f*. ◆ vt [səbˈdʒekt] **: to subject sb to abuse** soumettre qqn à de mauvais traitements ▸ **'subject to availability'** 'dans la limite des stocks disponibles' ▸ **they are subject to an additional charge** un supplément sera exigé.

subjunctive [səbˈdʒʌŋktɪv] n subjonctif *m*.

submarine [ˌsʌbməˈriːn] n sous-marin *m*.

submenu ['sʌbˌmenjuː] n COMPUT sous-menu *m*.

submit [səbˈmɪt] ◆ vt soumettre. ◆ vi [give in] se soumettre.

subordinate [səˈbɔːdɪnət] adj subordonné(e).

subplot ['sʌbˌplɒt] n intrigue *f* secondaire.

subprime ['sʌbpraɪm] n US FIN **: subprime (loan OR mortgage)** subprime *m* (*type de crédit immobilier à risque*).

subscribe [səbˈskraɪb] vi s'abonner.

subscript ['sʌbskrɪpt] n [in mathematics, typography] indice *m*.

subscription [səb'skrɪpʃn] n 1. [to magazine] abonnement *m* 2. [to club] cotisation *f*.

subsequent ['sʌbsɪkwənt] adj ultérieur(e).

subside [səb'saɪd] vi 1. [ground] s'affaisser 2. [noise, feeling] disparaître.

subsidiary [səb'sɪdjərɪ] n : **subsidiary (company)** filiale *f*.

substance ['sʌbstəns] n substance *f*.

substantial [səb'stænʃl] adj substantiel(ielle).

substitute ['sʌbstɪtjuːt] n 1. [replacement] substitut *m* 2. SPORT remplaçant *m*, -e *f*.

subtext ['sʌb,tekst] n message *m* sous-jacent (*de livre, de film*).

subtitles ['sʌb,taɪtlz] npl sous-titres *mpl*.

subtle ['sʌtl] adj subtil(e).

subtract [səb'trækt] vt soustraire.

subtraction [səb'trækʃn] n (U) soustraction *f*.

suburb ['sʌbɜːb] n banlieue *f* ▶ **the suburbs** la banlieue.

suburban [sə'bɜːbn] adj [of suburbs] de banlieue.

subway ['sʌbweɪ] n 1. UK [for pedestrians] souterrain *m* 2. US [underground railway] métro *m*.

succeed [sək'siːd] ◆ vi [be successful] réussir. ◆ vt [follow] succéder à ▶ **to succeed in doing sthg** réussir à faire qqch.

success [sək'ses] n succès *m*, réussite *f*.

successful [sək'sesful] adj 1. [plan, attempt] réussi(e) 2. [film, book, etc.] à succès 3. [businessman, politician] qui a réussi 4. [actor] qui a du succès ▶ **to be successful** [person] réussir.

succulent ['sʌkjulənt] adj succulent(e).

such [sʌtʃ] ◆ adj tel (telle). ◆ adv : **such a lot** tellement ▶ **it's such a lovely day!** c'est une si belle journée ! ▶ **such good luck** une telle chance, une chance pareille ▶ **such a thing should never have happened** une telle chose n'aurait jamais dû se produire ▶ **such as** tel que.

suck [sʌk] vt 1. sucer 2. [nipple] téter.

sudden ['sʌdn] adj soudain(e) ▶ **all of a sudden** tout à coup.

suddenly ['sʌdnlɪ] adv soudain, tout à coup.

sudoku ['suːdəuku] n sudoku *m*.

sue [suː] vt poursuivre en justice.

suede [sweɪd] n (U) daim *m*.

suffer ['sʌfər] ◆ vt [defeat, injury] subir. ◆ vi : **to suffer (from)** souffrir (de).

suffering ['sʌfrɪŋ] n souffrance *f*.

sufficient [sə'fɪʃnt] adj *fml* suffisant(e).

sufficiently [sə'fɪʃntlɪ] adv *fml* suffisamment.

suffix ['sʌfɪks] n suffixe *m*.

suffocate ['sʌfəkeɪt] vi suffoquer.

sugar ['ʃugər] n sucre *m* ▶ **a lump of sugar** un morceau de sucre ▶ **how many sugars?** combien de sucres- ?

suggest [sə'dʒest] vt suggérer ▶ **to suggest doing sthg** proposer de faire qqch.

suggestion [sə'dʒestʃn] n 1. suggestion *f* 2. [hint] trace *f*.

suicide ['sɔɪsaɪd] n suicide *m* ▶ **to commit suicide** se suicider.

suicide attack n attentat *m* suicide.

suit [suːt] ◆ n 1. [man's clothes] costume *m* 2. [woman's clothes] tailleur *m* 3. [in cards] couleur *f* 4. LAW procès *m*.

◆ vt 1. [subj: clothes, colour, shoes] aller bien à 2. [be convenient, appropriate for] convenir à ▶ **to be suited to** être adapté à ▶ **pink doesn't suit me** le rose ne me va pas. ◆ **suit up** vi insep [diver, pilot, astronaut, etc.] mettre sa combinaison.

suitable ['suːtəbl] adj adapté(e) ▶ **to be suitable for** être adapté à.

suitcase ['suːtkeɪs] n valise f.

suite [swiːt] n 1. [set of rooms] suite f 2. [furniture] ensemble m canapé-fauteuils.

sulk [sʌlk] vi bouder.

sully ['sʌlɪ] (pt & pp -ied) vt [dirty] souiller.

sultana [səl'tɑːnə] n raisin m de Smyrne.

sultry ['sʌltrɪ] adj [weather, climate] lourd(e).

sum [sʌm] n 1. [in maths] opération f 2. [of money] somme f. ◆ **sum up** vt sep résumer.

summarize ['sʌməraɪz] vt résumer.

summary ['sʌmərɪ] n résumé m.

summer ['sʌmər] n été m ▶ **in (the) summer** en été, l'été ▶ **summer holidays** UK or **vacation** US vacances fpl d'été, grandes vacances.

summertime ['sʌmətaɪm] n (U) été m.

summit ['sʌmɪt] n sommet m.

summon ['sʌmən] vt convoquer.

sumptuous ['sʌmptʃʊəs] adj somptueux(euse).

sun [sʌn] n soleil m. ◆ vt : **to sun o.s.** prendre un bain de soleil ▶ **to catch the sun** prendre un coup de soleil ▶ **in the sun** au soleil ▶ **out of the sun** à l'abri du soleil.

Sun. (abbr of Sunday) dim. (dimanche).

sunbathe ['sʌnbeɪð] vi prendre un bain de soleil.

sunbed ['sʌnbed] n lit m à ultra-violets.

sun block n écran m total.

sunburn ['sʌnbɜːn] n (U) coup m de soleil.

sunburnt ['sʌnbɜːnt] adj brûlé(e) par le soleil.

sun cream n crème f solaire.

sundae ['sʌndeɪ] n coupe f glacée à la Chantilly.

Sunday ['sʌndɪ] n dimanche m ▶ **it's Sunday** on est dimanche ▶ **Sunday morning** dimanche matin ▶ **on Sunday** dimanche ▶ **on Sundays** le dimanche ▶ **last Sunday** dimanche dernier ▶ **this Sunday** dimanche ▶ **next Sunday** dimanche prochain ▶ **Sunday week** UK, **a week on Sunday** UK, **a week from Sunday** US dimanche en huit.

Sunday school n catéchisme m.

sundress ['sʌndres] n robe f bain de soleil.

sundries ['sʌndrɪz] npl [on bill] divers mpl.

sunflower ['sʌn,flaʊər] n tournesol m.

sunflower oil n (U) huile f de tournesol.

sung [sʌŋ] pt → **sing**.

sunglasses ['sʌn,glɑːsɪz] npl lunettes fpl de soleil.

sunhat ['sʌnhæt] n chapeau m de soleil.

sunk [sʌŋk] pp → **sink**.

sunlight ['sʌnlaɪt] n (U) lumière f du soleil.

sun lounger [-,laʊndʒər] n UK chaise f longue.

sunny ['sʌnɪ] adj ensoleillé(e) ▸ **it's sunny** il y a du soleil.

sunrise ['sʌnraɪz] n lever m de soleil.

sunroof ['sʌnruːf] n toit m ouvrant.

sunscreen ['sʌnskriːn] n écran m OR filtre m solaire.

sunset ['sʌnset] n coucher m de soleil.

sunshine ['sʌnʃaɪn] n (U) soleil m ▸ **in the sunshine** au soleil.

sunstroke ['sʌnstrəʊk] n (U) insolation f.

suntan ['sʌntæn] n bronzage m.

suntan cream n crème f solaire.

suntan lotion n lait m solaire.

suntanned ['sʌntænd] adj bronzé(e).

super ['suːpə^r] ◆ adj super inv. ◆ n [petrol] super m.

superb [suː'pɜːb] adj superbe.

Super Bowl n US **: the Super Bowl** le Super Bowl (aux États-Unis, finale du championnat de football américain).

(i) Super Bowl

Dernier match de la saison de football américain, organisé par la Ligue nationale de football début février. Depuis la première rencontre en 1967 entre les équipes de Green Bay et de Kansas City, l'événement attire des millions de spectateurs venus assister à la confrontation entre les champions de la National Football Conference et l'American Football Conference.

superbug ['suːpəbʌg] n germe résistant aux traitements antibiotiques.

superficial [ˌsuːpə'fɪʃl] adj superficiel(ielle).

superfluous [suː'pɜːfluəs] adj superflu(e).

Superglue® ['suːpəgluː] n colle f forte.

superhighway ['suːpəˌhaɪweɪ] n US autoroute f.

superior [suː'pɪərɪə^r] ◆ adj supérieur(e). ◆ n supérieur m, -e f.

supermarket ['suːpəˌmɑːkɪt] n supermarché m.

supermodel ['suːpəmɒdl] n top model m.

supernatural [ˌsuːpə'nætʃrəl] adj surnaturel(elle).

Super Saver® n UK [rail ticket] billet de train à tarif réduit, sous certaines conditions.

superstitious [ˌsuːpə'stɪʃəs] adj superstitieux(ieuse).

superstore ['suːpəstɔː^r] n hypermarché m.

supervise ['suːpəvaɪz] vt surveiller.

supervisor ['suːpəvaɪzə^r] n [of workers] chef m d'équipe.

supper ['sʌpə^r] n 1. [evening meal] dîner m 2. UK [late-night meal] souper m ▸ **to have supper** dîner.

supple ['sʌpl] adj souple.

supplement ◆ n ['sʌplɪmənt] 1. supplément m 2. [of diet] complément m. ◆ vt ['sʌplɪment] compléter.

supplementary [ˌsʌplɪ'mentərɪ] adj supplémentaire.

supplier [sə'plaɪə^r] n fournisseur m, -euse f.

supply [sə'plaɪ] ◆ n 1. [store] réserve f 2. (U) [providing] fourniture f 3. [of gas, electricity] alimentation f. ◆ vt fournir ▸ **to supply sb with information** fournir des informations à qqn ▸ **to supply sb**

with **electricity** alimenter qqn en électricité. ◆ **supplies** npl provisions fpl.

support [sə'pɔːt] ◆ n 1. [aid, encouragement] soutien m 2. [object] support m. ◆ vt 1. [back, encourage] soutenir 2. [team, object] supporter 3. [financially] subvenir aux besoins de.

supporter [sə'pɔːtə^r] n 1. SPORT supporter m 2. [of cause, political party] partisan m.

supporting [sə'pɔːtɪŋ] adj 1. [pillar, structure] de soutènement 2. [wall] porteur 3. [in cinema, theatre] secondaire, de second plan.

suppose [sə'pəʊz] ◆ vt 1. [assume] supposer 2. [think] penser. ◆ conj = **supposing** ▶ I suppose so je suppose que oui ▶ to be supposed to do sthg être censé faire qqch.

supposing [sə'pəʊzɪŋ] conj a supposer que.

supreme [sʊ'priːm] adj suprême.

surcharge ['sɜːtʃɑːdʒ] n surcharge f.

sure [ʃʊə^r] ◆ adv 1. inf [yes] bien sûr 2. US inf [certainly] vraiment. ◆ adj sûr(e), certain(e) ▶ they are sure to win il est certain qu'ils vont gagner ▶ to be sure of o.s. être sûr de soi ▶ to make sure (that)... s'assurer que... ▶ for sure c'est certain.

surely ['ʃʊəlɪ] adv sûrement.

surf [sɜːf] ◆ n (U) écume f. ◆ vi 1. SPORT surfer 2. COMPUT naviguer sur Internet.

surface ['sɜːfɪs] n surface f.

surface area n surface f.

surface mail n (U) courrier m par voie de terre.

surfboard ['sɜːfbɔːd] n surf m.

surfing ['sɜːfɪŋ] n (U) surf m ▶ to go surfing faire du surf.

surgeon ['sɜːdʒən] n chirurgien m, -ienne f.

surgery ['sɜːdʒərɪ] n 1. (U) [treatment] chirurgie f 2. US [building] cabinet m médical 3. US [period] consultations fpl ▶ to have surgery se faire opérer.

surname ['sɜːneɪm] n nom m (de famille).

surplus ['sɜːpləs] n surplus m.

surprise [sə'praɪz] ◆ n surprise f. ◆ vt surprendre.

surprised [sə'praɪzd] adj surpris(e).

surprising [sə'praɪzɪŋ] adj surprenant(e).

surrender [sə'rendə^r] ◆ vi se rendre. ◆ vt fml [hand over] remettre.

surround [sə'raʊnd] vt 1. entourer 2. [encircle] encercler.

surrounding [sə'raʊndɪŋ] adj environnant(e). ◆ **surroundings** npl environs mpl.

survey n ['sɜːveɪ] 1. [investigation] enquête f 2. [poll] sondage m 3. [of land] levé m 4. US [of house] expertise f.

surveyor [sə'veɪə^r] n 1. US [of houses] expert m 2. [of land] géomètre m.

survival [sə'vaɪvl] n survie f.

survive [sə'vaɪv] ◆ vi survivre. ◆ vt survivre à.

survivor [sə'vaɪvə^r] n survivant m, -e f.

susceptible [sə'septəbl] adj : **susceptible (to)** sensible (à).

suspect ◆ vt [sə'spekt] 1. [believe] soupçonner 2. [mistrust] douter de. ◆ n ['sʌspekt] suspect m, -e f. ◆ adj ['sʌspekt] suspect(e) ▶ to suspect sb of murder soupçonner qqn de meurtre.

suspend [sə'spend] vt **1.** suspendre **2.** [from school] exclure.

suspender belt [sə'spendə-] n 🇬🇧 porte-jarretelles m inv.

suspenders [sə'spendəz] npl **1.** 🇬🇧 [for stockings] jarretelles fpl **2.** 🇺🇸 [for trousers] bretelles fpl.

suspense [sə'spens] n (U) suspense m.

suspension [sə'spenʃn] n **1.** suspension f **2.** [from school] renvoi m temporaire.

suspicion [sə'spɪʃn] n soupçon m.

suspicious [sə'spɪʃəs] adj [behaviour, situation] suspect(e) ▸ **to be suspicious (of)** [distrustful] se méfier (de).

sustainability [sə,steɪnə'bɪlɪtɪ] n durabilité f.

sustainable [səs'teɪnəbl] adj [development, agriculture, politics, housing] durable ▸ **sustainable resources** ressources fpl renouvelables.

SUV (abbr of **sport utility vehicle**) n AUT 4 x 4 m.

SW (abbr of **short wave**) OC (ondes courtes).

swag [swæg] inf ◆ n **1.** 🇬🇧 [booty] butin m **2.** 🇦🇺 🇳🇿 [bundle] ba(l)luchon m **3.** 🇦🇺 🇳🇿 : **swags of** [lots of] un tas de, une flopée de. ◆ vi 🇦🇺 🇳🇿 [roam] vagabonder.

swallow ['swɒləʊ] ◆ n [bird] hirondelle f. ◆ vt & vi avaler.

swam [swæm] pt → **swim**.

swamp [swɒmp] n marécage m.

swan [swɒn] n cygne m.

swank [swæŋk] inf ◆ vi se vanter, frimer. ◆ n 🇬🇧 **1.** [boasting] frime f **2.** [boastful person] frimeur m, -euse f **3.** 🇺🇸 [luxury] luxe m, chic m.

swanky ['swæŋkɪ] (compar **-ier**, superl **-iest**) adj inf chic.

swap [swɒp] vt échanger ▸ **I swapped my CD for one of hers** j'ai échangé mon CD contre l'un des siens.

swarm [swɔːm] n [of bees] essaim m.

swear [sweəʳ] (pt **swore**, pp **sworn**) vt & vi jurer ▸ **to swear to do sthg** jurer de faire qqch.

swearing ['sweərɪŋ] n [use of swear words] jurons mpl, gros mots mpl.

swearword ['sweəwɜːd] n gros mot m.

sweat [swet] ◆ n (U) transpiration f, sueur f. ◆ vi transpirer, suer.

sweater ['swetəʳ] n pull m.

sweat pants n 🇺🇸 pantalon m de jogging OR survêtement.

sweatshirt ['swetʃɜːt] n sweat-shirt m.

swede [swiːd] n 🇬🇧 rutabaga m.

Swede [swiːd] n Suédois m, -e f.

Sweden ['swiːdn] n la Suède.

Swedish ['swiːdɪʃ] ◆ adj suédois(e). ◆ n (U) [language] suédois m. ◆ npl : **the Swedish** les Suédois.

sweep [swiːp] (pt & pp **swept**) vt [with broom] balayer.

sweet [swiːt] ◆ adj **1.** [food, drink] sucré(e) **2.** [smell] doux (douce) **3.** [person, nature] gentil(ille). ◆ n 🇬🇧 **1.** [candy] bonbon m **2.** [dessert] dessert m.

sweet-and-sour adj aigre-doux (aigre-douce).

sweet corn n (U) maïs m doux.

sweetener ['swiːtnəʳ] n [for drink] édulcorant m.

sweetheart ['swiːthɑːt] n [term of endearment] chéri m, -e f, mon cœur m.

sweetie ['swiːtɪ] n inf **1.** [darling] chéri m, -e f **2.** UK [babytalk, sweet] bonbon m.

sweet potato n patate f douce.

sweet shop n UK confiserie f.

sweet talk n (U) inf flatteries fpl. ◆ **sweet-talk** vt inf embobiner.

sweet-tempered adj doux (douce), agréable.

swell [swel] (pp **swollen**) vi enfler.

swelling ['sweliŋ] n enflure f.

swept [swept] pt & pp → **sweep**.

swerve [swɜːv] vi [vehicle] faire une embardée.

swig [swig] n inf lampée f.

swim [swim] (pt **swam**, pp **swum**) ◆ vi nager. ◆ n : **to go for a swim** aller nager.

swimmer ['swimər] n nageur m, -euse f.

swimming ['swimiŋ] n (U) natation f ▸ **to go swimming** nager, faire de la natation.

swimming baths npl UK piscine f.

swimming cap n bonnet m de bain.

swimming costume n UK maillot m de bain.

swimmingly ['swimiŋli] adv UK inf à merveille.

swimming pool n piscine f.

swimming trunks npl UK slip m de bain.

swimsuit ['swimsuːt] n maillot m de bain.

swindle ['swindl] n escroquerie f.

swing [swiŋ] (pt & pp **swung**) ◆ n [for children] balançoire f. ◆ vt [from side

to side] balancer. ◆ vi [from side to side] se balancer.

swipe [swaip] vt [credit card, etc.] passer dans un lecteur de cartes.

swipe card n carte f magnétique.

Swiss [swis] ◆ adj suisse. ◆ n [person] Suisse m ou f. ◆ npl : **the Swiss** les Suisses mpl.

Swiss cheese n gruyère m.

swiss roll n UK gâteau m roulé.

Switch ® [swiʧ] n UK système de paiement non différé par carte bancaire.

switch [swiʧ] ◆ n **1.** [for light, power] interrupteur m **2.** [for television, radio] bouton m. ◆ vi changer. ◆ vt [exchange] échanger ▸ **to switch places** changer de place. ◆ **switch off** vt sep **1.** [light, radio] éteindre **2.** [engine] couper. ◆ **switch on** vt sep **1.** [light, radio] allumer **2.** [engine] mettre en marche.

switchboard ['swiʧbɔːd] n standard m.

Switzerland ['switsələnd] n la Suisse.

swivel ['swivl] vi pivoter.

swollen ['swəʊln] ◆ pp → **swell**. ◆ adj [ankle, arm, etc.] enflé(e).

swop [swɒp] UK = **swap**.

sword [sɔːd] n épée f.

swordfish ['sɔːdfiʃ] (pl inv) n espadon m.

swore [swɔːr] pt → **swear**.

sworn [swɔːn] pp → **swear**.

SWOT [swɒt] (abbr of strengths, weaknesses, opportunities and threats) n : **SWOT analysis** analyse f SWOT.

swum [swʌm] pp → **swim**.

swung [swʌŋ] pt & pp → **swing**.

syllable ['sɪləbl] n syllabe f.

syllabus ['sɪləbəs] n programme m.

symbol ['sɪmbl] n symbole m.

sympathetic [ˌsɪmpə'θetɪk] adj [understanding] compréhensif(ive).

⚠ Sympathetic is a false friend, it means *nice* or *friendly*, not "sympathetic".

sympathize ['sɪmpəθaɪz] vi 1. [feel sorry] compatir 2. [understand] comprendre ▸ **to sympathize with sb** a) [feel sorry for] plaindre qqn b) [understand] comprendre qqn.

sympathy ['sɪmpəθɪ] n (U) [understanding] compréhension f.

symphony ['sɪmfənɪ] n symphonie f.

symptom ['sɪmptəm] n symptôme m.

synagogue ['sɪnəgɒg] n synagogue f.

synchronization, synchronisation UK [ˌsɪŋkrənaɪ'zeɪʃn] n synchronisation f.

synchronize ['sɪŋkrənaɪz] vt synchroniser.

synthesizer ['sɪnθəsaɪzə{r}] n synthétiseur m.

synthetic [sɪn'θetɪk] adj synthétique.

Syria ['sɪrɪə] n Syrie f.

syringe [sɪ'rɪndʒ] n seringue f.

syrup ['sɪrəp] n sirop m.

system ['sɪstəm] n 1. système m 2. [for gas, heating, etc.] installation f 3. [hi-fi] chaîne f.

ta [tɑː] excl UK inf merci !

tab [tæb] n 1. [of cloth, paper, etc.] étiquette f 2. [bill] addition f, note f ▸ **put it on my tab** mettez-le sur ma note.

tabbouleh [tə'buːlɪ] n (U) taboulé m.

table ['teɪbl] n 1. table f 2. [of figures, etc.] tableau m.

tablecloth ['teɪblklɒθ] n nappe f.

tablemat ['teɪblmæt] n UK dessous-de-plat m inv.

tablespoon ['teɪblspuːn] n cuillère f à soupe.

tablet ['tæblɪt] n 1. [pill] cachet m 2. [of chocolate] tablette f 3. COMPUT : **tablet (computer)** tablette tactile ▸ **a tablet of soap** une savonnette.

table tennis n (U) ping-pong m.

table wine n vin m de table.

tabloid ['tæblɔɪd] n tabloïd(e) m.

ⓘ **Tabloid**

Nom donné aux journaux britanniques de petit format, moins onéreux que les quotidiens traditionnels (les **broadsheets**). Très lucrative, cette forme de presse à sensation est cependant particulièrement dépréciée par rapport au journalisme d'information : elle ne traite en effet avant tout que des scandales impliquant des stars et personnalités, et est régulièrement poursuivie en

→

justice dans le cadre de procès pour propos fallacieux et atteinte à la vie privée.

tack [tæk] n [nail] clou m.

tackle ['tækl] ◆ n **1.** [in football] tacle m **2.** [in rugby] plaquage m **3.** (U) [for fishing] matériel m. ◆ vt **1.** [in football] tacler **2.** [in rugby] plaquer **3.** [deal with] s'attaquer à.

tacky ['tæki] adj inf ringard(e).

taco ['tækəʊ] n crêpe de maïs farcie, très fine et croustillante (spécialité mexicaine).

tact [tækt] n (U) tact m.

tactful ['tæktfʊl] adj plein(e) de tact.

tactics ['tæktɪks] npl tactique f.

tag [tæg] n **1.** [label] étiquette f **2.** COMPUT balise f.

tagliatelle [,tæɡljə'teli] n (U) tagliatelles fpl.

tail [teɪl] n queue f. ◆ **tails** ◆ n (U) [of coin] pile f. ◆ npl [formal dress] queue-de-pie f.

tailgate ['teɪlɡeɪt] n [of car] hayon m.

tailor ['teɪlə'] n tailleur m.

tailor-made adj fig sur mesure.

Taiwan [,taɪ'wɑːn] n Taïwan.

take [teɪk] (pt **took**, pp **taken**) ◆ vt **1.** [gen] prendre ▸ **to take a bath/ shower** prendre un bain/une douche ▸ **to take an exam** passer un examen ▸ **to take a walk** faire une promenade **2.** [carry] emporter **3.** [drive] emmener **4.** [time] prendre ; [patience, work] demander ▸ **how long will it take?** combien de temps ça va prendre ? **5.** [size in clothes, shoes] faire ▸ **what size do you take?** a) [clothes] quelle taille faites-vous ? b) [shoes] quelle pointure

faites-vous ? **6.** [subtract] ôter **7.** [accept] accepter ▸ **do you take traveller's cheques?** acceptez-vous les traveller's checks ? ▸ **to take sb's advice** suivre les conseils de qqn **8.** [contain] contenir **9.** [tolerate] supporter **10.** [assume] : **I take it that...** je suppose que... **11.** [rent] louer.

◆ **take apart** vt sep [dismantle] démonter.

◆ **take away** vt sep [remove] enlever ; [subtract] ôter.

◆ **take back** vt sep [something borrowed] rapporter ; [person] ramener ; [statement] retirer.

◆ **take down** vt sep **1.** [picture, decorations] enlever **2.** [dismantle] : **to take down a tent** démonter une tente.

◆ **take in** vt sep [include] englober ; [understand] comprendre ; [deceive] tromper ; [clothes] reprendre.

◆ **take off** ◆ vi [plane] décoller. ◆ vt sep [remove] enlever ; [as holiday] : **to take a week off** prendre une semaine de congé.

◆ **take out** vt sep sortir ; [loan, insurance policy] souscrire ; [go out with] emmener.

◆ **take over** vi prendre le relais.

◆ **take up** vt sep [begin] se mettre à ; [use up] prendre ; [trousers, dress] raccourcir.

takeaway ['teɪkə,weɪ] UK **1.** [shop] magasin qui vend des plats à emporter **2.** [food] plat m à emporter.

taken ['teɪkn] pp → **take**.

takeoff ['teɪkɒf] n [of plane] décollage m.

takeout ['teɪkaʊt] US = **takeaway**.

taking ['teɪkɪŋ] ◆ adj engageant(e). ◆ n 1. [of city, power] prise f 2. [of blood, sample] prélèvement m.

takings ['teɪkɪŋz] npl recette f.

talcum powder ['tælkəm-] n talc m.

tale [teɪl] n 1. [story] conte m 2. [account] récit m.

talent ['tælənt] n talent m.

talk [tɔːk] ◆ n 1. [conversation] conversation f 2. [speech] exposé m. ◆ vi parler ▸ **to talk to sb** parler à qqn ▸ **have you talked to her about the matter?** est-ce que tu lui as parlé de l'affaire ? ▸ **to talk with sb** parler avec qqn. ◆ **talks** npl négociations fpl.

talkative ['tɔːkətɪv] adj bavard(e).

talking ['tɔːkɪŋ] n : **he did all the talking** il était le seul à parler.

tall [tɔːl] adj grand(e) ▸ **how tall are you?** combien mesures-tu ? ▸ **I'm five and a half feet tall** je fais 1,65 mètres, je mesure 1,65 mètres.

tame [teɪm] adj [animal] apprivoisé(e).

tampon ['tæmpɒn] n tampon m.

tan [tæn] ◆ n [suntan] bronzage m. ◆ vi bronzer. ◆ adj 1. [colour] brun clair 2. US bronzé(e).

tangerine [,tændʒə'riːn] n mandarine f.

tank [tæŋk] n 1. [container] réservoir m 2. [vehicle] tank m.

tanker ['tæŋkəʳ] n [truck] camion-citerne m.

tankini [tæŋ'kiːni] n tankini m.

tanned [tænd] adj US bronzé(e).

tantalizing, tantalising US ['tæntəlaɪzɪŋ] adj [smell] très appétissant(e) ; [possibility, thought] très tentant(e).

tap [tæp] ◆ n US [for water] robinet m. ◆ vt [hit] tapoter.

tape [teɪp] ◆ n 1. [cassette, video] cassette f 2. [in cassette] bande f 3. (U) [adhesive material] ruban m adhésif 4. [strip of material] ruban m. ◆ vt 1. [record] enregistrer 2. [stick] scotcher.

tape measure n mètre m (ruban).

tape recorder n magnétophone m.

tapestry ['tæpɪstrɪ] n tapisserie f.

tap water n (U) eau f du robinet.

tar [tɑːʳ] n (U) 1. [for roads] goudron m 2. [in cigarettes] goudrons mpl.

target ['tɑːgɪt] n cible f.

targeted ['tɑːgɪtɪd] adj ciblé(e).

tariff ['tærɪf] n 1. US [price list] tarif m 2. US [menu] menu m 3. [at customs] tarif m douanier.

tarmac ['tɑːmæk] n [at airport] piste f. ◆ **Tarmac®** n (U) [on road] macadam m.

tarpaulin [tɑː'pɔːlɪn] n bâche f.

tarragon ['tærəgən] n estragon m.

tart [tɑːt] n tarte f.

tartan ['tɑːtn] n tartan m.

tartar ['tɑːtəʳ] n [on teeth] tartre m.

tartare sauce [,tɑːtə-] n (U) US sauce f tartare.

tartar sauce = **tartare sauce**.

taser ['teɪzəʳ] n pistolet m à impulsion électronique, taser m.

task [tɑːsk] n tâche f.

taskbar ['tɑːskbɑːʳ] n barre f (des tâches).

taste [teɪst] ◆ n goût m. ◆ vt 1. [sample] goûter 2. [detect] sentir. ◆ vi : **to taste of sthg** avoir un goût de qqch ▸ **it tastes bad** ça a mauvais goût ▸ **it tastes good** ça a bon goût ▸ **to have a taste of**

sthg a) [food, drink] goûter (à) qqch **b)** *fig* [experience] avoir un aperçu de qqch.

tasteful ['teɪstfʊl] *adj* de bon goût.

tasteless ['teɪstlɪs] *adj* **1.** [food] insipide **2.** [comment, decoration] de mauvais goût.

tasty ['teɪstɪ] *adj* délicieux(ieuse).

ta-ta [tæ'tɑ] *excl* **UK** *inf* salut.

tattle-tale ['tætl-] **US** = **telltale**.

tattoo [tə'tuː] (*pl* -s) *n* **1.** [on skin] tatouage *m* **2.** [military display] défilé *m* (militaire).

taught [tɔːt] *pt & pp* → **teach**.

Taurus ['tɔːrəs] *n* Taureau *m*.

taut [tɔːt] *adj* tendu(e).

tax [tæks] ◆ *n* **1.** [on income] impôts *mpl* **2.** [on import, goods] taxe *f*.
◆ *vt* **1.** [goods] taxer **2.** [person] imposer.

tax disc *n* **UK** vignette *f* automobile.

tax-free *adj* exonéré(e) d'impôts.

taxi ['tæksɪ] ◆ *n* taxi *m*. ◆ *vi* [plane] rouler.

taxi driver *n* chauffeur *m* de taxi.

taxi rank *n* **UK** station *f* de taxis.

taxi stand **US** = **taxi rank**.

tax return *n* déclaration *f* d'impôts.

TBA *abbr of* **to be announced**.

T-bone steak *n* steak *m* dans l'aloyau.

tea [tiː] *n* **1.** thé *m* **2.** [herbal] tisane *f* **3.** **UK** [evening meal] dîner *m*.

tea bag *n* sachet *m* de thé.

tea break *n* **UK** pause pour prendre le thé ; ≃ pause-café *f*.

teacake ['tiːkeɪk] *n* **UK** petit pain brioché aux raisins secs.

teach [tiːtʃ] (*pt & pp* **taught**) ◆ *vt* **1.** [subject] enseigner **2.** [person] ensei-

gner à. ◆ *vi* enseigner ▸ **to teach adults English, to teach English to adults** enseigner l'anglais à des adultes ▸ **to teach sb (how) to do sthg** apprendre à qqn à faire qqch.

teacher ['tiːtʃə³] *n* **1.** [primary] instituteur *m*, -trice *f* **2.** [secondary] professeur *m*.

teaching ['tiːtʃɪŋ] *n* (*U*) enseignement *m*.

tea cloth = **tea towel**.

teacup ['tiːkʌp] *n* tasse *f* à thé.

team [tiːm] *n* équipe *f*.

teapot ['tiːpɒt] *n* théière *f*.

tear¹ [teə³] (*pt* **tore**, *pp* **torn**) ◆ *vt* [rip] déchirer. ◆ *vi* se déchirer. ◆ *n* déchirure *f*. ◆ **tear up** *vt sep* déchirer.

tear² [tɪə³] *n* larme *f*.

tear gas [tɪə³-] *n* (*U*) gaz *m* lacrymogène.

tearoom ['tiːrʊm] *n* salon *m* de thé.

tease [tiːz] *vt* taquiner.

teaser ['tiːzə³] *n* *inf* **1.** [person] taquin *m*, -e *f* **2.** [advertisement] teaser *m*, aguiche *f*.

tea service, tea set *n* service *m* à thé.

tea set *n* service *m* à thé.

teaspoon ['tiːspuːn] *n* **1.** cuillère *f* à café **2.** [amount] = **teaspoonful**.

teaspoonful ['tiːspuːn,fʊl] *n* cuillerée *f* à café.

teat [tiːt] *n* [animal] tétine *f*.

teatime ['tiːtaɪm] *n* heure *f* du thé.

tea towel *n* **UK** torchon *m*.

technical ['teknɪkl] *adj* technique.

technical data sheet *n* fiche *f* technique.

technical drawing n (U) dessin m industriel.

technicality [ˌteknɪˈkælətɪ] n [detail] détail m technique.

technician [tekˈnɪʃn] n technicien m, -ienne f.

technique [tekˈniːk] n technique f.

techno [ˈteknəʊ] n (U) MUS techno f.

technological [ˌteknəˈlɒdʒɪkl] adj technologique.

technology [tekˈnɒlədʒɪ] n technologie f.

teddy (bear) [ˈtedɪ-] n ours m en peluche.

tedious [ˈtiːdjəs] adj ennuyeux(euse).

tee [tiː] n 1. [peg] tee m 2. [area] point m de départ.

teen [tiːn] adj inf [fashion] pour ados ; [music, problems] d'ados.

teenager [ˈtiːnˌeɪdʒəʳ] n adolescent m, -e f.

teeth [tiːθ] pl → tooth.

teethe [tiːð] vi : to be teething faire ses dents.

teetotal [tiːˈtəʊtl] adj qui ne boit jamais.

tel. (abbr of telephone) tél. (téléphone).

telebanking [ˈtelɪˌbæŋkɪŋ] n (U) télébanque f.

telecommunications [ˈtelɪkəˌmjuːnɪˈkeɪʃnz] npl télécommunications fpl.

teleconference [ˈtelɪˌkɒnfərəns] n téléconférence f.

telegram [ˈtelɪgræm] n télégramme m.

telegraph [ˈtelɪgrɑːf] ◆ n télégraphe m. ◆ vt télégraphier.

telegraph pole n UK poteau m télégraphique.

telephone [ˈtelɪfəʊn] ◆ n téléphone m. ◆ vt [person, place] téléphoner à. ◆ vi téléphoner ▸ to be on the telephone a) [talking] être au téléphone b) UK [connected] avoir le téléphone.

telephone booth US = telephone box.

telephone box n UK cabine f téléphonique.

telephone call n appel m téléphonique.

telephone directory n annuaire m (téléphonique).

telephone number n numéro m de téléphone.

telephonist [tɪˈlefənɪst] n UK téléphoniste m ou f.

telephoto lens [ˌtelɪˈfəʊtəʊ-] n téléobjectif m.

telescope [ˈtelɪskəʊp] n télescope m.

television [ˈtelɪˌvɪʒn] n 1. (U) [medium, industry] télévision f 2. [set] (poste m de) télévision f, téléviseur m ▸ on (the) television [broadcast] à la télévision.

teleworking [ˈtelɪwɜːkɪŋ] n (U) télétravail m.

telex [ˈteleks] n télex m.

tell [tel] (pt & pp told) ◆ vt 1. [inform] dire à 2. [story, joke] raconter 3. [truth, lie] dire 4. [distinguish] voir. ◆ vi : I can tell ça se voit ▸ can you tell me the time? pouvez-vous me dire l'heure ? ▸ you should tell him the truth tu devrais lui dire la vérité ▸ did she tell him about the job offer? est-ce qu'elle lui a parlé de l'offre d'emploi ? ▸ to tell sb how to do sthg dire à qqn comment faire qqch ▸ to tell sb to do sthg dire à qqn de faire qqch. ◆ **tell off** vt sep gronder.

teller ['telər] n US [in bank] caissier m, -ière f.

telltale ['telteɪl] ◆ adj révélateur (trice). ◆ n rapporteur m, -euse f, mouchard m, -e f.

telly ['telɪ] n UK inf télé f.

temp [temp] ◆ n intérimaire m ou f. ◆ vi faire de l'intérim.

temper ['tempər] n : **to be in a temper** être de mauvaise humeur ▶ **to lose one's temper** se mettre en colère.

temperature ['temprətʃər] n température f ▶ **to have a temperature** avoir de la température.

temping ['tempɪŋ] n intérim m.

temple ['templ] n 1. [building] temple m 2. [of forehead] tempe f.

temporary ['tempərərɪ] adj temporaire.

temporary file n fichier m temporaire.

tempt [tempt] vt tenter ▶ **to be tempted to do sthg** être tenté de faire qqch.

temptation [temp'teɪʃn] n tentation f.

tempting ['temptɪŋ] adj tentant(e).

ten [ten] num adj & n dix ▶ **to be ten (years old)** avoir dix ans ▶ **it's ten (o'clock)** il est dix heures ▶ **a hundred and ten** cent dix ▶ **ten Hill St** 10 Hill St ▶ **it's minus ten (degrees)** il fait moins dix (degrés).

tenant ['tenənt] n locataire m ou f.

tend [tend] vi : **to tend to do sthg** avoir tendance à faire qqch.

tendency ['tendənsɪ] n tendance f.

tender ['tendər] ◆ adj 1. tendre 2. [sore] douloureux(euse). ◆ vt fml [pay] présenter.

tendon ['tendən] n tendon m.

tenement ['tenəmənt] n immeuble m.

tenner ['tenər] n UK inf [amount] dix livres.

tennis ['tenɪs] n (U) tennis m.

tennis ball n balle f de tennis.

tennis court n court m de tennis.

tennis racket n raquette f de tennis.

tenpin bowling ['tenpɪn-] n (U) UK bowling m.

tenpins ['tenpɪnz] US = **tenpin bowling**.

tense [tens] ◆ adj tendu(e). ◆ n GRAM temps m.

tensile strength n résistance f à la tension, limite f élastique à la tension.

tension ['tenʃn] n tension f.

tent [tent] n tente f.

tenth [tenθ] ◆ num adj & adv dixième. ◆ num pron dixième m ou f. ◆ num n [fraction] dixième m ▶ **the tenth (of September)** le dix (septembre).

tenth grade n US SCH classe de l'enseignement secondaire correspondant à la seconde (14-15 ans).

tent peg n piquet m de tente.

tepid ['tepɪd] adj tiède.

tequila [tɪ'kiːlə] n tequila f.

term [tɜːm] n 1. [word, expression] terme m 2. [at school, university] trimestre m ▶ **in the long term** à long terme ▶ **in the short term** à court terme ▶ **in terms of** du point de vue de ▶ **in business terms** d'un point de vue commercial. ◆ **terms** npl 1. [of contract] termes mpl 2. [price] conditions fpl.

terminal ['tɜːmɪnl] ◆ adj [illness] mortel(elle). ◆ n 1. [for buses] terminus m 2. [at airport] terminal m, aérogare f 3. COMPUT terminal.

terminate ['tɜːmɪneɪt] vi [train, bus] arriver à son terminus.

terminus ['tɜːmɪnəs] n terminus m.

terrace ['terəs] n [patio] terrasse f ▸ the terraces UK [at football ground] les gradins mpl.

terraced house ['terəst-] UK maison attenante aux maisons voisines.

terrible ['terəbl] adj 1. terrible 2. [very ill] très mal.

terribly ['terəblɪ] adv 1. terriblement 2. [very badly] terriblement mal.

terrier ['terɪəʳ] n terrier m.

terrific [tə'rɪfɪk] adj 1. inf [very good] super inv 2. [very great] terrible.

terrified ['terɪfaɪd] adj terrifié(e).

territory ['terətrɪ] n territoire m.

terror ['terəʳ] n terreur f.

terrorism ['terərɪzm] n (U) terrorisme m.

terrorist ['terərɪst] n terroriste m ou f.

terrorize ['terəraɪz] vt terroriser.

test [test] ◆ n 1. [exam, medical] examen m 2. [at school, on machine, car] contrôle m 3. [of intelligence, personality] test m 4. [of blood] analyse f. ◆ vt 1. [check] tester 2. [give exam to] interroger 3. [dish, drink] goûter (à) ▸ driving test examen du permis de conduire.

testes ['testiːz] npl → testis.

testicles ['testɪklz] npl testicules mpl.

testis ['testɪs] (pl testes ['testiːz]) n testicule m.

test tube n éprouvette f.

tetanus ['tetənəs] n (U) tétanos m.

text [tekst] ◆ n 1. texte m 2. [on mobile phone] mini-message m. ◆ vi envoyer un mini-message. ◆ vt envoyer un mini-message à.

textbook ['tekstbʊk] n manuel m.

textile ['tekstaɪl] n textile m.

texting ['tekstɪŋ] n (U) [telephone & COMPUT] service m de mini-messages.

text message ['tekstbʊk] n mini-message m.

text messaging n (U) [telephone & COMPUT] service m de mini-messages.

texture ['tekstʃəʳ] n texture f.

Thai [taɪ] adj thaïlandais(e).

Thailand ['taɪlænd] n la Thaïlande.

Thames [temz] n : the Thames la Tamise.

than (weak form [ðən], strong form [ðæn]) prep & conj que ▸ you're better than me tu es meilleur que moi ▸ I'd rather stay in than go out je préférerais rester à la maison (plutôt) que sortir ▸ more than ten plus de dix.

thank [θæŋk] vt remercier ▸ I thanked her for her help je l'ai remerciée or pour son aide. ◆ thanks ◆ npl remerciements mpl. ◆ excl merci ! ▸ thanks to grâce à ▸ many thanks mille mercis.

thankfully ['θæŋkfʊlɪ] adv [with relief] heureusement.

Thanksgiving ['θæŋks,gɪvɪŋ] n (U) fête nationale américaine.

ⓘ **Thanksgiving**

L'origine de cette fête fédérale, célébrée aux États-Unis le 4ᵉ jeudi de novembre, remonte à 1621, lorsque les premiers colons (les Pilgrim Fathers) décidèrent de faire une action de grâce pour remercier Dieu de leur →

première récolte. Le dîner familial qui a lieu en cette occasion est traditionnellement composé d'une dinde aux airelles accompagnée de patates douces et se termine par une tarte au potiron.

thank you excl merci ! ▸ **thank you very much!** merci beaucoup ! ▸ **no thank you!** non merci !

that [ðæt] (pl **those**) ◆ adj **1.** (referring to thing, person mentioned) ce (cette), ces (before vowel or mute "h"), ces pl ▸ **that film was very good** ce film était très bien ▸ **those chocolates are delicious** ces chocolats sont délicieux **2.** (referring to thing, person further away) ce…-là (cette…-là), cet… -là (before vowel or mute "h"), ces… -là (before vowel or mute "h") pl ▸ **I prefer that book** je préfère ce livre-là ▸ **I'll have that one** je prends celui-là

◆ pron **1.** (referring to thing mentioned) ce, cela, ça ▸ **what's that?** qu'est-ce que c'est que ça ? ▸ **that's interesting** c'est intéressant ▸ **who's that?** qui est-ce ? ▸ **is that Lucy?** c'est Lucy ? **2.** (referring to thing, person further away) celui-là (celle-là), ceux-là (celles-là) pl **3.** (weak form [ðət]) (introducing relative clause: subject) qui ▸ **a shop that sells antiques** un magasin qui vend des antiquités **4.** (weak form [ðət]) (introducing relative clause: object) que ▸ **the film that I saw** le film que j'ai vu **5.** (weak form [ðət]) (introducing relative clause: after prep) : **the person that I bought it for** la personne pour laquelle je l'ai acheté ▸ **the**

place that I'm looking for l'endroit que je cherche

◆ adv inf si ▸ **it wasn't that bad / good** ce n'était pas si mauvais / bon (que ça) ◆ conj (weak form [ðət]) que ▸ **tell him that I'm going to be late** dis-lui que je vais être en retard.

thatched [θætʃt] adj **1.** [roof] de chaume **2.** [cottage] au toit de chaume.

that's [ðæts] → **that is**.

thaw [θɔː] ◆ vi [snow, ice] fondre. ◆ vt [frozen food] décongeler.

the (weak form [ðə], before vowel [ðɪ], strong form [ðiː]) ◆ art **1.** [gen] le (la), les pl ▸ **the book** le livre ▸ **the man** l'homme ▸ **the woman** la femme ▸ **the girls** les filles ▸ **the Wilsons** les Wilson pl **2.** (with an adjective to form a noun) : **the British** les Britanniques ▸ **the young** les jeunes **3.** (in dates) : **the twelfth** le douze ▸ **the forties** les années quarante **4.** (in titles) : **Elizabeth the Second** Élisabeth II.

theater [ˈθɪətər] n US **1.** [for plays, drama] = **theatre 2.** [for films] cinéma m.

theatre [ˈθɪətər] n UK théâtre m.

thee [ðiː] pron [archaic] te, t' (before vowel or mute "h") ; [after prep] toi.

theft [θeft] n vol m.

their [ðeər] adj leur, leurs pl.

theirs [ðeəz] pron le leur (la leur), les leurs pl ▸ **a friend of theirs** un de leurs amis.

them (weak form [ðəm], strong form [ðem]) pron **1.** [direct] les **2.** [indirect] leur **3.** [after prep] eux (elles) ▸ **I know them** je les connais ▸ **it's them** ce sont or c'est eux ▸ **send it to them** envoyez-le-leur ▸ **tell them** dites-leur ▸ **he's worse than them** il est pire qu'eux.

theme [θiːm] n thème m.

themed [θiːmd] adj [restaurant, pub] à thème.

theme park n parc m à thème.

theme pub n UK pub à thème m.

theme tune n UK [signature tune] indicatif m musical.

themselves [ðəmˈselvz] pron 1. [reflexive] se 2. [after prep] eux, eux-mêmes ▸ **they did it themselves** ils l'ont fait eux-mêmes.

then [ðen] adv 1. [at time in past, in that case] alors 2. [at time in future] à ce moment-là 3. [next] puis, ensuite ▸ **from then on** depuis ce moment-là ▸ **until then** jusque-là.

theory [ˈθɪərɪ] n théorie f ▸ **in theory** en théorie.

therapist [ˈθerəpɪst] n thérapeute m ou f.

therapy [ˈθerəpɪ] n thérapie f.

there [ðeəʳ] ◆ adv là, là-bas. ◆ pron : **there is** il y a ▸ **there is** il y a ▸ **is anyone there?** il y a quelqu'un ? ▸ **is Bob there, please?** [on phone] est-ce que Bob est là, s'il vous plaît ? ▸ **we're going there tomorrow** nous y allons demain ▸ **over there** là-bas. ◆ **there again** adv après tout. ◆ **there and then, then and there** adv sur-le-champ. ◆ **there you are, there you go** adv 1. [handing over something] voilà 2. [expressing reluctant acceptance] c'est comme ça, que voulez-vous ?

thereabouts [ˌðeərəˈbaʊts] adv : **or thereabouts** environ.

thereby [ˌðeəʳˈbaɪ] adv fml ainsi, de cette façon.

therefore [ˈðeəfɔːʳ] adv donc, par conséquent.

thereof [ˌðeərˈɒv] adv fml [archaic] de cela, en.

there's [ðeəz] → **there is**.

thermal underwear [ˌθɜːml-] n (U) sous-vêtements mpl en thermolactyl.

thermometer [θəˈmɒmɪtəʳ] n thermomètre m.

Thermos (flask)® [ˈθɜːməs-] n Thermos® f.

thermostat [ˈθɜːməstæt] n thermostat m.

these [ðiːz] pl → **this**.

they [ðeɪ] pron ils (elles).

they'd [ðeɪd] → **they had, they would**.

they'll [ðeɪl] → **they shall, they will**.

they're [ðeəʳ] → **they are**.

they've [ðeɪv] → **they have**.

thick [θɪk] adj 1. épais(aisse) 2. inf [stupid] bouché(e) ▸ **it's 1 metre thick** ça fait 1 mètre d'épaisseur.

thicken [ˈθɪkn] vt épaissir.

thickness [ˈθɪknɪs] n épaisseur f.

thief [θiːf] n (pl **thieves** [θiːvz]) n voleur m, -euse f.

thigh [θaɪ] n cuisse f.

thigh-length adj [dress, coat] qui descend jusqu'à mi-cuisse ▸ **thigh-length boots** cuissardes fpl.

thimble [ˈθɪmbl] n dé m à coudre.

thin [θɪn] adj 1. [in size] fin(e) 2. [person] mince 3. [soup, sauce] peu épais(aisse).

thing [θɪŋ] n chose f ▸ **the thing is** le problème, c'est que. ◆ **things** npl [clothes, possessions] affaires fpl ▸ **how are things?** inf comment ça va ?

thingummyjig [ˈθɪŋəmɪdʒɪg] n inf truc m.

think [θɪŋk] (*pt & pp* **thought**) ◆ *vt* penser. ◆ *vi* réfléchir ▸ **what do you think of this jacket?** qu'est-ce que tu penses de cette veste ? ▸ **to think that** penser que ▸ **to think about** penser à ▸ **to think of** a) penser à b) [remember] se souvenir de ▸ **to think of doing sthg** songer à faire qqch ▸ **I don't think so** je ne pense pas ▸ **do you think you could…?** pourrais-tu…? ▸ **to think highly of sb** penser beaucoup de bien de qqn. ◆ **think over** *vt sep* réfléchir à. ◆ **think up** *vt sep* imaginer.

third [θɜːd] ◆ *num adj & adv* troisième. ◆ *num pron* troisième *m ou f*. ◆ *num n* [fraction] troisième *m* ▸ **the third (of September)** le trois (septembre).

third-generation *adj* [phone & COMPUT] de troisième génération, 3G.

third grade *n* US SCH classe de l'enseignement primaire correspondant au CE2 (7-8 ans).

third party insurance *n (U)* assurance *f* au tiers.

Third World *n* : **the Third World** le tiers-monde.

thirst [θɜːst] *n* soif *f*.

thirst-quenching [-kwentʃɪŋ] *adj* désaltérant(e).

thirsty [ˈθɜːstɪ] *adj* : **to be thirsty** avoir soif.

thirteen [ˌθɜːˈtiːn] *num adj & n* six ▸ **to be thirteen (years old)** avoir treize ans ▸ **a hundred and thirteen** cent treize ▸ **thirteen Hill St** 30 Hill St ▸ **it's minus thirteen (degrees)** il fait moins treize.

thirteenth [ˌθɜːˈtiːnθ] ◆ *num adj & adv* treizième. ◆ *num pron* treizième *m ou f*. ◆ *num n* [fraction] trei-

zième *m* ▸ **the thirteenth (of September)** le treize (septembre).

thirtieth [ˈθɜːtɪəθ] ◆ *num adj & adv* trentième. ◆ *num pron* trentième *m ou f*. ◆ *num n* [fraction] trentième *m* ▸ **the thirtieth (of September)** le trente (septembre).

thirty [ˈθɜːtɪ] *num adj & n* six ▸ **to be thirty (years old)** avoir trente ans ▸ **a hundred and thirty** cent trente ▸ **thirty Hill St** 30 Hill St ▸ **it's minus thirty (degrees)** il fait moins trente.

this [ðɪs] (*pl* **these**) ◆ *adj* **1.** [referring to thing, person mentioned] ce (cette), cet (*before vowel or mute "h"*), ces *pl* ▸ **these chocolates are delicious** ces chocolats sont délicieux ▸ **this morning** ce matin ▸ **this week** cette semaine **2.** [referring to thing, person nearer] ce…-ci (cette…-ci), cet…-ci (*before vowel or mute "h"*), ces…-ci *pl* ▸ **I prefer this book** je préfère ce livre-ci ▸ **I'll have this one** je prends celui-ci **3.** *inf* [used when telling a story] : **there was this man…** il y avait un bonhomme…
◆ *pron* **1.** [referring to thing mentioned] ce, ceci ▸ **this is for you** c'est pour vous ▸ **what are these?** qu'est-ce que c'est ? ▸ **this is David Gregory** a) [introducing someone] je vous présente David Gregory b) [on telephone] David Gregory à l'appareil **2.** [referring to thing, person nearer] celui-ci (celle-ci), ceux-ci (celles-ci) *pl*
◆ *adv* : **it was this big** *inf* c'était grand comme ça.

thistle [ˈθɪsl] *n* chardon *m*.

thorn [θɔːn] *n* épine *f*.

thorough [ˈθʌrə] *adj* minutieux (ieuse).

thoroughly [ˈθʌrəlɪ] adv [check, clean] à fond.

those [ðəʊz] pl → **that**.

though [ðəʊ] ◆ conj bien que (+ subjunctive). ◆ adv pourtant ▸ **even though** bien que (+ subjunctive).

thought [θɔːt] ◆ pt & pp → **think**. ◆ n 1. [idea] idée f 2. (U) [thinking] pensées fpl 3. (U) [careful] réflexion f ▸ **I'll give it some thought** j'y réfléchirai. ◆ **thoughts** npl [opinion] avis m, opinion f.

thoughtful [ˈθɔːtfʊl] adj 1. [serious] pensif(ive) 2. [considerate] prévenant(e).

thoughtless [ˈθɔːtlɪs] adj indélicat(e).

thousand [ˈθaʊznd] num mille ▸ **a** or **one thousand** mille ▸ **thousands of** des milliers de.

thrash [θræʃ] vt [defeat] battre à plate(s) couture(s).

thread [θred] ◆ n [of cotton, etc.] fil m. ◆ vt [needle] enfiler.

threadbare [ˈθredbeəʳ] adj usé(e) jusqu'à la corde.

threat [θret] n menace f.

threaten [ˈθretn] vt menacer ▸ **to threaten to do sthg** menacer de faire qqch.

threatening [ˈθretnɪŋ] adj menaçant(e).

three [θriː] num trois ▸ **to be three (years old)** avoir trois ans ▸ **it's three (o'clock)** il est trois heures ▸ **a hundred and three** cent trois ▸ **three Hill St** 3 Hill St ▸ **it's minus three (degrees)** il fait moins trois (degrés).

three-course adj [meal] complet (complète) (entrée, plat, dessert).

three-D n (U) : **in three-D** en relief.

three-piece suite n UK ensemble m canapé-deux fauteuils.

three-quarters n trois quarts mpl ▸ **three-quarters of an hour** trois quarts d'heure.

threshold [ˈθreʃhəʊld] n seuil m.

threw [θruː] pt → **throw**.

thrice [θraɪs] adv [literary] [archaic] trois fois.

thrift shop, thrift store [ˈθrɪft-] n US magasin vendant des articles d'occasion au profit d'œuvres charitables.

thrifty [ˈθrɪftɪ] adj économe.

thrill [θrɪl] ◆ n [sudden feeling] frisson m, sensation f. ◆ vt transporter, exciter.

thrilled [θrɪld] adj ravi(e).

thriller [ˈθrɪləʳ] n thriller m.

thrive [θraɪv] vi 1. [plant, animal, person] s'épanouir 2. [business, tourism] être florissant(e).

throat [θrəʊt] n gorge f.

throb [θrɒb] vi [noise, engine] vibrer ▸ **my head is throbbing** j'ai un mal de tête lancinant.

throne [θrəʊn] n trône m.

throttle [ˈθrɒtl] n [of motorbike] poignée f des gaz.

through [θruː] ◆ prep 1. [to other side of] à travers 2. [hole, window] par 3. [by means of] par 4. [because of] grâce à 5. [during] pendant. ◆ adv [to other side] à travers. ◆ adj : **to be through (with sthg)** [finished] avoir fini (qqch) ▸ **you're through** [on phone] vous êtes en ligne ▸ **Monday through Thursday** US de lundi à jeudi ▸ **to let sb through** laisser passer qqn ▸ **I slept through until nine** j'ai dormi d'une traite jusqu'à neuf heures ▸ **through traffic** circulation se *dirigeant vers un autre endroit sans s'arrêter* ▸ **a through train** un train direct ▸ **'no through road'** 'voie sans issue'.

throughout [θruː'aʊt] ◆ **prep 1.** [day, morning, year] tout au long de **2.** [place, country, building] partout dans. ◆ **adv 1.** [all the time] tout le temps **2.** [everywhere] partout.

throw [θrəʊ] (*pt* threw, *pp* thrown [θrəʊn]) **vt 1.** jeter, lancer **2.** [ball, javelin, dice] lancer **3.** [person] projeter **4.** [a switch] actionner ▸ **to throw sthg in the bin** jeter qqch à la poubelle. ◆ **throw away** vt sep [get rid of] jeter. ◆ **throw out** vt sep **1.** [get rid of] jeter **2.** [person] jeter dehors. ◆ **throw up** vi inf [vomit] vomir.

thru [θruː] US = through.

thrush [θrʌʃ] n [bird] grive f.

thud [θʌd] n bruit m sourd.

thug [θʌg] n voyou m.

thumb [θʌm] ◆ n pouce m. ◆ vt : **to thumb a lift** faire de l'auto-stop.

thumbtack ['θʌmtæk] n US punaise f.

thump [θʌmp] ◆ n **1.** [punch] coup m **2.** [sound] bruit m sourd. ◆ vt cogner.

thunder ['θʌndər] n (U) tonnerre m.

thunderstorm ['θʌndəstɔːm] n orage m.

Thurs. (*abbr of* Thursday) jeu. *(jeudi).*

Thursday ['θɜːzdɪ] n jeudi m ▸ **it's Thursday** on est jeudi ▸ **Thursday morning** jeudi matin ▸ **on Thursday** jeudi ▸ **on Thursdays** le jeudi ▸ **last Thursday** jeudi dernier ▸ **this Thursday** jeudi ▸ **next Thursday** jeudi prochain ▸ **Thursday week** UK, **a week on Thursday** UK, **a week from Thursday** US jeudi en huit.

thyme [taɪm] n (U) thym m.

tick [tɪk] ◆ n **1.** UK [written mark] coche f **2.** [insect] tique f. ◆ vt UK cocher. ◆ vi [clock, watch] faire tic-tac. ◆ **tick off** vt sep [mark off] cocher.

ticket ['tɪkɪt] n **1.** billet m **2.** [for bus, underground] ticket m **3.** [label] étiquette f **4.** [for speeding, parking] contravention f.

ticket collector n [at barrier] contrôleur m, -euse f.

ticket inspector n [on train] contrôleur m, -euse f.

ticketless ['tɪkɪtlɪs] adj : **ticketless travel** [in planes] système permettant de voyager sans billet papier.

ticket machine n billetterie f automatique.

ticket office n guichet m.

ticket window n guichet m.

tickle ['tɪkl] vt & vi chatouiller.

ticklish ['tɪklɪʃ] adj chatouilleux(euse).

tick-tack-toe n (U) US morpion m.

tide [taɪd] n marée f.

tidy ['taɪdɪ] adj **1.** [room, desk] rangé(e) **2.** UK [person, hair] soigné(e). ◆ **tidy up** vt sep ranger.

tie [taɪ] (*pt & pp* tied, *cont* tying) ◆ n **1.** [around neck] cravate f **2.** [draw] match m nul **3.** US [on railway track] traverse f. ◆ vt **1.** attacher **2.** [knot] faire. ◆ vi **1.** [at end of competition] terminer à égalité **2.** [at end of match] faire match nul. ◆ **tie up** vt sep **1.** attacher **2.** [delay] retenir.

tiepin ['taɪpɪn] n UK épingle f de cravate.

tier [tɪər] n [of seats] gradin m.

tiger ['taɪgər] n tigre m.

tight [taɪt] ◆ adj **1.** serré(e) **2.** [drawer, tap] dur(e) **3.** [rope, material] tendu(e) **4.** [chest] oppressé(e) **5.** *inf* [drunk] soûl(e). ◆ *adv* [hold] bien.

tighten ['taɪtn] *vt* serrer, resserrer.

tightrope ['taɪtrəʊp] *n* corde *f* raide.

tights [taɪts] *npl* collant(s) *mpl* ▸ **a pair of tights** un collant, des collants.

tile ['taɪl] *n* **1.** [for roof] tuile *f* **2.** [for floor, wall] carreau *m*.

till [tɪl] ◆ *n* [for money] caisse *f*. ◆ *prep* jusqu'à. ◆ *conj* jusqu'à ce que.

tiller ['tɪləʳ] *n* barre *f*.

tilt [tɪlt] ◆ *vt* pencher. ◆ *vi* se pencher.

timber ['tɪmbəʳ] *n* **1.** *(U)* [wood] bois *m* **2.** [of roof] poutre *f*.

time [taɪm] ◆ *n* **1.** *(U)* temps *m* **2.** [measured by clock] heure *f* **3.** [moment] moment *m* **4.** [occasion] fois *f* **5.** [in history] époque *f*. ◆ *vt* **1.** [measure] chronométrer **2.** [arrange] prévoir ▸ **I haven't got the time** je n'ai pas le temps ▸ **it's time to go** il est temps *or* l'heure de partir ▸ **what's the time?** quelle heure est-il ? ▸ **two times two** deux fois deux ▸ **five times as much** cinq fois plus ▸ **in a month's time** dans un mois ▸ **to have a good time** bien s'amuser ▸ **all the time** tout le temps ▸ **every time** chaque fois ▸ **from time to time** de temps en temps ▸ **for the time being** pour l'instant ▸ **in time** [arrive] à l'heure ▸ **in good time** en temps voulu ▸ **last time** la dernière fois ▸ **most of the time** la plupart du temps ▸ **on time** à l'heure ▸ **some of the time** parfois ▸ **this time** cette fois.

time difference *n* décalage *m* horaire.

time frame *n* délai *m*.

time limit *n* délai *m*.

timeline ['taɪm,laɪn] *n* frise *f* chronologique.

timer ['taɪməʳ] *n* [machine] minuteur *m*.

timeshare *n* logement *m* en multipropriété.

timespan ['taɪmspæn] *n* intervalle *m* de temps.

timetable ['taɪm,teɪbl] *n* **1.** horaire *m* **2.** UK SCH emploi *m* du temps **3.** [of events] calendrier *m*.

time waster ['taɪm,weɪstəʳ] *n* fainéant *m*, -e *f* ▸ **'no time wasters please'** [in advertisement] 'pas sérieux s'abstenir'.

time zone *n* fuseau *m* horaire.

timid ['tɪmɪd] *adj* timide.

tin [tɪn] ◆ *n* **1.** *(U)* [metal] étain *m* **2.** [container] boîte *f*. ◆ *adj* en étain.

tinfoil ['tɪnfɔɪl] *n* *(U)* papier *m* aluminium.

tinned food [tɪnd-] *n* *(U)* UK conserves *fpl*.

tin opener [-,əʊpnəʳ] *n* UK ouvreboîtes *m inv*.

tinsel ['tɪnsl] *n* *(U)* guirlandes *fpl* de Noël.

tint [tɪnt] *n* teinte *f*.

tinted glass [,tɪntɪd-] *n* *(U)* verre *m* teinté.

tiny ['taɪnɪ] *adj* minuscule.

tip [tɪp] ◆ *n* **1.** [of pen, needle] pointe *f* **2.** [of finger, cigarette] bout *m* **3.** [to waiter, taxi driver, etc.] pourboire *m* **4.** [piece of advice] tuyau *m* **5.** UK [rubbish dump] décharge *f*. ◆ *vt* **1.** [waiter, taxi driver, etc.] donner un pourboire à **2.** [tilt] incliner **3.** [pour] verser ▸ **'tip included'** 'pourboire inclus'. ◆ **tip over** ◆ *vt sep* renverser. ◆ *vi* se renverser.

→

ⓘ Tipping

En Grande-Bretagne, les pourboires sont généralement inclus dans le prix des consommations et des additions : on peut offrir un verre au personnel dans les pubs et laisser un pourboire de 10 à 15 % dans les restaurants (quand le service n'est pas compris). Aux États-Unis en revanche, le personnel étant peu rémunéré, un pourboire de 15 à 20 % est presque obligatoire pour les clients des restaurants (excepté les fast-foods), des bars, des hôtels, des taxis et des coiffeurs.

tire ['taɪər] ◆ vi se fatiguer. ◆ n 𝘜𝘚 = **tyre**.

tired ['taɪəd] adj fatigué(e) ▸ **to be tired of** [fed up with] en avoir assez de.

tired out adj épuisé(e).

tiring ['taɪərɪŋ] adj fatigant(e).

tissue ['tɪʃuː] n [handkerchief] mouchoir m en papier.

tissue paper n (U) papier m de soie.

tit [tɪt] n vulg [breast] nichon m.

titillating ['tɪtɪleɪtɪŋ] adj titillant(e).

title ['taɪtl] n titre m.

T-junction n 𝘜𝘒 intersection f en T.

to (unstressed before consonant [tə], unstressed before vowel [tu], stressed [tuː]) ◆ prep 1. [indicating direction] ▸ **to go to the States** aller aux États-Unis ▸ **to go to France** aller en France ▸ **to go to school** aller à l'école 2. [indicating position] : **to one side** sur le côté ▸ **to the left/right** à gauche/droite 3. [expressing indirect object] ▸ **she gave the letter to her assistant** elle a donné la lettre à son assistant ▸ **to listen to the radio** écouter la radio 4. [indicating reaction, effect] ▸ **to my**

surprise à ma grande surprise 5. [until] jusqu'à ▸ **to count to ten** compter jusqu'à dix ▸ **we work from nine to five** nous travaillons de neuf heures à dix-sept heures 6. [indicating change of state] : **the rain was turning to snow** la pluie se transformait en neige ▸ **it could lead to trouble** ça pourrait causer des ennuis 7. 𝘜𝘒 [in expressions of time] : **it's ten to three** il est trois heures moins dix ▸ **at quarter to seven** à sept heures moins le quart 8. [in ratios, rates] : **40 miles to the gallon** ≃ 7 litres au cent ▸ **how many euros are there to the pound?** combien d'euros vaut la livre ? 9. [of, for] : **the key to the car** la clef de la voiture ▸ **a letter to my daughter** une lettre à ma fille 10. [indicating attitude] avec, envers ▸ **to be rude to sb** se montrer impoli envers qqn

◆ with inf 1. [forming simple infinitive] : **to walk** marcher ▸ **to laugh** rire 2. [following another verb] ▸ **to begin to do sthg** commencer à faire qqch ▸ **to try to do sthg** essayer de faire qqch 3. [following an adjective] : **difficult to do** difficile à faire ▸ **pleased to meet you** enchanté de faire votre connaissance ▸ **ready to go** prêt à partir 4. [indicating purpose] pour ▸ **we came to look at the castle** nous sommes venus (pour) voir le château.

toad [təʊd] n crapaud m.

toadstool ['təʊdstuːl] n champignon m vénéneux.

toast [təʊst] n 1. (U) [bread] pain m grillé 2. [when drinking] toast m. ◆ vt faire griller ▸ **a piece** OR **slice of toast** un toast, une tranche de pain grillé.

toasted sandwich ['təʊstɪd-] n sandwich m grillé.

toaster ['təʊstər] n grille-pain m inv.

         tonne **Ton**

toastie ['təʊstɪ] [US] = **toasted sandwich**.

toasty ['təʊstɪ] *inf* ◆ adj [US] [warm] : **it's toasty in here** il fait bon ici. ◆ n = **toasted sandwich**.

tobacco [tə'bækəʊ] n tabac m.

tobacconist's [tə'bækənɪsts] n bureau m de tabac.

toboggan [tə'bɒgən] n luge f.

today [tə'deɪ] adv & n (U) aujourd'hui.

toddler ['tɒdlər] n tout-petit m.

to-do list n liste f de tâches.

toe [təʊ] n doigt m de pied, orteil m.

toe clip n cale-pied m.

TOEFL [tɒfl] (abbr of **Test of English as a Foreign Language**) n test d'anglais passé par les étudiants étrangers désirant faire des études dans une université américaine.

toenail ['təʊneɪl] n ongle m du pied.

toff [tɒf] n [UK] inf aristo m.

toffee ['tɒfɪ] n caramel m.

together [tə'geðər] adv ensemble ▸ **together with** ainsi que.

toilet ['tɔɪlɪt] n **1.** [UK] [room] toilettes fpl **2.** [bowl] W-C mpl ▸ **to go to the toilet** aller aux toilettes ▸ **where's the toilet?** où sont les toilettes ?

toilet bag n trousse f de toilette.

toilet facilities npl toilettes fpl.

toilet paper n (U) papier m toilette OR hygiénique.

toiletries ['tɔɪlɪtrɪz] npl articles mpl de toilette.

toilet roll n [UK] rouleau m de papier toilette.

toilet water n (U) eau f de toilette.

token ['təʊkn] n [metal disc] jeton m.

told [təʊld] pt & pp → **tell**.

tolerable ['tɒlərəbl] adj tolérable.

tolerant ['tɒlərənt] adj tolérant(e).

tolerate ['tɒləreɪt] vt tolérer.

toll [təʊl] n [for road, bridge] péage m.

tollbooth ['təʊlbuːθ] n péage m.

toll-free adj [US] : **toll-free number** ≃ numéro m vert.

tomato [[UK] tə'mɑːtəʊ, [US] tə'meɪtəʊ] (pl -es) n tomate f.

tomato juice n jus m de tomate.

tomato ketchup n (U) ketchup m.

tomato puree n (U) purée f de tomate.

tomato sauce n (U) sauce f tomate.

tomb [tuːm] n tombe f.

tomorrow [tə'mɒrəʊ] adv & n (U) demain ▸ **the day after tomorrow** après-demain ▸ **tomorrow afternoon** demain après-midi ▸ **tomorrow morning** demain matin ▸ **tomorrow night** demain soir.

ton [tʌn] n **1.** [in UK] = 1016 kg **2.** [in US] = 907,2 kg **3.** [metric tonne] tonne f ▸ **tons of** inf des tonnes de.

tone [təʊn] n **1.** ton m **2.** [on phone] tonalité f.

toner ['təʊnər] n toner m.

tongs [tɒŋz] npl **1.** [for hair] fer m à friser **2.** [for sugar] pince f.

tongue [tʌŋ] n langue f.

tonic ['tɒnɪk] n **1.** [tonic water] ≃ Schweppes® m **2.** [medicine] tonique m.

tonic water n ≃ Schweppes® m.

tonight [tə'naɪt] adv & n **1.** (U) ce soir **2.** [later] cette nuit.

tonne [tʌn] n tonne f.

tonsillitis [ˌtɒnsɪˈlaɪtɪs] n *(U)* amygdalite f.

too [tuː] adv **1.** trop **2.** [also] aussi ▸ **it's not too good** ce n'est pas extraordinaire ▸ **it's too late to go out** il est trop tard pour sortir ▸ **too many** trop de ▸ **too much** trop de.

took [tʊk] pt → **take**.

tool [tuːl] n outil m.

toolbar [tuːlbɑː] n barre f d'outils.

tool box n boîte f à outils.

tool kit n trousse f à outils.

tooth [tuːθ] *(pl* **teeth)** n dent f.

toothache [ˈtuːθeɪk] n *(U)* rage f de dents.

toothbrush [ˈtuːθbrʌʃ] n brosse f à dents.

toothpaste [ˈtuːθpeɪst] n dentifrice m.

toothpick [ˈtuːθpɪk] n cure-dents m inv.

top [tɒp] ◆ adj **1.** [highest] du haut **2.** [best, most important] meilleur(e). ◆ n **1.** [garment, of stairs, page, road] haut m **2.** [of mountain, tree] cime f **3.** [of table, head] dessus m **4.** [of class, league] premier m, -ière f **5.** [of bottle, tube, pen] bouchon m **6.** [of box, jar] couvercle m ▸ **at the top (of)** en haut (de) ▸ **on top of** a) sur b) [in addition to] en plus de ▸ **at top speed** à toute vitesse ▸ **top gear** ≃ cinquième f. ◆ **top up** vt sep [glass] remplir. ◆ vi [with petrol] faire le plein.

top copy n original m.

top floor n dernier étage m.

topic [ˈtɒpɪk] n sujet m.

topical [ˈtɒpɪkl] adj d'actualité.

topless [ˈtɒplɪs] adj : **to go topless** faire du monokini.

topped [tɒpt] adj : **topped with** [food] garni(e) de.

topping [ˈtɒpɪŋ] n garniture f.

top-quality adj de qualité supérieure.

top table n [at wedding] table f d'honneur.

top-up n UK : **can I give you a top-up?** je vous ressers ?, encore une goutte ?

top-up card n recharge f de téléphone mobile.

torch [tɔːtʃ] n UK [electric light] lampe f de poche OR électrique.¹

tore [tɔː] pt → **tear**¹

torment [tɔːˈment] vt tourmenter.

torn [tɔːn] ◆ pp → **tear**¹ ◆ adj [ripped] déchiré(e).

tornado [tɔːˈneɪdəʊ] *(pl* **-es** OR **-s)** n tornade f.

torrential rain [təˌrenʃl-] n pluie f torrentielle.

tortoise [ˈtɔːtəs] n tortue f.

tortoiseshell [ˈtɔːtəʃel] n *(U)* écaille f (de tortue).

torture [ˈtɔːtʃəʳ] ◆ n *(U)* torture f. ◆ vt torturer.

Tory [ˈtɔːrɪ] n membre du parti conservateur britannique.

toss [tɒs] vt **1.** [throw] jeter **2.** [salad, vegetables] remuer ▸ **to toss a coin** jouer à pile ou face.

total [ˈtəʊtl] ◆ adj total(e). ◆ n total m ▸ **in total** au total.

totally [ˈtəʊtəlɪ] adv totalement ▸ **I totally agree** je suis entièrement d'accord.

totty [ˈtɒtɪ] n UK inf [attractive woman] belle nana f.

touch [tʌtʃ] ◆ n **1.** (U) [sense] toucher m **2.** [detail] détail m. ◆ vt toucher. ◆ vi se toucher ▶ (just) a touch a) [of milk, wine] (juste) une goutte b) [of sauce, salt] (juste) un soupçon ▶ **to get in touch** (with sb) entrer en contact (avec qqn) ▶ **to keep in touch** (with sb) rester en contact (avec qqn). ◆ **touch down** vi [plane] atterrir.

touching ['tʌtʃɪŋ] adj touchant(e).

touch pad n touch pad m.

touch-sensitive adj [screen] tactile ; [key, switch] à effleurement.

touchy-feely ['fiːlɪ] adj pej qui affectionne les contacts physiques.

tough [tʌf] adj **1.** dur(e) **2.** [resilient] résistant(e).

tour [tʊəʳ] ◆ n **1.** [journey] voyage m **2.** [of city, castle, etc.] visite f **3.** [of pop group, theatre company] tournée f. ◆ vt visiter ▶ **cycling tour** randonnée f à vélo ▶ **walking tour** randonnée f à pied ▶ **on tour** en tournée.

tour guide n [person] guide m.

tourism ['tʊərɪzm] n (U) tourisme m.

tourist ['tʊərɪst] n touriste m ou f.

tourist attraction n attraction f touristique.

tourist class n classe f touriste.

tourist information office n office m de tourisme.

tournament ['tɔːnəmənt] n tournoi m.

tour operator n tour-opérateur m.

tout [taʊt] n US revendeur m, -euse f de billets (au marché noir).

tow [təʊ] vt remorquer ▶ **to tow a caravan** remorquer une caravane.

toward [təˈwɔːd] US = **towards**.

towards [təˈwɔːdz] prep **1.** vers **2.** [with regard to] envers **3.** [to help pay for] pour.

towaway zone ['təʊəweɪ-] n US zone de stationnement interdit sous peine de mise à la fourrière.

towel ['taʊəl] n serviette f (de toilette).

towelling ['taʊəlɪŋ] US = **towelling**.

towelling ['taʊəlɪŋ] n (U) US tissu-éponge m.

towel rack US = **towel rail**.

towel rail n US porte-serviettes m inv.

tower ['taʊəʳ] n tour f.

tower block n US tour f.

Tower Bridge n Tower Bridge.

Tower of London n : **the Tower of London** la Tour de Londres.

ⓘ Tower of London / Tower Bridge

Située dans le centre Est de la capitale anglaise et dominant la Tamise, la Tour de Londres fut érigée par Guillaume le Conquérant au XIᵉ siècle : elle servit tour à tour de palais, de forteresse, de trésorerie, d'hôtel des Monnaies, d'arsenal, de refuge et de prison. Principale attraction touristique de la City, elle abrite les bijoux de la famille royale, mais les visiteurs empruntent également les passerelles du fameux **Tower Bridge**, un pont ouvrant achevé en 1894, qui permet le passage des navires et d'où l'on a une très belle vue sur la ville.

town [taʊn] n ville f.

town centre n US centre-ville m.

town hall n mairie f.

town house n maison f de ville.

towpath ['təʊpɑːθ] (pl [pɑːðz]) n chemin m de halage.

towrope ['təʊrəʊp] n câble m de remorque.

tow truck n US dépanneuse f.

toxic ['tɒksɪk] adj toxique.

toxic waste n déchets mpl toxiques.

toy [tɔɪ] n jouet m.

toy shop n magasin m de jouets.

trace [treɪs] ◆ n trace f. ◆ vt [find] retrouver.

tracing paper ['treɪsɪŋ-] n (U) papier-calque m.

track [træk] n 1. [path] chemin m 2. [of railway] voie f 3. SPORT piste f 4. [song] plage f ▸ **off the beaten tracks** hors des sentiers battus. ◆ **track down** vt sep retrouver.

tracking ['trækɪŋ] n 1. poursuite f 2. [parcel, letter] suivi m.

tracksuit ['træksuːt] n survêtement m.

tractor ['træktər] n tracteur m.

trade [treɪd] ◆ n 1. (U) COMM commerce m 2. [job] métier m. ◆ vt échanger. ◆ vi faire du commerce.

trade-in n reprise f.

trademark ['treɪdmɑːk] n marque f déposée.

trader ['treɪdər] n commerçant m, -e f.

tradesman ['treɪdzmən] (pl -men) n UK 1. [deliveryman] livreur m 2. [shopkeeper] marchand m.

trade union n UK syndicat m.

trading hours n heures fpl d'ouverture.

tradition [trə'dɪʃn] n tradition f.

traditional [trə'dɪʃənl] adj traditionnel(elle).

traffic ['træfɪk] (pt & pp -ked) ◆ n (U) trafic m, circulation f. ◆ vi : **to traffic in** faire le trafic de.

traffic circle n US rond-point m.

traffic island n refuge m.

traffic jam n embouteillage m.

traffic lights npl feux mpl (de signalisation).

traffic warden n UK contractuel m, -elle f.

tragedy ['trædʒədɪ] n tragédie f.

tragic ['trædʒɪk] adj tragique.

trail [treɪl] ◆ n 1. [path] sentier m 2. [marks] piste f. ◆ vi [be losing] être mené.

trailer ['treɪlər] n 1. [for boat, luggage] remorque f 2. US [caravan] caravane f 3. [for film, programme] bande-annonce f.

train [treɪn] ◆ n train m. ◆ vt 1. [teach] former 2. [animal] dresser. ◆ vi SPORT s'entraîner ▸ **by train** en train.

train driver n conducteur m, -trice f de train.

trainee [treɪ'niː] n stagiaire m ou f.

traineeship [treɪ'niːʃɪp] n stage m.

trainer ['treɪnər] n [of athlete, etc.] entraîneur m. ◆ **trainers** npl UK [shoes] tennis mpl.

training ['treɪnɪŋ] n (U) 1. [instruction] formation f 2. [exercises] entraînement m.

training course n cours m OR stage m de formation.

training shoes npl UK tennis mpl.

train station n US gare f.

tram [træm] n UK tramway m.

tramp [træmp] n clochard m, -e f.

trampoline ['træmpəli:n] n trampoline m.

trance [trɑ:ns] n transe f.

tranquilizer ['træŋkwɪlaɪzər] US = **tranquillizer**.

tranquillizer ['træŋkwɪlaɪzər] n UK tranquillisant m.

transaction [træn'zækʃn] n transaction f.

transatlantic [,trænzət'læntɪk] adj transatlantique.

transfer ◆ n ['trænsfɜːr] **1.** transfert m **2.** [picture] décalcomanie f **3.** US [ticket] billet donnant droit à la correspondance. ◆ vt [træns'fɜːr] transférer. ◆ vi [change bus, plane, etc.] changer ▸ '**transfers'** [in airport] 'passagers en transit'.

transfer desk n [in airport] comptoir m de transit.

transform [træns'fɔːm] vt transformer.

transfusion [træns'fjuːʒn] n transfusion f.

transgender [,trænz'dʒendər] adj transgenre.

transistor radio [træn'zɪstər] n transistor m.

transit ['trænzɪt] ▸ **in transit** adv en transit.

transitive ['trænzɪtɪv] adj transitif(ive).

transit lounge n salle f de transit.

translate [træns'leɪt] vt traduire.

translation [træns'leɪʃn] n traduction f.

translator [træns'leɪtər] n traducteur m, -trice f.

transmission [trænz'mɪʃn] n [broadcast] émission f.

transmit [trænz'mɪt] vt transmettre.

transparent [træns'pærənt] adj transparent(e).

transplant ['trænsplɑːnt] n greffe f.

transport ◆ n ['trænspɔːt] (U) transport m. ◆ vt [træn'spɔːt] transporter.

transportation [,trænspɔː'teɪʃn] n (U) transport m.

trap [træp] ◆ n piège m. ◆ vt : **to be trapped** [stuck] être coincé.

trapdoor [,træp'dɔːr] n trappe f.

trash [træʃ] n (U) US [waste material] ordures fpl.

trashcan ['træʃkæn] n US poubelle f.

trashed [træʃt] adj US inf [drunk] bourré(e).

trauma ['trɔːmə] n traumatisme m.

traumatic [trɔː'mætɪk] adj traumatisant(e).

travel ['trævl] ◆ n (U) voyages mpl. ◆ vt [distance] parcourir. ◆ vi voyager.

travel agency n agence f de voyages.

travel agent n employé m, -e f d'une agence de voyages ▸ **travel agent's** [shop] agence f de voyages.

Travelcard ['trævlkɑːd] n forfait d'une journée sur les transports publics dans Londres et sa région.

travel centre n UK [in railway, bus station] bureau m d'information et de vente de billets.

travel documents npl titres mpl de voyage.

traveler ['trævlər] US = **traveller**.

traveler's check US = **traveller's cheque**.

travel insurance n (U) assurance-voyage f.

traveller ['trævlə^r] n UK voyageur m, -euse f.

traveller's cheque n UK traveller's cheque m.

travelsick ['trævəlsik] adj : **to be travelsick** avoir le mal des transports.

travel-size(d) adj [shampoo, etc.] de voyage.

trawler ['trɔːlə^r] n chalutier m.

tray [treɪ] n plateau m.

treacherous ['tretʃərəs] adj traître.

treacle ['triːkl] n (U) UK mélasse f.

tread [tred] (pt trod, pp trodden) ◆ n [of tyre] bande f de roulement. ◆ vi : **to tread on sthg** marcher sur qqch.

treasure ['treʒə^r] n trésor m.

treat [triːt] ◆ vt traiter. ◆ n gâterie f ▶ **to treat sb to a meal** offrir un repas à qqn.

treatment ['triːtmənt] n traitement m.

treble ['trebl] adj triple ▶ **treble the amount** trois fois le montant.

tree [triː] n arbre m.

tree structure n arborescence f.

trek [trek] n randonnée f.

trekking ['trekɪŋ] n randonnée f, trekking m.

tremble ['trembl] vi trembler.

tremendous [trɪ'mendəs] adj **1.** [very large] énorme **2.** inf [very good] formidable.

trench [trentʃ] n tranchée f.

trend [trend] n tendance f.

trendy ['trendɪ] adj inf branché(e).

trespasser ['trespəsə^r] n intrus m, -e f ▶ **'trespassers will be prosecuted'** 'défense d'entrer sous peine de poursuites'.

trial ['traɪəl] n **1.** LAW procès m **2.** [test] essai m ▶ **a trial period** une période d'essai.

triangle ['traɪæŋgl] n triangle m.

triangular [traɪ'æŋgjʊlə^r] adj triangulaire.

tribe [traɪb] n tribu f.

tributary ['trɪbjʊtrɪ] n affluent m.

trick [trɪk] ◆ n tour m. ◆ vt jouer un tour à.

trickle ['trɪkl] vi [liquid] couler.

tricky ['trɪkɪ] adj difficile.

tricycle ['traɪsɪkl] n tricycle m.

trifle ['traɪfl] n UK [dessert] ≃ diplomate m.

trigger ['trɪgə^r] n gâchette f.

trim [trɪm] ◆ n [haircut] coupe f (de cheveux). ◆ vt **1.** [hair] couper **2.** [beard, hedge] tailler.

trinket ['trɪŋkɪt] n babiole f.

trio ['triːəʊ] (pl -s) n trio m.

trip [trɪp] ◆ n **1.** [journey] voyage m **2.** [short] excursion f. ◆ vi trébucher. ◆ **trip up** vi trébucher.

triple ['trɪpl] adj triple.

tripod ['traɪpɒd] n trépied m.

triumph ['traɪəmf] n triomphe m.

trivial ['trɪvɪəl] adj pej insignifiant(e).

trod [trɒd] pt → tread.

trodden ['trɒdn] pp → tread.

trolley ['trɒlɪ] (pl -s) n **1.** UK [in supermarket, at airport] chariot m **2.** UK [for food, drinks] table f roulante **3.** US [tram] tramway m.

trombone [trɒm'bəʊn] n trombone m.

troops [tru:ps] npl troupes fpl.

trophy ['trəʊfɪ] n trophée m.

tropical ['trɒpɪkl] adj tropical(e).

trot [trɒt] ♦ vi [horse] trotter. ♦ n : **on the trot** UK inf d'affilée.

trouble ['trʌbl] ♦ n (U) problèmes mpl, ennuis mpl. ♦ vt 1. [worry] inquiéter 2. [bother] déranger ▶ **to be in trouble** avoir des problèmes OR des ennuis ▶ **to get into trouble** s'attirer des ennuis ▶ **to take the trouble to do sthg** prendre la peine de faire qqch ▶ **it's no trouble** a) ça ne me dérange pas b) [in reply to thanks] je vous en prie.

troublesome ['trʌblsəm] adj [job] pénible.

troubling ['trʌblɪŋ] adj [news, etc.] inquiétant(e).

trough [trɒf] n 1. [for food] mangeoire f 2. [for drink] abreuvoir m.

trouser press ['traʊzə-] n presse f à pantalons.

trousers ['traʊzəz] npl UK pantalon m ▶ **a pair of trousers** un pantalon.

trout [traʊt] (pl inv) n truite f.

trowel ['traʊəl] n [for gardening] déplantoir m.

truant ['truːənt] n : **to play truant** UK faire l'école buissonnière.

truce [truːs] n trêve f.

truck [trʌk] n camion m.

true [truː] adj 1. vrai(e) 2. [genuine, actual] véritable.

truly ['truːlɪ] adv : **yours truly** veuillez agréer l'expression de mes sentiments respectueux.

trumpet ['trʌmpɪt] n trompette f.

trumps [trʌmps] npl atout m.

truncheon ['trʌntʃən] n UK matraque f.

trunk [trʌŋk] n 1. [of tree] tronc m 2. US [of car] coffre m 3. [case, box] malle f 4. [of elephant] trompe f.

trunk call n UK communication f interurbaine.

trunk road n UK route f nationale.

trunks [trʌŋks] npl [for swimming] slip m de bain.

trust [trʌst] ♦ n (U) [confidence] confiance f. ♦ vt 1. [have confidence in] avoir confiance en 2. fml [hope] espérer.

trustworthy ['trʌst,wɜːðɪ] adj digne de confiance.

truth [truːθ] n (U) vérité f.

truthful ['truːθfʊl] adj 1. [statement, account] fidèle à la réalité 2. [person] honnête.

try [traɪ] ♦ n essai m. ♦ vt 1. essayer 2. [food] goûter (à) 3. LAW juger. ♦ vi essayer ▶ **to have a try** essayer ▶ **to try to do sthg** essayer de faire qqch. ♦ **try on** vt sep [clothes] essayer. ♦ **try out** vt sep essayer.

T-shirt n T-shirt m.

tsunami [tsuː'nɑːmɪ] n tsunami m.

TTP (abbr of trusted third party) n COMPUT [for Internet transactions] TPC f (tierce partie de confiance).

tub [tʌb] n 1. [of margarine, etc.] barquette f 2. [small] pot m 3. [bath] baignoire f.

tube [tjuːb] n 1. tube m 2. UK inf [underground] métro m ▶ **by tube** UK inf en métro.

tube station n UK inf station f de métro.

tuck [tʌk] vt [place neatly] ranger. ♦ **tuck in** ♦ vt sep 1. [shirt] rentrer

2. [child, person] border. ◆ **vi** *inf* [start eating] attaquer.

tuck shop n **UK** *petite boutique qui vend bonbons, gâteaux, etc.*

Tudor ['tju:də^r] adj Tudor *inv (XVIe siècle).*

Tues. *(abbr of* Tuesday) mar. *(mardi).*

Tuesday ['tju:zdɪ] n mardi m ▸ **it's Tuesday** on est mardi ▸ **Tuesday morning** mardi matin ▸ **on Tuesday** mardi ▸ **on Tuesdays** le mardi ▸ **last Tuesday** mardi dernier ▸ **this Tuesday** mardi ▸ **next Tuesday** mardi prochain ▸ **Tuesday week** **UK**, **a week on Tuesday** **UK**, **a week from Tuesday** **US** mardi en huit.

tuft [tʌft] n touffe f.

tug [tʌg] ◆ **vt** tirer. ◆ **n** [boat] remorqueur m.

tuition [tju:'ɪʃn] n (U) cours mpl.

tulip ['tju:lɪp] n tulipe f.

tumble-drier n sèche-linge m inv.

tumble-dryer ['tʌmbldraɪə^r] n **UK** sèche-linge m inv.

tumbler ['tʌmblə^r] n [glass] verre m haut.

tummy ['tʌmɪ] n *inf* ventre m.

tummy upset n *inf* embarras m gastrique.

tumor ['tu:mər] **US** = **tumour**.

tumour ['tju:mə^r] n **UK** tumeur f.

tuna (fish) [**UK** 'tju:nə-, **US** 'tu:nə-] n (U) thon m.

tuna melt n toast au thon et au fromage fondu.

tune [tju:n] ◆ **n** air m. ◆ **vt 1.** [radio, TV, engine] régler **2.** [instrument] accorder ▸ **in tune** juste ▸ **out of tune** faux.

tunic ['tju:nɪk] n tunique f.

Tunisia [tju:'nɪzɪə] n la Tunisie.

tunnel ['tʌnl] n tunnel m.

turban ['tɜ:bən] n turban m.

turbo ['tɜ:bəʊ] (pl -s) n turbo m.

turbulence ['tɜ:bjʊləns] n (U) turbulence f.

turf [tɜ:f] n (U) [grass] gazon m.

Turk [tɜ:k] n Turc m, Turque f.

turkey ['tɜ:kɪ] (pl -s) n dinde f.

Turkey ['tɜ:kɪ] n la Turquie.

Turkish ['tɜ:kɪʃ] ◆ adj turc (turque). ◆ **n** [language] turc m. ◆ **npl** : the Turkish les Turcs mpl.

Turkish delight n (U) loukoum m.

turn [tɜ:n] ◆ **n 1.** [in road] tournant m. **2.** [of knob, key, in game] tour m. ◆ **vi 1.** tourner **2.** [person] se tourner. ◆ **vt 1.** tourner **2.** [corner, bend] prendre **3.** [become] devenir ▸ **to turn sthg black** noircir qqch ▸ **he's turned into a fine young man** c'est devenu un beau jeune homme ▸ **they're turning the play into a film** ils adaptent la pièce pour l'écran ▸ **to turn left/right** tourner à gauche / à droite ▸ **it's your turn** c'est à ton tour ▸ **at the turn of the century** au début du siècle ▸ **to take it in turns to do sthg** faire qqch à tour de rôle ▸ **to turn a T-shirt inside out** retourner un T-shirt. ◆ **turn around** ◆ **vt sep** [table, etc.] tourner. ◆ **vi** [person] se retourner. ◆ **turn back** ◆ **vt sep** [person, car] refouler. ◆ **vi** faire demi-tour. ◆ **turn down** ◆ **vt sep 1.** [radio, volume, heating] baisser **2.** [offer, request] refuser. ◆ **turn off** ◆ **vt sep 1.** [light, TV] éteindre **2.** [engine] couper **3.** [water, gas, tap] fermer. ◆ **vi** [leave road] tourner. ◆ **turn on** ◆ **vt sep 1.** [light, TV] allumer **2.** [engine] mettre en marche **3.** [water, gas, tap] ouvrir. ◆ **turn out** ◆ **vt sep** [light, heat] éteindre. ◆ **vi** [come] venir. ◆ **vt insep** :

to turn out to be sthg se révéler être qqch. ◆ **turn over** ◆ *vt sep* retourner. ◆ *vi* **1.** [in bed] se retourner **2.** 🇬🇧 [change channels] changer de chaîne. ◆ **turn round** *vt sep* & *vi* 🇬🇧 = **turn around.** ◆ **turn up** ◆ *vt sep* [radio, volume, heating] monter. ◆ *vi* [come] venir.

turned [tɜːnd] *adj* [milk] tourné.

turning ['tɜːnɪŋ] *n* [off road] embranchement *m*.

turnip ['tɜːnɪp] *n* navet *m*.

turnstile ['tɜːnstaɪl] *n* tourniquet *m*.

turn-up 🇬🇧 [on trousers] revers *m*.

turpentine ['tɜːpəntaɪn] *n* térébenthine *f*.

turps [tɜːps] *n* (*U*) 🇬🇧 *inf* térébenthine *f*.

turquoise ['tɜːkwɔɪz] *adj* turquoise *inv*.

turtle ['tɜːtl] *n* tortue *f* (de mer).

turtleneck ['tɜːtlnek] *n* pull *m* à col montant.

tutor ['tjuːtəʳ] *n* [teacher] professeur *m* particulier.

tuxedo [tʌk'siːdəʊ] (*pl* -s) *n* 🇺🇸 smoking *m*.

TV *n* télé *f* ▶ **on TV** à la télé.

TV movie *n* téléfilm *m*.

tweed [twiːd] *n* tweed *m*.

tweezers ['twiːzəz] *npl* pince *f* à épiler.

twelfth [twelfθ] ◆ *num adj* & *adv* douzième. ◆ *num pron* douzième *m ou f*. ◆ *num n* [fraction] douzième *m* ▶ **the twelfth (of September)** le douze (septembre).

twelfth grade *n* 🇺🇸 SCH *classe de l'enseignement secondaire correspondant à la terminale (17-18 ans).*

twelve [twelv] *num adj* & *n* douze ▶ **to be twelve (years old)** avoir douze ans ▶ **it's twelve (o'clock)** il est douze heures ▶ **a hundred and twelve** cent douze ▶ **twelve Hill St** 12 Hill St ▶ **it's minus twelve (degrees)** il fait moins douze (degrés).

twentieth ['twentɪəθ] ◆ *num adj* & *adv* vingtième. ◆ *num pron* vingtième *m ou f*. ◆ *num n* [fraction] vingtième *m* ▶ **the twentieth (of September)** le vingt (septembre) ▶ **the twentieth century** le vingtième siècle.

twenty ['twentɪ] *num adj* & *n* vingt ▶ **to be twenty (years old)** avoir vingt ans ▶ **a hundred and twenty** cent vingt ▶ **twenty Hill St** 20 Hill St ▶ **it's minus twenty (degrees)** il fait moins vingt (degrés).

twenty-four seven *adv* vingt-quatre heures sur vingt-quatre, sept jours sur sept.

twice [twaɪs] *adv* deux fois ▶ **it's twice as good** c'est deux fois meilleur.

twig [twɪg] *n* brindille *f*.

twilight ['twaɪlaɪt] *n* (*U*) crépuscule *m*.

twin [twɪn] *n* jumeau *m*, -elle *f*.

twin beds *npl* lits *mpl* jumeaux.

twine [twaɪn] *n* (*U*) ficelle *f*.

twin room *n* chambre *f* à deux lits.

twist [twɪst] *vt* **1.** tordre **2.** [bottle top, lid, knob] tourner ▶ **to twist one's ankle** se tordre la cheville.

twisting ['twɪstɪŋ] *adj* [road, river] en lacets.

two [tuː] *num adj* & *n* deux ▶ **to be two (years old)** avoir deux ans ▶ **it's two (o'clock)** il est deux heures ▶ **two Hill St** 2 Hill St ▶ **it's minus two (degrees)** il fait moins deux (degrés).

two-hander adj à deux personnages.

two-piece adj [swimsuit, suit] deux-pièces.

two-timing adj inf infidèle.

tying ['taɪɪŋ] cont → tie.

type [taɪp] ◆ n [kind] type m, sorte f. ◆ vt & vi taper.

typewriter ['taɪp,raɪtə^r] n machine f à écrire.

typhoid ['taɪfɔɪd] n (U) typhoïde f.

typhoon [taɪ'fuːn] n typhon m.

typical ['tɪpɪkl] adj typique.

typist ['taɪpɪst] n dactylo m ou f.

tyrannize, tyrannise UK ['tɪrənaɪz] vt tyranniser.

tyre ['taɪə^r] n UK pneu m.

U adj UK [film] pour tous.

UCAS ['juːkæs] (abbr of Universities and Colleges Admissions Service) n organisme gérant les inscriptions dans les universités au Royaume-Uni.

UFO (abbr of unidentified flying object) n OVNI (objet volant non identifié) m.

ugly ['ʌglɪ] adj laid(e).

UHT (abbr of ultra heat treated) adj UHT (ultra-haute température).

UK n : the UK le Royaume-Uni.

ulcer ['ʌlsə^r] n ulcère m.

Ulster ['ʌlstə^r] n Ulster m.

ultimate ['ʌltɪmət] adj 1. [final] dernier(ière) 2. [best, greatest] idéal(e).

ultimately ['ʌltɪmətlɪ] adv [finally] finalement.

ultramodern [,ʌltrə'mɒdən] adj ultramoderne.

ultraviolet [,ʌltrə'vaɪələt] adj ultraviolet(ette).

umbrella [ʌm'brelə] n parapluie m.

umpire ['ʌmpaɪə^r] n arbitre m.

UN (abbr of United Nations) n : the UN l'ONU (Organisation des Nations unies) f.

unable [ʌn'eɪbl] adj : to be unable to do sthg ne pas pouvoir faire qqch.

unacceptable [,ʌnək'septəbl] adj inacceptable.

unaccomplished [,ʌnə'kʌmplɪʃt] adj [incomplete task] inachevé(e), inaccompli(e).

unaccustomed [,ʌnə'kʌstəmd] adj : to be unaccustomed to sthg ne pas être habitué(e) à qqch.

unaltered [,ʌn'ɔːltəd] adj inchangé(e).

unanimous [juː'nænɪməs] adj unanime.

unanswerable [,ʌn'ɑːnsərəbl] adj [question, problem] auquel il est impossible de répondre.

unattended [,ʌnə'tendɪd] adj [baggage] sans surveillance.

unattractive [,ʌnə'træktɪv] adj 1. [person, place] sans charme 2. [idea] peu attrayant(e).

unauthorized [,ʌn'ɔːθəraɪzd] adj non autorisé(e).

unavailable [,ʌnə'veɪləbl] adj non disponible.

unavoidable [ˌʌnə'vɔɪdəbl] adj inévitable.

unaware [ˌʌnə'weəʳ] adj : **to be unaware that** ignorer que ▶ **to be unaware of sthg** a) être inconscient de qqch b) [facts] ignorer qqch.

unbearable [ʌn'beərəbl] adj insupportable.

unbelievable [ˌʌnbɪ'liːvəbl] adj incroyable.

unbundling n dégroupage m.

unbutton [ˌʌn'bʌtn] vt déboutonner.

uncalled-for [ʌn'kɔːld-] adj [remark] déplacé(e).

uncertain [ʌn'sɜːtn] adj incertain(e).

uncertainty [ʌn'sɜːtntɪ] n incertitude f.

uncle ['ʌŋkl] n oncle m.

unclean [ʌn'kliːn] adj sale.

unclear [ʌn'klɪəʳ] adj **1.** pas clair(e) **2.** [not sure] pas sûr(e).

uncomfortable [ʌn'kʌmftəbl] adj [chair, bed] inconfortable ▶ **to feel uncomfortable** [person] se sentir mal à l'aise.

uncommon [ʌn'kɒmən] adj [rare] rare.

unconscious [ʌn'kɒnʃəs] adj inconscient(e).

uncontaminated [ʌnkən'tæmɪneɪtɪd] adj non contaminé(e).

unconventional [ˌʌnkən'venʃənl] adj peu conventionnel(elle), original(e).

unconvincing [ʌnkən'vɪnsɪŋ] adj peu convaincant(e).

uncooperative [ˌʌnkəʊ'ɒpərətɪv] adj peu coopératif(ive).

uncork [ʌn'kɔːk] vt déboucher.

uncouth [ʌn'kuːθ] adj grossier(ière).

uncover [ʌn'kʌvəʳ] vt découvrir.

unctuous ['ʌŋktjʊəs] adj fml mielleux(euse).

under ['ʌndəʳ] prep **1.** [beneath] sous **2.** [less than] moins de **3.** [according to] selon **4.** [in classification] dans ▶ **children under ten** les enfants de moins de dix ans ▶ **under the circumstances** dans ces circonstances ▶ **under construction** en construction ▶ **to be under pressure** être sous pression.

underage [ʌndər'eɪdʒ] adj mineur(e).

undercarriage ['ʌndəˌkærɪdʒ] n train m d'atterrissage.

undercooked [ʌndər'kʊkt] adj pas assez cuit.

undercover ['ʌndəˌkʌvəʳ] adj secret(ète).

underdone [ˌʌndə'dʌn] adj **1.** [accidentally] pas assez cuit(e) **2.** [steak] saignant(e).

underestimate [ˌʌndər'estɪmeɪt] vt sous-estimer.

underexposed [ˌʌndərɪk'spəʊzd] adj sous-exposé(e).

underfed [ˌʌndə'fed] adj [person] sous-alimenté(e).

underfinanced [ˌʌndə'faɪnænst] adj [business, scheme, school] qui manque de fonds.

underfunded [ʌndə'fʌndɪd] = **underfinanced**.

underfunding [ʌndə'fʌndɪŋ] n financement m insuffisant.

undergo [ˌʌndə'gəʊ] (pt -**went**, pp -**gone**) vt subir.

undergraduate [ˌʌndə'grædjʊət] n étudiant m, -e f (en licence).

underground [ˈʌndəgraʊnd] ◆ adj **1.** souterrain(e) **2.** [secret] clandestin(e). ◆ n 🇬🇧 [railway] métro *m*.

ⓘ Underground

Le métro londonien (ou Tube), très ancien et très étendu, couvre près de 408 km, avec douze lignes séparées en six zones (de la ligne 1, très centrale, à la ligne 6, menant notamment à l'aéroport d'Heathrow), et comporte 274 stations au total (la première fut inaugurée en 1863). Les rames circulent de cinq heures du matin aux environs de minuit. On peut acheter des cartes de transport (**travel cards**) quotidiennes, hebdomadaires, mensuelles ou annuelles.

undergrowth [ˈʌndəgrəʊθ] n (U) sous-bois *m*.

underline [ˌʌndəˈlaɪn] vt souligner.

underneath [ˌʌndəˈniːθ] ◆ prep au-dessous de. ◆ adv au-dessous. ◆ n dessous *m*.

underpants [ˈʌndəpænts] npl slip *m*.

underpass [ˈʌndəpɑːs] n route *f* en contrebas.

undershirt [ˈʌndəʃɜːt] n 🇺🇸 maillot *m* de corps.

underskirt [ˈʌndəskɜːt] n jupon *m*.

understand [ˌʌndəˈstænd] (pt & pp -stood) ◆ vt **1.** comprendre **2.** [believe] croire. ◆ vi comprendre ▸ **I don't understand** je ne comprends pas ▸ **to make o.s. understood** se faire comprendre.

understanding [ˌʌndəˈstændɪŋ] ◆ adj compréhensif(ive). ◆ n **1.** [agreement] entente *f* **2.** (U) [knowledge, sympathy] compréhension *f* **3.** [interpretation] interprétation *f*.

understatement [ˌʌndəˈsteɪtmənt] n : **that's an understatement** c'est peu dire.

understood [ˌʌndəˈstʊd] pt & pp → **understand**.

undertake [ˌʌndəˈteɪk] (pt -took, pp -taken) vt entreprendre ▸ **to undertake to do sthg** s'engager à faire qqch.

undertaker [ˈʌndəˌteɪkəʳ] n ordonnateur *m* des pompes funèbres.

undertaking [ˌʌndəˈteɪkɪŋ] n **1.** [promise] promesse *f* **2.** [task] entreprise *f*.

undertook [ˌʌndəˈtʊk] pt → **undertake**.

underwater [ˌʌndəˈwɔːtəʳ] ◆ adj sous-marin(e). ◆ adv sous l'eau.

underwear [ˈʌndəweəʳ] n (U) sous-vêtements *mpl*.

underwent [ˌʌndəˈwent] pt → **undergo**.

undesirable [ˌʌndɪˈzaɪərəbl] adj indésirable.

undetected [ˌʌndɪˈtektɪd] adj [error] non détecté(e) ▸ **to go undetected** passer inaperçu(e).

undeterred [ˌʌndɪˈtɜːd] adj sans se laisser décourager.

undisclosed [ˌʌndɪsˈkləʊzd] adj non divulgué(e).

undisturbed [ˌʌndɪˈstɜːbd] adj **1.** [in peace] tranquille **2.** [untouched body, ground, papers] non dérangé(e).

undo [ˌʌnˈduː] (pt -did, pp -done) vt défaire, annuler.

undone [ˌʌnˈdʌn] adj défait(e).

undoubtedly [ʌnˈdaʊtɪdli] adv sans aucun doute.

undress [ˌʌnˈdres] ◆ vi se déshabiller. ◆ vt déshabiller.

undressed [ˌʌnˈdrest] adj déshabillé(e) ▶ **to get undressed** se déshabiller.

uneasy [ʌnˈiːzɪ] adj mal à l'aise.

uneducated [ˌʌnˈedjʊkeɪtɪd] adj sans éducation.

unemployed [ˌʌnɪmˈplɔɪd] ◆ adj au chômage. ◆ npl : **the unemployed** les chômeurs mpl.

unemployment [ˌʌnɪmˈplɔɪmənt] n (U) chômage m.

unemployment benefit n (U) UK allocation f de chômage.

unequal [ˌʌnˈiːkwəl] adj inégal(e).

uneven [ˌʌnˈiːvn] adj 1. inégal(e) 2. [speed, beat, share] irrégulier(ère).

uneventful [ˌʌnɪˈventfʊl] adj sans histoires.

unexpected [ˌʌnɪkˈspektɪd] adj inattendu(e).

unexpectedly [ˌʌnɪkˈspektɪdlɪ] adv inopinément.

unexplored [ˌʌnɪkˈsplɔːd] adj inexploré(e).

unfair [ˌʌnˈfeəʳ] adj injuste.

unfairly [ˌʌnˈfeəlɪ] adv injustement.

unfaithful [ˌʌnˈfeɪθfʊl] adj infidèle.

unfamiliar [ˌʌnfəˈmɪljəʳ] adj peu familier(ière) ▶ **to be unfamiliar with** mal connaître.

unfashionable [ˌʌnˈfæʃnəbl] adj démodé(e).

unfasten [ˌʌnˈfɑːsn] vt 1. [seatbelt] détacher 2. [knot, laces, belt] défaire.

unfavorable US = **unfavourable**.

unfavourable [ˌʌnˈfeɪvrəbl] adj UK défavorable.

unfinished [ˌʌnˈfɪnɪʃt] adj inachevé(e).

unfit [ˌʌnˈfɪt] adj [not healthy] pas en forme ▶ **to be unfit for sthg** [not suitable] ne pas être adapté à qqch.

unfold [ˌʌnˈfəʊld] vt déplier.

unforgettable [ˌʌnfəˈgetəbl] adj inoubliable.

unforgivable [ˌʌnfəˈgɪvəbl] adj impardonnable.

unfortunate [ʌnˈfɔːtʃnət] adj 1. [unlucky] malchanceux(euse) 2. [regrettable] regrettable.

unfortunately [ʌnˈfɔːtʃnətlɪ] adv malheureusement.

unfriendly [ˌʌnˈfrendlɪ] adj inamical(e), hostile.

unfurnished [ˌʌnˈfɜːnɪʃt] adj non meublé(e).

ungrateful [ʌnˈgreɪtfʊl] adj ingrat(e).

unhappy [ʌnˈhæpɪ] adj 1. [sad] malheureux(euse), triste 2. [not pleased] mécontent(e) ▶ **to be unhappy about sthg** être mécontent de qqch.

unharmed [ʌnˈhɑːmd] adj indemne.

unhealthy [ʌnˈhelθɪ] adj 1. [person] en mauvaise santé 2. [food, smoking] mauvais(e) pour la santé.

unhelpful [ʌnˈhelpfʊl] adj 1. [person] peu serviable 2. [advice, instructions] peu utile.

unholy [ʌnˈhəʊlɪ] (compar -**ier**, superl -**iest**) adj RELIG impie.

unhurt [ʌnˈhɜːt] adj indemne.

unhygienic [ˌʌnhaɪˈdʒiːnɪk] adj antihygiénique.

unification [ˌjuːnɪfɪˈkeɪʃn] n unification f.

uniform [ˈjuːnɪfɔːm] n uniforme m.

unimportant [ˌʌnɪmˈpɔːtənt] adj sans importance.

uninjured [ˌʌnˈɪndʒəd] adj qui n'est pas blessé(e), indemne.

uninstall [ˌʌnɪnˈstɔːl] vt désinstaller.

unintelligent [ˌʌnɪnˈtelɪdʒənt] adj inintelligent(e).

unintelligible [ˌʌnɪnˈtelɪdʒəbl] adj inintelligible.

unintended [ˌʌnɪnˈtendɪd] adj non intentionnel(elle).

unintentional [ˌʌnɪnˈtenʃənl] adj involontaire.

uninterested [ˌʌnˈɪntrəstɪd] adj indifférent(e).

uninteresting [ˌʌnˈɪntrəstɪŋ] adj inintéressant(e).

union [ˈjuːnjən] n [of workers] syndicat m.

Union Jack n : the Union Jack le drapeau britannique.

unique [juːˈniːk] adj unique ▸ to be unique to être propre à.

unisex [ˈjuːnɪseks] adj unisexe.

unit [ˈjuːnɪt] n 1. [measurement, group] unité f 2. [department] service m 3. [of furniture] élément m 4. [machine] appareil m.

unite [juːˈnaɪt] ◆ vt unir. ◆ vi s'unir.

United Arab Emirates npl : the United Arab Emirates les Émirats mpl arabes unis.

United Kingdom [juːˈnaɪtɪd-] n : the United Kingdom le Royaume-Uni.

United Nations [juːˈnaɪtɪd-] npl : the United Nations les Nations fpl Unies.

United States (of America) [juːˈnaɪtɪd-] npl : the United States les États-Unis mpl (d'Amérique).

unity [ˈjuːnəti] n (U) unité f.

universal [ˌjuːnɪˈvɜːsl] adj universel(elle).

universe [ˈjuːnɪvɜːs] n univers m.

university [ˌjuːnɪˈvɜːsəti] n université f.

unjust [ˌʌnˈdʒʌst] adj injuste.

unkind [ʌnˈkaɪnd] adj méchant(e).

unknown [ˌʌnˈnəʊn] adj inconnu(e).

unlawful [ʌnˈlɔːfʊl] adj illégal(e).

unleaded (petrol) [ˌʌnˈledɪd-] n essence f sans plomb, sans plomb m inv.

unless [ənˈles] conj à moins que (+ subjunctive) ▸ unless it rains à moins qu'il (ne) pleuve.

unlike [ˌʌnˈlaɪk] prep à la différence de ▸ that's unlike him cela ne lui ressemble pas.

unlikely [ʌnˈlaɪkli] adj peu probable ▸ we're unlikely to arrive before six il est peu probable que nous arrivions avant six heures.

unlimited [ʌnˈlɪmɪtɪd] adj illimité(e) ▸ unlimited mileage kilométrage illimité.

unlisted [ʌnˈlɪstɪd] adj 🇺🇸 [phone number] sur la liste rouge.

unload [ˌʌnˈləʊd] vt (goods, vehicle) décharger.

unlock [ˌʌnˈlɒk] vt déverrouiller.

unlocking [ˌʌnˈlɒkɪŋ] n déverrouillage m.

unlucky [ʌnˈlʌkɪ] adj **1.** (unfortunate) malchanceux(euse). **2.** (bringing bad luck) qui porte malheur.

unmarried [ˌʌnˈmærɪd] adj célibataire.

unnatural [ʌnˈnætʃrəl] adj **1.** (unusual) anormal(e) **2.** (behaviour, person) peu naturel(elle).

unnecessary [ʌnˈnesəsərɪ] adj inutile.

unnerve [ˌʌnˈnɜːv] vt déconcerter.

UNO (abbr of United Nations Organization) n ONU m (Organisation des Nations unies), Onu m.

unobtainable [ˌʌnəbˈteɪnəbl] adj **1.** (product) non disponible **2.** (phone number) pas en service.

unoccupied [ˌʌnˈɒkjʊpaɪd] adj (place, seat) libre.

unofficial [ˌʌnəˈfɪʃl] adj non officiel(ielle).

unpack [ˌʌnˈpæk] ♦ vt défaire. ♦ vi défaire ses valises.

unperturbed [ˌʌnpəˈtɜːbd] adj imperturbable.

unpleasant [ʌnˈpleznt] adj désagréable.

unplug [ʌnˈplʌg] vt débrancher.

unpopular [ˌʌnˈpɒpjʊləʳ] adj impopulaire.

unpredictability [ʌnprɪdɪktəˈbɪlətɪ] n imprévisibilité f.

unpredictable [ˌʌnprɪˈdɪktəbl] adj imprévisible.

unprepared [ˌʌnprɪˈpeəd] adj mal préparé(e).

unprotected [ˌʌnprəˈtektɪd] adj sans protection.

unqualified [ˌʌnˈkwɒlɪfaɪd] adj (person) non qualifié(e).

unreal [ˌʌnˈrɪəl] adj irréel(elle).

unreasonable [ʌnˈriːznəbl] adj déraisonnable.

unrecognizable [ˌʌnrekəgˈnaɪzəbl] adj méconnaissable.

unrelated [ˌʌnrɪˈleɪtɪd] adj **: to be unrelated (to)** n'avoir aucun rapport (avec).

unreliable [ˌʌnrɪˈlaɪəbl] adj peu fiable.

unreported [ˌʌnrɪˈpɔːtɪd] adj non signalé(e) or mentionné(e).

unrest [ʌnˈrest] n (U) troubles mpl.

unroll [ˌʌnˈrəʊl] vt dérouler.

unsafe [ˌʌnˈseɪf] adj **1.** (dangerous) dangereux(euse) **2.** (in danger) en danger.

unsatisfactory [ˌʌnsætɪsˈfæktərɪ] adj peu satisfaisant(e).

unscrew [ˌʌnˈskruː] vt (lid, top) dévisser.

unsightly [ʌnˈsaɪtlɪ] adj laid(e).

unskilled [ˌʌnˈskɪld] adj (worker) non qualifié(e).

unsociable [ʌnˈsəʊʃəbl] adj sauvage.

unsound [ˌʌnˈsaʊnd] adj **1.** (building, structure) peu solide **2.** (argument) peu pertinent(e).

unspent [ˌʌnˈspent] adj non dépensé(e), restant(e).

unspoiled [ˌʌnˈspɔɪld], **unspoilt** [ˌʌnˈspɔɪlt] adj **1.** intact(e) **2.** (place, beach) préservé(e).

unsteady [ʌnˈstedɪ] *adj* **1.** instable **2.** [hand] tremblant(e).

unstuck [ʌnˈstʌk] *adj* **: to come unstuck** [label, poster, etc.] se décoller.

unsuccessful [ʌnsəkˈsesfʊl] *adj* **1.** [person] malchanceux(euse) **2.** [attempt] infructueux(euse).

unsuitable [ʌnˈsuːtəbl] *adj* inadéquat(e).

unsupervised [ʌnˈsuːpəvaɪzd] *adj* non surveillé(e).

unsure [ʌnˈʃɔːʳ] *adj* **: to be unsure (about)** ne pas être sûr(e) (de).

unsurpassable [ʌnsəˈpɑːsəbl] *adj* insurpassable.

unsustainable [ʌnsəˈsteɪnəbl] *adj* non viable.

unsweetened [ʌnˈswiːtnd] *adj* sans sucre.

untidy [ʌnˈtaɪdɪ] *adj* **UK 1.** [person] désordonné(e) **2.** [room, desk] en désordre.

untie [ʌnˈtaɪ] (*cont* untying [ʌnˈtaɪɪŋ]) *vt* **1.** [person] détacher **2.** [knot] défaire.

until [ənˈtɪl] ◆ *prep* jusqu'à. ◆ *conj* jusqu'à ce que (+ *subjunctive*) **▸ it won't be ready until Thursday** ce ne sera pas prêt avant jeudi.

untrue [ʌnˈtruː] *adj* faux (fausse).

untrustworthy [ʌnˈtrʌst,wɜːðɪ] *adj* pas digne de confiance.

unusual [ʌnˈjuːʒl] *adj* inhabituel(elle).

unusually [ʌnˈjuːʒəlɪ] *adv* [more than usual] exceptionnellement.

unwell [ʌnˈwel] *adj* **: to be unwell** ne pas aller très bien **▸ to feel unwell** ne pas se sentir bien.

unwilling [ʌnˈwɪlɪŋ] *adj* **: to be unwilling to do sthg** ne pas vouloir faire qqch.

unwind [ʌnˈwaɪnd] (*pt & pp* unwound [ʌnˈwaʊnd]) ◆ *vt* dérouler. ◆ *vi* [relax] se détendre.

unwrap [ʌnˈræp] *vt* déballer.

unzip [ʌnˈzɪp] *vt* **1.** défaire la fermeture de **2.** COMPUT dézipper.

up [ʌp] ◆ *adv* **1.** [towards higher position] vers le haut **▸ to go up** monter **▸ we walked up to the top** nous sommes montés jusqu'en haut **▸ to pick sthg up** ramasser qqch **2.** [in higher position] en haut **▸ she's up in her bedroom** elle est en haut dans sa chambre **▸ up there** là-haut **3.** [into upright position] **▸ to stand up** se lever **▸ to sit up a)** [from lying position] s'asseoir **b)** [sit straight] se redresser **4.** [to increased level] **: prices are going up** les prix augmentent **5.** [northwards] **: up in Scotland** en Écosse **6.** [in phrases] **: to walk up and down** faire les cent pas **▸ to jump up and down** sauter **▸ up to ten people** jusqu'à dix personnes **▸ are you up to travelling?** tu te sens en état de voyager ? **▸ what are you up to?** qu'est-ce que tu mijotes ? **▸ to be up for** être prêt à **▸ it's up to you** (c'est) à vous de voir **▸ up until ten o'clock** jusqu'à dix heures
◆ *prep* **1.** [towards higher position] **: to walk up a hill** grimper une colline **▸ I went up the stairs** j'ai monté l'escalier **2.** [in higher position] en haut de **▸ up a hill** en haut d'une colline **▸ up a ladder** sur une échelle **3.** [at end of] **: they live up the road from us** ils habitent un peu plus haut que nous
◆ *adj* **1.** [out of bed] levé(e) **2.** [at an end] **: time's up** c'est l'heure **3.** [ris-

ing) : **the up escalator** l'Escalator®
pour monter
◆ n : **ups and downs** des hauts et des
bas *mpl*.

up-and-coming adj à l'avenir pro-
metteur.

upcoming ['ʌp,kʌmɪŋ] adj à venir
▶ **'upcoming attractions'** 'prochainement'.

update [,ʌp'deɪt] ◆ n mise f à jour.
◆ vt mettre à jour.

upgradable [ʌp'greɪdəbl] adj COMPUT
extensible.

upgrade [ʌp'greɪd] ◆ n [of software]
mise f à jour. ◆ vt **1.** [hardware, system]
optimiser **2.** [employee] promouvoir.

upgradeable = **upgradable**.

uphill [,ʌp'hɪl] adv : **to go uphill** monter.

upholstery [ʌp'həʊlstərɪ] n *(U)* rembourrage *m*.

upkeep ['ʌpkiːp] n *(U)* entretien *m*.

upmarket [ʌp'mɑːkɪt] adj haut de
gamme.

upon [ə'pɒn] prep *fml* [on] sur ▶ **upon
hearing the news...** en apprenant la
nouvelle....

upper ['ʌpəʳ] ◆ adj supérieur(e). ◆ n
[of shoe] empeigne f.

upper class n : **the upper class** la
haute société. ◆ **upper-class** adj [ac-
cent, person] aristocratique.

uppermost ['ʌpəməʊst] adj [highest]
le plus haut (la plus haute).

upright ['ʌpraɪt] ◆ adj droit(e). ◆ adv
droit.

upset [ʌp'set] *(pt & pp* **upset)** ◆ adj [dis-
tressed] peiné(e). ◆ vt **1.** [distress] pei-

ner **2.** [plans] déranger **3.** [knock over]
renverser ▶ **to have an upset stomach**
avoir un embarras gastrique.

upside down [,ʌpsaɪd-] adj & adv à
l'envers.

upstairs [,ʌp'steəz] ◆ adj du haut.
◆ adv [on a higher floor] en haut, à
l'étage ▶ **to go upstairs** monter.

up-to-date adj **1.** [modern] moderne
2. [well-informed] au courant.

uptown [,ʌp'taʊn] US ◆ adj [area] ré-
sidentiel(elle). ◆ n quartier résidentiel.

upward ['ʌpwəd] ◆ adj [look, rise] vers
le haut. ◆ adv US = **upwards**.

upward-compatible adj COMPUT
compatible vers le haut.

upward mobility n mobilité f sociale.

upwards ['ʌpwədz] adv vers le haut
▶ **upwards of 100 people** plus de 100
personnes.

urban ['ɜːbən] adj urbain(e).

urban clearway [-'klɪəweɪ] n UK
route f à stationnement interdit.

urbanization, urbanisation UK
[,ɜːbənaɪ'zeɪʃn] n urbanisation f.

Urdu ['ʊədu] n *(U)* ourdou *m*.

urethra [jʊə'riːθrə] n urètre *m*.

urge [ɜːdʒ] vt : **to urge sb to do sthg**
presser qqn de faire qqch.

urgent ['ɜːdʒənt] adj urgent(e).

urgently ['ɜːdʒəntlɪ] adv [immediate-
ly] d'urgence.

urinal [,jʊə'raɪnl] n *fml* urinoir *m*.

urinate ['jʊərɪneɪt] vi *fml* uriner.

urine ['jʊərɪn] n *(U)* urine f.

URL *(abbr of* uniform resource locator)
n COMPUT URL *m* (adresse électronique).

Uruguay ['jʊərəgwaɪ] n Uruguay m.

Uruguayan [,jʊərə'gwaɪən] ◆ adj uruguayen(enne). ◆ n Uruguayen m, -enne f.

us [ʌs] pron nous ▸ they know us ils nous connaissent ▸ it's us c'est nous ▸ send it to us envoyez-le nous ▸ tell us dites-nous ▸ they're worse than us ils sont pires que nous.

US (abbr of United States) n : the US les USA (United States of America) mpl.

USA (abbr of United States of America) n : the USA les USA (United States of America) mpl.

usable ['ju:zəbl] adj utilisable.

USB cable n câble m USB.

USB key n clé f USB.

use ◆ n [ju:s] (U) utilisation f, emploi m. ◆ vt [ju:z] utiliser, se servir de ▸ to be of use être utile ▸ to have the use of sthg avoir l'usage de qqch ▸ to make use of sthg a) utiliser qqch b) [time, opportunity] mettre qqch à profit ▸ to be in use être en usage ▸ it's no use ça ne sert à rien ▸ what's the use ? à quoi bon ? ▸ to use a crate as a table utiliser un cageot comme table ▸ 'out of use' 'hors service' ▸ 'use before...' [food, drink] 'à consommer avant...'. ◆ use up vt sep épuiser.

used ◆ adj [ju:zd] **1.** [towel, glass, etc.] sale **2.** [car] d'occasion. ◆ aux vb [ju:st] : I used to live near here j'habitais près d'ici avant ▸ I used to go there every day j'y allais tous les jours ▸ to be used to sthg avoir l'habitude de qqch ▸ to get used to sthg s'habituer à qqch.

useful ['ju:sfʊl] adj utile.

useless ['ju:slɪs] adj **1.** inutile **2.** inf [very bad] nul (nulle).

Usenet® ['ju:znet] n Usenet® m, forum m électronique.

user ['ju:zə'] n utilisateur m, -trice f.

user-friendly adj convivial(e), facile à utiliser.

user ID, user name n nom m d'utilisateur, identifiant m.

username ['ju:zə'neɪm] n identifiant m.

user profile n profil m utilisateur.

usher ['ʌʃə'] n [at cinema, theatre] ouvreur m.

usherette [,ʌʃə'ret] n ouvreuse f.

USP (abbr of unique selling point OR proposition) n PUV f (point ou proposition unique de vente).

USSR (abbr of Union of Soviet Socialist Republics) n : the (former) USSR l'(ex-)URSS f (Union des républiques socialistes soviétiques).

usual ['ju:ʒəl] adj habituel(elle) ▸ as usual comme d'habitude.

usually ['ju:ʒəlɪ] adv d'habitude.

utensil [ju:'tensl] n ustensile m.

utilize ['ju:tɪlaɪz] vt utiliser.

utmost ['ʌtməʊst] ◆ adj le plus grand (la plus grande). ◆ n : to do one's utmost faire tout son possible.

utter ['ʌtəʳ] ◆ adj total(e). ◆ vt **1.** prononcer **2.** [cry] pousser.

utterly ['ʌtəli] adv complètement.

U-turn n [in vehicle] demi-tour m ▶ **to make a U-turn** faire demi-tour.

UV (abbr of ultra violet) UV.

vacancy ['veɪkənsɪ] n [job] offre f d'emploi ▶ **'vacancies'** 'chambres à louer' ▶ **'no vacancies'** 'complet'.

vacant ['veɪkənt] adj libre.

vacate [və'keɪt] vt fml [room, house] libérer.

vacation [və'keɪʃn] ◆ n US vacances fpl. ◆ vi US passer les vacances ▶ **to go on vacation** US partir en vacances.

vacationer [və'keɪʃənər] n US vacancier m, -ière f.

vaccination [,væksɪ'neɪʃn] n vaccination f.

vaccine [UK 'væksi:n, US væk'si:n] n vaccin m.

vacuum ['vækjuəm] vt passer l'aspirateur dans.

vacuum cleaner n aspirateur m.

vague [veɪg] adj vague.

vain [veɪn] adj pej [conceited] vaniteux(euse) ▶ **in vain** en vain.

Valentine card ['væləntaɪn-] n carte f de la Saint-Valentin.

Valentine's Day ['væləntaɪnz-] n la Saint-Valentin.

valet ['væleɪ, 'vælɪt] n UK [in hotel] valet m de chambre.

valet service n UK **1.** [in hotel] pressing m **2.** [for car] nettoyage m complet.

valid ['vælɪd] adj [ticket, passport] valide ▶ **valid from** valable à partir de.

validate ['vælɪdeɪt] vt [ticket] valider.

Valium® ['vælɪəm] n Valium® m.

valley ['vælɪ] n vallée f.

valuable ['væljuəbl] adj **1.** [jewellery, object] de valeur **2.** [advice, help] précieux(ieuse). ◆ **valuables** npl objets mpl de valeur.

value ['vælju:] n (U) **1.** valeur f **2.** [usefulness] intérêt m ▶ **a value pack** un paquet économique ▶ **to be good value (for money)** être d'un bon rapport qualité-prix.

value-added tax = VAT.

valve [vælv] n **1.** soupape f **2.** [of tyre] valve f.

van [væn] n camionnette f.

vandal ['vændl] n vandale m.

vandalize ['vændəlaɪz] vt saccager.

vanilla [və'nɪlə] n (U) vanille f.

vanish ['vænɪʃ] vi disparaître.

vanity publishing n publication f à compte d'auteur.

vapor ['veɪpər] US = **vapour**.

vaporize, vaporise UK ['veɪpəraɪz] ◆ vt vaporiser. ◆ vi se vaporiser.

vapour ['veɪpəʳ] n (U) UK vapeur f.

variable ['veərɪəbl] adj variable.

varicose veins ['værɪkəʊs-] npl varices fpl.

varied ['veərɪd] adj varié(e).

variety [vəˈraɪətɪ] n variété f.

various [ˈveərɪəs] adj divers(es).

varnish [ˈvɑːnɪʃ] ◆ n vernis m. ◆ vt vernir.

vary [ˈveərɪ] ◆ vi varier. ◆ vt (faire) varier ▶ **regulations vary from country to country** les réglementations varient d'un pays à l'autre ▶ **'prices vary'** 'prix variables'.

vase [UK vɑːz, US veɪz] n vase m.

Vaseline® [ˈvæsəliːn] n (U) vaseline f.

vast [vɑːst] adj vaste.

vat [væt] n cuve f.

VAT [væt, viːeɪtiː] (abbr of value added tax) n TVA (taxe à la valeur ajoutée) f.

Vatican [ˈvætɪkən] n : **the Vatican** le Vatican.

vault [vɔːlt] n 1. [in bank] salle f des coffres 2. [in church] caveau m.

VCR (abbr of video cassette recorder) n UK magnétoscope m.

VDU (abbr of visual display unit) n moniteur m.

veal [viːl] n (U) veau m.

veg [vedʒ] abbr of **vegetable**.

vegan [ˈviːgən] ◆ adj végétalien(ienne). ◆ n végétalien m, -ienne f.

vegetable [ˈvedʒtəbl] n légume m.

vegetable oil n huile f végétale.

vegetarian [ˌvedʒɪˈteərɪən] ◆ adj végétarien(ienne). ◆ n végétarien m, -ienne f.

vegetation [ˌvedʒɪˈteɪʃn] n (U) végétation f.

vehicle [ˈviːəkl] n véhicule m.

veil [veɪl] n voile m.

vein [veɪn] n veine f.

Velcro® [ˈvelkrəʊ] n (U) Velcro® m.

velvet [ˈvelvɪt] n (U) velours m.

velvety [ˈvelvɪtɪ] adj [cloth, complexion, texture] velouteux(euse), velouté(e).

vending machine [ˈvendɪŋ-] n distributeur m (automatique).

venetian blind [vɪˌniːʃn-] n store m vénitien.

Venezuela [ˌvenɪzˈweɪlə] n Venezuela m.

Venezuelan [ˌvenɪzˈweɪlən] ◆ adj vénézuélien(enne). ◆ n Vénézuélien m, -enne f.

Venice [ˈvenɪs] n Venise.

venison [ˈvenɪzn] n (U) chevreuil m.

vent [vent] n [for air, smoke, etc.] grille f d'aération.

ventilation [ˌventɪˈleɪʃn] n (U) ventilation f.

ventilator [ˈventɪleɪtər] n ventilateur m.

venture [ˈventʃər] ◆ n entreprise f. ◆ vi [go] s'aventurer.

venue [ˈvenjuː] n 1. [for show] salle f (de spectacle) 2. [for sport] stade m.

veranda [vəˈrændə] n véranda f.

verb [vɜːb] n verbe m.

verbalize, verbalise UK [ˈvɜːbəlaɪz] vt [feelings, ideas] verbaliser, exprimer par des mots.

verdict [ˈvɜːdɪkt] n verdict m.

verge [vɜːdʒ] n UK [of road, lawn] bord m ▶ **'soft verges'** UK 'accotements non stabilisés'.

verify [ˈverɪfaɪ] vt vérifier.

verisimilitude [ˌverɪsɪˈmɪlɪtjuːd] n fml vraisemblance f.

vermin [ˈvɜːmɪn] n (U) vermine f.

vermouth [ˈvɜːməθ] n vermouth m.

versa → vice versa.

versatile ['vɜːsətaɪl] adj polyvalent(e).

verse [vɜːs] n 1. [of poem] strophe f 2. [of song] couplet m 3. (U) [poetry] vers mpl.

version ['vɜːʃn] n version f.

versus ['vɜːsəs] prep contre.

vertical ['vɜːtɪkl] adj vertical(e).

vertigo ['vɜːtɪgəʊ] n (U) vertige m.

very ['verɪ] ◆ adv très. ◆ adj : at the very bottom tout au fond ▶ very much beaucoup ▶ not very pas très ▶ my very own room ma propre chambre ▶ it's the very thing I need c'est juste ce dont j'ai besoin.

vessel ['vesl] n fml [ship] vaisseau m.

vest [vest] n 1. UK [underwear] maillot m de corps 2. US [waistcoat] gilet m (sans manches).

vet [vet] n UK vétérinaire m ou f.

veteran ['vetrən] n [of war] ancien combattant m.

veterinarian
[,vetərɪ'neərɪən] US = **vet**.

veterinary surgeon ['vetərɪnrɪ-] UK fml = **vet**.

VHF (abbr of very high frequency) n VHF f.

VHS (abbr of video home system) n (U) VHS m.

via ['vaɪə] prep 1. [place] en passant par 2. [by means of] par.

viaduct ['vaɪədʌkt] n viaduc m.

Viagra® [vaɪ'ægrə] n Viagra® m.

vibrate [vaɪ'breɪt] vi vibrer.

vibration [vaɪ'breɪʃn] n vibration f.

vibrator [vaɪ'breɪtə^r] n 1. TECH vibrateur m 2. [for massage] vibromasseur m.

vicar ['vɪkə^r] n pasteur m.

vicarage ['vɪkərɪdʒ] n ≃ presbytère m.

vice [vaɪs] n [fault] vice m.

vice-president n vice-président m, -e f.

vice versa [,vaɪsɪ'vɜːsə] adv vice versa.

vicinity [vɪ'sɪnətɪ] n : in the vicinity dans les environs.

vicious ['vɪʃəs] adj 1. [attack] violent(e) 2. [animal, comment] méchant(e).

victim ['vɪktɪm] n victime f.

victimization, victimisation UK [,vɪktɪmaɪ'zeɪʃn] n [for beliefs, race, differences] fait m de prendre pour victime.

victimless crime ['vɪktɪmlɪs-] n délit m sans victime.

Victorian [vɪk'tɔːrɪən] adj victorien(ienne) (deuxième moitié du XIXe siècle).

victory ['vɪktərɪ] n victoire f.

video ['vɪdɪəʊ] (pl -s) ◆ n 1. vidéo f 2. [video recorder] magnétoscope m. ◆ vt 1. [using video recorder] enregistrer sur magnétoscope 2. [using camera] filmer ▶ on video en vidéo.

video camera n caméra f vidéo.

video cassette recorder = video recorder.

videoconference ['vɪdɪəʊ'kɒnfərəns] n visioconférence f.

video diary n journal m vidéo.

video game n jeu m vidéo.

video projector n vidéoprojecteur m.

video recorder n UK magnétoscope m.

video shop n UK vidéoclub m.

video store US = video shop.

videotape ['vidiəuteip] n cassette f vidéo.

Vienna [vi'enə] n Vienne.

Vietnam [UK ˌvjet'næm, US ˌvjet-'nɑːm] n le Vietnam.

view [vjuː] ◆ n 1. vue f 2. [opinion] opinion f 3. [attitude] vision f. ◆ vt [look at] visionner ▸ in my view à mon avis ▸ in view of [considering] étant donné ▸ to come into view apparaître.

viewer ['vjuːər] n [of TV] téléspectateur m, -trice f.

viewfinder ['vjuːˌfaɪndər] n viseur m.

viewpoint ['vjuːpɔɪnt] n point de vue m.

vigilant ['vɪdʒɪlənt] adj fml vigilant(e).

villa ['vɪlə] n 1. [in countryside, by sea] villa f 2. UK [in town] pavillon m.

village ['vɪlɪdʒ] n village m.

village green n pelouse au centre du village.

villager ['vɪlɪdʒər] n villageois m, -e f.

villain ['vɪlən] n 1. [of book, film] méchant m, -e f 2. [criminal] bandit m.

villainous ['vɪlənəs] adj [evil act, person] vil(e).

vinaigrette [ˌvɪnɪ'gret] n (U) vinaigrette f.

vine [vaɪn] n vigne f.

vinegar ['vɪnɪgər] n vinaigre m.

vineyard ['vɪnjəd] n vignoble m.

vintage ['vɪntɪdʒ] ◆ adj [wine] de grand cru. ◆ n [year] millésime m.

vinyl ['vaɪnɪl] n (U) vinyle m.

viola [vɪ'əulə] n alto m.

violence ['vaɪələns] n (U) violence f.

violent ['vaɪələnt] adj violent(e).

violet ['vaɪələt] ◆ adj violet(ette). ◆ n [flower] violette f.

violin [ˌvaɪə'lɪn] n violon m.

VIP (abbr of very important person) n personnalité f.

virgin ['vɜːdʒɪn] n : to be a virgin être vierge.

Virgo ['vɜːgəu] (pl -s) n Vierge f.

virtually ['vɜːtʃuəlɪ] adv pratiquement.

virtual reality ['vɜːtʃuəl-] n (U) réalité f virtuelle.

virus ['vaɪrəs] n virus m.

virus-free adj COMPUT dépourvu(e) de virus.

visa ['viːzə] n visa m.

viscose ['vɪskəus] n (U) viscose f.

visibility [ˌvɪzɪ'bɪlətɪ] n (U) visibilité f.

visible ['vɪzəbl] adj visible.

visit ['vɪzɪt] ◆ vt 1. [person] rendre visite à 2. [place] visiter. ◆ n visite f.

⚠ Visiter is a false friend, it means **to view**, **inspect** or **go sightseeing**, not "to visit" someone.

visiting hours ['vɪzɪtɪŋ-] npl heures fpl de visite.

visitor ['vɪzɪtər] n visiteur m, -euse f.

visitor centre n UK centre m d'information touristique.

visitors' book n livre m d'or.

visitor's passport n UK passeport m temporaire.

visor ['vaɪzər] n visière f.

vital ['vaɪtl] adj vital(e).

vitamin [UK 'vɪtəmɪn, US 'vaɪtəmɪn] n vitamine f.

vitriol ['vɪtrɪəl] n vitriol m.

viva voce [ˌvaɪvəˈvəʊsɪ] ◆ n (UK) [gen] épreuve f orale ; [for thesis] soutenance f de thèse. ◆ adj oral. ◆ adv de vive voix.

vivid [ˈvɪvɪd] adj **1.** [colour] vif (vive) **2.** [description] vivant(e) **3.** [memory] précis(e).

V-neck n [design] col m en V.

vocabulary [vəˈkæbjʊlərɪ] n vocabulaire m.

vocational [vəʊˈkeɪʃənl] adj professionnel(elle).

vodka [ˈvɒdkə] n vodka f.

voice [vɔɪs] n voix f.

voice mail n COMPUT messagerie f vocale ▸ **to send/receive voice mail** envoyer/recevoir un message sur une boîte vocale.

volcano [vɒlˈkeɪnəʊ] (pl **-es** OR **-s**) n volcan m.

volleyball [ˈvɒlɪbɔːl] n (U) volley(-ball) m.

volt [vəʊlt] n volt m.

voltage [ˈvəʊltɪdʒ] n voltage m.

volume [ˈvɒljuːm] n volume m.

volume mailing n multipostage m.

voluntary [ˈvɒləntrɪ] adj **1.** volontaire **2.** [work] bénévole.

volunteer [ˌvɒlənˈtɪəʳ] ◆ n volontaire m ou f. ◆ vt : **to volunteer to do sthg** se porter volontaire pour faire qqch.

vomit [ˈvɒmɪt] ◆ n (U) vomi m. ◆ vi vomir.

voodoo [ˈvuːduː] ◆ n vaudou m. ◆ adj vaudou (inv).

vote [vəʊt] ◆ n **1.** [choice] voix f **2.** [process] vote m. ◆ vi : **to vote (for)** voter (pour).

voter [ˈvəʊtəʳ] n électeur m, -trice f.

voucher [ˈvaʊtʃəʳ] n bon m.

vowel [ˈvaʊəl] n voyelle f.

voyage [ˈvɔɪdʒ] n voyage m.

voyeuristic [ˌvɔɪəˈrɪstɪk] adj de voyeur.

vulgar [ˈvʌlgəʳ] adj vulgaire.

vulture [ˈvʌltʃəʳ] n vautour m.

W (abbr of **west**) O (Ouest).

wacko [ˈwækəʊ] (pl **-s**) n & adj inf cinglé(e).

wad [wɒd] n **1.** [of paper, bank notes] liasse f **2.** [of cotton] tampon m.

waddle [ˈwɒdl] vi se dandiner.

wade [weɪd] vi patauger.

wading pool [ˈweɪdɪŋ-] n (US) pataugeoire f.

wafer [ˈweɪfəʳ] n gaufrette f.

waffle [ˈwɒfl] ◆ n [to eat] gaufre f. ◆ vi (UK) inf parler pour ne rien dire.

wag [wæg] vt remuer.

wage [weɪdʒ] n salaire m. ◆ **wages** npl salaire m.

wage slave n employé m très mal payé, employée f très mal payée.

wagon [ˈwægən] n **1.** [vehicle] chariot m **2.** (UK) [of train] wagon m.

wail [weɪl] vi gémir.

waist [weɪst] n taille f.

waistcoat ['weɪskəʊt] n UK gilet m (sans manches).

wait [weɪt] ◆ n attente f. ◆ vi attendre ▸ **to wait for sb to do sthg** attendre que qqn fasse qqch ▸ **I can't wait to get there!** il me tarde d'arriver ! ◆ **wait for** vt insep attendre.

waiter ['weɪtər] n serveur m, garçon m ▸ **waiter!** garçon !

waiting area n = **waiting room**.

waiting list ['weɪtɪŋ-] n liste f d'attente.

waiting room ['weɪtɪŋ-] n salle f d'attente.

waitlist ['weɪtlɪst] vt US mettre sur la liste d'attente.

waitress ['weɪtrɪs] n serveuse f.

wake [weɪk] (pt woke, pp woken) ◆ vt réveiller. ◆ vi se réveiller. ◆ **wake up** ◆ vt sep réveiller. ◆ vi [wake] se réveiller.

wake-up call n réveil m téléphonique.

wakey wakey [,weɪkɪ'weɪkɪ] excl inf : **wakey wakey!** réveille-toi !

Waldorf salad ['wɔːldɔːf-] n salade f Waldorf (pommes, céleri et noix avec mayonnaise légère).

Wales [weɪlz] n le pays de Galles.

walk [wɔːk] ◆ n 1. [hike] marche f 2. [stroll] promenade f 3. [path] chemin m. ◆ vi 1. marcher 2. [stroll] se promener 3. [as hobby] faire de la marche. ◆ vt 1. [distance] faire à pied 2. [dog] promener ▸ **to go for a walk** a) aller se promener b) [for exercise] faire de la marche ▸ **it's a short walk** ça n'est pas loin à pied ▸ **to take the dog for a walk** sortir le chien ▸ **'walk'** US message lumineux indiquant aux piétons qu'ils peuvent traverser ▸ **'don't walk'** US message lu-

mineux indiquant aux piétons qu'ils ne doivent pas traverser. ◆ **walk away** vi partir. ◆ **walk in** vi entrer. ◆ **walk out** vi partir.

walker ['wɔːkər] n 1. promeneur m, -euse f 2. [hiker] marcheur m, -euse f.

walking boots ['wɔːkɪŋ-] npl chaussures fpl de marche.

walking stick ['wɔːkɪŋ-] n canne f.

walk-up adj US [building] sans ascenseur.

wall [wɔːl] n 1. mur m 2. [of tunnel, cave] paroi f.

wallaby ['wɒləbɪ] (pl -ies) n wallaby m.

wallet ['wɒlɪt] n portefeuille m.

wallpaper ['wɔːl,peɪpər] n (U) papier m peint.

Wall Street n Wall Street m.

> ⓘ **Wall Street**
>
> Cette rue, située à l'extrémité sud de l'île de Manhattan à New York, regroupe la majorité des institutions financières américaines, dont la célèbre Bourse des valeurs, le **New York Stock Exchange**. L'effondrement de cette dernière durant la Grande Dépression des années 1930 (le fameux **Jeudi noir** du 24 octobre 1929, ou **Wall Street Crash**) fut l'un des événements marquants de l'histoire économique américaine.

wally ['wɒlɪ] n UK inf andouille f.

walnut ['wɔːlnʌt] n noix f.

waltz [wɔːls] n valse f.

wander ['wɒndər] vi errer.

want [wɒnt] vt 1. vouloir 2. [need] avoir besoin de ▸ **to want to do sthg** vouloir faire qqch ▸ **do you want me**

to help you? voulez-vous que je vous aide ?

WAP [wæp] (abbr of **wireless application protocol**) n [telecommunications] WAP m ▶ **WAP phone** téléphone m WAP.

war [wɔːʳ] n guerre f.

ward [wɔːd] n [in hospital] salle f.

warden ['wɔːdn] n **1.** [of park] gardien m, -ienne f **2.** UK [of youth hostel] directeur m, -trice f **3.** US [of prison] directeur m, -trice f.

wardrobe ['wɔːdrəʊb] n penderie f.

warehouse ['weəhaʊs] (pl [-haʊzɪz]) n entrepôt m.

warm [wɔːm] ◆ adj **1.** chaud(e) **2.** [friendly] chaleureux(euse). ◆ vt chauffer ▶ **to be warm** avoir chaud ▶ **it's warm** il fait chaud. ◆ **warm up** ◆ vt sep réchauffer. ◆ vi **1.** se réchauffer **2.** [do exercises] s'échauffer **3.** [machine, engine] chauffer.

war memorial n monument m aux morts.

warmth [wɔːmθ] n (U) chaleur f.

warn [wɔːn] vt avertir ▶ **we warned them about the risks** nous les avons avertis des risques ▶ **I warned you not to do that** je t'ai déconseillé de faire cela.

warning ['wɔːnɪŋ] n [of danger] avertissement m ▶ **they didn't give us any warning** ils ne nous ont pas prévenus.

warning light n voyant m lumineux.

warranty ['wɒrəntɪ] n fml garantie f.

warship ['wɔːʃɪp] n navire m de guerre.

wart [wɔːt] n verrue f.

was [wɒz] pt → **be**.

wash [wɒʃ] ◆ vt laver. ◆ vi se laver. ◆ n : **to give sthg a wash** laver qqch ▶ **to have a wash** se laver ▶ **to wash one's**

hands se laver les mains. ◆ **wash up** vi **1.** UK [do washing-up] faire la vaisselle **2.** US [clean o.s.] se laver.

washable ['wɒʃəbl] adj lavable.

washbasin ['wɒʃ,beɪsn] n lavabo m.

washboard ['wɒʃbɔːd] n planche f à laver.

washbowl ['wɒʃbəʊl] n US lavabo m.

washcloth ['wɒʃ,klɒθ] n US gant m de toilette.

washer ['wɒʃəʳ] n **1.** [for bolt, screw] rondelle f **2.** [of tap] joint m.

washing ['wɒʃɪŋ] n (U) UK lessive f.

washing line n UK corde f à linge.

washing machine n machine f à laver.

washing powder n UK lessive f.

washing-up n (U) UK : **to do the washing-up** faire la vaisselle.

washing-up bowl n UK bassine dans laquelle on fait la vaisselle.

washing-up liquid n (U) UK liquide m vaisselle.

washload ['wɒʃləʊd] n **1.** [washing capacity] capacité f de lavage **2.** [items to be washed] lessive f.

washroom ['wɒʃrʊm] n US toilettes fpl.

wasn't [wɒznt] → **was not**.

wasp [wɒsp] n guêpe f.

waste [weɪst] ◆ n (U) [rubbish] déchets mpl. ◆ vt **1.** [money, energy] gaspiller **2.** [time] perdre ▶ **a waste of money** de l'argent gaspillé ▶ **a waste of time** une perte de temps.

wastebin ['weɪstbɪn] n UK poubelle f.

waste ground n (U) terrain m vague.

waste matter n déchets mpl.

wastepaper basket [,weɪst'peɪpə-] n corbeille f à papier.

watch [wɒtʃ] ◆ n [wristwatch] montre f. ◆ vt **1.** regarder **2.** [spy on] observer **3.** [be careful with] faire attention à. ◆ **watch out** vi [be careful] faire attention ▶ **to watch out for** [look for] guetter.

watchable ['wɒtʃəbl] adj [enjoyable to watch] qui se laisse regarder.

watchdog ['wɒtʃdɒg] n [dog] chien m de garde.

watch strap n bracelet m de montre.

water ['wɔːtəʳ] ◆ n (U) eau f. ◆ vt [plants, garden] arroser. ◆ vi [eyes] pleurer ▶ **to make sb's mouth water** mettre l'eau à la bouche de qqn.

water bottle n gourde f.

watercolor US = **watercolour**.

watercolour ['wɔːtə,kʌləʳ] n UK aquarelle f.

watercress ['wɔːtəkres] n cresson m.

waterfall ['wɔːtəfɔːl] n chutes fpl d'eau, cascade f.

watering ['wɔːtərɪŋ] n **1.** [of garden] arrosage m **2.** [of field] irrigation f.

watering can ['wɔːtərɪŋ-] n arrosoir m.

watermelon ['wɔːtə,melən] n pastèque f.

waterproof ['wɔːtəpruːf] adj **1.** [clothes] imperméable **2.** [watch] étanche.

water purification tablets [-pjʊərɪfɪ'keɪʃn-] npl pastilles fpl pour la clarification de l'eau.

waterside ['wɔːtəsaɪd] ◆ adj au bord de l'eau. ◆ n : **the waterside** le bord de l'eau.

water ski n ski m nautique. ◆ **water-ski** vi faire du ski nautique.

water skiing n (U) ski m nautique.

watersports ['wɔːtəspɔːts] npl sports mpl nautiques.

water tank n citerne f d'eau.

watertight ['wɔːtətaɪt] adj étanche.

watt [wɒt] n watt m ▶ **a 60-watt bulb** une ampoule 60 watts.

wave [weɪv] ◆ n **1.** vague f **2.** [in hair] ondulation f **3.** [of light, sound, etc.] onde f. ◆ vt agiter. ◆ vi [with hand] faire signe (de la main).

wavelength ['weɪvleŋθ] n longueur f d'onde.

wavy ['weɪvɪ] adj [hair] ondulé(e).

wax [wæks] n (U) **1.** cire f **2.** [in ears] cérumen m.

way [weɪ] n **1.** [manner] façon f, manière f **2.** [means] moyen m **3.** [route] route f, chemin m **4.** [distance] trajet m ▶ **which way is the station?** dans quelle direction est la gare ? ▶ **the town is out of our way** la ville n'est pas sur notre chemin ▶ **to be in the way** gêner ▶ **to be on the way** [coming] être en route ▶ **to get out of the way** s'écarter ▶ **to get under way** démarrer ▶ **a long way (away)** loin ▶ **to lose one's way** se perdre ▶ **on the way back** sur le chemin du retour ▶ **on the way there** pendant le trajet ▶ **that way** a) [like that] comme ça b) [in that direction] par là ▶ **this way** a) [like this] comme ceci b) [in this direction] par ici ▶ **no way!** inf pas question ! ▶ **'give way'** 'cédez le passage' ▶ **'way in'** 'entrée' ▶ **'way out'** 'sortie'.

WC (abbr of water closet) n UK W-C mpl.

we [wiː] pron nous.

weak [wiːk] adj **1.** faible **2.** [structure] fragile **3.** [drink, soup] léger(ère).

weaken ['wiːkn] vt affaiblir.

weakness ['wiːknɪs] n faiblesse f.

wealth [welθ] n (U) richesse f.

wealthy ['welθɪ] adj riche.

weapon ['wepən] n arme f.

weapons of mass destruction
n armes fpl de destruction massive.

wear [weəʳ] (pt **wore**, pp **worn**) ◆ vt
porter. ◆ n (U) [clothes] vêtements mpl
▶ **wear and tear** usure f. ◆ **wear off** vi
disparaître. ◆ **wear out** vi s'user.

weary ['wɪərɪ] adj fatigué(e).

weasel ['wiːzl] n belette f.

weather ['weðəʳ] n (U) temps m
▶ **what's the weather like?** quel temps
fait-il ? ▶ **to be under the weather** inf
être patraque.

weather forecast n prévisions fpl
météo.

weather forecaster [-fɔːkɑːstəʳ] n
météorologiste m ou f.

weather girl ['weðəgɜːl] n présenta-
trice f de la météo.

weather report n bulletin m météo.

weather vane [-veɪn] n girouette f.

weave [wiːv] (pt **wove**, pp **woven**) vt
tisser.

web [web] n **1.** [of spider] toile f (d'araignée) a **2.** COMPUT **: the web** le Web.

web access n accès m à Internet.

web address n adresse f Web.

webcam ['webkæm] n webcam f.

webcast ['webkɑːst] ◆ n webcast m.
◆ vt diffuser sur le Web.

webcasting ['webkɑːstɪŋ] n webcasting m.

web feed ['webfiːd] n webfeed m.

web hosting n hébergement m de
sites Web.

webmaster ['web,mɑːstəʳ] n webmaster m, webmestre m.

website, Web site ['websaɪt] n site m
Internet OR Web.

web space n espace m Web.

webzine ['webziːn] n webzine m.

we'd [wiːd] → **we had**, **we would**.

Wed. (abbr of Wednesday) mer. (mercredi).

wedding ['wedɪŋ] n mariage m.

wedding anniversary n anniversaire m de mariage.

wedding dress n robe f de mariée.

wedding ring n alliance f.

wedge [wedʒ] n **1.** [of cake] part f **2.** [of
wood, etc.] coin m.

wedge-heeled shoe [-hiːld] n chaussure f à semelle compensée.

wedgie ['wedʒiː] n inf = **wedge-
heeled shoe**.

Wednesday ['wenzdɪ] n mercredi m ▶ **it's Wednesday** on est mercredi ▶ **Wednesday morning** mercredi
matin ▶ **on Wednesday** mercredi ▶ **on
Wednesdays** le mercredi ▶ **last Wednesday** mercredi dernier ▶ **this Wednesday** mercredi ▶ **next Wednesday** mercredi prochain ▶ **Wednesday week** [UK], **a
week on Wednesday** [UK], **a week from
Wednesday** [US] mercredi en huit.

wee [wiː] ◆ adj SCOT petit(e). ◆ n
inf pipi m.

weed [wiːd] n mauvaise herbe f.

week [wiːk] n semaine f ▶ **a week today** dans une semaine ▶ **in a week's
time** dans une semaine.

weekday ['wiːkdeɪ] n jour m de (la)
semaine.

weekend [,wiːk'end] n week-end m.

weekly ['wiːklɪ] ◆ adj hebdomadaire. ◆ adv chaque semaine. ◆ n hebdomadaire m.

weep [wiːp] (pt & pp **wept**) vi pleurer.

weigh [weɪ] vt peser ▸ **how much does it weigh?** combien ça pèse ?

weight [weɪt] n poids m ▸ **to lose weight** maigrir ▸ **to put on weight** grossir. ▸ **weights** npl [for weight training] poids mpl.

weightless ['weɪtlɪs] adj **1.** très léger(ère) **2.** [astronaut] en état d'apesanteur.

weightlifting ['weɪt,lɪftɪŋ] n (U) haltérophilie f.

weight training n (U) musculation f.

weir [wɪəʳ] n barrage m.

weird [wɪəd] adj bizarre.

welcome ['welkəm] ◆ n accueil m. ◆ vt **1.** accueillir **2.** [opportunity] se réjouir de. ◆ excl bienvenue ! ◆ adj bienvenu(e) ▸ **you're welcome to help yourself** n'hésitez pas à vous servir ▸ **to make sb feel welcome** mettre qqn à l'aise ▸ **you're welcome!** il n'y a pas de quoi !

welcome committee n comité m d'accueil.

welcome mat n paillasson m.

weld [weld] vt souder.

welfare ['welfeəʳ] n (U) **1.** bien-être m **2.** [money] aide f sociale.

welfare state n État-providence m.

well [wel] (compar **better**, superl **best**) ◆ adj [healthy] en forme inv. ◆ adv bien. ◆ n [for water] puits m ▸ **to get well** se remettre ▸ **to go well** aller bien ▸ **well done!** bien joué ! ▸ **it may well happen** ça pourrait très bien arriver ▸ **it's well worth it** ça en vaut bien la peine ▸ **as well** [in addition] aussi ▸ **as well as** [in addition to] ainsi que.

we'll [wiːl] → **we shall, we will.**

well-behaved [-bɪ'heɪvd] adj bien élevé(e).

well-born adj de bonne famille.

well-built adj bien bâti(e) ▸ **to be well-built** [subj: person] être costaud.

well-designed [-dɪ'zaɪnd] adj bien conçu(e).

well-documented [-'dɒkjʊmentɪd] adj bien documenté(e).

well-done adj [meat] bien cuit(e).

well-dressed [-'drest] adj bien habillé(e).

well-groomed [-'gruːmd] adj soigné(e).

wellies ['welɪz] UK inf npl = **wellington boots.**

wellington (boot) ['welɪŋtən-] UK botte f en caoutchouc.

well-known adj célèbre.

well-liked [-laɪkt] adj apprécié(e).

well-loved adj très aimé(e).

well-off adj [rich] aisé(e).

well-paid adj bien payé(e).

well-placed [-pleɪst] adj bien placé(e).

well-prepared adj bien préparé(e).

well-respected adj respecté(e).

well-stocked [-stɒkt] adj [shop] bien approvisionné(e).

welly ['welɪ] n UK inf botte f en caoutchouc.

Welsh [welʃ] ◆ adj gallois(e). ◆ n (U) [language] gallois m. ◆ npl : **the Welsh** les Gallois mpl.

Welsh Assembly n Assemblée f galloise or du pays de Galles.

L'Assemblée nationale du pays de Galles, (ou Assemblée galloise), ne date que de 1999, elle a été mise en place par le gouvernement britannique à l'issue du référendum sur la **devolution** (ou décentralisation), organisé en 1997. Le pays de Galles a depuis une certaine autonomie, notamment dans des domaines tels que l'agriculture, l'éducation, la santé et le tourisme.

Welshman ['welʃmən] (*pl* **-men**) *n* Gallois *m*.

Welsh rarebit ['-'reəbɪt] *n* toast *m* au fromage fondu.

Welshwoman ['welʃ,wʊmən] (*pl* **-women**) *n* Galloise *f*.

wench [wentʃ] *n* [archaic] [humorous] jeune fille *f*.

went [went] *pt* → **go**.

wept [wept] *pt* & *pp* → **weep**.

were [wɜːʳ] *pt* → **be**.

we're [wɪəʳ] = **we are**.

weren't [wɜːnt] = **were not**.

west [west] ◆ *n* ouest *m*. ◆ *adj* occidental(e), ouest *inv*. ◆ *adv* **1.** [fly, walk] vers l'ouest **2.** [be situated] à l'ouest ▸ **in the west of England** à OR dans l'ouest de l'Angleterre.

westbound ['westbaʊnd] *adj* en direction de l'ouest.

West Country *n* : **the West Country** *le sud-ouest de l'Angleterre, comprenant les comtés de Cornouailles, Devon et Somerset*.

West End *n* : **the West End** *quartier des grands magasins et des théâtres à Londres*.

Le **West End** est un quartier de Londres très apprécié des touristes pour son animation nocturne, ses nombreuses boutiques ainsi que ses loisirs, puisqu'il rassemble la plupart des théâtres de la capitale, notamment près de **Leicester Square** et de **Covent Garden**. De même qu'à **Broadway** à New York, ce sont les grosses productions telles que les comédies musicales ou les pièces classiques, souvent jouées par des grands acteurs de cinéma ou de la télévision, qui constituent le succès du **West End**.

western ['westən] ◆ *adj* occidental(e). ◆ *n* [film] western *m*.

westernization, westernisation 🇬🇧 [,westənaɪ'zeɪʃn] *n* occidentalisation *f*.

West Indies [-'ɪndiːz] *npl* Antilles *fpl*.

Westminster ['westmɪnstəʳ] *n* *quartier du centre de Londres*.

Nom donné au quartier du centre de Londres qui abrite divers organismes gouvernementaux, dont les chambres du Parlement qui siègent au palais de Westminster. Non loin de là se dresse l'abbaye du même nom, chef-d'œuvre architectural construit entre le XIIIᵉ et le XVIᵉ siècle, où sont prononcés les sacrements solennels (Guillaume le Conquérant fut le premier à y être couronné le jour de Noël, en 1066). Elle abrite également la sépulture de rois, de hauts dignitaires, d'écrivains et d'artistes célèbres et possède un ensemble de chœurs exceptionnels.

Westminster Abbey n l'abbaye f de Westminster.

westward ['westwəd] adj & adv vers l'ouest.

westwards ['westwədz] adv vers l'ouest.

wet [wet] (pt & pp **wet** OR **-ted**) ◆ adj **1.** mouillé(e) **2.** [rainy] pluvieux(ieuse). ◆ vt mouiller ▸ **to get wet** se mouiller ▸ **'wet paint'** "peinture fraîche".

wet suit n combinaison f de plongée.

we've [wi:v] → we have.

whale [weɪl] n baleine f.

wharf [wɔ:f] (pl **-s** OR **wharves** [wɔ:vz]) n quai m.

what [wɒt] ◆ adj **1.** [in questions] quel (quelle) ▸ **what colour is it?** c'est de quelle couleur ? ▸ **he asked me what colour it was** il m'a demandé de quelle couleur c'était. **2.** [in exclamations] : **what a surprise!** quelle surprise ! ▸ **what a beautiful day!** quelle belle journée !
◆ pron **1.** [in direct questions: subject] qu'est-ce qui ▸ **what is going on?** qu'est-ce qui se passe ? ▸ **what is that?** qu'est-ce que c'est ? ▸ **what is it called?** comment ça s'appelle ? **2.** [in direct questions: object] qu'est-ce que, que ▸ **what are they doing?** qu'est-ce qu'ils font ?, que font-ils ? **3.** [in direct questions: after prep] ▸ **what are they talking about?** de quoi parlent-ils ? ▸ **what is it for?** à quoi ça sert ? **4.** [in indirect questions, relative clauses: subject] ce qui ▸ **she asked me what had happened** elle m'a demandé ce qui s'était passé ▸ **I don't know what's wrong** je ne sais pas ce qui ne va pas **5.** [in indirect questions, relative clauses: object] ce que ▸ **she asked me what I had seen** elle m'a demandé ce que j'avais vu ▸ **I**

didn't hear what she said je n'ai pas entendu ce qu'elle a dit **6.** [in indirect questions, after prep] quoi ▸ **she asked me what I was thinking about** elle m'a demandé à quoi je pensais **7.** [in phrases] : **what for?** pour quoi faire ? ▸ **what about going out for a meal?** si on allait manger au restaurant ?
◆ excl quoi !

what-d'ye-call-her ['wɒtjəkɔːlər] n inf [person] Machine f.

what-d'ye-call-him ['wɒtjəkɔːlɪm] n inf [person] Machin m.

what-d'ye-call-it ['wɒtjəkɔːlɪt] n inf [thing] machin m, truc m.

whatever [wɒt'evər] pron : **take whatever you want** prends ce que tu veux ▸ **whatever I do, I'll lose** quoi que je fasse, je perdrai.

whatshername ['wɒtsəneɪm] n inf Machine f ▸ **(Mrs) whatshername** Madame Machin.

whatshisname ['wɒtsɪzneɪm] n inf Machin m, Machin Chouette m ▸ **Mr whatshisname** Monsieur Machin.

whatsoever [ˌwɒtsəʊ'evər] adj : **I had no interest whatsoever** je n'éprouvais pas le moindre intérêt.

wheat [wi:t] n (U) blé m.

wheel [wi:l] n **1.** roue f **2.** [steering wheel] volant m.

wheelbarrow ['wi:lˌbærəʊ] n brouette f.

wheelchair ['wi:lˌtʃeər] n fauteuil m roulant.

wheelclamp [ˌwi:l'klæmp] n 🇬🇧 sabot m de Denver.

wheezy ['wi:zɪ] adj : **to be wheezy** avoir la respiration sifflante.

when [wen] ◆ adv quand. ◆ conj **1.** quand, lorsque **2.** [although, seeing as] alors que ▸ **when it's ready** quand ce sera prêt ▸ **when I've finished** quand j'aurai terminé.

whenever [wen'evə^r] conj quand.

where [weə^r] adv & conj où ▸ **this is where you will be sleeping** c'est ici que vous dormirez.

whereabouts ['weərəbauts] ◆ adv où. ◆ npl : **his whereabouts is unknown** personne ne sait où il se trouve.

whereas [weər'æz] conj alors que.

wherever [weər'evə^r] conj où que (+ subjunctive) ▸ **go wherever you like** va où tu veux.

whether ['weðə^r] conj si ▸ **whether you like it or not** que ça te plaise ou non.

which [wɪtʃ] ◆ adj [in questions] quel (quelle) ▸ **which room do you want?** quelle chambre voulez-vous ? ▸ **which one?** lequel (laquelle) ? ▸ **she asked me which room I wanted** elle m'a demandé quelle chambre je voulais ◆ pron **1.** [in direct, indirect questions] lequel (laquelle) ▸ **which is the cheapest?** lequel est le moins cher ? ▸ **which do you prefer?** lequel préférez-vous ? ▸ **he asked me which was the best** il m'a demandé lequel était le meilleur ▸ **he asked me which I preferred** il m'a demandé lequel je préférais ▸ **he asked me which I was talking about** il m'a demandé duquel je parlais **2.** [introducing relative clause: subject] qui ▸ **the house which is on the corner** la maison qui est au coin de la rue **3.** [introducing relative clause: object] que ▸ **the television which I bought** le téléviseur que j'ai acheté **4.** [introducing relative clause: after prep] lequel (laquelle) ▸ **the set-**

tee on which I'm sitting le canapé sur lequel je suis assis ▸ **the book about which we were talking** le livre dont nous parlions **5.** [referring back, subject] ce qui ▸ **he's late, which annoys me** il est en retard, ce qui m'ennuie **6.** [referring back, object] ce que ▸ **he's always late, which I don't like** il est toujours en retard, ce que je n'aime pas.

whichever [wɪtʃ'evə^r] ◆ pron celui que (celle que). ◆ adj : **whichever seat you prefer** la place que tu préfères ▸ **whichever way you do it** quelle que soit la façon dont tu t'y prennes.

while [waɪl] ◆ conj **1.** pendant que **2.** [although] bien que (+ subjunctive) **3.** [whereas] alors que. ◆ n : **a while** un moment ▸ **for a while** pendant un moment ▸ **in a while** dans un moment.

whim [wɪm] n caprice m.

whine [waɪn] vi **1.** gémir **2.** [complain] pleurnicher.

whin(e)y ['waɪnɪ] adj pleurnichard(e).

whinger ['wɪndʒə^r] n râleur m, -euse f.

whip [wɪp] ◆ n fouet m. ◆ vt fouetter.

whipped cream [wɪpt-] n (U) crème f fouettée.

whirlpool ['wɜːlpuːl] n [Jacuzzi] bain m à remous.

whisk [wɪsk] ◆ n [utensil] fouet m. ◆ vt [eggs, cream] battre.

whiskers ['wɪskəz] npl **1.** [of person] favoris mpl **2.** [of animal] moustaches fpl.

whiskey ['wɪskɪ] (pl -s) n US whisky m.

whisky ['wɪskɪ] n UK whisky m.

whisper ['wɪspə^r] vt & vi chuchoter.

whistle ['wɪsl] ◆ n **1.** [instrument] sifflet m **2.** [sound] sifflement m. ◆ vi siffler.

white [waɪt] ◆ adj **1.** blanc (blanche) **2.** [coffee, tea] au lait. ◆ n **1.** (U) blanc m **2.** [person] Blanc m, Blanche f.

white bread n (U) pain m blanc.

White House n : the White House la Maison-Blanche.

ⓘ White House

Résidence officielle du président américain à Washington depuis 1800, la Maison-Blanche est l'un des plus vieux édifices de la capitale. Elle est ouverte au public. La plupart des visiteurs s'attardent devant le célèbre « Bureau ovale », symbole de la présidence, qui fut inauguré en 1909. De manière plus générale et particulièrement dans les médias, ce terme fait également référence à l'administration et au gouvernement américains.

white sauce n sauce f béchamel.

white spirit n (U) UK white-spirit m.

whitewash ['waɪtwɒʃ] vt blanchir à la chaux.

white wine n vin m blanc.

whiting ['waɪtɪŋ] (pl inv) n merlan m.

Whitsun ['wɪtsn] n la Pentecôte.

who [huː] pron qui.

whoever [huːˈevər] pron [whichever person] quiconque ▶ whoever it is qui que ce soit.

whole [həʊl] ◆ adj **1.** entier(ière) **2.** [undamaged] intact(e). ◆ n : the whole of the journey tout le trajet ▶ on the whole dans l'ensemble ▶ the whole day toute la journée ▶ the whole time tout le temps.

wholefoods ['həʊlfuːdz] npl UK aliments mpl complets.

whole grain ['həʊlɡreɪn] adj [bread, flour] complet(ète).

wholemeal ['həʊlmiːl] UK adj complet(ète).

wholemeal bread ['həʊlmiːl-] n (U) pain m complet.

wholesale ['həʊlseɪl] adv en gros.

wholewheat ['həʊlwiːt] US = wholemeal.

whom [huːm] pron **1.** fml [in questions] qui **2.** [in relative clauses] que ▶ to whom à qui.

whooping cough ['huːpɪŋ-] n (U) coqueluche f.

who're ['huːər] → who are.

whose [huːz] adj & pron : whose jumper is this? à qui est ce pull ? ▶ she asked whose bag it was elle a demandé à qui était le sac ▶ the woman whose daughter I know la femme dont je connais la fille ▶ whose is this? à qui est-ce ?

why [waɪ] adv & conj pourquoi ▶ why don't we go swimming? si on allait nager ? ▶ why not? pourquoi pas ? ▶ why not have a rest? pourquoi ne pas te reposer ?

wick [wɪk] n [of candle, lighter] mèche f.

wicked ['wɪkɪd] adj **1.** [evil] mauvais(e) **2.** [mischievous] malicieux(ieuse).

wicker ['wɪkər] adj en osier.

wide [waɪd] ◆ adj large. ◆ adv : open your mouth wide ouvre grand la bouche ▶ how wide is the road? quelle est la largeur de la route ? ▶ it's 12 metres wide ça fait 12 mètres de large ▶ wide open grand ouvert.

widely ['waɪdlɪ] adv **1.** [known, found] généralement **2.** [travel] beaucoup.

widen ['waɪdn] ◆ vt élargir. ◆ vi s'élargir.

wide-screen adj [television, film, format] 16/9.

widescreen TV ['waɪdskriːn] n téléviseur m à écran large OR grand écran.

widespread ['waɪdspred] adj répandu(e).

widow ['wɪdəʊ] n veuve f.

widower ['wɪdəʊəʳ] n veuf m.

width [wɪdθ] n largeur f.

wife [waɪf] (pl **wives**) n femme f.

WiFi [waɪfaɪ] (abbr of **wireless fidelity**) n COMPUT WiFi m.

wig [wɪg] n perruque f.

wild [waɪld] adj **1.** sauvage **2.** [crazy] fou (folle) **▶ to be wild about** inf être dingue de.

wild flower n fleur f des champs.

wildlife ['waɪldlaɪf] n (U) la faune et la flore.

will[1] [wɪl] ◆ aux vb **1.** [expressing future tense] : **I will go next week** j'irai la semaine prochaine **▶ will you be here next Friday?** est-ce que tu seras là vendredi prochain ? **▶ yes I will** oui **▶ no I won't** non **2.** [expressing willingness] : **I won't do it** je refuse de le faire **3.** [expressing polite question] : **will you have some more tea?** prendrez-vous un peu plus de thé ? **4.** [in commands, requests] : **will you please be quiet!** veux-tu te taire ! **▶ close that window, will you?** ferme cette fenêtre, veux-tu ?

will[2] [wɪl] n [document] testament m **▶ against my will** contre ma volonté.

willing ['wɪlɪŋ] adj : **to be willing to do sthg** être disposé(e) à faire qqch.

willingly ['wɪlɪŋlɪ] adv volontiers.

willow ['wɪləʊ] n saule m.

Wimbledon ['wɪmbldən] n tournoi annuel de tennis à Londres.

win [wɪn] (pt & pp **won**) ◆ n victoire f. ◆ vt gagner. ◆ vi **1.** gagner **2.** [be ahead] être en tête.

wind[1] [wɪnd] n **1.** vent m **2.** (U) [in stomach] gaz mpl.

wind[2] [waɪnd] (pt & pp **wound**) ◆ vi [road, river] serpenter. ◆ vt : **to wind a rope around a post** enrouler une corde autour d'un poteau. ◆ **wind up** vt sep **1.** inf [annoy] faire marcher **2.** [car window, clock, watch] remonter.

windbreak ['wɪndbreɪk] n écran m coupe-vent.

windmill ['wɪndmɪl] n moulin m à vent.

window ['wɪndəʊ] n **1.** fenêtre f **2.** [of car] vitre f **3.** [of shop] vitrine f.

window box n jardinière f.

window cleaner n laveur m, -euse f de carreaux.

windowpane ['wɪndəʊpeɪn] n vitre f.

window seat n siège m côté fenêtre.

window-shopping n (U) lèche-vitrines m.

windowsill ['wɪndəʊsɪl] n appui m de (la) fenêtre.

windscreen ['wɪndskriːn] n ⓤ🇰 pare-brise m inv.

windscreen wipers npl ⓤ🇰 essuie-glaces mpl.

windshield ['wɪndʃiːld] n 🇺🇸 pare-brise m inv.

Windsor Castle ['wɪnzəʳ] n le château de Windsor.

windsurfing ['wɪnd,sɜːfɪŋ] n (U) planche f à voile **▶ to go windsurfing** faire de la planche à voile.

windy ['wɪndɪ] adj venteux(euse) ▸ **it's windy** il y a du vent.

wine [waɪn] n vin m.

wine bar n bar m à vin.

wineglass ['waɪnglɑːs] n verre m à vin.

wine list n carte f des vins.

wine tasting [-'teɪstɪŋ] n (U) dégustation f de vins.

wine waiter n sommelier m.

wing [wɪŋ] n aile f. ◆ **wings** npl : **the wings** [in theatre] les coulisses fpl.

wingman ['wɪŋmæn] n [US] assistant m, -e f.

wing mirror n rétroviseur m extérieur.

wink [wɪŋk] vi faire un clin d'œil.

winner ['wɪnər] n gagnant m, -e f.

winning ['wɪnɪŋ] adj gagnant(e).

winter ['wɪntər] n hiver m ▸ **in (the) winter** en hiver.

wintertime ['wɪntətaɪm] n (U) hiver m.

wipe [waɪp] ◆ n [cloth] lingette f. ◆ vt essuyer ▸ **to wipe one's hands / feet** s'essuyer les mains / pieds. ◆ **wipe up** ◆ vt sep [liquid, dirt] essuyer. ◆ vi [dry the dishes] essuyer la vaisselle.

wiper ['waɪpər] n AUT essuie-glace m.

wire ['waɪər] ◆ n 1. fil m de fer 2. [electrical wire] fil m électrique. ◆ vt [plug] connecter les fils de.

wireless ['waɪəlɪs] ◆ n TSF f. ◆ adj sans fil.

wiring ['waɪərɪŋ] n (U) installation f électrique.

wisdom tooth ['wɪzdəm-] n dent f de sagesse.

wise [waɪz] adj sage.

wisecracking ['waɪz,krækɪŋ] adj inf blagueur(euse).

wish [wɪʃ] ◆ n souhait m. ◆ vt souhaiter ▸ **best wishes** meilleurs vœux ▸ **I wish it was sunny!** si seulement il faisait beau ! ▸ **I wish I hadn't done that** je regrette d'avoir fait ça ▸ **I wish he would hurry up** j'aimerais bien qu'il se dépêche ▸ **to wish for sthg** souhaiter qqch ▸ **to wish to do sthg** fml souhaiter faire qqch ▸ **to wish sb luck / happy birthday** souhaiter bonne chance / bon anniversaire à qqn ▸ **if you wish** fml si vous le désirez.

wishing well ['wɪʃɪŋ-] n puits où l'on jette une pièce en faisant un vœu.

witch [wɪtʃ] n sorcière f.

with [wɪð] ◆ prep 1. [gen] avec ▸ **come with me** venez avec moi ▸ **a man with a beard** un barbu ▸ **a room with a bathroom** une chambre avec salle de bains ▸ **to argue with sb** se disputer avec qqn 2. [at house of] chez ▸ **we stayed with friends** nous avons séjourné chez des amis 3. [indicating emotion] de ▸ **to tremble with fear** trembler de peur 4. [indicating covering, contents] de ▸ **to fill a bucket with water** remplir un seau d'eau ▸ **topped with cream** nappé de crème.

withdraw [wɪð'drɔː] (pt -drew, pp -drawn) ◆ vt retirer. ◆ vi se retirer.

withdrawal [wɪð'drɔːəl] n retrait m.

withdrawn [wɪð'drɔːn] pp → withdraw.

withdrew [wɪð'druː] pt → withdraw.

wither ['wɪðər] vi se faner.

within [wɪð'ɪn] ◆ prep 1. [inside] à l'intérieur de 2. [not exceeding] dans les limites de. ◆ adv à l'intérieur ▸ **within 10 miles of...** à moins de 15 kilomètres de… ▸ **the beach is within walking distance** on peut aller à la plage à pied ▸ **it arrived within a week** c'est arrivé en l'espace d'une semaine ▸ **within the next week** au cours de la semaine prochaine.

without [wɪð'aʊt] prep sans ▸ **without doing sthg** sans faire qqch.

withstand [wɪð'stænd] (pt & pp -**stood**) vt résister à.

witness ['wɪtnɪs] ◆ n témoin m. ◆ vt [see] être témoin de.

wittily ['wɪtɪlɪ] adv avec beaucoup d'esprit.

wittingly ['wɪtɪŋlɪ] adv fml en connaissance de cause, sciemment.

witty ['wɪtɪ] adj spirituel(elle).

wives [waɪvz] pl → **wife**.

WMD (abbr of weapons of mass destruction) npl ADM fpl (armes de destruction massive).

wobbly ['wɒblɪ] adj [table, chair] branlant(e).

wok [wɒk] n poêle à bords hauts utilisée dans la cuisine chinoise.

woke [wəʊk] pt → **wake**.

woken ['wəʊkn] pp → **wake**.

wolf [wʊlf] (pl **wolves** [wʊlvz]) n loup m.

woman ['wʊmən] (pl **women** ['wɪmɪn]) n femme f.

womanizer, womaniser UK ['wʊmənaɪzəʳ] n coureur m de jupons.

womb [wu:m] n utérus m.

women ['wɪmɪn] pl → **woman**.

won [wʌn] pt & pp → **win**.

wonder ['wʌndəʳ] ◆ vi [ask o.s.] se demander. ◆ n (U) [amazement] émerveillement m ▸ **I wonder if I could ask you a**

favour? cela vous ennuierait-il de me rendre un service ?

wonderful ['wʌndəfʊl] adj merveilleux(euse).

wondrously ['wʌndrəslɪ] adv merveilleusement.

won't [wəʊnt] → **will not**.

wood [wʊd] n bois m.

wooden ['wʊdn] adj en bois.

woodland ['wʊdlənd] n (U) forêt f.

woodpecker ['wʊd,pekəʳ] n pic-vert m.

woodwork ['wʊdwɜːk] n (U) **1.** [doors, window frames, etc.] boiseries fpl **2.** SCH travail m du bois.

wool [wʊl] n (U) laine f.

woolen ['wʊlən] US = **woollen**.

woollen ['wʊlən] adj UK en laine.

woolly ['wʊlɪ] adj UK en laine.

wooly ['wʊlɪ] US = **woolly**.

Worcester sauce ['wʊstə-] n (U) UK sauce très relevée.

Worcestershire sauce US = **Worcester sauce**.

word [wɜːd] n **1.** mot m **2.** [promise] parole f ▸ **in other words** d'autres termes ▸ **to have a word with sb** parler à qqn.

wording ['wɜːdɪŋ] n (U) termes mpl.

word processing [-'prəʊsesɪŋ] n (U) traitement m de texte.

word processor [-'prəʊsesəʳ] n machine f à traitement de texte.

wore [wɔːʳ] pt → **wear**.

work [wɜːk] ◆ n **1.** (U) travail m **2.** [painting, novel, etc.] œuvre f. ◆ vi **1.** travailler **2.** [operate, have desired effect] marcher **3.** [take effect] faire effet.

◆ vt [machine, controls] faire marcher ▸ **out of work** sans emploi ▸ **to be at work** être au travail ▸ **to be off work** a) [on holiday] être en congé b) [ill] être en congé-maladie ▸ **the works** inf [everything] tout le tralala ▸ **how does it work?** comment ça marche ? ▸ **it's not working** ça ne marche pas. ◆ **work out** ◆ vt sep **1.** [price, total] calculer **2.** [solution, plan] trouver **3.** [understand] comprendre. ◆ vi **1.** [result, be successful] marcher **2.** [do exercise] faire de l'exercice ▸ **it works out at £20 each** [bill, total] ça revient à 20 livres chacun.

worker ['wɜːkəʳ] n travailleur m, -euse f.

workflow ['wɜːkfləʊ] n workflow m (modélisation de la gestion des processus opérationnels).

workforce ['wɜːkfɔːs] n main f d'œuvre.

work-in n occupation d'une entreprise par le personnel (avec poursuite du travail).

working ['wɜːkɪŋ] adj **1.** [in operation] qui marche **2.** [having employment] qui travaille.

working class ['wɜːkɪŋ-] n : **the working class** la classe ouvrière.

working hours ['wɜːkɪŋ-] npl heures fpl de travail.

working week n UK semaine f de travail.

workman ['wɜːkmən] (pl -men) n ouvrier m.

work of art n œuvre f d'art.

workout ['wɜːkaʊt] n série f d'exercices.

work permit n permis m de travail.

workplace ['wɜːkpleɪs] n lieu m de travail.

workshop ['wɜːkʃɒp] n [for repairs] atelier m.

work surface n UK plan m de travail.

worktop ['wɜːktɒp] n UK plan m de travail.

world [wɜːld] ◆ n monde m. ◆ adj mondial(e) ▸ **the best in the world** le meilleur du monde.

World Series n US : **the World Series** championnat américain de base-ball.

ⓘ **World Series**

Malgré son nom, le **World Series** est une série de sept rencontres sportives qui se déroulent qu'en Amérique du Nord. Ce championnat américain de baseball oppose les vainqueurs des deux principales ligues, la **American League** et la **National League**. Le **World Series** a lieu en octobre chaque année et constitue l'un des événements sportifs les plus importants aux États-Unis également connu sous le nom de **Fall Classic**.

---

worldwide [,wɜːld'waɪd] adv dans le monde entier.

World Wide Web n : **the World Wide Web** le World Wide Web.

worm [wɜːm] n ver m.

worn [wɔːn] ◆ pp → **wear**. ◆ adj [clothes, carpet] usé(e).

worn-out adj **1.** [clothes, shoes, etc.] usé(e) **2.** [tired] épuisé(e).

worried ['wʌrɪd] adj inquiet(iète).

worry ['wʌrɪ] ◆ n souci m. ◆ vt inquiéter. ◆ vi : **to worry (about)** s'inquiéter (pour).

worrying ['wʌrɪɪŋ] adj inquiétant(e).

worse [wɜːs] ◆ adj **1.** pire **2.** [more ill] plus mal. ◆ adv pire ▸ **to get worse** a) empirer b) [more ill] aller plus mal ▸ **worse off** a) [in worse position] en plus mauvaise posture b) [poorer] plus pauvre.

worsen ['wɜːsn] vi empirer.

worship ['wɜːʃɪp] ◆ n (U) [church service] office m. ◆ vt adorer.

worst [wɜːst] ◆ adj pire. ◆ adv le plus mal. ◆ n : **the worst** le pire (la pire).

worth [wɜːθ] prep : **how much is it worth?** combien ça vaut ? ▸ **it's worth £50** ça vaut 50 livres ▸ **it's worth seeing** ça vaut la peine d'être vu ▸ **it's not worth it** ça ne vaut pas la peine ▸ **£50 worth of traveller's cheques** des chèques de voyage pour une valeur de 50 livres.

worthless ['wɜːθlɪs] adj sans valeur.

worthwhile [ˌwɜːθ'waɪl] adj qui vaut la peine.

worthy ['wɜːðɪ] adj [cause] juste ▸ **to be a worthy winner** mériter de gagner ▸ **to be worthy of sthg** être digne de qqch.

would [wʊd] ◆ aux vb 1. [in reported speech] : **she said she would come** elle a dit qu'elle viendrait 2. [indicating condition] : **what would you do?** qu'est-ce que tu ferais ? ▸ **what would you have done?** qu'est-ce que tu aurais fait ? ▸ **I would be most grateful** je vous en serais très reconnaissant 3. [indicating willingness] : **she wouldn't go** elle refusait d'y aller ▸ **he would do anything for her** il ferait n'importe quoi pour elle 4. [in polite questions] : **would you like a drink?** voulez-vous boire quelque chose ? ▸ **would you mind closing the window?** cela vous ennuierait de fermer la fenêtre ? 5. [indicating inevitability] : **he would say that** ça ne m'étonne pas qu'il ait dit ça 6. [giving advice] : **I would report it if I were you** si j'étais vous, je le signalerais 7. [expressing opinions] : **I would prefer**

je préférerais ▸ **I would have thought (that)...** j'aurais pensé que....

wouldn't ['wʊdnt] → **would not**.

wound¹ [wuːnd] ◆ n blessure f. ◆ vt blesser.

wound² [waʊnd] pt & pp → **wind²**

wove [wəʊv] pt → **weave**.

woven ['wəʊvn] pp → **weave**.

wrap [ræp] vt [package] emballer ▸ **to wrap a towel around your waist** enrouler une serviette autour de la taille. ◆ **wrap up** ◆ vt sep [package] emballer. ◆ vi [dress warmly] s'emmitoufler.

wrapped [ræpt] adj [bread, cheese] préemballé.

wrapper ['ræpəʳ] n [for sweet] papier m.

wrapping ['ræpɪŋ] n [material] emballage m.

wrapping paper n papier m d'emballage.

wreath [riːθ] n couronne f.

wreck [rek] ◆ n 1. épave f 2. US [crash] accident m. ◆ vt 1. [destroy] détruire 2. [spoil] gâcher ▸ **to be wrecked** [ship] faire naufrage.

wreckage ['rekɪdʒ] n (U) 1. [of plane, car] débris mpl 2. [of building] décombres mpl.

wrench [rentʃ] n 1. UK [monkey wrench] clé f anglaise 2. US [spanner] clé f.

wrestler ['resləʳ] n lutteur m, -euse f.

wrestling ['reslɪŋ] n (U) lutte f.

wretched ['retʃɪd] adj 1. [miserable] misérable 2. [very bad] affreux(euse).

wriggle ['rɪgl] vt & vi tortiller.

wring [rɪŋ] (pt & pp **wrung**) vt [clothes, cloth] essorer.

wrinkle ['rɪŋkl] n ride f.

wrist [rɪst] n poignet m.

wrist rest n (U) repose-poignets m inv.

wristwatch ['rɪstwɒtʃ] n montre-bracelet f.

write [raɪt] (pt **wrote**, pp **written**) ◆ vt 1. écrire 2. [cheque, prescription] faire 3. US [send letter to] écrire à. ◆ vi écrire ▶ **to write to sb** UK écrire à qqn. ◆ **write back** vt sep écrire. ◆ **write down** vt sep noter. ◆ **write off** ◆ vt sep UK inf [car] bousiller. ◆ vi : **to write off for sthg** écrire pour demander qqch. ◆ **write out** vt sep 1. [list, essay] rédiger 2. [cheque, receipt] faire.

write-down n FIN dépréciation f.

write-off n UK [vehicle] épave f.

writer ['raɪtər] n [author] écrivain m.

writing ['raɪtɪŋ] n 1. écriture f 2. [written words] écrit m.

writing desk n secrétaire m.

writing pad n bloc-notes m.

writing paper n (U) papier m à lettres.

written ['rɪtn] pp → **write**.

wrong [rɒŋ] ◆ adj 1. mauvais(e) 2. [bad, immoral] mal inv. ◆ adv mal ▶ **to be wrong** [person] avoir tort ▶ **what's wrong?** qu'est-ce qui ne va pas ? ▶ **something's wrong with the car** la voiture a un problème ▶ **to be in the wrong** être dans son tort ▶ **to get sthg wrong** se tromper sur qqch ▶ **to go wrong** [machine] se détraquer ▶ **'wrong way'** US panneau indiquant un sens unique.

wrongly ['rɒŋli] adv mal.

wrong number n faux numéro m ▶ **sorry, I've got the wrong number** désolé, je me suis trompé de numéro ▶ **you've got the wrong number** vous vous êtes trompé de numéro.

wrote [rəʊt] pt → **write**.

wrought iron [rɔːt-] n (U) fer m forgé.

wrung [rʌŋ] pt & pp → **wring**.

WTO (abbr of World Trade Organization) n OMC f (Organisation mondiale du commerce).

wuss [wʌs] n inf mauviette f.

WWW (abbr of World Wide Web) n WWW m.

xing (written abbr of **crossing**) US : **'ped xing'** panneau signalant un passage clouté.

XL (abbr of extra-large) XL.

Xmas ['eksməs] n inf Noël m.

X-ray ◆ n [picture] radio(graphie) f. ◆ vt radiographier ▶ **to have an X-ray** passer une radio.

y (pl **y's** OR **ys**), **Y** (pl **Y's** OR **Ys**) [waɪ] n 1. [letter] y m inv, Y m inv 2. [in mathematics] y m inv 3. TEXTING (abbr of why) pk (pourquoi).

yacht [jɒt] n 1. [for pleasure] yacht m 2. [for racing] voilier m.

Yankee ['jæŋkɪ] n US [citizen] Yankee m ou f.

yard [jɑːd] n 1. [unit of measurement] = 91,44 cm, yard m 2. [enclosed area] cour f 3. US [garden] jardin m.

Yardie ['jɑːdɪ] n membre d'une organisation criminelle d'origine jamaïcaine.

yardman ['jɑːdmæn] n US jardinier m.

yard sale n US vente d'objets d'occasion par un particulier devant sa maison.

yarn [jɑːn] n (U) [thread] fil m.

yawn [jɔːn] vi [person] bâiller.

yd abbr of **yard**.

yea [jeɪ] ◆ adv [yes] oui. ◆ n [in vote] oui m.

yeah [jeə] adv inf ouais.

year [jɪəʳ] n an m, année f ▸ **next year** l'année prochaine ▸ **this year** cette année ▸ **I'm 15 years old** j'ai 15 ans ▸ **I haven't seen her for years** inf ça fait des années que je ne l'ai pas vue.

yearly ['jɪəlɪ] adj annuel(elle).

yeast [jiːst] n (U) levure f.

yell [jel] vi hurler.

yellow [jeləʊ] ◆ adj jaune. ◆ n (U) jaune m.

yellow lines npl bandes fpl jaunes.

Yellow Pages® n : (the) Yellow Pages les Pages fpl Jaunes.

yes [jes] adv oui.

yesterday ['jestədɪ] n & adv hier ▸ **the day before yesterday** avant-hier ▸ **yesterday afternoon** hier après-midi ▸ **yesterday morning** hier matin.

yet [jet] ◆ adv encore. ◆ conj pourtant ▸ **have they arrived yet?** est-ce qu'ils sont déjà arrivés ? ▸ **not yet** pas encore ▸ **I've yet to do it** je ne l'ai pas encore fait ▸ **yet again** encore une fois

▸ **yet another drink** encore un autre verre.

yew [juː] n if m.

Yiddish ['jɪdɪʃ] ◆ adj yiddish (inv). ◆ n [language] yiddish m.

yield [jiːld] ◆ vt [profit, interest] rapporter. ◆ vi [break, give way] céder ▸ **'yield'** US AUT 'cédez le passage'.

yikes [jaɪks] excl mince !

YMCA n association chrétienne de jeunes gens (proposant notamment des services d'hébergement).

yob [jɒb] n UK inf loubard m.

yoga ['jəʊɡə] n (U) yoga m.

yoghurt ['jɒɡət] n (U) yaourt m.

yolk [jəʊk] n jaune m d'œuf.

yonks [jɒŋks] n UK inf : **I haven't been there for yonks** il y a une paie ou ça fait un bail que je n'y suis pas allé.

York Minster ['jɔːk'mɪnstəʳ] n la cathédrale de York.

Yorkshire pudding ['jɔːkʃə-] n UK petit soufflé en pâte à crêpe servi avec le rosbif.

you [juː] ◆ pron 1. [subject, singular] tu ; [subject, polite form, plural] vous ▸ **you French** vous autres Français 2. [object, singular] te ; [object, polite form, plural] vous 3. [after prep, singular] toi ; [after prep, polite form, plural] vous ▸ **I'm shorter than you** je suis plus petit que toi ou vous 4. [indefinite use, subject] on ; [indefinite use, object] te, vous ▸ **you never know** on ne sait jamais.

you'd [juːd] → **you had, you would**.

you'll [juːl] → **you will**.

young [jʌŋ] ◆ adj jeune. ◆ npl : **the young** les jeunes mpl.

younger ['jʌŋɡəʳ] adj plus jeune.

youngest ['jʌŋgəst] adj le plus jeune (la plus jeune).

youngster ['jʌŋstəʳ] n jeune m ou f.

your [jɔːʳ] ◆ adj 1. [singular subject] ton (ta), tes pl ; [singular subject, polite form] votre, vos pl ; [plural subject] votre, vos pl ▸ **your dog** ton /votre chien ▸ **your house** ta /votre maison ▸ **your children** tes /vos enfants 2. [indefinite subject] : **it's good for your health** c'est bon pour la santé.

you're [jɔːʳ] → **you are.**

yours [jɔːz] pron 1. [singular subject] le tien (la tienne) 2. [plural subject, polite form] le vôtre (la vôtre) ▸ **a friend of yours** un ami à toi, un de tes amis ▸ **are these yours?** ils sont à toi /vous ?

yourself [jɔːˈself] (pl -selves) ◆ pron 1. [reflexive: singular] te ; [reflexive: plural, polite form] vous 2. [after prep: singular] toi ; [after prep: polite form, plural] vous ▸ **did you do it yourself?** a) [singular] tu l'as fait toi-même ? b) [polite form] vous l'avez fait vous-même ? ▸ **did you do it yourselves?** vous l'avez fait vous-mêmes ?

youth [juːθ] n 1. (U) jeunesse f 2. [young man] jeune m.

youth club n ≃ maison f des jeunes.

youth hostel n auberge f de jeunesse.

you've [juːv] → **you have.**

Yugoslavia [ˌjuːgəˈslɑːvɪə] n Yougoslavie f ▸ **the former Yugoslavia** l'ex-Yougoslavie.

yuppie ['jʌpɪ] n yuppie m ou f.

YWCA n association chrétienne de jeunes filles (proposant notamment des services d'hébergement).

Zz

zebra [UK 'zebrə, US 'ziːbrə] n zèbre m.

zebra crossing n UK passage m pour piétons.

zero ['zɪərəʊ] (pl -es) n zéro m ▸ **five degrees below zero** cinq degrés au-dessous de zéro.

zero-rating n exemption f de TVA.

zest [zest] n (U) [of lemon, orange] zeste m.

zigzag ['zɪgzæg] vi zigzaguer.

zinc [zɪŋk] n (U) zinc m.

zinger ['zɪŋəʳ] n US inf 1. [pointed remark] pique f 2. [impressive thing] : **it was a real zinger** c'était impressionnant.

zip [zɪp] ◆ n UK fermeture f Éclair®. ◆ vt 1. fermer 2. COMPUT zipper. ◆ **zip up** vt sep fermer.

zip code n US code m postal.

zip file n fichier m ZIP.

zipper ['zɪpəʳ] n US fermeture f Éclair®.

zit [zɪt] n inf bouton m.

zodiac ['zəʊdɪæk] n zodiaque m.

zone [zəʊn] n zone f.

zoo [zuː] (pl -s) n zoo m.

zoom (lens) [zuːm-] n zoom m.

zucchini [zuːˈkiːnɪ] (pl inv) n US courgette f.